Deutsches Theater seit 1945

Hans Daiber

Deutsches Theater seit 1945

Bundesrepublik Deutschland
Deutsche Demokratische Republik
Österreich
Schweiz

Mit 67 Abbildungen

Philipp Reclam jun. Stuttgart

CIP-Kurztitelaufnahme der Deutschen Bibliothek

Daiber , Hans
Deutsches Theater seit 1945 [neunzehnhundertfünfundvierzig] :
Bundesrepublik Deutschland, Dt. Demokrat. Republik, Österreich, Schweiz. –
1. Aufl. – Stuttgart : Reclam, 1976.
    ISBN 3-15-010259-6

cc

Schrift: Borgis Garamond-Antiqua. Printed in Germany 1976
Satz: BHW, Stuttgart. Druck: Reclam Stuttgart
Umschlaggestaltung: Hanns Lohrer, Stuttgart
ISBN 3–15–010259–6

Inhalt

Die Stunde Null

»Man wird eine neue Lebensform finden; gerade wir, die Erfolg hatten, können auf äußere Glücksmöglichkeiten verzichten. Beruf, Kunst – wir haben das alles gelebt, uns bis zu einem gewissen Grade erfüllt. Vielleicht werden wir nun menschliche Erlebnismöglichkeiten nachholen.« Das sagte Gerhart von Westerman, Intendant der Berliner Philharmoniker, am 26. April 1945 im Keller des Hauses Lindenallee 27, am Reichskanzlerplatz, während draußen die Zerstörung Berlins rasende Fortschritte machte. Gustaf Gründgens fügte sarkastisch hinzu: ». . . und ich werde pausenlos SS-Männer darstellen müssen.«

Ein Kellergespräch im Kerzenschein, bei Sekt und Konserven. Es drehte sich vor allem um die Frage, ob Schauspieler und Schauspielerei noch Existenzberechtigung haben würden. Die Schauspieler Kurt Weitkamp und Hans Brausewetter waren dabei sowie die Schriftstellerin Karla Höcker, die diese Szene überliefert hat. Die Wohnung gehörte Gustav Knuth, der das Glück hatte, in der Lüneburger Heide beschäftigt zu sein, mit dem Film *Das Leben geht weiter*. Die Wohnung von Gründgens in der benachbarten Fredericiastraße war unbewohnbar geworden. In der Oper werde »die große Form weichen«, meinte Westerman, man werde wieder Kammerorchester haben, wieder experimentieren. »Ja, wenn sie uns experimentieren lassen!« warf Brausewetter ein, der zwei Tage darauf von Bombensplittern erwischt wurde und fünf Tage später an einer Embolie starb.

Vor allem am Zürcher Schauspielhaus machte man sich Gedanken darüber, wie es weitergehen solle, jedenfalls der politische Kern des Ensembles überlegte sich das. Es waren aus Deutschland und Österreich vertriebene Juden und Kommunisten, Wolfgang Langhoff, Karl Paryla und sein Bruder Emil Stöhr, Wolfgang Heinz, Kurt Hirschfeld, Leopold Lindtberg, Leonard Steckel, Kurt Horwitz, der Bühnenbildner Teo Otto. Sie glaubten, dem Kriege werde die Einigung Europas folgen; auch der Verleger Emil Oprecht glaubte das, damals Vorsitzender des Aufsichtsrates des Schauspielhauses.

Nur noch auf schweizerischen Bühnen wurde deutsch gesprochen, nachdem Dr. Joseph Goebbels als »Reichsbevollmächtigter für den totalen Kriegseinsatz« zum 1. September 1944 die Schließung aller Theater in seinem Machtbereich verfügt hatte. Deutschsprachig waren von den fast neunzig Theatern in der Schweiz zwei Dutzend, von den zwanzig stehenden Berufsbühnen etwa zwölf, vor allem die in Aarau und Chur (gemeinsames Stadttheater), in Basel, in Bern, in Biel und Solothurn (Städtebundtheater), in Luzern, in Sankt Gallen, in Schaffhausen und in Zürich.

Unter diesen deutsch-schweizerischen Theatern nahm das Zürcher Schauspielhaus eine überragende Sonderstellung ein. Es »war wohl der einzige Ort in der Schweiz, wo die Emigranten von der breiten Öffentlichkeit vorbehaltlos unterstützt, wo ihre Leistungen offen anerkannt und gewürdigt wurden«, schrieb Peter Stahlberger in einer Würdigung Emil Oprechts. »Die Flüchtlinge selber spürten, daß hier die unselige, den Geboten der Zeit nicht entsprechende Grenze zwischen Emigranten und Einheimischen durch ein größeres Ganzes verwischt worden war.« Den Stimmungsumschwung zu ihren Gunsten hatte Wolfgang Langhoffs Bericht über das Konzen-

trationslager Esterwegen, *Die Moorsoldaten*, bewirkt. Langhoff war 1934 nach Zürich gekommen, 1935 erschien dort sein Buch. Auch die Dramatiker Hans Weigel, Fritz Hochwälder und Georg Kaiser hatten in der Schweiz Asyl gefunden. Das Zürcher Schauspielhaus galt als »Emigrantentheater«, obwohl das Ensemble zum größten Teil aus Schweizer Bürgern bestand; seine Bühne wurde als politisches Schaufenster angesehen, obwohl das Schauspielhaus mit einem gemischten Spielplan Stadttheater-Pflichten erfüllte. Aber die Mischung war anders als anderswo, auch anders als beim »Stadttheater« genannten Zürcher Opernhaus, obwohl beide Theater juristisch dieselbe Verfassung hatten (und haben), nämlich »gemeinnützige« Aktiengesellschaften waren (und sind). Beide Privattheater, beide theoretisch unanfechtbar, wenn die Theaterleitung die branchenüblichen arbeitsrechtlichen Voraussetzungen erfüllt. Im Aufsichtsrat des Stadttheaters war Oprecht nur Mitglied unter anderen, hatte Karl Schmid-Bloß nur die künstlerische Oberleitung, während im Schauspielhaus Oskar Wälterlin der künstlerische und der administrative Chef war. Solche personellen Unterschiede dürften dem Schauspielhaus das schärfere Profil gegeben haben. Außerdem taugt ein Musiktheater weit weniger zum »Gesinnungsbetrieb«. Der Basler Wälterlin hatte 1938, aus Frankfurt kommend, ein entschieden antifaschistisches Ensemble übernommen und ausgebaut.
In der Nacht vom 8. auf den 9. Mai 1945 trat die Kapitulation der deutschen Wehrmacht in Kraft, am 9. Mai organisierte Wolfgang Langhoff eine »Hilfsaktion für Deutschland«. Zürcher Schauspieler schrieben für ihre deutschen Kollegen Dramen von Jean Giraudoux, Jean-Paul Sartre, Friedrich Wolf, Thornton Wilder, Ferdinand Bruckner ab. Das Zürcher Schauspielhaus wurde zur Auskunftei. Kleidung und Lebensmittel wurden gesammelt, Requisiten, Vorhangstoffe und Textbücher.
Am 6. Mai machte sich Leonard Steckel, Bühnenvorstand und Regisseur, »Notizen zum ideellen Neuaufbau des Theaterwesens im freien Deutschland«: »Es wird aller Wahrscheinlichkeit nach in Deutschland in der ersten Nachkriegszeit keine ständigen Theater geben. Gastspieltruppen, zum Teil von den Besatzungsmächten zusammengestellt und umhergeschickt, werden in den Ortschaften auf improvisierten Bühnen spielen. [...], mögen Verwaltung und Zensur der Besatzungsmächte erkennen, daß das Theater eine gewichtige Stimme für den demokratischen Staatsgedanken zu sein vermag [...], dann wird sich in nicht ferner Zeit irgendwo zwischen den Trümmern der deutschen Städte der Vorhang heben, und ein Festspiel wird eine neue, freiheitliche Spielzeit eröffnen.«
Den Traum von einem Theater, das nur Positives zeigen, auf Haß und Hohn total verzichten sollte, hatte Ida Ehre schon im Kriege Freunden mitgeteilt, im Mai 1943, auf der Hochzeitsfeier des Schauspielers Erwin Linder. Es war geglückt, Frau Ehres Entlassung aus dem Zuchthaus Hamburg-Fuhlsbüttel zu erwirken. Sie war schon unterwegs gewesen nach Südamerika, da kehrte das Schiff um, weil der Krieg ausgebrochen war. So war sie in Hamburg »hängengeblieben«, ihr Mann, ein Arzt, kein Jude, brachte sich und sie, die »verbotene« Schauspielerin, als Vertreter durch. »Wie ein Leuchtturm« sollte Ida Ehres künftiges Theater sein, »wie die biblische Feuersäule« habe ihr dieser Plan in dunkelsten Tagen vor der Seele gestanden. Am 28. August 1945 trat sie zum ersten Mal wieder öffentlich auf, als die Mutter in Hofmannsthals *Jedermann*, einstudiert von Gerhard Bünte in der Harvestehuder Kirche, mit Werner Hinz in der Titelrolle, Erwin Linder als der Gute Gesell, Maria

Wimmer als Glaube, Hans Mahnke als Gottvater, Helmuth Gmelin und Georg Mark als Tod und Teufel.
Im August 1945 notierte der Regisseur Leopold Lindtberg: »Dem kulturellen Aufbau stellt sich ein einziges, ein brennendes Problem: die Erziehung. Nie war die sittliche Aufgabe des Theaters bedeutsamer. [...] Wir können nicht einmal sagen: nun geht der Vorhang wieder auf. Wenn die Theater wieder spielen werden, werden keine Vorhänge da sein. Eine Armut, die wir uns nicht vorstellen können, wird alles Leben beherrschen. Wir werden im wahrsten Sinne aus der Not eine Tugend machen müssen.«
Inzwischen wurde in Deutschland und Österreich längst wieder Theater gespielt – und zwar weitgehend unberührt von solchen Skrupeln. Man sprach und schrieb viel vom Neubeginn, die Wendung »Theater nach der Pause« kam auf. Sie beschönigt – nicht nur, weil das Ende des ›Dritten Reiches‹ eine dramatischere Bezeichnung verdient hätte, sondern auch, weil die Unterbrechung so undeutlich war.
Freilich war die Spielzeit 1944/45 nicht normal, aber es gab sie. Auch in der Zeit des Spielverbots hat es zahlreiche Theatermatineen und andere Sonderveranstaltungen gegeben. Im Wiener Theater in der Josefstadt wurde im Februar, März und April 1945 noch dreizehnmal *Götter auf Urlaub* und zwölfmal *Die große Kurve* gespielt. Das Preußische Staatsschauspiel am Gendarmenmarkt zeigte Klassiker in Sackleinwand, ohne Kostüme und Dekor. Tiefe Erschütterung unter den Zuschauern. In Braunschweig wurde schon im Februar 1945 die Arbeit im Ballettsaal wiederaufgenommen, und am 25. März begannen die Veranstaltungen wieder, mit Szenen aus *Hannibal und Scipio, Egmont, Faust* und dem *Prinzen von Homburg*. Man rezitierte in einer Schulaula, das »Große Haus« war zerstört. Am 12. April gab es in Braunschweig allerdings wieder eine größere Störung: die Amerikaner rückten in die Stadt ein. Es wurde ein neuer Intendant eingesetzt – am Programm ist nicht der geringste Unterschied zu erkennen.
In Zürich nahm man an, es werde in Deutschland noch jahrelang kein ständiges Theater geben, nur Gastspieltruppen von Gnaden der Besatzungsmächte. Darum hielten die Mitglieder des Zürcher Schauspielhauses Gastspiele in Deutschland und Österreich für ihre nächste wesentliche Aufgabe. Schon aus diesem Grunde wollten sie zusammenbleiben. Kurt Hirschfeld fragte: »Ist in einem künftigen Theater eines freien Deutschlands Haltung und Spielplan des Zürcher Schauspielhauses zu übernehmen?« Er bejahte das für die »künstlerische Haltung«, zweifelte aber, »ob nicht die Aufgabe einer neuen freien Bühne sein wird, die Menschen aus ihrer Apathie zu wecken, ihnen wieder auf schlichte und herkömmliche Weise die Möglichkeiten des Lebens zu zeigen und sie so langsam dem Theater zuzuführen, um damit die Grundlage zu zeigen für jenes neue Theater, das zur Diskussion und damit zur Demokratie erzieht. Die Bejahung des Daseins ist eine Voraussetzung für die Diskussion seiner Probleme, der Wille zum Wiederaufbau gibt erst die Möglichkeit des Gesprächs.«
Der Schweizerische Bühnenverband schickte eine namhafte Geldspende an die neugegründete ›Genossenschaft Deutscher Bühnen-Angehörigen‹, außerdem Sachspenden an einzelne Bühnen, zum Beispiel einen großen Posten Glühbirnen nach Essen und an andere rheinische Theater. Über eine *Iphigenie*-Aufführung in Konstanz schrieb Ludwig Emanuel Reindl so ergreifend im *Schweizer Journal* (»der Stern der Jugend

und der Trost der Alten«), daß die Zeitung *Die Tat* eine Hilfsaktion startete. Ein ganzes Warenlager rollte an: Kostüme, Requisiten, Textbücher und sogar Scheuerlappen.

Erich Kästner betrachtete die deutsch-schweizerische Grenze in Konstanz und meinte: »Wie so eine Grenze, die ein paar Häuser von ein paar Nachbarhäusern und Menschen von Mitmenschen trennt, im totalen Krieg ausgesehen und funktioniert hat, mag man sich kaum vorstellen. [...] Man hatte einen Bretterzaun quer durch Konstanz gebaut. Damit war markiert, daß die Menschen auf dessen einer Seite aus der Luft, von vorn und hinten totgeschossen, daß sie gequält und wie Ungeziefer behandelt werden durften, auf der anderen Seite jedoch in Recht und Frieden leben durften. Ein paar Holzschranken und ein Bretterzaun hielten die Lawine des Wahnsinns symbolisch auf! Wenn das ein Dichter erfände, würde er ausgelacht.«

Noch einmal Leopold Lindtberg jenseits der Schranke: »Nicht Starprinzip und nicht Massenkult werden das Theater beherrschen, nicht abseitige esoterische Probleme und nicht gewalttätige lärmende Parolen; wir werden menschliche Beziehungen mit Sorgfalt und Würde zur Diskussion stellen, den Erschöpften und Verbitterten das Leben wieder nahebringen müssen, um sie zu überzeugen, daß es ergreifend, beglückend und befreiend für den Menschen ist, sich mit menschlichen Dingen auseinanderzusetzen.«

Inzwischen sind zahllose Fehler gemacht worden, aus Dummheit, Schwäche, Gleichgültigkeit, Eigennutz, Ungeduld, politischer Verblendung, Feigheit, Zynismus. Trotzdem kann man kaum von persönlicher Schuld einzelner reden. Die Welt hat sich nach dem zweiten Weltkrieg nicht geändert. Der zweite Weltkrieg ist nur ein nationalistischer Exzeß gewesen, der ein gemeingefährliches Extrem beseitigt, die eigentlichen Weltprobleme aber nicht bereinigt hat. Es hat sich keine neue Moral durchgesetzt, die Meinungen der Zürcher Theaterleute von 1945 sind Utopie geblieben, Festtags-Gesinnung im Klange der Friedensglocken.

Im eroberten Berlin

Der erste Befehl (28. April 1945) an die Berliner, den der sowjetische General-oberst Bersarin erteilte, erlaubte Theatervorstellungen bis 21 Uhr. Bersarin war in den dreißiger Jahren Militärattaché in Berlin gewesen und hatte damals ein Abonnement im Deutschen Theater gehabt. Inzwischen war Berlin mit 80 Millionen Kubikmetern Schutt bedeckt und nur noch von 2,8 Millionen Menschen bewohnt. Im Jahre 1939 waren es 4,3 Millionen gewesen. Die Verkehrswege waren zerstört, die Leitungen für Elektrizität, Wasser und Gas unterbrochen. »berlin, eine radierung churchills, nach einer idee hitlers. berlin, der schutthaufen bei potsdam« (Brecht).
Am 14. Mai legten Theaterleiter dem ›Beauftragten des sowjetischen Militärkommandanten für das Kunstschaffen‹ Clemens Herzberg ihre Pläne für den Wiederaufbau vor. Es waren Heinz Tietjen (bis 1945 Generalintendant der preußischen Staatstheater), der ehemalige Staatsschauspieler Paul Wegener (bisher Schiller-Theater), Ernst Legal (bisher Oberspielleiter am Schiller-Theater), der ehemalige Staatsschauspieler Victor de Kowa (bisher Intendant der Komödie am Kurfürstendamm) und Gustaf Gründgens. Einen Tag danach wurden fünf Ernährungsgruppen eingeführt, deren beste die Künstler mit den Wissenschaftlern und den Betriebsführern zu den Schwerarbeitern zählte. Der Bürgermeister des jeweiligen Bezirks mußte die sich meldenden Künstler legitimieren.
Am 16. Mai mahnte Bersarin, mit dem Spiel endlich zu beginnen. Immerhin war das Deutsche Theater in der Schumannstraße erhalten. Heinz Hilpert, sein bisheriger Direktor, hatte sich nach Westen abgesetzt. Zu den Resten seiner Leute gesellten sich die Reste des Gründgens-Ensembles, dessen Haus am Gendarmenmarkt mit den Dependencen (Kleines Haus Nürnberger Straße und Lustspielhaus Friedrichstraße) zertrümmert war. Mit einigen Matineen traute man sich an die Öffentlichkeit. Lessings »Ringparabel« wurde gelesen, Heine, Hofmannsthal (zugleich Trauerfeier für Hans Brausewetter), russische Klassik.
Am 18. Mai gaben Mitglieder des Orchesters der Städtischen Oper das erste Symphoniekonzert im großen Sendesaal des Funkhauses in der Masurenallee. Leopold Ludwig, ehemals Staatskapellmeister an der Deutschen Oper, dirigierte die Figaro-Ouvertüre und zum Schluß Tschaikowskys Fünfte. Kammersängerin Irma Beilke sang Mozart, in einem geliehenen Abendkleid. Victor de Kowa sagte das Programm an. Zwei Rotarmisten hatten ihn zu diesem Zweck aus seiner Charlottenburger Villa geholt, er hatte sich für verhaftet gehalten. Bersarin befahl ihm bei dieser Gelegenheit, in Berlin ein weiteres spielfähiges Theater zu finden. Das kam einer Expedition ins Ungewisse gleich. Er fand die ›Tribüne am Knie‹.
Am 27. Mai gab es in Berlin die erste genehmigte Theateraufführung: im Renaissance-Theater wurde Schönthans Posse Der Raub der Sabinerinnen gespielt. Eine Inszenierung von Ernst Legal mit Hans Herrmann Schaufuß als Striese. Es war eine aufgewärmte Staatstheater-Inszenierung aus der Zeit vor der »Pause«, schon der dritte Versuch, wie der Theaterkritiker Fritz Erpenbeck, der Ende April aus der Sowjetunion gekommen war, überlieferte: »Im entscheidenden Augenblick blieb

der Strom fort; die Elektrizitätswerke arbeiteten noch ganz sporadisch, und das Kabelnetz wurde durch gelegentliche Explosionen bald da, bald dort zerrissen oder durch Kurzschlüsse infolge fortwährender unterirdischer Wasserrohrbrüche unterbrochen. Endlich, am dritten Abend, nach einem neuerlichen Anmarsch durch Trümmer und Staub, sahen wir den Vorhang mit einiger Verspätung sich heben. [...] In der Pause sah ich bewährte ›Leute vom Bau‹, die natürlich den Großteil der Zuschauer ausmachten, vor Ergriffenheit weinen.«

Victor de Kowas Theaterchen war verdreckt, aber ein Reinigungs- und Spieltrupp war zur Hand: die Kollegen und Kolleginnen, denen er damals in seiner Villa in Charlottenburg Obdach gewährte: Karl Schönboeck, Günther Lüders, Hildegard Knef, der junge Kommunist Wolfgang Harich (aus einem Strafbataillon zurückgekehrt) und andere. Das Haus wurde respektiert, weil der Hausherr einer subversiven Gruppe angehört und in Alarm-Nächten »Nein« an Wände gepinselt hatte.

Am 1. Juni »hißte« de Kowa, wie er sagte, »die weiße Fahne der Unterhaltung«. Es gab ein Kleinkunstprogramm. Hildegard Knef: »Ich durfte ansagen. ›Eins, zwei, drei, im Sauseschritt läuft die Zeit, wir laufen mit . . .‹ begann ich, und damit der Reigen der großen Stars, die mehr oder minder verhungert bei Kerzenlicht Gedichte aufsagten, Klavier spielten, Lieder sangen oder tanzten.« Die Kostümierung der Herren bestand aus weißen Krawatten, die Damen trugen Abendkleider aus Bettlaken.

Am 5. Juni verkündete die Kommission für Europäische Fragen den Zusammenschluß der Oberbefehlshaber der vier Besatzungsarmeen zum Kontrollrat als oberstem Regierungsorgan in Deutschland. Unter seiner Leitung verwaltete fortan eine interalliierte Kommandantur unter wechselndem Vorsitz das Gebiet von Groß-Berlin, das in vier Sektoren eingeteilt wurde. Die Russen bekamen das Stadtzentrum, zugleich Theaterzentrum, mit dem Deutschen Theater und dem Theater am Schiffbauerdamm, den Ruinen der Staatsoper Unter den Linden, des Staatlichen Schauspielhauses am Gendarmenmarkt und der Komischen Oper in der Behrenstraße.

Um das Deutsche Theater erneut in Gang zu bringen, wurde Schillers *Parasit* wiedereinstudiert, der dank der Stroux-Inszenierung im Staatstheater am Gendarmenmarkt (Spielzeit 1942/43) noch leidlich gegenwärtig war. Kaum gezeigt (26. Juni), wurde das Stück verboten, weil den Sowjets der Schluß mißfiel, bei dem die Nazis sich nichts Böses gedacht hatten: »Das Gespinst der Lüge umstrickt den Besten; der Redliche kann nicht durchdringen; die kriechende Mittelmäßigkeit kommt weiter als das geflügelte Talent; der Schein regiert die Welt, und die Gerechtigkeit ist nur auf der Bühne.« Die Beteiligten wurden mit je 500 Reichsmark und einem »Freßpaket« abgefunden. Der nächste Versuch wurde mit *Unsere kleine Stadt* von Thornton Wilder gemacht. Bruno Hübner, bisher Oberspielleiter und Staatsschauspieler, leitete das Spiel und sprach den »Spielleiter«. Der Text war greifbar, weil Gründgens ihn sich nach der Zürcher Premiere (1939) auf Umwegen hatte kommen lassen. Die Aufführung hatte damals unterbleiben müssen, weil der Autor gefordert hatte, die Tantiemen zugunsten emigrierter deutscher Schriftsteller in die Schweiz zu transferieren. Diesmal kam es zu einer einzigen Aufführung, denn den Russen gefiel weder Form noch Inhalt. Herbert Ihering, ein im ›Dritten Reich‹ behinderter Theaterkritiker, der im Besetzungsbüro der ›Tobis-Filmkunst‹ und als künstlerischer

Wilder, Unsere kleine Stadt. Deutsches Theater Berlin, Sommer 1945. Schauspieler-Kollektiv des ehemaligen Hilpert-Ensembles. Max Eckard, Robert Taube, Ruth Schilling (Foto: Bildarchiv Preuß. Kulturbesitz/Saeger)

Beirat des Burgtheaters überdauert hatte, nun Chefdramaturg des Deutschen Theaters, schrieb, das Verbot beschönigend: »Fast zu idyllisch wirkte in unseren brandgeschwärzten, kaum verrauchten Trümmern das Leben dieser fernen Stadt, fast zu resigniert die Unterhaltung der Toten im letzten Akt. Wir waren noch zu aufgewühlt, um die Distanz aufzubringen, aus der diese Welt betrachtet werden muß.«

Schon einige Tage nach der Eroberung Berlins hatte Kammersänger Michael Bohnen, einst der berühmteste Baß-Bariton neben Fjodor Schaljapin, zuletzt Intendant der Städtischen Oper, die Ruine des Theaters des Westens in der Kantstraße inspiziert. Das Gerücht, das Theater des Westens solle wiedereröffnet werden, lockte Theaterleute aller Sparten in die Ruine. In freiwilliger Arbeit wurden in den langen Sommertagen vom Morgengrauen bis zur Abenddämmerung Leichen und Blindgänger beseitigt, wurde Verwendbares aus dem Schutt der niedergebrochenen Decke gewühlt. Aus anderen, noch schlimmer getroffenen Theatern holte man Stühle, Maschinen, man »fand« Leinwand, Farben, Nägel.

Am 15. Juni wurde, zwar noch unter freiem Himmel, aber schon auf der Bühne getanzt. Man hatte die Suite *Tänze aus Galanta* von Zoltán Kodály zum Divertissement ausgearbeitet, das sich als Dorfgeschichte gab, gipfelnd in einer ungarischen

Hochzeit. Es tanzten Lieselotte Harbeth und Rudolf Kölling, Margo Ufer, Maria Litto und Daisy Spies. »Wenn ihr nicht gut seid, wird die Oper nie eröffnet«, hatte Bohnen gesagt. Nach der Vorstellung holten asiatische Rotarmisten mit Militärfahrzeugen die Tänzer ab. Sie fürchteten Entführung, aber die Fahrt ging nur in ein nahegelegenes Lokal, wo Generaloberst Bersarin sie bewirtete und auf jeden Solisten einen Trinkspruch ausbrachte. Am nächsten Morgen hieß es, Bersarin sei auf der Heimfahrt tödlich verunglückt. Ende August meldete die amerikanisch lizensierte *Allgemeine Zeitung* die »reinste Freude« über ein buntes Tanzprogramm *Geschichten aus dem Wiener Wald*, choreographiert von Jens Keith, bisher Tanzmeister am Theater am Nollendorfplatz, mit Rudolf Kölling und Daisy Spies.

Anfang Juli waren die amerikanischen, englischen und französischen Truppen eingerückt. Im amerikanischen Sektor lag nur eine große Bühne, das Hebbel-Theater. Die Engländer übernahmen die Kurfürstendamm-Gegend mit einigen Boulevardtheatern sowie den Ruinen der Deutschen Oper und des Theaters des Westens. Sie beauftragten Karl Heinz Martin, bis 1945 Spielleiter und Bühnenvorstand am Schiller-Theater, mit der Eröffnung des Renaissance-Theaters. Martin inszenierte Schnitzlers *Grünen Kakadu* und Wedekinds *Kammersänger*. Ita Maximowna, in deren Kladower Haus Martin das Kriegsende überlebt hatte, entwarf die Bühnenbilder. Am 7. Juli war Premiere, aber nach einigen Vorstellungen beschlagnahmten

Amerikanische Kulturoffiziere übergeben die Lizenz für das Hebbel-Theater Berlin an Karl Heinz Martin (rechts), Mitte: Oberbürgermeister Dr. Werner (Foto: Bildarchiv Preuß. Kulturbesitz/Saeger)

die Engländer das Theater, zwecks Truppenbetreuung. Kurt Raeck, der zusammen mit Oscar Ingenohl schon Geschäftsführer des Renaissance-Theaters gewesen war, als es noch als ›Kleines Haus‹ zu Heinrich Georges Schiller-Theater gehört hatte, mußte das dem bereits versammelten Publikum verkünden. Die Engländer engagierten ihn und Victor de Kowa, ihr Entertainment zu organisieren. Die Amerikaner gaben Martin daraufhin die Lizenz für das Hebbel-Theater, vorher ›Theater in der Saarlandstraße‹. Am 15. August 1946 eröffnete Martin mit einer *Dreigroschenoper.*

Die sowjetische Militärkommandantur bestimmte zunächst Heinz Tietjen zum Intendanten des Theaters des Westens in der Kantstraße und des Admiralspalastes in der Friedrichstraße, ehemals ein Großvarieté. Dann aber überließ sie das Haus in der Kantstraße dem eifrigen Bohnen und den Admiralspalast Ernst Legal für die obdachlose Staatsoper. Unter Legals Generalintendanz sollte Jürgen Fehling, ehemals Oberspielleiter an den preußischen Staatstheatern, Schauspieldirektor des Deutschen Theaters werden, der aber wollte sein eigener Herr sein. »Weil man ihn nicht auf Anhieb zum Herrscher aller noch existierenden Bühnen Berlins machen wollte, schlug er gewaltig Krach. Er verließ den Sitzungsraum mit den denkwürdigen Worten: ›So treibt man schon wieder den ersten Deutschen in die Emigration‹« (Friedrich Luft).

Offiziere der amerikanischen Militärmission in der Ruine des Opernhauses Berlin-Charlottenburg. Dritter v. l.: Intendant Michael Bohnen (Foto: Bildarchiv Preuß. Kulturbesitz/ Saeger)

Nach einer Eröffnungs-Zeremonie am 30. Juni im Deutschen Theater gab die Staatsoper am Nachmittag des 23. August ein Konzert im Admiralspalast. Margarete Klose und der Chor boten Hörproben aus Glucks *Orpheus und Eurydike*. Als dann am 9. September die Staatsoper den ganzen *Orpheus* bot, hatte Anneliese Müller für die erkrankte Frau Klose einspringen müssen. Tiana Lemnitz gab die Eurydike. Der Kritiker der *Allgemeinen Zeitung* fand die Inszenierung Wolf Völkers zu statuarisch. »Die schauenden Hörer hielten tapfer zweieinhalb Stunden durch.« Inzwischen war man auch in der ›Tribüne‹ zu »richtigen« Theaterstücken übergegangen: am 26. August gab es dort *Improvisationen im Juni*, eine Komödie von Max Mohr. Die Verwandtschaft mit Georg Kaisers *Von morgens bis Mitternacht* sei unverkennbar, meinte die *Allgemeine Zeitung*. Das Publikum sei begeistert gewesen, der Schlußbeifall wollte »kein Ende nehmen«.
Theaterbesuch war riskant. »In kaputten Turnschuhen« heimkehrend aus der Schumannstraße, fiel der angehende Theaterkritiker Friedrich Luft am Großen Stern unter die Räuber. Sie schlugen ihn nieder und nahmen ihm »die letzten paar Reichsmark« weg. Luft hatte Schillers *Parasit* gesehen, die schon erwähnte wiederbelebte Staatstheater-Darbietung von Karl Heinz Stroux. Man hat mit dem erstbesten wieder angefangen, und das ist öfters schlechter als recht gewesen. Es sollte schnell gehen, die Besatzungsmächte drängten selber zur Eile, jede auf die Initiative der andern schielend.
Der Eindruck von einem hastigen Freistilringen verstärkt sich, wenn man die Initiativen in den Außenbezirken bedenkt. Als das Zentrum zerschlagen war, begann die hohe Zeit der Bezirke, der Städtchen in der Stadt. Sie hatten Ehrgeiz, und sie hatten Geld. Und der Magistrat war schwach und weit. Es gab zunächst weder öffentliche Verkehrsmittel noch Telefone, also konnten Weisungen nur mit Boten erteilt, Erlaubnisse nur von Boten eingeholt werden. Das bedeutete beschwerliche, sogar gefährliche Tagesmärsche. (Von 23 bis 5 Uhr war Ausgehverbot.) In Weißensee spielte man schon Theater, als man im Zentrum noch schoß. Eine Freilichtbühne tat sich in Friedrichshain auf. In Schmargendorf wurde der Staatsschauspieler Walter Franck vorübergehend stellvertretender Bürgermeister. In Wilmersdorf entstand im Handumdrehen ein ganzes ›Kunstamt‹ für alle Sparten. Im Pankower Tivoli-Kino eröffnete im August ein ›Volkstheater‹ mit Tolstois *Lebendem Leichnam*. Das Ensemble bestand aus 80 Köpfen, in zehn Tagen kamen 6 000 Zuschauer. *Tasso*, *Tell*, *Der eingebildete Kranke*, Georg Kaisers *Gas* wurden angekündigt. Bald verschwand das Unternehmen spurlos.
Die ›Städtischen Bühnen Friedenau‹ zeigten am 31. August die erste Oper nach Kriegsende, Rossinis *Barbier von Sevilla*, im Bürgersaal des Rathauses am Lauterplatz. (Später tat sich dort ein ›Lustspielhaus des Westens‹ auf.) »Mit leisem Erstaunen und mit Respekt« verließ der Musikkritiker der *Allgemeinen Zeitung* das Rathaus. Er hatte ein Kammerspiel gesehen, begleitet von Klavier und kleinem Streichorchester. Ein emeritierter Sänger, einst Partner Carusos, hatte das Werk mit »sparsamsten Mitteln« einstudiert.
Am 31. August hatte die *Allgemeine Zeitung* die Eröffnungsfeier einer ›Jürgen-Fehling-Gesellschaft‹ im Künstlerhaus Zehlendorf gemeldet. »Haus, Bühne, Mittel, Schauspieler – er muß sich alles erkämpfen.« Aber man sei sich nun »fast im Zweifel, ob das nicht doch der diesem Manne gemäße Weg ist«. Am 6. Oktober gab es

im ›Jürgen-Fehling-Theater‹ in Lichterfelde (dem Saalbau eines Garten-Etablissements) den *Urfaust,* mit Joana Maria Gorvin als Gretchen, einem vergleichsweise schwachen Faust und Otto Eduard Hasse als Mephisto. Ein »ungeheures Erlebnis« laut Hasse, der in Kaputh bei Potsdam in Zivilkleider geschlüpft war und zwei Zimmer im Grunewald bewohnte.

Wieder einmal hatte Fehling gezeigt, daß er der Löwe war: »Der da oben stand und sich verneigte zum Dank für den überströmenden Beifall, den ein aufgewühltes Publikum ihm und seinen Schauspielern darbot, ist ein Mann über sechzig Jahre und ist so jung, daß er noch einmal, fünfundzwanzig Jahre nach seiner ersten Berliner Inszenierung, auszieht, um die Langeweile, die Konvention, die Halbheit von der Szene herunterzujagen und sie mit seiner Dämonie zu füllen. [...] Was wir bisher in den schön gepflegten und erhaltenen Häusern der Schumann- und der Stresemannstraße vermissen [Deutsches Theater und Hebbel-Theater] – hier auf dieser primitiven Bühne wurde es uns geschenkt: die Rückkehr zu den Ursprüngen des Echt-Theatralischen« (Walther Karsch). Leider gelang Fehling in seinem Wirtshaussaal nur noch ein Geniestreich, seine Inszenierung eines Liebesdramas unter dem Gesetz des Krieges, des ersten Weltkrieges: *Das Grabmal des unbekannten Soldaten* von Paul Raynal, wieder mit der Gorvin und mit Ernst Wilhelm Borchert als Soldat.

Sowie man aus dem Allergröbsten heraus war, schienen die ersten Regungen ärmlich, nicht mehr repräsentativ und bedeutungsträchtig genug. Also eröffnete man das Theater des Westens als Städtische Oper noch einmal, mit *Fidelio,* dirigiert von Robert Heger, mit Karina Kutz in der Titelrolle, Günther Treptow als Florestan, Hanns-Heinz Nissen als Pizarro, Irma Beilke und Erich Witte als Marzelline und Jaquino.

Der Neubeginn in ›Max Reinhardts Deutschem Theater‹ (der Senat hatte diese Namensergänzung beschlossen) wurde auf den 7. September datiert, den Tag der Premiere von Lessings *Nathan.* Als Intendant amtierte seit August Gustav von Wangenheim, ein Rückkehrer aus Moskau. Regisseur war Fritz Wisten, bis 1941 Theaterleiter des Jüdischen Kulturbundes in Berlin, danach zeitweilig unter Aufsicht, zeitweilig in Haft. Paul Wegener spielte die Titelrolle. »Die Spätnachmittagsstunden [...] sind ein trostreiches Geschenk, ein Erlebnis für alle, die nach der Schumannstraße pilgerten. Die Berliner Theatersaison von 1945 auf 1946 hat ihre erste Weihe empfangen« (Paul Wiegler).

Wegeners Nathan ist legendär geworden, es war die Rolle seines Lebens und Sterbens: am 11. Juli 1948 brach er als Nathan auf der Bühne des Deutschen Theaters zusammen; am 13. September ist er gestorben. – Bei der Premiere gab Agathe Poschmann die Recha, Alfred Balthoff den Klosterbruder, Aribert Wäscher den Patriarchen. Der greise Eduard von Winterstein, alias Freiherr von Wangenheim, Vater des Intendanten, trat als Klosterbruder an die Rampe, um dem Stadtkommandanten Generaloberst Gorbatow zu danken. »Was schon beim Aufgehen des Vorhangs überraschte, bestätigte sich von Szene zu Szene. Fritz Wisten taucht ›Nathan den Weisen‹ [...] ganz in die Atmosphäre eines orientalischen Märchenspiels. So schenkt er zwar dem untheatralischen Stück die Elemente des Theatralischen, doch verliert dabei das Hohe Lied von der Humanität seine geistige Größe, bleibt Spiel im Spiel« (Walther Karsch). Gerda Müller spielte die Daja; sie hatte

sich teils aus politischen, teils aus gesundheitlichen Gründen zurückgezogen gehabt, nun wirkte sie noch sechs Jahre am Theater, bis sie am 26. April 1951 starb.
Aus einer Theaterdebatte am 26. Oktober 1945 erfuhr man, daß die materiellen Grundlagen des Berliner Theaterlebens durchaus nicht gesichert seien. Ernst Legal wurde getadelt, weil er jeden Monat Defizit mache, dennoch neue Engagements abschließe, soeben mit Heinrich Schlusnus und Maria Cebotari. Auch habe das Deutsche Theater zuviel Personal, 47 Ensemble-Mitglieder seien überhaupt noch nicht aufgetreten. Karl Heinz Martin wurde gelobt, er habe wenig Stammpersonal und ergänze es durch Sonderverpflichtungen. Seine *Dreigroschenoper* und Ernst Stahl-Nachbaurs Inszenierung des *Fröhlichen Weinbergs* im Hebbel-Theater erwiesen sich als Kassenerfolge, worauf der Magistrat Rückzahlungen verlangte. Am 11. November war eine neue Situation zu debattieren: die Alliierte Kommandantur hatte vorübergehend die Zuschüsse für die »städtischen Bühnen« gesperrt, obwohl von den bewilligten 1,3 Millionen Reichsmark noch 600 000 nicht ausgezahlt waren und gerade eine Schauspielbühne dazugekommen war: das Schloßpark-Theater.
Boleslaw Barlog, bisher Theater-Assistent und Filmregisseur, hatte in seinem Holzhaus in Lichterfelde kampiert und Tomaten angebaut. Professor Heise, einst Barlogs Lehrer, nun Stadtrat in Steglitz, belehnte seinen Schüler mit einem Steglitzer Kino, ursprünglich Pferdestall des Generalfeldmarschalls von Wrangel. Der amerikanische Kulturoffizier gab die Lizenz. Barlog begann am 3. November 1945 mit *Hokuspokus* von Curt Goetz. Hans Söhnker, der in einer Zehlendorfer Garage lebte, spielte die Hauptrolle, half mit Anzügen, Möbeln, Tischdecken, Vasen aus. Drei Tage vor der Premiere hatte ein Kinobesitzer in Spandau sich das Gestühl »organisiert«. Es konnte rechtzeitig zurückgeholt werden. Hildegard Knef: »Am Premierenabend war es kalt, das Publikum saß in Pferdedecken und alte Armeemäntel gewickelt, [...] saß gespannt. Es wurde ein großer Erfolg, für Barlog, für seine

Schloßpark-Theater Berlin (Foto: Horst Güldemeister, Berlin)

Schauspieler, für den kümmerlichen Raum, der ein Theater geworden war.«
Barlog: »Der Strom fiel oft aus, dann spielten wir mit brennenden Kerzenstümpfen
an der Rampe. Später erwarben wir ein klappriges Notstromaggregat und spielten
bei dessen flackernden Lichtstößen.«
Im Januar 1946 gaben die Stadtkommandanten dem Berliner Theater einen neuen
Anstoß, indem sie erlaubten, Gäste aus den Besatzungszonen zu engagieren. Es
mußte jedoch in jedem Falle die Zustimmung des ›Komitees für kulturelle Angele-
genheiten‹ bei der Alliierten Kommandantur erlangt werden. Erst jetzt konnte man
Berlin-Flüchtlinge wieder zurückgewinnen, für spezielle Ansprüche, denen das ver-
bliebene Reservoir nicht gewachsen war. Karl Heinz Martin ergriff als erster die
Chance, er ließ Hans Albers aus München kommen, um ihn wieder in seiner volks-
tümlichsten Rolle zeigen zu können, als »Liliom«. Im April 1946 war es soweit.
Aber es »stimmte« nicht mehr so recht. Immerhin weckte der »blonde Hans« wehmütige Erinnerungen (»Komm auf die Schaukel, Luise«). Fritz Kortner schrieb,
den Kampf zwischen Hitler und Albers um das Dienstmädchen habe zwar Hitler
gewonnen, doch »Sieger blieb Albers«.
Noch einmal Friedrich Luft: »Wir waren so glücklich, so optimistisch in unserer
kulturellen Emsigkeit. Wir wußten noch nicht, daß die vielzitierten Schubläden
sich als leer erweisen sollten. Wir dachten ja noch, mit einem Schlage würde es dort
fortgehen, wo es 1933 hatte aufhören müssen. Die Wochen der schönen Täuschungen
und Illusionen!«

Im befreiten Wien

Österreich war kein erobertes, sondern ein befreites Land. Nicht so befreit wie Dänemark oder die Niederlande, aber doch prinzipiell aufgenommen in die Völkerfamilie der Unschuldigen. Darum normalisierten sich in Österreich die Verhältnisse schneller als in Deutschland. Die fremden Soldaten kamen offiziell als Freunde (was sie von Übergriffen nicht abhielt), es gab in Österreich kein Verbot zu fraternisieren; faktisch war es aber doch eine Besatzung. Daß Österreichs verlorenster Sohn im Jahre 1938 in seiner Heimat noch einmal den Traum von imperialer Größe geweckt hatte, war längst von der Lethargie des Mitmarschierens überdeckt worden.

Am späten Vormittag des 12. März 1945 wurden die beiden Prunktheater Wiens von Bomben getroffen. Das Opernhaus brannte daraufhin aus, das Burgtheater erhielt am 8. April noch einen Artillerietreffer und verbrannte am 12. April. Tags zuvor hatten sowjetische Truppen die Ringstraße erreicht und im Burgtheater Quartier genommen. Anscheinend hatten sie im Bühnenraum Feuer gemacht und nicht mehr löschen können. (Im Zentrum von Wien gab es keine Feuerwehr mehr, sie war befehlsgemäß aufs rechte Donau-Ufer retiriert.) Am 13. April war die Stadt links der Donau besetzt, die Brücken waren zerstört, die Sowjets machten einige Tage lang an der Donau halt. Die Zerstörungen waren zwar, verglichen mit Berlin, gering, aber auch Wien war einige Zeit ohne Gas, Wasser, Strom, öffentliche Verkehrsmittel. Hunger und Anarchie herrschten. Außer den beiden Staatstheatern lag das Carltheater in der Leopoldstraße in Trümmern. (Es wurde 1951 abgerissen.) Fassade und Foyers des Volkstheaters waren zerstört.

Die Russen befahlen für den 1. Mai den Spielbeginn auf den Bühnen Wiens, jedenfalls für die Staatstheater. Die Art der Übermittlung dieses Befehls wirft ein Schlaglicht auf die Verhältnisse: der Kapellmeister Robert Fanto, verheiratet mit der Burgschauspielerin Maria Eis, reparierte das Auto des russischen Kulturoffiziers Major Lewitas und bekam bei dieser Gelegenheit den Befehl zur Übermittlung aufgetragen.

Die Theaterleute hatten nach Möglichkeit Kontakt miteinander gehalten. In der Verwaltung der Staatstheater wurde über behelfsmäßige Spielstätten nachgedacht. Die Staatsoper sollte ins Theater an der Wien übersiedeln, das traditionsreichste Volkstheater Österreichs. Es war als Mozart-Bühne berühmt geworden, Schauplatz der mißglückten Uraufführung von Beethovens *Fidelio* gewesen, hatte das Goldene Zeitalter der Wiener Operette erlebt und war dann heruntergekommen. Weniger diese Tradition als die technische Ausrüstung hatte das Haus in der Lehárgasse für die obdachlose Staatsoper empfohlen. Außerdem war es während des zweiten Weltkrieges geschlossen gewesen, also politisch unbescholten. Die Portiersfrau züchtete auf der Bühne Champignons.

Den suchenden Burg-Künstlern stach das Volkstheater an der Bellaria ins Auge, das Walter-Bruno Iltz im Auftrag der ›Deutschen Arbeitsfront‹ unter Aufsicht des ›Reichsamtes Feierabend‹ in der ›NS-Gemeinschaft Kraft durch Freude‹ geführt hatte. Die Zerstörungen betrafen nicht den funktionellen Kern des Hauses, es stand

lockend und verwaist an seiner Straßenecke. Aber Rolf Jahn, der letzte Volks-
theater-Direktor vor dem »Anschluß«, war schneller als die Leute von der Burg.
Er pochte nicht nur auf altes Hausrecht, er stellte sich auch noch als Mitglied einer
ephemeren Widerstandsbewegung vor und wollte sogar die Ensembles aller Wiener
Schauspielbühnen unter seiner Leitung zusammenfassen. Darum erschien die Bemühung um das Volkstheater mehr als aussichtslos, nämlich als gefährlich. Jahn
schien imstande, das Burgtheater zu schlucken, wenn man sich ihm näherte. Als
Spielstätte für die Staatsoper war auch das Varieté Ronacher im Gespräch gewesen,
das allerdings wegen der geringen Ausmaße des Orchestergrabens disqualifiziert
worden war.

Das war für das Schauspiel kein Hindernis. Zwar war das Haus eigentlich für die
»Adelsrepublik der Künstler« nicht standesgemäß, doch es lag leidlich zentral und
war historisch empfohlen: als Heinrich Laube, Burgtheater-Direktor von 1849 bis
1867, sich grollend nach Leipzig zurückgezogen hatte, bauten ihm kunstliebende
Bürger jenes Haus auf der Seilerstätte, sozusagen als »Gegen-Burg«. Laube hat sein
›Neues Stadttheater‹ (mit Unterbrechungen) von 1872 bis 1880 geleitet.

Eine Kommission machte sich auf den Weg zur Seilerstätte: Major Lewitas, Lothar
Müthel, der bisherige Generalintendant (die Russen wollten möglichst alle Theaterleiter weiter amtieren lassen), und der Dramaturg Erhard Buschbeck. Das Ronacher
hatte zuletzt als Sanitätsmagazin gedient. Kisten voll Filterwatte standen auf der
Bühne, die keinen Vorhang mehr hatte. Das Glasdach war beschädigt, im Keller
lag ein Blindgänger, der erst nach Wochen auf beharrliche Bitten hin beseitigt
wurde.

Am 20. April 1945, dem 56. Geburtstag des bekanntesten Österreichers, der die
Welt das Fürchten gelehrt hatte, trafen die Burgschauspieler vor der Ruine ihres

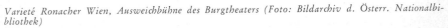

*Varieté Ronacher Wien, Ausweichbühne des Burgtheaters (Foto: Bildarchiv d. Österr. Nationalbi-
bliothek)*

Arbeitsplatzes zusammen – soweit sie noch oder wieder in Wien waren, also weder geflohen noch »eingezogen«, noch »dienstverpflichtet«. Baldur von Schirach, ›Reichsstatthalter von Wien‹, hatte zuletzt empfohlen, sich nach Westen abzusetzen, und war vorangegangen. Etwa das halbe Burg-Ensemble war zurückgeblieben und wählte den Kammerschauspieler und Regisseur Raoul Aslan als Nachfolger Lothar Müthels zum künstlerischen Leiter des Burgtheaters. Die Russen bestätigten diese Wahl. Ernst Fischer, der aus Moskau heimgekehrte Staatssekretär für Unterricht und Abgeordneter der KPÖ im Nationalrat, ein 1924 am Burgtheater aufgeführter Dramatiker, erklärte: »Es gibt nur einen, der die Leitung des Burgtheaters übernehmen kann, und das ist Aslan.«

Die neue Direktion beantragte, die schlechten seitlichen Parkett-Sitze im Ronacher zu entfernen und (wie im ersten Rang) die Seiten abzudecken. Das hätte die Akustik wesentlich verbessert, wurde aber abgelehnt, teils aus Sicherheitsgründen, vor allem aber, weil man sich verpflichten mußte, bei Rückgabe des Hauses alle Veränderungen rückgängig zu machen. Man glaubte, es werde sich nur um ein Provisorium von höchstens zwei Jahren handeln.

Der Theater-Fundus war restlos, die Kostüme waren zur Hälfte verloren, Dekoration und Möbel ausgelagert und zum Teil geplündert. Alle Perücken und die Waffen, darunter echte Stücke, waren vernichtet. Das Depot für Farben, Lacke und Leim aber war erhalten. Die Russen favorisierten die Transporte für das Burgtheater, Lewitas dirigierte die Lastwagen persönlich, Büros und Garderoben wurden eingerichtet, Schnürboden und Beleuchtungsanlagen erneuert.

Dank der Bevorzugung und des allgemeinen Eifers konnte Aslan schon am 30. April den russischen Befehl ausführen: um 17.30 Uhr (denn nach 20 Uhr war Ausgangssperre) begann die erste Aufführung. Adolf Rott, der schon unter Müthel als Regisseur tätig war, hatte Grillparzers *Sappho* wiedereinstudiert, erstens weil das Stück sich besetzen ließ, zweitens weil man mit einem einheimischen Autor beginnen wollte. Der Ronacher-Saal (542 Plätze) war voll besetzt, irgendwie hatte sich das Ereignis herumgesprochen. Die Zuschauer waren zu Fuß gekommen. Aslan sprach zu Beginn. Er wies darauf hin, daß der Ruhm des Burgtheaters älter sei als das jetzt in Trümmern liegende Haus, und erinnerte an Heinrich Laube.

Maria Eis war die Sappho. Fritz Judtmann, Burg-Bühnenbildner schon unter Müthel, hatte stilisierte Dekorationen aus schwarzem Samt entworfen. Eine ärmliche Reprise. Aber die Bekundung des Willens und der Möglichkeit zum Neubeginn, achtzehn Tage nach der Vernichtung des Stammhauses. Das Spiel mußte für zehn Minuten unterbrochen werden, weil der russische Feldmarschall Tolbuchin zu spät kam. Seinetwegen fing man noch einmal an. *Sappho* wurde in der ersten Nachkriegsspielzeit 26mal gegeben. Ein noch nie dagewesener Erfolg mit diesem »dramatischen Gedicht«.

Am nächsten Nachmittag, am 1. Mai, stellte sich die Staatsoper vor, zunächst in der Volksoper am Währinger Gürtel mit einer von Oscar Fritz Schuh (bisher Oberspielleiter unter Karl Böhm) inszenierten und von Anton Paulik dirigierten, von Caspar Neher ausgestatteten *Hochzeit des Figaro*. Es spielten die Wiener Philharmoniker; deren zweiter Geiger und zeitweiliger Vorstand Otto Strasser erinnerte sich: »In den Logen saßen häufig russische Soldaten, die sich als musikverständiges Publikum erwiesen, und die Wiener kamen, um ihre Lieblinge Irmgard Seefried,

Elisabeth Höngen, Anton Dermota, Erich Kunz, Paul Schöffler und viele andere zu hören.« Auch das Staatsopern-Ensemble hatte sich beim Machtwechsel um einen Kollegen geschart, Alfred Jerger.
Pünktlich zum 1. Mai begann auch das Spiel im Theater in der Josefstadt. Direktor Heinz Hilpert hatte das dem Teatro Fenice nachempfundene Pseudo-Rokoko-Bijou seinem Schüler, dem Spielleiter und Dramaturgen Rudolf Steinboeck, spielfertig und personell gut gerüstet hinterlassen können. Auch Steinboeck begann in der Eile mit einer Reprise, dem *Hofrat Geiger* von Martin Costa und Hans Lang, von Bruno Hübner in Szene gesetzt, der wie sein Chef Hilpert zu den Pendlern zwischen Berlin und Wien gehört hatte. Sein *Hofrat Geiger* wurde nach dem Neubeginn 75mal in der Josefstadt gezeigt.
Anfang Mai rückten die US-Truppen von Nordwesten her ein, sie besetzten am 3. Innsbruck, am 4. Salzburg. Als die Rainbow-Division Bad Ischl besetzte und einige der Soldaten eine alte Villa an der Traun rekognoszierten, führte der greise Besitzer sie in den Salon, setzte sich ans Klavier und spielte mit zitternden Händen einiges aus der *Lustigen Witwe* vor. Da dämmerte es ihnen: »It's the famous composer of the ›Merry Widow‹!« Sie ließen sich autographs geben und machten snapshots.
Am 5. Mai applaudierte man im Ronacher wieder Nestroys *Mädel aus der Vorstadt*, der zweiten Reprise des Burgtheaters aus »großdeutscher Zeit«, einstudiert von Müthels Mitarbeiter Philipp Zeska. Es war immer noch Krieg. Die Franzosen kamen von Westen, am 6. Mai überschritten sie den Arlberg. Am gleichen Tage drangen englische und amerikanische Truppen von Italien her in Kärnten ein. Am 10. Mai eröffnete das Wiener Volkstheater mit einem österreichischen Volksstück, *Katakomben* von Egon Jordan. Diese Einstudierung von Gustav Davis war ein Rückgriff, aber über den »Anschluß« hinaus: *Katakomben* ist eine der letzten Volkstheater-Premieren vor 1938 gewesen.
Die vor 1938 entstandenen und seit 1938 verbotenen Stücke sollten vorgezogen werden. Aber die von den Russen gebotene Eile und die Genugtuung, so schnell wieder spielbereit zu sein, ließen nicht viel aus dieser löblichen Absicht werden. Auch in Wien wurde improvisiert, auch in Wien schien zunächst das Wichtigste, daß überhaupt gespielt wurde, weniger was, am wenigsten wie. Schlecht und recht ging es weiter. Der aus Zürich heimgekehrte Hans Weigel umriß die Situation so: »Die einen entthront, die anderen ausgewandert, viele zugrunde gegangen, um den Nachwuchs kümmerte man sich nicht, das Mittelmaß kam zum Zug.« Die Staatsoper präsentierte Restbestände, im Staatsschauspiel kamen weitere Inszenierungen aus der Müthel-Ära wieder zum Vorschein, obwohl sich wegen der unzureichenden Bühne im Ronacher beim Adaptieren von Burgtheater-Inszenierungen große technische Schwierigkeiten ergaben. Auf den Bühnen ähnelte die Neue Zeit der alten am stärksten. Die Aktivität der Staatsoper unter der kommissarischen Leitung von Alfred Jerger kann überhaupt nur als Provisorium angesehen werden. Es galt, rasch wieder ein Repertoire zu entwickeln. So kamen bis Ende September im Hause der Volksoper neun Spielopern und ein Ballettabend nach Musiken von Mozart und Schumann heraus.
Das Staatsschauspiel hatte schon am 19. Mai seinen gewohnten zweiten Spielort wiedereröffnet, das Akademie-Theater, das nur geringe Schäden aufwies. Die

Müthel-Equipe bot dort Kammerspiele, überwiegend konventionelle. Am Beginn stand Ibsens *Hedda Gabler*, mit Hilde Wagener in der Titelrolle und Hermann Thimig als Tesman.

Als Müthel 1945 seine ehemaligen Untergebenen bat, als Regisseur bei ihnen bleiben zu dürfen, waren alle einverstanden. Am 13. Juni hatte im Ronacher Müthels Inszenierung von Hofmannsthals *Jedermann* Premiere, der Jude Hofmannsthal war im ›Dritten Reich‹ nicht erwünscht gewesen. (Daß er die Libretti der meisten Opern von Richard Strauss geschrieben hatte, war Richard Strauss zuliebe übersehen worden.)

Als Leiter, erster Schauspieler und gelegentlicher Regisseur teilte Raoul Aslan seine Tage zwischen Proben am Vormittag, Rollenstudien am Nachmittag und Vorstellungen am Abend. Damals war das alles noch verhältnismäßig einfach, auch deswegen gab es damals so viele »große Intendanten«. Die Verwaltungsarbeit erledigte für Aslan Erhard Buschbeck, schon seit 1918 für die Burg tätig, als Dramaturg Hermann Bahrs ins Haus gekommen. Buschbeck diente schon dem zehnten Direktor. Raoul Aslan, ein Vater und Freund des Ensembles, war ein Mann des Ausgleichs, dessen Idealismus oft enttäuscht wurde. Er wollte aus dem Burg-Ensemble einen »Orden« machen.

Am 31. Juli rückten auch die restlichen Befreier, die sich fast nicht von Eroberern unterschieden, in Wien ein, um das Viermächteabkommen vom 9. Juli Wirklichkeit werden zu lassen: Aufteilung Österreichs innerhalb der Grenzen von 1937 in vier Besatzungszonen, Aufteilung Wiens in vier Sektoren. Also ein der Verfahrensweise in Deutschland gleichendes Vorgehen, mit einem Unterschied: das Zentrum von Wien (der erste Bezirk) sollte von allen vier Alliierten gemeinsam verwaltet werden, unter monatlich wechselnder Oberherrschaft. Im Juli korrigierten die Alliierten (wie in Deutschland) ihre Eroberungen dieser Übereinkunft gemäß, und am 1. September wurde Wien entsprechend aufgeteilt. Damit war die Omnipotenz der Russen gebrochen. Das Stadtzentrum, zugleich Theaterzentrum, war also ihrem Einfluß weniger ausgesetzt als in Berlin. Noch war die Mark gesetzliches Zahlungsmittel. Da das deutsche Geld in der Tschechoslowakei und in Ungarn bereits wertlos geworden war, strömte es nach Österreich ein. Obendrein brachten die Besatzungsmächte massenhaft selbstgedrucktes Geld in Umlauf.

Am 30. November wurde die Schilling-Währung wiedereingeführt. Bei der Umstellung der Gagen galten die bisherigen Reichsmark-Einnahmen als Norm, die Monatsgagen schwankten zwischen 250 und 5 000 Schilling. Damals war jeder mit dem Existenzminimum zufrieden. Aslan hat nie ein Direktorengehalt bekommen, lediglich die 5 000 Schilling, die Höchstgage als Schauspieler. Man hatte das Budget des Staatsschauspiels von dem der Staatsoper getrennt, infolgedessen kam das Burgtheater zum ersten Mal seit fast 200 Jahren aus den roten Zahlen. Die Spielzeit 1945/46 endete ohne Defizit, obwohl allein an Miete für das Ronacher-Gebäude im Jahr 300 000 Schilling gezahlt werden mußten.

Anfang Juni hatte die Staatsoper den schon von Max Reinhardt bespielten Redoutensaal in der Hofburg mit *Wiener Blut* wiedereröffnet. Im September folgte das Staatsschauspiel mit Scribes *Ein Glas Wasser*, Aslan spielte den Bolingbroke und Rosa Albach-Retty die Herzogin von Marlborough. Zwei Jahre lang gab es in Maria Theresias Hoftheaterchen klassische Komödien, vor allem Molière und Goldoni, dann mußte man einsehen, daß die klassische Komödienliteratur doch nicht umfangreich genug ist, um ein Haus auf sie zu gründen. Als Raoul Aslan krankheitshalber abtreten mußte (März 1948), gab man den Redoutensaal wieder auf.

Im Herbst 1945 war das laut Richard Strauss für die Opéra comique ideale Theater an der Wien für die Staatsoper spielbereit. Franz Salmhofer, ehemals Kapellmeister des Burgtheaters, wurde künstlerischer Direktor. Für sein Theater tat er alles, er ließ sogar das Stromkabel der russischen Kommandantur anzapfen, wenn die zivile Versorgung ausfiel. Alfred Jerger trat ins Ensemble zurück. Er inszenierte nur noch selten.

Josef Krips dirigierte am 6. Oktober einen von O. F. Schuh inszenierten *Fidelio*, keinen glanzvollen. Max Lorenz, der den Florestan hatte singen sollen, war »im Westen« geblieben, er hatte nicht über die Ennsbrücke gedurft, die heikle Verbindung zwischen der amerikanischen und der russischen Zone.

Zwei Häuser zu bespielen war eine so bedeutende Mehrbelastung des Personals, daß für die Spielzeit 1946/47 eine Umorganisation nötig wurde: unter zwei Direktoren praktisch zwei getrennte Betriebe unter gemeinsamer Bundesverwaltung. Nur das Ballett mußte weiter die Volksoper und das Theater an der Wien bedienen, oft an einem Abend beide, denn Tanzeinlagen waren damals noch etwas Selbstverständliches. Tänzer und Tänzerinnen wurden in Lastwagen der Besatzungsmächte von der einen Bühne zur anderen gebracht. Die Entflechtung war die erste Amtshandlung von Egon Hilbert, einem Juristen und Musikwissenschaftler, einst Kulturreferent am Bundeskanzleramt und Presseattaché in Prag. Im Konzentrationslager hatte er als Mithäftlinge Fritz Figl und Felix Hurdes kennengelernt, inzwischen die beiden Protagonisten der österreichischen Volkspartei. Mit ihrer Protektion konnte Hilbert nun seine Theaterleidenschaft mit Ämtern verbinden: zunächst als provisorischer Leiter des Landestheaters Salzburg und von 1946 an als Chef der Bundestheaterverwaltung. Hilbert ergänzte die Ensembles, zunächst um Hilde Güden, Sena Jurinac, Maria Cebotari, Hans Hotter, Julius Patzak und Ludwig Weber. Das war der erste Schritt in eine neue und glanzvolle Epoche.

Rolf Jahn, der sich mit so viel Aplomb zurückgemeldet hatte, daß die Leitung des Burgtheaters vorsichtshalber Distanz hielt, brachte es nur zu drei lokalpatriotischen Taten: das Volksstück *Katakomben*; *Die unentschuldigte Stunde* und Grillparzers *Des Meeres und der Liebe Wellen*. Dann versuchte sich drei Jahre lang der aus dem Ensemble aufgestiegene Günther Haenel. Er begann am 17. Juli ambitiös mit dem Epilog aus den *Letzten Tagen der Menschheit,* der mit einem matten Gerichtsstück von Anton Wildgans zusammengespannt war. Quer durch Niederungen (*Wir sagen uns alles; Anuschka; Insel des Friedens; Im weißen Rößl*) und über Höhen (*Der befreite Don Quichote* von Lunatscharski, *Heroische Komödie* von Bruckner, *Geschichten aus dem Wiener Wald* von Horváth) ging der Weg in den Theater-Alltag.

Haenel wollte Antifaschismus mit Volkstümlichkeit verbinden – sein Haus hatte ja nun einmal den ominösen Namen ›Volkstheater‹, unter dem man sich bei der Taufe im Jahre 1889 allerdings etwas ganz anderes vorgestellt hatte.

Theater wie noch nie

Friedrich Luft begann Anfang Februar 1946 im ›Drahtfunk im amerikanischen Sektor‹ (DIAS) seine allsonntägliche Theaterkolumne mit dem Bericht: »Gestern hatte ich Gelegenheit, einmal im Wagen durch die ganze Breite der Stadt zu fahren. Es war gespenstisch. Man ist an die Trümmer seiner Umwelt, seines Weges zur Arbeit, seines Bezirkes gewöhnt. Aber da wurde mir einmal bewußt, wie wenig von Berlin noch da ist. Ich fragte mich, ob wir uns nicht eigentlich nur etwas vormachen. Ich fuhr an einer Litfaßsäule vorbei, die beklebt war mit unzähligen Ankündigungen von Theatern, Opern, Konzerten. Ich sah nachher im Inseratenteil der Zeitung: an fast 200 Stellen wird Theater gespielt. Tatsächlich. Überall. In allen Bezirken. Täglich finden mindestens ein halbes Dutzend Konzerte statt. In allen Bezirken. Zwei Opernhäuser spielen ständig – welche Stadt der Welt hat das noch? Ob da nicht eine ungesunde Hausse in Kunst ausgebrochen ist – ob es nicht nötiger ist, Handfestes zu tun – ob der Drang vor die Bühnen und in die Lichtspielhäuser nicht etwas Leichtfertiges und Frivoles an sich hat?« Man erwartet ein Ja, wenn man bedenkt, wieviel noch zu klären und zu leisten war, wieviel Entscheidendes nicht getan, wie gefährdet, gefährlich die Lage der Stadt war und blieb. Aber Luft antwortete mit Nein, in der damals typischen verzweifelten Hoffnung: »Nein, Kunst ist kein Sonntagsspaß und Schnörkel am Alltag, kein Nippes auf dem Vertiko. Kunst ist notwendig, gerade jetzt in der Not.«
Der materiellen Not stand personeller Überschuß gegenüber. In der Spielzeit 1932 bis 1933 waren 22 000 Personen an deutschen Bühnen beschäftigt (künstlerisches, technisches und Verwaltungs-Personal zusammengerechnet), in der Spielzeit 1937/38 30 700 Personen, in der Spielzeit 1938/39 36 500, in der Spielzeit 1943/44 45 000 und 1947/48 37 000, also im restlichen Deutschland etwas mehr als im »Großdeutschen Reich« bei Kriegsausbruch und weitaus mehr als im »Altreich«!
Sie waren alle zurückgekommen und wollten weiterspielen. Die Heimkehrer drängten nach Restdeutschland, die ganz Vorsichtigen sogleich nach Westdeutschland, und der bald einsetzende »kalte Krieg« gab ihnen recht. Der personelle Überschuß bestimmte die Entwicklung dieses »leistungsintensiven« Gewerbes weit mehr als der Verlust von Häusern.
Es mußten nach dem Krieg 87 Theater »abgeschrieben werden« (wie die *Bühnengenossenschaft* es ausdrückte): 22 in Österreich, 24 in der Tschechoslowakei, 9 in Polen, 6 in Elsaß-Lothringen, 26 in Ostpreußen und Schlesien. Nur die Oberlausitz, der westlichste Zipfel Schlesiens, blieb deutsch, mit dem Gerhart-Hauptmann-Theater in Görlitz, das auch Zittau bespielt, seitdem das Ensemble des Zittauer Stadttheaters aufgelöst worden ist (1965). Von den 262 Theatergebäuden (darunter 15 Opernhäuser) innerhalb der Grenzen von 1937. waren 98 im Jahre 1945 restlos zerstört. Mehr oder minder beschädigt waren fast alle.
In München bemühten sich kurz nach Kriegsende weit über zweitausend Bühnenkünstler, den Anschluß an das Theaterleben wiederzugewinnen. Im Juni 1945 versuchte in Berlin eine ›Abteilung Volksbildung‹ des Magistrats das wild aufblühende Theaterleben zu ordnen. Die von einer Berliner ›Kammer der Kunstschaffenden‹

als künstlerisch wertvoll und kulturpolitisch notwendig bezeichneten Spielstätten wurden als ›Berliner Stadttheater‹ zusammengefaßt. Alle anderen, vor allem die Neugründungen, wurden genehmigungspflichtig. Im Sommer wurde an 25 Stellen gespielt, im Herbst hatten sich mehr als 400 Gesuche für die Eröffnung von Theatern gehäuft, dazu mehr als 1 000 für Kabaretts. Zur zweiten Nachkriegsspielzeit vergab die US-Militärregierung in ihrer Zone und ihrem Sektor Berlins 400 Theaterlizenzen. Von den beiden Manipulations-Methoden Lizenzierung und Zensur sei die Lizenzierung die bei weitem wichtigere, erklärte British Forces Network am 3. Juli 1947, denn der Lizenznehmer sei persönlich haftbar.

Zuschauer gab es mehr denn je. Vom Herbst 1944 bis zum Sommer 1945 flüchteten Millionen in den Bereich zwischen Elbe und Rhein, vor allem aus den Ostgebieten. Schon vor dem Beginn der in Potsdam beschlossenen Umsiedlungen hatte die britische Zone 1,65 Millionen mehr Einwohner als dasselbe Gebiet 1939, die russische 4,82 Millionen mehr, die amerikanische 3,13 Millionen, die französische 0,36 Millionen. Der Bevölkerungszuwachs betrug in der russischen Zone 32 %, in der amerikanischen 23 %, in der britischen 8,5 % und in der französischen 6 %. In den drei Westzonen handelte es sich bei weitem überwiegend um »Evakuierte«, in der russischen Zone waren die Neubürger bereits zur Hälfte »Ostflüchtlinge«, also Ostdeutsche, die der Austreibung zuvorgekommen waren. Die regulären Transporte Ausgewiesener brachten wohl noch fünf Millionen Umsiedler. Sie haben zunächst gewiß Wichtigeres zu besorgen gehabt als Theaterkarten; aber für die Deklassierten unter ihnen wurden Theaterbesuche besonders wichtig als Zeichen für wiedererlangte soziale Würde, sobald sie aus dem Gröbsten heraus waren. Der ganze Mittelstand war nach dem Kriege des Trostes und der Ablenkung besonders bedürftig. »Es war eine herrliche Theaterzeit, eine gesegnete Zeit«, erinnerte sich der Schauspieler O. E. Hasse.

Um die außerordentliche Nachfrage befriedigen zu können, war ungewöhnlicher Einsatz nötig, »oft eine geradezu übermenschliche Arbeit«, schrieb Lutz Besch, Chefdramaturg der Städtischen Bühnen in Erfurt, 1948 in der Zeitschrift *Diogenes*: »Meist wird nachmittags und abends gespielt; fast jede Bühne unternimmt Abstecher (unermüdlich vor allem die Eichsfelder Landesbühne in Heiligenstadt), in mehreren Städten wird in zwei Häusern gespielt (Gera, Jena, Weimar, Erfurt). Die monatlichen Aufführungsziffern liegen meist zwischen 40 und 50 Vorstellungen, ja, es werden sogar bis zu 55 und noch mehr!« Platzmietern wurden damals in Erfurt pro Spielzeit 20 Vorstellungen angeboten, praktisch alle 14 Tage eine.

Nicht nur für die Leute auf der Bühne und im Orchester bedeutete das unentwegte Arbeit, auch für die Bühnentechniker und die Handwerker, zumal wenn – wie in den meisten Fällen – kein Fundus mehr vorhanden war. Jedes Versatzstück, jedes Kostüm mußte neu hergestellt werden. Das alles führte zu raschem personellen, materiellen und ideellen Verschleiß.

In der sowjetischen Besatzungszone (also ohne Ost-Berlin) eröffneten 74 Theater bereits im Jahre 1945 die erste Nachkriegs-Spielzeit, etliche davon in Orten, die vorher kein Theater gehabt hatten: Anklam, Arnstadt, Aschersleben, Borna, Burg, Coswig, Crimmitschau, Eisleben, Heiligenstadt, Heringsdorf, Leisnig, Limbach, Mahlow, Neuruppin, Parchim, Pirna, Quedlinburg, Wernigerode, Wismar, Wittenberg, Wurzen und Zeitz. In Ballenstedt an der Havel, Salzwedel und Stendal, bis-

her von der Landesbühne Magdeburg-Anhalt in Köthen bespielt, etablierten sich
1945 eigene Ensembles, in Putbus hatte der Betrieb geruht, 1945 lebte er auf.
Jena war seit einem Vierteljahrhundert ohne eigenes Ensemble gewesen, 1945 bekam es eins. Sondershausen war fortan nicht mehr auf Nordhausen angewiesen,
Sonneberg verzichtete auf Gastspiele aus Meiningen, das Landestheater Coburg
konnte ohnehin nicht mehr über die Grenze. (Jenseits der Grenze war ähnlicher
Auftrieb: neben dem Landestheater gab es in Coburg plötzlich eine ›Junge Bühne‹
und eine ›Komödie der Zeit GmbH‹.) Kamenz in Sachsen emanzipierte sich von
der ›Landesbühne Sachsen‹ in Dresden. Im Jahre 1946 wurden Gardelegen, Prenz-
lau und Senftenberg zu Theaterstädten; in Weißenfels, wo das Theater leergestan-
den hatte, begann nun Leben auf der Bühne. Dieser Theater-Boom, zu dem noch
viele Privattheater kamen, war vor allem für diejenigen erstaunlich, die das Erscheinen der Roten Armee für den Untergang des Abendlandes gehalten hatten.
Von einer Theaterreise durch Brandenburg zurückgekehrt, meldete Herbert Ihering
die unwahrscheinliche Zahl von 1 000 Wandertruppen.
Im September 1947 gab es 74 feste Theater in Nordrhein-Westfalen. Was an Wandertruppen das Land durchquerte, blieb ungezählt. Zum Beispiel zog von Lüden-
scheid aus Hermann Speelmanns' Tournee-Theater ›Die Werkstatt‹ durchs Land. Das
Stadttheater Bonn sah sich von seiner Notunterkunft aus plötzlich vier Konkur-
renzbühnen gegenüber: den Neuen Kammerspielen Bonn, dem Stadttheater Bad
Godesberg, dem Westdeutschen Landestheater in Siegburg und dem Stadttheater
Königswinter.
Die Nachbarstädte Mönchengladbach (damals noch München-Gladbach) und Rheydt
nutzten unter der Intendanz des Dumont-Schülers Fritz Kranz und seinem Chefdramaturgen Peter Funk die Gelegenheiten, welche ihre spielfähigen Theatergebäude gaben. Sie boten neben Wuppertal den lebendigsten Spielplan im nördlichen
Rheinland, basierend auf dezidiert christlicher Dramatik: Claudel (mit dessen *Ver-
kündigung* das Ensemble zwei Jahre lang so ziemlich überall im Rheinland gastierte), Bridie, Lavery, *Meier Helmbrecht* von Mostar, Priestleys kriminalistische
Gewissensforschung *Ein Inspektor kommt* (erstmals in Westdeutschland). Mit Hilfe
einer vielfältigen Publikums-Organisation und regelmäßigen Abstechern (vor allem
in die große Stadthalle von Viersen) wurde so viel Gewinn erwirtschaftet, daß in
der Spielzeit 1946/47 in Rheydt ein kompletter Opernbetrieb aufgebaut werden
konnte, ohne die städtischen Subventionen dafür in Anspruch zu nehmen.
Castrop-Rauxel, das bis dahin nur eine (seit Kriegsausbruch ruhende) Freilichtbühne kannte, bekam sein noch heute bestehendes Westfälisches Landestheater, in
Solingen versuchte sich eine Oper mit jungen Kräften, sogar in Milspe (Post Rade-
vormwald) gab es ein Opernensemble. In Witten an der Ruhr arbeiteten ›Märkische
Kammerspiele‹, in Kleve-Kellen ein ›Theater am Niederrhein‹. In Neckartailfingen
gab es ein ›Theater des Volkes‹, in Westerland ein ›Landestheater Nordfriesland‹,
in Ludwigsburg ein ›Schiller-Theater‹, in Schleswig ein ›Renaissance-Theater‹.
Im ehemaligen ›Grenzlandtheater‹, nun privaten Stadttheater Konstanz, kündigte
Horst van Diemen aus Berlin im Herbst 1945 »Theater wie noch nie« an. Tatsächlich konnte er eine Spielzeit lang Effekt machen mit versprengten (René Deltgen,
Lola Müthel, Irene von Meyendorff, Marina von Ditmar) und in Richtung Schweiz
durchreisenden Schauspielern (Gustav Knuth, Siegfried Schürenberg, Wilfried Sey-

ferth). Am 30. Mai 1946 war in Konstanz Brechts *Mutter Courage* zu sehen, zum ersten Mal in Deutschland. In der Titelrolle Lina Carstens, einstudiert von Wolfgang Engels in Szenerien von Caspar Neher.

Das erste Nachkriegsjahr war also für das deutsche Theater ein Gründerjahr, wie es noch keins gegeben hatte. Es wurde mehr und an zahlreicheren Orten Theater gespielt als je zuvor. Auf welchem Niveau – das ist eine andere Frage. Wie präsentierte wohl die ›Kulturbühne‹ Kraiburg am Inn Klassiker? Wie hörte sich eine Opernaufführung der Städtischen Bühne Nordhorn an? Wie tanzte das ›Corps de ballet‹ des Stadttheaters Plettenberg?

In Österreich gab es einen ähnlichen Gründungs-Boom. »Das Jahr 1945 war für Österreich nicht nur das Jahr der äußeren Wiederherstellung, es war die Zeit eines großen Beginns mit geradezu unösterreichischen Hoffnungen und Erwartungen«, schrieb Gerhard Fritsch (Lyriker und Erzähler, 1969 Freitod). »Diese Erwartungen richteten sich auch und besonders auf das Kulturelle.«

In Wien hatte es 1944 siebzehn Theater gegeben, in der Spielzeit 1945/46 waren es 48 feste Bühnen, zum Teil mit mehreren Spielstätten, nicht gerechnet das Theater der britischen Besatzungsmacht im Bürgertheater, das vier Tage in der Woche einer Wiener Direktion zur Verfügung stand. Dazu kamen 28 ambulante Theater und 19 Freilichtbühnen, Sommerarenen, Stegreif- und Laienbühnen. Das Jahrbuch 1947/ 1949 der Wiener Gesellschaft für Theaterforschung nennt für Wien 32 Theater mit festem Standort, 23 Gastspielunternehmen, 15 Studiobühnen und Zimmertheater, 5 Theater in Volksbildungsheimen, 19 Stegreiftheater und Sommerarenen, 28 Spielvereinigungen von Laien, 7 Theater der Jugend und für die Jugend, 16 Kleinkunstbühnen, 40 Puppentheater und Schattenspiele sowie 10 Schauspiel-, Opern- und Bühnentanzschulen, die mit eigenen Aufführungen hervortraten.

Es gab eine ›Erste Wiener Arbeiterbühne‹, die *Hurra, ein Junge*; *s'Nullerl*; *Im weißen Rößl* und *Lisa, benimm dich* spielte, bevor sie nach einem Vierteljahr gottlob einging. Vom Neubeginn an bis zum 31. August 1946 wurden in Wien 658 Stücke aufgeführt. Über das Wie hat sich gnädiges Vergessen gebreitet, aber das Was ist notiert worden und läßt das Schlimmste ahnen. Der Spielplan war von eindrucksvoller Belanglosigkeit. Das Niveau wurde auch dadurch gedrückt, daß unqualifizierte Leute machen konnten, was sie wollten, sogenanntes »Schnackerl-Theater«. Es kamen zum überlebten Amüsiertheater Lokal-Kitsch und verlogene Volksstücke.

Bis in den Juli 1945 hinein zwangen immer wieder Stromausfälle dazu, Vorstellungen abzusagen. In den ersten anderthalb Monaten wurde gegen Naturalien gespielt, ein Theaterleiter war damals nicht zuletzt auch Furier. Paul Hörbiger, der vom 5. Mai an wieder als Schnoferl (in Nestroys *Mädel aus der Vorstadt*) in einer seiner Paraderollen auf der Bühne stand, nun im Ronacher, bekam als Gage pro Abend einen Laib Brot. Der erste Befehl des russischen Militärkommandanten hatte den Handel mit Lebensmitteln für frei erklärt. Die Tagesrationen beliefen sich im Mai auf 350 Kalorien (Ende September 1 500). »Es mangelte auch sonst auf allen Seiten, man hatte keine Druckerei zur Verfügung, die ersten Plakate wurden von mir selbst und meinen Hilfskräften mit der Hand geschrieben, das Publikum fand sich zunächst nur durch Mundpropaganda zusammen, und es zeigte sich, wie es nach Theater hungerte, denn kein Platz blieb am Abend leer« (Erhard Buschbeck). Käthe

Dorsch nahm in ihr Landhaus am Attersee, das sie von Fritzi Massary gekauft hatte, notleidende Kollegen auf: Elisabeth Schwarzkopf und ihre Mutter, Karl Böhm mit Frau, Max Lorenz. Sie setzte sich für Emil Jannings und Werner Krauss ein, half ›displaced persons‹ weiter.

Im Juli 1945 kam Leon Epp aus Bochum zurück, wo er Oberspielleiter gewesen war, er konnte endlich seinen Traum verwirklichen; in der ›Komödie‹, einst einer Nebenbühne des Volkstheaters, eröffnete er seine ›Insel‹, gemeint war eine Insel der Dichtung. Sie ist das beste unter den »Theatern für 49« gewesen, nämlich für 49 Zuschauer. (Von 50 Sitzen an war und ist ein Theater konzessionspflichtig.)

Epp startete im Oktober 1945 mit Tschechows *Onkel Wanja*, es folgten von Stefan Zweig *Legende eines Lebens* und *Das Lamm der Armen*, von Galsworthy *Der alte Gentleman* und *Bis aufs Messer* und von Rilke *Das tägliche Leben*. Sogar das Gängige war von der Art, welche Regisseure im allgemeinen meiden: *Der Bürge* von Claudel, *Ostern* von Strindberg, *Man weiß nicht wie* von Pirandello, *Zu wahr um schön zu sein* von Shaw, *Emilia Galotti* von Lessing. »Theater der Dichtung um jeden Preis und ohne Kompromiß« hatte Epp angekündigt. Am Ende der ersten Spielzeit bescheinigte man ihm, seine ›Insel‹ habe bereits »einen so verpflichtenden Namen, daß die Kritik bei deren Premieren strengere Maßstäbe anlegte als sonst irgendwo« und daß »diese Schauspielergemeinde als eine Elite angesehen wurde, von der man mehr erwartete, als womit man sich gemeinhin zufrieden gab«. Selbstverständlich konnte dieser literarische Sieg auf die Dauer nur ein moralischer Erfolg sein. Die ›Insel‹ gehörte zu den schönen Irrealitäten, die vorübergehend real werden können, wenn wirtschaftliche Belange sekundär sind und zugleich eine Gesinnungs-Gemeinschaft sich gebildet hat.

In Oberösterreich bildete die Donau die Grenze zwischen der amerikanischen und der russischen Zone. So wurde der eine Teil der Stadt Linz vom anderen abgetrennt. Im theaterlosen Teil tat sich im August 1945 ein ›Volkstheater Urfahr‹ auf, das Schauspiel und Operette bot. Es gehörte einem Eisengroßhändler, Rechtsträger war der oberösterreichische Gewerkschaftsbund. Das Personal mußte möglichst aus Urfahr stammen, denn das Überschreiten der Donau war zunächst schwierig. Außerdem gab es in der Vorstadt eine Linzer Volksbühne, die der von den Amerikanern gefeuerte Intendant Ignaz Brantner gegründet hatte. Im Herbst 1946 kam er triumphierend ans Stadttheater zurück, weil ein Neuling dort Konkurs gemacht hatte.

In Braunau am Inn ging es natürlich schlecht, nachdem der bekannteste Braunauer sich in Berlin erschossen hatte. Das Theater an seinem Geburtsort mußte sich fortan wieder als Stadttheater und Wanderbühne zu erhalten suchen. Im Jahre 1948 wurde die Operette liquidiert, das Orchester schrumpfte auf sechs Mann, 1949 mußte geschlossen werden. (In der Spielzeit 1952/53 begann die Arbeit wieder, mit einem Personalstand, der unter dem von 1937 lag.)

Am Abend des 15. September 1945, als für Deutsche noch Ausgangssperre galt, trat ein 61jähriger Mann, der aus Wien geflohen und in dem salzburgischen Städtchen Mittersill bei seiner Tochter untergekommen war, vor die Tür, um frische Luft zu schöpfen. Ein amerikanischer Posten sah es und erschoß ihn. Der Bürgermeister trug ins Totenregister ein: »Dr. Anton (von) Webern, geboren am 3. Dezember 1883 in Wien, Dirigent und Komponist.« Webern war fast vergessen, öffentliches

Wirken war ihm verboten worden. Einige Jahre später wurde seine Bedeutung allmählich erkannt.
In Salzburg befahlen die Amerikaner sogleich Festspiele. Glücklicherweise hatten sich auch viele Sänger ins Salzkammergut geflüchtet. Aber die Wiener Philharmoniker wurden im »russischen« Wien festgehalten. Ein Mozarteum-Orchester leistete Ersatz. Im Sommer 1946 durften die Wiener Philharmoniker kommen. Aber ihre Zukunft hing »buchstäblich an einem Haar«, wie der *Observer* nach London meldete: Roßhaare für die Bögen der Streicher waren knapp, auch Darmsaiten und Rohrblätter. »Die Hotels sind von der amerikanischen Armee requiriert, was eine Schande ist, weil die Österreicher wirklich wissen, wie man Hotels führt. Die Künstler sind in unsäglichen Hundelöchern in den Vororten zusammengepfercht, während die wichtigsten Hotels leerstehen. Den Darstellern sind zusätzliche Nahrungsmittel von der Armee zugeteilt worden, aber sie beklagen sich, daß sie nicht genug Kraft für die Aufführung haben. Um mehr Essen zu bekommen, hat die Besetzung des ›Rosenkavaliers‹ mit einem Sitzstreik zwischen den Akten gedroht.«
Aus Kostümnot konnte eine umstrittene Tugend werden: Arthur Maria Rabenalt fiel in Baden-Baden auf, als er die Kleistschen Griechen mit Stahlhelmen und in weißen Uniformen auftreten ließ. In den Bonner Kammerspielen wurde (1947) *Maria Stuart* in halber Ausstattung dargeboten: man hatte nur für die Damen Kostüme beschaffen können, die Herren trugen Straßenkleidung. Die Dresdner Staatsoper bot Puccinis *Madame Butterfly* in »moderner« Aufmachung. Fürst Yamadori, anstatt in reicher Urvätertracht einer goldverkleideten Sänfte entsteigend, betrat die Bühne wie ein schäbig gekleideter Handelsvertreter. In Düsseldorf ließ Hans Schalla Hauptmanns *Weber* in Alltagskluft auftreten, das wurde als ein geglücktes Hineinreißen in die Gegenwart empfunden.
»Als ich 1946 aus dem Lager kam, besaß ich eine alte Militärhose und eine schilfleinene Jacke«, schrieb Gustaf Gründgens in einem Brief. »Meine Berliner Wohnung war in Rauch und Flammen aufgegangen und mein kleiner Besitz, 40 Kilometer von Berlin, bis auf den letzten Stuhl und den letzten Wassertopf ausgeräubert.« Zeitweilig trug Gründgens Komparserie-Garderobe aus Hollywood, die Freunde ihm geschickt hatten.
Der erste Nachkriegswinter war nicht der schlechteste gewesen, der zweite wurde härter. Hildegard Knef berichtete aus Berlin: »Die Abstände zwischen Magenkrämpfen wurden kürzer, der Theaterarzt Dr. Schaake besorgte über gefahrvolle Umwege Vitaminampullen, riskierte Militärgefängnis, rettete uns über einige Tage hinweg. [. . .] ›Biste schwanger?‹ fragte Söhnker an der Tür seiner möblierten Garage. ›Nee, Suppe‹, sagte ich schlicht, Hungerwasser war's, das tagelang aufplusterte, um dann ohne jeden ersichtlichen Grund zu verschwinden.«
Mangel an Strom und Heizmaterial erzwangen Theaterschließungen und Verkehrseinschränkungen. In Berlin wurden immerhin von Oktober 1946 bis Mai 1947 etwa 70 Sprechstücke und Opern aufgeführt, darunter 54 Werke ausländischer Autoren. In einem Aufruf bat die ›Genossenschaft Deutscher Bühnen-Angehörigen‹ »alle verantwortlichen Stellen, die sofortige Wiedereröffnung der bereits geschlossenen Theater« zu veranlassen »und sich allem beabsichtigten Schließen energisch zu widersetzen«, weil »viele Menschen durch den Theaterbesuch etwa drei Stunden täglich vor Kälte geschützt« werden. Erbittert wurde die Entscheidung des Wirt-

schaftsausschusses beim Länderrat in Stuttgart kolportiert: »Geistesarbeiter können keine Zulagen erhalten, auch wenn sie einen größeren Teil ihrer Arbeitszeit im Umhergehen verbringen, z. B. Musiker, Schauspieler usw.«
Es konnte nicht ausbleiben, daß prominente Schauspieler und Sänger wieder begannen, ihr Glück auf eigene Faust zu versuchen, um der Misere zu entgehen. Heinz Rühmann, Victor de Kowa und andere suchten ihr Heil in der Flucht. Rühmann gastierte zunächst nur in der russischen Zone (in der amerikanischen hatte er noch Spielverbot), de Kowa kam bis nach Südamerika. Herbert Ihering schimpfte auf die neuen »Fränkli- und Fleischtopfemigranten«: »In einer Zeit, die jeden Befähigten und Gutwilligen braucht, verlassen sie Deutschland. [...] Sehen diese Herrschaften nicht, daß sie alle Schriftsteller und Künstler verraten, die mit ihnen die Nazizeit in Deutschland überleben wollten, um danach eine bessere, eine demokratische, freiheitliche Heimat aufzubauen?! Spüren sie nicht, daß sie überhaupt keine Existenzberechtigung haben, wenn sie jetzt nicht zupacken und durch ihre Mitarbeit den Sinn ihrer Tätigkeit während der Nazizeit beweisen?!«
Gründgens fand in Berlin keine angemessene Tätigkeit. Er wollte nicht wie »beispielsweise Hans Albers oder Käthe Dorsch als Nutznießer« seiner eigenen Popularität herumreisen, wie er März 1947 an Major Mosjakow, den sowjetischen Theateroffizier, schrieb. Darum sei er dem Angebot seiner Vaterstadt gefolgt, die Generalintendanz der Städtischen Bühnen Düsseldorf zu übernehmen (1947–55). Er wolle »lieber für den Rest der mir verbleibenden Zeit an ein kleineres Theater, das meinem Bedürfnis und meiner eigentlichen Begabung, nämlich dem Theater in seiner Gesamtheit zu dienen, entgegenkommt«. Im April 1947 erklärte Herbert Ihering: »Eine allgemeine seelische und geistige Erschlaffung ist eingetreten, gefördert durch die politische Entwicklung. Wenn das schon in Berlin bemerkbar wird, wie erst in anderen deutschen Städten!« Das »Theaterwunder« war vorbei.

Die alliierten Vormünder

Von den vier Besatzungsmächten hatten die Russen das innigste (weil naivste) Verhältnis zum Theater, überhaupt zur Kunst. Die Kunst war ihnen etwas Heiliges, die russische Kunst das Allerheiligste. Sie kamen nicht nur als Botschafter des Kommunismus, sondern als Botschafter besseren Menschentums. Ihr Sendungsbewußtsein war segensreich, sie gebärdeten sich, als hätten sie Berlin und Wien erobert, um dort Theater spielen lassen zu können, am liebsten Tschechow nach der Methode Konstantin Stanislawskis. Bei den Führungskräften mischte sich selbstverständlich politisches Kalkül in die Begeisterung.

Die Militärregierungen schätzten das Theater vor allem als Instrument der Kulturpropaganda und der Umerziehung. Außerdem wollten sie sich nicht nachsagen lassen, sie seien kunstfeindlich. Drittens gerieten sie bald untereinander in Wettbewerb. Sie wollten einander imponieren, vor allem die Westalliierten den Sowjets und umgekehrt. Es dauerte nicht lange, da wollten die Eroberer auch den Eroberten imponieren, weil sie sie als Fußvolk im Wettkampf der Systeme brauchten. Darum beeilten sie sich, Brot und Spiele zu bieten, vor allen Dingen in den beiden vierfach regierten Hauptstädten Berlin und Wien.

Zum Brot gehörten »Pajoks«, welche die Russen ausgaben, streng gestaffelt nach Leistung und vor allem Berühmtheit der Empfänger. Die Prominenten brauchten Koffer, um die Lebensmittel fortzuschaffen, die kleinen Leute kamen mit einer Aktentasche aus. Dieses System machte böses Blut, war im Deutschen Theater unter Wangenheim Thema einer Betriebsversammlung, in der der Schauspieler Peer Schmidt erklärte, er habe einen Magen wie ein Prominenter. Und die hätten doch ihre Prominenz in der Nazizeit erworben! Jetzt würden sie dafür belohnt.

Als Walter Felsenstein, der Intendant der Ostberliner Komischen Oper, die russischen Pajoks einmal zusammenwarf und dann gleichmäßig verteilte, bestraften die Russen sein Theater, indem sie ihm die Zuwendungen für einige Zeit entzogen. Das russische Leistungsprinzip ließ (und läßt) sich mit der Vorstellung von einer klassenlosen Gesellschaft nicht vereinen. »Am Deutschen Theater haben die Künstler enorme Privilegien, was die Verköstigung betrifft«, schrieb Brecht im März 1949 an Piscator nach New York.

Für die Arrivierten in Ost und West gründeten die Russen in der Berliner Luisenstraße den Theaterklub ›Möwe‹. Dort speiste man auf Sondermarken, welche die Russen von den Intendanten verteilen ließen. Bei Bier, Wodka, Würstchen, Borschtsch traf sich die »Kunstwelt« Berlins, gaben die russischen Kulturoffiziere ihre Empfänge, zum Beispiel für Sartre und Simone de Beauvoir, die zur Berliner Premiere der existentialistischen Orestie *Die Fliegen* gekommen waren.

Jede Theateraufführung war genehmigungspflichtig, und schon gar jede Theatereröffnung. Die Lizenzen galten jedoch nur für die jeweilige Zone und waren zunächst limitiert auf einen Monat, unter Umständen auf eine Woche oder gar einen Tag. Die Kulturabteilungen der sowjetischen Militär-Administration, die ›Information Control Division‹ (amerikanisch), die ›Theatre and Music Sections‹ (englisch) und die ›Section Théâtre et Musique‹ waren Kontrollstationen und Aus-

Sartre, Die Fliegen. Hebbel-Theater Berlin 1948. Regie: Jürgen Fehling. Elektra: Joana Maria Gorvin (Foto: Willi Saeger, Berlin)

gangsorte für die jeweilige National-Dramatik. Die Zentralen für Deutschland waren in Berlin, die für Österreich in Wien plaziert. Für die Sowjetzone gab es Zweigstellen in Potsdam, Schwerin, Halle, Dresden und Weimar. Die Engländer hatten Filialen in Düsseldorf, Hannover, Hamburg und Kiel, die Amerikaner in München, Stuttgart, Wiesbaden und in Bremen, einer Enklave in der britischen Zone, des Hafens wegen. Die französische Kulturpropaganda ging von Baden-Baden aus.

Aus den neuen politischen Grenzen wurden allmählich geistige Begrenzungen. Zeitungen und Zeitschriften gingen dazu über, ihre Kulturberichte nach Besatzungszonen zu sortieren. *Nouvelles de France*, eine in Konstanz erscheinende deutschsprachige Zeitung, berichtete Mitte November 1947 über die erfreulichen Auswirkungen der Zonengrenze: »Die Isolation der kleinen Bühnen zwang zu größeren Leistungen.« Die Abteilung Kunst des Kultusministeriums Württemberg-Hohenzollern habe ein Intendantentreffen Tübingen–Tuttlingen–Sigmaringen angeregt. Man plane den Austausch von Gastspielen. Auch Ravensburg werde bald ein eigenes Theater haben. Die Besatzungsmacht wertete ihre Zone auf durch Direktversorgung aus Paris: Das französische Ensemble ›Compagnie Noël Vincent‹ brachte französische Klassiker in der Ursprache in schwäbische Kleinstädte, ein Ensemble der Pariser ›Opéra Comique‹ exportierte *Véronique* von André Messager. Die Schwäbische Volksbühne in Tuttlingen bekam eine neue deutsche Bearbeitung von Racines *Athalie* zur Uraufführung. Damit wurden dann auch Schwenningen, Schramberg, Rottweil und Ebingen beglückt.

Im *Weekly Information Bulletin* der Militärregierung für die US-Zone (Nr. 26, Januar 1946) seufzte der »Theateroffizier« Captain van Loon: »Es war einfach zu sagen: Gib einem die Lizenz! Aber was dann? Alles Baumaterial wird von der Militärregierung [...] vergeben. An jedem Tag gab es tausendundeine Forderung, der Feierabend verging mit Vernehmungen von Schauspielern, Reisegenehmigungen, Benzinanforderungen usw. Jeder Nagel, jeder Zentimeter Faden mußte vom Information Control Office genehmigt werden.«

Viele Gründungsmannschaften konnten sich nicht halten. Eile war vor Eignung gegangen, die politische Umordnung hatte die Unordnung zunächst vergrößert. »Beziehungen«, die in der Nachkriegszeit theaternärrischen Dilettanten Ämter eintrugen, waren besonderer Art und noch absurder als in der Zeit davor und danach: Beziehungen zu Rohstoffen und Nahrungsmitteln.

In der Kulturabteilung der sowjetischen Zentralkommandantur regierte Oberstleutnant Alexander Dymschitz, ein Universitätsprofessor in Uniform, hervorragender Kulturbotschafter. »Frei arbeiten lassen und helfen, wo wir können«, war seine Devise. Max Frisch notierte im November 1947: »Die Russen nehmen den Geist sehr ernst, offensichtlich entsenden sie ihre besten Leute, denen auf der anderen Seite, von wenigen Ausnahmen abgesehen, viel freundliche Nullen gegenüberstehen. In Frankfurt trafen wir einen Amerikaner, einen Prachtkerl an Hilfsbereitschaft, der durch uns zum erstenmal von Eliot gehört hat; Theatre Officer.« Arthur Maria Rabenalt meinte gar: »Die jungen – oft sehr jungen – Herrn in Khaki unterschieden sich im Grund kaum von den jungen Herrn des Propagandaministeriums in brauner Uniform.« Es gab drei Sorten von Umerziehern: wohlwollende, ein wenig naive Intellektuelle, ressentimentgeladene Rächer und sendungsbewußte Besserwisser.

Ganz anders die älteren Fachleute, die nun im Gefolge der Eroberer zurückkamen, zum Beispiel der Dichter und Bauer Carl Zuckmayer, zuletzt Farmer in Vermont, amerikanischer Staatsbürger, Gutachter der amerikanischen Militärregierung für das kulturelle Leben. Er hatte sich als Zivilbeamter für Deutschlandfragen einstellen lassen, um so bald wie möglich eine Marschorder nach Deutschland ergattern zu können, was im November 1946 glückte. Benno Frank, vor 1933 Regisseur des Wiesbadener Staatstheaters und Oberregisseur der Hamburger Oper, kam als Leiter der Theater- und Musikabteilung der amerikanischen Militärregierung sowie als amerikanischer Vertreter für Kultur im Alliierten Kontrollrat nach Deutschland zurück. (Er blieb bis 1948, 1960 verlieh ihm die Bundesregierung für seine Aufbauarbeit das Verdienstkreuz Erster Klasse.) Friedrich Mellinger, in den frühen zwanziger Jahren Sozietär der von Karl Heinz Martin 1919 gegründeten ›Tribüne‹ in Berlin, des ersten politischen Theaters Deutschlands, kehrte als Frederic Mellinger ins Berliner Theaterleben zurück. Der Münchner Schauspieler Walter Behr, Grotesk-Komiker in Werner Fincks 1935 polizeilich geschlossenem Kabarett ›Katakombe‹, erschien 1945 als »Chef der Theaterkontrolle für Bayern«. Der Engländer John Olden, ein österreichischer Jude, jetzt Theateroffizier in Hamburg, war der große Nothelfer der ›Kammerspiele‹ Ida Ehres.

Die Bemühungen der Eroberer, die von ihnen favorisierten Stücke nach Deutschland und Österreich zu importieren, wurden dadurch erschwert, daß Reichsmark und Schilling nicht konvertibel, im Ausland praktisch wertlos waren. Ausländische Autoren mußten also auf ihre Tantiemen bis auf weiteres verzichten, das Geld kam auf Sperrkonten. Die Militärregierungen erwarben die Übersetzungs- und Aufführungsrechte für gewisse Zeit und ließen die Stücke in allen Besatzungszonen kursieren. In Berlin wurde im Frühjahr 1946 eine ›Interallied Music Library‹ gegründet, um die Beschaffung von Musikmaterialien zu erleichtern. Kein deutscher Bühnenagent oder Verleger durfte ausländische Dramatik oder Musikwerke an deutsche Bühnen vermitteln, sofern diese Werke noch urheberrechtlich geschützt waren. Zunächst gab es auch gar keine andere Möglichkeit, als die Vermittlung der alliierten Dienststellen anzunehmen.

Bis zum Herbst 1946 konnten vierzig Theaterstücke amerikanischer Gegenwartsautoren für Deutschland verfügbar gemacht werden, davon waren zwanzig schon übersetzt und für Aufführungen in allen vier Zonen Deutschlands gebucht. Für die Spielzeit 1945/46 ergab die Auszählung der Berliner Premieren nach Nationen siebzehn deutsche Stücke, vier russische, vier amerikanische, vier französische, drei

Euripides/Werfel, Die Troerinnen. Hamburger Kammerspiele. Regie: Ulrich Erfurth. Hekabe: Ida Ehre (Foto: Rosemarie Clausen, Hamburg)

englische, zwei ungarische, je ein irisches, italienisches und österreichisches Stück. Die Zahlen für 1946/47 waren ähnlich. In der Provinz sah es nur insofern anders aus, als dem Gegenwartsstück ein geringerer Raum eingeräumt wurde; schon weil dort in der Regel alle drei Gattungen (Oper, Operette und Schauspiel) über dieselbe Bühne gingen.

Von allen amerikanischen Schauspielen war Robert Ardreys *Leuchtfeuer* (1939) am erfolgreichsten, eine geschickte Moralkolportage, die sich in den Staaten nicht hatte durchsetzen können: ein junger Mann, der sich aus Abscheu in einen Leuchtturm zurückgezogen hat, gewinnt im Gespräch mit ertrunkenen Passagieren eines untergegangenen Schiffes neuen Lebensmut. Schon im ersten Anlauf gelangte das Stück auf mehr als 25 Bühnen. Es löste in Deutschland bei Presse und Publikum Begeisterung aus.

Wesentlich war die Rückkehr von Eugene O'Neill auf die deutsche Bühne. Dank der Verspätung des deutschen Theaters schien O'Neill auf der Höhe seiner Gestaltungskraft, während er in Wirklichkeit schon in Krankheit, Trauer und Vereinsamung versank. Vom Deutschen Schauspielhaus in Hamburg aus machte O'Neills am höchsten gepriesenes Drama die Runde: *Trauer muß Elektra tragen.* Man faßte diese Trilogie als Bekenntnis dieses so befremdlich gewaltsamen Dramatikers zum europäischen Erbe auf. (Seine in Moll gehaltenen Alterswerke waren noch unbekannt.) Wie sehr O'Neill Europa verpflichtet war (vor allem Ibsen), fiel nicht so auf wie diese stoffliche Anleihe am geheiligten Fundus des deutschen Theaters.

Soweit die amerikanischen Theaterstücke den angeblich gesunden Optimismus zeigten, waren sie überall willkommen. Die auffällig häufigen surrealen Effekte wurden als »interessant« empfunden, man redete in diesem Zusammenhang damals gern von »magischem Realismus« und konnte darunter Wilders *Kleine Stadt* und die Zählebigkeit der Familie Antrobus in *Wir sind noch einmal davongekommen* subsumieren wie *Die Glasmenagerie* von Tennessee Williams und die damals schon ziemlich alte *Rechenmaschine* (1923) von Elmar Rice, die Geschichte vom Buchhalter Null, der als »Abfallprodukt« im Himmel wie auf Erden Sklavenarbeit leisten muß. Auch unter den damals erfolgreichen englischen Stücken waren zwei, die mit paradoxen Zeitsprüngen arbeiteten: die beiden gesellschaftskritischen Familienstücke von John Boynton Priestley, *Ein Inspektor kommt* und *Die Zeit und die Conways*, beide zuerst in Wien.

Als besonderen Trumpf werteten die Engländer die Hamburger Premiere der kurz nach dem Kriege in London uraufgeführten Oper von Benjamin Britten *Peter Grimes*, am 29. März 1947. Dabei spielte allerdings wohl auch eine Rolle, daß englische Opern selten Erfolg im Ausland haben. Günther Rennert inszenierte in der stark reduzierten Staatsoper. Heinrich Hollreiser, damals Generalmusikdirektor in Düsseldorf, dirigierte. Das Orchester war kaum unterzubringen gewesen, die Blechbläser saßen unter der Bühne. Peter Markwart sang die Titelrolle. Bald darauf inszenierte Werner Kelch, dirigierte Robert Heger das Werk an der Kantstraße in Berlin zum Auftakt einer vierzehntägigen Veranstaltungsreihe »Englische Musik«.

Nur sechs von mehreren hundert Stücken seien bisher ausgeschieden worden, hieß es im Report der Kontrollkommission für Deutschland, *British Element*, vom Juni 1946. Die neuen Stücke seien einfältig und harmlos. »Das leitende Prinzip ist die Kontrolle der Auswahl des Produzenten, kein Oktroyieren alliierter Ideen oder

Geschmacksrichtungen.« Um das Niveau zu heben, werde in der Britischen Zone mit Senkung der Lustbarkeitssteuer (Entertainment Tax) gelockt. Die Steuer werde von Juli 1946 an im Regelfall auf 15 % zu Lasten des Produzenten festgesetzt, zuzüglich von 25 % pro Eintrittskarte auf Kosten des Besuchers.

Das meistgeschätzte französische Theaterstück war Anouilhs *Antigone*, eine Feuilletonisierung und Privatisierung der Fabel des Sophokles. Kaum weniger erfolgreich waren zwei weitere Dramen von Anouilh: *Der Reisende ohne Gepäck* (1936, ein Soldat, der im Kriege sein Gedächtnis verlor, lehnt seine Vergangenheit ab und wählt sich eine andere) und eine *Eurydike*-Version (1942). Oft gespielt wurden: Pagnols *Marius*, Rollands *Spiel von Liebe und Tod*, Cocteaus *Doppeladler*, Giraudoux' *Der Trojanische Krieg findet nicht statt*, Verneuils *Monsieur Lamberthier*. Weniger oft *Die Fliegen* und *Die schmutzigen Hände* von Sartre, *Caligula* von Camus, *Der seidene Schuh* von Claudel.

Der erste Höhepunkt sowjetischer Kulturpropaganda kam mit dem 30. Jahrestag der Oktoberrevolution. Zentrum der Veranstaltungen in Berlin war das ›Haus der Kultur der Sowjetunion‹, die wiederaufgebaute Singakademie Unter den Linden, ein neues Theater speziell für Sowjetdramatik. Im Mai 1947 als Theater der Besatzungsmacht mit Vorführungen eines Armee-Ensembles eröffnet, wurde es schon im November mit Heinz Wolfgang Littens Inszenierung des Schauspiels *Die Bresche* von Boris Lawrenjow ein deutsches Theater. Es war billige Tendenzdramatik, wie *Oberst Kusmin* von Lew Scheinin (Jurist, russischer Ankläger im Nürnberger Prozeß), wie *Stürmischer Lebensabend* von Leonid Rachmaninow, der im Deutschen Theater verdiente Pfiffe erntete. In Dresden gab es lange Debatten um die Annahme dieses Klippschuldramas von der Bekehrung eines Gelehrten zur Oktoberrevolution; als Höhepunkt gilt ein Telefongespräch mit Lenin, in dem Lenin sich als Förderer der Wissenschaft erweist.

Das Theater im ›Haus der Kultur der Sowjetunion‹ zeigte Auftragsinszenierungen von Wolfgang Heinz, Hans Rodenberg, Litten, Legal, Langhoff und anderen, vom November 1950 an firmierte es unter Robert Trösch mit eigenem Ensemble als ›Neue Bühne‹, Ende Oktober 1952 wurde es, nach Übersiedlung des »Jungen Ensembles« vom Deutschen Theaterinstitut Weimar, als ›Maxim-Gorki-Theater‹ unter Maxim Vallentin eröffnet. Vallentin blieb siebzehn Jahre lang der Leiter. Von der Spielzeit 1954/55 an wurden russische Stücke im Spielplan des Maxim-Gorki-Theaters selten.

In den Zusammenhang der Feiern der Oktoberrevolution gehörte die Inszenierung der *Optimistischen Tragödie*, ein 1932 entstandenes Drama in Agitprop-Tradition, von Langhoff auf der kleinen Bühne im ›Haus der Kultur‹ nach Möglichkeit als Totaltheater inszeniert, mit Filmeinblendungen, Lichteffekten, naturalistischen Geräuschen und Auftritten aus dem Parkett. (Der Inhalt in einem Satz von Ihering: »Eine Abteilung revolutionärer Matrosen wird in diesem Schauspiel von Wischnewskij aus einem wüsten Haufen anarchistischer Draufgänger durch den weiblichen Kommissar zu einem disziplinierten Regiment der Roten Armee umgebildet.«) Zustimmung und Ablehnung in der Theaterkritik waren je nach Herkunft der Lizenzgeber der Zeitungen säuberlich getrennt. Das Stück des Petersburger Professorensohns Wischnewski, der als Vierzehnjähriger in den Krieg durchgebrannt und als siebzehnjähriger Matrose die Revolution mitgemacht hatte, wurde zu einem

Grundstück der neuen Dramatik, schon im Titel zeigt es eine Umdeutung des Begriffs ›Tragik‹ an: der Einzelne mag untergehen, die ›Idee‹ siegt. Zum Jahrestag der Oktoberrevolution wurde eine zonenweite Debatte »Über die Russen und über uns« gestartet, wurde ein halbes Hundert sowjetischer Stücke zum ersten Mal in deutscher Sprache gespielt, manche erreichten an die hundert Vorstellungen.

Daß die Russen auch im eigenen Land erwünschte und unerwünschte Dramatik hatten, ließ der Fall Jewgeni Schwarz erkennen – jedenfalls hinter den Kulissen. Alexander Dymschitz kämpfte um die Freigabe einer »Märchenkomödie für Erwachsene«: *Der Schatten*, die auf Motiven Hans Christian Andersens basiert: ein junger Gelehrter wirbt um eine Königstochter, wird aber von seinem Schatten, der sich zum König macht, beherrscht, bis ein Zauberspruch das Gute siegen läßt: »Schatten, wisse, wo dein Platz ist!« Eine schlichte Geschichte – vorausgesetzt, man liest nicht zwischen den Zeilen, hört nicht die Untertöne, Jewgeni Schwarz ist kein serviler Szenen-Handwerker gewesen. Er hat den Hinweis hinterlassen: »Fabeln werden nicht erzählt, um etwas zu verheimlichen, sondern um mit voller Kraft und lauter Stimme das zu sagen, was der Mensch denkt.« In der Sowjetunion wurde er behindert, aber geduldet.

Der Schatten, 1940 geschrieben, noch 1940 in Leningrad von Nikolai Akimow an seinem Komödientheater uraufgeführt (Schwarz war dort Dramaturg), wurde nach der Aufführung in Moskau verboten. Man kann sich denken, daß die Aufführung in Ost-Berlin nicht willkommen war. »Die Doppelbödigkeit mancher an sich harmlos klingender Sätze tritt auf den Proben von selbst immer stärker in Erscheinung«, schrieb Gründgens an Dymschitz.

Premiere war am 31. März 1947 in den Kammerspielen des Deutschen Theaters, die Wirkung war tief und nachhaltig, auch kulturpolitisch bedeutend: »den Russen« hatte man »so etwas« nicht zugetraut. Natürlich konnte damals in Berlin niemand erkennen, was dieses Stück im stalinistischen Rußland bedeutete. Das böse deutsche Beispiel lag so nahe, und der Gedanke, daß für Schwarz ein anderes näher gelegen hatte, wäre 1947 in Berlin eine Lästerung gewesen. Gründgens, der im Nachkriegs-Berlin als Schauspieler nicht überzeugen konnte, hatte nun als Regisseur seinen alten Rang zurückerobert. Dymschitz war stolz auf den Erfolg und froh, daß sein Risiko sich gelohnt hatte. »Und darum hab ich kämpfen müssen!« rief er aus. »Gibt es bei uns keine Dummköpfe?!« Immer wieder umbesetzt, blieb diese Inszenierung jahrelang im Repertoire.

Allmählich kamen zu den Tabus, die sich vor allem daraus ergaben, daß man keine Besatzungsmacht kränken durfte (und wollte), mehr oder minder strikte Verbote. Die Entwaffnung ging so weit, daß auch auf den Bühnen nicht geschossen werden durfte; war es nicht zu umgehen, so half die Besatzungsmacht mit Waffen aus. *Wilhelm Tell* war lange verboten, *Des Teufels General* konnte in Deutschland erst ein knappes Jahr nach der Zürcher Premiere gespielt werden, weil das Stück den amerikanischen Kontrollbehörden nicht ins Umerziehungs-Konzept paßte. In Erfurt sollte eine Inszenierung von O'Neills *Trauer muß Elektra tragen* in einer öffentlichen Debatte als »dekadent« von der Bühne diskutiert werden, doch der Regisseur Herbert Henze siegte. Im Winter 1946/47 bemühte sich Oberst Tulpanow persönlich nach Erfurt, um eine bedenklich mitreißende Inszenierung von *Dantons*

Tod zu kontrollieren. Das Revolutionsdrama war schon einige Male mit großem Beifall über eine Stilbühne aus Treppen und Kuben gegangen. Carl Bruno Schmidt gab den Danton, Rolf Henninger den Camille. Die Begleitmusik baute auf der Marseillaise und der Carmagnole auf. Tulpanow ließ sich vorspielen (bei zwei Grad Kälte im Zuschauerraum). Das war die letzte Aufführung.

Die Russen verboten die schwedische Operette *Zorina*, die in einem südamerikanischen Phantasiestaat eine Revolution gegen einen Diktator glücken läßt, weil Revolution ein zu heiliger Begriff sei, um Thema einer Operette sein zu können. Offenbachs damals schon fast hundert Jahre alte *Großherzogin von Gerolstein* durfte nicht erscheinen, weil man fürchtete, die lächerlichen politisch-militärischen Verwicklungen könnten zur Parodie auf das Besatzungsregime werden.

Auch die russische Prüderie verlangte Rücksicht, vor allem im ›Metropol‹, dem einzigen Operettenhaus im sowjetischen Machtbereich. »In der festlichen Premiere der ›Lustigen Witwe‹ verließen hohe russische Offiziere mit ihren Frauen bei dem hinreißend getanzten Cancan der ›Damen des Maxim‹ das Theater« (Rabenalt). Dem Wilmersdorfer Theater verbot ein englischer Major Georg Kaisers *Oktobertag*, zum Schutze der guten Sitten.

Auch in Wien präsentierten die Alliierten ihre eigenen Kulturoffiziere. Sie bildeten dort das ›Kulturreferat‹. Die amerikanischen Interessen vertrat Ernst Lothar. Er war bis 1938 Direktor des Theaters in der Josefstadt und während der Emigrationszeit Literaturprofessor an der Universität von Colorado gewesen. Auch Ernst Haeusserman, Sohn eines Burg-Schauspielers, kam als amerikanischer Kulturoffizier zurück. Er brachte es bis zum Burg-Direktor (1959–68). In amerikanischer Uniform kam der österreichische Dichter Franz Theodor Csokor nach Wien. Er war 1943 der Internierung durch deutsche Wehrmacht auf Korčula entflohen und hatte sich in Unteritalien den Alliierten zur Verfügung gestellt. Englische Kulturpropaganda machte Peter Schnabel, französische der General Bethouart, russische der schon erwähnte Major Lewitas.

Die Russen stellten der aus Zürich gekommenen kommunistischen Gruppe Paryla/Stöhr/Heinz das ehemalige Johann-Strauß-Theater als ›Neues Theater in der Scala‹ zur Verfügung. Das Unternehmen wurde lange boykottiert (»Kommunistenpuff«), obwohl es (im September 1948) mit Nestroy eröffnet wurde und auch sonst einen gemäßigten Spielplan hatte. Im Oktober 1953 kam Brecht, um letzte Hand anzulegen an eine von Manfred Wekwerth vorbereitete Inszenierung seiner Bearbeitung von Gorkis *Mutter*, mit Helene Weigel in der Titelrolle. Er fand die Schauspieler der ›Scala‹ »gut, aber an Psychologie und Diskussion gewöhnt«.

Der ›US Information Service‹ bespielte den Josefsaal in der Josefgasse als ›Kosmos-Theater‹, er betrieb auch ein Wandertheater. Die Russen hatten ein Informationszentrum in der Treitlstraße. Nur selten gab es künstlerisch ernst zu nehmende Theateraufführungen: Gogol-Einakter bei den Russen, Menotti-Kurzopern bei den Amerikanern.

Statt der strengen ›Information Control Division‹ (ICD) etablierten die Amerikaner die freundlichere ›Information Services Branch‹ (ISB), die schon nach einem Jahr von der Militärverwaltung in die Zivilverwaltung überging. Fortan waren nicht mehr die Streitkräfte, sondern es war das Hochkommissariat zuständig.

Freilich war der kulturpolitische Service derselbe, ob zivil oder militärisch, vermittelte also auch dasselbe wie in Berlin. Ein Doktorand (Wilhelm Sadofsky) hat nach Nationalitäten der Autoren sortiert, was die Spielpläne der zwanzig wichtigsten Schauspielbühnen Wiens seit 1945 bis zum Ende der Spielzeit 1948/49 enthielten. Es kamen 29 französische Autoren (mit 52 Stücken) zu Wort, 24 englische (56 Stücke), 19 amerikanische (25) und 17 russische (29). Natürlich gab es auch in Wien Drôlerien bei der Entscheidung über Theaterstücke. Raoul Aslan hatte für die Wiedereröffnung des Akademietheaters *Elga* von Gerhart Hauptmann (frei nach Grillparzer) vorgesehen, doch die Russen erhoben Einspruch. Im Frühsommer 1945 gab es auch hinsichtlich Hauptmanns noch keine politische Übereinkunft. Erst am 11. Oktober 1945 gab ein Leitartikel in der *Täglichen Rundschau*, der Zeitung der sowjetischen Militäradministration in Berlin, das Signal für eine neue Phase der Hauptmann-Verehrung, nachdem Hauptmann den Ehrenvorsitz des ›Kulturbundes zur demokratischen Erneuerung Deutschlands‹ akzeptiert hatte.

Im November 1947 wurde das Drama *Die Befreiten* für Österreich verboten. Verständlich in Anbetracht des Themas: die Befreier (Amerikaner) stehen ratlos vor den Befreiten (Deutsche). Unverständlich in Anbetracht des Autors: Ferdinand Bruckner, damals noch im Exil. (Die Uraufführung hatte das Zürcher Schauspielhaus am 1. September 1945 gezeigt.) Auch die Komödie *Simone und der Friede* von Georges Roland wurde in Wien verboten (deutsche Erstaufführung Januar 1949 in der Berliner ›Tribüne‹). Das Spielchen spiegelte die Bemühungen der Vereinten Nationen auf der Diener-Ebene: die Chauffeure des französischen, amerikanischen, russischen und englischen Gesandten bemühen sich um die schöne Titelheldin. Und auch Fritz Hochwälders Parabel der Menschlichkeit *Der Flüchtling* (nach Georg Kaiser, Uraufführung im September 1945 Biel-Solothurn) fiel in Wien in Ungnade. Die Russen, auch in Wien am wenigsten populär, sahen sich bald zurückgedrängt. Je lockender die Kulturangebote der drei Konkurrenten waren, um so eifersüchtiger wachten die Sowjets über das proportionale Gleichgewicht. Sie widersetzten sich »unerwünschten« Premieren, setzten aber in Wien noch weniger Theaterstücke als in Berlin durch. Die interessanteste Ausnahme im eintönigen Angebot sowjetischer Stücke lieferte das Volkstheater Ende November 1945 mit dem politischen Kostümstück *Der befreite Don Quichote* von Anatoli Lunatscharski, dem ersten Volkskommissar für das Bildungswesen, Förderer des Proletkults, selber aber nur ein epigonaler Dichter. Von Günther Haenel inszeniert, brachte es die szenische Historie auf vierzehn Aufführungen. Bei damaliger Nachfrage war das fast ein Mißerfolg.

Wankelmut der Sieger, unablässig wechselnde Satrapen, der Wettbewerb der Systeme ergaben Inkonsequenzen, welche die Besiegten erkennen ließen, daß ihre Umerzieher weder ihrer Ämter noch ihrer Mission sicher waren. Von heutiger Warte aus muß man die Horizont-Erweiterung in der Besatzungszeit unzureichend nennen: die Informationen waren sorgfältig kontingentiert und gesiebt, die alliierten Vormünder hatten selber restaurative oder gar reaktionäre Ziele, sie betrieben nationale Machtpolitik, sahen Deutschland als ihr Vorfeld an und bemühten sich, dieses Puffer-Gebiet möglichst rasch und endgültig in ihrem Sinne zu ordnen. In einer solchen Situation hat das Theater keine Fragen zu stellen, sind gedankliche und formale Wagnisse kaum möglich. Und so war denn auch die importierte Dramatik im wesentlichen konventionell.

Die Entnazifizierung

Im Jahre 1946 erschien eine philosophisch-psychologische Untersuchung von Max Picard (1888–1965), deren Titel zum Schlagwort wurde: *Hitler in uns selbst.* Picard machte verständlich, daß Faschismus nicht einfach aus der historischen und geistigen Situation herauszutrennen, also nicht plötzlich aufgetreten und plötzlich erledigt sei, somit auch »Entnazifizierung« ein Problem sei, das nicht einfach durch Aussondern von Personen gelöst werden könne.

»Der deutsche Schauspieler in seiner Gesamtheit war politisch uninteressiert. Aktive politische Schauspieler hat es immer nur wenige gegeben«, schrieb Gründgens 1946 in einem Aufsatz *Zur Soziologie des deutschen Schauspielers.* »Im Vordergrund hat für den Schauspieler die Kunst gestanden oder besser gesagt, die gute Rolle, die interessante schauspielerische Aufgabe. Diesen Mangel an politischer Erziehung teilt der deutsche Schauspieler mit dem gesamten deutschen Volk. [...] Der Nationalsozialismus, der eine Lehre der Oberfläche war und nur mit Massenpsychose gearbeitet hat, ging ja nicht – wenigstens für die meisten Menschen bewußt nicht – in die Tiefe, und so kommt das für den Betrachter von außen verwunderliche Bild zustande, daß sich die Schauspieler, die in den letzten 12 Jahren Theater gespielt haben, zum großen Teil nie vom Nationalismus getroffen fühlten und sich auch mit seinen Schandtaten nicht identifiziert haben. Folglich erkennen sie zwar das, was man Kollektivschuld der Deutschen nennt, resigniert auch für sich an, ohne sich einer Einzelschuld bewußt zu sein.«

Schon im Jahre 1943 hatte die US-Regierung als künftige Besatzungsmacht bei Carl Zuckmayer eine Expertise über führende Persönlichkeiten des deutschen Kulturlebens bestellt. Zuckmayer hatte erklärt, Schauspieler genössen auch das ›Dritte Reich‹ als Inszenierung, in der sie eine Rolle spielten. Er halte Gustaf Gründgens keineswegs für einen abgründigen Bösewicht, sondern für eine Spielernatur, die auf dem Theater wie im Leben auf »grand jeu« eingestellt sei.

Karl Böhm bekräftigte nach dem Kriege, was er schon 1933 gesagt hatte: »Ich gehöre nur einer Partei an, der musikalischen.« Eine große Ausnahme war Hilde Körber, die 1946 bis 1951 im Berliner Abgeordnetenhaus die CDU vertrat. Sie hat an der Ost-West-Auseinandersetzung aktiv teilgenommen. Als sie im Jahre 1948 eine Botschaft an General Clay mitunterzeichnet hatte, die zur Hilfe für die in der Ostzone Verfolgten aufrief, wurde sie von der DEFA aus ihrer Stellung als Nachwuchslehrerin entlassen. Im Jahre 1951 legte sie ihr Mandat nieder, um sich ganz ihrer im gleichen Jahr gegründeten Max-Reinhardt-Theaterschule des Landes Berlin widmen zu können, die 1965 als ›Abteilung für darstellende Kunst‹ der Hochschule für Musik eingegliedert wurde.

Vier Musiker nahmen in der Periode der Heimkehr den entgegengesetzten Weg: Wilhelm Furtwängler, Richard Strauss und die von ihm verachteten Kollegen Hans Pfitzner und Franz Lehár. Pfitzner ging nach Österreich, die anderen drei nahmen Zuflucht in der Schweiz: Furtwängler und Strauss, weil sie sich bedroht fühlten, Furtwängler vom Terror der untergehenden Nazis, Strauss vom allzu schlichten Gerechtigkeitsdenken der neuen Herren. Lehár war mindestens enttäuscht vom

Neubeginn. Sein Haus in Nußdorf (nach dem bekanntesten Vorbesitzer »Schikane-der-Schlößl« genannt) war geplündert worden. Nachdem die Wiener Staatsoper Johann Strauß und Offenbach angekündigt hatte, brachte Lehár sich dort in Erinnerung. Man ließ ihn wissen, seine Operetten seien zur Zeit nicht wünschenswert, obendrein die alten Dekorationen nicht mehr verfügbar. Das war die Quittung für Schwächen im Umgang mit den Gewalthabern von gestern. Immerhin hatte Lehár seine jüdische Frau verteidigt und Strauss nur seinen Lebensstandard. Strauss verließ im Oktober 1945 das von US-Truppen besetzte Garmisch und lebte dreieinhalb Jahre lang in Baden bei Zürich. Lehár ging im Januar 1946 in die Schweiz. Die Presse schimpfte hinter ihm her.

Furtwängler, der fast jedes Jahr in der Schweiz dirigiert hatte, wurde nach der erneuten Einreise Anfang Februar 1945 als »Propagandist für Hitlerdeutschland« angegriffen. Der Arzt Dr. Niehans, in dessen Klinik er mit Weib und Kind unterkam, und der Kollege Ernest Ansermet beschwichtigten die waadtländischen Behörden.

Pfitzner war ein naiver Patriot, er mußte seinen Nationalismus nach dem Kriege mit Verfemung büßen. Anfang November 1946 schrieb er aus München, wo er vorübergehend wieder Fuß gefaßt hatte: »Ich kann und will nicht, nahe dem 80., mich noch bei Behörden herumbemühen und bei Instanzen anfragen, warum meine Werke nicht aufgeführt werden dürfen und was ich tun soll, um eine Aufhebung oder Milderung dieses Strafbefehls zu erreichen. Bei dem Furtwängler ist es was anderes: Wenn der nicht jeden Tag dirigieren kann, ist er nichts wert und ein Fisch auf dem Sande, wenn er nicht vor dem Publikum paradieren kann. Darum muß er sehen, daß er so bald als möglich wieder ›darf‹. Ich dagegen habe ›Zeit‹ [. . .].« Seit der Zerstörung seines Münchner Hauses (1943) lebte Pfitzner unstet, dank einer monatlichen Spende der Wiener Philharmoniker fand er Zuflucht in der ihm wesensfremden Stadt Salzburg.

Einigkeit bestand darin, daß der Faschismus auf und hinter der Bühne verschwinden müsse. Über die Methoden und schon gar über einzelne Fälle ließ sich schwerer entscheiden. Helge Rosvaenge hatte mit den Russen mittels Musik recht gut fraternisiert, doch dann wurde er ins Internierungslager Krasnogorsk verschleppt. »Ich dachte zuerst, daß ein Heimtransport nach Dänemark bevorstände.« Man hatte einfach alle zivilen Ausländer Berlins zusammengekarrt. Ende September wurden die Dänen entlassen und, komfortabel wie Touristen, gratis heimgeschickt. Anfang Oktober gab Rosvaenge ein Konzert in Stockholm – und da bekam er die Quittung für seine Erfolge im ›Dritten Reich‹. Rosvaenge, ursprünglich Ingenieur, wollte umsatteln. Er wurde Mitbesitzer eines gebrechlichen Kutters und stach mit anderen Auswanderern in See. Das Ziel war Venezuela, in Spanien sang Rosvaenge aber schon wieder.

Der Luxemburger René Deltgen spielte in München nichtsahnend den Macduff, da erfuhr er, daß er in seiner Heimat als Kriegsverbrecher gelte und daß sein Eigentum beschlagnahmt worden sei. Immer wieder wurden Akteure und Regisseure aus Proben »herausgeschossen«. Als ein durch Boten übermittelter Zettel Rudolf Fernau zum Verhör ins Stuttgarter Amtsgericht beorderte, verließ er die Probe zu Nestroys *Mädel in der Vorstadt* mit der Bemerkung, er werde wohl gleich wieder dasein. Das war ein Irrtum. Er wurde zu neun Monaten Gefängnis und lebensläng-

lichem Spielverbot verurteilt. (Dieses Urteil wurde Anfang Januar 1946 in eine geringe Geldbuße umgewandelt.)
Mitten aus dem zweiten ›Tribünen‹-Programm »So oder so« wurde Victor de Kowa verhaftet. Er war gerade dabei gewesen, ein Chanson vorzutragen. Das Publikum glaubte an einen Regie-Einfall und applaudierte vergnügt. Aber es handelte sich um Denunziation. In einem undatierten Brief (wahrscheinlich 1946) schrieb Hans Pfitzner an seinen Biographen Walter Abendroth: »Wahrhaftig, wenn allein für die deutschen Denunzianten ein Gerichtshof zusammentreten würde und alle aufhängen ließe, die zu dieser Klasse gehören – es wäre gerechter und besser als in manchen andern Fällen!« Sarkastisch schrieb das Wochen-Bulletin der US-Militärregierung am 25. November 1946: »Als die Theaterleute gemerkt hatten, daß nur eine geringe Anzahl von ihnen beschäftigt werden konnte, weil es an Ausrüstung und Theaterhäusern fehlte, wurde die Entnazifizierung ziemlich einfach. Sie taten nämlich selber alles, um den Wettbewerb zu beenden. Da sie obendrein wußten, daß die Vertreter der Militärregierung sich mehr für politische Hintergründe als für Begabung interessierten, waren sie nur zu willig, diese Neugier des jeweiligen Offiziers auf ihre Kollegen zu befriedigen, indem sie alle möglichen Informationen lieferten. Und weil alle es so machten, blieben nur ein paar ehrgeizige Künstler übrig.«
Heinrich George, ehemaliger Intendant des Schiller-Theaters, Sympathisant des ›Dritten Reiches‹ (vorher Kommunist), wurde im Juni 1945 verhaftet und in ein Lager in Hohenschönhausen eingeliefert, eine ehemalige Fabrik. Im Dezember kam er in das Lager Sachsenhausen bei Oranienburg, ein ehemaliges Konzentrationslager. George lebte dort unter elenden Umständen, spielte aber Theater.
Am 6. Juni 1945 konstituierte sich die ›Kammer der Kunstschaffenden‹ in der Schlüterstraße 45, in den demolierten Prachträumen der ehemaligen ›Reichstheaterkammer‹. Sie wurde zur Kontroll- und Organisationszentrale, auch zur politischen Auskunftei. Vorsitzender der Entnazifizierungskommission für ›Kunstschaffende‹ und Präsident der ›Kammer der Kunstschaffenden‹ war Hanns Hartmann aus Essen, bis 1933 Intendant in Chemnitz, dann seiner jüdischen Frau wegen zum Musik- und Bühnenverlag Edition Meisel & Co ausgewichen. Als Hartmann am 1. November die Intendanz eines Operettentheaters übernahm, wurde Paul Wegener Präsident der ›Kunstkammer‹. »Unter den Wartenden war einfach alles, vom geistigen Asketen bis zur kessen Diseuse mit schiefem Hütchen und rotlackierten Fußnägeln« (Karla Höcker). Wolfgang Harich versuchte sich als Wegeners Sekretär.
Gustaf Gründgens wurde dreimal verhaftet, nach dem dritten Mal, am 4. Juli 1945, für Monate fortgebracht, ins Lager Jamlitz in der Lausitz. Gründgens hatte gerade im Goethe-Saal des Harnack-Hauses die *Räuber* probiert, mit Horst Caspar als Karl. Er meinte später, der Titel ›Staatsrat‹ (»mit dem sich für mich nichts verband«) sei ihm zum Verhängnis geworden. Zunächst war keine Zeit für Nuancen: Parteimitglieder raus! Als Michael Bohnen sein Ensemble für die künftige Städtische Oper engagierte (ohne einen Pfennig zahlen zu können), mußte er schon in den ersten Tagen 75 Sänger und Musiker als ehemalige Parteimitglieder zurückweisen. Im Jahre 1947 wurde er selber als Denunziant und schlechter Haushälter ausgebootet. Allmählich sah man realistischer, nämlich in leichten Fällen durch die Finger: als Ernst Legal in der ›Kammer der Kunstschaffenden‹ vorgeworfen wurde,

er habe Mitglieder der Nazipartei engagiert, rechtfertigte er sich so: er habe den Befehl ausführen müssen, so rasch wie möglich Opern aufzuführen, und das sei eben ohne Ex-Parteigenossen nicht möglich. Rudolf Schock war – nach eigener Aussage – der einzige Tenor, der nicht in der Partei gewesen war.

Mit der Zeit zeigten sich auch auf dem Gebiet der personellen Säuberung Unterschiede zwischen der Ostmacht und den Westmächten: während die Westmächte mit gewaltigen Fragebögen nach formalen Kriterien vorgingen, legten die Russen mehr Wert auf tätige Reue. Diese Großzügigkeit beschleunigte den Start im Machtbereich der Sowjets. »Artist« war ein Zauberwort, wer sich als »Artist« bezeichnen konnte, der hatte bei den Russen einen Stein im Brett – wenigstens zunächst einmal. Im Namen der russischen Besatzungsmacht löste der Magistrat Ende 1945 die ›Kammer der Kunstschaffenden‹ auf.

»Die Entnazifizierung des Theaters ist eine Sache für sich«, erklärte Ende Januar 1946 das *Weekly Information Bulletin* der US-Militärregierung. »Man nimmt allgemein an, daß kein namhafter Künstler gezwungen worden ist, Mitglied der Nazipartei zu werden. Das Propagandaministerium behandelte sie mit Glacéhandschuhen. Theaterleute legten Lippenbekenntnisse entweder der Karriere wegen ab oder weil sie exponiert waren durch jüdische Verwandtschaft oder kommunistische Aktivität. Viele, deren Fragebogen in Ordnung ist, sind bekannte Nazis gewesen und vice versa.«

Käthe Dorsch hat aus ihrem Herzen keine Mördergrube gemacht, denn sie war mutig und prominent. Nach dem Krieg konnte sie es sich darum leisten, für Kollegen einzutreten, die ins Zwielicht geraten waren. Ambivalent wie der Fall Gründgens ist auch der Fall Maisch: Herbert Maisch war pünktlich 1933 aus dem Theaterleben gedrängt worden, hatte sich dann aber als Regisseur propagandistischer Filme ganz gut mit dem ›Dritten Reich‹ arrangiert. Zwar durfte er wieder inszenieren (in Berlin die Eröffnungspremiere der Komödie am Kurfürstendamm *Kabale und Liebe* im März 1946 und in Dresden den *Woyzeck*, Januar 1947), sollte aber kein Theater mehr leiten. Intendanz-Angebote aus Mannheim und Stuttgart veranlaßten ein »Clearing«, über dem die beiden Chancen verlorengingen. Erst das dritte Angebot konnte Maisch annehmen: Generalintendant in Köln zu werden, im Frühjahr 1947.

Willy Birgel, belastet durch den Rabenalt-Film . . . *reitet für Deutschland*, der laut Goebbels »nicht mit Geld zu bezahlen« war, wartete am Wörther See ab. Im Sommer 1947 war er wieder in Berlin, er spielte im Rathaus Friedenau, das damals ein ›Lustspielhaus des Westens‹ beherbergte, zusammen mit Gerda Maurus die Komödie *Der Staatsmann und die Kühe* von Geoffrey Kerr, die er im Programm in Schutz nahm: es sei ihm klar, »daß wir damit die Wünsche der politischen Theaterbesucher nicht befriedigen können«. Ferner war von Wiedersehensfreude die Rede, die allerdings nicht ungetrübt war: zeitweilig mußte er Polizeischutz in Anspruch nehmen.

Da jede Besatzungsmacht nur in ihrer Zone regierte, konnte man ihr entkommen. Theodor Loos durfte in der US-Zone nicht spielen, Wolfgang Müller fand ihn ratlos auf der Freitreppe der Stuttgarter Staatsoper sitzen, nahm ihn mit über die nächste Grenze (das war die Autobahn Karlsruhe–Stuttgart–Ulm) in die französische Zone und ließ ihn in Tübingen in *Candida* mitspielen.

Rabenalt hatte trotz Berufsverbots in Heidelberg inszeniert; bis die Beschwerde aus München kam, arbeitete er schon in Baden-Baden. Die französische Behörde erklärte, er sei beim Aufbau des deutschen Kulturlebens in der französischen Besatzungszone wünschenswert. (Im Jahre 1947 kam der Spruchkammerbescheid: nicht betroffen.)

Einige Schuldbewußte verloren die Nerven: Leopold Reichwein, Generalmusikdirektor an der Wiener Staatsoper, erschoß sich beim Einmarsch der Russen. Der Schauspieler Paul Apel, Autor von *Hans Sonnenstößers Höllenfahrt*, geriet beim Spruchkammer-Verfahren in Berlin außer sich und stürzte sich aus dem Fenster (9. Oktober 1946). In Konstanz brachte sich der Dramaturg Dr. Walter Koch um, als seine Fragebogenfälschung aufkam.

Heinrich George mußte sich im Lager einer Blinddarmoperation unterziehen. Dabei versagte sein Herz, er starb am 25. September 1946. Jürgen Fehling hat ihm einen Nachruf geschrieben, den der amerikanisch lizenzierte *Kurier* am 12. Januar 1947 veröffentlichte: »Ich habe ihn geliebt wie keinen lebenden Schauspieler deutscher Zunge. [. . .] Er apportierte mir wie ein mächtiger Hund alle Rollen. [. . .] Unter seinen Kollegen wirkte er wie ein alter Steinadler zwischen Hühnern.«

Langhoff hatte kein Empfinden für die in Fehlings Nachruf implizierte politische Schelte. Nie hatte er George in einer seiner großen Rollen gesehen. Er ließ eine Replik veröffentlichen, die Fehling der »Verachtung der heutigen deutschen Schauspieler« bezichtigte. Ihm, Langhoff, sei »in der heutigen Geburtsstunde einer neuen, kommunistischen, menschlichen und einfachen Theaterkunst das Ensemble wichtiger als der noch so geniale Einzelne«. Fehling übergab daraufhin dem *Kurier* die Beschreibung seiner Unterredung mit Langhoff. »Was sich im Zimmer, wo einst Max Reinhardt und vor ihm Brahm gesessen hatten, begab, war horrend. Ich unterließ es nicht, mein Gegenüber an Brutus zu erinnern, der mit seinem vielleicht edlen, aber vor der Geschichte hassenswerten ›Idealismus‹ das Dümmste und Unverantwortlichste tat, als er um der Mediokrität, der nivellierten Masse willen, als er um der Urteilslosen willen, den einen, der regieren konnte und der regieren mußte, wenn das gefährdete römische Reich nicht zerfallen und törichten und egozentrischen Prominenten – pardon, ich meinte Diadochen – zum Fraße vorgeworfen werden sollte, preisgab.«

Die sowjetische Besatzungsmacht protestierte. Einen Monat später machte die amerikanische Militärregierung die Berufung Fehlings durch den Berliner Magistrat zum künstlerischen Leiter des Hebbel-Theaters rückgängig, auf Wunsch der Mehrheit des Ensembles, das sich mit Fehling nicht vertrug, also keine politischen Gründe hatte.

Nach neun Monaten im Lager kam Gustaf Gründgens zurück, stark abgemagert, sehr zurückhaltend. Gustav von Wangenheim persönlich präsentierte den geläuterten, auch im Ensemble des Deutschen Theaters umstrittenen Gründgens in einer Betriebsversammlung: die Russen hätten diesen Fall ganz genau geprüft, er sei wieder ein Kollege. Die ehemaligen Mitglieder des Staatstheaters stellten sich in einer Reihe an, um ihrem ehemaligen Chef die Hand zu schütteln.

Am 3. Mai 1946 trat Gründgens zum ersten Mal nach dem Kriege auf, als Christian Maske in Sternheims *Snob* unter der Regie von Fritz Wisten. Luft schrieb: »Der Theaterabend hatte einen Beigeschmack des Sensationellen. Schwarzmarkt-

preise waren zu diesem Evenement geboten worden, die sich total unvernünftig ausnahmen. Als Gründgens die Bühne betrat, begann ein Akt der Raserei im Theater«, bis »nach einer kleinen Ewigkeit des Jubels, das Spiel und das Stück beginnen konnten«. Aber Gründgens enttäuschte, er hatte »sein kaltes Charisma verloren«, er wurde, sobald Paul Bildt auftrat als Theobald Maske, »fast an die Wand gespielt und uninteressant«. Gründgens überzeugte auch nicht unter eigener Regie als Marquis von Keith. Er »psalmodierte« (Luft) den Ödipus. Außerdem spielte er einen Dozenten, Mitarbeiter eines berühmten russischen Akademikers, der 1916 in vier Akten zur Sowjetmacht bekehrt wird (*Stürmischer Lebensabend*; vgl. S. 38). Solche halben Mißerfolge stärkten seine Position bei den mißtrauischen Kollegen: »So gut ist er doch gar nicht, laßt ihn doch machen.«
Inzwischen hatten die Russen Wangenheim durch Langhoff ersetzt. Der Reinhardt-Schüler, Sohn des Seniors Eduard von Winterstein, immerhin KP-Mann, Leiter eines Arbeiter-Theaters und Mitglied des ›Nationalkomitees Freies Deutschland‹, war den Russen zu weich. Er hatte auch in der Sowjetunion nicht viel Geltung besessen. Inzwischen hatte er sich allerdings Dank verdient, weil er dem Deutschen Theater ein Studio angegliedert und ein Dutzend junger Talente entdeckt hatte (u. a. Horst Drinda, Michael Degen, Angelika Hurwicz), das Ensemble war nämlich vergreist gewesen. Der nach Karriere drängende und als Antifaschist bekannte Langhoff imponierte den Russen mehr, zumal da er bei Nacht und Nebel über die »grüne Grenze« gekommen war. Wangenheim selber stellte den Nachfolger vor. Langhoff zeigte sich in seiner Geburtsstadt zuerst als Kreon in Sophokles' *König Ödipus*, unter der Regie von Karl Heinz Stroux.
Vier Entnazifizierungsverfahren mußte Gründgens überstehen, bis er schließlich in Ost und West nicht nur spielen, sondern auch inszenieren durfte. Heinz Rühmann, Mitglied der Preußischen Staatstheater, wurde in zwei Verfahren entlastet, einem deutschen und einem alliierten. Heinz Tietjen wurde im April 1947 entnazifiziert. Als Robert Heger und Leopold Ludwig um ihre Rehabilitierung zu kämpfen hatten, wurde Artur Rother der Hauptdirigent der Städtischen Oper; als Karl Schmitt-Walter zeitweilig vor dem Fragebogen kapitulieren mußte, wandte sich die Gunst der Musikfreunde vornehmlich dem Bariton Josef Metternich zu.
Auch Wilhelm Furtwängler war ins Zwielicht geraten, er wurde im Januar 1947 einem Entnazifizierungsverfahren unterworfen. »Er ging nicht nur als äußerer Sieger aus dem Verfahren hervor, sondern hatte alle, die ihn richten sollten und die sich zu Richtern gemacht hatten, tief beschämt« (Friedrich Herzfeld, 1956). Die Beglaubigung der Alliierten ließ gleichwohl auf sich warten, bis zum 1. Mai 1947. Am 25. Mai dirigierte er wieder genau das Beethoven-Programm, mit dem er nach den Auseinandersetzungen um Hindemith am 24. April 1935 seine öffentliche Tätigkeit wiederaufgenommen hatte, im Glauben, er könne sich aus jeglicher Politik heraushalten.
Zwei Jahre lang dauerte in München der Meinungsstreit, ob Richard Wagner im »Zeitalter der Säuberung« wieder aufgeführt werden dürfe. Am 29. April 1947 entschied das Prinzregententheater für Wagner, mit der Wiederaufführung der *Walküre*. Zwei Tage darauf lag vor dem unweit des Theaters stehenden Wagner-Denkmal ein Kranz, auf dessen Schleife zu lesen war: »Herzlichen Glückwunsch zur Entnazifizierung! Die dankbaren Münchner.«

Werner Egk fühlte sich zwei Jahre lang »wie Josef K. im ›Prozeß‹. Seine Schuld
war, daß er sich für unschuldig hielt, meine vielleicht auch.« Im Oktober 1947
beantragte der öffentliche Kläger fünf Jahre Berufsverbot und Einziehung des
halben Vermögens. »Wegen Mitwebens am Kultur-Vorhang, hinter dem die KZ-
Öfen rauchten«, formulierte Egk. Die Spruchkammer stellte das Verfahren ein,
weil zwischen Egks »Tätigkeit und den KZ-Verbrechen ein ursächlicher Zusammenhang« (Egk) nicht nachzuweisen war.
Auch in Österreich stand das Problem der Entnazifizierung an. So einfach wie die
Unabhängigkeitserklärung Österreichs »Der dem österreichischen Volke aufge-
zwungene Anschluß ist null und nichtig« war die Sache bei weitem nicht. Sie war
sogar historisch falsch. Franz Taucher versuchte in seiner Zeitschrift *Wiener Bühne*
seinen Landsleuten klarzumachen, »sie seien keineswegs nur die verfolgte Unschuld
gewesen, als die sie sich nach 1945 politisch gefühlt hatten«.
Im milderen politischen Klima Österreichs fiel auch die Entnazifizierung sanfter
aus als in Deutschland. Die Mitglieder des Burgtheaters, die der NSDAP angehört
hatten, mußten folgende Erklärung unterschreiben: »Erschüttert über das tragische
Geschick, das über die Welt gekommen, bereue ich es zutiefst, als Künstler jemals
einen Schritt in die Politik getan zu haben, und bitte um die Gnade der Wieder-
erlangung des Rechtes, am Wiederaufbau meines Vaterlandes als Künstler am
Burgtheater dienen zu dürfen.« Nicht allen wurde es erlaubt, wieder zu dienen;
bis Sommer 1945 schieden 27 Burgschauspieler aus politischen Gründen aus. (In der
Oper gab es keine politischen »Abgänge«.)
Als der Vorstand der Wiener Philharmoniker dem Staatssekretär für Unterricht
Ernst Fischer gestand, die Entfernung aller ehemaligen Parteimitglieder werde die
»künstlerische Substanz schwer treffen«, versprach Fischer, eine radikale politische
Säuberung hintanzuhalten. (Dreizehn Philharmoniker wurden schließlich pensio-
niert.)
»Ein Künstler kann entweder von der österreichischen Regierung oder von einer
der Besatzungsmächte Auftrittsverbot erhalten. Oft sind sie sich nicht einig, aber
ein schwarzer Punkt genügt«, schrieb der Londoner *Observer* im August 1946. »So
sitzen Karl Böhm und Clemens Krauss untätig im Salzkammergut, während Opern
schlecht dirigiert werden. Besonders grotesk ist die Situation von Karajan, des
besten Dirigenten unter vierzig Jahren in Europa. Er wurde 1942 aus der Nazipartei ausgestoßen, gab eine begeistert aufgenommene Vorstellung in der britischen
Zone, wurde dann denunziert und ist nun verboten. Hier in Salzburg hält er zwar
Proben ab, aber die eigentlichen Vorstellungen muß er sich von schwächeren Künstlern dirigiert anhören. Das gleiche gilt für die verbotenen Sänger. [. . .] Alle waren
seltsam froh, daß Toscanini nicht erschien. Seine Gegenwart hätte die Bitterkeit
verschärft.«
Nachdem Lothar Müthel im Dezember 1946 den *Nathan* inszeniert hatte, mit
Aslan in der Titelrolle (zwischendurch waren alle Kostüme gestohlen und neue
besorgt worden), fand die Presse, man müsse dem ehemaligen Preußischen Staatsrat und Reichskultursenator das Handwerk legen. Bis dahin hatte Müthel un-
geschoren inszeniert, zum Beispiel die erste »zeitnahe« Offerte der Staatsbühnen,
Ardreys *Leuchtfeuer*. Unter dem Eindruck der Angriffe verließ Müthel Wien. Er

arbeitete von 1947 bis 1950 als Regisseur und Schauspieler am Nationaltheater in Weimar, seit 1951 in Frankfurt am Main.

Im allgemeinen glichen sich in Österreich die Gegensätze zwischen den Daheimgebliebenen, den in die Fremde Geflohenen und in die Wüste Geschickten aus. Wegen des Films *Heimkehr* durfte das Ehepaar Hörbiger nach 1945 zunächst nur in Innsbruck (französische Zone) spielen, Attila Hörbiger in *Jedermann*, Paula Wessely in *Liebelei*. Rudolf Steinboeck führte Hörbiger als Ensemblemitglied weiter und setzte ihn dann in einem russischen Stück *(Die ferne Station)* ein, in der Hoffnung, daß die Russen die Spielerlaubnis für Hörbiger bei ihren alliierten Kollegen durchdrückten – was sie auch taten.

Die Russen fanden Karl Böhm untragbar, die Amerikaner riefen ihn nach Salzburg. Dort traf er den zeitweilig »verbotenen« Hans Moser, der mit einer Jüdin verheiratet war. Böhm versuchte es dann in seiner Heimatstadt Graz – lange vergeblich. Elisabeth Schwarzkopf war einmal von den Engländern verboten und von den Franzosen erlaubt, dann bei den Russen verboten, aber bei den Amerikanern erlaubt.

Keinen Anschluß mehr fand Emil Jannings. In Deutschland hatte er Auftrittsverbot, in Österreich war die öffentliche Meinung gegen ihn. Er galt als Nazi und Preuße – und das zusammen war zuviel. Jedenfalls ist Jannings nie in der Partei gewesen und von Geburt Schweizer. Im Jahre 1948 wurde er Österreicher. Nicht einmal in der Provinz, in Linz und Salzburg durfte er spielen, Anfang 1950 beendete ein Leberleiden den Kampf um Rehabilitierung.

Die ›reichsdeutschen‹ Theaterleute versuchten, in Österreich zu bleiben, doch sie wurden abgeschoben. Werner Krauss wurde im Sommer 1946 aus Österreich ausgewiesen. Er ging nach Stuttgart und ließ sich dort von einem Verehrer, Inhaber einer Großschlächterei, für 25 Reichsmark Wochenlohn formell als Schäfer anstellen, damit er Lebensmittelkarten bekam. Man warf ihm Freundschaft mit Göring vor, das Auftreten in Mussolinis Napoleon-Drama *Hundert Tage* und vor allem in einigen Judenrollen in Veit Harlans Film *Jud Süß*. Nach mehreren Verfahren wurde er schließlich als Mitläufer eingestuft und mit einigen tausend Mark Geldstrafe belegt. »Damit war die Sache zu Ende, aber kein deutscher Intendant hatte den Mut, mich zu engagieren, aus Angst vor Repressalien der Besatzungsmacht.« Ferdinand Marian, der die Titelrolle im *Jud-Süß*-Film gespielt hatte, starb im August 1946, bevor er »untersucht« wurde; Erich Engel hatte ihn vergeblich für die Münchner Kammerspiele reklamiert.

Harlan zwang 1963 in einem Arbeitsgerichtsprozeß den Leiter des Grenzlandtheaters in Aachen, sein Versprechen einzulösen: »Veit Harlan und seine Frau bekommen hier eine Gelegenheit, ihr Schicksal neu zu bestimmen und sich ein Comeback zu schaffen.« Es ging um Strindbergs *Traumspiel*. Die Inszenierung war kümmerlich, konnte auf der winzigen Bühne allerdings kaum besser sein. Kristina Söderbaum als Indras Tochter hätte besser sein müssen. Die Unbeschriebenheit, die einst rühren und bezaubern konnte, war zur Leere geworden. Das Premieren-Publikum bereitete ihr eine Ovation, schenkte ihr Blumen über Blumen.

Werner Krauss blieb nur bis Ende 1948 »kaltgestellt«, dann holte Dr. Egon Hilbert, Chef der Bundestheaterverwaltung in Wien, ihn zurück, da er ihn für integer hielt. Als ehemaliger politischer Häftling war Hilbert immun gegen politische

Mißdeutung dieser Eigenwilligkeit. »Man konnte die gefälschten Ausweise gar nicht zählen, die er den Leuten in die Hand gab, damit sie die russische Kontrolle an der Enns-Grenze passieren konnten« (Karl Böhm). Hilbert veranlaßte auch, daß Pfitzner zum 80. Geburtstag geehrt wurde mit einer Aufführung des *Palestrina* in der Wiener Staatsoper. Julius Patzak sang die Titelrolle. Es war die letzte Ehre, die Pfitzner bei Lebzeiten erwiesen wurde. Bald darauf ist er verarmt und verbittert in Salzburg gestorben.

Krauss war zunächst an dem Mißerfolg einer Komödie von Jacques Deval beteiligt. Burg-Direktor war damals Josef Gielen, der vor dem Krieg Regisseur an der Burg gewesen und nun aus Südamerika zurückgekommen war. In der langen Direktionskrise nach Aslans Abgang, als Ernst Lothar der aussichtsreichste Kandidat schien, hatte Hilbert sich für Gielen entschieden, weil er ihn gleichzeitig als Opernregisseur verfügbar haben wollte. Gielen hatte Krauss die Weisung gegeben: »Sofort einsetzen, wenn das Licht kommt, laut anfangen, damit die Leute nichts machen können.« Im Jahre 1950 ging ein Burg-Ensemble mit Walter Felsensteins Ibsen-Inszenierung *John Gabriel Borkman* auf Deutschland-Tournee. Gegen Krauss, nun österreichischer Staatsangehöriger und in Wien längst nicht mehr angefochten (1951 wurde Krauss wieder Deutscher), wurde in Berlin heftig demonstriert, Polizei fuhr mit Wasserwerfern auf, im Parkett stritt man sich. Hilbert begütigte das Publikum, die Störenfriede beruhigten sich, unter den Klappsitzen versteckte Steine wurden abgegeben. Doch eine antifaschistische Gruppe demonstrierte immer wieder, darum wurde das Gastspiel von drei auf zwei Abende verkürzt. Als Krauss zwei Jahre später regulär im Schiller-Theater spielte, blieb alles ruhig.

Die Entnazifizierung wurde zur Tragikomödie der mittleren Talente und der Unbegabten, also der Majorität, denn die überragend Talentierten konnten (und können) sich politische und sonstige Moral viel besser leisten. Schließlich entartete die demokratische Wachsamkeit zum Faktor im branchenüblichen Intrigenspiel. Eine erstaunliche Spätzündung gab es noch im Frühjahr 1970, als Harry Buckwitz, emeritierter Generalintendant der Städtischen Bühnen in Frankfurt, zum Direktor des Zürcher Schauspielhauses ernannt worden war. Der Schriftsteller Hans Habe bezichtigte Buckwitz, im ›Dritten Reich‹ eine nazistische Broschüre verfaßt zu haben, der Dramaturg Claus Bremer ergriff gegen seinen Chef Partei; Friedrich Dürrenmatt, damals Berater des Schauspielhauses, trat für Buckwitz ein und nannte Habe einen Faschisten. Daraufhin strengte Habe einen Prozeß an, in dem Dürrenmatt im Juni 1972 zu 100 Franken Strafe verurteilt wurde. Der Verwaltungsrat des Schauspielhauses gab eine Ehrenerklärung für Buckwitz ab.

Umschlagplatz der Weltdramatik

Die sich allmählich normalisierenden Verhältnisse verlangten eine Neuorientierung des Zürcher Schauspielhauses. »Wir mußten etwas finden, das uns weiterhin zusammenhalten und verbinden konnte«, berichtete Teo Otto, der Bühnenbildner des Hauses. »Wir fanden es in der Person Oskar Wälterlins. Seine Persönlichkeit war es, die am sichtbarsten und klarsten die Idee des Hauses verkörperte.«
Aber Wälterlin selber war auf Veränderungen aus. Er brachte die wohl nötige Unruhe, indem er es eilig hatte, »neue Leute« auszuprobieren. Der Verschleiß war ja auch außerordentlich: alle vierzehn Tage Premiere! Außerdem machten sich nun, da der Druck von außen gewichen war, die Divergenzen bemerkbar. Der Bühnenbildner Caspar Neher entwarf Anfang Dezember 1946 in einem Brief an den Komponisten Rudolf Wagner-Régeny ein ziemlich trübes Bild von den Verhältnissen in Zürich: »So ohne Produktion ist das Leben nicht gerade rosig, obwohl, was die leiblichen Dinge angeht, alles da ist, was das Herz begehrt; dagegen ist das Theater auf einem Rückstand, der einem Herrn Goebbels Ehre gemacht hätte; dies klingt erstaunlich, da man es immer als das fortschrittlichste ansah, das es im europäischen Abschnitt gibt. [...] Da hier der Boden teils durch den französischen Existentialismus, teils durch den Amerikanismus unterspült wird, beginnt das ganze Dasein [...] zu einem Schein zu werden. [...] Der Luxus ist enorm, das Interesse für Kunst gering, die Kritik zersetzend und nicht fördernd. Es ist ein kleines paneuropäisches Gebilde, wo sich allmählich alles trifft, was gut und teuer zu leben versteht, und es sind immer wieder dieselben Leute, die an den Dingen, die nun einmal sind, kein gutes Haar lassen.«
Neher war verärgert über die Arbeitsbedingungen am Zürcher Schauspielhaus. Leopold Lindtberg schilderte die Bühnenverhältnisse sogar in einer Festrede als ziemlich desolat: »Auf unserer Hinterbühne und in den beängstigend engen seitlichen Umgängen stauen sich in der Hochsaison, wenn fünf oder sechs Stücke auf dem Spielplan stehen, die Kulissen und Versatzstücke in erschreckender Weise. Bei größeren Massenauftritten, zumal in kriegerischer Aufmachung, entstehen Kollisionen zwischen den Lanzen der Komparserie und den Perücken der Protagonisten; die Unterbringung von großen Tischen und königlichen Sterbelagern, wie sie leichtfertigerweise von Shakespeare und seinen Epigonen gefordert werden, verursacht klaustrophobische Angstträume; während rascher Umbauten bei offener Szene herrscht erhöhte Lebensgefahr.« Trotzdem habe es »bisher noch kein Stück der Weltliteratur gegeben, das wir aus Gründen des Raummangels gescheut hätten«, erklärte Lindtberg. Man habe eine auflegbare Drehscheibe, einen 14 Meter hohen Schnürboden mit 36 Zügen, und die Bühne habe die »bewährten Maße eines anständigen, mittelgroßen Hauses«: acht Meter Breite und neun Meter Tiefe.
Zuerst war die kommunistische Gruppe verschwunden, sie hatte sich so schnell wie möglich an der Eroberung Deutschlands und Österreichs für den Kommunismus beteiligen wollen. Wolfgang Langhoff ging zunächst nach Düsseldorf, Karl Paryla, seine Frau Hortense Raky, sein Bruder Emil Stöhr und der Stanislawski-Jünger Wolfgang Heinz kehrten nach Wien zurück.

Neu kamen Brigitte Horney, Siegfried Schürenberg und Wilfried Seyferth. Wälterlin holte 1947 Käthe Dorsch aus Wien nach Zürich, im Frühjahr 1948 kam Will Quadflieg aus Hamburg. Private Bindungen brachten Heinz Hilpert nach Zürich. Da lag es für Wälterlin nahe, ihm die Uraufführung von *Des Teufels General* anzuvertrauen. Als Berliner, der das ›Dritte Reich‹ von innen kannte, als Freund Zuckmayers und Regisseur der Uraufführung des *Hauptmann von Köpenick* (1931 im Deutschen Theater), schien Hilpert der beste Mann für diese Aufgabe. Zunächst hatte Wälterlin das Stück nicht akzeptieren wollen. »Deutsche Offiziere auf seiner Bühne! Die verhaßten Naziuniformen sollten dort paradieren, wo man jahrelang gegen sie gespielt hatte? Undenkbar!« (C. Riess). Schließlich überstimmt, prophezeite er: »Der Zuckmayer läuft keine sechsmal!« (Er lief fast sechzigmal.) Eine Minderheit des Ensembles blieb unzufrieden mit der Wahl. Sie erwartete von der Theaterleitung eine politisch konsequentere Haltung, weigerte sich sogar, mit Hilpert zusammenzuarbeiten, obwohl sie an dessen persönlicher Integrität nicht zweifelte. Es wurde eine Kommission gebildet, welche die Zugereisten politisch überprüfte. Die Rolle des Teufelsgenerals bekam Gustav Knuth, der nach dem Kriege am (exmittierten) Deutschen Schauspielhaus in Hamburg wieder angefangen hatte (als Molnárs »Liliom« unter Otto Kurth, als Petruccio in *Der Widerspenstigen Zähmung*, mit Hilde Krahl unter Helmut Käutner). Die welsch-schweizerische Schauspielerin Anne-Marie Blanc lauschte das für die Rolle des Pützchen notwendige Berlinern dem Regisseur bei den Proben ab: »Ja, ja, Justav, ick weeß, det hat mehr Text als der Lear, aba jetz mußt'n doch mal könn'!« Zuckmayer, der heimlich den Zuschauerraum betreten hatte, hörte gerade diesen Satz und kommentierte ihn in seinen Memoiren so: »Ich war zu Hause.« Premiere war am 14. Dezember 1946. Die schweizerische Kritik war positiv, die ausländische voller Bedenken. Die Tage in Zürich waren für Zuckmayer »ein einziger Rausch, eine Olympiade der Freundschaft. Alle waren da, die man überhaupt nur erwarten konnte, viele, die man nicht gehofft hätte hier zu sehen.«

»Eine etwas traurige Metamorphose« habe das Publikum des Schauspielhauses durchgemacht, nachdem dieses Theater nach dem Kriege berühmt geworden war, bemerkte Max Frisch. »Es kamen die Leute, die während des Krieges nicht gekommen sind, stolz auf ihr ›tapferes Zürcher Schauspielhaus‹, und haben es zurückverbürgerlicht.«

In der Nachkriegszeit wurde das Zürcher Schauspielhaus der wichtigste Umschlagplatz für die nach Deutschland einströmende Weltdramatik. Das hatte auch einen banalen Grund: die ausländischen Verlage, die wichtige Stücke bedeutender Autoren zu vergeben hatten, vergaben die deutschsprachigen Erstaufführungen um der Devisen willen nach Zürich; Reichsmark und Schilling waren ja kaum noch etwas wert und allenfalls über Sachwerte konvertibel. Die praktischste Umrechnungseinheit waren US-Zigaretten, welche in phantastischen Mengen verschoben wurden.

Im Juni 1946, ein halbes Jahr, nachdem Louis Jouvet im Théâtre de l'Athénée mit *La Folle de Chaillot* dem vereinsamt gestorbenen Giraudoux seine Wiederauferstehung bereitet hatte, kam der Zweiakter schon in Zürich heraus. Therese Giehse spielte unter Leonard Steckels Leitung die »Irre von Chaillot«, es wurde eine Paraderolle für sie und für andere ruhmvoll ergraute Heroinen: Maria Koppenhöfer (Kammerspiele München, 1948), Hilde Hildebrand (Städtische Bühnen Frankfurt,

1950), Hermine Körner (Schiller-Theater Berlin, 1959), Elisabeth Bergner (Schauspielhaus Düsseldorf, 1964), Tilla Durieux (Städtische Bühnen Münster, 1964), Roma Bahn (Stadttheater Wilhelmshaven, 1965). – Die Beseitigung der lebensfeindlichen Geschäftemacher im Untergrund von Paris nach einem fingierten Prozeß macht die alte Dame eines Schauprozesses, sogar einer Endlösung schuldig. Die Giehse, von der Kritik sehr gefeiert, empfand ganz recht, es sei »manches dabei ungeklärt« geblieben. Es wurde nie geklärt, man nimmt's als melancholisches Märchen.

Von Zürich aus kam T. S. Eliot ins deutsche Theater, Englands Stardramatiker, der große akademische Dichter, der in der Blütezeit des Bildungstheaters mit Hochachtung behandelt worden ist. In den fünfziger Jahren war Gründgens als Theaterleiter in Düsseldorf auf Eliot-Premieren »abonniert«, in Zürich gab es im Juni 1947 *Mord im Dom.*

Am 5. November 1947 traf Bert Brecht, aus Paris kommend, in Zürich ein, mit explosiven Manuskripten in der Tasche – genau wie 1836 der Flüchtling Georg Büchner. Brecht sah seinen Schulkameraden Caspar Neher wieder, lernte Oskar Wälterlin und tags drauf dessen Dramaturgen Uz Oettinger kennen. Arbeitsmöglichkeiten wurden besprochen. Brecht strebte eine »residence außerhalb Deutschlands« an. »Ich kann mich ja nicht in irgendeinen Teil Deutschlands setzen und für den anderen Teil tot sein«, erklärte er dem Komponisten Gottfried von Einem. Zunächst nur als »Fleißarbeit« will er die *Antigone* des Sophokles bearbeiten. Ziemlich zufällig und nach einigen Zwischenfällen wurde diese *Antigone*-Version am 15. Februar 1948 am Stadttheater in Chur uraufgeführt, das Hans Curjel leitete, ehedem Dramaturg an der kurzlebigen, aber einflußreichen Krolloper (1927–31) in Berlin. Das Unternehmen war auch für Brechts Frau Helene Weigel als Einübung gedacht, die seit Jahren nicht mehr auf der Bühne gestanden hatte. Der Erfolg war mäßig: vier Aufführungen in Chur, eine Matinee in Zürich. Die Provinzkritik erkannte nicht die Bedeutung der ihr vorgesetzten Seltsamkeit, und spätere Anerkennung hat nicht verhindert, daß diese *Antigone* eigentlich in der Provinz hängengeblieben ist, sie blieb Spielmaterial für zweitrangige Bühnen, Studios und Studententheater. »Die Änderungen, die mich zum Schreiben ganz neuer Partien zwangen, sind gemacht, um die griechische ›Moira‹ [das Schicksalhafte] herauszuschneiden, das heißt, ich versuche da, zu der zugrunde liegenden Volkslegende vorzustoßen.« Es wurde Hölderlins Übersetzung benutzt. »Kein Mensch kann feststellen, wo Hölderlin aufhört und wo ich beginne«, trumpfte Brecht auf, als Ernst Ginsberg die Bearbeitung tadelte. Darauf wies Ginsberg ihm »jede Stelle mit Genauigkeit« nach, gestand ihm aber, daß er vor einem halben Jahr Hölderlins *Antigone* inszeniert habe. »Das ist unlauterer Wettbewerb«, entschied Brecht. Ein Vorspiel suggeriert Gegenwärtigkeit: zwei Schwestern im untergehenden Berlin des Jahres 1945 stehen vor der Frage, ihren als Deserteur gehenkten Bruder vom Galgen abzuschneiden, verleugnen ihn aber aus Angst. Ob antikes Theben oder zertrümmertes Berlin, das Ganze wurde distanziert, also auch distanzierend vermittelt. »Deshalb placierte ich die Schauspieler in die volle Sicht des Zuschauers und gab ihnen nur ein kleines Spielfeld zwischen den alten Kriegspfählen, auf dem sie zeigen konnten, wie die Figuren des Gedichtes sich verhielten«, erklärte Neher im Programmheft. »Es ergab sich daraus, auch den Vorhang wegzulassen, der ja nur dazu dient, der Bühne das ›Geheimnisvolle‹, ›Zaubermäßige‹, ›Überwirkliche‹ zu verleihen, das sie bei nicht illusionistischer Spielweise nicht benötigt.« Eine der Proben ließ Brecht »durchphotographieren«. Daraus wurde das erste der Modell-Bücher, welche die Inszenierungen von Brecht-Stücken kanonisierten. Sie sollten jeweils den »Grundgestus« des Stückes festhalten. Brecht begann in Zürich, die Praxis theoretisch erhärtend, die »Spezies Theater auf seine Stellung in der Ästhetik zu prüfen oder jedenfalls Umrisse einer denkbaren Ästhetik für diese Spezies anzudeuten«. So entstand das *Kleine Organon für das Theater*, die Zusammenfassung seiner Theorie in 77 Kapiteln. So war unversehens die Nebenarbeit zur Hauptsache gediehen.

Damals entstand auch ein Stück über *Die Tage der Commune* (1871 in Paris), das letzte, das Brecht vollenden konnte, und er arbeitete mit Neher an einem szenischen Angriff auf die »hohe Warte, von der aus die Schweizer die Misere betrachten«. Zugleich erkannte er, daß man ihm in Zürich kein seinen Plänen angemessenes Arbeitsfeld bieten konnte. Auch das schauspielerische Niveau befriedigte ihn nicht. Bei einer *Woyzeck*-Probe unter Steckel mit Walter Richter in der Titelrolle erblickte er bloß »Trümmer der Schauspielkunst«. Immerhin ließen sich die Trümmer im Frühsommer 1948 noch zu einer beachtlichen Brecht-Uraufführung zusammenfügen. Am 5. Juni ging *Herr Puntila und sein Knecht Matti* zum ersten Mal in Szene, mit Leonard Steckel als Herr und Gustav Knuth als Knecht, mit Therese Giehse als Schmuggler-Emma, mit Helen Vita, Regine Lutz und Blandine Ebinger. Als Regisseur gilt Kurt Hirschfeld, der auf dem Programmzettel stand. Brecht durfte der Fremdenpolizei wegen nicht genannt werden.

»Zürich behält nicht«, zitierte der Historiker J. R. von Salis das Diktum eines (fingierten?) Briefschreibers. Und er bekräftigte: »Die wenigsten sind geblieben.« Aber »es kommt nicht von ungefähr, daß auf den Brettern des Schauspielhauses der Boden bereitet war für die beiden Schweizer Dramatiker, die von dort aus den Weg zum Weltruhm angetreten haben: für den Zürcher Max Frisch und den Berner Friedrich Dürrenmatt«.

Hirschfeld ermunterte Frisch, fürs Theater zu schreiben. So entstand 1944 die Romanze *Santa Cruz* und rasch darauf der »Versuch eines Requiems« *Nun singen sie wieder*. Es wurde zu Ostern 1945 uraufgeführt. »Die Zeit der Proben, die Kurt Horwitz mit sachlicher Hingabe leitete, war vielleicht die holdeste, die das Theater überhaupt zu vergeben hat, die erste Begegnung mit dem eignen, von leiblichen Gestalten gesprochenen Wort« *(Tagebuch)*. 1946 wurde der Erstling *Santa Cruz* uraufgeführt. Nach einer ersten Reise in das zerstörte Deutschland entstand *Die chinesische Mauer*, eine verzweifelte Farce, Warnung vor dem kollektiven Selbstmord: »Die Sintflut ist herstellbar« (1946).

Drei Jahre danach folgte das Schauspiel *Als der Krieg zu Ende war*, die »Geschichte einer Ausnahme«, deutsch-russische Liebe im Nachkriegs-Berlin. Und wieder zwei Jahre später die politische Moritat *Graf Öderland*. Zunächst alles keine Erfolge. Wälterlins Zutrauen bestätigte sich erst später.

Ähnlich der Fall Dürrenmatt. Das Premieren-Publikum pfiff auf das wilde Wiedertäufer-Drama *Es steht geschrieben*, das Kurt Horwitz in Zürich inszeniert hatte (1947), der Direktor des Stadttheaters in Basel. Wie zur Sühne für den Mißerfolg spielte Horwitz im nächsten Jahr selber in Basel die Titelrolle der Legende vom

Glauben *Der Blinde*, unter der Leitung von Ernst Ginsberg. Und wieder ein Jahr später präsentierte das Freundespaar Horwitz/Ginsberg in Basel Dürrenmatts ungeschichtliche »historische Komödie« *Romulus der Große*. Es nützte alles nichts, Dürrenmatt mußte sich erst außer Landes durchsetzen.

Vorläufig waren es noch andere Novitäten, die Profil gaben: das letzte Schauspiel von Shaw, *Buoyant Billions*, die »Comedy of no manners« eines 91jährigen, vom 62jährigen Berthold Viertel deutsch uraufgeführt als *Zuviel Geld*, am 21. Oktober 1948. Shaw bezeichnete die vier Gespräche (alias Akte) im Vorwort als »nichtssagend« – der Kritiker der *Neuen Zürcher Zeitung* mochte da nicht widersprechen. »Die heimgekehrte Maria Becker gibt der vom alten Shaw überraschend zart mit der Wunderblume der Liebe bedachten Milliardärstochter das Gewicht einer Persönlichkeit. Will Quadflieg ist ihr ebenso liebenswürdig gescheiter wie beharrlicher Verehrer. In der Familienrunde unterhalten sich zum Vergnügen des Publikums die ungleich gearteten weiteren Buoyant-Sprossen und ihre angeheirateten Ehehälften, charakteristisch vertreten durch die Damen Giehse, Arndts, Vita und die Herren Schürenberg, Parker und Hitzig, mit dem erst allmählich dieser närrischoffenherzigen Gesellschaft sich anpassenden würdevollen Rechtsanwalt Wilfried Seyferths.« Das Fazit aus der abendfüllenden Debatte über Liebe, Geld und Politik lautete: »Die Zukunft gehört den Lernenden.«

Ende Oktober 1949 inszenierte Wälterlin noch einmal Wilders *Kleine Stadt*, mit einer neuen Emily: Liselotte Pulver aus Bern. Sie spielte dann alle Pagenrollen und den Euphorion in *Faust II*, bis sie nach Deutschland zum Film entschwand. Der deutsche Markt, die Deutsche Mark wurde allmählich attraktiv, die schweizerische Direktorenkonferenz mußte sich mit Transferfragen und gastierender Konkurrenz befassen.

Zürich 1950 – das war eine elegante Großstadt im Föhn der Konjunktur. Da war das Theater nicht mehr so wichtig. Die ›Gesellschaft der Freunde des Schauspielhauses‹ schrumpfte. Im Herbst 1951 bekam die weiland führende Sprechbühne Europas einen nachdrücklichen Dämpfer: der Pachtvertrag ging zu Ende, die ›Neue Schauspiel AG‹ stand zum Verkauf. Der neue Käufer konnte die Pacht erneuern, aber auch den ältlichen Gebäudekomplex, der das Theater beherbergt, lukrativer nutzen, sogar abreißen und gewinnträchtiger bebauen lassen. Die Stadt Zürich war zum vorsorglichen Kauf der Aktien der Pfauen AG zum Schutze des Schauspielhauses bereit. Der Kosten wegen war aber ein Plebiszit notwendig. Trotz großer Propaganda der ›Arbeitsgemeinschaft für das Schauspielhaus im Pfauen‹ stimmten nur 61 500 Bürger ab, davon etwas mehr als die Hälfte gegen das Kreditbegehren des Stadtrats (1,6 Millionen Franken). Enttäuschung und Empörung gingen durch die europäische Theaterwelt und Presse. Eine Bankgesellschaft rettete die Situation und das Theater. Aber die Zürcher hatten zu verstehen gegeben, daß ihnen ihr Schauspielhaus nicht mehr viel bedeutete.

Das unbescholtenere und repräsentativere Musiktheater der Gemeinde war besser ausgestattet. Der Zuschuß für das Opernhaus überschritt 1946 erstmals die Millionengrenze und blieb dann bis zum Beginn der fünfziger Jahre ungefähr bei 1,5 Millionen Franken. Hinzu kamen kleine Zuschüsse vom Kanton (aus dem Lotteriefonds) und von Nachbargemeinden. Damit ließ sich leidlich wirtschaften, da es nur um den »laufenden« Betrieb ging. Der Spielplan der ersten Nachkriegsjahre hatte deutlich regionale Akzente: mehrfach Othmar Schoeck *(Venus; Penthesilea; Vom Fischer und syner Fru)*, eine neue Operette des Kapellmeisters Victor Reinshagen *(Tanz um Daisy)*, ein Tanzabend mit Werken von Schweizer Komponisten (Tischhauser, Honegger und Staempfli), die Uraufführung einer *Niobe* von Heinrich Sutermeister im Rahmen der Zürcher Theaterwochen 1946.

Auch das Personal war noch nicht in Bewegung geraten. Seit 1932 regierte Karl Schmid-Bloß, seit 1934 dirigierte Robert Denzler als musikalischer Oberleiter. Um so erstaunlicher, daß beide im Winter 1946/47 so aneinander gerieten, daß beide gehen mußten und der Präsident des Verwaltungsrates ebenfalls zurücktrat. Den Nachfolger hatte man aber schon im Hause, den Oberregisseur Hans Zimmermann, der seit der Saison 1928/29 (mit Unterbrechungen) am Stadttheater tätig gewesen war.

Rückkehr der Antifaschisten

»Die Toten stehen auf«, schrieb der Exberliner und USA-Emigrant Alfred Kantorowicz August 1946 ins Tagebuch, auf die Nachricht vom Überleben eines Freundes hin. Die Jahre nach 1945 sind auch die Jahre der Revenants gewesen, unter anderem für das deutsche Theater.

Es waren schätzungsweise viertausend deutschsprachige Theaterleute in mehr als vierzig Asylländer geflohen, und sie haben mehr als fünfhundert Theaterstücke geschrieben. Gespielt wurden davon nach dem Kriege keine 5 %. Etwa 60 % der Emigranten sind zurückgekommen. Von den Prominenten die meisten, von den anderen die wenigsten. Erfolgreiche Musiker hatten wenig Veranlassung, ins Land ihrer Muttersprache zurückzukehren, denn ihr Ausdrucksmittel ist international. Fritz Busch war argentinischer, Klemperer nordamerikanischer Staatsbürger geworden, Bruno Walter konnte auf die paar für ihn in Frage kommenden Orchester im Machtbereich Hitlers leicht verzichten. Kurt Weill hatte sich in den Vereinigten Staaten völlig assimiliert; Paul Hindemith lehnte in Amerika alle Rückrufe ab, ließ sich aber 1950 zum Professor in Zürich machen, Leo Blech kam erst 1949 als Generalmusikdirektor, Carl Ebert erst 1953 als Opernintendant nach Berlin zurück. Otto Klemperer kam nur als Gast, Arnold Schönberg wollte höchstens alte Freunde wiedersehen. Josef Krips war trotz Berufsverbot in Österreich geblieben und konnte darum sogleich nach Kriegsende wieder an der Staatsoper dirigieren, als viele seiner Kollegen pausieren mußten.

Hermann Scherchen, der Dirigent der Avantgarde, erschien im Sommer 1948 bei den Kranichsteiner Ferienkursen für Neue Musik, er kam mit Vorwürfen, wie Werner Egk berichtet: »Warum seid ihr hiergeblieben? Ich verstehe euch nicht.«

Den deutschen Kommunisten in den Vereinigten Staaten stand eine neue Vertreibung bevor. »Unamerikanischer Umtriebe« verdächtigt, kamen Brecht und Piscator, kamen der Schönberg-Schüler Hanns Eisler und Paul Dessau heim. Er habe versucht, im Ausland Fuß zu fassen, erklärte Eisler der (Ost-)*Berliner Zeitung.* »Ich war in Paris und in Amerika. Aber nur in Deutschland wird die Kunst mit jenem Ernst betrieben, den sie verlangt.«

Die drei profiliertesten Theaterkritiker wurden nach dem Kriege nicht mehr aktiv, was allerdings auch altersbedingt war. Alfred Polgar und Julius Bab hatten in den Vereinigten Staaten, Alfred Kerr hatte in England überlebt und war 1948 in Hamburg gestorben. Bab kam auf Einladung 1951 und 1953 zu Vortragsreisen in die Bundesrepublik, schrieb Theaterbücher, war Referent für Theater und Literatur an der deutschsprachigen *New Yorker Staatszeitung und Herold* und starb 1955 im Alter von 74 Jahren. Polgar starb ebenfalls 1955, in einem Zürcher Hotelzimmer.

Manche kamen in Uniform wieder, als »Kulturoffiziere«. Von ihnen ist schon die Rede gewesen. Auch von den »Männern der ersten Stunde«, die sich in der Sowjetunion auf den Machtwechsel vorbereitet hatten oder sich hatten vorbereiten lassen: von dem Schriftsteller Fritz Erpenbeck und seiner Frau Hedda Zinner, von Friedrich Wolf und Gustav von Wangenheim.

Es ist verständlich, daß manche Rückkehrer Ressentiments hatten und weckten.

Nach Jahren der Gefahr, des Zweifels, wenn nicht der Verzweiflung, waren sie wie ausgehungert nach Ruhm und Erfolg. Vor allem die Heimkehrenden aus der Sowjetunion mußten sich für Depression und Frustration schadlos halten. Das Bündnis zwischen Hitler und Stalin hatte sie verstört und gefährdet, seit dem Überfall auf die Sowjetunion war der Feind zwar wieder der Feind gewesen, aber der Krieg der Deutschen gegen ihr Gastland hatte sie in ein tiefes Schuldgefühl gestürzt. Nun traten sie arrogant, sogar diktatorisch auf, Missionare aus dem Reich der Orthodoxie in einem zu missionierenden, unterentwickelten Land. Bei Widerspruch oder gar Widerstand drohten sie einfach mit der Sowjetmacht.

Es gab auch blanken Jubel: zum Beispiel beim Wiedererscheinen von Else Wohlgemuth auf der Bühne. »Endlich kommt der Spielpartner zu Wort: ›Ich danke Ihnen, daß Sie gekommen sind . . .‹ Neuer Jubel. Else Wohlgemuth als Hedda Luy (in *Die andere Mutter* von Klara Bihari): ›Ich bin glücklich, wieder diese Schwelle überschreiten zu dürfen . . .‹ Zum dritten Mal Applaus und Hochrufe.« So hat Hans von Tabarelli das Wiedererscheinen von Else Wohlgemuth geschildert, in einer belanglosen Uraufführung (Dezember 1945), die Hans Lietzau (bis dahin Schauspieler und Hilfsregisseur unter Müthel) im Wiener Akademietheater inszeniert hatte.

Günther Weisenborn wurde von den sowjetischen Truppen nach dreijähriger Haft aus dem Zuchthaus Luckau befreit und zum Bürgermeister von Luckau gemacht. Bald ging er nach Berlin und wurde dramaturgischer Berater Karl Heinz Martins am Hebbel-Theater, dessen Chefdramaturg nominell ein Graf Treuberg war, ein Dilettant. Weisenborn kümmerte sich nur in zweiter Linie um das Theater, er startete vor allem mit Herbert Sandberg die satirische Wochenzeitung *Ulenspiegel*.

Aus dem Zuchthaus Berlin-Moabit wurde Ernst Busch befreit, der Volkssänger und Schauspieler, »Jung Siegfried vom Wedding« (Polgar). Zögernd, nach etlichen Sondierungen und weitsichtigen Dispositionen kam der »Stückeschreiber« Bertolt Brecht nach Berlin zurück, nach mehr als fünfzehnjähriger Abwesenheit, am Abend des 22. Oktober 1948. Er wurde im Hintertrakt des Hotels ›Adlon‹ untergebracht (mehr war davon nicht stehengeblieben) und auch sonst hofiert, hielt sich aber konsequent zurück.

Vorausgegangen war ein internationales Pokerspiel: da Brecht mangels langfristiger Aufenthaltserlaubnis in der Schweiz nicht bleiben konnte und die Bemühungen um einen österreichischen Paß nicht zu fruchten schienen, mußte er sich für einen der Teile Deutschlands entscheiden. Er gab zu verstehen, daß der Westen ihm das kleinere Übel zu sein scheine. Benno Frank machte der Militärregierung die kulturpolitische Chance klar, das Militärvisum wurde aber von US-Außenminister Stettinius persönlich annulliert. Da Frank sich für Brecht stark gemacht hatte und sich nun ihm gegenüber verpflichtet fühlte, gab er (nach Rücksprache mit Hirschfeld in Zürich und Hirschfelds mit Brecht) Oberst Dymschitz den Wink, Brecht werde die bisher unbeantwortete Offerte aus Ost-Berlin nun akzeptieren, wenn sie noch einmal gemacht werde. Was dann geschah.

Der »rote Tänzer« Jean Weidt kam ebenfalls 1948 zurück nach Ost-Berlin. Er war in Algerien interniert gewesen und hatte schon 1945 in Paris wieder eine eigene Truppe gegründet. Weidt bildete nach der Rückkehr eine Tanzgruppe aus jungen

Arbeitern und machte mit ihr Tourneen durch die DDR, dann arbeitete er als Choreograph in Schwerin, an der Komischen Oper und in Karl-Marx-Stadt (Chemnitz).
Auch der Choreograph und Ballettmeister Kurt Jooss hatte im Ausland erfolgreich weiterarbeiten können, im Jahre 1949 kam er aus England zurück und leitete wieder die Tanzabteilung der Folkwang-Schule in Essen. Im Jahre 1951 gründete er das Folkwang-Tanztheater, das bis 1953 bestand. Victor Gsovsky kam aus Paris nach München, er wurde 1950 Ballettmeister und Choreograph an der Staatsoper. Yvonne Georgi hatte in Holland überlebt und arbeitete von 1951 an in Düsseldorf.
Spät kam Erwin Piscator. Brecht hatte ihm im März 1947 aus Santa Monica, einem Vorort von Hollywood, eine Sympathie-Erklärung und Offerte nach New York geschickt, als hätte er schon ein halbes Königreich zu vergeben: »Laß mich dir der Ordnung halber mitteilen, daß von den Leuten, die in den letzten 20 Jahren Theater gemacht haben, mir niemand so nahe gestanden hat wie du. Es steht nicht im Widerspruch dazu, wenn ich denke, daß wir *zwei* Theater brauchen. Der Grund ist nicht nur, daß wir zumindest zwei Punkte besetzen müssen, um unsere gemeinsamen Ideen zu etablieren, für einen Teil meiner Arbeiten für das Theater muß ich auch einen ganz bestimmten Darstellungsstil entwickeln, der sich von deinem unterscheidet. Das ist der ganze Vorbehalt und scheint mir ein produktiver.«
Piscator hatte größere Vorbehalte gegen Brecht: der sei ins Fabulieren ausgewichen, habe das politische Theater verraten. Und das »epische« habe er selber, Piscator, erfunden. Im März 1949 bot Brecht Piscator an, am Schiffbauerdamm zu inszenieren, am liebsten *Die Niederlage* von Nordahl Grieg (Drama über die Pariser Kommune). Im März 1949 bot er von Zürich aus eine Regie an den Ostberliner Kammerspielen an, auch eine Inszenierung in Zürich könne er »beschaffen«. Friedrich Wolf, inzwischen Nationalpreisträger, offerierte die Leitung der Berliner Volksbühne. Im Jahre 1951 kam Piscator endlich, im Jahre 1962 übernahm er tatsächlich das Volksbühnen-Theater – jedoch auf der anderen Seite der Mauer. Brecht und Wolf waren inzwischen verstorben.
Piscator wäre in Ost-Berlin mit offenen Armen empfangen worden. Aber die Umarmung wäre bald drückend geworden, wenn nämlich klar geworden wäre, daß Piscator seinem eigenen Kommunismus anhing, der Funktionären keinen Einfluß auf die Kultur zugestand und auf persönlicher Verantwortung bestand.
Nächst den Kommunisten bildeten die Juden die größte Gruppe der Rückkehrer. Auch unter den Juden waren Theaterleute, denen es nicht schnell genug gehen konnte: die beiden Österreicher Ida Ehre, die im Dezember 1945 die Hamburger Kammerspiele gründete, und Fritz Wisten, der das Schiffbauerdamm-Theater übernahm. Erich Ziegel spielte und inszenierte sogleich in Hanns Horaks Wiener Kammerspielen und Leon Epps ›Insel‹, im Herbst 1949 kam er nach Hamburg zurück, er gab im Thalia-Theater den Wehrhahn, seine Frau Mirjam Horwitz die Mutter Wolffen im *Biberpelz*, dann gastierten sie gemeinsam mit Bassermann im *Raub der Sabinerinnen* im Gewerkschaftshaus am Besenbinderhof.
Zwei wichtige Theaterpraktiker, die 1938 in die Schweiz emigriert waren, kehrten 1945 zurück: Hans Weigel und Fritz Hochwälder. Weigel hatte in Zürich anonym für das Schauspielhaus arbeiten können, Hochwälder machte, durch die Gesetze

zur Untätigkeit verdammt, sein Hobby zur Hauptbeschäftigung: das Dramenschreiben.
Das Städtebundtheater Biel/Solothurn hatte Hochwälder als erstes den Vorhang geöffnet (März 1943), für sein Drama eines Siedlungsversuchs der Jesuiten in Südamerika: *Das heilige Experiment.* Hochwälder machte die Bekanntschaft von Georg Kaiser, der in der Schweiz eine zwischen Euphorie und Elend schwankende Existenz geführt hat und schreibend gestorben ist, am 4. Juni 1945. »J'ai gagné la bataille« waren seine letzten Worte. (Das bezog sich auf das Telegramm seines Gönners Julius Marx, daß der Vertrag über eine Kaiser-Gesamtausgabe im Artemis-Verlag perfekt sei. Sie ist übrigens nie erschienen.)
Der Bühnenbildner Wilhelm Reinking, vor 1933 in Darmstadt unter Gustav Hartung beschäftigt gewesen, lud seinen ehemaligen Chef nach Heidelberg ein. Hartung kam gern aus Zürich zurück, in der Hoffnung, seine Heidelberger Festspiele wiederbeleben zu können. Anfang November 1945 nahm er die Arbeit auf. Er war ein alter Mann geworden, von Herzkrankheit gezeichnet. Arthur Maria Rabenalt, einst ebenfalls Mitarbeiter Hartungs in Darmstadt, half ihm bei einer *Leuchtfeuer*-Inszenierung (man spielte im Schloß). Nach dem plötzlichen Tode Hartungs (14. Februar 1946, im 70. Lebensjahr) wollte Rabenalt dessen letzte Inszenierung retten, eine *Maria Stuart*, durchweg mit blutjungen Kräften besetzt. Er konnte aber mit der anscheinend sehr eigenwilligen Konzeption nichts anfangen. Drei Monate lang hatte Hartung an dieser letzten Aufgabe gearbeitet.
Der Theater- und Filmregisseur Ludwig Berger hatte in Amsterdam überlebt. »Die Odyssee durch die Wälder und Sprachen des Exils bestand aus kleinen Mühseligkeiten, gemessen an dem großen Fragezeichen der Heimkehr«, schrieb er. »Das Resultat von sehr viel Tyrannis im Reich äußerte sich an allen Ecken und Enden in einem starken Mangel an Format. Format bildet sich an dem gesunden Willen zur Verantwortung.« Im Dezember 1947 arbeitete Berger wieder in Berlin, an Goethes *Stella*, mit Käthe Dorsch. »Karl Heinz Martin hatte mich in Luxemburg aufstöbern und nach Berlin kommandieren lassen, aber als ich ankam, lag er bereits im Sterben, und ich war gerade noch zurechtgekommen, um an seinem Begräbnis teilnehmen zu können.« Premiere war am 23. Dezember, Martin ist am 13. Januar 1948 gestorben, laut Berger »der letzte, echte und geborene Theaterleiter einer kreativen Periode deutscher Bühnenkunst«.
Ernst Deutsch war als »feuriger Ephebe« fortgegangen, als Charakterdarsteller kam er wieder. Aus dem Marquis Posa war ein König Philipp geworden. Mit amerikanischem Paß. Im Januar 1947 spielte er in Zürich zusammen mit Bassermann in Paul Osborn, *Der Tod im Apfelbaum*. Albert Bassermann und Else Schiff-Bassermann, das rührendste Ehepaar unter den deutschen Mimen, traten wieder gemeinsam auf, als Pastor Manders und Helene Alving. Ernst Deutsch spielte den Oswald. Im Jahre 1950 gingen die Bassermanns als »Goethe und Lotte« auf Tournee, in einer Bühnenbearbeitung von sublimer Langeweile des Romans *Lotte in Weimar* von Thomas Mann. Bassermann zog freilich kein neues Publikum mehr an, nur noch die Generationsgenossen. Er gab Gastspiele an kleinen und kleinsten Theatern, spielte den Striese, veranstaltete Matineen. Dabei hatte er den Geldbedarf eines Grandseigneurs. Nachdem im Sommer 1951 beim Süddeutschen Rundfunk einige Erinnerungssendungen mit Bassermann produziert worden waren, bat er, ihm auch

das Wiederholungshonorar schon auszuzahlen. »Die Sendungen werden ja bei meinem Tode wiederholt.« Im Jahre 1951 gab es eine Hilfsaktion des Schweizerischen Bühnenverbandes für Bassermann. In West-Berlin wurden ihm freie Wohnung und eine kleine Rente geboten.

Ernst Deutsch spielte 1947 im Wiener Renaissance-Theater Schnitzlers *Professor Bernhardi*, eine 1912 in Berlin uraufgeführte, in Wien verboten gewesene »Komödie« gegen den Wiener Antisemitismus der Schönerer-Lueger-Epoche, exemplifiziert an einem jüdischen Arzt, dem das Handwerk gelegt werden soll, weil er etwas menschlich Richtiges, aber taktisch Falsches getan hat. Der Stoff war riskant als Debüt für einen jüdischen Remigranten. Man rührte damals in Wien am liebsten nicht an »jüdische« Themen. »Die Nazis haben alles ramponiert«, sagte man damals, »selbst den Antisemitismus.« Ernst Deutschs Noblesse siegte. Er brachte es fertig, 1947 bei den Salzburger Festspielen zusammen mit Werner Krauss aufzutreten. Deutsch spielte den Tod, Krauss sprach die »Stimme des Herrn« in Hofmannsthals *Jedermann*. Karl Heinz Stroux lockte Deutsch nach Berlin. Er spielte im Frühjahr 1951 im Hebbel-Theater den Robespierre in *Dantons Tod*, Stroux engagierte ihn 1954 als Nathan nach Recklinghausen, er ließ ihn 1957 in Düsseldorf den Shylock spielen.

Um diese Rolle gab es dauerhafte Debatten. Schalla in Bochum wagte als erster nach dem Kriege den *Kaufmann von Venedig* mit Hanns-Ernst Jäger als Shylock, im Herbst 1952. Im September 1956 folgte Erich Ponto in Stuttgart (Regie: Werner Kraut), nachdem auch er vorher den Nathan gespielt hatte. Ponto spielte den Shylock als Kreatur, die dafür getreten wird, daß Starrsinn sie verzehrt. Als Shylock am Schluß sein Judentum verriet und Ponto verhüllten Hauptes hinauswankte, war der Charakter nicht mehr zu retten. Deutsch hingegen hat es geschafft – laut Georg Zivier: »Sein Shylock bleibt eine überlegen tragische Figur bis zu dem Moment, da er das Messer wetzt. Man rechnet bis zum letzten Augenblick damit, er würde schließlich von seiner Bluttat abstehen. Daß seine eigensinnige Roheit, sein Messerwetzen, sein Hohn dennoch glaubhaft wirken, ist ein besonderes darstellerisches Geschick.«

Wie dauerhaft das schlechte Gewissen trotz solcher Geniestreiche war, zeigt die im November 1967 von Erik Graf Wickenburg geäußerte Meinung anläßlich einer Wiener Aufführung des *Kaufmanns von Venedig*: »Man kann nicht über das hinweg, was die vergangenen Jahrzehnte angerichtet haben, und beschwört ein unheilvolles Mißverständnis, welches nicht vom Dichter, sondern von den Verhältnissen erzeugt worden ist.« Und Friedrich Luft im März 1967 kurz und bündig: »Das Stück bleibt nach Auschwitz unspielbar.«

Fritz Kortner, Shylock 1924 in der Josefstadt und 1968 im österreichischen Fernsehen – kam Ende 1947 in einem amerikanischen Militärzug nach Berlin: »Ich ging mit Blei in den Füßen durch die Schuttstadt, wurde vielfach erkannt und bestaunt. Daß einer freiwillig in diese Hungerhölle gekommen war, erregte Kopfschütteln. Als ich zum erstenmal ins Theater ging – es war das Kurfürstendamm-Theater –, begrüßte mich das Publikum mit Applaus. Wahrscheinlich aus Dankbarkeit für den Trost, der für die Menschen darin lag, daß einer zurückgekommen war, um mit ihnen zu leben. Mir wurden die Augen feucht. Die Vorstellung, die ich bis Ende über mich ergehen lassen mußte, war unfaßbar scheußlich. Ich blieb aus Artigkeit sitzen. Eigentlich wollte ich kurz nach Aufgehen des Vorhangs weglaufen, bis nach Amerika zurück. Eine dummdreiste Schmiere, ein verwilderter Humor, eine menschenfremde Bühnenlustigkeit beleidigten Augen, Ohren, Herz und Hirn.« Kortner hatte *Das kleine Hofkonzert* von Paul Verhoeven und Toni Impekoven gesehen, inszeniert von Hans Leibelt. Dann ging er ins Schloßpark-Theater, von dem und dessen frischgebackenem Prinzipal er Rühmliches gelesen hatte. Aber auch dort war die Darbietung »bestürzend schlecht«. Es war Klabunds *Kreidekreis*, inszeniert von dem Bühnenbildner Rochus Gliese. »Es war eben die Zeit des Ersatzes – Ersatz für alles kaum zu Entbehrende: Ersatzessen, Ersatzkaffee, Ersatztabak, Ersatzstoff – also auch Ersatztheater, dachte ich.«

»Das Beispiel Kortner, der immer noch nicht spielt, muß Dich nicht schrecken«, erklärte Brecht im Februar 1949 Erwin Piscator. »Er hat zuviel gefragt, halbe und persönliche Antworten zu ernst genommen und auf amerikanischen facilities bestanden. Klemperer, der Amerikaner, dirigiert an der Komischen Oper, ohne die geringsten Anstände zu bekommen. Kost und Logis sind für unsereinen keinerlei Problem. Du würdest so wenig vermissen wie ich. Und Du würdest mit Aplomb empfangen werden. Man braucht Dich dringend.«

Kortners erste Theaterarbeit nach der Rückkehr galt einem eigenen Stück: *Donauwellen* (ursprünglich: *Ein Traum, kein Leben*). Kortner inszenierte selber, 1949 an den Münchner Kammerspielen, der schwäbische Komiker Willy Reichert spielte die Hauptrolle, einen stets bestens angepaßten Friseur. Das Stück wurde 29mal gegeben. Im Oktober 1949 spielte Kortner zum ersten Mal wieder, den Rittmeister in Strindbergs *Der Vater*. Als der Vorhang aufging, stand Kortner mit dem Rücken zum Publikum, das so lange applaudierte, rief, tobte, bis er sich umdrehte und verneigte. Als der Schlußvorhang fiel, da wußte man, daß der bedeutende Charakterspieler ein großer Regisseur geworden war. Kortner hatte nicht nur inszeniert, sondern den Text auch bearbeitet, hatte den Kampf zwischen Mann und Weib, Befehlshaber und Gebärerin gerechter werden lassen. Gegenüber dem Urtext war vor allem die Position der Frau diffiziler, weil der Regisseur dem Ewig-Weiblichen, das uns hinabzieht, Mutterrecht widerfahren lassen wollte. Es spielte in München Maria Wimmer, auch 1967 im Deutschen Schauspielhaus Hamburg, wo Kortner seine Inszenierung wiederholte, nun mit Werner Hinz in der Titelrolle, wieder im Bühnenbild von Wolfgang Znamenacek, der inzwischen gestorben war.

Berthold Viertel ließ sich im Frühjahr 1948 von der BBC für eine Reportage ins Ruhrgebiet schicken. Von vielen Seiten wurden Viertel Avancen gemacht: Wolfgang Langhoff wollte von ihm *Maß für Maß* zur Neueröffnung der Kammerspiele inszeniert haben (inszenierte es dann selbst), der Ministerpräsident von Sachsen offerierte Viertel die Intendanz der Staatstheater in Dresden (die nach jahrelanger kommissarischer Leitung durch Karl von Appen Martin Hellberg übernahm), Hans Schweikart bot ihm *Endstation Sehnsucht* (von Tennessee Williams) und *Die Cocktailparty* (von T. S. Eliot) in den Münchner Kammerspielen an (Inszenierungen, die dann Paul Verhoeven und Peter Lühr übernahmen), Barlog offerierte Gastinszenierungen. (Viertel kam später: im Mai 1950 hatte am Schloßpark-Theater seine Einstudierung von *Endstation Sehnsucht* Premiere, mit Peter Mosbacher, Marianne Hoppe und Angelika Hauff.) Viertel sollte Direktor des von der Freien Volksbühne übernommenen Theaters am Kurfürstendamm werden, was

dann Siegfried Nestriepke wurde, Oscar Fritz Schuh wollte Viertel die Uraufführung von Tennessee Williams' symbolisch-allegorischen Bilderbogen *Camino
Real* am Kurfürsten-Theater einstudieren lassen (*Camino Real* wurde 1953 in New
York von Elia Kazan uraufgeführt). Was machte der Rückkehrer nun? Er knüpfte
mit einer Ibsen-Inszenierung an frühere Erfahrungen mit *Klein Eyolf, John Gabriel
Borkman* und *Peer Gynt* an, inszenierte in Zürich *Hedda Gabler* mit Maria Becker
in der Titelrolle. Dann entschied er sich für Wien, die Stadt seiner Kindheit. Seine
erste Arbeit war *Die Glasmenagerie* in eigener Übersetzung.
Teo Otto schuf das Bühnenbild. Otto schilderte auch die Generalprobe, die da-
durch belastet war, daß der Rückkehrer keine der drei Prätendentinnen für die
Rolle der Mutter genommen hatte (Käthe Dorsch, Therese Giehse, Adrienne Gess-
ner), sondern Helene Thimig. Nehers Stimmungsbild konserviert das Ambiente:
Akademie-Theater, Januar 1949, Pause nach dem ersten Akt: »Das Foyer füllte
sich. Es rauschten nur so die Bemerkungen und Bonmots: Was sagen Sie zur Thimig,
Gnädigste? Für wen ist sie engagiert, frage ich. Gespräche über Nylonstrümpfe,
Arlbergexpreß, über amerikanische Zigaretten, Geschäft und Beziehungen. Ich höre
die Bemerkung: Was halten Sie von dieser Inszenierung? Was von diesem Ausfuhr-
Amerikaner? Na ja, ein Viertel Reinhardt gespritzt. Die Könner sind am Werk,
Gnädigste. Küß die Hand, Gnädigste. Was sagen Sie zu diesem barbarischen Amerikaner?« Die Inszenierung war die Entscheidungsschlacht für Viertel; im Jahre
1952 tauschte Bertold Viertel seinen amerikanischen Paß gegen einen österreichischen.
Therese Giehse nahm sich Zeit, sie kam Ende 1948 nach Wien ins Neue Theater in
der Scala, also in das Haus der kommunistischen Freunde aus Zürich. Dort spielte
sie wieder die »Mutter Courage«, in einer vom Zürcher Team neu erarbeiteten
Inszenierung (Regie: Leopold Lindtberg). »Die ›Courage‹ war relativ gut besucht,
gemessen an der sonstigen Leere im Zuschauerraum«, erzählte Frau Giehse, »aber
auch wir spielten oft vor kaum halb gefülltem Haus.« »Mit dem Lustspiel ›Ihr
106. Geburtstag‹ von Jean Sarment war der Bann gebrochen, der Boykott aufgehoben [...], man spielte beide Stücke – alternierend – bis Ende Januar 1949 vor
vollem Parkett« (Monika Sperr). Im September 1949 kam sie nach 16 Jahren an
die Münchner Kammerspiele zurück, um die Mutter Courage zu spielen. »Wir hatten damals alle etwas Bauchknurren voreinander.«
Eine Europa-Tournee brachte Elisabeth Bergner, die inzwischen eine zweite, englische Karriere gemacht hatte, 1949 gastweise nach Deutschland zurück. Im Herbst
1956 trat sie im Stroux-Ensemble auf, sie spielte in Düsseldorf die Mutter in
O'Neills elegischer Familienhölle *Eines langen Tages Reise in die Nacht*, ein halbes
Jahr später auch die »Irre von Chaillot«.
Paul Walter Jacob hatte in Buenos Aires eine ›Freie Deutsche Bühne‹ gegründet
und geleitet, bald nach seiner Rückkehr wurde er wieder Theaterleiter, Intendant
in Dortmund (1950 bis 1962).
Curt Bois kam 1950 aus Hollywood, wo er in etwa fünfzig Filmen mitgewirkt
hatte, nach Berlin zurück, zunächst um am Deutschen Theater wieder den Chlesta-
kow in Gogols *Revisor* zu spielen (Regie Langhoff). »Bis zu meiner Emigration
war ich erfüllt von Übermut und Lustigkeit – jetzt mit Melancholie.« Anfangs hatte
er Schwierigkeiten mit den Kollegen: »Ich hab geglaubt, ich störe.«

Adolf Wohlbrück, letzter und dank Film bekanntester Sproß einer Schauspieler-familie, Sohn des ersten Pailletten-Clowns, überlebte als Walbrook in London und wurde von Gründgens wieder auf eine deutsche Bühne geholt. Wohlbrück spielte in Düsseldorf den »Dr. med. Hiob Prätorius« von Curt Goetz ab September (1951) und den Hektor in Christopher Frys *Venus im Licht* (Dezember 1951).

Ein Münchner Theateragent, der Tilla Durieux in Zürich getroffen hatte, machte ihr Mut, wieder anzufangen. Er vermittelte ein erstes Auftreten im Schloßpark-Theater. »Auf der ersten Probe war ich so befangen, daß ich das Gefühl hatte, fünf Füße und sieben Hände nicht unterbringen zu können. Ich spielte die Anath in Christopher Frys ›Der Erstgeborene‹. Das Stück gefiel nicht, und obwohl mich Publikum und Presse gut behandelten, weiß ich, daß ich keine Meisterleistung bot.« Es war eine deutsche Erstaufführung, inszeniert von Barlog selber, die immerhin 22 Aufführungen erlebte, mit Ernst Deutsch, Roma Bahn, Johanna Wichmann, Paul Esser, Sebastian Fischer. Zur Premiere (30. September 1952) saß in der Intendan-tenloge der Fry-Übersetzer Hans Feist, bis die Logenschließerin den vermeintlich Schlafenden wachzurütteln versuchte. Er war tot.

Kurt Horwitz aus Neuruppin kam erst im Februar 1952 nach Deutschland, auf eine Münchner Bühne zurück. Aus den Kammerspielen 1933 vertrieben, inszenierte er 19 Jahre später den *Misanthrop* von Molière im Prinzregententheater. Er hatte schon in Zürich und Basel den *Misanthrop* inszeniert, beide Male mit Ernst Gins-berg als Alceste, den er auch nach München mitgebracht hatte. Ginsberg hat seine Premieren-Empfindungen überliefert: »Das war ein unvergeßlicher Moment, als es dunkel wurde und draußen die Musik einsetzte, und ich im Dunkel vor dem Auf-tritt stand und mir plötzlich wie in einem Kurzfilm die ganzen vergangenen Jahre durchs Hirn schossen, und ich mich fragte: was machst du denn hier? Dieser Freund ist gestorben, jener ist umgebracht worden, und der und der, und den und den haben sie im Konzentrationslager verrecken lassen, du kannst doch gar nicht mit deinem Gesicht vor dieses Publikum treten, in dem vielleicht die Schuldigen sit-zen ... Da war der Vorhang schon auf, und der Moment des Auftritts war da, und es war wie ein Sprung durch eine Glasscheibe, und die erste Viertelstunde war wie im leeren Raum, wie im Eis. Dann brach der erste ganz große Szenenapplaus los.« Ende 1952 wurde Horwitz zum Intendanten des Münchner Staatsschauspiels be-rufen, als Nachfolger von Alois Johannes Lippl. Ginsberg war mit Unterbrechungen bis zum Ende der Spielzeit 1960/61 am Bayerischen Staatsschauspiel verpflichtet.

Man spielte Ferdinand Bruckner, doch konnte dies Theodor Tagger (so Bruckners bürgerlicher Name) den Weg nicht ebnen, als er 1951 in seine Vaterstadt Wien zurückkam. Anfang April 1951 legte er letzte Hand an die von Franz Reichert bis dahin einstudierte *Heroische Komödie* im Berliner Hebbel-Theater. Das Ergebnis wurde stürmisch gefeiert, daraufhin suchte Bruckner in Berlin Halt, der Stadt seiner frühen Triumphe. Er kam in der Hoffnung, für angehende Dramatiker eine Thea-ter-Werkstatt gründen zu können, also die Workshop-Idee nach Deutschland zu verpflanzen. Nach einer einzigen Sitzung mußte diese Idee in Berlin begraben wer-den. Als künstlerischer Berater Barlogs hat Bruckner sich immer wieder für Stern-heim eingesetzt und vor allem für Genet gekämpft, den er besser beurteilen konnte als die binnenländischen deutschen Theaterleute. In seiner Berater-Zeit wurden seine Stücke *Elisabeth von England*, *Napoleon der Erste* und *Das irdene Wägelchen* aufgeführt. Er hatte sich gewiß mehr versprochen, hatte andere Vorstellungen vom neuen deutschen Theater gehabt.

Lilli Palmer, inzwischen englischer Filmstar, besuchte 1954 die Städtischen Bühnen in Frankfurt am Main, wo sie 1933 einen Zweijahresvertrag (monatlich 240 Mark) hatte antreten sollen und wollen. Sie überlegte, was geworden wäre, hätte sie damals bleiben können: »Hätte alle Segnungen des Dritten Reiches mitgenommen, hätte mich um Propaganda zu drücken versucht, wie viele andere auch, hätte mitmachen müssen, wie viele andere auch, hätte mich geschämt, hätte A gesagt, vielleicht auch B, hätte zur Belohnung – vielleicht – eine Villa am Wannsee gehabt – und dann wäre der Krieg gekommen – und die Russen. Vielleicht hätte ich überlebt. Würde vielleicht jetzt in ›Feuerwerk‹ mitspielen, mir ›die da‹ ansehen, die von draußen kam. [...] Sie hatten mir den Gefallen meines Lebens getan, die arischen Großeltern – indem sie fehlten.«

Freilich, aus dem Zufall jüdischer Herkunft allein ist noch kein moralisches Kapital zu schlagen. Und verfolgt gewesen zu sein, ist kein Beweis für Talent. Es gab auch »Wiedergutmachungs-Engagements«. So unbefangen wie Curt Goetz und seine Frau, die Schauspielerin Valerie von Martens, inzwischen Schweizer Staatsbürger, kam wohl sonst niemand zurück (Herbst 1946). Deutschland habe er alles zu verdanken, erklärte Goetz, und er habe nun den Ehrgeiz, Deutschland wieder zum Lachen zu bringen.

Antifa-Dramatik

Der schnellste antifaschistische Autor in Berlin war Mitglied der NSDAP seit 1934. Von dieser Parteizugehörigkeit erfuhr man allerdings erst 1951, als der Gesinnungsheld in den Westen gegangen war und seine in Ost-Berlin sitzengelassene Frau hinter ihm herschimpfte. Horst Lommer, Lustspielautor und Chargenspieler am Preußischen Staatstheater, hatte Spottverse auf Personen und Ereignisse im ›Dritten Reich‹ gemacht. Walter Franck und Paul Bildt trugen sie im »Volkshaus« in der Kaiserallee vor, kaum daß das ›Dritte Reich‹ untergegangen war: »Wie anders kam es, als ich dachte, / Schatz, reich mir deine weiße Hand, / Wir fahren in den Abgrund sachte / und nicht mehr gegen Engelland.«
Lommer baute dann aus solchen Versen seine satirische Revue *Höllenparade* zusammen (erstmals 1946 im Theater am Schiffbauerdamm). Auch sein Heimkehrerstück *Der General*, ein anspruchsloses Gesinnungsmuster, wurde landauf, landab vorgezeigt. Man sollte meinen, daß solche Stücke wenigstens keine Kostümschwierigkeiten machten. Aber es war sehr schwer, die nötigen Uniformen aufzutreiben, sie waren ja corpora delicti, welche die Leihgeber belasten konnten.
Auch in Österreich gab es einen namhaften Konjunktur-Antifaschisten, nämlich Arnolt Bronnen, dessen Rechte (die Hitler grüßte) nicht wußte, was die Linke tat (die Faust ballen), der teils von den Nazis abgesetzt worden war, teils sich von ihnen abgesetzt hatte. Vom 8. Mai 1945 an zeigte er als Bürgermeister von Goisern an der Traun wieder passende Gesinnung. Dann schrieb er ein bis heute nicht aufgeführtes Lustspiel über den Einmarsch der Amerikaner ins Salzkammergut (*Die jüngste Nacht*). Im Herbst 1945 ging Bronnen für fünf Jahre nach Linz, als Kulturredakteur und Theaterkritiker des kommunistischen Tageblatts *Neue Zeit*, anschließend nach Wien, in seine Geburtsstadt, wo er Chefdramaturg und stellvertretender Direktor der ›Scala‹ wurde. Die Rückkehr zum Theater mißlang. Zwei eigene antifaschistische Dramen kündigte er an, sie wurden jedoch nie gespielt. Die Direktion der ›Scala‹ lehnte sie und ihren Autor ab.
Die nach dem Kriege aktuelle Dramatik war überwiegend antifaschistische Dramatik, meist von Emigranten geschrieben. Eins der (seit Januar 1947) meistgespielten »Antifa-Stücke« kam als Vermächtnis seines Autors Ernst Toller nach Deutschland, *Pastor Hall*. Als erste Uraufführung eines Emigrantenstücks in Deutschland gilt *Caféhaus Payer* von Hedda Zinner, geschrieben 1940/41 in der Sowjetunion; im Sommer 1945 in Rostock und Gera gespielt. Ort und Zeit der Handlung: Wien, März 1938. Die Autorin hat versucht, politische Spannungen in einem Familienstück zu verarbeiten: Vater Payer, Oberrechnungsrevident, gerät im Konflikt zwischen dem Recht und den Rechtsradikalen auf die Seite des Unrechts. Nachdem er die Nazis durchschaut und seine Fehler eingesehen hat, tröstet er sich und seine Familie mit dem Sohn bei der Volksfront, die er bisher abgelehnt hat.
In Berlin setzte sich zunächst Gustav von Wangenheim nachdrücklich für antifaschistische Dramatik ein, sie wurde im sowjetischen Machtbereich ernster genommen als in den »Westzonen« Deutschlands. Schon im September 1945 inszenierte er *Gerichtstag* von Julius Hay, »eine deutsche Tragödie«, geschrieben 1943 in Moskau.

Sie »spielte in Deutschland nach Stalingrad und stieß sofort auf hundertprozentige Ablehnung beim Genossen Ulbricht«, berichtete Hay. »Die Uraufführung war im Deutschen Theater in Berlin, also auf denselben Brettern, von denen vor dreizehn Jahren ›Gott, Kaiser und Bauer‹ verjagt wurde. Ich sah die Aufführung nie, ich hörte davon erst, nachdem es schon auf fünfundsiebzig Bühnen gespielt worden war. Und nach Greifs Tod.« Heinrich Greif spielte einen SA-Gruppenführer. Er war aus Moskau zurückgekommen, Kommunist, fast zwei Meter groß und hellblond, wäre der ideale SS-Darsteller der Nachkriegszeit geworden, starb aber 1946 infolge einer mißglückten Operation.

Das Premierenpublikum kam Friedrich Luft verwirrt vor, politische Stücke seien noch zu neu, schrieb er. Walther Karsch fand das Stück dramaturgisch und gedanklich unzureichend: »Hay verlegt nicht nur das tragische Geschehen, über das ›Gericht‹ gehalten werden soll, in die Vergangenheit und hinter die Bühne, so daß auf ihr nur die Reflexe ausgespielt werden, er vereinfacht auch die vieldeutige, gefährliche, verführerisch schillernde Kompliziertheit des deutschen Wesens, indem er es auf die vergröbernde Formel ›vorne Hiob, hinten Attila‹ bringt, was, so bestechend es klingen mag, auch nicht mehr als ein Schlagwort ist.«

Anfang Dezember 1945 wurde zum ersten Mal in Deutschland wieder Friedrich Wolf aufgeführt: *Doktor Wanner*, in Chemnitz. Thema: Widerstand zwecks Rettung französischer Patrioten im faschistischen Deutschland. Wolf, Mitbegründer des ›Nationalkomitees Freies Deutschland‹, war in den ersten Nachkriegsjahren der bedeutendste Zeitdramatiker. Im Januar 1946 zeigte das Berliner Hebbel-Theater Fritz Wistens Inszenierung von Wolfs *Professor Mamlock*, Tragödie einer ›Mischehe‹, die mit dem Selbstmord der Titelfigur endet, eines jüdischen Chirurgen. Wolfs *Professor Mamlock* war schon zu Beginn der Herrschaft Hitlers entstanden. In der Sowjetunion viel gespielt, war *Mamlock* wie Wolfs *Matrosen von Cattaro*, wie alle antifaschistischen Dramen, nach dem Abschluß des Paktes zwischen Nazideutschland und der Sowjetunion verschwunden. Pünktlich mit Ausbruch der Feindseligkeiten waren *Mamlock* und die *Matrosen* wieder aufgetaucht.

In Eisleben präsentierte 1946 ein ›Deutsches Theater‹ Wolfs dramatischen Kommentar zum selbstverschuldeten Untergang Deutschlands, *Was der Mensch säet*; am Staatstheater Dresden spielte man am 3. Dezember 1946 erstmals Wolfs Meinung zur Opferung der deutschen Jugend »fünf Minuten vor 12« unter dem Titel *Wie Tiere des Waldes*.

Im April 1947 schrieb der Autor aus Pankow an Erwin Piscator in New York: »Friedrich Wolf wird wie eine ägyptische Mumie von Archäologen ausgegraben; zur Zeit läuft ›Cyankali‹, am Hebbeltheater/Volksbühne, ›Die Matrosen von Cattaro‹ mit Ernst Busch am Schiffbauerdamm, ›Mamlock‹ war hier mit Walter Franck über 90mal und ist seltsamerweise – das Kassenstück an den Kammerspielen München, aber meine besseren Sachen ›Was der Mensch säet . . .‹, ›Patrioten‹ (Kampf der Maquis) und ›Doktor Wanner‹ sowie ›Die letzte Probe‹, dazu fehlt den Rampenwarten der nötige Mut. Grund: in diesen Stücken wird die Schuldfrage unserer Landsleute aufgeworfen, und das ist zur Zeit unerwünscht. Überdies sind die alten Mächte wieder ganz vorn; die Demokratie zeigt sich – da die nazistischen Pgs natürlich heute noch die unbestrittene Mehrheit sind – in entsprechender Weise.« Die Ablehnung der Stücke Wolfs konnte auch künstlerische Gründe haben. Julius

Hay tadelte Wolfs »strahlende Kritiklosigkeit den eigenen Werken gegenüber«. Aber es kamen durchaus Fälle von politischer Ablehnung vor. Nachdem Erich Thormann, seit Anfang 1946 Intendant in Bonn, den *Mamlock* inszeniert und den *Beaumarchais* inszeniert und gespielt hatte, brachten eine Pressekampagne und die Verwaltungsorgane die Absicht zu Fall, *Wie Tiere des Waldes* zu spielen.

»Die vorherrschende Haltung aus den kleinbürgerlichen Kreisen des Publikums bestand in politischer Reserviertheit gegenüber der zeitgenössischen Dramatik. Dies zeigte sich besonders in Weimar, wo die faschistische Ideologie in einem erheblichen Teil der Bevölkerung noch relativ lange nachwirkte«, heißt es in der 1972 in Ost-Berlin erschienenen zweibändigen Darstellung *Theater in der Zeitenwende*, dem Kollektivwerk einer Forschungsgruppe des Instituts für Gesellschaftswissenschaften beim ZK der SED.

Im März 1946 startete mit Franz Reicherts Inszenierung von Weisenborns Widerstandsdrama *Die Illegalen* der Siegeszug dieser Darstellung einer Untergrund-Gruppe im vergeblichen Kampf, und zwar über 350 Bühnen. Im Mai folgte, ebenfalls am Hebbel-Theater, der erste politische Brecht-Abend mit *Der Jasager* und *Die Gewehre der Frau Carrar* mit Lu Säuberlich in der Titelrolle.

Georg Kaiser war im Februar 1946 erstmals wieder auf einer deutschen Bühne vertreten: Willi Schmidt inszenierte im Hebbel-Theater mit Kurt Meisel den Dreiakter *Der Soldat Tanaka*, 1939/40 geschrieben, »auf die damalige Militärachse Berlin–Tokio zielend, die tragische Verwandlung eines Hörigen der Staatsmacht zum Fordernden um der Gerechtigkeit willen« (Walther Huder). Kaisers Drama *Die Spieldose* – Freitod zur Rettung von Geiseln – wurde im Dezember 1943 noch tintenfrisch in Basel uraufgeführt, kam 1949 nach Schwerin und ging von dort über viele Bühnen.

Das Floß der Medusa ist ein Kinderdrama im Rettungsboot. Von dreizehn Kindern werden elf von einem Hubschrauber gerettet: eins ist vorher aus Aberglauben geopfert worden; der Rädelsführer Allan will sich nicht retten lassen, weil ihm vor einer Zukunft graut, in der die Kinder so sein werden, wie die Erwachsenen heute sind. Kaiser erklärte brieflich: »Ich bin Allan – in ihm schildere ich mich – in ihm vernichte ich mich – ihn beneide ich um seinen jungen Tod« (14. März 1945). *Das Floß der Medusa* erlebte 1948 eine Studio-Aufführung im Hebbel-Theater. Der Titel weist zurück auf den Schiffbruch einer Fregatte ›Medusa‹ im Jahre 1816, aus dem Ernst Schnabel 1968 den Text für ein gleichnamiges »Oratorio volgare e militare« von Hans Werner Henze gewann, gänzlich anders akzentuiert, unter gänzlich veränderten politischen Umständen.

Für junge Autoren eröffnete Wangenheim im April 1946 ein Studio, und zwar mit *Wir heißen euch hoffen* von Fred Denger. Thema: die Nachkriegsverwilderung der Jugend. Des Führers Verführung hat sie zum Bandenleben vorherbestimmt. Bei Denger endet das positiv: die Räuberbande versöhnt sich mit der Polizei, bekundet Aufbauwillen und trennt sich von Berufsverbrechern. Wangenheims Dramaturg Heinrich Goertz brachte ein Erlebnis eines jungen Kollegen auf die Bühne: er sei zusammen mit einigen Kameraden desertiert und geschnappt worden. Die anderen seien von einem Standgericht zum Tode durch den Strang verurteilt worden, er selber aber, der Jüngste, kam mit dem Leben davon – unter einer Bedingung: er mußte den aufgeknüpften Kameraden den Stuhl, auf dem sie standen, wegreißen.

Goertz hatte einigen Schauspielern des Deutschen Theaters die Rolle auf den Leib geschrieben: Friedrich Maurer, Heinrich Greif, Angelika Hurwicz. Horst Drinda spielte die Titelrolle, den Peter Kiewe, und begann damit seine Karriere. *Peter Kiewe* hatte wenig Erfolg, wohl auch, weil der Autor ohne Korrektiv arbeitete, er war zugleich Regisseur und Bühnenbildner seines ersten Dramas.

In seiner Heimatstadt Hannover debütierte der junge Autor Rudolf Augstein, seit knapp einem Jahr Herausgeber und Chefredakteur des Nachrichtenmagazins *Der Spiegel*, mit dem »szenischen Gleichnis« *Die Zeit ist nahe* (November 1947). Theaterkritiker Frerking stellte sich vor, Augstein werde ein Vierteljahrhundert später ungefähr so darüber denken: »einfach die halbe Renaissance über das ganze tausendjährige Reich zu stülpen und in diesem Tohuwabohu keck nach Parallelen und Assoziationen zu jagen. [. . .] Eigentlich ist es hübsch, einmal so herrlich grün gewesen zu sein.«

Man kann die »Antifa-Dramatik« typisieren. Es gab satirische Versuche: neben Lommer vor allem Herrmann Mostar mit *Der Zimmerherr* – Untermieter usurpiert allmählich das ganze Haus, Uraufführung 1947 in Wuppertal. Auf höherem Niveau die »Komödie einer Tragödie« von Franz Werfel, *Jacobowsky und der Oberst*, uraufgeführt 1943 in New York, deutsch zuerst 1947 im Berliner Hebbel-Theater. Diese Schilderung der gemeinsamen Flucht eines galgenhumorigen Ostjuden und eines polnischen Obersts erwies sich als bleibendes Werk dieser Gattung. Giselher Klebe machte daraus eine Oper (1965).

Es gab aktualisierte Geschichtsdramatik. *Caligula* von Albert Camus wurde damals viel gezeigt (zuerst 1947 in Stuttgart und Wuppertal), weil der um sein und das Leben anderer spielende Tyrann antifaschistische Deutung zuließ. Für Camus war der (schon 1938 entstandene) Fall *Caligula* allerdings eine existentialistische Lehre: »Daß man nicht frei sein kann gegen die anderen Menschen.«

Ferdinand Bruckner bevorzugte in seinen späteren Jahren, Probleme der Zeit in historischen Stoffen zu spiegeln. Widerstand gegen einen Diktator zeigte er am Kampf gegen Napoleon (*Heroische Komödie*), Diktatur, Revolution und Demokratie handelte er mit Hilfe von *Simon Bolivar* ab.

Es gab weiterhin informierende Dramatik wie *Geiseln* von Rudolf Leonhard (Tragödie einer Widerstandsgruppe in Frankreich, Uraufführung 1946), und Hedda Zinners Dramen *Der Teufelskreis* (Reichstagsbrand, Uraufführung 1953) und *Ravensbrücker Ballade* (Schlußphase im und Befreiung aus dem Konzentrationslager, Solidarität zwischen Russen und deutschen Kommunisten, Uraufführung 1961). Auch einige unkostümierte »Zeitstücke« von Bruckner kann man dazurechnen: die Fortsetzung von *Krankheit der Jugend* von 1923 *Früchte des Nichts* (Jugend in einer zerstörten deutschen Stadt 1947, Uraufführung Mannheim 1952) und *Kampf mit dem Engel* (Machtmißbrauch durch Geld, Industrie, Technik, Uraufführung Braunschweig 1957).

Schließlich gab es die lehrhafte »Wandlungsdramatik«: *Wir heißen euch hoffen* von Fred Denger, *Treibgut* von Thomas Engel, einem anderen Debütanten des Deutschen Theaters (Uraufführung im Juni 1948 in den Kammerspielen).

Vor allem gab es die »Heimkehrerstücke« – eine bald in abschätzigem Ton genannte Gattung. Tatsächlich war in diesem Genre viel eilfertig fabriziertes Zeug, wie die dreiaktige Peinlichkeit vom zeugungsunfähig geschossenen Heimkehrer, der seine

Frau von einem Kriegskameraden schwängern läßt und dann diskret verschwindet (*Danach*, 1946 im Schloßpark-Theater). Mißglückte, weil innerlich unmögliche Heimkehr ist das Schicksal des Odysseus, wie Franz Theodor Csokor es in seiner 1942 entstandenen Hexameter-Rhapsodie *Kalypso* lyrisierte. Im Juni 1946 führte das Burgtheater diese Homer-Paraphrase auf, Raoul Aslan spielte den Homer »in marmorner Gelassenheit« (Tabarelli). In der Titelrolle Maria Eis (»berauscht von dem Trunk der Metapher«), Ewald Balser (»triebhaft simpel«) gab den Heim-kehrer. Es blieb bei sechs Aufführungen. Die Figur des Odysseus bot sich als klas-sischer Heimkehrer an, sie wurde vielfach in Anspruch genommen, Odysseus stand auch Modell für Ballett- und Opernlibretti.

Das bei weitem erfolgreichste Heimkehrer-Stück hat Wolfgang Borchert geschrieben, der sich bei Kriegsende mit vorletzter Kraft aus einer Strafkompanie von der Ost-front nach Hause gerettet hatte. Im Spätherbst 1946 auf dem Krankenbett in knapp acht Tagen in expressiver Sprache geschrieben, vom Autor gekennzeichnet als »ein Stück, das kein Theater spielen und kein Publikum sehen will«, ging *Draußen vor der Tür* über fast alle deutschen Bühnen. Borchert (Jahrgang 1921) wurde als Sprecher der »Generation ohne Abschied« angesehen, die nun – dezimiert – wie-dergekommen war. Doch sein armseliger Heimkehrer Beckmann war auch oppor-tun: ohne direkte politische Aussage, ließ *Draußen vor der Tür* nirgends Ärger befürchten. Das Stück vermittelte keine Meinung, nur Gemütsbewegung. Der Büh-nenpremiere ging eine Ausstrahlung im NWDR (13. Februar 1947) voraus. Ein Freund des Autors berichtete: »Borchert konnte sie nicht abhören, weil sein Stadt-teil infolge der Kohlennot von einer turnusmäßigen Stromsperre betroffen wurde.

Wolfgang Borchert, Draußen vor der Tür. Kammerspiele Hamburg, Uraufführung 21. November 1947. Regie: Wolf-gang Liebeneiner. Hans Quest als Beckmann (Foto: Rose-marie Clausen, Hamburg)

Da er nicht transportfähig war, konnte er auch nicht mit dem Auto zu Freunden in einen anderen, mit Strom versorgten Stadtteil gebracht werden.« Borchert starb am 20. November 1947 in Basel, wohin man ihn zwecks besserer Pflege verfrachtet hatte. Einen Tag später zeigten die Hamburger Kammerspiele unter Leitung von Wolfgang Liebeneiner (der das Stück später auch als *Liebe 47* verfilmte) zum ersten Mal Borcherts dramatischen Geniestreich. Das Stück hielt sich in den Spielplänen, kam 1957 noch in Weimar und Rostock heraus, 1958 in Neustrelitz, 1968 in Magdeburg, 1970 wieder in West-Berlin (gespielt von den ›Vaganten‹, die seit 1949 durch Gemeindesäle und Schulen vagierten und seit 1956 in der Kantstraße Charlottenburg untergekommen sind). Im Jahre 1971 startete »zum Gedenken an die Uraufführung und an den 25. Todestag des Dichters« in Davos das Schweizer Tournee-Theater zu etwa 80 Aufführungen, davon zwei in den Hamburger Kammerspielen, mit Uwe Friedrichsen als Beckmann, inszeniert von Hans Quest, der der erste Beckmann gewesen ist. Die Taschenbuch-Ausgabe von *Draußen vor der Tür* hatte inzwischen eine Auflage von mehr als einer Million Exemplare erreicht. Strawinskys *Geschichte vom Soldaten* ging als Beitrag des Musiktheaters zur Heimkehr-Thematik durch. Obendrein empfahl sich das Märchen vom Soldaten, der den Teufel kraft seines Geigenspiels besiegt, aber dann doch von ihm geholt wird (C. F. Ramuz ging formal auf mittelalterliches Vagantentheater zurück), durch kleinste Besetzung. Hergestellt als praktikables Werkchen für die mageren Jahre nach dem ersten Weltkrieg, bewährte sich das Vierpersonenstück für zwei sprechende (Vorleser, Soldat) und zwei tanzende (Teufel und Prinzessin) Darsteller vor allem nach dem zweiten Weltkrieg, als die spröden Klänge der unkonventionellen instrumentalen Begleitmusik nicht mehr sonderlich befremdeten.
Brechts Heimkehrer-Stück aus der Zeit nach dem ersten Weltkrieg, *Trommeln in der Nacht*, rückte damals noch nicht ins Blickfeld, aus stilistischen Gründen. Der Expressionismus war versunken. Nach dem unbeachteten Vortritt einiger Laientheater (zuerst wohl die Studiobühne der Technischen Hochschule Stuttgart 1955) kam *Trommeln in der Nacht* erst 1965 wieder auf eine Berufsbühne, im Stadttheater Pforzheim.
Brecht schrieb im Februar 1947 aus Santa Monica an Piscator in New York: »Ich bekomme immerfort Bitten, die Aufführung von Stücken zu erlauben, habe aber bisher keine Aufführung erlaubt. Die Stücke können nicht besetzt werden; was man über Aufführungsstil hört, ist zum Kotzen, und auf dem Theater ist ja schlecht nicht besser als nichts.« Am 30. Januar 1948, dem 15. Jahrestag der »Machtübernahme«, zeigte Wolfgang Langhoff im Deutschen Theater sieben (von 24) Szenen der Folge *Furcht und Elend des Dritten Reiches*.
In Wien ging es schneller, Rudolf Steinboeck inszenierte schon im März 1946 in der ›Josefstadt‹ *Der gute Mensch von Sezuan*, mit Paula Wessely in der Doppelrolle der wehrlosen Liebenden und ihres angeblichen, rigorosen Vetters. Ende April 1946 gastierte das Zürcher Schauspielhaus drei Tage lang mit einer Neuinszenierung der *Mutter Courage*, wieder mit der Giehse in der Titelrolle, während Steinboecks Ensemble in Zürich und anderen Städten in der Schweiz Hofmannsthals *Schwierigen* zeigte. Eine Wiener *Courage*-Kritik von damals ist interessant, weil sie zeigt, wie wenig man damals Brecht verstand. Angesichts der »Hyäne des Schlachtfeldes«, die zugrunde geht, weil sie am Krieg verdienen will, schrieb ein Kritiker: »Sei

also ein Held und verhindere, daß getötet werde; sei ein Held mit dem Mut zum Unheldischen. Das ist die Parole, als deren Fahnenträgerin der Dichter Frau Courage auf die Bühne stellt und sie, eine Jeanne d'Arc der Mütterlichkeit, mit einer realistischen Konsequenz begabt, die bis zum unerbittlichen Sieg der Selbstbehauptung und gleicherweise in die tiefste Tragik jener seltenen Menschen mündet, für die es auf dieser Erde keine Illusion, sondern nur mehr bitteres Wissen und Ausharren an der Deichsel des Daseins-Fuhrwerks gibt« (Tabarelli). Ungefähr so dürfte auch das Publikum empfunden haben.

Im Januar 1948 hat der Ex-Berliner Journalist Armin Kesser in Zürich Brecht auf die Mißverständlichkeit seiner Stücke hingewiesen. Brecht notierte: »in der tat wurde der Galilei als eine ehrenrettung des opportunismus aufgefaßt; das Sezuanstück als religiöse (in dem sinn, daß der atheist gottes loyale opposition ist) verurteilung der zweiseelenkonstruktion; die Courage als loblied auf die unerschöpfliche vitalität des muttertiers. [...] der stückeschreiber kann sich nur dadurch retten, daß er die substanz aufgibt oder (und) einen leitartikel anhängt.«

Im deutschen – typisch deutschen? – Streit um Brecht wird die Mißverständlichkeit oder Mißverstehbarkeit noch zwanzig Jahre lang eine große Rolle spielen. Im Osten wird man den Aufstieg Brechts als Sieg der sozialistischen Idee, des »neuen Menschen« im »wissenschaftlichen Theater« feiern. Im Westen wird Brechts Aufstieg als Sieg der Kunst über die These gedeutet, weil Brecht »halt eben doch ein Dichter« sei, nicht dank, sondern trotz seiner Theorie. Friedrich Dürrenmatt erklärte in einem zuerst im Herbst 1954 gehaltenen Vortrag, das Mißverständnis könne nicht immer dem kapitalistischen Publikum zugeschoben werden. Es sei ein »durchaus legitimer Vorfall«, wenn »der Dichter Brecht dem Dramaturgen Brecht durchbrennt«.

Von den einen als antifaschistisches Stück aufgefaßt, von den anderen als »Blankoscheck zur moralischen Entschuldigung hoher nazistischer Würdenträger« (Paul Rilla), wurde Carl Zuckmayers *Des Teufels General* zum größten Nachkriegserfolg überhaupt: 3 238 Vorstellungen zwischen 1947 und 1950. Berthold Viertels Urteil hält wohl die rechte Mitte: »Zuckmayers Stück ist viel eher eine Elegie, die schweren Herzens Abschied nimmt von Idealen, die dem deutschen Volk teuer gewesen sind, bevor sie in den Abgrund führten. Ich sah das Stück in Köln und überzeugte mich davon, daß seine theatralische Wirkung tiefer und wahrer ist, als ich bei der Lektüre gedacht hatte.«

Zuckmayer hatte das Stück 1942/43 geschrieben, »für die Schublade«, wie er glaubte, nachdem er von Absturz und Staatsbegräbnis des ihm befreundeten Fliegergenerals Udet gelesen hatte. Die erste Aufführung in Deutschland gab es dann November 1947 im ehemaligen Frankfurter Börsensaal, inszeniert von Hilpert, mit Martin Held in der Hauptrolle. Ein Jahr lang reiste der Autor herum, um in Versammlungen Rede und Antwort zu stehen, dann brach er zusammen. In der erzwungenen Ruhepause schrieb er ein weniger erfolgreiches ›Zeitstück‹, eine Auseinandersetzung »auf metaphysischer Ebene, wenn auch im realen Milieu der deutschen Frankreichbesetzung und der französischen Résistance« (Zuckmayer): *Der Gesang im Feuerofen* (uraufgeführt von Hilpert in Göttingen, Anfang 1951).

Oper und Ballett nahmen viel weniger Notiz vom Zeitgeschehen. Musik ist ja wenig tauglich, eine »Botschaft« zu vermitteln; die Botschaft liegt – von Grundstimmungen abgesehen – im Libretto beziehungsweise in der Choreographie. Und die nennenswerten Beispiele kamen relativ spät.

Zur Ballettoper namens *Preußisches Märchen* machte Heinz von Cramer den Hauptmann-von-Köpenick-Stoff, aus dem Boris Blacher, Professor für Komposition an der Berliner Hochschule für Musik, 1948 ein Libretto geschneidert wissen wollte. Aus Zuckmayerscher Milde wurde Sternheimsche Schärfe beim Zeichnen der Kleinbürgerwelt (Uraufführung September 1952, Städtische Oper Berlin). Es war schon das zweite Libretto Heinz von Cramers für seinen ehemaligen Kompositionslehrer am (1945 von Paul Höffer und Josef Rufer gegründeten) Internationalen Musikinstitut in Zehlendorf, das der Währungsreform zum Opfer fiel. Im Jahre 1947 hatte er einen Opern-Einakter verfaßt, den man als symbolischen Spiegel der damaligen Zeit ansehen kann: *Die Flut*. Vier Schiffbrüchige auf einer Sandbank, vier existentielle Entscheidungen in einer Katastrophe. Boris Blacher vertonte das Werkchen, Anfang März 1947 wurde es in Dresden uraufgeführt.

Die 1944 entstandene, seit 1953 auch in Deutschland gespielte Oper *Der Gefangene* war Luigi Dallapiccolas Reaktion auf damalige Grausamkeiten. Der im Dezember 1955 aus Paris zurückgekehrte Vorkämpfer für die Neue Musik Heinrich Strobel (Leiter der Musikabteilung des Südwestfunks in Baden-Baden, seit 1947 wieder Herausgeber der Zeitschrift *Melos*, Initiator der Donaueschinger Musiktage) schrieb 1951 für den Zürcher Komponisten Rolf Liebermann das Libretto *Leonore 40/45*. Eine deutsch-französische Liebesgeschichte, die auf *Fidelio* anspielt: der Krieg trennt den Musiker Alfred von seiner Freundin Huguette, sie findet ihn als Kriegsgefangenen wieder (Uraufführung 1952 in Basel). Im November 1957 inszenierte Harro Dicks in Darmstadt einen gemilderten *Aufstieg und Fall der Stadt Mahagonny*.

Im Ballett erwies sich *Der grüne Tisch*, den Kurt Jooss 1932 für einen Wettbewerb in Paris choreographiert hatte, erneut aktuell und eindrucksstark: getanzter Konferenz-Zynismus mit Todesfolgen. »Eine reife Frucht des Expressionismus«, sagte Jooss im Alter (1974). Es sei kein politisches Ballett, trotz pazifistischer Wirkung, weil es nur das Gefühl anspreche.

Jean (alias Hans) Weidt choreographierte als Ballettmeister in Karl-Marx-Stadt (Chemnitz) 1955 einen Ausdruckstanz gegen Krieg und Faschismus zu Musik von Wolfgang Hohensee: *Nach dem Sturm*. Figuren eines Mahnmals inmitten eines zerstörten Dorfes werden lebendig und tanzen ihren Kampf gegen die Unterdrücker. Einige Jahre »nach dem Sturm« baut sozialistische Jugend das Dorf wieder auf.

In der DDR entstanden zwei Spartacus-Ballette, das gelungenere, *Sklaven* von Henn Haas, nach Musik von Hohensee, kam nach einer unglücklichen Inszenierung in Leipzig (1961) in authentischer Form in Halle heraus und wurde durch die Inszenierung 1964 in der Staatsoper anläßlich der Berliner Festtage bekannt (Choreographie: Lilo Gruber).

In der weniger betroffenen Schweiz kamen derlei Tendenzen schwächer zum Ausdruck. Nachdem in Luzern Ende März 1946 *Zagreb 1945*, ein Dreiakter von Tilla Durieux, uraufgeführt worden war, konnte man lesen, der Zeitpunkt für so etwas sei »nicht sehr glücklich«, »wir sind diesem Geschehen noch zu nahe oder bereits zu fern«. Doch es gab etwa 30 Vorstellungen in Luzern. Die damals in Jugoslawien lebende Autorin sollte und wollte mitspielen, bekam aber als paßlose Deutsche keine Transitvisa. (Später wurde sie jugoslawische Staatsbürgerin.)

Der Spielplan des Zürcher Schauspielhauses zeigte mehr literarische als politische Ambition, wie es normalen Zeiten entspricht. Einige frühe Stücke von Max Frisch haben mehr oder minder aktuelle Motive: *Als der Krieg zu Ende war*, im Januar 1949 am Schauspielhaus uraufgeführt, zeigt eine Berlinerin im Frühjahr 1945 zwischen einem russischen Oberst und einem deutschen Hauptmann, den sie versteckte und der an Massenmorden im Warschauer Ghetto beteiligt gewesen ist. Das heikle Verhältnis ist konstruiert worden: nach »Mensch und Unmensch« müsse unterschieden werden, nicht nach Uniformen. Auch *Graf Öderland*, der aus Langeweile mordet, schien zunächst eine Abrechnung mit der Vergangenheit zu sein. Bei der Uraufführung in Zürich (Februar 1956) trat der ehemalige Chef des Sicherheitsdienstes, der sich den Großen zur Verfügung stellt, in der Maske Himmlers auf; ein Jahr später, in der Frankfurter Fassung, verstand man den zum Diktator gewordenen Staatsanwalt als Hitler. Einen verwandten Stoff gestaltete Fritz Hochwälder in *Der öffentliche Ankläger* (Uraufführung Stuttgart 1948): der zwischen seinen Akten lauernde, dem Fallbeil Opfer liefernde Staatsanwalt. Weder bei Frisch noch bei Hochwälder bringt das Ende des Schreckensmannes das Ende des Schreckens.

In Zürich lebte Hugo Wolfgang Philipp, bis 1933 Mitdirektor des Dresdner Albert-Theaters und erfolgreicher Dramatiker (*Der Clown Gottes*; *Das glühende Einmaleins*). Er versuchte sich erfolglos als berlinischer Erzähler, auch seine *Grammatik der Schauspielkunst* (zwei Bände, 1946–52) blieb unbeachtet.

Aus dem Zürcher Koffer holte der nach Wien zurückgekehrte Hans Weigel eine »tragische Revue«, ein geschicktes Bühnenmärchen, *Barrabas*, das sowohl thematisch »paßte« (Herr B. wird am Morgen seines 50. Geburtstages für sein bisheriges Leben zur Rechenschaft gezogen) als auch bühnentechnisch: nur eine Dekoration, vier Darsteller, vier Darstellerinnen, davon je zwei als Kommentatoren in der Art des antiken Chors eingesetzt. Uraufführung war Ende Januar 1946 in der Josefstadt. Dieser *Barrabas* erlebte in der Inszenierung von Franz Pfaudler 55 Aufführungen. Am Schiffbauerdamm in Berlin blieb das Stück ohne Echo. Im November 1948 folgte die »Operette in 15 Bildern« *Entweder Oder*, ein heute platt erscheinendes Lehrstück vom Sieg des unordentlichen, aber angenehmen Staates Polyphonien über seinen perfektionierten Nachbarstaat Unisonien.

Seltsam war die Verschiedenartigkeit der Aufnahme eines Dramas von Julius Hay in Berlin und Wien: *Haben*, ein Skandal im Sommer 1945 am Volkstheater, Faszination dank der Härte und dem Realismus 1948 am Deutschen Theater, inszeniert von Falk Harnack, mit Gerda Müller als habgieriger Hebamme, welche Witwen in spe und künftige Erbinnen mit dem geeigneten Pülverchen versorgt. Hay hatte dieses Drama 1934 in einem Wiener Gefängnis begonnen, wo er als Teilnehmer am Aufstand der Arbeiter gegen das Dollfuß-Regime inhaftiert war. Das Stück wurde 1936 in Moskau beendet, die Uraufführung 1945 am Nationaltheater Budapest war die erste ungarische Premiere nach dem Kriege. Lion Feuchtwanger hielt Hays erfolgreichstes Drama für ein marxistisches Musterstück, Brecht meinte dagegen, Hay zeige nur typisch kapitalistische Besitzgier. Wie dem auch sei, in Wien kannte man die ungarischen Bäuerinnen anders: sie pflegten ihre Männer nicht zu ermorden. Übrigens basiert das Drama auf einem Giftmordprozeß im Jahre 1929.

Unter den Gegenwartsschriftstellern rangierte in Wien ein Curt Johannes Braun mit nicht weniger als drei Stücken neben Büchner und Brecht, vor Kaiser. Selbstverständlich gab es auch *Draußen vor der Tür*. Unter den Importen aus den Vereinigten Staaten gab es eine Novität im ›Theater der 49‹: *Die Atombombe* von Upton Sinclair.

Die Wiener Theater setzten sich tüchtig für den Wiener Bruckner ein: *Elisabeth von England* im Ronacher, *Die Fährten* im Akademie-Theater, *Heroische Komödie* im Volkstheater, *Timon* in der Josefstadt, *Krankheit der Jugend* im Studio der Hochschule. In Bern wurde *Denn seine Zeit ist kurz* gespielt, in Zürich *Die Befreiten*, in Dresden *Simon Bolivar*, in Berlin *Die Rassen*.

Bevor man Ödön von Horváth in Deutschland wahrnahm, gab es in Steinboecks Josefstädter Theater geradezu eine Horváth-Pflege. Das Datum der Rückkehr des 1938 in Paris tödlich verunglückten Dramatikers ist der 7. Dezember 1945. Steinboeck hatte allerdings kein politisches Volksstück inszeniert, sondern das Schuld-und-Sühne-Drama im Eisenbahner-Milieu *Der jüngste Tag*, mit Hans Holt und Maria Andergast. Es folgten 1946 die Tragikomödie der Staatenlosigkeit *Hin und Her* und 1947 *Figaro läßt sich scheiden*, Aktualisierung, Fortsetzung und Ernüchterung des aufsässigen Lustspiels von Beaumarchais.

Rolf Lauckner aus Königsberg, dessen Stücke ebenfalls von der Bühne verbannt gewesen waren, hatte 1945 keine Energie mehr. Es kam nur noch zu vereinzelten Aufführungen. Lauckner, Stiefsohn Sudermanns, von Reinhardt für die Bühne entdeckt, starb 1954 in Bayreuth.

Auch Hans Rehfisch setzte sich nicht mehr durch. Im September 1946 inszenierte Peter Elsholtz *Quell der Verheißung* im Hebbel-Theater. Erich Kästner beklagte nach der Premiere einen verlorenen Abend. Rehfischs letzte Arbeit *Verrat in Rom* wurde 1961 in Leipzig uraufgeführt, mit so geringem Echo, daß die Aufführung 1963 in der Westberliner ›Tribüne‹ guten Glaubens noch einmal als Uraufführung durchging. *Verrat in Rom* ist eine *Tosca*-Variante, der Puccinis Musik gutgetan hätte.

Walter Hasenclever, der 1940 in einem französischen Internierungslager sich das Leben nahm, wurde im Juli 1948 den erstaunten Leipzigern mit einem Konversationsstück präsentiert: *Münchhausen*, Ludwig Anschütz in der Titelrolle. Der siebzigjährige Tausendsassa tritt zum letzten Abenteuer an: er heiratet eine Bernhardine von Brünn, die junge Baronin läßt ihn aber sitzen, und er stirbt einsam. Generalintendant Max Krüger hatte das möglichst auf Lebenslust getrimmt, als wär's ein Stück von Zuckmayer.

Fritz von Unruh, der abtrünnige Berufsoffizier und politische Erzengel, Paulskirchen-Redner von 1948, scheiterte noch einmal mit dem Glauben der expressionistischen Gesinnungshelden, man könne politische Wirkungen mit unpolitischen Mitteln erzielen. Buckwitz errang im Februar 1953 in Frankfurt mit *Wilhelmus, Prinz von Oranien* nur einen Achtungserfolg (mit Paul Hartmann in der Titelrolle). Auch *Duell an der Havel* in Wiesbaden (März 1954) setzte sich nicht durch. Enttäuscht verließ Fritz von Unruh erneut Deutschland, nach drei Jahren »vergeblichen Aufenthaltes«. Er ging nach New York zurück, teilte von 1956 an aber seine letzten Lebensjahre zwischen New York und seinem Hof Oranien in Diez an der Lahn.

Aus der Not eine Tugend: Zimmertheater

Dem notgeborenen Übereifer, Theater zu spielen, entsprang ein Theatertyp, der neue Tugenden entwickelte: das Zimmertheater. Natürlich stand am Anfang der Mangel an hinreichend großen Räumen, aber schließlich sagte man sich nachdenklich wie Frank Thieß: »Wenn eine aus den Nöten der Zerstörung geborene Einrichtung zehn Jahre nach ihrem Entstehen noch am Leben ist, sogar in Städten, wo die Theater nicht in Schutt sanken, kann sie nicht nur ›Behelfscharakter‹ gehabt haben.« »Das Zimmer ist der szenische Gesamtraum. Oder anders gesagt: es gibt nur noch die Szene, auf der auch die Zuschauer sitzen. Eigentlich ›spielt‹ man überhaupt nicht. Man lebt Geschehnisse nach, die der Dichter in seiner Imagination erblickt hat.« So formulierte Rudolf Jürgen Bartsch 1954, damals Leiter der ›Mainzer Zimmerspiele‹. Dem Spiel im Zimmer sitzt der Zuschauer jedenfalls räumlich nicht distanziert gegenüber, er sitzt in Reichweite oder sogar mittendrin. Er spielt sozusagen selber eine Rolle, die des quasi unsichtbaren Gastes, der alles sieht und hört, jedoch nicht eingreift. Ein neues »inter-esse« für den Betrachter. »Er ist so dabei, daß er die Agierenden als stellvertretend für sich empfindet« (Bartsch). Da wird allerdings ein Idealfall, der auch in großen Theatern möglich ist, als regelmäßiger Zimmereffekt hingestellt. »Es gibt nur eine Welt: das gemeinsame Erlebnis der Dichtung« (Bartsch). Auch Vorwürfe gegen den Zeitgeist und das konventionelle Theater gehörten zur Apologie des Zimmertheaters: »Hier fühlt sich noch jeder einzelne Zuschauer als Individuum angesprochen« (Bartsch).

Jedenfalls hatten einige für das Zimmerspiel typische Stilelemente günstige Wirkung: Konzentration auf das Wort, Verzicht auf den Souffleur, Verzicht auf die Rampe und auf ›Bühnenbilder‹, sparsame Gestik, zurückhaltende Mimik, dezente Schminke. Keine Kostümstücke. Zimmerlautstärke. Understatement statt Übertreibung, Intensität statt Extensität. Als das Fernsehen aufkam, bewährte sich dieser Stil im Studio vor der elektronischen Kamera. Christoph Röthel, Spielleiter im Hamburger ›Theater im Zimmer‹, erinnerte an die filmische Großaufnahme, aber auch an einen über filmische Wirkung hinausgehenden Effekt: »Rückstrahlung« als Antwort des Zuschauers auf die »Ausstrahlung« des Schauspielers.

Der Initiator des Zimmerspiels war der (im Oktober 1959 verstorbene) Schauspieler und Regisseur Helmuth Gmelin. Gmelins Plan war älter als die Nachkriegs-Not, die ihm Auftrieb gab. Bis ins Jahr 1935, in seine Braunschweiger Zeit, gehen Gmelins Überlegungen über ein »Theater ohne Vorhang und Rampe« zurück, in einem »schwarzen Miniaturbühnenraum«, in dem »ungenannte Schauspieler magisches Theater« spielen sollten. Anfang Mai 1945 aus dem Untersuchungsgefängnis in Hamburg-Fuhlsbüttel befreit (wohin er durch die Hilfe seines Anwalts gerade zwecks Verhör aus dem Konzentrationslager »überstellt« worden war), begann er wieder als Spielleiter (Goethes *Geschwister*, Kleists *Zerbrochner Krug*) und Charakterdarsteller (Herzog Alba in Fehlings *Don-Carlos*-Inszenierung) zu arbeiten, am Besenbinderhof. Gmelin wurde Präsident der Bühnengenossenschaft und lehrte obendrein an der Staatlichen Schauspielschule des Deutschen Schauspielhauses in Hamburg.

Bald hatte er aber den Betrieb satt. Er kündigte zum Ende der Spielzeit 1946/47 und begann, seinen eigenen Wirkungskreis aufzubauen, bestärkt von dem 1946 in Berlin erschienenen *Deutschen Stanislawski-Buch* von Ottofritz Gaillard (Untertitel »Lehrbuch der Schauspielkunst«). Darin wird Stanislawskis Wahrhaftigkeits-Fanatismus methodisch ausgewertet: Was dort von der Konzentration auf die drei »Aufmerksamkeitsräume« gesagt ist, mußte Gmelin stark ansprechen: »Eine Tischlampe beleuchtet den Schreibtisch: dieses Licht bezeichnet den kleinen Raum der Aufmerksamkeit. [...] Eine Stehlampe erleuchtet die Sitzecke eines Zimmers: das ist der mittlere Raum der Aufmerksamkeit. [...] Und schließlich die Deckenbeleuchtung erhellt den ganzen Raum. Das ist der große Raum der Aufmerksamkeit. [...] Der Schauspieler hat je nach der Szene, in der er steht, die Aufgabe, bei vollem Licht die drei Aufmerksamkeitsräume [...] zu schaffen, sich auf sie zu konzentrieren und in ihrem Maß zu handeln.«
Im Juli 1947 wurde der erste Versuch gewagt, im obersten Stock eines Etagenhauses Alsterchaussee 5. Eine Schüler-Aufführung von Ibsens *Gespenstern* (mit Boy Gobert), vor fünfzig Zuschauern. Mehr hatten nicht Platz im Zimmer. Es folgten, gleichfalls ohne Dekoration, Goldonis *Diener zweier Herren* und Schillers *Jungfrau von Orleans*, »nur auf den Ausdruck der Sprache gestellt, mit sparsamster Gestik«. Erregt rief Gmelin in die erste Diskussion mit der Presse: »Mein Theater ist kein Theater!«
Am 24. März 1948 wurde das ›Theater im Zimmer‹ offiziell eröffnet, in einer Biedermeier-Villa an der Alsterchaussee, mit Hebbels *Maria Magdalena*. Die in gemeinsamer Arbeit hergestellte Ausstattung war eine Orgie der Wirklichkeitstreue: »Auf einem echten Bauerntisch qualmte eine echte Petroleumfunzel, und das restliche Bühnenlicht gaben [...] aus alten Konservendosen gefertigte Reflektoren. Über der Zimmertür, die zugleich in den Zuschauerraum führte, hing ein Schild ›Zur Tischlerei‹. Gmelin, der selbst den Meister Anton spielte, zeigte so sachkundig den Tischler, daß den Zuschauern in der ersten Reihe die Sägespäne auf die Füße fielen. Das Publikum saß so nahe, daß es das Gefühl hatte, es könne Meister Anton den Suppenlöffel aus der Hand nehmen. ›Kein Zufallstreffer, sondern planvolle, sehr gewissenhafte Arbeit‹ – so urteilte die Presse, und Abend für Abend stolperten die Zuschauer die zeitgemäß unbeleuchteten Treppen hinunter, mit dem Gefühl, eine Kostbarkeit empfangen zu haben.« (So in der Erinnerung von Wera Liessem, der ersten Dramaturgin, und von Christoph Röthel, zunächst Assistent, dann Hausregisseur bis 1971.) Bedenkt man die Thematik dieses damals fast hundert Jahre alten ›bürgerlichen Trauerspiels‹, so muß man sagen, daß damals allenfalls der Stil, aber noch kein Stoff gefunden war. Trotzdem wurde die damals noch unbekannte Ingeborg Bachmann zu Tränen gerührt »über die bisher immer wieder bewiesene Hilflosigkeit des gesprochenen Wortes gegenüber dem Menschen und seinen Nöten«. »Ich fühlte mich heute abend ›ausgelotet‹ und bin voller Scham über die eigene Unzulänglichkeit: Erkenntnis nicht mit der eigenen Tat vereinen zu können.«
Die Übereinstimmung von Stil und Thema brachte der von Vasa Hochmann bearbeitete *Raskolnikow*. Gmelin konferierte, Richard Lauffen spielte die Titelfigur. »Die Wirkung auf die Zuschauer, die diesmal in dem kleinen Raum im Halbkreis saßen, muß so packend gewesen sein, als wohnten sie gerade einem Unfall auf offener Straße bei oder würden durch ein Schlüsselloch beobachten, wie ein Mord pas-

Dostojewski/Vasa Hochmann, Raskolnikow. Theater im Zimmer, Hamburg 1948. Regie: Vasa Hochmann (Foto: Theatersammlung Hamburg)

siert. Weinkrämpfe und Ohnmachten im Zuschauerraum waren an der Tagesordnung« (Liessem/Röthel).

Als typisch für das Repertoire der ersten Jahre sind *Die Erniedrigten und Beleidigten* nach Dostojewski, *Hanneles Himmelfahrt* und *Michael Kramer* von Gerhart Hauptmann, *Der zum Tode Verurteilte* von Stig Dagerman, *Nachtasyl* von Gorki, *Orphée* von Cocteau, *Ostern* von Strindberg, *Vor dem Frühstück* von O'Neill und *Glückliche Reise* von Thornton Wilder.

Am ersten Weihnachtstag 1950 war *Nachtasyl*-Premiere. Gmelin, der selber als Landstreicher auftrat, hatte Gorkis »Szenen aus der Tiefe« laut Programm »in Beziehung zur Zeit gesetzt«. Heinz Klingenberg gab den verkommenen Schauspieler, Ursula Volkmar die Frau des Asylwirtes. Der Raum war als tonnenartiges Gewölbe drapiert worden, »halb Gasschleuse, halb Bunker«, meinte ein Kritiker, der das Ensemble »recht ungleich« fand.

Gmelins Beispiel machte Schule, in der Nachbarstadt Bremen gleich zweimal. Das ›Bremer Zimmertheater‹, das im Oktober 1948 mit Dialogen von Tschechow und Remarque, einer Ballade von Villon und Sonetten von Britting begonnen hatte, ging, von Gmelin ermutigt, von der Rezitation zum Spiel über. Im Dezember 1955 zog Günther Huster für zwanzig Jahre in den Keller einer alten Villa in der Schwach-

hauser Heerstraße. Dort spielte er »immer am Rande des Defizits«, mit kleiner
Senats-Unterstützung, die jeweils übliche Klein-Dramatik.

Das Bremer ›Theater im Hause‹ (einer Apotheke), eine kurzlebige Sezession des
›Zimmertheaters‹, spielte zum ersten Mal *Musik,* einen damals 27 Jahre alten Einakter von Frank Thieß, die szenische Fingerübung eines Romanciers also. Es handelt sich um die im Ansatz steckenbleibende Nachfeier eines Konzerts, das ein ge-
alterter, ausgesungener Kammersänger leidlich durchgestanden hat. Ein Abend, an
dem der einsam sitzen gebliebene Sänger seinen Beruf, seine Illusionen und seine
junge Frau aufgibt.

Thieß hat etliche Einakter geschrieben, die dem Zimmertheater willkommen waren.
Öfters wurden Hörspiele adaptiert, diese Gattung blühte in den Nachkriegsjahren
auf. Gottfried Benns »Herrenzimmergespräche« *Drei alte Männer,* szenisch zuerst
in den Kammerspielen in der Böttcherstraße, fand G. R. Sellner so wirksam, daß
er sie in Darmstadt anläßlich der Verleihung des Georg-Büchner-Preises an Benn
(1951) in einem Saal auf der Mathildenhöhe ganz ohne Dekoration lesen ließ.

Die Grenze zwischen Spiel und Lesung verschwamm oder verschwand öfters. Rolf
Italiaander gründete in Hamburg mit Unterstützung des Senats und der ›Freien
Akademie der Künste‹ eine Lesebühne. Teils wurde auf Kostüm und Maske ganz
verzichtet, manchmal aber auch nicht, so bei der Darbietung von Hans Henny
Jahnns *Neuem Lübecker Totentanz.*

Gegen Kriegsende ließ sich in Sommerhausen bei Würzburg der Maler Luigi Malipiero nieder, Sohn des Komponisten Francesco Malipiero. Er hatte in Berlin als
Bühnenbildner gearbeitet und war dort ausgebombt worden. Zunächst beteiligte er
sich am Ausbau eines Gymnastikraums am Wittelsbacherplatz in Würzburg zum
ersten Nachkriegstheater der Stadt, einem Privattheater unter Hans Scherer, das in
den nächsten Jahren etliche Wandlungen erlebte, mit und ohne Scherer.

Malipiero konzentrierte sich auf Sommerhausen, ein Dorf mit 1 800 Einwohnern.
Im Jahre 1948 eröffnete er ein Kleines Theater im Rathaussaal. Auf einem drei
mal fünf Meter kleinen Podium begann er relativ unproblematisch mit Hofmannsthals lyrischem Dramolett *Der Tor und der Tod.* Zum Goethe-Jahr 1949 wagte er
mit nur fünf Schauspielern beide Teile des *Faust* an einem einzigen Abend – und
bekam anerkennende, sogar begeisterte Kritiken in der überregionalen Presse. Malipiero hatte alles Idyllische und Allegorisch-Symbolische getilgt. Die Gretchen-Tra-
gödie war unter Verzicht auf Marthe Schwerdtleins Mithilfe und die Valentin-
Episode auf wenige kurzatmige Szenen geschrumpft. Auch den zweiten Teil hatte
Malipiero mit Geschick und Rücksichtslosigkeit zusammengestrichen. Das Drama
hatte auf diese Weise eine außerordentliche Striktheit gewonnen, strebte geradlinig
auf das Ende zu.

Im Herbst 1950 eröffnete Malipiero ein Taschentheater in einem 500 Jahre alten
Torturm mit der *Ehrbaren Dirne* von Sartre. Der Zuschauerraum, den man nur
gebückt betreten konnte, faßte fortan statt 150 Zuschauern nur noch etwa 50 schlanke
Besucher. Aber der Nebenraum, der als Bühne diente, war ein paar Quadratmeter
größer als der vorherige Spielplatz. Die neue »Bühne« war stets durch einen Schleier
abgetrennt; saß man in der ersten Reihe, mußte man beim Übereinanderschlagen
der Beine darauf achtgeben. Bis zum Herbst 1958 erschienen dort fünfzig Stücke,
notfalls zum illustrierten Hörspiel reduziert.

Im Mittelpunkt der Bemühungen stand *Faust,* Malipiero präsentierte im Laufe der Jahrzehnte dreizehn *Faust*-Versionen, die von Byron und Lenau zählte er zu den Uraufführungen, obwohl es eine Ermessensfrage ist, ob man derlei nicht zutreffender als szenische Lesungen bezeichnen sollte. Zwar konfrontierte er mit Calderon und Valéry, Marlowe und Friedrich Theodor Vischer, doch die Eigenwilligkeit dieses Außenseiters tat den Texten oft Gewalt an. Verdientere Aufmerksamkeit erlangte Malipiero mit intimen (*Geliebter Lügner,* basierend auf Shaws Briefwechsel mit Stella Campbell) und spukhaften (Oscar Wilde, *Das Gespenst von Canterville*) Texten. Malipiero betonte stets, daß er durchaus kein Zimmertheater betreibe, sondern das kleinste Theater Deutschlands.

Als das Rheinische Landestheater 1949 seinen Standort von Solingen nach Neuß verlegte und mit dem dortigen Stadttheater fusionierte, sprangen ein paar Schauspieler von diesem ächzenden Thespiskarren ab und beschlossen, es Gmelin nachzutun. Sie gründeten im Herbst 1949 in Köln ein ›Westdeutsches Zimmertheater‹, hatten allerdings kein Zimmer. Im Obergeschoß einer Kneipe am Heumarkt teilten sie mit schwarzen Stoffbahnen ein Kabinett von sechs Quadratmetern ab und stellten 50 Stühle davor. Der Eintrittspreis betrug 5 Mark, man spielte »auf Teilung«, jeder mußte alles machen, der Chef Hubertus Durek war obendrein Versicherungsvertreter, er handelte mit Uhren, Porzellan und Schmuck. Als die Kneipe ein Hotel wurde und das Obergeschoß brauchte, war das ›Zimmertheater‹ obdachlos. Durek und seine Leute fuhren in einem funkenspeienden Fiat ins Bergische und Rheinische, gastierten mit französischen Stücken im Institut Français, mit amerikanischen im Amerikahaus, mit englischen in der ›Brücke‹, spielten Christliches für die Theatergemeinde und Soziales für die Volksbühne. Sie hielten es also nicht mit der Theorie, ließen den alten Gmelin einen guten Mann sein. Nach zweijähriger anonymer Ambulanz tauchte das ›Westdeutsche Zimmertheater‹ schräg gegenüber vom Dom wieder auf. Nun mußten schon 100 Stühle hin- und hergeräumt werden, und es gab auch schon ein Podium. Als der Westdeutsche Rundfunk das Haus kaufte, zog Durek wieder um und eröffnete im Herbst 1957 ein ›Theater am Dom‹, denn »Zimmertheater«, meinte er, »ziehen nicht mehr.«

Die ›Mainzer Zimmerspiele‹ stellten sich 1949 in der (inzwischen abgerissenen) Alten Wache mit der Uraufführung des Fragments *Der Gruftwächter* von Franz Kafka vor. Starthilfe gab eine französische Stiftung ›pro iuventute‹. Die Mainzer gastierten mit dem *Gruftwächter* in Paris, als erstes deutsches Schauspielensemble nach dem Kriege. Unter der Leitung von R. J. Bartsch blieb die Gruppe bei literarischer Qualität. Auch die zweite Premiere war eine Uraufführung, das Dramolett *Die Grenze* von Walter Bauer, einem bürgerlich gewordenen Arbeiterdichter der zwanziger Jahre, der 1952 nach Kanada auswanderte. Zum ersten Mal spielte man in Mainz Gottfried Benns 1951 entstandenes Räsonnement über Gott und die Welt *Die Stimme hinter dem Vorhang,* auch *Ual-Ual oder Der kleine Grenzzwischenfall* von C. F. Vaucher, dem Schweizer Kabarettisten.

Bei geringstem Aufwand, orientiert an einer akademischen Minderheit, ließ sich ein Spielplan von Liebhabern für Liebhaber realisieren: *Ein Phönix zuviel* von Christopher Fry, *Das tägliche Leben* von Rainer Maria Rilke, *Juana* und *Der Gärtner von Toulouse* von Georg Kaiser, *Das Zeitalter der Angst* von Wystan H. Auden, *Glückliche Reise* von Thornton Wilder, *Der schöne Gleichgültige* und *La Voix humaine* (in französischer Sprache) von Jean Cocteau, *Der arme Mensch* von Wolfgang Altendorf, *Der Schlachtenlenker* von Bernard Shaw, *Nächtliches Gespräch mit einem verachteten Menschen* von Friedrich Dürrenmatt, *Die Stimme des Toten* von Frank Thieß, *Der Wettlauf mit dem Schatten* von Wilhelm von Scholz, *Gläubiger* von August Strindberg, *Keiner wird genug geliebt* von François Mauriac. Als erste wagten sich die Mainzer Zimmerspieler an Ionescos »Komisches Drama in einem Akt« *Die Unterrichtsstunde.* Nicht gespielt, nur gelesen wurden *Fiorenza* von Thomas Mann, *Armut, Reichtum, Mensch und Tier* von Hans Henny Jahnn, *Monte Cassino* von Egon Vietta, *Der Turm* von Hugo von Hofmannsthal.

Man spielte acht Stücke pro Jahr, etwaiger Gewinn wurde geteilt, nur die Gastspiele in Volkshochschulen brachten leidliche Einnahmen. Zwei Jahre lang gab es je 500 Mark Subvention. Eine Tournee führte durchs Weserbergland. Von 1956 an absolvierte das Ensemble obendrein als ›arche nova‹ unter Hans Dieter Hüsch Kabarettprogramme. Im Jahre 1960 hörten die ›Zimmerspiele‹ auf, trotz Abonnements und einem »Freundeskreis«, 1962 strandete auch die ›arche nova‹, und Hüsch wurde Alleinunterhalter.

Die Zimmertheater konnten die Währungsreform am leichtesten überleben, denn Aufwand, der sich auf einmal nicht mehr amortisierte, hatten sie nie getrieben. Sie wurden zur Rettung für viele brotlos gewordene Schauspieler, zumal da es relativ einfach und billig ist, neue Zimmertheater zu gründen. Frank Thieß erklärte im Januar 1951 in der eine Zeitlang wiedererscheinenden *Literarischen Welt*, das Zimmertheater habe nicht nur eine Zukunft, sondern auch eine Mission: »Es holt den Zuschauer aus seiner snobistischen Isolierung, es preßt ihn gleichsam in das Stück hinein, es zwingt ihn durch die fehlende Rampe und das die Dekoration ersetzende Wort zu einer Teilnahme, die zugleich verborgenes Mitschaffen ist. Und vergessen wir nicht: es gibt keine noch so kleine Stadt, die sich nicht ein solches Theater leisten könnte. Vorausgesetzt, daß Schauspieler da sind, die den Idealismus für eine finanziell hoffnungslose Sache aufbringen. Denn mit 40 bis 50 Zuschauern sind keine Geschäfte zu machen und nur Taschengelder als Gagen auszuzahlen.«

In Österreich hatten die Kleinbühnen schon Tradition als Experimentier- und Avantgardetheater. Seit den dreißiger Jahren gab es in Wien Kellertheater, bis dahin hatte es nur Kellerkabaretts gegeben. Man spielte (und spielt) vielfach für 49 Zuschauer, denn von 50 an brauchte (und braucht) man eine Konzession. Im Jahre 1945 regte sich auch in Wiens Kellern stürmisch der Spieltrieb. Gleich nach Kriegsende gründeten Studenten das ›Studio der Wiener Hochschulen‹ im Studentenhaus Kolingasse. Es war eine experimentelle Laienbühne, die langsam zur Berufsbühne reifte, vor Klassikern nicht zurückscheute, im Jahre 1950 den Schulden erlag, nach 70 Premieren (darunter 23 von österreichischen Autoren) und 14 Uraufführungen, zum Beispiel einer *Medea postbellica* von Franz Theodor Csokor.

Das deplorable Niveau der meisten Spielstätten, vor allem die restaurativen Tendenzen, regten den Nachwuchs zu Gegengründungen an. Auch in Wien spielten die jungen Leute mehr auf Verderb als auf Gedeih, nur in Ausnahmefällen konnte ein fixierter Tagessatz an die Mitglieder des Kollektivs ausgezahlt werden. Viele Unternehmungen waren kurzlebig, die Fluktuation der Schauspieler von einem Souterrain zum andern war groß, je nach der Rolle, die sich bot oder nicht bot. Helmut Qualtinger spielte wohl in allen Kellern, wo man ihn ließ.

Helmut Schwarz, der erst 1948 dazukam, fand immer noch keine stabileren Verhältnisse vor: »Lange Jahre hindurch haben wir gearbeitet, ohne jemals einen Groschen zu bekommen. Im Gegenteil! Viele von uns schossen Privatgeld für Materialien vor, gaben für Straßenbahnfahrten Geld aus, das uns später niemand ersetzen konnte.« Man hatte den »Traum vom zahlenden Stammgast«, der sich freilich nie erfüllte, es bildete sich kein Stammpublikum – abgesehen von einer kleinen Gemeinde, die mit Direktoren und Darstellern so befreundet war, daß sie Freikarten kriegte. Über den Kellerschauspieler schrieb Schwarz in einem Resümee 1955: »Rein rechtlich gesehen genießt er auch heute noch keinen gewerkschaftlichen Schutz, das heißt, er weiß, daß er freiwillig darauf verzichten muß, wenn er überhaupt an einer kleinen Bühne spielen will.« Sehr verständlich, denn vom gewerkschaftlichen Standpunkt aus sind die Keller-Künstler vor allem Lohndrücker. »Es gab sogar eine Zeit, da man es von seiten der Bühnengenossenschaft jedem Schauspieler übel vermerkt hat, daß er sich für eine Arbeit hergab, die nicht den Bedingungen des Kollektivvertrages entsprach. Man übersah dabei, wie wichtig es gerade für den jungen Schauspieler sein mußte, spielen zu können, gesehen und kritisiert zu werden und sich jene Übung anzueignen, die ihm früher einmal die zahlreichen Provinzbühnen in Brünn, Mährisch-Ostrau usw. vermittelt haben.« Für junge Kräfte sind die Kleinbühnen Sprungbretter, für ältere, berufsfremd gewordene, gute Gelegenheiten zur Rückkehr.

Auch die Verwaltung der Stadt Wien zeigte sich nicht immer studiofreundlich. Als das ›Studio‹ im Studentenhaus die *Rechenmaschine* von Elmer Rice bei freiem Eintritt spielte, um Zuschauer zu werben, definierte der Fiskus die Wände des Theatersaals als Reklamefläche. Es erschienen Magistratsbeamte, welche den Theatersaal vermaßen. Die errechneten Quadratmeter Wand mußten als Werbefläche versteuert werden.

Natürlich boten die Bühnenverlage aussichtsreiche Stücke zunächst den großen Bühnen an. Nur wenn sie die Novität gar nicht anderweitig loswerden konnten oder wenn das Stück über der Erde abgespielt war, kam es ins Souterrain. Typische Bestandteile des Keller-Repertoires waren *Die Brandstifter* von Maurice Clavel, *Die Atombombe* von Upton Sinclair, *Napoleon muß nach Nürnberg* von Roland Marwitz, *Gottes Utopia* von Stefan Andres. Die Kellerbühnen machten Sartre in Wien populär. Cocteau faßte seine Dramoletts als sein *Taschentheater* zusammen, der Donau-Verlag veröffentlichte sie deutsch (1952), und die Taschentheater griffen zu.

Die gemeinsame Not ergab eine gewisse stilistische Gemeinsamkeit: sich einzurichten auf einem Nudelbrett bedeutete, sich mit szenischen Andeutungen, behelfsmäßiger Beleuchtung und grob charakterisierenden Kostümen zu begnügen. Als Formel für den Inhalt (soweit nicht einfach »großes« Theater en miniature geboten wurde) konnte Gesellschaftskritik, geistige Aggression gelten.

Das sind zugleich Merkmale des Kabaretts. Das bekannteste Miniaturtheater Wiens ist kabarettistischer Abstammung: das ›Theater der Courage‹ hat sich aus dem Kabarett ›Zum lieben Augustin‹ gemausert. Auch das Studio der Hochschulen und das ›Theater der 49‹ unterm Café Dobner (die 1949 fusionierten) waren dem Kabarett verpflichtet. Im ›Studio‹ spielten drei spätere Kabarettisten: Helmut Qualtinger, Gerhard Bronner, Michael Kehlmann. Das ›Kleine Theater im Konzerthaus‹, zunächst (1949) Experimentaltheater, hatte mit Bronners Parodie auf den *Reigen* von Schnitzler einen Serienerfolg; der Einspruch der Erben verhinderte den Export der Neufassung. Durch Kehlmanns Vermittlung kamen Qualtinger, Bronner, Louise Martini und Carl Merz, so fanden sich die Schöpfer eines unverwechselbaren Wiener Kabarettstils zusammen.

Stella Kadmon, die ihr Kabarett ›Der liebe Augustin‹ pünktlich am 10. März 1938 nach der Abendvorstellung dichtgemacht hatte, kam aus Palästina zurück und übernahm zur Spielzeit 1947/48 den ›Lieben Augustin‹ wieder, ging aber bald angesichts der veränderten Situation vom Kabarett zum Dramolett über. In der Spielzeit 1947/48 errang sie mit Szenen aus Brechts Serie *Furcht und Elend des Dritten Reiches* den entscheidenden Starterfolg. Es war eine österreichische Erstaufführung (15. April) und lief 62mal en suite. »So könnte der Liebe Augustin ein Theater der Courage werden«, schrieb die *Arbeiterzeitung*. Die Direktorin machte aus der Möglichkeit ein Versprechen, indem sie ihr Theaterchen ›Theater der Courage‹ taufte, und sie hat sich seitdem immer wieder als »Mutter Courage« erwiesen, wenn andere Theaterleiter sich den Schneid abkaufen ließen. Bei Stella Kadmon gab es österreichische Erstaufführungen von *Draußen vor der Tür*, von Weisenborns *Ballade vom Eulenspiegel*, von Georges Rolands *Simone und der Friede*, gab es die Uraufführung dreier Einakter von Anton Wildgans, Kaisers *Spieldose*, Bruckners *Rassen*, Anouilhs *Ball der Diebe*. Es hätte in Wien damals Wesentliches gefehlt, wenn dieses Kleintheater (125 Plätze an Tischen, Raucherlaubnis) nicht gewesen wäre. Das ›Theater der Courage‹ war das schlechte Gewissen der Großtheater, riskierte allerdings weniger, wenn es Unpopuläres versuchte. Immerhin die eigene Existenz.

Natürlich ging es nicht ohne Krisen. Als Hausregisseur Franz Rieger seine Prinzipalin verlassen hatte, gab es ein richtungsloses Experimentieren, das das Publikum irritierte. Ein anderer Regisseur emigrierte mit seinen Hauptdarstellern ins Theater am Parkring. Aber Rieger sprang mit einer aufgefrischten *Respektvollen Dirne* (Sartre) ein, errang dann einen Serienerfolg mit *Gericht bei Nacht* von Ladislaus Fodor. Anderthalb Monate lief auch Strindbergs *Vater* (Herbst 1953) in der Bearbeitung von Fritz Kortner mit Hintz Fabricius und Erna Korhel, die dabei stadtbekannt wurden.

Mit der Zeit wurde der Spielplan »netter«, der »Parkring-Stil« setzte sich durch: dem Theater am Parkring gelang es, arrivierte Schauspieler in den Keller zu bringen. Qualtinger spielte dort den Stengelhöh (aus Sternheims *Hose*) in der Maske von Werner Krauss. Prominenz im Keller machte Schule. Die Boulevardisierung begann. In der Spielzeit 1953/54 war eine gewisse Konsolidierung der Wiener Kleinbühnen zu spüren. (Damals gab es sieben.) Der »Kulturgroschen« brachte ihnen geringe Zuschüsse. Viele der jungen Leute machten »den Doktor« und den Frieden mit der Welt. Schwarz wurde Dramaturg am Burgtheater und meinte: »Wir sind mit 22 Jahren den konsequenteren Weg gegangen – mit 26 den erfolgreicheren.«

German Dance

»Auf einem splittrigen und unebenen Bühnenboden zu tanzen, wo man niemals sicher war, beim nächsten Grand jeté nicht im Fußboden einzubrechen, war nicht nach jedermanns Geschmack. Schließlich kam jemand auf die Idee, die Gefahrenzonen mit Kreide zu markieren«, erinnert sich der Ballettkritiker Horst Koegler an die ersten Tanzschritte nach dem Kriege in Berlin. »Ein Problem für sich aber war die Versorgung mit Ballettschuhen. Wer war schon auf die Idee gekommen, Ballettschuhe zu hamstern?« Man versuchte es mit oder ohne Sandalen, meistens im Verwaltungsgebäude der zerstörten Oper in der Richard-Wagner-Straße und im Foyer der ›Filmbühne Wien‹ am Kurfürstendamm.

Ballett in Deutschland, das hieß damals nicht viel. Das Ballett war in Deutschland ein Ornament der Oper, und zunächst rang die Oper selber ums Überleben. Die großen Opernhäuser, die sich eine Tanzgruppe geleistet hatten, hatten ihr zwar manchmal einen eigenen Abend gegönnt, mehr aus psychologischen Gründen – um das Corps de ballet nicht zu frustrieren. »Oper und Ballett sind ein Gespann, zu verwandt, um einander lieben zu können«, meinte der Ballettkritiker Otto Friedrich Regner. »Meistens gehen sie – wiewohl unterm gleichen Dach lebend – ihre eigenen Wege.«

Der deutsche Ausdruckstanz, auch German Dance genannt, hatte ein vortreffliches Renommee, denn er hatte in Deutschland als »entartet« gegolten. Der Fall schien klar: dort weitermachen, wo man aufgehört hatte. Die Meisterin des deutschen Ausdruckstanzes, Mary Wigman (Marie Wiegmann aus Hannover), lebte in Leipzig, bei Kriegsende 58 Jahre alt. Ihre weltberühmte Schule in Dresden war von den Nationalsozialisten geschlossen worden. Sie arbeitete dann in Leipzig an der Oper. Nun konnte sie sogleich eine neue Unterrichtsstätte für modernen Tanz eröffnen – in einer Zwei-Zimmer-Wohnung. Im Sommer 1946 durfte sie eine Einladung nach Zürich annehmen, 25 junge Amerikanerinnen absolvierten dort einen Sommerkurs. Sie zeigten sich tief beeindruckt von der ernsten und hageren Prophetin. Erfreut erfuhr die Wigman, daß ihr Name im Ausland noch etwas galt. Im Winter arbeitete sie wieder für die Leipziger Oper: im ungeheizten Ersatztheater richtete sie *Orpheus und Eurydike* ein.

Auch in Dresden, wo die Wigman-Schülerinnen Dore Hoyer und Gret Palucca zusammenfanden, wurde wieder im Geiste der Wigman gelehrt. Dore Hoyer leitete die Schule, sie gab auch eigene Tanzabende und ging mit dem Programm *Tänze für Käthe Kollwitz* auf Tournee.

Gret Palucca bereiste ganz Deutschland, teils allein, teils mit Ensemble. Als sie das erste Mal in Berlin tanzte, in der Eichengalerie des Charlottenburger Schlosses, da erschütterte sie ein dicht gedrängtes Publikum, dem der Ausdruckstanz vor »tausend Jahren« Erfüllung und Verheißung gewesen war.

Ein anderer Solist unter den Wigman-Schülern, der sich sogleich wieder sehen ließ, war Harald Kreutzberg. Ein Grenzfall insofern, als er das Element der Pantomime im Ausdruckstanz bis zur schauspielerischen Gestaltung trieb. In der Tanzschöpfung *Der ewige Kreis* tanzte er den Tod nicht nur, er agierte auch und sprach sogar.

Wie ein Schauspieler schlüpfte er in seine Figuren, den König, den Bettler, den betrunkenen Fischer, den verliebten Gärtner, die Grenze des Tanzes dabei überschreitend. Im Herbst 1945 verließ Tatjana Gsovsky die Leipziger Oper und kehrte nach Berlin zurück. Die bisherige Ballettmeisterin Lizzie Maudrik ablösend, baute sie das Staatsopernballett im Admiralspalast auf, dessen für Tanzrevuen gebaute Bühne solchen Anforderungen durchaus genügte. Ihre erste Nachkriegsarbeit, mit der sie Ende Februar 1946 hervortrat, bestand aus Glucks *Don Juan* und zwei Piècen von Ravel: *Daphnis und Chloë* und dem *Bolero*. Zusammen mit der Meisterin tanzten Sybill Werden, Gert Reinholm, Michael Piel, Rolf Jahnke. Im Dezember 1946 tauchten Gisela Deege, Peter van Dijk und Natascha Trofimowa auf, zur Uraufführung von *Der Pfeil* von Fried Walter, zu *Nobilissima Visione* von Hindemith und Strawinskys *Petruschka*.

Als im Juni 1948 *Romeo und Julia* (Gert Reinholm und Gisela Deege), im Juni 1949 *Die Geschöpfe des Prometheus* (nach Beethoven) und *Dornröschen* aufgeführt worden waren, konnte man sagen: das Berliner Ballett ist wieder da. Reinholm fiel auf in eleganten, originellen, erschütternden Posen. Die russischen Kulturbehörden hatten immer wieder auf Märchenballette in Moskauer Tradition gedrängt, das waren unerfüllbare Wünsche, schon aus physischen Gründen: die schlecht ernährten deutschen Tänzer konnten als »Träger« im Adagio die russischen Kollegen nicht nachahmen. Auch darauf mußte die Choreographin Rücksicht nehmen. Natascha Trofimowa im Titelpart war bezaubernd im Ausdruck und bravourös im Technischen. Es folgten noch die Uraufführung eines *Don Quixote* von Leo Spies und ein Tschaikowsky-Abend (Juni 1950), dann wechselte Tatjana Gsovsky mit dem Kern ihrer Truppe nach West-Berlin über.

Die Gsovsky kam in keine leere Szene: im Jahre 1949 hatte Mary Wigman Leipzig verlassen und in der Rheinbabenallee in West-Berlin ein Tanzstudio eröffnet. Und man hatte auf keine der beiden alten Löwinnen gewartet. Zur Städtischen Oper gehörten Liselotte Köster und Jockel Stahl, Jens Keith, Maria Litto und Gabor Orban. Der komödiantisch begabte, expressiv arbeitende Jens Keith hatte mit ihnen und anderen interessante Programme erarbeitet, zum Beispiel die *Josephslegende* von Richard Strauss. Mit Heinz Tietjen kam der Folkwang-Schüler Gustav Blank als Ballettmeister, der das Corps de ballet viele Jahre lang systematisch erzog. Schon nach einem Jahr gab es einen großen Triumph: das von Janine Charrat choreographierte Faust-Ballett *Abraxas*. Da das Werk (vor allem einer Schwarzen Messe im dritten Bild wegen) in München vom Kultusminister Hundhammer auf Wunsch des Erzbischöflichen Ordinariats verboten worden war, hatte es in Berlin eine Voraufführung für das Domkapitel, den Senat, das Abgeordnetenhaus und die Frauenverbände gegeben. Die Einwände waren geringfügig, das Ballett lief 116mal. Janine Charrat hat auch später noch an der Städtischen Oper gearbeitet: die Tanzoper *Columbus* choreographiert und, ebenfalls nach Musik von Werner Egk, die lyrische Burleske *Ein Sommertag*, nach einer Idee des 1950 verstorbenen Malers Paul Strecker, der nach dem Krieg in Berlin eine Blitzkarriere als Bühnenbildner machte. »Janine Charrat war groß in der Pointe. Ihre Idee, eine Schwimmpartie zu zeigen, bei der allein die Köpfe und die Arme tanzten, war schon umwerfend. Überdies hatte die Charrat die Neigung, Requisiten und Kulissen in die

Bewegungsaktionen einzubeziehen, ähnlich wie, in größerem und gewagterem Stil, Tatjana Gsovsky« (Georg Zivier).

Mary Wigman trat nur noch einmal öffentlich auf, im Januar 1953 im Hebbel-Theater, zusammen mit einer Gruppe von Schülern. Sie zeigte drei Arbeiten, die sie »chorische Studien« nannte, wohl um anzudeuten, daß die Eleven ihren Ansprüchen nicht gewachsen waren: *Die Straße, Der Tempel* und *Die Seherin.* »Da tanzte sie wieder: Alt und urgewaltig kam sie aus der Umarmung eines weit ausladenden, von einer Tänzerin gestalteten Göttermonuments. Ihre Gebärden und Bewegungen waren beschwörend, waren entrückt. Sie erhielten ihr Widerspiel in den Motionen der Gruppe. Ein engagierter Tanz voller Drohungen, Mahnungen, Verheißungen« (Georg Zivier).

Im allgemeinen war die Situation der deutschen Ballett-Truppen kläglich. Sie waren auf Gastchoreographen angewiesen. »Nichts Nennenswertes« wußte das Tänzerpaar Parly Schwartz/Lisa Kretschmar Ende Mai 1948 in der *British Zone Review* über die Ballettensembles zu sagen. Nur die Wigman-Truppe und das Jooss-Ballett ließen sie gelten, dazu einige bekannte Tänzer, die als Solisten hervortraten: die Palucca, Kreutzberg mit den Tanzschöpfungen *Klage* und *Böser Traum,* Alexander von Swaine mit *Der Verstoßene,* Lisa Kretschmar mit *Not* und *Das verlorene Lachen.*

Solcher »Kammertanz« hatte damals viel Gefolgschaft. Das Gros der Kammer-

Ruhrfestspiele Recklinghausen 1952. Zweiter Deutscher Tänzerkongreß. Von links: Harald Kreutzberg, Dore Hoyer, Kurt Jooss, Mary Wigman (Foto: Deutscher Gewerkschaftsbund Düsseldorf)

tänzer fand allerdings die »Gültigkeit, die Symbolkraft der expressiven Form nicht, weil der Bewegungskanon keine stilbildende Kraft in sich trägt« (O. F. Regner). Vieles war effektvoll, aber die Effekte waren ästhetisch dubios. Rudolf von Laban hatte einst den Charaktertanz anders gemeint. Aber sein Name war dem Nachwuchs nur noch ein Fremdwort.

Mitte August 1945 tanzten Unbekannte in Weimar eine *Prinzessin Turandot* nach Musik von Gottfried von Einem. Ein Henn Haas hatte choreographiert, Luigi Malipiero hatte »dramaturgische Gestaltung« beigesteuert. Das Tanzspiel, dem einige Solistentänze vorausgingen, gefiel. Es konnte 40mal aufgeführt werden. Henn Haas konnte Gagen zahlen, einen Flügel kaufen, Geschäftspapiere drucken lassen, er bekam Bezugscheine für Textilien zur Ausstattung: Deutschlands erstes und einziges Tanztheater war geboren.

Im Hochsommer 1946 bekam Haas in Erfurt die ›Ressource‹ angeboten, sie wurde zum ›Theater des Tanzes‹ (700 Plätze) umgebaut. Eine Schule wurde angegliedert, ein Archiv für Tanzkunst gegründet, Gastspiele ins Thüringische und Sächsische gestartet. Im Winter 1946/47 gefährdeten wochenlange Kälteferien das Unternehmen, doch es taute auf, begann noch einmal mit *Turandot*. Bis zum Sommer 1948 wurden 15 Tanzspiele gezeigt, fast alle von Henn Haas choreographiert. Dann war es aus. Das Ensemble, das ohnehin stark fluktuierte, löste sich auf. Henn Haas widmete sich dem Volkstanz. Er leitete ein Tanzensemble des FDGB und schrieb Libretti mit »politischer Aussage«, wie *Kreuzbauer Ulrike* (1958 in Halle), *Fanal* (1961 in Leipzig).

In Wien führte die Grazerin Erika Hanka ihre 1941 begonnene Arbeit mit dem Staatsopernballett weiter – inzwischen mußte allerdings in Kellern trainiert und dafür das Doppelte geleistet, nämlich die Volksoper und das Theater an der Wien versorgt werden. Im Jahre 1947 setzte obendrein die ständige Mitwirkung des Staatsopernballetts bei den Bregenzer Festspielen ein.

Erika Hanka erneuerte das Opernballett, ihr dankt die Staatsoper den Anschluß an das moderne Repertoire. In 17 Jahren, während denen sie 38 Ballette choreographierte und für 10 auch das Libretto schrieb, entwickelte sie einen gemäßigt modernen spezifischen Ballettstil, der auch internationale Anerkennung gefunden hat. Erika Hanka hatte unter anderem bei Kurt Jooss gelernt; dessen Signatur erkannte man an der Kombination des suggestiv Visionären mit schauspielerischen Elementen. Frau Hanka tilgte die Puppenhaftigkeit und das gefrorene Lächeln, sie motivierte die Motionen im Sinne des modernen Tanztheaters. Als das Wiener Staatsballett 1949 nach 14 Jahren wieder eine Primaballerina bekam, da war es nicht zufällig eine Tänzerin mit intensiver schauspielerischer Begabung: Julia Drapal.

Hamburg und Stuttgart waren noch kaum der Rede wert, selbst München war – gemessen am internationalen Standard – Tanzprovinz. In München arbeitete zunächst das Ehepaar Pia und Pino Mlakar, danach Marcel Luipart, der vor allem die *Abraxas*-Choreographie schuf. Der Komponist hatte zwei Stars besorgt: aus einem Lager für ›displaced persons‹ Irina Kladiwowa für die Rolle der Archisposa, Erzbuhlin des Teufels, und aus Paris Solange Schwarz als Bellastriga, eine weibliche Ausgabe des Mephisto. Nach der Premiere gab es 48 »Vorhänge«, doch das Verdikt war schon gesprochen. Marcel Luipart ging mit der *Abraxas*-Truppe auf

Tournee, neuer Ballettmeister in München wurde Rudolf Kölling, der die deutsche Erstaufführung von Strawinskys *Orpheus* choreographierte. Im Jahre 1950 folgte Victor Gsovsky, der Tatjana Gsovskys *Hamlet*-Ballett (nach Musik von Blacher) im Prinzregententheater einige Monate vor der Erfinderin herausbrachte. Aber die »Berliner Choreographie« mit Gert Reinholm und Gisela Deege, die im November 1953 Premiere hatte, ließ die Münchner Uraufführung vergessen. Mehr als zehn Jahre lang blieb dieser *Hamlet* im Repertoire. Es wurde das bekannteste der Handlungsballette, die Tatjana Gsovsky für die Berliner Festwochen schuf und die ihr eine zentrale Stellung im Berliner Tanzleben sicherten; eine zwar umstrittene, aber ungemein erfolgreiche dramatisch-akrobatisch-psychoanalytische Mischform, mit klassischen Relikten. (Denn sie kam aus der russischen Schule.) Die großen Stoffe der Weltliteratur wurden zu Dramen ohne Worte. Und wenn Worte dazukamen, war das Arrangement ein noch größeres ästhetisches Wagnis. In Henzes Vertonung von Dostojewskis Roman *Der Idiot* (September 1952) war die Hauptpart, Fürst Myschkin, als Sprechrolle angelegt. Ingeborg Bachmann hatte Texte geschrieben, die Klaus Kinski vortrug. »Dann wurde mit einem grandiosen Pas de Deux von Nastassia (Wiet Palar) und Rogoschin (Harald Horn) heftig in die eigentliche Handlung vorgestoßen. Dieser Zweitanz wurde von der Gsovsky bis an die Grenze des Akrobatischen vorgetrieben. Aber auch das technisch Krasse ist unter der Führung dieser Choreographin noch prall von Gefühlsausdruck. Es ist der besondere Zauber dieser geistreichen und zugleich impetuosen Inszenierung, daß sie die Gedanken des Dichters mit tänzerischem Blut erfüllt. Nie verliert sie die große, man könnte sagen, philosophische Linie, obgleich sie verspielt und bunt ins Detail geht« (Georg Zivier).

Im September 1955 gründete die Gsovsky, unterstützt vom Senat, die Tourneetruppe ›Berliner Ballett‹, mit dem diese exzentrische, auch für Publizität begabte Frau ihren Ruhm in ganz Europa verbreitete.

Viel seltener trat die Wigman hervor. Legendär ist ihre Choreographie von *Le Sacre du Printemps* (September 1957) geworden, eine »Symbiose aus Optik und Klang, eine Synthese aus Rausch und Verklärung, wie man sie nicht oft erlebt« (Zivier), die aber nicht lange im Repertoire gehalten werden konnte. Dore Hoyer in dem Part der zum Opfertod Erwählten wurden »lustvolle Tristesse, tragischer Überschwang, chthonische Urtümlichkeit« nachgerühmt.

Egon Vietta versprach sich (1955) von dem Kontakt der Oper mit dem Ausdruckstanz eine »eminente Belebung der Opernregie«. Ihm schwebte Hamburg vor, ein nicht ganz treffendes Beispiel, denn die 1950 von Günther Rennert dorthin als Solotänzerin und Ballettmeisterin engagierte Dore Hoyer hatte zwar Gruppentanz Wigmanscher Prägung gelehrt, hatte jedoch bald aufgegeben. Ein Opernballett konnte man schwerlich auf den motorischen Reformstil einschwören. Darum löste Dore Hoyer nach zwei Spielzeiten ihren Vertrag, um wieder ruhmvoll, aber bescheiden von eigenen Tanzabenden zu leben. Ausgangspunkt ihrer Tourneen, die bis nach Südamerika führten, blieb jahrelang Hamburg.

Im Frühjahr 1955 rief Kurt Jooss zur Gründung einer ›Gesellschaft zur Förderung des künstlerischen Tanzes‹ auf. Der »Neue Bühnentanz« – so nannte er den German Dance – brauchte Hilfe. Jooss, von dessen Rückkehr nach Deutschland man sich besonders viel versprochen hatte, war ebenfalls nicht weitergekommen. Er hatte seit 1949 die Tanzabteilung der Folkwangschule in Essen geleitet, hatte 1951 ein eigenes Folkwang-Tanztheater gegründet, aber die Erfolge beschränkten sich auf Reprisen alter Erfolge: *Der Grüne Tisch* und *Großstadt 1926*. Die in Essen entstandenen Tanzszenen *Exil, Stacheldraht, Weg im Nebel* überzeugten weniger. Nachdem die Truppe 1953 finanziell gescheitert war, wurde Jooss Ballettmeister an der Düsseldorfer Oper. Aber nur für zwei Jahre. Daß Jooss, der Meister der dramatischen, zeitkritischen Tanzszene, sich nicht durchsetzen konnte, war mehr als persönliches Pech. Es war ein Symptom für den Niedergang des German Dance.

Neues Geld, neue Fronten

Die Währungsreform, für die in den Westzonen der 20. Juni und für die sowjetische Besatzungszone der 23. Juni 1948 der Stichtag war, stellte auch die Theatermacher über Nacht vor eine neue Situation: die Säle blieben leer. Plötzlich gab es wieder »alles« (denn die Besitzer von Waren und Rohstoffen hatten ihre Sachwerte zurückgehalten), es gab auch Theaterkarten, aber sie wurden nicht gekauft. Der Besuch ging im Durchschnitt auf 10 bis 15 Prozent der verfügbaren Plätze zurück. Was Wunder, die Umtauschquote betrug in den Westzonen 60 Mark pro Kopf (40 sofort, 20 im Verlauf von zwei Monaten), in der Ostzone 70 Mark pro Nase. Das gewaltsam und vorübergehend egalisierte Bürgertum konnte sich nur das Allernötigste leisten, und dazu gehörten Theaterkarten natürlich nicht. Aber auch als die dringendsten Bedürfnisse gestillt waren, gingen die Verbraucher noch an den Theatern vorbei.

In der Spielzeit 1947/48, an deren Ende der bedrohliche, aber heilsame Währungsschnitt stand, gab es 419 Bühnen, eine mehr als im »Großdeutschen Reich« 1943/44. Die meisten der 419 Theater arbeiteten in der britischen Besatzungszone (144). Es folgten die sowjetische (116) und die amerikanische (96, davon 74 in Nordrhein-Westfalen). In Berlin gab es 42 Theater, doppelt so viele wie in der gesamten französischen Zone. In der Spielzeit 1949/50 waren insgesamt von den 419 Bühnen nur noch 104 geblieben.

Von den im zweiten Weltkrieg zerstörten Theatergebäuden waren 1947/48 bereits mehr als 60 ersetzt, wenn auch meist nur provisorisch. Gänzlich wiederaufgebaut stand das Weimarer Nationaltheater zur Eröffnung am 28. August 1948 bereit, am 199. Geburtstag Goethes. Vier Monate später war das erste von den beschädigten Monumentaltheatern in Westdeutschland wieder spielbereit, in Braunschweig.

Neue Schwerpunkte hatten sich gebildet. In Schwerin war Lucie Höflich, die sich 1933 als Schauspiellehrerin zurückgezogen hatte, als Leiterin des Mecklenburgischen Staatsschauspiels aufgetaucht. Ermuntert von Herbert Ihering, trat sie bis 1950 in verschiedenen Berliner Theatern auf.

In Potsdam, wo man einen langen Marsch hatte durch den Park von Sanssouci ins ›Kleine Theater im Neuen Palais‹ (denn von dem Stadttheater war kaum mehr als die Inschrift übriggeblieben: »Dem Vergnügen der Einwohner«), fiel der ehemalige Bühnenbildner Rochus Gliese als Intendant auf. Er hatte eine Satire von Glassbrenner aus dem Jahre 1850 auf die versackte Revolution von 1848 entdeckt: Kasper entlarvt am Hofe des Harun al Meyer alias Friedrich Wilhelm IV. die Gegenrevolution in verschiedenen Gestalten, als Soldat, Polizist und Pfaffe.

In Tübingen war Paul Rose untergekommen, zusammen mit seiner Frau Traute, dem einstigen Star des Berliner Familienunternehmens in der Großen Frankfurter Straße. Der Bruder Hans blieb in Ost-Berlin, er verbrachte sein Alter als Schauspieler am ›Metropol‹, Bruder Willi arbeitete als Schauspieler in West-Berlin. Die Theaterfamilie war also nach der Zerstörung der Rose-Theater in Berlin auseinandergegangen. Als Tübinger Eröffnungspremiere wiederholte Paul einen alten Berliner Erfolg, er inszenierte Gerhart Hauptmanns *Ratten* mit Traute Rose als

Frau John. Ernst Walter Mitulski spielte den Maurer John. Zur Premiere war Hauptmanns hoheitsvolle Witwe aus dem Altersheim in Ebenhausen in den Schillersaal gekommen.

Der Saalbau in Essen-Werden galt – nächst dem Düsseldorfer Opernhaus – als technisch beste Bühne des Westens. Sie wurde mit dem *Rosenkavalier* eingeweiht, einstudiert von dem aus Berlin gekommenen neuen Oberspielleiter Hans Hartleb, dirigiert von Gustav König, ausgestattet von Paul Haferung. Dies war auch die Konstellation bei der ersten Aufführung von Paul Hindemiths *Cardillac* nach den Jahren des Verbotes.

Die Oper in Mönchen-Gladbach und das Schauspiel in Rheydt bildeten gemeinsam in ihrem von 300 000 Menschen bevölkerten Einzugsgebiet einen kulturellen Mittelpunkt. Das Unternehmen hatte unter dem Generalintendanten Fritz Kranz künstlerischen und auch finanziellen Erfolg. Im Herbst 1947 konnte man eine »Woche der modernen Kunst« wagen.

Von der Spielzeit 1946/47 an leitete Günther Rennert die Hamburgische Staatsoper. Schon nach einem halben Jahr wurde die Entfernung vom Opernstil der großen Attitüde und die Hinwendung »in eine gewichtige Ära neuzeitlicher Entwicklung« bemerkt, wie das *Hamburger Jahrbuch für Theater und Musik* 1947/48 berichtet.

In Köln konsolidierte Herbert Maisch die Verhältnisse. Opernchef war Günter Wand, Dirigent der Gürzenich-Konzerte, die weit über Köln hinaus tonangebend waren.

In Düsseldorf hatte ein Schüler der Louise Dumont einem anderen Platz gemacht, der sogar aus Düsseldorf stammte: Gustaf Gründgens sammelte die restlichen Kräfte auf einem Trümmerfeld, das Langhoffs hastige Verordnungen hinterlassen hatten. Der Nachfolger Gründgens hatte 55 Mitbewerber gehabt, unter ihnen Saladin Schmitt, K. H. Ruppel und Herbert Maisch. Die Situation war in Düsseldorf insofern nicht schlecht, als ein leidlicher Fundus erhalten geblieben war und vier Spielplätze zur Verfügung standen: das Opernhaus, das Theater in der Jahnstraße, die Kammerspiele in der Steinstraße, ein Zimmertheater in der Flingerstraße. Das Ensemble war auseinandergelaufen, darum mußte anfangs mit vielen Gästen gearbeitet werden.

Am 15. September 1947 hatte Gründgens seinen ersten Auftritt als »König Ödipus«. Elisabeth Flickenschildt spielte die Jokaste. Stroux hatte die Schicksalstragödie individualisierend aufgelockert, den Chor auf sechs Sprecher beschränkt. Auch die Bühnenbildnerin Herta Böhm, Schülerin von Traugott Müller, kam aus Berlin. Am 16. September ein so beschwingter *Figaro*, daß Hollreiser am Pult kaum mitkam, als dritte Attraktion dann Sartres *Fliegen*, bis dahin für die Westzonen verboten, ebenfalls von Gründgens inszeniert, der auch den Orest spielte.

Als die Schwarzmarktpreise ihren Höchststand erreicht hatten, kurz vor dem Absturz auf den Boden der Tatsachen, präsentierte Gründgens Offenbachs *Banditen* als Komödie der Korruption. Der Kritiker Gerd Vielhaber schwärmte noch viele Jahre später davon: »Gründgens als Schatzmeister Antonio mußte man sehen, wie er [...] auf unsichtbarer Strickleiter bis zum Schnürboden hinaufkletterte und auf die Frage, wie er da hinaufgekommen sei, antwortete: ›Mein Lieber, ich bin nicht nur der Schatzmeister des Fürsten, sondern auch sein Hoftheaterintendant. Seien Sie einmal vierzehn Tage Intendant, dann klettern Sie von allein die Wand hoch!‹«

Dies und noch mehr, Förderungswürdiges und Tadelnswertes, war nun plötzlich in seiner Existenz bedroht, von der Geldschere. Im Frühjahr 1948 tummelten sich allein im Lande Brandenburg 1 000 Wandertruppen, viele davon irregulär, viele konnten nur »Geschmack und Gesinnung verseuchen« (Ihering). Plötzlich waren es »nur« noch 49.

In Bayern wurden 300 Theater, Orchester und verwandte Betriebe stillgelegt. Die *Hessischen Nachrichten* meldeten am 11. September 1948: »Das Kasseler Staatstheater ringt um seine Existenz. Es wirbt, es veranstaltet Lotterien, es läßt das Publikum mitwirken, seine prominentesten Kräfte spielen Fußball, der Intendant geht – nach eigenem Eingeständnis – betteln, um das Institut zu retten.« Die *Stuttgarter Zeitung* schrieb am 27. September: »In den nächsten Tagen wird der Theaterausschuß des Landtags über die Staatszuschüsse an die Theater beraten, und man kann nur hoffen, daß das bayerische Beispiel [Ausspruch des bayerischen Finanzministers, daß das Bayerische Staatsschauspiel unnötig sei] nicht Schule machen möge. In Münchner Blättern konnte man das Wort von der Kulturmontage lesen.« Im *Flensburger Tageblatt* stand am 2. Oktober: »Der Kreis unserer treuen Theaterbesucher ist anläßlich der Währungsreform so zusammengeschrumpft, daß sich unsere künstlerische Arbeit wirtschaftlich schon nicht mehr rechtfertigen läßt, wenn sich nicht weitere Kreise des Publikums darauf besinnen, daß Kunst und Kultur nicht Zugaben des Lebens sind, nach denen man nur eben greift, wenn einem die Laune danach steht.«

Durch Detmold fuhren Lautsprecherwagen: »Wir spielen weiter! Wir erwarten Sie! Heute abend im ›Neuen Krug‹! Für nur 50 Pfennig!«

Es bildeten sich Notgemeinschaften, vor allem an den nicht subventionierten Privattheatern, aber auch an städtischen GmbH-Bühnen, allein in der britischen Zone fünfzig. Auf kollektiver Basis versuchten die Theaterleute sich das Existenzminimum zu verdienen – es gelang nur in wenigen Fällen. Die Prominenten hatten es wieder einmal besser, ihre Namen behielten Marktwert, sie konnten sich von Agenturen vermitteln lassen; den kleinen Kollegen blieb nur der Weg zum Arbeitsamt, das schon mangels Sachkenntnis nicht helfen konnte.

Die Stadt Stuttgart sperrte den Württembergischen Staatstheatern erst einmal die Zuschüsse und kündigte vorsorglich dem Ensemble. Die Führungsspitze wurde ausgewechselt: der Intendant Bertil Wetzelsberger und sein Schauspieldirektor Karl Heinz Ruppel gingen ab, der Operndirektor Ferdinand Leitner wurde zum musikalischen Leiter zurückgestuft. Das Kultusministerium berief einen Generalintendanten als Sparkommissar: Walter Erich Schäfer. Er hatte Landwirtschaft studiert und über ein religionswissenschaftliches Thema promoviert, aber auch neun Schauspiele und etliche Novellen geschrieben. Zuletzt war er stellvertretender Intendant und Chefdramaturg in Augsburg gewesen. »Als ich im Großen Haus ›Troubadour‹ und ›Tiefland‹ gehört hatte, sagte ich im Kultusministerium, daraus könne nie was werden.« Schäfer berief Paul Hoffmann als Leiter des Schauspiels, die Führung der Oper übernahm er persönlich.

Auf einer von Langhoff angeregten Intendantentagung im Juni 1948 in Ost-Berlin, auf der die Theaterleiter der Gewerkschaft Mitspracherecht zubilligten, hoben sie den Rückgang des Theaterlebens im Gebiet der westdeutschen Währung hervor und betonten, daß die Währungsreform der sowjetischen Besatzungszone das Theaterleben nicht geschädigt habe. Das war vorschnelle Schadenfreude, denn auch in der SBZ setzte ein Schrumpfungsprozeß ein. Am Ende der Spielzeit 1948/49 verschwanden die Stadttheater Burg, Coswig, Weißenfels und Wernigerode, die Städtische Bühne Aschersleben, die Kreistheater Ballenstedt, Gardelegen, Mahlow und Stollberg, das Centraltheater in Dresden, das ›Theater des Tanzes‹ in Erfurt, das Leisniger Volkstheater, die Kammerspielbühne Saalfeld, das ›Altmärkische Theater‹ in Salzwedel und die ›Mecklenburgische Landesbühne‹ in Waren/Müritz. Der Name ging für eine Spielzeit nach Heringsdorf über, dann erlosch er auch dort. In der Spielzeit 1949/50, der ersten kompletten nach der Währungsreform, gingen allein in Dresden vier Bühnen ein: das Apollotheater, das Komödienhaus, die Märchenbühne und die Volksoper. Außerdem starben die Stadttheater in Jena und Guben, das Städtebundtheater in Neuruppin, die Vereinigten Theater im Kreis Pirna und das ›Saale-Unstrut-Theater‹ in Sangerhausen.

Das alles war kein Zeichen von Barbarei, sondern von freilich verheimlichter, schmerzlicher Vernunft. Dann ebbte das Theatersterben in der SBZ ab. Doch einzelne Todesfälle gab es immer wieder: Borna, Burgstädt, Crimmitschau, Glauchau, Güstrow, Heiligenstadt, Kamenz, Köthen, Ludwigslust, Putbus, die ›Fritz-Reuter-Bühne‹ und die ›Maxim-Gorki-Bühne‹ in Schwerin, die Theater in Sondershausen, Sonneberg, Staßfurt, Wismar und Wurzen, die Deutsche Volksbühne und das Operettentheater in Leipzig.

Am 25. Juni wurde die West-Mark auf Befehl der drei Kommandanten der Westsektoren auch in West-Berlin eingeführt, die Ost-Mark galt zunächst offiziell weiter, wurde aber bald nicht mehr in Zahlung genommen. Sofort antworteten die Sowjets mit einer Blockierung der Zufahrtswege nach West-Berlin, worauf die Versorgung per Flugzeug begann. Sie verhinderte, was die Blockade bezweckte. A. M. Rabenalt verriet: »Wochen vor der Blockade teilte mir der russische Theateroffizier vertraulich mit, ich könne mir in kürzester Zeit jedes Theater in West-Berlin, das mir zusagen würde, aussuchen.« Andererseits: »Das Metropol-Theater mit seinen nahezu hundert Prozent West-Mitgliedern sollte von einem Tag auf den anderen im Osten zu spielen aufhören und die Vorstellungen im Westen weiterführen. Es war beabsichtigt, heimlich eine zweite Garnitur Kostüme und Dekorationen herzustellen und dem gesamten Personal schlagartig im Westen eine neue künstlerische Heimstatt zu schaffen. Die Verhandlungen mit dem Westmagistrat und seinen Sachbearbeitern verliefen – trotz Förderung durch amerikanische und englische Stellen – sehr schwerfällig. [...] Die für diese effektvolle Umsiedlung notwendigen – verhältnismäßig minimalen – Beträge (ein Etat war von mir eingereicht worden) wurden später an aussichtslose kurzfristige Gastspieldirektionen verschleudert.«

Am ersten Tag der Blockade übernahm Heinz Tietjen die Leitung der Städtischen Oper in der Kantstraße. Er sagte später: »Den Sängern hat beim Singen der Atem vor dem Mund gestanden, sie kamen auf dem Fahrrad oder zu Fuß quer durch die Stadt zu den Proben und Aufführungen. Kein Heizmaterial, das Publikum bezahlte die Eintrittskarten mit Briketts, nur nachts gab es Strom zum Kochen – wer weiß das heute alles noch? Hut ab vor meinem ganzen Personal, denn wir haben in dieser Zeit keine schlechte Oper gespielt.«

Ein Begriff aus der Theaterwelt, den Goebbels im Februar 1945 ins Politische umgedeutet hatte (in bezug auf die Abriegelung der von Russen eroberten deutschen Gebiete), war zum geflügelten Wort geworden: der Eiserne Vorhang. »Hinter dem Eisernen Vorhang«, das bedeutete: im sowjetischen Machtbereich, in der den Blicken entzogenen, hermetisch abgeschlossenen »Zone des Unrechts«. Einigkeit bestand darüber, daß die Spaltung Deutschlands nun vollzogen, Uneinigkeit jedoch darüber, wer daran schuld sei. Doch weil der Wettkampf der Systeme nun erst recht akzelerierte und das Theater in die Kulturfront gehörte, war man in Ost und West entschlossen, es wieder aufkommen zu lassen.

Wie vergiftet das Klima war, unterstreicht ein Leitartikel von Erik Reger, dem Lizenzträger der von den Amerikanern zugelassenen Zeitung *Der Tagesspiegel*, zu den Neuwahlen für die Stadtverordneten-Versammlung und für die Bezirksverordneten-Versammlungen am 5. Dezember 1948: »Nehmt keine illegalen ›Verwaltungsstellen‹ des Ostsowjet in Anspruch, wenn ihr nicht unbedingt müßt; laßt tiefe Stille um die Puppe sein, die man euch als ›Oberbürgermeister‹ hingesetzt hat; macht einen Bogen um die ›Volkspolizisten‹; laßt die vom Ostsowjet annektierten Theater veröden; nennt nicht mehr die Namen der Künstler, die dort spielen – sie seien vergessen.«

Das Ensemble des Schloßpark-Theaters protestierte gegen Regers Leitartikel: er sei ein gefährlicher Schritt auf dem Wege der allgemeinen politischen Vergiftung. Ein Versuch, Künstler zwangsweise politisch festzulegen, sei ein Relikt der Nazizeit. Auch sonst erntete Reger Widerspruch: man möge es gefälligst dem Publikum überlassen, zwischen Kunst und Propaganda zu unterscheiden.

Es gab fortan kein »Berliner Theater« mehr, der »Schnitt durch die Kunst« war vollzogen. Wer sich bei den sowjetischen Behörden oder der SED mißliebig gemacht hatte, begab sich nur ängstlich in den Ostsektor. Einige politisch besonders stark exponierte Theater- und Filmkritiker Westberliner Zeitungen ließen sich durch unbelastete Kollegen vertreten. Die Erregung ging weit und flaute lange nicht ab: Im Juli 1950 quittierte Hermann Scherchen den Dienst als musikalischer Oberleiter bei Radio Beromünster, weil man ihm »kommunistische Tendenzen« vorgeworfen hatte. (Er hatte in Prag dirigiert.) Im Juli 1953 verweigerte das amerikanische Generalkonsulat in Frankfurt Georg Solti das Einreisevisum in die USA, weil er Mitglied der ›Gesellschaft für deutsch-sowjetische Freundschaft‹ sei (was nicht stimmte).

Die Front hatte sich langsam aufgebaut. Im Juli 1946 hatte Friedrich Eisenlohr, Leiter des Aufbau-Bühnen-Vertriebes, also eines Zweiges des Aufbau-Verlags, in der *Täglichen Rundschau* die Meinung verbreitet: »Gerade auf dem Gebiet des Theaterwesens wäre eine Zonentrennung bei der Propagierung jüngsten Bühnenschaffens nicht zu verantworten.« Noch jahrelang gehörte die Beschwörung der wenn auch nicht politischen, so doch kulturellen Einheit Deutschlands zum guten Ton.

In der Frühzeit hatte es in bezug auf die Stücke und ihre Interpreten keinen grundlegenden Unterschied gegeben zwischen Ost und West. Wenn auch Borchert und Zuckmayer zum »Westen« gehörten, so wurden Wolf, Weisenborn und Bruckner sozusagen überall gespielt. Über den Zweck des Theaterspiels gingen die Meinungen allerdings von vornherein auseinander. Ihering hatte sofort für ein »Theater der produktiven Widersprüche« plädiert, neue Inhalte gefordert, gegen Startheater gewettert sowie pädagogische und soziale Absichten beim Regieführen gefordert. Laut Beschluß des Zentralkomitees der KPdSU vom August 1946 sollten die Schauspielhäuser »Pflanzstätten der Kultur, der fortgeschrittenen sowjetischen Ideologie und Moral« sein und »an der Erziehung des Sowjetmenschen aktiv teilnehmen«. Analog dazu wurde das Theater in der DDR als Teil der Kulturpolitik Instrument der »sozialistischen Bewußtseinsbildung«.

Anfang Mai 1947 wurde zum ersten Mal eine führende Berliner Bühne in die Propaganda der Sowjetunion gegen die USA eingespannt: es wurde *Die russische Frage* von Konstantin Simonow in den Kammerspielen erstaufgeführt. Das war das erste krasse Tendenzstück nach dem Kriege; eine Gattung, die 1945 allerseits abgelehnt worden war. Die Amerikaner hatten darum gebeten, das Stück nicht zu spielen. Die Russen erwiderten, die *Russische Frage* greife nicht Amerika an, sondern nur die Hearst-Presse. Im Oktober 1947, auf dem ersten, noch gesamtdeutschen Schriftstellerkongreß kam es zu schrillen Zusammenstößen zwischen »Ost« und »West«.

Zu den wirtschaftlichen Folgen mit politischer Wirkung gehörte, daß nach der Währungsreform Theaterstücke westdeutscher Autoren im Bereich der Ost-Mark »Devisen« kosteten. Das war im Falle Gerhart Hauptmann besonders ärgerlich. Kaum hatte man ihm seine Konzessionen im ›Dritten Reich‹ verziehen und ihn hochachtungsvoll in die Kulturfront eingegliedert, waren seine Erben mit der Erbschaft bei Nacht und Nebel aus dem sowjetischen Machtbereich verschwunden und hatten auf diese Weise die Überweisung der Tantiemen auf West-Konten erzwungen. War ein fremdsprachiger »West-Autor« nicht mehr urheberrechtlich geschützt, nur noch sein Übersetzer, so müßte man sich um eine eigene Übersetzung. Die Aufführung von »West-Stücken« mußte beim Ministerium für Kultur beantragt werden. Devisenmangel konnte als Vorwand dienen, unerwünschte Dramatik abzuwehren.

Im Januar 1949 erreichte Sartres dramatische Studie »Verbrechen aus Leidenschaft« (so sollte das Stück ursprünglich heißen) als *Die schmutzigen Hände* über Zürich (November 1948) West-Berlin. Die Geschichte vom bürgerlichen Intellektuellen, der einen hohen KP-Funktionär aus politischen Gründen liquidieren soll und will, ihn aber aus Eifersucht erschießt, war vom Autor angeblich nicht politisch gemeint gewesen. Das Drama spielt 1943 in einem fingierten Balkanstaat während der deutschen Besetzung. Es mußte im Blockadewinter im Renaissance-Theater scharf antikommunistisch wirken. Zugkräftig inszeniert von O. E. Hasse, mit Ernst Schröder als Mörder, Walter Franck als Opfer, Gundel Thormann als Objekt der Eifersucht, war das Stück ein vortrefflicher Beitrag zum »Kalten Krieg«. Ein Reißer als Vehikel der Diskussion, ob zur Politik schmutzige Hände gehören; damals in Berlin aktuell angesichts des Zynismus, der in der Luft lag, weil das Karussell der Umerziehung geradezu Bocksprünge machte. Die Geschichte endet mit einer allzu bekannten Drôlerie der Ideologie: Als der Täter aus dem Gefängnis kommt, hat sich der Kurs geändert, der Ermordete ist rehabilitiert, der Mörder geht selber der Liquidierung entgegen. Proteste der sowjetischen Besatzungsmacht, Drohungen gegen die Schauspieler und den Regisseur gingen der Premiere voraus, Tilly Lauenstein, welche die Genossin Olga spielte, eine Jugendfreundin des Mörders, siedelte während der Proben vorsichtshalber vom Ostsektor nach West-Berlin über. In Wien war der Protest der Sowjets gegen die *Schmutzigen Hände* erfolgreich: die

Aufführung am Volkstheater unterblieb. Ein Jahr später, 1952, wollte das Theater am Parkring *Die schmutzigen Hände* anläßlich der Weltfriedenskonferenz in Wien aufführen. Sartres persönliche Bitte verhinderte das. Im Jahre 1954 setzte das Volkstheater, nun unter Leon Epp, wieder die *Schmutzigen Hände* an. Epp ließ sich weder von Sartres Bitten noch von seinen Drohungen beeindrucken. Das Premierenpublikum rief am Schluß spöttisch nach dem Autor, der am Morgen noch eine Pressekonferenz im Hotel Sacher gegeben hatte. Sartre ließ dann das Stück vom Verlag sperren. Noch 1975 gab er es nicht frei.

In Österreich wurde die Währung schrittweise und im einzelnen mit geringem Erfolg reformiert. Es gab zehn Währungsmanipulationen vom Sommer 1945 bis zum Sommer 1951. Und jede Geldabschöpfung war ein Nackenschlag für die Theater, besonders die privaten. Die ersten Opfer des Schrumpfungsprozesses waren das Neue Schauspielhaus und das Renaissance-Theater, dann das Bürgertheater und ›Die Insel‹. Manchmal saßen nur zwanzig bis dreißig zahlende Zuschauer in den Vorstellungen. Es gab eine Kette von Pfändungen. Direktoren und Betriebsräte belagerten das Unterrichtsministerium und das Kulturamt der Stadt Wien.

Erste Hilfe, neue Hoffnung

Im Mai 1949 demonstrierten tausend Darmstädter für ihr Theater. Sie faßten folgende Resolution: »Die Darmstädter Bevölkerung bittet und erwartet von allen zuständigen Stellen, daß sie sich mit allen verfügbaren Kräften dafür einsetzen, daß das für Darmstadt lebensnotwendige und aufgrund der bewährten künstlerischen Tradition für die deutsche Kunst schlechthin unentbehrliche Kunstinstitut mit allen seinen Spielgattungen erhalten bleibt und die dafür erforderlichen Zuschüsse weiterhin bereitgestellt werden.«
Im Frühjahr 1949 setzte die Stadt Frankfurt den Theateretat auf zwei Millionen fest (1969: 16,8 Millionen). Zum 31. August wurden 150 Kündigungen ausgesprochen. Ein Patronatsverein sammelte für die Enttrümmerung der Ruine des Schauspielhauses. Im Mai 1949 war sie von 2000 Kubikmetern Schutt befreit. Mitte Februar 1950 wurde die Schließung beider Häuser (Börsensaal und Komödienhaus) beschlossen. Ein Haushaltsfehlbetrag mache es nötig, das für das Theater bereitgehaltene Geld für den sozialen Wohnungsbau und zur Behebung von Kriegsschäden an öffentlichen Gebäuden zu benutzen. Der Magistrat erklärte, damit die Folgerungen aus dem verlorenen Krieg gezogen zu haben. »Allem voran geht die Sicherung der nackten Existenz unserer Mitbürger; dazu gehören in erster Linie Wiederherstellung von Schulen, Krankenhäusern usw. Diese Grundlagen bieten erst die Voraussetzung für die Pflege jeden kulturellen Lebens.« In einem Volksentscheid am 10. März 1950 stimmten 50000 Frankfurter für das Theater, Mitte Juni genehmigten alle Parteien des Stadtparlaments neue Mittel, und der Kulturdezernent trat zurück. Mitte Dezember wurde Harry Buckwitz zum Generalintendanten erwählt. Bis dahin hatten die Städtischen Bühnen unter zwei Ressortchefs gesiecht, nachdem der »Chefintendant« Heinz Hilpert gescheitert war.
Hilpert hatte Mitte Februar 1948 in Frankfurt gekündigt und war mit großen Vorsätzen nach Konstanz gegangen, wo er das Stadttheater ›Deutsches Theater‹ taufte. Er wolle heraus aus den Trümmerstädten, erklärte er, man müsse aus den gesunden in die kranken Bezirke wirken, mindestens fünf Jahre lang wolle er bleiben. (Aber dann blieb er doch nur bis Februar 1950. Der Betrieb war ihm zu klein und zu arm. Und die Bezeichnung ›Deutsches Theater‹ nahm er mit nach Göttingen.) Zunächst mußte er das ›Deutsche Theater‹ in Konstanz über die Währungsreform hinwegretten. Er holte das Geld von auswärts, der Abstecher-Radius war sehr groß. Mit Goethes *Stella* und Shakespeares *Viel Lärmen um nichts* reiste er vom Bodensee bis Recklinghausen, Berlin und Flensburg.
In Tübingen waren im Einverständnis mit dem Ensemble die Gagen gekürzt und die Spielzeit auf elf Monate verkürzt worden. Reutlingen scherte aus dem Partnerschafts-Vertrag mit Tübingen aus: 160000 reformierte Mark für Theater und Sinfonieorchester schienen zuviel angesichts eines Fehlbetrages von 1,1 Millionen und 180000 Mark Bedarf für den Wohnungsbau. Paul Rose begann die Spielzeit mit dem Erfolgsstück jener Zeit *Des Teufels General* und erzielte damit das Maximum von 51 Aufführungen. Im Oktober 1949 beschloß der Gemeinderat, die Verträge nicht zu erneuern, erwog vorzeitige Schließung und hatte die rettende Idee, sich

die Bürde zu erleichtern durch Umwandlung in ein Landestheater. Zwei spielfähige Truppen waren sowieso ständig unterwegs. Es wurden vierzig Orte bedient. So kam Rose über die Runden.

Die Theaterzuschüsse wurden im Rechnungsjahr 1949 in der Regel nicht voll ausbezahlt. Die Städtischen Bühnen Essen bekamen statt einer Million nur 827 000 Mark, die Städtischen Bühnen Hagen statt 355 000 bloß 322 000 Mark, die Städtischen Bühnen Dortmund 625 000 statt 1 255 000 Mark, die Städtischen Bühnen Wuppertal 629 000 statt 833 000 Mark, das Stadttheater Oberhausen 330 000 statt 600 000 Mark, die Städtischen Bühnen Gelsenkirchen 320 000 statt 516 000 Mark. Nur die Stadt Bochum gab ihrem Theater den vollen Zuschuß (490 000), Solingen gab sogar mehr: 250 000 statt der veranschlagten 212 000 Mark.

Auf einer Umfrage der *Neuen Zeitung* nach den Gagen im Herbst 1949 nannte Harry Buckwitz für die Münchner Kammerspiele Durchschnittsgagen von 750 Mark brutto, etwa 550 netto. Moderne Garderobe, meinte er, müßten die Schauspieler selber stellen. Die Schauspielerin Erni Wilhelmi tadelte, daß Darstellerinnen weniger bekamen als ihre Kollegen. Der Theaterkritiker Bruno E. Werner nannte die Gagen »zum größten Teil miserabel«. Am Schluß der Spielzeit 1948/49 ließ Gründgens die erfolgreichsten Inszenierungen spielen, um die Gagen voll auszahlen zu können.

Das Land Nordrhein-Westfalen zahlte 1950 nur 500 000 Mark Zuschuß für seine Theater, ging aber 1951 auf 2 Millionen. Der Stadtstaat Hamburg gab damals 3 Millionen für drei Staatsbühnen und zwei Stadttheater aus, Bayern 5,5 Millionen für die Staatstheater und 3 Millionen für die Stadttheater, die Stadt München noch einmal 4 Millionen. Die Stadt Köln zahlte 2,4, Frankfurt 2,6, Hannover 2,4 Millionen. Düsseldorf gab 1,79 Millionen aus, dazu kamen 210 000 Mark vom Land. Nürnberg 1,3 Millionen plus 250 000 Mark vom Land. Die Württembergischen Staatstheater bekamen 855 000 Mark städtischen und noch einmal dieselbe Summe staatlichen Zuschuß, das Badische Staatstheater in Karlsruhe bekam von der Stadt und vom Land je 750 000 Mark. Die »öffentlichen Zuweisungen« betrugen 1950 insgesamt 52,3 Millionen. Damals gab es in der Bundesrepublik 78 subventionierte Bühnen und 104 insgesamt.

Der Stadtkämmerer von Nürnberg verglich die Haushaltspläne von zwanzig Großstädten und fand heraus, daß die städtischen Zuschüsse für die Theater 50 % der allgemeinen Kulturausgaben ausmachten. Die Theater schlugen so außerordentlich zu Buch, weil man ihren Bedarf – überwiegend Personalkosten – nicht zurückstellen konnte. Museen und Bibliotheken – überwiegend totes Material – konnten warten. (Im Rechnungsjahr 1967, als der Zuschuß auf 389,5 Millionen geklettert war, waren das nur noch etwa 1,3 % aller öffentlichen Kulturbudgets, und die gesamten Kulturausgaben betrugen 2,7 % der Haushalte der Gemeinden und 1 % derjenigen der Länder.)

»Aber noch ist es für vernünftige Entschlüsse nicht zu spät«, versicherte die *Neue Zeitung* im Juni 1950 im Kommentar zu einer Personal- und Kostentabelle. Sie fielen auf: das unverhältnismäßig zahlreiche Verwaltungspersonal an städtischen und staatlichen Theatern im Gegensatz zu den privaten, aber auch sachlich kaum erklärliche Unterschiede von Theater zu Theater. In München – drei staatliche Bühnen, drei Spielgattungen – 410 Verwalter; in Nürnberg – ebenfalls drei Spielgattungen – 207. In Hannover zwei städtische Bühnen, drei Sparten: 199 Verwalter; gleichfalls in Frankfurt: 184; Wuppertal ebenso: 90. In Göttingen ein Theater, drei Sparten: 58 Verwalter; dasselbe in Konstanz: 16. Inzwischen gilt die Faustregel, daß nur ein Drittel der »Bühnenschaffenden« auf der Bühne erscheint, zwei Drittel sind Funktionäre, Verwalter und Hilfspersonal. Vor dem ersten Weltkrieg betrug das Verhältnis der Leute auf der Bühne zu denen dahinter 2 : 1, nicht 1 : 2 wie heutzutage.

Eine Umfrage ergab, daß die Gagen 1950 im Ruhrgebiet eher unter den empfohlenen Richtpreisen lagen. Ein Vergleich zwischen Essen, Hagen, Dortmund, Bochum, Wuppertal, Oberhausen, Gelsenkirchen und Solingen ergab, daß die Monatsgehälter für Kapellmeister zwischen 300 und 700 Mark lagen (Spitze in Oberhausen), für Spielleiter zwischen 400 bis 1 250 (Essen, Bochum, Wuppertal), für Ballettmeister zwischen 425 und 800 (Oberhausen), für Ausstattungsleiter zwischen 450 und 900 Mark (Essen). Schauspieler bekamen höchstens 1 000 Mark in Essen, in Bochum bis zu 1 250, in Hagen nur 600 Mark. Opernsänger in Hagen 1 250 Mark, in Essen und Wuppertal 1 000 Mark, in Oberhausen nur 700 Mark. Operettensänger galten etwas mehr: 750 Mark in Solingen, 1 000 Mark in Oberhausen, 1 500 in Gelsenkirchen. Gagen von knapp 300 Mark für Chorsänger und Tänzer waren bis zum Ende der fünfziger Jahre auch an Stadttheatern üblich, man spielte lächelnd auf Kosten der Kleinen, erst dann wurden deren Einkünfte dem Kostengefüge einigermaßen angeglichen.

Gründgens stellte Anfang 1949 Verzerrungen fest. An der Düsseldorfer ›Deutschen Oper am Rhein‹ bekam 1949 ein Tenor 22 000 Mark Jahresgehalt, ein noch ziemlich Unbekannter ließ sich aber erst bei 24 000 Mark nach Düsseldorf engagieren. Elisabeth Flickenschildt, Paula Denk, Günther Lüders, Ludwig Linkmann bekamen 1 800 Mark Monatsgage, Marianne Hoppe als Gast 400 Mark pro Abend, Peter Anders und Erna Schlüter aber 1 000 Mark pro Abend. In Hamburg und München kriegen Sänger das Zwei- bis Vierfache, merkte Gründgens an.

Damals verdiente ein verheirateter Arbeiter mit zwei Kindern durchschnittlich etwas weniger als 300 Mark netto im Monat. Der Stipendienbemessung für westdeutsche Studenten lag als Lebenshaltungsindex 85 Mark pro Person und Monat zugrunde. Die ›Studienstiftung‹ des Deutschen Volkes‹ bezeichnete 150 Mark als Existenzminimum.

Damals kostete eine Operettenaufführung durchschnittlich 4 135 Mark und ein Schauspiel im Durchschnitt 2 727 Mark. Das Einspielergebnis lag im Schnitt bei 37 %. In den Theaterstädten Nordrhein-Westfalens gab Köln den höchsten Zuschuß pro Einwohner: 4,28 Mark, obendrein fürs Orchester 1,02 Mark. Am niedrigsten lag Duisburg mit 64 Pfennig und 1,20 Mark für das Orchester. Der Pro-Kopf-Zuschuß in Essen von 2,84 Mark (einschließlich Orchester) ergab einen Zuschuß pro Theaterbesucher von 5,98 Mark. In Dortmund betrug der Zuschuß pro Kopf 3,15 Mark und pro Besucher 8,74 Mark. Ein Theaterfreund in Dortmund bekam also für seinen Theaterbesuch, der ihn einige wenige Mark kostete, jeweils 8,74 dazugeschenkt. Aber er hatte selber schon indirekt, nämlich als Steuerzahler, 2,50 Mark pro Jahr für das Theater ausgegeben und 65 Pfennig für das Orchester.

Nachdem diese Verhältnisse publik geworden waren, begann eine jahrzehntelang immer wieder aufflammende Debatte darüber, ob es zumutbar sei, daß die Majorität gezwungen wird, die Minderheit der Theaterbesucher zu beschenken, zweitens wie man es fertigbringen könne, Besucher aus Nachbarorten, die nicht zum Betrieb des städtischen Theaters beitragen, weniger zu begünstigen. Und es wurde die Forderung an die Länder gestellt, mehr Geld für die Theater herzugeben.

In Ost-Berlin präsentierte die ›Deutsche Wirtschaftskommission‹ am 31. März 1949 einen »Kulturplan« zur »Erhaltung und Entwicklung der deutschen Wissenschaft und Kultur«, zur »Verbesserung der Lage der Intelligenz« und »Steigerung ihrer Rolle in der Produktion und im öffentlichen Leben«. Es wurden ›Nationalpreise‹ verkündet und namhafte Beträge für die Akademie der Wissenschaften und für die Universitäten und Schulen ausgeworfen. Da die DDR damals noch nicht proklamiert war, prätendierte das strenggenommen gesamtdeutsche Initiative. Die Theater wurden nicht genannt, die Künstler aber wie Lehrer und Ärzte in das System der »Sonderzuwendungen« aufgenommen: Vergünstigungen bei Hausbau oder Renovierung, für Heizung, Verpflegung, Erholung, bei der Versteuerung ihrer Einnahmen. Dieses Prämiensystem, das einzelne stark begünstigt, trifft nur die Spitzen und kann entzogen werden, im Gegensatz zu den Ergebnissen von Tarifkämpfen im Westen, die vor allem die Mindestgagen ständig anheben.

In den ersten Jahren nach der Währungsreform waren die Gagen im Ostsektor Berlins höher als in West-Berlin. Später glich sich das aus, kehrte sich das Verhältnis sogar um. Die Prominenten blieben jedoch Großverdiener. Fritz Wisten, seit 1950 Intendant (nach Heinz Wolfgang Litten) des Volksbühnen-Theaters in Ost-Berlin, bekam monatlich 11 000 Mark, also 132 000 Mark im Jahr, einen Teil davon »in West« (wie man sagte). Gustaf Gründgens bekam 1956 in Düsseldorf ein Jahresgehalt von 26 000 Mark plus 4 000 Mark »Aufwandsentschädigung« pro Jahr, für jeden Auftritt als Schauspieler 750 Mark.

Die Not der Theater erreichte im Sommer 1949 den Höhepunkt. Als einziger unter den Westberliner Theaterleuten brauchte Victor de Kowa keinen Zuschuß. Er spielte religiöse Stücke, »weil sie ein Vorbild« gaben: *Das Zeichen des Jona* von Günter Rutenborn, *Monsignores große Stunde* und *Die erste Legion* von Emmet Lavery. Nach dem Spiel ließ de Kowa den Vorhang wieder aufgehen, Schauspieler und Spielleiter setzten sich auf die Bühne, und es wurde diskutiert, manchmal bis früh um vier. Allerdings mußte dieser Kurs in seiner ›Tribüne‹ bald aufgegeben werden, aus Mangel an brauchbaren Dramen.

Die West-Mark stand zeitweise zur Ost-Mark im Verhältnis 1 : 7 und höher. Später pendelte sich das Verhältnis auf Jahre hinaus bei 1 : 4 ein. Sehr viele Theaterleute wohnten in den westlichen Stadtteilen Berlins, weil das schon immer die anspruchsvollere Wohngegend gewesen war. »Im Westen« wohnten 97 % aller Mitglieder des Metropol-Theaters. Es mußte also wenigstens ein Teil der Gage in West-Mark ausgezahlt werden. Zunächst wurden 200 Mark im Verhältnis 1 : 1 getauscht, später mehr, schließlich alles, weil die Umtauschkasse entsprechende Einnahmen hatte von Leuten, die im Osten lebten und im Westen verdienten. »Für die Westmitglieder in den Osttheatern einen Währungsausgleich zu erkämpfen, war zur Hauptaufgabe der Theaterleiter geworden«, berichtet Rabenalt. »Ein einseitiger Währungsausgleich für Künstler, die zweifellos vom Regime begünstigt waren, hätte zu ungeheuren innerpolitischen Schwierigkeiten mit den vielen tausend anderen Werktätigen und deren Gewerkschaften geführt. Hilfsmaßnahmen wurden zugesagt und unter dem Druck der Partei wieder zurückgenommen. Andere Pläne, das Währungsgefälle durch Zulagen und Prämien auszugleichen, wurden mehrfach ausgearbeitet – und widerrufen. Die Schlüsselzahl der Gagenerhöhungen wechselte dauernd mit dem fieberhaften Ansteigen des Westmark-Kurses. Das Durcheinander war unbeschreiblich. Die Intendanten schritten zur Selbsthilfe, gingen über strikte Anweisungen eigenmächtig hinaus, wurden plötzlich haftbar gemacht und sollten zur Verantwortung gezogen werden. [...] Die Erregung war zur Siedehitze entbrannt, als bekannt wurde, daß einige politisch ›fromme‹ Bühnen Zuschüsse unterderhand bekommen hatten. Obwohl dies offiziell abgestritten wurde – und aus innerparteilichen Gründen auch abgestritten werden mußte –, hatten wir dafür Beweise. Die Kollegen der begünstigten Theater konnten nicht schweigen, obwohl es ihnen zur Bedingung gemacht worden war. Das Metropol-Theater reagierte prompt. Das Ungeheuerliche geschah, ein ostsektoraler russisch-lizensierter Betrieb trat, zusammen mit seinem Leiter, in den Streik. Das Metropol-Theater verweigerte die Eröffnung des umgebauten Hauses. Ich weiß nicht, ob man ermessen kann, was das damals an Zivilcourage bedeutete. Die Verblüffung in der Stadtregierung war grenzenlos – daß sie bei den betreffenden parteiamtlichen Stellen Geifer produzierte, verständlich.« Nach dem Versprechen, die Mitglieder des ›Metropol‹ würden beim »Härteausgleich« nicht benachteiligt werden, wurde das umgebaute Haus mit der *Dubarry* eröffnet.»Am 25. November 1949 fanden im Ost-Rathaus die abschließenden Besprechungen über die Verteilung eines Härte-Ausgleichs statt. Entgegen allen Zusicherungen mußte ich feststellen, daß man mir und dem Theater gegenüber abermals wortbrüchig geworden war. Man hatte das Metropol-Theater benachteiligt, weil es, wie man sich auszusprechen nicht scheute, gemaßregelt werden sollte. Ich verließ die Sitzung und trat am nächsten Morgen zurück.«

Auf der Jahrestagung des Deutschen Bühnenvereins Oktober 1950 in Köln mischte sich eine Kontraststimme in den Finanzjammer der Stadtdirektoren, Kämmerer und Kulturdezernenten, die Stimme eines ehemaligen Ministerialrates im Preußischen Wirtschaftsministerium, Dr. Scheffels. Er erklärte, die Gesamtsumme an Aufwendungen entspreche – auf die Bevölkerung umgerechnet – genau der Summe, die von Ländern und Gemeinden in den Jahren 1930 bis 1932 für ihre Theater aufgebracht worden sei. Es könne also keine Rede sein von »Übersteigerung«, zumal da die Eintrittspreise die allgemeine Steigerung gegenüber den Vorkriegsverhältnissen nicht mitgemacht hätten.

Tatsächlich entsprachen die Eintrittspreise beispielsweise der Münchner Kammerspiele von 1951 denen von 1902 sehr weitgehend. Der teuerste Platz kostete 1902 wie 1951 8 Mark (im Abonnement 4,55 Mark), der billigste 1902 eine Mark, 1952 jedoch 3 Mark (im Abonnement 1,75). Die niedrigeren Preisgruppen waren angehoben worden, an die Spitze hatte man sich noch nicht herangewagt. In der Spielzeit 1972/73 kostete der teuerste Platz in den Kammerspielen 15,10 Mark, der billigste 3,10 Mark, der Volksbühnenpreis war 5,20. Dr. Scheffels erklärte, die öffentlichen Aufwendungen müßten größer werden, wenn man das Leistungsniveau von 1930 wieder erreichen wolle.

Es wurde damals nie und nirgends von Leistungen gesprochen, denn sie schienen über jeden Zweifel erhaben. Wenn die Leute trotzdem nicht in die Theater strömten, schien es an den Häusern selber zu liegen. Tatsächlich war da noch nicht viel passiert. Im wesentlichen Umbauten, Instandsetzungen, Teilbauten: das Opernhaus in Essen (1950; 2,2 Millionen), das Düsseldorfer Schauspielhaus (für eine Million erneut eröffnet), das Stadttheater in Duisburg (2,5 Millionen), das Theater der Stadt Oberhausen (1949; 1,4 Millionen), das ›Kleine Haus am Hiltropwall‹ in Dortmund (1,6 Millionen; veranschlagt war halb soviel). Es gab schon kühne Pläne: Köln hatte für sein Opernhaus 10 Millionen veranschlagt, Düsseldorf fürs Schauspielhaus 6 bis 7 Millionen, Münster rechnete mit 3,5 Millionen, Recklinghausen plante ein eigenes Theater für 4 bis 5 Millionen und hoffte dabei auf Unterstützung aus der Gewerkschaftskasse.

Dies der Stand vom Frühjahr 1951. Wann und zu welchen Preisen diese Wünsche Wirklichkeit geworden sind, erhellt blitzartig die Entwicklung: das ›Große Haus‹ in Münster kostete 1956 5,2 Millionen, Köln eröffnete 1957 ein Opernhaus für 15 Millionen; das Festspielhaus in Recklinghausen (1965 eingeweiht) kam auf 20,5 Millionen (die Stadt zahlte 8 Millionen, das Land Nordrhein-Westfalen 5,25 Millionen, die Gewerkschaft 4, der Bund 3,25, die ›Gesellschaft der Freunde der Ruhrfestspiele‹ und der Landschaftsverband Westfalen-Lippe brachten gemeinsam 1,5 Millionen auf), Düsseldorf zahlte für sein 1969 endlich fertiggestelltes Doppeltheater 35 Millionen.

In jenen Jahren galt die Schweiz als das Land, in dem Milch und Honig fließen. Aber wenigstens die Schauspieler blieben sozusagen bei Wasser und Brot, denn die Theatersituation im deutschsprachigen Ausland ließ eine Verbesserung der sozialen Verhältnisse nicht zu. In guten Zeiten hatten Deutschland und Österreich den Deutschschweizern als Betätigungsfeld offen gestanden, die Chancen vergrößert, das Geschäft angekurbelt. Nun war der verelendenden Zernierung im Krieg eine Verelendung der Partner gefolgt, die auf die Schweiz zurückwirkte, auch auf die Schweizer Theater, vor allem auf das deutschsprachige Sprechtheater. Das Musiktheater, besonders das in der Welschschweiz, war weit weniger am deutschsprachigen Markt orientiert.

Eine Umfrage unter dem Solopersonal des Schauspiels in der deutschen Schweiz sowie Auskünfte von Arbeitgebern und Behörden im Winter 1950/51 zeigen ein trauriges Ergebnis (veröffentlicht im *XX. Schweizer Theater-Jahrbuch*, 1952): nur zwei Theater zahlten Gagen von mehr als 1 100 Franken im Monat, von den 23 Regisseuren bekamen nur sieben mehr als 800 Franken monatlich, Spitzengagen lagen bei 700 Franken für Männer und bei 600 Franken für Frauen. Mehr als die Hälfte der Schauspieler bekamen diese Entlohnung aber nicht das ganze Jahr hindurch. Der bezahlte Urlaub von höchstens zwei Wochen wurde je nach Dauer der Saison durch unbezahlte und unerwünschte monatelange Ferien ergänzt. Das Stadttheater Chur kam in der Spielzeit 1950/51 nur auf 52 Aufführungen und einige Gastspiele. Sondervergütungen für Überstunden und Sonderhonorare beim Einspringen für erkrankte Kollegen waren minimal (höchstens 10 Franken), bei turnusmäßigen Gastspielen wurden Spesen nicht besonders vergütet, ungewöhnliche Abstecher brachten 5 bis 20 Franken. In der Regel wurde das Personal nur für eine Spielzeit verpflichtet, mehrjährige Verträge waren in der Schweiz eine große Ausnahme.

Die soziale Unsicherheit spiegelte sich auch in den Wohnverhältnissen: die Mehrheit der Künstler, auch der verheirateten, begnügte sich mit möblierten Zimmern. Die

Mitglieder des Stadttheaters Sankt Gallen erfreuten sich zwar einer ganzjährigen Spielzeit, sie wurde jedoch sommers im Kurtheater Baden absolviert, was sogar Doppelmieten erforderte. Dazu kam, daß in Fällen von höherer Gewalt Verträge nichtig werden konnten und daß die Sozialversicherung in der Schweiz noch unterentwickelt war. Pensionskassen besaßen lediglich das Basler Stadttheater und die Zürcher Opernbühne. In Basel zahlte die Kasse nach 41 Dienstjahren inklusive Teuerungszulage ein Ruhegeld von knapp 3 000 Franken pro Jahr.

Solche Zustände sind möglich, weil sie nur eine Minderheit betreffen, die innenpolitisch nicht ins Gewicht fällt – und das betrifft das ganze deutschsprachige Theater. Einige zehntausend Theaterleute lohnen keinen politischen Einsatz. An den städtisch subventionierten Bühnen der deutschen Schweiz waren 1950 nur 164 Personen als Solisten im Schauspiel angestellt. Die Hälfte davon waren Ausländer. Aber das alles waren noch Privilegierte im Vergleich zu ihren Kollegen und Kolleginnen an den Privattheatern. Ende 1950 gab es in der Schweiz acht bis zehn private Sprechbühnen, davon vier deutschsprachige, von denen einige nur selten hervortraten. Ihre »Mitglieder« waren also die meiste Zeit arbeitslos, unbezahlt. Solche Schauspieler haben in der Schweiz wenig oder gar keine Gelegenheit zu Nebenbeschäftigungen. Es gibt in der Schweiz kein festes Hörspiel- und Fernsehensemble, die Funk- und Fernseh-Honorare sind sehr gering. Die schweizerische Spielfilmproduktion ist seit Kriegsende minimal, es kommt pro Jahr nur ein Film zustande. Infolgedessen drängen schweizerische Theaterleute ins Ausland, vor allem auf den vergleichsweise großen deutschen Markt. Österreich bot keinen Ausweg, die sozialen Verhältnisse bezeichnete das *Theater-Jahrbuch* als »geradezu katastrophal«. Blieb also Deutschland. Im Jahre 1950 gab es allein in Berlin zehn subventionierte Theater, davon allerdings sieben im Ostsektor. Andererseits waren 1950 in der französischen und britischen Zone rund 3 000 Schauspieler als arbeitslos gemeldet.

Als die Not in Österreich am größten war (1950), beschloß das Parlament das »Kulturgroschengesetz«: eine Abgabe pro Kinokarte. Den Landesregierungen war freigestellt, welchen kulturellen Zwecken die Beiträge zufließen sollten. Die überlebenden Wiener Privattheater bekamen immerhin 50 % der »Kulturgroschen«-Gelder. Das bewahrte sie vor dem Zusammenbruch, reichte aber auf die Dauer nicht.

Um zu realistischen Preisen zu kommen, »valorisierte« man die Preise von 1938. Als Valorisierungsfaktor galt 10, eine Verzehnfachung der Eintrittspreise von 1938 war aber utopisch. Der teuerste Platz in der Josefstadt kostete 1938 25 Schilling – höchstens das Fünffache wagte man den Theatergängern zuzumuten. Die Billettpreise wurden also im Verhältnis zu den anderen Preisen wohl oder übel um 50 % zu niedrig angesetzt. Früher galt als Leitsatz für gesunde Kalkulation: »Die Ausgaben müssen sich bestreiten lassen, wenn ein Drittel der Plätze verkauft wird.« An diese Faustregel wagte man nicht mehr zu denken. Dieser falsche Ansatz beschwor künftige Geldschwierigkeiten schon herauf.

Die Weltkonjunktur, an der Österreich im Jahre 1951 endlich teilnehmen konnte, weil die inflatorischen Tendenzen gestoppt waren, gab aber erst einmal die Zuversicht, daß man künftig irgendwie durchkommen werde.

Funktionäre in Funktion

Die Not des Theaters und der Theaterleute gab den Funktionären wieder Funktionen. Bühnenverein, Bühnengenossenschaft, Besucherorganisationen regten sich. Der »Deutsche Bühnenverein« der Theaterleiter, dessen hundertjähriges Jubiläum im Jahre 1945 ausgefallen war, war im Februar 1947 neu gegründet worden, zunächst für die britische Zone. In der amerikanischen und französischen gab es Regionalverbände, Bayern gründete einen eigenen Direktorenverband. Auf Rat der Kultusminister und des Deutschen Städtetages gründete (und leitete dann auch) der Oberbürgermeister und Präsident des Städtetages Dr. Hermann Joseph Pünder einen »überzonalen« Bühnenverband nach dem alten Modell, freilich mit einer gewissen verwaltungstechnischen Dezentralisierung. Nach dem Beitritt Bayerns im Januar 1949 erfaßte der Bühnenverein alle wesentlichen Theater der Westzone.

Die Organisation der Arbeitnehmer, die ›Genossenschaft Deutscher Bühnen-Angehörigen‹, war »gleichgeschaltet« gewesen, jedoch nie aufgelöst worden. Formell war ihr Präsident Erich Otto seit 1932 im Amt. Von Berlin aus wollte Otto eine Theatergewerkschaft gründen. Im Sommer 1946 leitete er in Weimar, am Gründungsort der Genossenschaft, die erste Delegiertenversammlung, mit geringer Beteiligung aus den Westzonen. Dieser Versuch, eine Berufsorganisation der Theaterleute als selbständigen Bestandteil innerhalb der Gewerkschaft zu schaffen, scheiterte an der ideologischen Kontroverse, die zur Spaltung führte, auch der Gewerkschaften. Die Sowjets und ihre Parteigänger drängten prinzipiell auf Einheit und Massenorganisation, um möglichst rasch Einfluß auf das Ganze zu gewinnen, die Westalliierten mißtrauten nicht nur den Sowjets, sondern auch dem Zentralismus. So gab es im Westen regionale Bühnengenossenschaften, die sich im Oktober 1948 zusammenschlossen. Im November, nach Auszug der Gruppe Otto, votierte die sowjetisch beeinflußte ›Genossenschaft Deutscher Bühnen-Angehörigen‹ für ein Verbleiben im ›Freien Deutschen Gewerkschaftsbund‹ (FDGB). Zum neuen Präsidenten wurde Intendant Ernst Legal gewählt – ein Arbeitgeber wurde also Chef der Arbeitnehmerorganisation. Es konnte nicht deutlicher gezeigt werden, daß die ›Genossenschaft Deutscher Bühnen-Angehörigen‹ nicht mehr dem Lohnkampf dienen sollte, so wenig wie die Gewerkschaft, die sich satzungsgemäß zur Dienerin der ›Sozialistischen Einheitspartei Deutschlands‹ (SED, im November 1945 erzwungener Zusammenschluß von KPD und SPD) erklärte. Folgerichtig kam es im Jahr 1949 zur Gegengründung in München, es entstand der ›Deutsche Gewerkschaftsbund für das Gebiet der Bundesrepublik Deutschland‹ (DGB). Er wurde der Dachverband für die ›Genossenschaft Deutscher Bühnen-Angehörigen‹, die ›Deutsche Orchestervereinigung‹, den ›Deutschen Musikerverband‹ und die ›Rundfunk-Fernseh-Film-Union‹ (RFFU).

In Österreich ging die Neuorganisation des Theaterlebens relativ glatt, weil sie weniger für politische Positionskämpfe herhalten mußte. Der 1945 gegründete ›Österreichische Theaterdirektorenverband‹ wurde 1951 geteilt in den ›Wiener Theaterdirektorenverband‹ und den ›Theatererhalterverband österreichischer Bundesländer und Städte‹. Der ›Wiener Theaterdirektorenverband‹ vereinigt die Bundestheaterverwaltung und die Direktoren der Wiener Privattheater, zwei Parteien von sehr unterschiedlicher Potenz. Gemeinsam ist ihnen immerhin, daß sie Forderungen der Arbeitnehmer leichter trotzen können als der Theatererhalterverband, der die Bühnen in den Bundesländern zusammenfaßt, deren Leiter als politische Mandatare auf die Parteien Rücksicht nehmen müssen. Es gibt zwei Ausnahmen: das Landestheater Vorarlberg und das Stadttheater Sankt Pölten gehören nicht zum Theatererhalterverband, weil sie gewerblich (wenn auch mit Unterstützung ihrer Landesregierungen) betrieben werden.

Die Privattheater müssen der ›Bundeskammer der gewerblichen Wirtschaft‹ angehören. Dort bilden sie in der Sektion Fremdenverkehr den ›Fachverband der Privattheater und verwandten Unternehmungen‹. (Die »verwandten Unternehmungen« sind Zirkus, Kabarett, Schaustellerbetriebe.)

Für die Arbeitnehmer wurde anstelle des 1938 zerschlagenen ›Ringes österreichischer Bühnenkünstler‹ 1945 die ›Gewerkschaft Kunst und freie Berufe‹ als Unterabteilung des Österreichischen Gewerkschaftsbundes gegründet, mit den Sektionen Bühnenangehörige, Musiker und Technisches Bühnenpersonal.

In der Schweiz bestand nach dem Kriege keinerlei Veranlassung, das Theatersystem neu zu organisieren. Im Januar 1961 ging der 1921 gegründete ›Schweizerische Chorsänger- und Ballettverband‹ im damals 49 Jahre alten ›Verband der Bühnenkünstler der Schweiz‹ auf. Es gibt auch einen überstaatlichen ›Kartellverband deutschsprachiger Bühnenangehörigen‹, er ist 1921 gegründet worden und 1949 in Zürich noch einmal. Die Vereinigung der Arbeitgeber, der ›Schweizerische Bühnenverband‹, wurde 1920 in Zürich gegründet.

Am 1. August 1946 ist für die deutsche Schweiz ein »Gesamtarbeitsvertrag« in Kraft getreten. Aber es sind nur die Verbandsbühnen – praktisch die mit Steuergeldern subventionierten Theater – verpflichtet, den Vertrag anzuerkennen. Er regelt die Arbeitszeit (Präsenzzeit), die Ruhetage und garantiert bezahlte Ferien, gestattet aber viele Ausnahmen und läßt viele berufstypische Voraussetzungen für die Arbeit unbeachtet, zum Beispiel Rollenstudium und Stimmübungen.

Nach der Währungsreform in Deutschland setzte in Westdeutschland der Tarifkampf der kaum restituierten Organisationen ein. Im sowjetischen Machtbereich wurde dieser Kampf für anachronistisch erklärt. Dort gab es nur noch »Meinungsverschiedenheiten über den besten Weg, die Theater über die Krise hinwegzubringen« (Ihering). Bereits am 20. Juli 1948 schlug der Tarifausschuß des Bühnenvereins einen zuversichtlicheren Ton an: »Das deutsche Volk hat sich sein Theater nicht nehmen lassen. Schon jetzt berichten viele Theater ein Ansteigen des Abonnements, normale Eintrittspreise und steigenden Besuch.« Der Ausschuß empfahl den Rechtsträgern, »so lange einen Teil der Gage zu stunden, bis sich Ihr Theater erholt hat und Klarheit über die Situation auf längere Sicht gewonnen ist. Die Stundungen dürfen Gagen bis 150 Mark nicht betreffen und sollen den Gagenteil über 150 Mark progressiv belasten.« Im allgemeinen wurden 25 % der Solistengagen einbehalten, Choristen und Orchestermitglieder voll ausbezahlt. Wuppertal zahlte die Reichsmark-Gehälter voll in DM aus, auch Solingen zahlte ohne Abzug weiter. Ein Hauptdarsteller bekam damals dort 600 Mark, ein Butterbrot vor, ein Vermögen nach der Währungsreform.

Die Bühnengenossenschaft lief Sturm gegen die Gagenkürzungen, sie erstritt 1949 ein Schiedsgerichtsurteil, das Gagenkürzungen bei befristeten und auslaufenden Verträgen verbot. Ein langsam entwickeltes Tarifwerk zwang die Unternehmer allmählich, die einbehaltenen Beträge zum größten Teil zurückzuzahlen. Am 20. Oktober 1948 kamen die Kultus- und Finanzminister in Ravensburg überein, die Gagen für zwei Jahre festzulegen. Den Intendanten und Musikdirektoren sollten jährlich 18 000 Mark plus 6 000 Mark Aufwandsentschädigung gezahlt werden, Solisten der Oper und Operette sollten höchstens 18 000 Mark bekommen, Solisten des Schauspiels höchstens 16 000 Mark. »Bühnenvorstände« sollten bis zu 14 000 Mark erhalten. (»Vorstände«, »künstlerische« und »technische«, sind gehobene Chargen, die sich im August 1948 nach dreizehn Jahren wieder zusammenschließen wollten – oder eigentlich sollten, unter Ernst Legal [Ost] und Richard Weichert [West]: Spielleiter, Dramaturgen, Ausstellungsleiter, Bühnenbildner, Kapellmeister, Ballettmeister, Bühnenmeister usw. Im Herbst 1972 wurde wieder ein vergeblicher Versuch gemacht, den ›Verband künstlerischer Bühnenvorstände‹ neu zu gründen, durch Umbenennung der ›Dramaturgischen Gesellschaft e. V.‹ – aber die Mehrheit der Mitglieder war dagegen.) Für Aushilfsgastspiele sollten die Spesen plus 250 Mark für Oper und Operette, plus 200 Mark für Schauspiel gezahlt werden. Eine Gastregie sollte bis zu 1 000 Mark kosten, ein Gastdirigent sollte 800 pro Abend bekommen und 400 Mark bei Wiederholungen.

Unter den Sozialfonds ist vor allem die ›Versorgungsanstalt der deutschen Bühnen‹ in München zu nennen, eine Zusatzversicherung zur allgemeinen Angestelltenversicherung, die bei Theaterleuten selten ausreicht, weil sie ihre Berufe kaum so lange ausüben wie normale Angestellte. Diese Versorgungsanstalt, bei der Mitglied zu sein seit 1938 Pflicht ist, zahlte nach der Währungsreform die Renten im Verhältnis 1 : 1 aus und nicht 1 : 10 wie die übrigen Rentenversicherungen. Seit Ende 1949 wurden 5 Pfennig Altersabgabe pro Eintrittskarte erhoben, seit Ende 1959 zehn Pfennig. Die Auszahlungen sind trotzdem gering: im Jahre 1974 wurden jedem Versicherten durchschnittlich 350 Mark monatlich gezahlt.

In der wirtschaftlichen Misere wurden die Besucherorganisationen wieder geschätzte Partner. Die Volksbühnenbewegung hatte sich schon 1946 wieder geregt, an verschiedenen Stellen. Es waren Volksbühnentheater entstanden, zum Beispiel in Berlin das ›Theater in der Kastanienallee‹ (vordem ›Prater‹), eine Volksbühne des Hebbel-Theaters. Ende Juni 1946 war sie mit Gorkis *Nachtasyl* eröffnet worden. Auch in Dresden, Leipzig, Halle, Potsdam, Schwerin gab es Volksbühnentheater. Am 12. Dezember 1946 hatten dreißig Berliner Intendanten und Schauspieler zur Reorganisation aufgerufen, eine Woche später hatte der FDGB Initiative angekündigt. Bald war auch diese Entwicklung zweigleisig auseinandergelaufen. Vertreter der in der sowjetischen Besatzungszone entstandenen Volksbühnentheater hatten Mitte Mai 1947 auf Einladung des FDGB den ›Bund Deutscher Volksbühnen‹ gegründet. Vorsitzender war K. H. Martin geworden. Auf der Gründungsversammlung hatte Friedrich Wolf das große Wort geführt: »Die Frage der kulturellen Erziehung und der politischen Umerziehung wird eine Hauptaufgabe unsrer Volksbühne sein! Kapitulieren wir doch nicht schon jetzt wieder vor den Kunstsnobs, die bei dem Wort ›Erziehung‹ ihre Näschen rümpfen! [...] Die Volksbühne muß zu allen Zeitproblemen, die uns unter den Nägeln brennen, eine klare Stellung einnehmen. [...] Ihr Spielplan ist der Prüfstein, ob die neue Volksbühne mit Recht ihren Namen trägt! Jedes Mitglied hat das Recht und die Pflicht, darüber zu wachen, was gespielt wird und wie es gespielt wird!« Die Organisation breitete sich rasch aus. Von 1947 bis 1949 stieg die Mitgliederzahl von 103 161 auf 404 447. Brecht äußerte sich im *Arbeitsjournal* (6. Januar 1949) abfällig über die Berliner Sektion der Volksbühne: »man hat dieses sozialdemokratische kleinbürgerunternehmen ›jedem kleinen mann eine ständige theaterloge‹ neu aufgezogen und liefert schmierenaufführungen.« Am 22. Dezember 1949 noch einmal: »*Die Tage der Commune* muß zurückgestellt werden, schon weil die volksbühne, etwa 60 000 mitglieder zählend und die hauptmasse unseres publikums ausmachend, nur etwa 0,3 % arbeiter enthält.« (Nach anderer Version durfte dieses Gegenstück zu Nordahl Griegs *Niederlage*, das das Berliner Ensemble 1951 zur Erinnerung an den Pariser Aufstand der Kommune vor damals achtzig Jahren zeigen wollte, nicht gespielt werden, weil es »defaitisch-objektivistisch« sei. Die Uraufführung war 1956 in Karl-Marx-Stadt alias Chemnitz.)

Denjenigen, die den Einfluß russischer Kulturpolitik auf die Volksbühne verhindern wollten, wurde allmählich klar, daß das vergeblich war. Im Oktober 1947 rafften sie sich zu einer Kundgebung im Steglitzer Titania-Palast auf, bei der Zuckmayer sprach. Es kam zur Gründung von getrennten Vereinen in den drei Westsektoren, die im Februar 1948 35 000 Mitglieder hatten. (Die erste Aufführung, die den West-Mitgliedern angeboten wurde, war Verdis *Aida* Anfang Dezember 1947 in der Städtischen Oper.) Die Spaltung Berlins ermöglichte dem Westberliner Magistrat, die drei Sektorenvereine der Volksbühne zu einer Westberliner ›Freien Volksbühne e. V.‹ zusammenzufassen. Sitz des Gesamtverbandes wurde zunächst Hamburg, 1953 aber wieder Berlin.

In der Spielzeit 1948/49 gab es 28 Volksbühnenvereine mit 130 000 Mitgliedern. Im Jahre 1955 waren es 335 000 Mitglieder in 77 Vereinen, 1965 430 000 Mitglieder in 106 Volksbühnenvereinen. Die Volksbühnen-Idee war lebendiger denn je – merkwürdigerweise aber nur in Deutschland. Die Theatervereine in der Schweiz sind deutlich bürgerlicher. Volksbühnenähnliche Versuche in Zürich (›Schauspielunion‹) und Sankt Gallen blieben bedeutungslos. Eine internationale Verbindung, die auch Österreich einbegreifen sollte, blieb sozusagen ein Wackelkontakt.

In Wien machte Paul Barnay, Neffe des berühmten Ludwig Barnay, 1949 den Versuch, eine ›Volkstheatergemeinde‹ zu gründen. Er hatte damals Günther Haenel in der Leitung des Instituts mit dem ominösen Namen ›Volkstheater‹ abgelöst. Das Moral predigende »arme« Theater drohte den Anschluß zu verpassen. Das bis dahin private Volkstheater wurde in eine »Gesellschaft mit beschränkter Haftung« umgewandelt. Man wendete sich laut Barnay »bewußt von dem System des Geschäftstheaters« ab – mit dem man ohnehin keinen Erfolg mehr hatte. Barnay erklärte: »Abonnent wird man durch Zahlung. Volksbühnenmitglied hingegen nur durch innere Zugehörigkeit zu dem Theater, zu seiner Gesinnung, zu seinem Kulturwillen. Der Abonnent schätzt Schauspieler, einzelne Stücke, das gesellschaftliche Ereignis eines Theaterbesuches, den Theaterraum selbst. Das Mitglied einer Volksbühne dagegen ist Mittträger, ja Mitarbeiter des Theaters. Der Abonnent zeigt seine Zustimmung oder Ablehnung von künstlerischen Leistungen durch den Applaus, durch den Besuch oder durch Reserviertheit und Kritik. Das Volksbühnenmitglied bleibt dem Theater treu, denn es kann Einfluß auf den Spielplan nehmen. Es hat

Gelegenheit, seine Kritik in den Mitteilungsblättern der Volksbühnenorgane zum Ausdruck zu bringen; es hat Einfluß auf die Bestallung der Vorstandsmitglieder. Es ist also als Individuum in der Lage, seinen Willen zur Förderung der Theaterpflege kundzutun.« Nach einigen Monaten umfaßte die Volkstheatergemeinde schon 15 000 Mitglieder (1971: 25 000). Leider waren es de facto eben doch Abonnenten. Die beschwörende Definition des Volkstheater-Direktors, der ein Volks-Theaterdirektor werden wollte, blieb Theorie. Nach zwei Jahren war die Direktion Barnay vorbei, nach einem profillosen Anfangsjahr, vor einem nachgiebigen Ende hatte es nur eine respektable Spielzeit gegeben.

Die Preisnachlässe, welche verschiedene Besucherorganisationen gewährten, waren verschieden groß, eine Umfrage im Jahr 1951 ergab in Gelsenkirchen 25 bis 40 %, in Essen, Dortmund und Oberhausen 35 bis 50 %, in Hagen, Bochum, Wuppertal und Solingen 20 %. In Essen gab es damals 6 214 Abonnenten und organisierte Mitglieder, in Gelsenkirchen 8 850, in Bochum 4 400, in Münster 4 550. Je nach örtlichen Umständen gewährte die Volksbühne jahrzehntelang Preisnachlässe zwischen 25 und 50 %; im Grunde sind das lokalpolitische Preise.

Es war vorauszusehen, daß es schwierig werde, die Nachfrage nach so stark verbilligten Theaterkarten zu erfüllen. Die Berliner Vereinsleitung sah sich deshalb nach einem eigenen Theater um, da das Haus am Bülowplatz erst zerstört worden und dann verlorengegangen war. Es gelang, zu Beginn der Spielzeit 1949/50 das Theater am Kurfürstendamm (750 Plätze) zu übernehmen, ein 1947 wiederhergestelltes Privattheater. Es wurde eine Betriebs-GmbH gegründet, um den Volksbühnenverein nicht direkt mit dieser Nebensache zu belasten, die sich im Laufe der Jahre oft als problematisch erwies. Jedenfalls unter Oscar Fritz Schuh (1953–58) hatte das Theater am Kurfürstendamm Profil. Der späte Strindberg und der späte O'Neill – letzterer von Schuh entdeckt und übersetzt – waren die Hausautoren. Schuh war auch sein häufigster, wenn nicht bester Regisseur.

Während die Westberliner Volksbühne versuchte, es allen recht zu machen, wurde die Ostberliner zur kulturpolitischen Erziehung eingesetzt. Weil die Ergebnisse hinter den Erwartungen zurückblieben, ließ man sie im Jahre 1951 in der ›Gewerkschaft Kunst‹ des FDGB aufgehen. Fortan hatte der FDGB die Aufgabe, »die werktätigen Massen an das Theater heranzuführen«. Da die Gewerkschaft die Arbeiter am Arbeitsplatz erreicht, konnte sie in Sachen Theater effektiver werben: es wurden »Betriebsanrechte« vergeben, die nicht nur Besucher in die Theater brachten, sondern auch Besucher aus den gewünschten Kreisen. Die beabsichtigte Umschichtung des Theaterpublikums kam voran.

Der Ostberliner Volksbühne stand das Theater in der Kastanienallee zur Verfügung, nach K. H. Martins Tod unter Heinz Wolfgang Litten. Dessen Nachfolger Fritz Wisten (1950–63) begann im Theater am Schiffbauerdamm, im April 1954 konnte das wiederhergestellte Haus der Volksbühne am Bülowplatz, inzwischen Luxemburgplatz, bezogen werden. Die Inschrift »Die Kunst dem Volke«, die mit dem Portal erhalten geblieben war, wurde abgeschlagen, die im Jahre 1939 eingebaute Staatsloge wieder eingerichtet.

In einigen Städten Süd- und Westdeutschlands waren auch Theatergemeinden christlicher Tendenz entstanden. Sie wurden 1951 in Frankfurt zum ›Bund der Theatergemeinden‹ zusammengefaßt. Im ersten Paragraphen der Satzung heißt es von diesem ›Zusammenschluß der Theatergemeinden auf christlicher Grundlage‹: »Er bezweckt, in allen Schichten der Bevölkerung das Verständnis für alle Bereiche des künstlerischen und musikalischen Lebens zu fördern, insbesondere den Gedanken der christlichen Theaterbewegung.« Man berief sich auf den ›Bühnenvolksbund‹ (1919–33) und auf den Kulturbegriff von T. S. Eliot: Kultur und Religion seien Aspekte derselben Sache, weder könne Kultur ohne Religion lebendig bleiben noch Religion ohne Kultur. »Ob auf ein Kunstwerk künstlerische oder religiöse Maßstäbe angewandt werden, ob eine Religion nach religiösen Maßstäben beurteilt wird oder nach künstlerischen, müßte im Endziel auf dasselbe herauskommen« (*Beiträge zum Begriff der Kultur*, 1949).

Da auch die Theatergemeinden »dem Theater neue Besucherkreise zu gewinnen« trachteten, erklärte der Volksbühnenverband sie für überflüssig. Die Theatergemeinde aber meinte: »eine christlich fundierte Theatergemeinde wird dabei sicher Zugang zu Kreisen finden, die bisher dem Theater fernblieben und den Funktionären des Volksbühnenverbandes nicht erreichbar sind.« Theatermissionare aus beiden Lagern trafen sich im März 1957 in der DGB-Zentrale in Düsseldorf. Jeder legte seinen Standpunkt dar: »Wir Volksbühnenvertreter verfehlten nicht, zum Ausdruck zu bringen, daß als Parallelorganisation zum DGB eigentlich nur der Verband der deutschen Volksbühnenvereine in Betracht komme, da er gleich dem Gewerkschaftsverband überparteilich und weltanschaulich nicht gebunden ist.« Der ›Bund der Theatergemeinden‹ hingegen vertritt als zielsetzende Wahrheit: »Der religiöse Mensch, der sich als Christ bekennt, kann keinen Lebensbereich aus dem religiösen Aspekt ausklammern, also auch nicht den so wesentlichen Bereich der Kunst, der Literatur und des Theaters.« Es wurde ein ›Beirat für geistige und künstlerische Fragen‹ gegründet, der die Begriffe ›Christliches Theater, Christliche Theaterkultur, Christliche Theatergemeinde als Theatergemeinde mündiger Christen‹ zu definieren sich bemühte. Im Jahre 1955 gab es 13 Theatergemeinden mit 63 000 Mitgliedern.

Am 1. Januar 1949 wurde unter der Leitung von Dr. Kasten der ›Lübecker Besucherring‹ gegründet. Otto Kasten ist der letzte Kriegsintendant der Lübecker Bühnen gewesen, aus politischen Gründen durfte er nicht der erste Nachkriegs-Intendant sein. Er hatte also viel Zeit zum Überlegen. Beim Pilzesuchen war ihm die Idee gekommen, eine Besucherorganisation für die Landbevölkerung zu gründen. Er sagte sich: da es stets einen festen Besucherkreis in den Städten gegeben hat, müßte auch Interesse außerhalb der Metropolen bestehen, zumal da Bomben und Umsiedlung viele ehemalige Städter aufs Land vertrieben haben.

Da die Verkehrsverbindungen außerhalb der berufsbedingten Stoßzeiten vielerorts schlecht sind, nach dem Kriege miserabel waren, bildete bequeme Fahrgelegenheit in die Stadt einen solchen Anreiz, daß Dr. Kastens Klienten mit den ortsüblichen Abonnementspreisen plus ein paar Mark Fahrtkosten und jährliche Verwaltungsgebühren zufrieden sein konnten, also keine »Volksbühnenpreise« nötig waren. Das machte den Besucherring Dr. Kastens den Intendanten besonders angenehm und verhinderte Kampfsituationen mit Volksbühnen und Theatergemeinden. Auch weltanschauliche Voraussetzungen und infolgedessen Reibereien gab es nicht. Natürlich gibt es andere spezifische Schwierigkeiten: problematische Stücke sind bei der Land-

bevölkerung am allerschlechtesten abzusetzen, auf plötzliche Spielplanänderunger kann kaum reagiert werden. Andererseits paßt das Spiel für die Landbevölkerung in die Vorstellung von der kulturpolitischen Mission des Theaters, es erleichter‍ darum die Argumentation der Theaterleitungen mit den Aufsichtsbehörden. Der ›Besucherring Dr. Kasten‹ wuchs schnell. In den ersten drei Monaten fuhren schon 21 000 Theaterfreunde nach Lübeck. Im Etatsjahr 1949/50 erhielten die Bühnen der Hansestadt etwa 175 000 Mark vom Besucherring. In Wiesbaden, wo die Arbeit im Oktober 1949 begann, brachte der Besucherring dem Theater schon anfangs im Monatsdurchschnitt 20 000 Mark. Pro Spielzeit etwa 75 000 zusätzliche Besucher aus dem Taunus, dem Westerwald, dem Hunsrück, dem Rheingau, das bedeutete für die Staatsbühne in Wiesbaden etwa siebzig ausverkaufte Vorstellungen mehr, also bessere Platzausnutzung bei weniger Inszenierungen. Der Januar 1950 gegründete Besucherring in Frankfurt am Main wuchs erst tüchtig, nachdem die Städtischen Bühnen in ihrem Neubau spielten (Oper Ende 1951, Schauspiel Ende 1963).
Seit Ende der fünfziger Jahre bildet der ›Besucherring Dr. Kasten‹ neben Volksbühne und Theatergemeinde einen beachtlichen Faktor. Außer den schon genannten entstanden noch Besucherringe in Köln (1950), Nürnberg und Kassel (beide 1951), Augsburg (1952), Regensburg (1954). In den sechziger Jahren gab es nur zwei Neugründungen (Dortmund 1965 und Gelsenkirchen 1969).
Dieser Landservice wurde ein gutes Geschäft. Allmählich wandelte der Erfinder seine Besucherringe in Vereine um. Im Jahre 1962 gründete er eine ›Stiftung Dr. Kasten‹ für bedürftige Theaterleute. Im Mai 1968 bekam er das Bundesverdienstkreuz. Ein ›Ulmer Theaterring‹ arbeitet regional ähnlich wie die überregionale Organisation Kasten. Außerdem gibt es einen ›Berliner Theaterclub e. V.‹, der verbilligte Wahl-Abonnements anbietet (1974: 6 200 Mitglieder).
So oder so – man kann prinzipiell dagegen sein wie Friedrich Sieburg 1955 beim Darmstädter Gespräch, einer bedeutenden kulturpolitischen Debatte: »Ich halte die ›Versorgung‹ der ›Massen‹ durch Kultur für ein großes Unglück. Diese ganze Nomenklatur, in die man hineingleitet, beleuchtet unsere schiefe Lage. Es ist ein Automat geschaffen worden, aus dem fallen heraus Schlafmittel, Kosmetika, billige Bücher, Reisen an die Riviera und Theatervorstellungen beziehungsweise Theaterorganisationen. [. . .] Das Publikum ist schon längst an den Apparat geraten, wo es glaubt, auf Grund seines höheren Lebensstandards, sich die Dinge noch aussuchen zu können, die es zur Verschönerung seines Daseins braucht.« Karl vom Rath, Kulturdezernent von Frankfurt, widersprach: »Der Kulturpolitiker will nicht, wie Herr Sieburg glaubt, die Kultur zum Einsatz bringen, [. . .] sondern er tut etwas ganz anderes, er bemüht sich nämlich, die Kultur zu pflegen.« »Kulturpflege« oder »Theaterpflege« blieben jahrzehntelang gängige, aber auch bedenkliche Begriffe in kulturpolitischen Debatten. Denn ›Pflege‹ assoziiert man mit ›Krankheit‹, mindestens ›Schonung‹.
Theodor W. Adorno sekundierte und korrigierte Sieburg: die Nivellierungstendenzen und Standardisierungstendenzen, »also die Verwandlung der Kultur in Coca-Cola«, die Manipulationen gingen »gerade nicht von den staatlichen Stellen oder von den öffentlichen Stellen, die die Theater subventionieren«, aus, sondern von den Massenmedien. Die »öffentliche Hand« hingegen biete »dem einen Schlupf-

winkel, was sonst durch die Machtapparatur der Kulturlawine sich überhaupt nicht
mehr an das Licht wagen kann«. Diese Schlupfwinkel, zu denen die Theater gehören, gelte es zu fördern. »In der gegenwärtigen Situation kann das, worauf es ankommt, eigentlich überhaupt nur noch in Schlupfwinkeln überwintern, die sich rein
nach den Gesetzen von Angebot und Nachfrage, nach reinen Machtgesetzen als
erledigt und als passé darstellen.«

Die Besucherorganisationen führten Millionen Zuschauer in die »Schlupfwinkel«.
Allein die Volksbühne setzte in der Spielzeit 1964/65 fast 4,4 Millionen Theaterkarten um. (Hinzu kamen mehr als 100 000 Konzertkarten.) Der Bund der Theatergemeinden, 1965 auf 113 700 Mitglieder angewachsen, vermittelte damals über eine
Million Theaterkarten.

Das alte Theater erholt sich

Nachdem Brecht im August 1948 in Konstanz bei Hilpert *Santa Cruz* von Frisch gesehen hatte (Hilpert hatte schon die Uraufführung inszeniert, März 1946 in Zürich), fand er nur das deutsche Bier lobenswert. »Er schwieg sich aus, bis man wieder in Kreuzlingen war«, notierte Frisch. »Eine Bemerkung von Wilfried Seyferth, der uns begleitete, brachte ihn plötzlich zum Bersten. Er begann mit einem kalten Kichern, dann schrie er, bleich vor Wut; Seyferth verstand nicht, was mit Brecht los war. Das Vokabular dieser Überlebenden, wie unbelastet sie auch sein mochten, ihr Gehaben auf der Bühne, ihre wohlgemute Ahnungslosigkeit, die Unverschämtheit, daß sie einfach weitermachten, als wären bloß ihre Häuser zerstört, ihre Kunstseligkeit, ihr voreiliger Friede mit dem eigenen Land, all dies war schlimmer als befürchtet; Brecht war konsterniert, seine Rede ein großer Fluch. Ich hatte ihn noch nie so gehört, so unmittelbar wie bei dieser Kampfansage in einer mitternächtlichen verschlafenen Wirtschaft nach seinem ersten Besuch auf deutschem Boden. Plötzlich drängte er zur Rückfahrt, als habe er Eile: ›Hier muß man ja wieder ganz von vorne anfangen.‹«

Gerade das war unmöglich. Die Glieder des deutschen Theaters sind beim »Zusammenbruch« zwar kräftig durcheinandergeschüttelt worden, aber zur Gehirnerschütterung hatte es nicht gereicht. Kaum zu Kopfschmerzen. Die ältere Generation wollte wieder »normale Verhältnisse«, die jüngere hatte erst recht nichts gelernt. »Das Unglück ist ein schlechter Lehrer«, räumte Brecht ein, »seine Schüler lernen Hunger und Durst, aber nicht eben häufig Wahrheitshunger und Wissensdurst.«

»Da tischen uns ästhetische Jünglinge als das Allerfunkelnagelneueste auf, was wir uns am Münchner Künstler-Theater und an der Burg vor vierzig Jahren und in der Folgezeit an unseren schiefgetretenen Stiebeln abgelaufen haben«, seufzte Albert Heine 1947 in Kampen, wo er sich nach 2 700 Auftritten als Charakterspieler am Burgtheater ausruhte, die Theaterereignisse beobachtend. (Heine ist im April 1949 in Westerland gestorben.) Schon im Herbst 1945 hatte Wagner-Régeny die neuen Verhältnisse allzu normal gefunden. Er schrieb an Caspar Neher: »In Berlin denken die Leute wieder dasselbe wie zu Piscators Zeiten, wieder sind Intrigen an den Theatern, Karrieren werden gemacht für zwei Wochen!« Und Neher replizierte Ende Januar 1946 im Hinblick auf die Entwicklung der in ihrer eigenen Ruine nach Plänen Nehers etablierten Hamburgischen Staatsoper: »Ich habe hier ein kleines, sehr nettes Opernhaus aufgebaut, das aber jetzt wieder die Tendenz hat, bürgerlich im üblen Sinne zu werden.«

So eindrucksvoll das Votum für das Theater auch war (und das war praktisch identisch mit einem Votum für das Theater*system*), es nistete doch das Unbehagen in den alt-neuen Mauern. »Es mag frivol klingen, wenn man es ausspricht: aber diesem Theater bekam es nicht, daß sein Großes Haus vom Krieg verschont blieb.« So Hans Bayer im Sommer 1947 anläßlich einer verfehlten *Faust*-Inszenierung (»Mathias Wiemann stand einsam und verinnerlicht in diesem sehr lauten Spektakel«) im Stuttgarter Opernhaus. Dieser Theaterkritiker blieb mit seiner »Frivoli-

Behelfstheater auf der Bühne der Hamburgischen Staatsoper, eingerichtet von Caspar Neher 1946 (Foto: Theatersammlung Hamburg)

tät« nicht allein: im Laufe der Jahre mischte sich in das Bedauern über Zerstörtes Bedauern über Erhaltenes.

Der progressive Musikkritiker Heinrich Strobel war enttäuscht von dem, was sich auf den Opernbühnen tat. Er war 1935 vor der deutsch-nationalen Musikpolitik nach Paris entwichen und im Dezember 1945 Leiter der Musikabteilung des neugegründeten Südwestfunks in Baden-Baden geworden. Von dort aus machte er Informationsfahrten durch den Südwesten. »Ich sah entweder den alten Illusionsplunder, der um so peinlicher wirkte, als die Not aus jeder Falte der mager bestrichenen Kulissen lugte – oder die alte Spielastik, deren ›bewährte‹ Effekte Sinn und Geist jeglicher Musik abtöten. Ich las Opern-Spielpläne, die sich kaum von den Spielplänen des ›tausendjährigen Reiches‹ unterschieden.« Ein »Run auf die Operette« hatte eingesetzt. Die Operette diene als »Opiat und Narkotikum gegen die Belastungen der Zeit«, schrieb Arthur Maria Rabenalt im Frühjahr 1948. »Heute spielen in Berlin sieben Operetten-Theater; einige ambulante Unternehmungen und verschiedene Sprechbühnen dilettieren vorübergehend in leichten musikalischen Werken. Das ist zweifellos außerordentlich und geht über die Gegebenheiten der zeitbedingten Hochkonjunktur, in der sich das Theater – wie lange noch? – befindet, weit hinaus.«

Eins der Operetten-Theater, das im ehemaligen Colosseum-Kino in der Schönhauser-Allee, hatte den traditionsreichen Namen ›Metropol‹ bekommen. Unter Hanns Hartmanns Leitung tummelten sich die alten Dollar- und Zirkusprinzessinnen auf einer Bühne, die nicht einmal technisch genügte. Nach einem knappen Jahr verschwand Hartmann; das ›Metropol‹ wackelte sich fest unter Rabenalt, dem man als künftigen Spielplatz Max Reinhardts »Großes Schauspielhaus« versprach, das »Theater der 3 000«, das zwar Reinhardt nicht gemeistert hatte, aber Eric Charell. Dort hatte sich allerdings das einzige Großvarieté Berlins (Friedrichstadt-Palast) eingenistet, und zwar, wie sich zeigen sollte, ein für allemal. Rabenalt mußte sich mit Umbauten des ehemaligen Kinos begnügen. Den Saal ordnete er dem »Mokkadielen«-Stil der Inflationsjahre zu, ein Blick zur Bühne vermittelte ihm den Eindruck, »ein kleines Genrebildchen hänge in einem riesenhaften Passepartout«, an der Schmalseite eines Korridors. Rabenalt veranlaßte, daß die Auftrittsfläche nach vorn und seitlich erweitert wurde zu einer »Art Triptychon-Bühne«.

Als die Deutsche Zündholz-AG die Ruine des ursprünglichen Metropol-Theaters in der Behrenstraße aufzubauen begann, schloß der Magistrat im April 1947 einen langfristigen Pachtvertrag und stimmte im Mai dem Vorschlag der »Abteilung

Metropol-Theater Berlin nach 1945 in einem ehemaligen Kino, Schönhauser-Allee (Foto: Bildarchiv Preuß. Kulturbesitz/Saeger)

Strauß, Die Fledermaus. Komische Oper Berlin 1947. Regie: Walter Felsenstein. Adele: Annemarie Jürgens (Foto: Willi Saeger, Berlin)

Volksbildung« zu, dieses Theater künftig ›Komische Oper‹ zu nennen. Anfang Juni 1947 gab Major Dymschitz auf der Baustelle die Lizenz an Walter Felsenstein, einen gebürtigen Wiener, der im »Reich« als Schauspielregisseur (besonders im Schiller-Theater unter Heinrich George) und als Opernregisseur (vor allem als Oberspielleiter in Frankfurt am Main) aufgefallen war. Nach »Dienstverpflichtung« bei Siemens hatte er schon wieder Offenbachs *Pariser Leben* und Schillers *Räuber* (beides im Hebbel-Theater) inszeniert. Am 23. Dezember 1947 eröffnete Felsenstein sein Haus mit der *Fledermaus*. Laut Götz Friedrich, seinem Dramaturgen und Regieassistenten, war es »eine Aufführung in spritziger Champagnerlaune und von kecker Aggression, in jedem Bild, mit jedem Arrangement verblüffend«, mit Annemarie Jürgens als Adele, in der Ausstattung von Heinz Pfeiffenberger, einst Assistent am Schiller-Theater, fortan erster Bühnenbildner der Komischen Oper. Die Inszenierung kam auf 214 Vorstellungen, mehr als eine Viertelmillion Besucher sahen sie.

Felsensteins Opéra Comique überholte das sogenannte ›Metropol-Theater‹ rasch. Die Russen förderten die Komische Oper weit mehr als das ›Metropol‹, und das war im Grunde eine Sache der Mentalität: frivole, aktuelle Großstadtoperette war ihnen fremd, sie liebten das heitere Theater – soweit es seriös war – also bis zur klassischen Operette einschließlich. Sie unterstützten Felsenstein, damit er – mindestens vorerst einmal – das alte Niveau wiederherstelle. Auch die Besatzungsmächte wirkten konservativ, konservierend geradezu.

Rabenalt mühte sich um das fragwürdige Neue. Er fand die Operette in einer »tödlichen Stagnation begriffen«. Auch der Operetten-Darsteller sei in eine Krise geraten: Früher »neben dem Konversationsschauspieler der bündigste Repräsentant der Gesellschaft, die das Theater füllte«, nun aber gesellschaftlich funktionslos. Auch daß Tenöre »Mangelware« seien, sei symptomatisch: der Typ sei démodé. Leider gelang es Rabenalt in seinem Operettenkino nicht, aus diesen Einsichten praktische Folgerungen zu ziehen. Bis 1950 versuchte er, mit Anstand das mehr oder minder gute Alte zu modernisieren.

Sogar im Sprechtheater war Zeitgenössisches quantitativ und qualitativ unterlegen. Friedrich Wolf tadelte die Theaterleiter: »befragt, weshalb sie dem zeitnahen Stück in weitem Bogen aus dem Wege gehen, antworteten viele unserer Bühnenleiter stets mit zwei Einwänden: 1. Das Publikum lehne dieses Stück ab: es wolle lachen, es wolle die reine Unterhaltung [. . .]. 2. Wir haben heute noch nicht genug gute zeitnahe Stücke!« Beides traf zu, wenn auch Friedrich Wolf, Autor vieler »Zeitstücke«, das nicht wahrhaben wollte.

Es begann die Periode der Restauration, im gehobenen Feuilleton gern »nachtotalitäres Biedermeier« genannt, auch »Neobiedermeier« oder »Neonbiedermeier«. »Die geistige Einstellung eines Landes läßt sich eben nicht so leicht beeinflussen«, konstatierte ein Wiener Doktorand (Wilhelm Sadofsky) 1950 in seiner Dissertation über die *Geschmacksbildung an den Wiener Theatern 1945 bis 1949*. Er folgerte für Österreich und im Tone der Befriedigung: »Die einzelnen Theater behielten den ihnen vorgezeichneten Weg bei.«

Sadofsky kam bei der Auszählung der Spielpläne der zwanzig wichtigsten Schauspielbühnen Wiens von 1945 bis zum Ende der Spielzeit 1948/49 auf 43 österreichische Autoren mit 119 Stücken, 29 französische mit 52 Stücken (vor allem Anouilh), 26 deutsche mit 33 (voran Goethe und Schiller mit je 6), 24 englische mit 56 Stücken (zehnmal Shakespeare, achtmal Shaw), 19 amerikanische mit 25, 17 russische mit 29 Stücken (je viermal Tschechow und Ostrowski, dreimal Gorki), 7 italienische mit 12 (voran Goldoni), 5 ungarische mit 14 Stücken (davon 10 von Molnár). Dazu noch etliche Einzelgänger: Ibsen mit 6 Stücken, aus der Schweiz kam von Max Frisch *Santa Cruz*. Auch Curt Goetz aus Mainz zählte Sadofsky zu den Schweizern. Sieben seiner Lustspiele tauchten in mehreren Inszenierungen in Wien auf. Nicht beachtet blieb in dieser Zusammenstellung leider das Minderwertige. Unter den aufgezählten österreichischen Autoren waren nur zwei noch lebende: Ferdinand Bruckner und Hans Weigel. Wien, laut Karl Kraus die »Versuchsanstalt für den Weltuntergang«, war der geistigen Risiken müde. Im ganzen ein Repertoire wie in jeder deutschsprachigen Hauptstadt, mit einer unbedeutenden Ausnahme: die alte Verbindung zur Tschechoslowakei bewirkte die Berücksichtigung dreier tschechischer Autoren: Frantisek Langer, E. F. Burian und Werner Vilem.

»Mildes, hinhaltendes Vergessen« nannte der Lyriker und Dramatiker Kurt Klinger den Kurs Österreichs. Er habe den Bedürfnissen der Bevölkerung entsprochen, zu überraschen Erfolgen geführt, jedoch nach dem Abzug der Besatzungsmächte Stagnierungserscheinungen, Kleinmut und Verspießerung eingebracht. »Ende der vierziger Jahre wurde es in österreichischen Zeitungen und Zeitschriften vorübergehend Mode, neben der Theaterkrise von den Perspektiven einer allgemeinen Kulturpleite zu reden«, notierte Gerhard Fritsch, ein namhafter Literat aus Wien,

der 1969, 45jährig, seinem Leben ein Ende setzte. »Daß der Schwung der austria-
kischen Renaissance so bald erlosch, lag nicht nur an den Besatzungsmächten und
an jenem unwesentlichen Teil der österreichischen Bevölkerung, dessen Sentiment
und Ressentiment zum Nationalsozialismus geführt hatte oder durch ihn bestimmt
worden war. Selbstbesinnung, Bedenken und ›Bewältigen‹ der Vergangenheit wurden auch durch Schematismus und opportunistisch betonte Phraseologie in weiten
Kreisen kalmiert und erstickt.«
Deutsche Theaterleute, die nach zwölfjähriger oder noch längerer Abwesenheit nach
Deutschland zurückkamen, stellten eine Veränderung des Stils fest. Zum Beispiel
Brecht (1948), der das Theater so heruntergekommen fand, daß er für Besseres
dieser Art die Bezeichnung »Thaeter« vorschlug: »Die Beschädigung an den Theatergebäuden ist heute viel auffälliger als die an der Spielweise. Dies hängt damit
zusammen, daß die erstere beim Zusammenbruch des Naziregimes, die letzte aber
bei seinem Aufbau erfolgte. So wird tatsächlich noch von der ›glänzenden‹ Technik
der Göringtheater gesprochen, als wäre solch eine Technik übernehmbar, gleich-
gültig, auf was da ihr Glanz nun gefallen war. Eine Technik, die der Verhüllung
der gesellschaftlichen Kausalität diente, kann nicht zu ihrer Aufdeckung verwendet
werden.« Im Jahre 1951, auf einem gesamtdeutschen Kulturkongreß, tadelte Brecht:
»Das Poetische war ins Deklamatorische entartet, das Artistische ins Künstliche,
Trumpf waren Äußerlichkeit und falsche Innigkeit. Anstatt des Beispielhaften gab
es das Repräsentative, anstatt der Leidenschaft das Temperament.«
Berthold Viertel bemerkte 1947 in Klassikervorstellungen in Bern, Düsseldorf und
Wien einen »neuen Ton«, der ihn »erschreckte und entmutigte«, eine »seltsame
Mischung: eine wurzellose Ekstase oder eine kalt prunkende Rhetorik, die das Offi-
zielle, Repräsentative der Darstellung betonte und überbetonte, in jäher Abwechs-
lung mit einer sich ins allzu Leise, Private und Überprivate flüchtenden Diskretion.
Manie und Depression folgten einander ohne Übergang und ohne Zwischentöne.«
Studenten der Theaterwissenschaft sagten Steckel, daß sie dieses Phänomen »nach
dem für die Kundgebungen der Reichskanzlei charakteristischen Formalismus ›Reichskanzleistil‹ zu nennen« pflegten.
Wahrscheinlich war Viertels Eindruck beeinflußt von seinen Erfahrungen mit dem
anglo-amerikanischen Boulevardtheater, dessen Parlando im deutschen Sprachbereich allenfalls kopiert, aber nie erreicht worden, im Grunde auch nie als ideal
erschienen ist. Man bemühte sich nach dem Kriege mit wenig Erfolg um diesen
Konversationsstil, erstens um mit importierten Konversationsstücken fertigzuwer-
den, zweitens aus Xenophilie. Reste expressiver Spielweise, der »Reichskanzleistil«
und Bemühung um ehrlichen Realismus ergaben eine Mischung, die nur die kräftig-
sten Regisseure egalisieren konnten. Das Einströmen heterogener Spielvorstellungen
aus allen Richtungen konnte darstellerisch nicht verarbeitet werden. In der »Periode
des Ausverkaufs« (Brecht) wurde die Bühne zum Schaufenster der verschiedensten
Waren aus vieler Herren Ländern, für die man sich die verschiedensten Stile aus-
dachte, »ohne einen eigenen zu haben« (Brecht).
Fritz Kortner war ebenso allergisch gegen das »stilisierende Theater« der vierziger
und fünfziger Jahre. Es war auf »höchstem Niveau von Regisseuren wie Sellner,
Stroux, Schalla, Schuh und Koch repräsentiert« (Henning Rischbieter). Dieser Stil
lasse sich »verallgemeinernd dadurch kennzeichnen, daß er vom Expressionismus die

Äußerlichkeiten, die Unsinnlichkeiten, die ausgehöhlte Pathetik bewahrt, daß er den hohlen Bombast der Nazizeit nicht wirklich ausgeschieden hatte und daß er diese leeren Formen über die klassischen Werke warf, sie verdeckend«. Dies ist mit dem Degout des Überlebenden (Rischbieter ist 1927 geboren, seit 1960 Mitherausgeber und Redakteur der Monatsschrift *Theater heute*) für das Überlebte formuliert. Der Protagonist dieses überlebten Stils wurde nicht einmal genannt, obwohl er noch in der Nachkriegszeit inszeniert hat: Saladin Schmitt.
Ein Augenzeuge (Hermann Bastelberger) hat Schmitts Zusammenstoß mit den Nachkriegsbehelfen reportiert. *Hamlet*, 1946 im Bochumer Parkhaus, Saladin Schmitts vierte *Hamlet*-Inszenierung, habe »wehmütige Erinnerungen« geweckt: »Wenn Explosionen des Geschehens von Wort, Mimik und Gestus sich ergaben zu großem klassischen Theater, der ›Bochumer Stil‹ wieder einmal hervorbrach, sprengten sie den gegebenen Rahmen zu fast mißtönender Diskrepanz.« Saladin Schmitt wunderte sich (laut Kurt Dörnemann), daß der Beifall nicht mehr ungeteilt war: »Man sagt mir, ich müsse heute anders inszenieren – wieso? Max Reinhardt hat seinen Stil auch nie geändert.« In einer Würdigung der letzten drei Jahre Schmitts schrieb Dörnemann: »Er rang mit einer verzweifelten, den kritischen Beobachter bisweilen erschütternden Hartnäckigkeit darum, allen Schwierigkeiten zum Trotz den Ruf seiner Klassikerinszenierungen zurückzugewinnen«. Schmitt schien zu glauben, dem Nachkriegstheater fehle nur die Vorkriegspracht: »Die Jungfrau von Orleans – ich möchte sie wohl wieder einmal geben. Aber die Bochumer sind gewohnt, sie im Krönungszug mit einem sieben Meter langen Mantel zu sehen, und damit kann ich jetzt, zu meinem größten Leidwesen, nicht dienen.« Um moderne Dramatik kümmerte Schmitt sich kaum. So mußte die Stadt Bochum sich trotz vorzüglicher Hochachtung nach dreißig Jahren nach einem neuen Theaterleiter umsehen, zumal da der Hohepriester des »Bochumer Stils« kränkelte. Bei den Shakespeare-Tagen im Juli 1949 sah man in Bochum die letzte Schmitt-Inszenierung: *Cymbeline*, Anfang 1950 inszenierte er in Aachen noch *Minna von Barnhelm*. Bald darauf leitete ein Sturz seine letzte Krankheit ein. Im März 1951 ist Saladin Schmitt gestorben. So mußte er nicht erleben, daß die Zeit über ihn hinwegging.
Auch Otto Falckenberg widerfuhr das Glück, nicht miterleben zu müssen, was er wohl doch kommen sah. In den Weihnachtstagen 1947 ist der »Regiepoet« (so genannt von Ernst Leopold Stahl im Nachruf) in Starnberg gestorben, von wo aus er seine Rückkehr nach München betrieben hatte.
Solange das Reisen noch erschwert war, stand die Mehrzahl der Künstler den Theatern langfristig zur Verfügung. Es konnte also kontinuierlich gearbeitet werden, wodurch »sich der Opernbetrieb einem Idealzustand näherte«, schrieb Otto Strasser, Zweiter Geiger und zeitweilig Vorstand bei den Wiener Philharmonikern. »Vor allem kamen unter der Leitung von Karl Böhm und Josef Krips Mozartaufführungen zustande, die geradezu einen neuen Mozartstil darstellten.«
Die Mozart-Abende im Theater an der Wien unter Krips sind legendär geworden. Kenner schwärmen noch von deren Klarheit und Innigkeit, vom gegenseitig inspirierenden Kontakt zwischen Szene und Orchester, von den rein und sicher intonierten Chören, vom Ausdeuten des seelischen Reichtums der Musik. Als Josef Krips gestorben war (am 12. Oktober 1974 in Genf), rühmte die *Neue Zürcher Zeitung*: »Ohne sich dogmatisch auf eine bestimmte Auslegung von ›Texttreue‹ festzulegen,

entschied er sich in jedem einzelnen Fall für die Erweckung einer Komposition im
genauen Sinn ihrer Quellen.« Helge Rosvaenge und Anton Dermota alternierten
als Tamino (im September 1952 sang Rudolf Schock zum ersten Mal in Wien den
Tamino), Erich Kunz entwickelte den Papageno zum Abkömmling des alten Hanswurst. (Dazu Emmy Loose als Papagena.) Ludwig Weber war als Sarastro berühmt
dafür, daß er das zweimalige, in der Tonhöhe variierte »Doch« (»Doch geb ich dir
die Freiheit nicht«) am Ende des Ersten Akts profund unterschied. Irmgard Seefried erschütterte ihre Verehrer als Pamina (Schocks Partnerin war Hilde Güden),
Wilma Lipp brillierte als Königin der Nacht. Das Damenterzett Elisabeth Höngen,
Ljuba Welitsch und Sena Jurinac war vollkommen. Die Jurinac hatte 1945 ihre
Antrittsvorstellung gegeben, dann hatte sie brav im Schutt der Staatsoper geschippt,
war aber bald als Cherubin Liebling des Publikums geworden. Allmählich wurde
sie Spezialistin für Hosenrollen. »Was man damals in Wien mit uns angefangen
hat, grenzte an ein Verbrechen«, erinnerte sie sich 1972, »ich habe in einer Spielzeit
150 Vorstellungen gesungen – und das bei der schlechten Ernährung damals. Ich war
total fertig, hatte einen Zusammenbruch, und mein Arzt schickte mich auf eine Alm
mit fünf Wochen Schweigegebot.« Langsam wuchsen Repertoire und Ensemble; in
der Spielzeit 1947/48 sang die Jurinac »nur noch« 83mal, Peter Klein 146mal,
Emmy Loose 88mal, Hilde Konetzni 68mal, Wilma Lipp 58mal, Ljuba Welitsch
53mal. Als bester und schönster Don Giovanni jener Jahre gilt in Wien Cesare
Siepi; von 1951 an sang er den Giovanni auch in Salzburg.
In München gewann die Staatsoper unter Georg Hartmann und Georg Solti als
Generalmusikdirektor wieder Stetigkeit und Niveau. Unter Arthur Bauckner war
der Wechsel noch sehr stark, es dirigierten und inszenierten sozusagen Platzhalter.
Von den frühen Dirigenten kehrten Meinhard von Zallinger und Heinrich Hollreiser immer wieder.
Ein Dirigier-Gastspiel hatte dem erst 32 Jahre alten Kapellmeister und Pianisten
Georg Solti, der als Emigrant in der Schweiz lebte, im Herbst 1946 einen Vertrag
als Generalmusikdirektor gebracht. Zugleich wurde der Berliner Ferdinand Leitner,
1945 vorübergehend in Hamburg, Operndirektor und erster Kapellmeister. »Somit
ist die Frage, wer die Linie Mottl – Walter – Knappertsbusch – Krauss fortsetzen
werde, entschieden«, konstatierte der Komponist und Musikschriftsteller Edmund
Nick.
Die erste von Solti musikalisch betreute Oper war *Carmen*, von Janni Loghi ausgestattet, von Peter Hamel inszeniert, zunächst noch ohne hinreichende Sängerin
der Titelpartie. Ferdinand Leitner stellte sich mit einer *Zauberflöte* vor, mit
Walther Ludwig als Tamino, seiner Glanzrolle seit Glyndebourne 1935. (Palmina:
Maud Cunitz; das lustige Paar: Benno Kusche und Elisabeth Liedermeier.) In
diese Ära gehört aber auch eine Inszenierung von Sutermeisters *Raskolnikoff* und
Mussorgskijs *Boris Godunow* (beide Hartmann/Solti, April 1949 und Februar
1950).
Im September 1952 lief der Vertrag mit Solti aus, der sich erfolgreich um eine
bessere Position bewarb (in Frankfurt), nachdem er erfahren hatte, daß das Kultus-
ministerium sich um Erich Kleiber bemühte (es kam dann für zwei Jahre Rudolf
Kempe). Als man Solti verloren hatte, gab es Wehgeschrei und Vorwürfe, in einer
Landtagsdebatte um Solti erklärte der Staatsintendant, er sei froh, daß sein Vertrag

im August ablaufe, da er in seiner dreißigjährigen Theatertätigkeit nirgends so schwierige Verhältnisse gefunden habe wie in München. Auf Georg folgte Rudolf Hartmann, der schon in der Ära Clemens Krauss der Bayerischen Staatsoper angehört hatte. Über Krauss war Hartmann mit Richard Strauss bekannt geworden, dessen letzter Gast er in Garmisch gewesen ist, am 30. August 1949. »Grüß mir die Welt!« hatte Strauss ihm zum Abschied gesagt. Unter Hartmann, mit Clemens Krauss als Gastdirigent, wurde München zum Richard-Strauss-Zentrum.

In Berlin wurde im Admiralspalast schräg gegenüber vom Bahnhof Friedrichstraße unter Legal die Tradition der Staatsoper Unter den Linden weitergeführt, und das Theater des Westens in der Kantstraße wurde als Städtische Oper sozusagen zum Kokon der Staatsoper/West in der Bismarckstraße, seit Sommer 1948 doch noch unter dem nun rehabilitierten Heinz Tietjen.

Tietjens Wiederbeginn war sozusagen ein Grand ouvert. Als Generalmusikdirektor hatte er den 38jährigen Ungarn Ferenc Fricsay vorzuweisen, einen der begehrtesten Gastdirigenten. Fricsay dirigierte einen von Julius Kapp bearbeiteten und regierten *Don Carlos,* in der Titelrolle Josef Greindl. Als Posa debütierte, Großes verheißend, Dietrich Fischer-Dieskau. Eine von Werner Kelch optisch und szenisch betreute, von Robert Heger dirigierte Matinee mit der Kammeroper *Die Flut* kündigte eine feste Verbindung mit Boris Blacher an, deren Gipfel die Uraufführung des *Preußischen Märchens* im September 1952 wurde.

Kurz vor Weihnachten begann mit Tietjens eindrucksvoller Ur-Inszenierung der Oper *Circe,* die der Komponist selber leitete, die Zusammenarbeit mit Werner Egk, inzwischen Direktor der Berliner Musikhochschule. (Im Mai 1951 dirigierte Egk sein Tanzoratorium *Columbus,* im Juni 1954 den einst Tietjen gewidmeten *Peer Gynt,* mit Elisabeth Grümmer als Solveig.) Anfang Juli 1949 folgte ein neuer *Fidelio* mit Christel Goltz, dirigiert von Fricsay, inszeniert von Tietjen, ausgestattet von seinem altbewährten Freund Emil Preetorius.

Zusammen mit Preetorius erarbeitete Tietjen seine nun legendären Wagner-Inszenierungen, sie begannen im Dezember 1949 mit *Tannhäuser,* Fischer-Dieskau als Wolfram. In einem Nachruf auf Tietjen (Sybill Mahlke im *Tagesspiegel*) hieß es: »Er gehörte einer Generation an, die an der Wagnerschen ›Ring‹-Konzeption noch nicht die Brüchigkeit sah und interpretierte, sondern in erster Linie die Erhabenheit dieses Werkes ohnegleichen. Seine berühmten Wagner-Inszenierungen waren nicht gestaltete Philosophie, Soziologie, Gedankentheater, sie ließen vielmehr – einheitlich und sicher – den Mythos Gestalt werden [. . .].« Und über Preetorius' Szenerien in diesem Zusammenhang: »[. . .] Illusionsszenerien aus romantischer Tradition, die Felsenlandschaften zwischen Lebenswahrheit und Symbol. Darin standen die mächtigen Hallen [. . .]. Ihr Einsturz am Ende der ›Götterdämmerung‹, ihr Versinken in Feuer und Wasser war über die Untergangsvision hinaus ein Spektakulum, wie es von der jüngsten Wagner-Interpretation nicht mehr intendiert und geboten wird.«

Der greise Leo Blech kehrte aus Stockholm heim, Mitte Oktober 1949 dirigierte er nach mehr als zehnjähriger Abwesenheit Bizets *Carmen.* Zu seinem 80. Geburtstag im August 1951 dirigierte Blech seine beiden heiteren Einakter *Das war ich* und *Versiegelt,* die Tietjen in Szene gesetzt hatte. Im Oktober 1952, bald nach der Ur-

aufführung in Salzburg, gab es *Die Liebe der Danae*, von Richard Strauss, nämlich einem Enkel, schwach inszeniert. Im Januar 1953 kam zum ersten Mal Karl Böhm, um *Elektra* (mit Inge Borkh in der Titelpartie und Margarete Klose als Klytämnestra) und *Don Giovanni* mit Fischer-Dieskau zu dirigieren.
Trotz oder auch wegen dieser Opulenz kam es zu Klagen: der Intendant gebe ein schlechtes Beispiel, wenn er monatelang in der Welt herumfahre und sich als Wagner-Regisseur feiern lasse, die dauernden Gastspiele der Sänger verhinderten die Ensemblebildung, der Etat sei mit den Gehältern von einem halben Dutzend Kapellmeistern »belastet«, im Spielplan herrsche »Zufall, Routine, Langeweile und Zaghaftigkeit«. So streng war man damals noch mit Intendanten.
Heinz Tietjen, inzwischen 73 Jahre alt, ging 1954 in Pension. Zum zweitenmal folgte ihm Carl Ebert (das erstemal 1931). Tietjen verabschiedete sich als Regisseur-Dirigent mit der ganzen *Ring*-Tetralogie. Da er als der künstlerische Widersacher Wieland Wagners galt, wurde es als Versöhnung gewertet, als er im August 1954 nach zehn Jahren wieder Bayreuth besuchte.
Der gleichaltrige Kollege Ernst Legal auf der Gegenseite hatte schon zwei Jahre vorher resigniert, aus politischen Gründen. Sieben Jahre lang hatte er amtiert.
Wohl oder übel sah man die beiden Staatsopern im noch gar nicht so geteilten Berlin schon unter dem Gesichtspunkt der Rivalität. Selbstverständlich wurden die russischen Opern in der Friedrichstraße heimisch. Der Förderung durch die Besatzungsmacht in Ost-Berlin entsprach auf der anderen Seite eine derartige Abneigung, daß ein Vierteljahrhundert lang nichts Russisches unterlief, sieht man von Strawinsky ab, der bis zu seiner Versöhnungsreise 1962 in die Sowjetunion dort mißliebig war.
Russische Opern zeichneten sich in Ost-Berlin durch besonderen Aufwand aus, wie die Volkslegende *Sadko* von Rimsky-Korssakow zur Dreißig-Jahr-Feier der Sowjetunion, wie Rimsky-Korssakows *Zarenbraut* (1948), Tschaikowskys *Pique Dame* im November 1947 und der prunkende *Boris Godunow* Ende Dezember 1949 zum 70. Geburtstag von Stalin. Wolf Völker hatte die Volksszenen stark betont, es dirigierte Leopold Ludwig. Ein Jahr später folgte Glinkas Märchenoper *Ruslan und Ludmilla* in der prachtvollen Inszenierung von Paul Schmidtmann. Die Parteizeitung *Tägliche Rundschau* nannte sie allerdings »kunst- und volksfremd« sowie eine »Verhöhnung der Zuschauer«. So kam *Ruslan und Ludmilla* im Mai 1951 in einer Sühne-Inszenierung erneut heraus, in derselben Besetzung, aber nun von Legal einstudiert und mit neuen Bühnenbildern.
Ostberliner Besetzungen waren konkurrenzfähig, es sangen Christel Goltz, Karl Schmitt-Walter, Tiana Lemnitz. Das Haupterlebnis der ersten Hälfte des Jahres 1948 war die Aufführung von Hindemiths *Mathis der Maler* mit Völker als Spielleiter, Johannes Schüler als Dirigent und Jaro Prohaska als Titelheld. Mitte August 1949 erlebte man eine von tiefem Ernst getragene Aufführung der Oper *Dantons Tod* von Gottfried von Einem, die Ludwig dirigierte. Hans Reinmar gab den Danton.
Herausforderungen zum Vergleich waren vor allem die Wagner-Inszenierungen: Völkers *Fliegender Holländer* mit Prohaska (1947), Frida Leiders *Tristan und Isolde* mit Ludwig Suthaus und Erna Schlüter, in Dekors von Lothar Schenk von Trapp (1947). Die größte Attraktion war der Dirigent: Wilhelm Furtwängler. Es

gab unter Keilberth, einstudiert von Völker, 1950 den *Parsifal* mit Erich Witte und 1948 *Die Meistersinger* mit Prohaska (Sachs), Suthaus (Stolzing), Tiana Lemnitz (Evchen).

Im Frühjahr 1949 inszenierte Legal die Erstfassung der *Ariadne* von Strauss und spielte selber gutgelaunt den Jourdain im Vorspiel à la Molière. Er war ein guter Chargenspieler und nahm passende Gelegenheiten gern wahr.

Das Hauptereignis in der zweijährigen Intendanz seines kommissarischen Nachfolgers Heinrich Allmeroth (1952–54) war die Wiederaufführung der von Caspar Neher nach Victor Hugo getexteten, von Wagner-Regeny vertonten Geschichte von Macht und Sturz eines skrupellosen Karrieristen *Der Günstling*.

Zählt man die vom Herbst 1945 bis zum 9. November 1955 in Berlin erfolgreichsten Opern-Inszenierungen aus, so verschwindet der Unterschied zwischen Ost und West. In der West-Oper gab es 124mal *Wiener Blut*, 114mal *Troubadour* und 112mal *Fidelio*, in der Ost-Oper 200mal *Butterfly*, 193mal *Rigoletto* und 184mal *Traviata*. In Felsensteins Komischer Oper führte der *Vogelhändler* (281) vor der *Fledermaus* (214) und *Carmen* (159).

»Im tiefsten Grunde, das heißt, auf die Dauer, erweist sich dies Etwas: ›Publikum‹ nämlich als geradezu unbeeinflußbar«, resümierte Wilhelm Furtwängler in einer Rede, die er in München halten wollte, im Dezember 1954, den er nicht mehr erlebte. Das Publikum werde zwar »leicht kopfscheu gemacht, wohl kann man ihm sein Selbstbewußtsein nehmen; es zieht sich dann schweigend in sich selbst zurück. [...] Gerade was der Künstler wünschen muß, nämlich eine erhoffte ›Liebesgemeinschaft‹ zwischen ihm und diesem seinem Publikum, läßt sich eben nicht mit Gewalt, mit Bevormundung, mit Theorien, welcher Art sie immer seien, herstellen.« Furtwängler zielte auf die atonale Musik, traf aber auch die Reaktion auf politische Bevormundung. »Es ist kein Zufall, daß seit Beginn der atonalen Periode eine eigentliche Repertoireoper, wie es zum Beispiel noch der ›Rosenkavalier‹ war, nicht mehr geschrieben wurde.«

Brecht folgerte (1950 im Gespräch mit Boris Blacher), daß die alten Opern die alte Funktion der Oper eben besser erfüllen können und eine neue noch nicht gefunden sei. Rolf Liebermann, Generalintendant der Hamburger Staatsoper, gab (1955) der »Jagd nach Uraufführungen« die Schuld, daß es keine modernen Repertoireopern gebe.

Brecht in Berlin

Als Brecht in Ost-Berlin wieder einmal Ärger hatte, rechtfertigte er ihn dem Schweizer Journalisten Gody Suter gegenüber so: »Soll mir doch der Adenauer die Mittel für ein so umfangreiches Experiment zur Verfügung stellen! Die Auftraggeber haben schließlich ein Recht, gewisse Wünsche anzumelden.« Als er im Herbst 1949 endgültig nach Ost-Berlin übergesiedelt war, da war das »umfangreiche Experiment« längst angelaufen. Denn das ›Berliner Ensemble‹ war eigentlich schon seit der Berliner Inszenierung der *Mutter Courage* vorhanden. Anfang November 1948 hatten die Proben im Deutschen Theater begonnen, zwölf Tage nach dem Eintreffen der Brechts in Berlin. Laut Theaterzettel führten Erich Engel und Bert Brecht gemeinsam Regie, praktisch aber nacheinander und teilweise einander widersprechend.

Erich Engel hatte zum Ende der Spielzeit 1946/47 in München den Dienst quittiert, weil er sich nicht zum Intendanten eigne. Seine szenischen Grundsätze waren denen Brechts ähnlich: »Transparentmachen der Realität, das Durchleuchten der Wirklichkeit bis auf ihren schöpferischen Grund.«

Am 6. Januar 1949 gab es eine wichtige, aber unliebsame Störung: »werde aus der probe zum neuen oberbürgermeister berlins geholt, wo, im beisein von langhoff und wisten, dem bisherigen intendanten des schiffbauerdamm-theaters, über mein theaterprojekt (betreffend die zuziehung großer emigrierter schauspieler) gesprochen wurde. der herr oberbürgermeister sagte mir weder guten tag noch adieu, sprach mich nicht einmal an und äußerte nur einen skeptischen satz über ungewisse projekte, durch welche vorhandenes zerstört würde. die vertreter der SED (ackermann, jendretzky, bork) schlugen die kammerspiele für das projekt vor, sowie gastspiele im deutschen theater oder bei wisten, auch von sparmaßnahmen wurde geredet und von der notwendigkeit, der volksbühne eine bleibe zu schaffen, bis das alte haus renoviert sei. [. . .] zum ersten mal fühle ich den stinkenden atem der provinz hier.« Wisten, der »bisherige« Intendant des Schiffbauerdamm-Theaters? Im Ärger griff Brecht den Ereignissen vor. Wisten räumte erst Anfang 1954 das Feld – nach langem Nervenkrieg. Brecht ließ »keine Gelegenheit aus, gegen die Arbeit an unserem Theater zu wettern«, berichtete Heinrich Goertz, Dramaturg und Regisseur bei Wisten. »Wenn etwas zu verhandeln war, schickte Brecht seine Frau vor, die als letzte Drohung immer den Satz parat hatte: ›Tja, unter diesen Bedingungen verläßt Brecht wohl die DDR!‹ Und darauf konnte es die Parteileitung nicht ankommen lassen. So arbeitete das Ehepaar zusammen, mit verteilten Rollen für ein gemeinsames Ziel, er unabhängiges Genie, sie disziplinierte Genossin.«

Es war Langhoffs Vorschlag, dem Berliner Ensemble im Deutschen Theater Gastrecht zu gewähren, für zwei Vorstellungen pro Woche. »das Berliner Ensemble – wir ließen als ständiges Theaterzeichen die Friedenstaube des picasso auf den vorhang des deutschen theaters nähen – stellt eine riesige leistung der weigel dar, die die mittel beschaffte, ein bürogebäude mit probebühne ausbaute, pässe, wohnungen und (in der zone) möbel für die wohnungen der schauspieler besorgte, dazu sonder-

essen für das ganze personal – unbeschreibliche anstrengungen in der ruinenstadt«
(Brecht).
Am 11. Januar 1949 öffnete sich zum ersten Mal flatternd die weiße, halbhohe
Brecht-Gardine. *Mutter Courage und ihre Kinder* hatte ihre Berlin-Premiere. Paul
Bildt trat als Koch auf, Werner Hinz als Feldprediger, Ernst Kahler, Joachim Teege
und Angelika Hurwicz spielten die Kinder der Courage. In der Titelrolle selbstverständlich die Weigel. Teo Otto und Heinrich Kilger gestalteten das Bühnenbild
(auf dem Programmzettel stand nur Kilger), Paul Dessau hatte seine Bühnenmusik
überarbeitet. Ein bahnbrechender Erfolg.
Nach diesem Ereignis kehrte Brecht vorübergehend nach Zürich zurück, während
seine Frau weiter die Mutter Courage spielte und das Berliner Ensemble ausbaute.
Erst am 18. Mai kam der Segen der Behörden: die ›Deutsche Verwaltung für Volksbildung‹ habe Frau Weigel »ab sofort« mit dem Aufbau des Ensembles beauftragt.
Sie wurde die Prinzipalin, Brecht nur »künstlerischer Berater«. In Zürich schloß er
Verträge mit Therese Giehse, Leonard Steckel, Regine Lutz und Benno Besson.
In der Nähe des Theaters am Schiffbauerdamm wurde eine Probebühne gebaut.
Vierzehn Assistenten und immer mehr Schauspieler laborierten dort herum. Nur
siebeneinhalb Jahre hatte Brecht noch vor sich, keine zweieinhalb im eigenen Theater, im ganzen 21 Berliner Premieren. Explosionsartig breiteten sich die Impulse
aus, die er gab. Als Eröffnungsvorstellung des Berliner Ensembles gilt der *Puntila*
am 12. November 1949. Wieder ist Engel der Mitregisseur, wieder ist Steckel der
Puntila, jedoch mit verschärftem Charakter: in Zürich schien er sympathisch zu
sein, jedenfalls im Suff, aber in Berlin wurde Steckel abstoßend zurechtgemacht.
»die spielweise wird in den zeitungen durchaus akzeptiert (›wenn das episches
theater ist, schön‹). aber es ist natürlich nur so viel episches theater, als heute akzeptiert (und geboten) werden kann, gewisse verfremdungen stammen aus dem
zeughaus der komödie, das 2 000 jahre alt ist. Steckels puntila ist großartig, aufgebaut auf 1 000 beobachtungen und der großen gestik der amerikanischen film-
burleske, die nichtausgleichung der widersprüche (des komischen, tragischen, sym-
pathischen, unsympathischen usw.), die bedenkbarkeit der szene usw. war bis zu
einem gewissen grade vorhanden, aber eben nur bis zu dem gewissen grade. [...]
aber wann wird es das echte, radikale epische theater geben?«
Die Spielweise war umstritten. Die schauspielerischen Leistungen wurden anerkannt, die hinweisende statt wie gewohnt identifizierende Spielweise hatte sich vor
allem in der *Courage* als unterhaltsam erwiesen: die Zuschauer wissen mehr als die
handelnden Personen (das ist einer der ergiebigsten Tricks, zumal des Boulevard-
Theaters), weil Brecht der Meinung war: »Dem Stücke-Schreiber obliegt es nicht,
die Courage am Ende sehend zu machen, [...] ihm kommt es darauf an, daß der
Zuschauer sieht.« Lichterwechsel, die vom Schnürboden kommenden Tafeln, die
unterbrechenden Songs, derlei Verfremdungs-Effekte (»V-Effekte«) wurden als
interessante Abwechslung genossen. Nur Fachleute wußten, daß sie weitreichende
theoretische Veränderungen anzeigten und Konsequenzen hatten. Die Ereignisse
sollten verständlich gemacht werden, indem man ihnen die Selbstverständlichkeit
nahm. Aus der Verwunderung sollte Erkenntnis destilliert werden.
Die von J. R. Becher und Paul Wiegler herausgegebene, von Peter Huchel redigierte
literarische Zeitschrift *Sinn und Form* veröffentlichte 1949 ein Brecht-Sonderheft,

Brecht, Mutter Courage. Berliner Ensemble. Regie: Erich Engel. – Helene Weigel (Foto: Croner/Ullstein, Bilderdienst, Berlin)

das das *Kleine Organon* enthielt: da stand viel Befremdliches, zum Beispiel: »Da das Publikum ja nicht eingeladen wurde, sich in die Fabel wie in einen Fluß zu werfen, um sich hierhin und dorthin treiben zu lassen, müssen die einzelnen Geschehnisse so verknüpft sein, daß die Knoten auffällig werden. Die Geschehnisse dürfen sich nicht unmerklich folgen, sondern man muß mit dem Urteil dazwischenkommen können« (aus § 67). Andere Erläuterungen der Theorie waren in Berlin nur Gerücht: das 1930 bei Kiepenheuer erschienene Heft der Werkstattberichte *Versuche* mit den Anmerkungen zur *Mahagonny*-Oper, darin die später viel nachgedruckte Tabelle der Unterschiede zwischen epischem und dramatischem Theater, war nicht greifbar. Der 1936 geschriebene Aufsatz »Vergnügungstheater oder Lehrtheater?« wurde erst 1957 in den *Schriften zum Theater* gedruckt. Dort steht die eingängigste Gegenüberstellung: »Der Zuschauer des dramatischen Theaters sagt: Ja, das habe ich schon gefühlt. – So bin ich. – Das ist nur natürlich. – Das wird immer so sein. – Das Leid dieses Menschen erschüttert mich, weil es keinen Ausweg für ihn gibt. – Das ist große Kunst: da ist alles selbstverständlich. – Ich weine mit den Weinenden, ich lache mit den Lachenden. Der Zuschauer des epischen Theaters sagt: Das hätte ich nicht gedacht. – So darf man es nicht machen. – Das ist höchst auffällig, fast nicht zu glauben. – Das muß aufhören. – Das Leid dieses Menschen erschüttert mich, weil es doch einen Ausweg für ihn gäbe. – Das ist große Kunst: da ist nichts selbstverständlich. – Ich lache über den Weinenden, ich weine über den Lachenden.«

Fritz Erpenbeck, Chefdramaturg der Volksbühne, der in seiner Monatsschrift *Theater der Zeit* den Wiederaufbau vernünftig kommentierend begleitet hatte und auf grundlegende Klärungen aus war, glaubte Brecht auf einem Wege, der »zum Absterben des Theaters« führen müsse. Auch Friedrich Wolf trat für ungebrochenen Realismus ein.

Es wurde eine neue Perfektion des Realismus in der DDR vorbereitet, die Übernahme der Methoden von Konstantin Stanislawski (1863–1938), dem berühmten Gründer des Moskauer Künstlertheaters. Im Alter hatte Stanislawski sich auf Schauspielunterricht konzentriert. Perfekt im Sinne der Stanislawski-Methode, die internationalen Einfluß gewann, war die Vervollkommnung des psychologisch-naturalistischen Illusionstheaters. Dieser Stil war der äußerste Gegensatz zu Brechts ›epischem Theater‹, und er hatte Vorsprung.

Schon im Sommer 1945 hatten Maxim Vallentin, Ottofritz Gaillard und Otto Lang der Staatlichen Musikhochschule in Weimar eine Schauspiel-Abteilung angegliedert, in der nach Stanislawskis Methode gelehrt wurde. Im Sommer 1947 wuchs sie sich schon zum ›Deutschen Theater-Institut‹ aus, zur »methodischen Erneuerung des deutschen Theaters«. (Übrigens eröffnete im November 1949 der emigrierte Stanislawski-Schüler Alexander Gortschakow ein ›Stanislawski-Studio‹ in München.) Ottofritz Gaillard hatte 1946 im Aufbau-Verlag ein »Lehrbuch der Schauspielkunst« (Untertitel) erscheinen lassen. Dieses *Deutsche Stanislawski-Buch* (Titel) las Brecht noch in Amerika, und zwar voller Widerspruch: »nirgends sind beobachtungen anempfohlen, es sei denn selbstbeobachtungen. die außenwelt spiegelt sich ausschließlich in einem sensorium.«

Aus der Alternative Stanislawski oder Brecht wurde im Verlauf der kulturpolitischen Auseinandersetzung eine Front Stanislawski gegen Brecht. Erpenbeck, der übrigens Ende der fünfziger Jahre einlenkte, wies zu Beginn des Jahres 1951 in einem Leitartikel energisch auf Stanislawski und die Bemühungen in Weimar hin. Er hielt zwei Jahre lang eine Stanislawski-Diskussion in Gang, die in Methoden-Streit entartete. Es gab Stanislawski-Konferenzen, Regisseure beriefen sich auf ihn – vor allem Wolfgang Langhoff, Wolfgang Heinz, Maxim Vallentin und Karl Kayser. Brecht und seine Gefolgschaft waren in der Minderheit, aber die Besseren, auch die besseren Propagandisten. Sie werteten ihre Arbeit systematisch aus, während die Stanislawski-Inszenierungen selten ihrem Anspruch gerecht wurden. Im Deutschen Theater triumphierten die Gäste über die Gastgeber.

Brecht war kein Prinzipienreiter: die Gorki-Inszenierung *Wassa Schelesnowa* von Berthold Viertel bot durchaus psychologisch-realistisches Theater. Wieder war die Besetzung der Titelrolle die gleiche wie bei der Erstaufführung in Zürich: Therese Giehse spielte die Kapitalistin Schelesnowa, die ihre Familie mit rücksichtsloser Energie entmenscht. Brecht, die Weigel und Kortner hatten die Giehse im Dezember 1947 als Schelesnowa gesehen. Den Widerpart, die Revolutionärin Rachel, eine von Gorki erst 1935 eingefügte Rolle (und darum schwächlich), spielte in Berlin Maria Schanda, ebenfalls aus Zürich.

Zwei Bearbeitungen zeigen Brechts Vermögen in Negation und Position: Er spitzte die Komödie vom *Hofmeister* (nach J. M. R. Lenz) zur Satire auf die teutschen Miseren zu, verkörpert im Schulmeister, »Zeugnis und Erzeuger von Unnatur«. Er erhöhte die proletarische *Mutter* (nach Gorki) zur Mutter des Proletariats. Wieder eine große Rolle für die Weigel. Den Hofmeister im Kampf zwischen Sinnlichkeit und Anstellung spielte Hans Gaugler, auch er in Zürich abgeworben. Die Berliner Anfangserfolge waren auch eine Nach- und Fernwirkung des Zürcher Schauspielhauses. Doch das schmälerte Brechts Verdienst nicht. Er war auch ein großer Menschenfänger.

Im November 1952 gab es in Frankfurt am Main eine wichtige Brecht-Premiere, der Autor fuhr hin, um der Aufführung zu »Deutlichkeit und Leichtigkeit« zu verhelfen. Harry Buckwitz, der neue Generalintendant der Städtischen Bühnen, zeigte im Börsensaal die erste der Inszenierungen, die ihn als Brecht-Regisseur qualifizierten und sein Haus als politisches Theater profilierten: *Der gute Mensch von Sezuan*, mit Solveig Thomas in der Doppelrolle der hilfsbereiten Shen Te und des ausbeuterischen Shui Ta. Thematisch war die Sache harmlos: die bekannte Schwierigkeit, »gut zu sein und doch zu leben«. Aber das kulturpolitische Klima war gereizt, darum protestierte die amerikanisch lizenzierte *Neue Zeitung* unter der Überschrift: »Hilfestellung für einen Gesinnungsakrobaten«: es dränge sich die Frage auf, woher Theaterleiter, die mit den Steuergeldern der Bürger eines freiheitlichen Gemeinwesens arbeiteten, die Berechtigung zu einer »derartigen Hilfestellung für den literarischen Meisterakrobaten des Kommunismus« hernähmen. Herbert Küsel verspottete in der *Gegenwart* die Brecht-Angst: »Trägt er unter seiner Mütze, verborgen wie im chapeau claque des Zauberkünstlers, die Friedenstauben? Lüftet höflich zum Gruß die Kappe und schon steigen sie auf, flattern sie umher?« Küsel fand es »mutig und schön, daß Frankfurt diese Aufführung gewagt hat. [...] Sie hatten lange genug den Vortritt in Berlin; sollte das nicht den Bedenklichen bei uns zu denken geben?«

Das hätte in der Tat zu denken geben müssen. Der Wind hatte begonnen, Brecht ins Gesicht zu blasen, und zwar von Osten und von Westen zugleich. Das war nicht unmöglich, denn der große Sucher und Versucher Brecht war janusköpfig. Während Gastspiele im westlichen Ausland künstlerischen Triumph und politisches Prestige brachten, wurde die Wirkung des Propheten im eigenen Vaterland, im ganzen Ostblock gedämpft. Auch ihm wurde »mangelnde Parteilichkeit« vorgeworfen, weil er die Probleme der kommunistischen Gesellschaft aussprach. In einer Diskussion über Brecht im Jahre 1951 spielte Fred Oelßner, damals Sekretär für Propaganda beim Zentralkomitee und Chefredakteur der Zeitschrift *Einheit*, sogar auf das Schicksal der beiden Stanislawski-Gegner Wsewolod Meyerhold und Alexander Tairow an. (Das Meyerhold-Theater wurde 1938 geschlossen, Meyerhold 1940 »liquidiert«, Tairows Moskauer Kammertheater trotz aller Kompromisse 1949 geschlossen.)

Am 4. März 1953 klagte Brecht: »unsere aufführungen in berlin haben fast kein echo mehr. in der presse erscheinen kritiken monate nach der erstaufführung, und es steht nichts drin, außer ein paar kümmerlichen soziologischen Analysen.«

Inzwischen war Brecht, der für sein Theater ein Stück suchte, das in der DDR von heute spielt, auf Erwin Strittmatters *Szenen aus dem Bauernleben* aufmerksam gemacht worden. Brecht erkannte die Tragfähigkeit der Idee (Bau einer Straße zwischen Dorf und Stadt, dargestellt als gesellschaftlicher Konflikt), ihm gefiel vor allem, daß der Autor, ein ehemaliger Bäcker – inzwischen Amtsvorsteher, Standesbeamter, »Volkskorrespondent«, Erzähler – Humor zeigte. Im Sommer 1952 begann die Zusammenarbeit zwischen Erwin Strittmatter und dem Brecht-Team. Erst die siebente Fassung ging in Szene, während der Proben und sogar nach der Uraufführung von *Katzgraben* wurde noch korrigiert.

Umfassendes, spielerisches, kollektives Ausprobieren kennzeichnete die Probenarbeit mit Brecht. Rollen wurden getauscht, Dramatisches wurde in Erzählendes verwandelt, Prosa in Verse (dies im Fall Strittmatter). Selbstverständlich setzt das Arbeitsbedingungen voraus, die an einem normalen Repertoire-Theater, womöglich mit drei Spielgattungen, nicht vorhanden sein können. Alle Arbeitsphasen wurden notiert. In Brechts letzten Jahren wurde alles, was er auf Proben sagte, auf Tonband mitgeschnitten. Der Fortschritt der Handlung, die Entwicklung bei Kleinschmidts, Mittelländers und Großmanns wird in Zeitsprüngen gezeigt, Brecht nannte das »Chidher-Technik«, nach dem »ewig jungen« Chidher, der (in einem Gedicht von Rückert) alle fünfhundert Jahre an denselben Ort zurückkehrt und die Veränderungen registriert. *Katzgraben* wurde beispielhaft für die Gattung, weil die Charaktere nicht zu Typen schrumpften, weil der Optimismus nicht verlogen wirkt (es werden Konflikte gezeigt, die noch zu beseitigen sind), weil die Realität ästhetisiert wurde. Zum ersten Mal arbeitete Karl von Appen am Schiffbauerdamm. Er hatte perspektivisch verkürzte schwarz-weiße Fotoprospekte entworfen, die – wie in solchen Fällen üblich und notwendig – von den »mitspielenden« Requisiten ergänzt wurden. Nur das letzte Bild war bunt: rote Fahnen, blaue FDJ-Blusen, grüne Birken, ein Traktor als Versprechen auf neue Arbeitsmethoden. Eislers Musik verwendete volkstümliche Motive.

Premiere war am 23. Mai 1953. Die Kritik war zurückhaltend, *Katzgraben* wurde bis 1957 nicht »nachgespielt« – und das obwohl dringender Bedarf an solcher The-

Strittmatter, Katzgraben. Berliner Ensemble. Regie: Bertolt Brecht (Foto: ADN-ZB/Kemlein)

matik bestand. Es war lange her, daß sie in diskutabler Weise dramatisiert worden war (Friedrich Wolfs *Bürgermeister Anna* 1950), es dauerte lange, bis es in diskutabler Weise weiterging (*Die Dorfstraße* von Alfred Matusche, 1955). Wenn Brecht und seine Leute die beflissenen Konjunkturschreiber beschämten, konnte man da erwarten, daß die ihn lobten?

Am 16. Juni 1953 kam Brecht aus Buckow, wo er sich am Scharmützelsee ein Grundstück mit zwei Häusern (das größere für Gäste, das kleinere für sich) zugelegt hatte, nach Berlin zu einer Besprechung der Theaterarbeit. »Über das Verhalten von Brecht während des 17. Juni 1953« befragte Max Frisch »später zwei Ensemble-Leute, Egon Monk und Benno Besson. Hat Brecht am Vormittag, als die ersten Meldungen von der Stalin-Allee kamen, eine Rede gehalten vor seinen Mitarbeitern? Was feststeht: die Proben (›Der zerbrochene Krug‹ und ›Don Juan‹) wurden abgebrochen. Wohin hat Brecht sich im Lauf des Tages begeben? Wie hat er die Ereignisse, so weit sie ihm zur Kenntnis kamen, beurteilt: als Kundgebung der Arbeiterschaft, deren Unzufriedenheit er für berechtigt hielt, oder als Meuterei? [. . .] War Brecht (wie das Gerede es schon damals darstellte) feige, ein Verräter gegenüber der Arbeiterschaft? Oder war er verzweifelt, daß die Arbeiterschaft sich durch romantisches Vorgehen selbst gefährdete? War Brecht empört über das Eingreifen der sowjetischen Tanks oder hielt er es für unerläßlich, um den Westen vor Übergriffen zu warnen? – auch die beiden Ensemble-Leute, die ich befragte, lieferten mehr Auslegungen als Belege; ihre Auslegungen waren unvereinbar.«

Jedenfalls gab es im Probenhaus Betriebsversammlungen, an denen Brecht teilnahm. Er diktierte Briefe an den sowjetischen Hochkommissar Semjonow, den Ministerpräsidenten Grotewohl und ein Schreiben an den Ersten Sekretär der SED Ulbricht, in dem es hieß: »Die große Aussprache mit den Massen über das Tempo des sozialistischen Aufbaus wird zu einer Sichtung und Sicherung der sozialistischen Errungenschaften führen. Es ist mir ein Bedürfnis, Ihnen in diesem Augenblick meine Verbundenheit mit der Sozialistischen Einheitspartei Deutschlands auszusprechen.« Am 21. Juni wurde der letzte Satz veröffentlicht, der wie ein Glückwunsch zur Unterdrückung des Aufstands wirkte. Am 23. Juni konnte Brecht im *Neuen Deutschland* diesen üblen Eindruck korrigieren.

Am 17. Juni 1953 gastierten die Frankfurter mit der Buckwitz-Inszenierung der Parabel vom (möglichst) *Guten Menschen von Sezuan* im Württembergischen Staatstheater. Stündlich hatte der Rundfunk von den Vorgängen in Ost-Berlin und in der Zone berichtet, aber es rührte sich nichts und niemand, als Solveig Thomas ins Publikum rief: »Der Getroffene schreit laut auf, und ihr schweigt? / Der Gewalttätige geht herum und wählt sein Opfer / Und ihr sagt [dies mit parodierter Unterwürfigkeit]: Uns verschont er, denn wir zeigen kein Mißfallen.« Darauf hart skandierend: »Wenn in einer Stadt ein Unrecht geschieht, muß ein Aufruhr sein!« – Aber die Stuttgarter schwiegen.

Günter Grass lieferte ein Nachspiel: das »deutsche Trauerspiel« *Die Plebejer proben den Aufstand.* Der Vierakter spielt am 17. Juni auf einer Probenbühne in Ost-Berlin. »Der Chef« probiert eine Neufassung des *Coriolan.* Den Aufstand, der hereinbrandet, benutzt er als Anregung für seine Inszenierung und wird deswegen beschimpft: »Was bist du doch für ein mieser Ästhet!« Statt den Arbeitern das erbetene Manifest zu formulieren, schreibt er ihnen einen Kantinenbon für Bockwurst und Bier. Gegen Ende des Stückes ziseliert er ein Telegramm an den »Ersten Sekretär des Zentralkomitees«, von dem ihm gesagt wird: »Die kritischen Absätze wird man dir streichen, nur die Verbundenheit wird man ausposaunen und dich bis ultimo beschämen.«

Eine nachträgliche Voraussage also (Grass schrieb sein Stück 1964/65). Dichtung und Wahrheit gehen hier und an vielen anderen Stellen ineinander über. Tatsächlich hat Brecht 1951/52 den *Coriolan* zu bearbeiten begonnen und 1953 die ersten Proben geleitet. (Zwei ehemalige Mitarbeiter von ihm, Manfred Wekwerth und Joachim Tenschert, nahmen die Arbeit 1961 wieder auf, die Bearbeitung wurde 1964 vom Berliner Ensemble uraufgeführt.)

Grass wollte, wie er in einem Interview sagte, »eine intellektuelle Schwierigkeit in den Möglichkeiten und im Scheitern« darstellen. Das hatte Brecht schon selber getan, als er 1938/39 im dänischen Exil seinen Bilderbogen *Leben des Galilei* schrieb und 1946 unter dem Eindruck der Atombombe auf Hiroshima umschrieb. Es ist das Drama eines zwischen Selbstaufgabe und Opposition Schwankenden. Die Unsicherheit, ob Zwang oder Zynismus Brechts Haltung in Ost-Berlin bestimmt habe, führte dazu, den *Galilei* als prophetische Selbstaussage seines Autors anzusehen. Galilei sagt zu seinem Mitarbeiter Andrea (Bild 14): »Einige Jahre lang war ich ebenso stark wie die Obrigkeit. Und ich überlieferte mein Wissen den Machthabern, es zu gebrauchen, es nicht zu gebrauchen, es zu mißbrauchen, ganz wie es ihren Zwecken diente. Ich habe meinen Beruf verraten.«

Grass, Die Plebejer proben den Aufstand. Schiller-Theater Berlin 1966. Regie: Hansjörg Utzerath (Foto: Ilse Buhs, Berlin)

Für die Ur-Inszenierung von *Die Plebejer proben den Aufstand* (15. Januar 1966) hatte der Bühnenbildner (H. W. Lenneweit) das Proszenium des Schiller-Theaters mit einer Imitation des Proszeniums im Brecht-Theater am Schiffbauerdamm verkleidet. Das machte die Premiere vollends zur lokalen Affäre. In Ost-Berlin schäumten die Betroffenen. Erich Engel, den man in der Figur des Dramaturgen Erwin erkennen kann, schrieb: »Aus dem Hintern der CDU steckt Herr Grass seinen Kopf heraus und macht dem Dichter Bertolt Brecht Vorschläge über eine ›gerechte politische Haltung‹.« Helene Weigel, bei Grass als Volumnia auftretend, sperrte den Barlog-Bühnen alle Brecht-Stücke. Nur *Der gute Mensch von Sezuan* rutschte versehentlich noch durch (Premiere 31. März 1967, Schloßpark-Theater). Im Oktober 1969 durfte das Schiller-Theater wieder Brecht spielen, oder wenigstens einen Verschnitt aus Marlowe, Feuchtwanger und Brecht: *Das Leben Eduards des Zweiten von England*, einstudiert von G. R. Sellner.

Die Plebejer proben den Aufstand ist in den ersten drei Jahren viel nachgespielt worden, zuerst in Braunschweig, dann am Burgtheater, in Karlsruhe, in der Stiftsruine von Bad Hersfeld, bei den Ruhrfestspielen (Einladung der Berliner Inszenierung von Hansjörg Utzerath). Im ganzen bis zum Ende der Spielzeit 1967/68 elf Inszenierungen.

Nach dem Juni-Aufstand begann ein Brecht-Boykott im Westen, der im Laufe der Jahre nicht unangefochten blieb, sogar von vornherein nicht konsequent gehandhabt wurde. Es war ja eine freiwillige Übereinkunft, an die sich zu halten oder nicht zu halten von der Einstellung des Theaterleiters beziehungsweise vom politischen Klima der jeweiligen Stadt abhing. Brecht in der Boykott-Zeit zu spielen konnte Ärger, aber auch erwünschte Publizität bringen. Überdies war der Ärger ungefährlich. Man mußte ja nicht gerade *Die Maßnahme* spielen. Beispielsweise ging die Rechnung von Hubertus Durek auf, der im (privaten) ›Theater am Dom‹ in Köln eine boulevardisierte *Dreigroschenoper* bot (Sommer 1961): eine Bombendrohung, drei Tage Polizeischutz, eine Fernsehdiskussion, wochenlang ausverkaufte Vorstellungen, Lob und Tadel im Ostberliner Fachblatt *Theater der Zeit*: »Die Haltung schuf Sympathien, die Aufführung zerstörte sie restlos.«

»Der 17. Juni hat die ganze Existenz verfremdet«, klagte Brecht am 20. August 1953 im Tagebuch. Ein freudiges Ereignis stand bevor: der Umzug ins Theater am Schiffbauerdamm, von wo Brechts Weltruhm ausgegangen war, mit der Uraufführung der *Dreigroschenoper* am 31. August 1928. Der Vorkämpfer des wissenschaftlichen Theaters bezog also mit seiner Truppe ein Pseudo-Bijou der Gründerzeit, beladen mit üppigem Dekor im Rocaille-Stil, mit undemokratischen Rängen und Logen, mit rotsamtenem Gestühl. Aber entscheidend ist ja nicht das Aussehen eines Laboratoriums, sondern die Arbeit darin. Das neuerstandene Volksbühnen-Theater, in das Wisten vor Brecht entwich, versprach auch nicht gerade neue Gesinnung. Der Zuschauerraum war (und ist) ein Festsaal bürgerlicher Repräsentanz, ein Mausoleum der Volksbühnen-Idee. Das Berliner Ensemble begann am Schiffbauerdamm mit Molières *Don Juan*, bearbeitet von Brecht, Besson und Elisabeth Hauptmann, inszeniert von Besson, der die Bearbeitung schon 1952 in Rostock ausprobiert hatte.

Der kaukasische Kreidekreis, ausprobiert 1941 in der amerikanischen Provinz, wurde wieder eine berühmte Brecht-Produktion. Ernst Busch als Richter, der die Reichen schröpft, den Armen hilft und der Ziehmutter das Kind zuspricht, weil die leibliche Mutter es im Stich gelassen hatte. »Das Muttertum wird hier sozial bestimmt.« Das war im Herbst 1954 plötzlich aktuell, weil ein neues Familienrecht zur Debatte stand. Karl von Appen hatte sehenswerte kauka-chinesische Kostüme für das halbe hundert Personen verschiedener sozialer Herkünfte und unterschiedlicher Charaktere geschaffen. Paul Dessau hatte für den *Kaukasischen Kreidekreis* ein Gongspiel erfunden. Er stellte das Instrument als entwicklungsfähig vor, beschrieb die Konstruktion im Programmheft, ein Foto war beigegeben. Also keine Konzessionen an die wirtschaftliche Misere, an die Scheinhaftigkeit des Theaters. Gediegenheit nicht nur des Spiels, auch der Requisiten.

Natürlich erwartete der Staat einen gewissen Dank. Wenn der Kultusminister Dramen schreibt, dann liegt die Art des Dankes nahe. Da Johannes R. Bechers *Winterschlacht* nichts taugt, kann es nur Gefälligkeit oder Taktik gewesen sein, daß der Chef dieses 1952 in Prag uraufgeführte Stück für das Berliner Ensemble buchte. Die Verblüffung darüber war groß. Brecht wurde böse, wenn man in seiner Gegenwart eine abfällige Bemerkung über Becher machte: »Was wollen Sie! Der Mann hat vier oder fünf gute Gedichte gemacht.«

Es geht um die Schlacht vor Moskau im Jahre 1941. Das Stück ist 1942 in der russischen Emigration entstanden. Die Hauptperson ist ein deutscher Offizier, der sich weigert, zwei russische Partisanen erschießen zu lassen und deshalb selber erschossen wird. Die Stunden werden gefüllt mit Tiraden über Krieg und Frieden sowie Sympathieerklärungen für die Russen. Servilität Stalin gegenüber fiel schon damals unangenehm auf, obwohl Chruschtschow dessen Nachruhm noch nicht erschüttert hatte. Die Erstaufführung war Ende Januar 1954 in Leipzig. Ovationen für den Autor, die Premierenfeier im Rathauskeller war fast ein Staats-

akt, die Kosten übernahm die Parteikasse, da der Leipziger Intendant Max Burghardt die Kosten eines Banketts für 250 Personen nicht abzweigen konnte. Becher
erklärte, er habe die seit Schiller brachliegende deutsche Tragödie wieder zum Leben
erwecken wollen. Die Kritiker, hiermit geimpft und auch sonst nicht von gestern,
schrieben Passendes. Burghardt erläuterte, wie er und seine Leute in schweren Wochen sich den tiefen Sinn des ministeriellen Poems erarbeitet hätten und wie er erkannt habe, daß in dieser Inszenierung die Musik eine entscheidende Rolle spielen
müsse. Zufall oder nicht: einige Monate später wurde Burghardt Intendant der
Staatsoper Unter den Linden.
Brecht, der zu Weihnachten 1954 in Moskau den Stalin-Friedenspreis in Empfang
genommen hatte, hat sich wohl als Bearbeiter überschätzt, die *Winterschlacht* ging
auch am Schiffbauerdamm verloren. »Täglich wanderten Bogen umgeschriebener
Dialoge und Monologe ins Kultusministerium mit der Bitte um Genehmigung.
Becher genehmigte alles« (Goertz). Aber es nutzte alles nichts. Da man den Minister
nicht verreißen konnte, mußte der Regisseur herhalten. Gute Gelegenheit, das »epische« Neben-der-Rolle-Stehen zu tadeln: da fehle es an der erwünschten Anteilnahme. Übrigens ist *Winterschlacht* gar nicht so übel gegen Bechers Fünfakter *Der
Weg nach Füssen* (uraufgeführt Mitte März 1956 im Maxim-Gorki-Theater Unter
den Linden); dieses Stück wurde sogar im SED-Zentralorgan *Neues Deutschland*
getadelt.
Brecht ging auf die Sechzig zu und hielt nicht nur sein Theater, nicht nur die
Theaterwelt in Atem. Er schrieb Gedichte, politische Adressen, Vorworte, er nahm
an kulturpolitischen Konferenzen teil, redigierte, diskutierte, polemisierte, empfing
Besuche aus aller Welt, überwachte auswärtige Inszenierungen seiner Stücke (Frankfurt, München, Wien, Rostock) und die Verfilmung der *Courage*, er plante neue
Stücke (über Rosa Luxemburg, über die Gegenwart der DDR, mit einem ganzen
Akt über den 17. Juni), er war Präsident des PEN-Zentrums Ost und West, kurz:
er verzehrte sich. Von einer Virus-Grippe im Frühjahr 1955 konnte er sich nicht
mehr recht erholen, im Mai entwarf er ein Testament, er zögerte lange, mit den
Galilei-Proben zu beginnen, erkundigte sich nach einem Ruhesitz in der Schweiz,
kränkelte vom Mai 1956 an ständig, ließ sich am 10. August noch einmal in sein
Theater zu den *Galilei*-Proben bringen, die Engel leitete, und starb am 14. August
an einem Herzinfarkt.
Max Frisch notierte grimmig, daß Zeitungen »im Lexikon-Ton bestätigten«, Brecht
sei »ein politischer Schweinehund« gewesen »und blind – was ihn von uns allen
unterscheidet«. Wunschgemäß begrub man Brecht auf dem Dorotheenstädtischen
Friedhof, Fichte und Hegel gegenüber. »Es bleibt rätselhaft, daß Brecht sich einen
Stahlsarg verordnet hat«, notierte Max Frisch. »Wovor soll der Stahlsarg schützen:
vor den Machthabern? vor der Auferstehung?« Beim Staatsakt am 18. August bezeichnete Ulbricht als Brechts Vermächtnis einen Brief an den Bundestag, in dem er
gegen die Wiedereinführung der Wehrpflicht polemisiert hatte.

Ein neuer Staat versucht neues Theater

Die Teilung Deutschlands zwecks Entmachtung, Nutzung als wirtschaftliches Potential, ideologisches und strategisches Vorfeld wurde 1949 durch Gründung der ›Bundesrepublik Deutschland‹ einerseits und der ›Deutschen Demokratischen Republik‹ andererseits besiegelt. Das deutsche Theater kam also unter zwei konträre Systeme, von denen das östliche von Anfang an Dienstbarkeit verlangte und sie gut honorierte, während das westliche zunächst weder an Forderung noch Förderung interessiert war und erst im unerwünschten Wettbewerb große Worte und große Summen ausgab. Im Wettkampf der Systeme traten nun die ausländischen Kämpfer zurück und ihre deutschen Vertrauensleute hervor. Dadurch verschärfte sich die Auseinandersetzung, denn nun kamen auch persönliche Interessen ins Spiel. Drei Faktoren bestimmen fortan das Bild des Theaterlebens in der DDR: die marxistische Theorie und ihre Dogmatik, die Politik der SED mit ihren Kurven und drittens die Theaterleute zwischen Anpassung und Widerspruch.

Gefordert wurde »parteiisches« Theater, das sich zum Humanismus bekannte, deutsche Klassik und Antike würdigte, aber den »bürgerlichen« Realismus und die »westliche« Dramatik nur in strenger Auswahl zuließ. Parteinahme für die DDR erforderte eine neue Thesendramatik, und diesen Bedarf konnte nur schnelle Konfektion decken. Wieder sprangen Veteranen ein. Karl Grünberg schrieb *Golden fließt der Stahl* (1949), einer neuen Gattung zugehörig, den »Produktions-Stücken«. Schauplatz der Produktions- oder Betriebsstücke war in der Regel eine Fabrik, es ging um Steigerung der Leistung, die Gegenhandlung bestand aus Obstruktion und Entlarvung von Saboteuren. Sieger war der »positive Held«, das gesellschaftspolitische Vorbild. Die »neue Wirklichkeit« brachte auch andere Modelle hervor: Wandlungsdramen, Brigadestücke, Bewährungsstücke. Im Januar 1950 stellte das Mecklenburgische Landestheater in Stralsund in dem Schauspiel *Die ersten Schritte* Von H. W. Kubsch (Teil einer Uraufführungs-Woche der sechs Bühnen des Landes Mecklenburg) einen »neuen Menschentyp« auf die Bühne: den »Aktivisten«. Gustav von Wangenheim beschwor den Elan der Jugend in der »Komödie mit ernstem Vorspiel« *Du bist der Richtige*. Friedrich Wolf präsentierte *Bürgermeister Anna*, ein zuerst im Oktober 1950 am Staatstheater Dresden gespieltes Musterstück: eine Bürgermeisterin baut auf eigene Faust mit Hilfe armer Bauern eine Straße, gegen den Willen des Großgrundbesitzers. Ad hoc geschriebene Thesendramatik, die den jeweiligen Kurs möglichst einschmeichelnd und überzeugend rechtfertigt. Kurzlebigkeit war konzediert, sogar erwünscht, denn was eben noch richtig war, konnte morgen falsch sein.

Die Umstellungsschwierigkeiten waren groß, zumal da die Mehrheit, nicht nur der Theaterleute, enttäuscht bis verbittert war, daß wieder strenges Reglement herrschte. Auch viele von denen, die die neue Ideologie begrüßten, meinten, sie verhunze die Dramatik. Die *Tägliche Rundschau* fragte am 20. Oktober 1950 zu Recht: »Haben wir das neue gesellschaftliche Werden, die Entstehung der volkseigenen Betriebe, der Maschinenausleihstationen, Neubauerndörfer auf dem Theater widergespiegelt gesehen? Hat die großartige Entfaltung der Aktivistenbewegung ihren Ausdruck

im deutschen Bühnenleben gefunden? Hat man vom Theater aus dem Volke den Sinn der sich abspielenden Ereignisse erklärt? Diese Frage stellen, heißt sie verneinen.« Die »westlichen« Theaterkritiker hatten auch so schon genug von der »neuen Wirklichkeit«. Im Jahre 1950 konstatierte Friedrich Luft: »Der Zeitpunkt ist gekommen, da zu bedenken ist, ob die Entsendung ernsthafter Theaterkritik in die immer monotoner werdenden Schaustellungen kommunistischer Selbstbefriedigung im Osten unserer Stadt überhaupt noch angängig ist.«
Die Sowjetunion half mit Gebrauchsdramatik aus. Unter den Revolutionsstücken gab *Sturm* von Wladimir Bill-Bjelozerkowski, inszeniert von Langhoff im Dezember 1957, ein neues Beispiel. Dieses 1925 in Moskau uraufgeführte Agitprop-Drama, das von einer Gruppe berichtet, die der Sowjetmacht zum Durchbruch verhilft, ließ die blutleeren Dramatisierungen der geborgten Revolution in Deutschland als Gerede erscheinen. Die *Optimistische Tragödie* bewährte sich wieder, neu einstudiert im April 1958 beim Berliner Ensemble. Gorki wurde weiter und breiter bekannt gemacht. Nach dem Vortritt von Gera 1946 mit *Jegor Bulytschow und andere* kam allmählich die ganze Trilogie über die Wirkung der Revolution in der Provinz: *Dostigajew und andere* (1954, Maxim-Gorki-Theater Berlin) und *Ssomow und andere* (1954, Deutsches Theater). Im Laufe der Jahre wurde selbstverständlich der ganze Gorki vorgestellt.
Im Jahre 1951 wurden die Bühnen in der DDR noch strenger in die Pflicht genommen: im Zusammenhang mit der Auflösung der Länderregierungen wurden die Theater – außer den Staatstheatern – den neugebildeten Räten der Bezirke und Kreise unterstellt. Im Juni wurde eine Staatliche Kommission für Kunstangelegenheiten gebildet. Gemäß der halbamtlichen Darstellung in *Theater in der Zeitenwende* hatte sie »den Auftrag, erste Maßnahmen für die allseitige Entwicklung einer demokratischen Volkskultur einzuleiten. Auf dem Gebiet des Theaters förderte sie das Ensembleprinzip und das Bemühen, über einen vielseitigen Repertoireplan die Interessen der Erbauer einer neuen Gesellschaft zu befriedigen. Eine dafür gebildete Spielplankommission orientierte die Theater auf Stücke und Spielplankonzeptionen, die mithalfen, das demokratische und sozialistische Staatsbild und sein Publikum zu formen. Die Spielplankommission übernahm den Auftrag, die Interessen des neuen Staates vor allem gegen reaktionäre Einflüsse der spätbürgerlichen Ideologie im Theaterleben durchzusetzen.«
Es wurde verlangt, daß sogar die Operette künftig die objektive Realität des Lebens widerspiegeln und als Grundidee eine »kampfbereite Gegenwartsbezogenheit mit klar ausgedrückter Tendenz« haben müsse. Die künftige Operettenform sei das musikalische Singspiel, »wie es unsere sowjetischen Freunde schon pflegen«. Ein ›Büro für Theaterfragen‹ regte die »rigorose Umarbeitung« solcher Werke an, die »wohl ein musikalisches Erlebnis vermitteln können, aber im übrigen sinn- und zwecklos für uns sind«. Die Scheinwelt der Propaganda und die Scheinwelt der Operette wurden ideale Partner. Hans Pitra, seit 1950 Nachfolger Rabenalts am Metropol-Theater, bis dahin Landesvorsitzender der Volksbühne Sachsen, hatte die undankbare Pflicht, dies zu verantworten. Was dabei herauskam, ist schnell vergessen worden.
Einzig in Form von Pointen könne sich die Wirklichkeit in Theater verwandeln, meinte Brecht im Januar 1952 auf einer Probe. »Einfach ›Moral‹ ist noch keine

Pointe, da es das Erwartete ist. Auch ein Problem ist keine Pointe, da es bekannt ist. Sonst entsteht jene Dramatik, die nur Ersatz für anderes ist: eine Meinung soll durchgedrückt werden mit Menschen, die es nicht gibt.« Walter Ulbricht dachte vergleichsweise prometheisch, er ließ die wünschenswerten Menschen einfach erschaffen: »Im Mittelpunkt des künstlerischen Schaffens muß der neue Mensch stehen, der Kämpfer für ein einheitliches, demokratisches Deutschland, der Aktivist, der Held des sozialistischen Aufbaus« (2. Parteikonferenz der SED, Juli 1952).

Der Staat forderte aber nicht nur, er stellte auch die Mittel zur Verfügung, den gewünschten Kurs zu verfolgen: von 1950 bis 1954 wurde die Zahl der an den Theatern Beschäftigten von 10 600 auf 16 000 erhöht. Der Personalstand an den bundesdeutschen Theatern betrug 1954 17 000 Beschäftigte. Zusammen also 33 000, weit mehr als im »Altreich« mit Schlesien, Ostpreußen, Ostpommern, Ostbrandenburg (1937: 30 700). Im Jahre 1951 gab es in der DDR 77 Theater, 1955 waren es 88. Die entsprechenden Zahlen für die BRD: 1951/52 gab es 112 Theater (Spielstätten, Bühnen), 1955/56 waren es 121. Das DDR-Theater beschäftigt also unverhältnismäßig mehr »Theaterschaffende«, es arbeitet weniger rationell. Die Zuwendungen aus öffentlichen Mitteln stiegen in der DDR zwischen 1950 und 1954 von 143 auf 168 Millionen Mark, in der BRD von 52,3 auf 110,8 Millionen.

Ein im Jahre 1952 verkündeter Dramenwettbewerb, für den Brecht, Erpenbeck, Langhoff, Lang, Wolf und andere jurierten, brachte Strittmatter mit Brecht in Verbindung, sowie Harald Hauser, Hans Lucke, Hans Pfeiffer, Heinar Kipphardt zutage. Den ersten Preis bekam Hedda Zinner für ihr Drama über den Reichstagsbrand (*Der Teufelskreis*), den zweiten Kipphardt für das Lustspiel *Shakespeare dringend gesucht*.

Kipphardt war Dramaturg am Deutschen Theater, wo sein Stück im Juni 1953 uraufgeführt wurde, und plauderte sozusagen aus der Schule: Der Dramaturg hat das schlichte und wirklichkeitsnahe Drama eines Schlossers entdeckt, doch der servile Intendant nennt es »eine beleidigende Kritik unserer Zustände, unserer Errungenschaften, unserer Helden«. Im Amt für Kultur warnt man ihn vor seinem Autor: »Sie mögen ihm vorschlagen, was Sie wollen, Sie bringen das Talent niemals ganz heraus und haben nur Ärger mit ihm. Ein Talent gehört von vornherein in die Kategorie der Schwierigen.« Kipphardts Lustspiel wurde in 3 Spielzeiten zwölfmal inszeniert und an die 400mal gespielt, so froh waren die Leute darüber, daß jemand sich ein Herz gefaßt und keine Mördergrube daraus gemacht hatte. Zum Schluß revozierte Kipphardt freilich. Eine Beamtin im Kultusministerium läßt den Intendanten strafversetzen, der Dramaturg wird Intendant, erkennt dankbar: »Mit einer guten Sache ist ein Mensch bei uns niemals allein [...] Die Partei, das ist das Gewissen der Welt von heute. Die Partei, das ist das Gehirn der Welt von morgen.«

Der Spielplan im Jahr 1953/54 wies (nach *Theater in der Zeitenwende*) folgende Proportionen aus: 140 Inszenierungen von Werken der deutschen Klassik, 113 Inszenierungen von klassischen Werken der Weltliteratur, 145 Inszenierungen von zeitgenössischen deutschen Stücken, 132 Inszenierungen der Werke von Klassikern Rußlands und der Sowjetunion, 52 Inszenierungen von Werken der Volksdemokratien, 16 Inszenierungen von Werken des kapitalistischen Auslands. Das Publikum scheint mit dem Kurs zufrieden gewesen zu sein, denn die Zahl der Theaterbesuche stieg von 10,6 Millionen im Jahre 1951 auf 16,5 Millionen im Jahre 1954. Die offiziöse Darstellung *Theater in der Zeitenwende* läßt aber erkennen, daß diese Steigerung nur sehr bedingt Zufriedenheit ausdrückt. Sie ist nämlich ein Sieg von Propaganda und Organisation gewesen: »Sonderzüge und Sonderbusse brachten die Zuschauer direkt ins Theater; Theaterkollektive fuhren in Industriebetriebe, spielten in Fabrikhallen, auf Marktplätzen, in Gasthäusern kleiner Gemeinden, in den Klubhäusern der volkseigenen Betriebe und in den Kulturräumen der MTS; gemeinsam mit der Volksbühnen-Organisation bauten die Theater ein weitverzweigtes Abstechernetz auf. ›Niemals wurde in der Geschichte des deutschen Theaters der Versuch unternommen, eine so breite, ausgedehnte und alle Gebiete umfassende Landbespielung durchzuführen wie in unserer Republik.‹ Eine verdienstvolle Arbeit leisteten in dieser Hinsicht die in dem Mecklenburger Landestheater vereinigten Volksbühnentheater Anklam-Ostsee, Güstrow, Ludwigslust-Parchim, Neustrelitz, Stralsund, Wismar und das Landestheater Mecklenburg in Schwerin. Dieses von Generalintendant Hanns Anselm Perten bis 1953 geleitete große Ensemble (mit über 700 Beschäftigten) betreute regelmäßig 130 Spielorte in zum Teil entlegenen Gegenden. Große Verdienste erwarb sich das Schauspielensemble bei der Heranführung neuer Zuschauerschichten an die Gegenwartsdramatik.« Ein Drittel aller Zuschauer »stellte die Landbevölkerung«, in der »Hauptstadt der DDR« kamen »über 50 Prozent der Theaterbesucher aus den Produktionsbetrieben« (*Theater in der Zeitenwende*). Im Jahre 1955 gab es in der DDR (17,8 Millionen Einwohner) 17,9 Millionen Theaterbesuche und in der BRD (50 Millionen Einwohner) 19,4 Millionen Theaterbesuche. Das sind auf 1 000 Einwohner 388 Theaterbesuche in der BRD, dagegen 1 005 in der DDR. Ein Sieg an der Kulturfront. Oder bloß eine manipulierte Statistik?

Allmählich entstand realistischere, weniger beschönigende Dramatik. Heiner und Inge Müller schrieben *Die Korrektur* und *Der Lohndrücker*, beide 1958 uraufgeführt, zwei Stücke aus der »Zeit des Übergangs« mit ihren Schwierigkeiten. *Die Korrektur*, ein Bericht vom Aufbau des Kombinats ›Schwarze Pumpe‹ (bei Hoyerswerda), entstand nach Informationen vor Ort. Auch den »Lohndrücker« hat es gegeben: er sparte dem Betrieb 400 000 Mark, weil er einen geborstenen Brennofen reparierte, ohne ihn vorher auskühlen zu lassen. In Senftenberg, dem Zentrum des Niederlausitzer Braunkohlengebietes, holte sich Peter Hacks Anregungen für sein Problemstück aus der Arbeitswelt *Die Sorgen und die Macht* (1962 uraufgeführt): ein Braunkohlenwerk erfüllt zwar den Plan zu 160 %, liefert einer Glashütte aber so schlechte Briketts, daß die ihr Soll nicht erfüllen kann.

Seit Mitte 1952 wurde in der DDR der Begriff »Nationale Geschichtsbetrachtung« lanciert. Es ging um Ausrichtung der Vergangenheit auf die DDR hin. Auch die Bühne war daran beteiligt. Friedrich Wolf vollendete Silvester 1952 sein Drama *Thomas Münzer*; die Uraufführung im Dezember 1953 (Deutsches Theater, Regie Langhoff) erlebte er nicht mehr. *Thomas Müntzer in Mühlhausen* von Horst Ulrich Wendler und *Der Aufstand des Babeuf* von Ferdinand May tauchten ebenfalls 1953 auf. Hedda Zinner propagierte in *Lützower* (1955) die Vorform einer nationalen Volksarmee. Der beliebteste Stoff wurde der Bauernkrieg. Jean Kurt Forest nutzte ihn zur Oper *Der arme Konrad* (Oktober 1959, Staatsoper Berlin). Das Bedürfnis nach einer eigenen »Nationalliteratur« wurde schlecht und recht von Stücken befriedigt, welche auf ein Bekenntnis zur DDR hinausliefen, wie des »bürgerlichen« Ingenieurs Jenssen in der Periode der Eingliederung der sowjetischen Aktiengesellschaften in die mitteldeutsche Wirtschaft (Ende 1953). (Jenssen ist die Hauptfigur in Harald Hausers 1955 in Magdeburg uraufgeführten Dramas *Am Ende der Nacht.*)

Fast alles, was in der DDR von Staats wegen unternommen wurde, hatte zwei Motive: für den eigenen Staat und gegen die Bundesrepublik. Der »junge sozialistische Staat« mußte gegenüber dem »Bonner Separatstaat« »Überlegenheit« erweisen oder mindestens zur Schau stellen.

Grobschlächtige Gebrauchsdramatik hetzte gegen die Bundesrepublik. Sie war fester Bestandteil der Spielpläne, war viel mehr am jeweiligen »Feindbild« als an der Wirklichkeit orientiert. In Wangenheims *Toleranz* (1952) soll ein Westagent einen Nazi-General aus DDR-Haft befreien. Slatan Dudows *Hauptmann von Köln* (1959) schildert eine Köpenickiade: ein arbeitsloser Kellner wird mit Kriegsververbrechern verwechselt und macht Karriere – bis der echte auftaucht. Der Kellner wird verurteilt, der Kriegsverbrecher wird Staatspensionär. Hedda Zinners *Auf jeden Fall verdächtig* (1958) zeigt die Verfolgung westdeutscher Kommunisten, in *Das Urteil* (1958) stürzt das Volk den »alten Mann« (Adenauer), es votiert gegen die atomare Bewaffnung Coloniens für Friedland (die DDR). *Prozeß Wedding* (1953) von Harald Hauser polemisiert gegen westdeutsche Wiederaufrüstung und bezichtigt die Westberliner Industrie der Mitarbeit. In Hausers *Night-Step* (1960) sprengen ein Aushilfskellner und eine Geschirrspülerin, die in sowjetischen Militärmänteln auftreten, eine Konferenz in Westdeutschland, die einen bewaffneten Überfall auf die »Zone« plant. *Zwei Ärzte* von Hans Pfeiffer (1959) sind ehemalige KZ-Ärzte, die im Schutze der Bundesrepublik weitermorden. Horst Lommer veralberte in dem Stück *Die Arche Noah* (1950) einen Professor Degress (Sartre) und andere Berühmtheiten, die aus Angst vor Krieg im Tauchboot eines Großkapitalisten unter Wasser gehen. Unter der nervlichen Belastung entlarven sie sich als asoziale Elemente. Die beste Rolle schrieb sich der Autor selber auf den Leib: er spielte einen dem Zuchthaus entlaufenen Arbeiter, der durch Witz und Geschick zum Helden wird. Übrigens ist der Krieg nur ein Scherz des Marineministers, man kann wieder auftauchen.

Ziemlich spät (1964), als andere es nicht mehr so billig machten, kam Kurt Barthel, »Kuba«, seit 1959 Chefdramaturg in Rostock, mit *terra incognita* heraus, ein auch literarisch mißglücktes »Poem« um eine Bohrstelle in Grenznähe: westdeutsche Agenten intrigieren, stiften Verwirrung, russische Experten verhindern eine Explosionskatastrophe. Der hochdekorierte, aber niveaulose Altkommunist »Kuba« erlitt einen ironischen Tod: sein Kreislauf war einer Diskussion in Frankfurt am Main nicht gewachsen (November 1967).

Le Faiseur oder Warten auf Godeau von Claus Hammel leistete sich (1970) immerhin eine literarische Verbrämung: Balzacs Satire auf Spekulation nach der Julirevolution im Jahre 1830 wurde zugespitzt auf westdeutsche Verhältnisse und mit Anspielungen auf Beckett geziert, dessen Texte in der DDR nicht gespielt werden dürfen.

Andere Stücke hatten die »Entlarvung des Imperialismus« zum Ziel (Wangenheim,

Wendler, Lucke), sie tadelten die Unterdrückung anderer Völker – durch die USA, sie dramatisierten die Gefährlichkeit von Atomversuchen – der Amerikaner. Es zeigte sich, daß die Theater trotz aller Anstrengungen an Attraktivität einbüßten. Von der Spielzeit 1955/56 zur nächsten wurden 700 000 Karten weniger, nämlich nur noch 17,2 Millionen abgesetzt. In der Spielzeit 1960/61 waren es nur noch 14,7 Millionen. Die ›Metropol‹-Dramaturgin Traude Hellberg berichtete, daß Ende 1962 von den 1 800 Plätzen im ›Metropol‹, deren jeder damals mit 13 Mark subventioniert war, durchschnittlich nur 800 besetzt waren. Und das im führenden Operettentheater der Republik, wo man die Symbiose von Kurzweil und Doktrin hätte gefunden haben müssen – falls sie möglich wäre.
Die Besucherzahlen schrumpften weiter. Im Jahre 1963 sank die Ziffer (13,11 Millionen) unter die von 1950/51 (13,96 Millionen). Im Jahre 1973 gingen bloß noch 12 Millionen DDR-Bürger ins Theater.
In der Bundesrepublik und West-Berlin nahm die Zahl der Theaterbesuche bis zur Spielzeit 1959/60 zu (20,2 Millionen). Dann kamen die Tendenzwende (1960/61: 19,87 Millionen) und ein im Laufe der Jahre geringer werdender Rückgang (1972/1973: 17,17 Millionen).
Die Lage des »ersten Arbeiter- und Bauernstaates auf deutschem Boden« war ernst, darum steuerten seine Funktionäre einen sehr harten kulturpolitischen Kurs. Schon früh war »bürgerlich« ein Schimpfwort geworden. Sowjetische Kunsttheoretiker hatten die Bourgeoisie gleichgesetzt mit Verfall. In der Musik wurden mit »bürgerlich« oder »formalistisch« zwei Haupttendenzen der Moderne gekennzeichnet: Verzicht auf Melodie, Vorhandensein von Dissonanzen. Das betraf Schönberg, Berg, Strawinsky, Honegger, Hindemith – traf diese Altmeister selber freilich nicht. Betroffen waren ihre Jünger und Interpreten. Nach der Lektüre von sowjetischen Aufsätzen, welche die moderne Musik diffamierten, schrieb H. H. Stuckenschmidt 1948 in der Westberliner Musikzeitschrift *Stimmen*: »Auf uns deutsche Avantgardisten haben diese Veröffentlichungen wie eine eisige Dusche gewirkt. Sie stimmen nicht nur sachlich bis in Einzelheiten mit den Kunstmaximen des Nationalsozialismus überein [...], sie diffamieren dieselben großen Führer der zeitgenössischen Musik, die im Hitler-Reich verboten waren.«
Vom »Realismus«, der »wirklichkeitsgetreuen« Kunst, war man dank »sozialistischer Perspektive« zum »sozialistischen Realismus« gekommen, der im Statut des sowjetischen Schriftstellerverbandes definiert worden war als »historisch-konkrete Darstellung der Wirklichkeit in ihrer revolutionären Entwicklung«. Was dieser Vorstellung nicht entsprach, war »formalistisch«. »Der Kampf gegen den Formalismus in Kunst und Literatur« hieß das Thema einer Tagung des Zentralkomitees der SED Mitte März 1951. Dort hieß es: »Alle Richtungen und Auffassungen in der Kunst, die die Kunst vom Leben trennen und in die Abstraktion führen, sind eine objektive Hilfe für den Imperialismus.« Die Verschwommenheit des Begriffs ›Formalismus‹ machte ihn tauglich zur Abwertung jeder nicht genehmen Idee und Aussageweise. Im Kampf gegen den ›Formalismus‹ mußte 1950 in der Staatsoper Ernst Legals Inszenierung der Oper *Ruslan und Ludmilla* von Michail Glinka korrigiert werden, wurde in Dresden Carl Orffs *Antigone* abgesetzt.
Im Jahre 1951 kam es geradezu zu einem »Stückesterben« im russischen Sektor von Berlin, der agitatorisch »demokratischer« Sektor genannt wurde. Alfred Kantoro-

wicz spricht im *Deutschen Tagebuch* von etwa zwanzig Schauspielen, die von Kulturpolitikern zur Strecke gebracht worden seien, und konstatiert »allgemeine geistige Lähmung«. Die Reglementierung machte vor Brecht nicht halt. Vorbereitungen zu *Die Tage der Kommune* zur Erinnerung an den 80. Jahrestag des Pariser Arbeiteraufstandes wurden gestoppt. Am 17. März 1951 gab es in der Staatsoper eine Probeaufführung der Oper *Das Verhör des Lukullus*, Musik von Paul Dessau, ursprünglich ein Hörspiel. Wolf Völker hatte inszeniert, Hermann Scherchen dirigierte, die Ausstattung stammte von Caspar Neher. Nach der Testaufführung gab es eine Diskussion, in der die Funktionäre begannen, das Werk »ideologisch kaputtzuschießen«. Das *Verhör des Lukullus* war pazifistisch, Pazifismus aber war inzwischen schon wieder Hochverrat geworden. »Von der Art, wie sie Brecht zusetzten, wurde allen elend, nicht zuletzt Brecht, der sich in sich verkroch. [. . .] Unweit von ihm saß die Weigel, mit Tränen in den Augen« (Heinrich Goertz). Was dann im März 1951 herauskam, lobte den Verteidigungskrieg. Die Urfassung gab Brecht für die Bundesrepublik frei, das wurde im Westen mit Genugtuung vermerkt, denn es schmeichelte dem liberalen Selbstverständnis.

Zu Besuch in Weißensee, fragte Max Frisch im September 1955 seinen Gastgeber, was er unter ›Formalismus‹ verstehe. Antwort: »Formalismus heißt, ich gefalle gewissen Leuten nicht. Im Westen hätten die wahrscheinlich ein anderes Wort dafür.«

Auch *Die Schlacht bei Lobositz* von Peter Hacks (Uraufführung Dezember 1956 in Ost-Berlin) hat ein pazifistisches Ende für den Westen und einen kriegerischen Schluß. Der pazifistische, 1966 in Heidelberg gespielt, empfiehlt, die Flinten und den König aufzuhängen, der ostdeutsche, nur den König aufzuhängen und die Flinten zum Kampf zu verwenden. Die pazifistische Version war 1966 auch in der Bundesrepublik abwegig, nur kümmerte sich in der Bundesrepublik keiner um solche falschen Zungenschläge. Erstens aus Liberalität, zweitens, weil man das Theater nicht so ernst nimmt. Hacks hatte das Stück zur Zeit der beiderseitigen Remilitarisierung geschrieben, Studenten in Frankfurt am Main hatten es schon 1963 gespielt, als Beitrag zur Krise der »inneren Führung« der Bundeswehr.

Den Fall seines Schauspiels *Die Verbündeten* bezeichnet Kantorowicz als symptomatisch. Das Stück wurde 1944 in New York konzipiert und spielt in Südfrankreich. Den Anstoß gab eine Zeitungsmeldung: nach der Befreiung von Florenz durch die Alliierten sei der Diener einer reichen Adelsfamilie fristlos entlassen worden, weil er sich während der Okkupation den Partisanen angeschlossen habe. »Das erschien mir wie ein Menetekel der zu erwartenden Restauration.« Obwohl nach einer Vorlesung im Hause des Staatspräsidenten Pieck Kritik geäußert worden war (Pieck: französische Widerstandskämpfer zu wenig akzentuiert. Staatssekretär Winzer: nationale Front vernachlässigt, BBC zitiert, also Reklame für Hetzsender gemacht, Kultursekretär Rentzsch: proletarische Figuren verzerrt, Intendant Rodenberg: Kosmopolitismus), kam es zur Einstudierung durch Wolfgang Heinz in den Kammerspielen des Deutschen Theaters, zur Voraufführung, zur Presseaufführung, zur Uraufführung (5. Juni 1951) und zu positiven Zeitungskritiken. Schließlich siegte das von Ulbricht dominierte Zentralsekretariat der SED, verkörpert durch Sekretär Rentzsch. Von den schon angesetzten Aufführungen wurde nur eine einzige (geschlossene) erlaubt, eine etwaige anschließende Diskussion vorsorglich verboten und das Stück begraben, bis es den Weisungen des Kultursekretariats entsprechend umgearbeitet wäre.«Ein Stück nach dem Geschmack des Kultursekretariats zu schreiben, war ich unfähig. [...] Nachdem sie in Berlin reinen Tisch gemacht haben, sind die Kulturträger eiligst in die Provinz gereist, nach Dresden, Leipzig, Halle, Erfurt, Rostock, wo es auch einiges zu verbieten, zu verhindern, zu zerschlagen geben soll. Es ist, als ob eine Horde entfesselter Tobsüchtiger in einem Porzellanladen herumtrampelt. Scherben, Scherben, Scherben. Die Kristallnächte der Funktionäre« (Kantorowicz).

Damals wurde am Schiffbauerdamm das Stück *Dreißig Silberlinge* von Howard Fast vorbereitet, übersetzt von Alfred Kantorowicz. Es handelt sich darin um die Kommunistenverfolgung in den USA, die Senator McCarthy radikalisiert hatte. Der Dramaturg Heinrich Goertz, dessen Schauspiel *Das Leben kein Traum* ein knappes Jahr vorher nach der fünften Vorstellung zu verbieten nur ein Telefonat gekostet hatte, besuchte Kantorowicz und fand ihn geschüttelt vom Ekel über die Verhältnisse. Nach der Premiere (am 16. Februar 1952) schrieb Kantorowicz ins Tagebuch: »Die Entsprechung ist unheimlich genau. Ich frage mich, ob die Zuschauer das nicht bemerken werden, einige jedenfalls – hoffentlich. Zum Trost gereicht es allerdings nicht, daß auch anderswo die Judasse nicht mehr die Randerscheinungen, sondern die Stützen der Gesellschaft sind.« Das Stück ging anschließend über viele Bühnen der DDR, blieb aber in der offiziösen Theatergeschichte in der DDR unerwähnt.

Heimkehrer, die in Amerika gewesen waren, wie Brecht, Kantorowicz, Eisler, waren verdächtig. »Es zeigt sich also, daß Hanns Eisler die Einflüsse des heimatlosen Kosmopolitismus nicht überwunden hat, eine Konzeption, der die deutsche Geschichte nichts als Misere ist«, resümierte das Parteiblatt *Neues Deutschland* seine Verurteilung des Librettos, das Eisler sich selber für seine projektierte *Faust*-Oper geschrieben hatte. Brecht hatte Vorbehalte, verteidigte aber Eisler, den gelernten Zwölftöner, der immerhin auch Komponist der Nationalhymne der DDR war.

Anläßlich der Uraufführung des Librettos im April 1974 in Tübingen erklärte Lou Eisler-Fischer (sie hatte nach Eislers Tod Ernst Fischer geheiratet): »Eisler mußte alle vierzehn Tage in der Akademie der Künste einem Konsortium Rede stehen. Diese ›Mittwochgespräche‹ nahmen Eisler sehr in Anspruch. Er mußte sich für die ›Diskussionen‹ – wie man die Fragen bezeichnete, die man ihm stellte, ständig vorbereiten. [...] Die Lust am Komponieren wurde Hanns Eisler vergällt.« Er hinterließ nur wenige kompositorische Skizzen zu seinem *Faust*.

Daß die verhinderte Nationaloper nach 22 Jahren vom Landestheater Württemberg-Hohenzollern vorgeführt wurde, ist ein Treppenwitz der Theatergeschichte. Aber die Inszenierung von Otto Zoncsits wirkte stark und positiv.

Es gibt Anzeichen dafür, daß die russischen Vormünder in Karlshorst das Treiben ihrer deutschen Zöglinge mit Gereiztheit beobachteten. Friedrich Wolf durfte im Sommer 1952 in der *Täglichen Rundschau*, der Zeitung der sowjetischen Militäradministration, die Kulturfunktionäre anprangern. Er erklärte, er habe »nach über dreißig Jahren Arbeit an der deutschen Bühne zum ersten Mal den Kampf aufgegeben, den Kampf gegen Bürokratie, Trägheit und Dilettantismus« (4. April 1952). Im September wurde dies zitiert, in einem Artikel über das »Zurückbleiben der Gegenwartsdramatik«. Die Zeitung ergänzte, Wolfs Klage sei die »Bestätigung dafür, daß der Entwicklung der deutschen Dramatik schwere Hindernisse in der Weg gelegt worden sind«. Etwa ein Jahr nach seinem Protest ist Friedrich Wolf gestorben, »vorzeitig, ermattet und überdrüssig«, wie Kantorowicz sagt. »Er hatte sich hinter Leibniz verkrochen – tief verzweifelt, resigniert, am Ende seiner Widerstandskraft.« Wolf war Nationalpreisträger gewesen, Mitglied der Akademie der Künste und 1948/49 Botschafter seines Landes in Warschau. Seine Söhne Markus und Konrad waren 1945 als Offiziere der Roten Armee nach Deutschland zurückgekehrt. Zum 20. Todestag wurde Friedrich Wolf gespielt und geehrt.

Als im Jahre 1955 die Eröffnung der wiederhergestellten Staatsoper heranrückte, fürchteten einige Funktionäre die Einweihung mit *Fidelio*. Sie argwöhnten angesichts des eindringlichen Gefangenenchors unliebsame Demonstrationen im Parkett. Darum entschied man sich für die *Meistersinger*. Im Februar 1956 leitete der Sekretär des Zentralkomitees der KPdSU Nikita Chruschtschow mit seiner Rede auf dem XX. Parteitag in Moskau (Entlarvung Stalins) eine kurze Tauwetter-Periode ein. Der Anteil der DDR-Autoren im Spielplan sank prompt in der Spielzeit 1956/57 auf unter 17 Prozent (1955/56: über 19 %). Der Einmarsch in Ungarn stärkte Ulbricht wieder.

Kursveränderungen gehen meistens von den Plenartagungen des Zentralkomitees der SED aus, auf denen das Politbüro (also die vom Zentralkomitee gewählte Leitung) die von ihm ausgearbeitete »Linie« zum Beschluß erheben läßt. Öfters steht die Kulturpolitik zur Debatte, deren liebstes Kind das Theater ist. Im Januar 1959 wandte sich Ulbricht auf dem 4. Plenum gegen das »sogenannte ›didaktische‹ Lehrtheater«, dessen Verfechtern er »sektiererische Tendenzen« vorwarf. Das war eine Warnung an die Brechtianer. Das Schreckwort ›Formalismus‹ wurde von einem anderen ersetzt: ›Dekadenz‹. Prügelknaben waren die Intendanten und Dramaturgen. Vom Frühjahr 1957 bis zum Herbst 1959 wurden 22 von insgesamt 63 Intendanten abgesetzt. In der Spielzeit 1958/59 war der Anteil der DDR-Autoren am Spielplan immerhin wieder auf reichlich 30 % geklettert. Nationalpreisträger Wolfgang Langhoff geriet wieder ins Kreuzfeuer. Erstmals 1950 gemaßregelt, hatte er damals seine Parteifunktionen verloren. Nun warf ihm die Parteipresse wieder »Liberalismus in der Spielplangestaltung« vor. Sein Chefdramaturg Dr. Heinar Kipphardt verschwand in den Westen.

Im Februar 1959 hatte im Volksbühnen-Theater eine Inszenierung von Majakowskis Satire auf Bonzen, Banausen und Bürokraten *Das Schwitzbad* Premiere. Die Presse durfte darüber nicht berichten. Das Stück, das nach Stalins Tod in Moskau Erfolg gehabt hatte und vom dortigen Regisseur (Nikolai Petrow) auch am Luxemburgplatz einstudiert worden war, wurde nach der fünften Vorstellung abgesetzt. Die Kulturfunktionäre fühlten sich getroffen.

Es kann kein Zufall sein, daß in diesem Staat die bedeutendsten Theaterleute Ausländer waren: Brecht besorgte sich und seiner Frau einen österreichischen Paß, Walter Felsenstein war Österreicher, Benno Besson ist Schweizer. Der fremde Paß verleiht Distanz. Im Zeitalter Stalins und Ulbrichts konnten sich die Freunde der DDR nur mit gepanzertem Rücken für die DDR einsetzen.

Erneuerung des Musiktheaters

Unter »modern« eingestellten Teilnehmern am Musikleben setzte sich die Meinung durch, die Oper – ohnehin »Unsinn« – sei ohne Bezug auf menschliche Wahrheit, ohne Beachtung szenischer Gesetze nur dem Musik-Genuß verpflichtet. Dieser »kulinarischen« Oper wurde das Musiktheater gegenübergestellt, als Versuch, die Gesetze, Erfordernisse und Interessen von Musik und Theater zu verbinden und das Unverwechselbare der Oper, das sie von allen anderen Künsten und Kunstgattungen unterscheidet, ins Zentrum des künstlerischen Ereignisses zu setzen: den singend handelnden Menschen. Musiktheater ist also nicht etwa eine »Steigerung« des Sprechtheaters. Das Musiktheater stellt Handlungen vor, die Musik brauchen – oder mindestens ermöglichen.

In einem Brief, den Richard Strauss im April 1945 aus Garmisch an Karl Böhm geschickt hat und der »eine Art Testament« darstellt, hat Strauss das Musikdrama als diejenige Form gepriesen, in der das »von Joseph Haydn erschaffene, mit Sprache begabte, von Weber, Berlioz und Richard Wagner vollendete Orchester« die »höchsten Kunstleistungen des Menschengeistes« ermöglichte, als »oberste Gipfel und Abschluß einer 2 000jährigen Entwicklung«.

Es ist auffällig, daß der einstige Wagnerianer Strauss vielen seiner Werke Gattungsbezeichnungen des Schauspiels gegeben hat: Tragödie, Komödie, Konversationsstück. Als Marksteine der Musikdramatik wurden aber nach dem Kriege nicht *Salome* und *Elektra* empfunden, sondern »Strawinskys ›Geschichte vom Soldaten‹ als Wegweiser zum ›epischen Theater‹, sein ›Oedipus Rex‹ als typenbildendes Opernoratorium, Alban Bergs ›Wozzeck‹ als hochexpressionistische Literaturoper, die dramatische Form aus rein musikalischer gewann; auch die Erneuerung der antiromantischen, an der altitalienischen Buffa orientierten Spieloper, und die seit den zwanziger Jahren lancierte Zeitoper mit sozialkritischer oder sonstwie aggressiver Thematik gaben Anhaltspunkte« (Kurt Honolka).

Die jungen Komponisten empfanden die Oper als am Ende, fühlten sich aber von der freieren Kombination von Ton und Wort, Tanz und Mimus zu neuer Gestaltung im Sinne eines ›Gesamtkunstwerks‹ aufgerufen. Die Oper zog sie auch deshalb wenig an, weil die moderne Musik, die ihnen vorschwebte, kaum kantabel war. Da empfahl sich das Ballett, auch um überlieferte Formen aufzubrechen. So mischte Boris Blacher in seiner Köpenickiade *Preußisches Märchen* Kabarettistisches und Tänzerisches, so ließ Henze in seinem lyrischen Drama *Boulevard Solitude* einige Figuren sich gesanglich, andere sich tänzerisch aussprechen. Der Tanz war also keine ›Einlage‹ mehr.

Boulevard Solitude, Februar 1952 mit großem Erfolg in Hannover uraufgeführt, bewährte sich wieder im Frühjahr 1974 in der Bayerischen Staatsoper. Stuckenschmidt: »Wie, so fragte man sich, würde dieser modernisierte Manon-Lescaut-Text mit Zuhälter, Flüster-Kneipe, Kokainsüchtigen, Bahnhofshalle und gestohlenem Pseudo-Picasso ›ankommen‹, wie diese Partitur wirken, in der Geräuschsinfonik, Zwölftonreihe, Puccini-Melodik, Jazz, variable Metren und Sprechstimme sich vermählen? [...] Was 1952 unter Johannes Schüler noch ein Wagnis war und klanglich kühn schien, ist heute kein Hörproblem mehr. Das Orchester spielt es, die Choristen singen es und sprechen es so sicher wie Puccini.«

Das *Preußische Märchen*, laut Stuckenschmidt »Deutschlands beste Musikkomödie der Nachkriegszeit«, blieb ein Geheimtip für Vorurteilslose, erlebte aber ebenfalls 1974 (in der Deutschen Oper, Berlin) ein glänzendes Comeback. »Halbwegs zwischen Offenbach und Strawinsky ein völlig eigener Ton.« Auch sonst schaltete Blacher frei mit den Elementen. Beispielsweise in *Romeo und Julia* (Salzburg 1950) integrierte er Ballettpantomime und Kantate. Carl Orff ließ in *Trionfo di Afrodite* (Mailand und Stuttgart 1953) musikalischen Rhythmus, Körperausdruck und verbales Pathos einander steigern. Wilhelm Killmayer schuf Musikschauspiele à la Commedia dell'arte (*La Buffonata*, Heidelberg 1961) und à la barocco (in den gesungenen, gesprochenen und getanzten *Tragedia di Orfeo*, München 1961).

Die Krise der Oper sei vor allem eine Krise des Librettos, erklärte der Komponist Rolf Liebermann im Jahre 1955, damals Leiter der Orchesterabteilung des Schweizerischen Landessenders Beromünster. »Es scheint mir an der Zeit, daß wir Opernschaffenden endlich die Entwicklung des Schauspiels der letzten Jahrzehnte zur Kenntnis nehmen. Während Autoren wie Brecht, Thornton Wilder und Giraudoux das Drama revolutioniert haben, verharren die Operndichter im tiefen Dornröschenschlaf, erstarren inhaltlich und szenisch in Schablonen zu Konventionen. Der Komponist ist heute avantgardistisch, aggressiv. Er behandelt Probleme von gestern in der Sprache von morgen.«

Ernst Krenek meinte dagegen (1956), moderne Komponisten versprächen sich von der Oper geistig zu viel, freilich komme man seit Wagner um die »Bedeutungshaftigkeit des Opernwesens« nicht mehr herum. »Von einer neuen Oper größeren Kalibers wird stets eine Art gedanklicher Aussage erwartet, die über die sentimentalen Affären fiktiver Charaktere oder einem gefälligen Arrangement von ›gesungen wie gesprungen‹ hinausgeht.« Gedanklichem Gehalt leiste Vorschub, daß Prosa dem Vers vorgezogen werde, was auch die Komponisten ermutige, sich ihre Libretti selber zu schreiben, meinte Krenek, seit 1924 sein eigener Librettist.

Das Streben nach Bedeutung führte zur Literaturoper. Vorher waren die Libretti Gebrauchsware gewesen, literarische Vorlagen galten allenfalls als Material. Nun aber wurden Shakespeare, Kleist, Gogol mehr oder weniger wörtlich vertont. Werner Egk ließ Gogols *Revisor* (1957) partienweise parlando rezitieren, deutlicher kann ein Komponist die Musik dem Wort nicht unterordnen. Carl Orff ließ die Musik Shakespeares *Sommernachtstraum* dienen, in *Antigonae* (1949) und *Oedipus der Tyrann* (1959 Sophokles/Hölderlin) schrumpfte das Orchester zum Schlagzeug, psalmodieren die Sänger. Das auf Cervantes fußende *Wundertheater*, mit dem Hans Werner Henze 1948 die Reihe seiner Musikdramen begann, war programmatisch als »Oper für Schauspieler« klassifiziert.

Strauss verachtete Libretti nach klassischen Dramen: Verdis *Othello*, Gounods *Margarete*, Rossinis *Wilhelm Tell*, Verdis *Don Carlos*. »Sie gehören nicht auf die deutsche Bühne.« Nach seinem Tode wurden die Literatur-Vertonungen auffällig häufig, die Komponisten griffen öfter denn je nach klassischen, mindestens nach höchst renommierten Stoffen, als wollten sie ihren Kompositionen dadurch zusätzlichen Wert verleihen. Oder sie rechneten ganz einfach mit der Neugier der Leute auf neuerdings singendes Dramen-Personal. Hermann Reutter vertonte Grabbe

(*Don Juan und Faust*, Uraufführung in Stuttgart 1950) und Wilder (*Die Brücke von San Luis Rey*, 1954 in Essen), Werner Egk nutzte W. B. Yeats (*Irische Legende*, Salzburg 1955), Gogol (*Der Revisor*, Schwetzingen 1957), Calderon (*Siebzehn Tage und vier Minuten*, Stuttgart 1966) und Kleists Novelle *Die Verlobung in St. Domingo* (München 1963), aus der Winfried Zillig schon einen Einakter gemacht hatte. Zillig bediente sich auch bei Shakespeare (*Troilus und Cressida*, Düsseldorf 1951, Bielefeld 1961). Rudolf Wagner-Régeny vertonte Hofmannsthals *Bergwerk von Falun* (Salzburg 1961), Boris Blacher nahm sich Kaisers *Rosamunde Floris* vor (Berliner Festwochen 1960) und *Yvonne* von Witold Gombrowicz (Wuppertal 1973). Giselher Klebe hat in seinen sämtlichen Opern literarische Stoffe verwendet, von seinem Operndebüt mit den *Räubern* (Düsseldorf 1957) über Balzac, Werfel, Horváth, Kleist und Goethe bis zu Synges düsterer Komödie *Der Held der westlichen Welt* (Zürich 1975).

Die häufige Selbstbedienung der Komponisten aus dem Vorrat der Dramatik hat dem Handwerk der Librettisten seinen goldenen Boden genommen. Die Librettisten starben aus, meinte der Opernbearbeiter Kurt Honolka, »als die Konventionen der pièce bien faite vom neuen Musiktheater durchlöchert wurden«. Ausnahmen bestätigen die Regel: Hans Werner Henze ließ sich von Ingeborg Bachmann Kleists *Prinzen von Homburg* (Hamburg 1960) und eine Parabel von Wilhelm Hauff librettisieren (*Der junge Lord*, Berlin 1965). Den *König Hirsch* (Berlin 1956, Neufassung 1963) nach Gozzis Märchenspiel bereitete Heinz von Cramer zu, die *Elegie für junge Liebende* (Schwetzingen 1961) geht auf ein Original-Libretto von W. H. Auden und Chester Kallman zurück, dem Librettisten von Strawinskys *Rake's Progress*. Wilhelm Killmayer arbeitete mit Tankred Dorst zusammen, Zillig schon seit den dreißiger Jahren mit Richard Billinger.

Selbstverständlich gehörten auch Regisseure zu den Schrittmachern der Musikdramatik. Gründgens, der rund zwei Dutzend musikalische Werke inszeniert hat und dabei Offenbach und Mozart bevorzugte, hatte die Tendenz, die Musik dem Spiel dienstbar zu machen. Er »ließ der Musik ihr Recht nur, solange er von ihrer Eigenständigkeit und ihrem Werte überzeugt war«, erinnerte sich die Heroine Astrid Varnay 1971, rückblickend auf dreißig Bühnenjahre. »Für mich ist Gründgens das Bindeglied zu Wieland Wagner, der nicht mehr daran dachte, sich mit seinen szenischen Aktionen nach der musikalischen Metrik zu richten, zumindest in der damaligen Zeit. Er verbot mir strikt, rhythmisch zu agieren.«

Der Wunsch, die Oper vom »Gewohnheitsunfug« zu befreien, brachte Walter Felsenstein dazu, musikdramatisch zu arbeiten. Er bemühte sich, das »innere Leben eines Stückes« zu erwecken, damit das Spiel sich glaubwürdig entfalten konnte, und verlangte von den Sängern die entsprechenden darstellerischen Fähigkeiten. Zum festen Ensemble der Komischen Oper holte er nach Bedarf auswärtige Spitzenkräfte, mit denen er »Stückverträge« abschloß (Elfriede Trötschel als Orffs »Kluge«, Anny Schlemm als Marie in der *Verkauften Braut*, als Cherubin und Agathe, Hans Reinmar als Falstaff). Er kombinierte also das Ensemble-Prinzip des Repertoiretheaters mit dem Stagione-Prinzip, schon bevor die um sich greifende allgemeine Mobilität dazu zwang. »Bekannte Repertoirewerke erschienen wie neu, da sie nicht nur gründlich entstaubt und durchleuchtet, sondern in den Zusammenhängen und Beziehungen ihrer Gestalten mit bisher ungewohnter, schärfster Deutlichkeit aufgedeckt wurden. Im Verlauf der Arbeit, die Felsenstein einmal die ›schöpferische Verwandlung‹ des darstellenden Künstlers nannte [...], wurden aus Ensemble- und Chorpartien lebenswahre Szenen« (Karl Schönewolf). Gelang es dem Sänger-Darsteller nicht, aus der Musik Gefühle und Handlungen abzuleiten, so wurden Etüden eingeschoben, um »Vokal-Idiotie« in »szenischen Konzerten« zu vermeiden. Primadonnen konnte Felsenstein nicht gebrauchen und schon gar keine »Primatonnen« – so nannte Max Reger die schwerfälligen, übergewichtigen Sängerinnen seiner Zeit. Inzwischen glaubt man nicht mehr daran, daß eine umfangreiche Stimme unbedingt einen umfangreichen Körper braucht. (Dazu Martina Arroyo, gefeierte Aida 1974: »Man singt doch nicht mit dem Popo.«) Carl Ebert hatte schon die Attraktionen der Mozart-Festspiele in Glyndebourne (seit 1934) ganz bewußt dadurch erhöht, daß er möglichst nur solche Sänger engagierte, die auch körperlich attraktiv waren. Das Opern-Publikum hat diese »Entfettung« dankbar honoriert. Es ist ja auch verwöhnt vom Film – was die äußere Erscheinung eines Sängers anbelangt, und von der Schallplatte – was die Stimme angeht. Das ist insofern ungerecht, als in diesen technischen Medien technisch nachgeholfen wird.

Felsenstein gab dem Nachwuchs Chancen, er entließ Hanns Nocker aus dem Studio der Komischen Oper für Hoffmann und Othello, er ließ Sängerinnen von der Hochschule die Königin der Nacht singen, wenigstens als zweite Besetzung plante er Nachwuchs ein. Er sprach von »realistischem Musiktheater«, auf den von Ost-Berlin aus propagierten Realismus anspielend. Dem Zuge der Zeit folgend, wurden im *Zigeunerbaron* (1949) und im *Freischütz* (1951) die ständischen Gegensätze betont, wurde der *Figaro* (1950) als Revolutionsstück präsentiert. Doch das sind kulturpolitische Konsequenzen, vergleichsweise Äußerlichkeiten. Die Suche nach den Quellen, dem vom Autor ursprünglich gemeinten Sinn, macht den Ruhm Felsensteins aus. Seine beiden berühmtesten Inszenierungen waren eine Ur-*Carmen* (Januar 1949), mit wiederhergestelltem gesprochenem Dialog, und *Hoffmanns Erzählungen* (Januar 1958), erneut im Sinne von E. T. A. Hoffmann und seinen Quellen. »Als Triumph durchgestalteter Theatermechanik ist die Aufführung ohne Vergleich. Der Seele von Offenbachs phantastischer Oper hat sie ein Moment faszinierender Seelenlosigkeit abgewonnen«, lobte Stuckenschmidt in dem einen Falle, und in dem andern: »An dieser Carmen ist alles ungewohnt.«

Der Ausstattungsleiter Rudolf Heinrich bezeichnete sich als »dramaturgischen Mitarbeiter des visuellen Teiles einer Inszenierung« und verglich seine Arbeit mit der des Schriftstellers: er benenne die szenischen Gegenstände stofflich, statt mit Worten. Er hoffe auf neue Gesichtspunkte, »die besser, das heißt deutlicher ausdrücken, was zu sagen ist«. Also: je deutlicher, desto besser? Heinrichs Wald für das *Schlaue Füchslein* (von Leoš Janáček) wurde als »naturalistisch« getadelt. Im *Sommernachtstraum* (Benjamin Britten) wuchs dagegen ein Theaterwald, Heinrich applizierte Formen einer märchenhaften Flora.

Auf die Grundfrage vor Beginn der Arbeit des Bühnenbildners »Wo spielt das Stück?« ließ Felsenstein so oft wie nötig die Antwort zu »Auf der Bühne der Komischen Oper«. Die konsequenteste Konsequenz zogen Heinrich und Felsenstein für die *Zauberflöte*: das Gründerzeit-Barock des Zuschauerraums vereinigte sich mit dem barocken Bühnenbild zu einem einzigen festlichen Raum. Darin aber veristisches Spiel. (»Du darfst dir nicht vorstellen, daß du Sarastro haßt, du mußt ihn

wirklich hassen«, hatte Felsenstein von Sonja Schöner bei den Proben gefordert. »Stell dir vor, ich bin jetzt Sarastro – wie sagst du es mir?«) Viele Ergebnisse solcher Arbeit sind berühmt geworden, auch diese *Zauberflöte* vom Februar 1954.
Natürlich hat auch diese Methode ihre spezifische Sackgasse. Aber vorerst sah man nur den Weg, die »beckmesserische Trennung der Gattungen« (Felsenstein) zu beseitigen, als Teil einer »großen Bewegung« von der Spezialisierung zurück zur »Universalität des Theaters«.

Nicht nur Spiele – Festspiele!

In dürftiger Zeit war die Sehnsucht, Feste zu feiern, größer denn je. Im glücklichen Salzburg hatte man sogar durchgehalten, mit einem Ersatz- und Notprogramm. Im nächsten Sommer, 1946, ließen die Salzburger Festspiele dann Absichten erkennen. Man ließ Goldonis *Diener zweier Herren* und Hofmannsthals *Jedermann* pietätvoll nach Reinhardts Regiebüchern ablaufen, mit Hermann Thimig als »Diener«, Ewald Balser erstmals als »Jedermann«, zum zwölften Mal Helene Thimig, inzwischen Reinhardts Witwe, als »Glaube«. Es gab eine literarisch-dramatische Gedenkfeier für Max Reinhardt und Hugo von Hofmannsthal.

Die erste Nachkriegsinszenierung, also keine Wiederaufnahme wie *Rosenkavalier* (mit Hilde Konetzni als Feldmarschallin) und *Don Giovanni* (mit Anton Dermota als Don Ottavio), war *Figaros Hochzeit*, in italienischer Sprache. Inszenierung von Oscar Fritz Schuh, Oberregisseur an der Wiener Staatsoper, »kein gefälliges Rokokolustspiel, sondern eine teils bittere, teils spöttische Komödie, die sich aus den dramatischen Charakteren entwickelt. Oscar Fritz Schuhs überragende Bedeutung als szenischer Gestalter, als Schöpfer eines lebendigen Mozart-Stils [...] ist nach dieser Aufführung [...] besser erkennbar denn je« (*Wiener Kurier*). Unter der Leitung von Felix Prohaska sangen Erich Kunz und Irmgard Seefried das Buffo-Paar, Walter Höfmayer und Maria Cebotari Graf und Gräfin.

Das Publikum bestand überwiegend aus amerikanischen und französischen Soldaten, Zivilisten waren nicht zugelassen. Egon Hilbert, 1945 kommissarischer Leiter des Landestheaters in Salzburg und von 1946 an Chef der Bundestheaterverwaltung, hatte verschiedene Tricks, Deutsche über die Grenze zu bekommen, die er brauchen konnte. Er ließ sie mit Behelfspapieren vorübergehend zu Österreichern machen oder vom amerikanischen Geheimdienst scheinbar verhaften, angeblich zwecks Vernehmung nach Salzburg schaffen und nach dem Besuch der Festspiele zurückbringen. So geschah es beispielsweise dem Opernregisseur Rudolf Hartmann, der 1952 der dritte Nachkriegsintendant der Bayerischen Staatsoper wurde, und dem Komponisten Werner Egk.

Auch in der Talentwiege Graz begann die Spielzeit 1945/46 wohlgemut mit »Festwochen«, denn auch die Steiermark war ein Refugium namhafter Künstler, und die Theater der ehemaligen »Stadt der Volkserhebung« waren glimpflich davongekommen. Das unbeschädigte Schauspielhaus beschlagnahmte zwar die britische Besatzungsmacht, aber das Opernhaus am Kaiser-Josef-Platz war schon am 30. Juni wieder soweit in Ordnung, daß Glucks *Maienkönigin* in Szene gehen konnte. Der Festwochenbeginn mit Mozarts *Entführung* vereinigte Julius Patzak (als Belmonte), Ludwig Weber (als Osmin), Elisabeth Schwarzkopf (als Konstanze) und Herma Handl (als Blondchen).

Zwei Altistinnen debütierten, die bald berühmt wurden: Ira Malaniuk, eine Polin, die in Wien und Salzburg Gesang studiert hatte, und die Grazerin Hertha Töpper. Ira Malaniuk sang die Ulrika im *Maskenball* und den Cherubin im *Figaro*, 1947 begann sie in Zürich die internationale Karriere. Hertha Töpper blieb bis 1952. Als Octavian im *Rosenkavalier* unter Meinhard von Zallinger hinterließ sie bleibende

Erinnerung. Es war ihre Abschiedsrolle, als sie nach München an die Staatsoper ging. In den Festwochen 1946 dirigierte der eigentlich »verbotene« Karl Böhm, der sich bis zur Bereinigung seines »Falles« in seine Heimatstadt zurückgezogen hatte, eine *Salome* mit Ljuba Welitsch in der Titelrolle.

Salzburg und dessen Glück mit Mozart schwebte dem ehemaligen Wiener Tänzer Kurt Kaiser vor, als er die Leistungsfähigkeit seiner Vorarlberger Landesbühne erweisen wollte. Auf einem Floß im Gondelhafen von Bregenz ließ er im Sommer 1946 das Wiener Wiesenthal-Ballett die längst ertanzte *Kleine Nachtmusik* repetieren und inszenierte das Singspiel *Bastien und Bastienne.* Das Publikum saß auf Brettern, Fässern und auf der Brüstung des Hafens. Die Schweiz hatte diesem Ereignis zuliebe für acht Tage die Grenze geöffnet. Im Sommer 1947 folgte Mozarts *Entführung* im Strandbad. Zum ersten Mal gab es Auftritte von Booten aus, Bassa Selim kam zu Schiff, Osmin angelte, statt Feigen zu pflücken. Keine Konkurrenz zu Salzburg natürlich, aber immerhin.

Die Stadt bekam Angst vor dem Risiko, es wurde ein privater Verein gegründet, die »Festspielgemeinde«. Clemens Krauss empfahl Spezialisierung auf klassische Operette. Karl Schmid-Bloß, seiner Direktion in Zürich ledig geworden, inszenierte 1948 den ersten großen Erfolg auf dem Wasser: *Eine Nacht in Venedig.* Der Zürcher Bühnenbildner Max Röthlisberger baute Dogenpalast, Seufzerbrücke und Löwensäule aufs Wasser. Die *Nacht in Venedig* wurde später wieder und wieder inszeniert, immer prächtiger. Das echte Venedig gab leider keine originalen Gondeln her, sie sind im Sommer dort unentbehrlich. Man zog sich einen eigenen Chor heran; was die Wiener Philharmoniker für Salzburg waren, waren die Wiener Symphoniker für Bregenz, jahrelang unter Anton Paulik von der Volksoper.

Die Salzburger Festspiele waren inzwischen wieder zu Bedeutung gekommen, im Sommer 1947, durch die Uraufführung von *Dantons Tod,* Oper von Gottfried von Einem, einem Blacher-Schüler. Der Komponist wurde sofort in der ganzen Musikwelt bekannt, das teils anspruchsvolle (Zwölftonmusik), teils ansprechende (Volkslied-Elemente) Werk wurde ein Welterfolg. Salzburg war der erste Festspielort, der sein Publikum der modernen Oper aussetzte, fast ein Jahrzehnt lang. *Le vin herbé* von Frank Martin ist seit seiner Salzburger Aufführung im Jahre 1948 über eine Reihe von Bühnen gegangen. Die *Antigonae* von Carl Orff hat sich durchgesetzt, Rolf Liebermanns *Schule der Frauen* nicht minder. Auch Werner Egks *Irische Legende* lebt weiter (Neufassung Februar 1975 in Augsburg). Diese Werke weckten in Salzburg »eine Aura von Diskussionen [...], Diskussionen um Werke, nicht um Interpretenklatsch und um Intrigen bevorzugter Hofhaltung wie vorwiegend später« (Harald Kaufmann).

Im Sommer 1948 debütierte Herbert von Karajan als Festspieldirigent, und auch Furtwängler war wieder da. Mit Karajans *Figaro* und *Orpheus* sowie zwei Konzerten und Furtwänglers *Fidelio* begann eine Idealkonkurrenz, die sich zur Rivalität zwischen Furtwängler und Karajan zuspitzte. Sie zwang die Festspiel-Leitung und die Wiener Philharmoniker zu schwierigem Lavieren. Die Philharmoniker optierten für Karajan, die Salzburger Festspiele für Furtwängler. Karajan konnte warten; es war vorauszusehen, daß er Furtwänglers Positionen eines Tages erben würde.

Im Jahre 1952 gab es wieder eine Richard-Strauss-Uraufführung, die letzte: *Die Liebe der Danae.* Eine Generalprobe, sogar eine öffentliche, hatte das Werk schon

im April 1944 in Salzburg erlebt. Nach dem Kriege hatte Strauss mehrere Offerten ausgeschlagen, er wollte warten, bis der Inszenator und der Dirigent von damals wieder für Salzburg zur Verfügung stünden, Rudolf Hartmann und Clemens Krauss. Das ergab sich erst fast drei Jahre nach seinem Tode. Die Danae sang Annelies Kupper, als König Midas stellte Krauss einen jugoslawischen Tenor heraus, der noch keineswegs zu den internationalen Größen zählte: Josip Gostič. Diese *Danae* war der festliche Abschluß einer Epoche deutscher Operngeschichte.
Der Salzburger Erfolg ließ den Bregenzer Ehrgeiz nicht ruhen. Als an der Salzach das Schauspiel zurücktrat, mühte man sich am Bodensee besonders darum. Im Jahre 1949 hatte das Burgtheater erstmals im Vorarlberger Landestheater gastiert, seit 1953 kam es regelmäßig, 1956 zum ersten Mal mit einer Uraufführung: Max Mells *Jeanne d'Arc*. Es inszenierte Josef Gielen, der lange Zeit hindurch der wichtigste Mann fürs Schauspiel war, wie Adolf Rott für die Operette auf dem See und der Tenor Marcello Cortis für eine musikalische Spezialität in Bregenz: seltene Spielopern, meist italienischer Provenienz. Darunter ein besonders glücklicher Fund: die Uraufführung der Haydn-Oper *Das brennende Haus*, mit Oskar Czerwenka als Hanswurst und Rosl Schwaiger als Columbine.
Jahrelang gab es in Bregenz jeweils eine Schauspiel-Uraufführung, von 1958 an aus eigenem Vorrat: Ergebnisse eines 1956 ausgeschriebenen Dramenwettbewerbs. Den ersten Preis bekam Reinhold Schneider, der die Uraufführung nicht mehr erlebte, für *Der große Verzicht*, ein Papstdrama, das im 13. Jahrhundert spielt. Leider hat keins der in Bregenz aus der Taufe gehobenen Dramen die Spielpläne bereichert, obwohl das Burgtheater sie mitnahm nach Wien, nicht Roman Brandstätters Drama einer Gewissensprüfung *Der Tag des Zorns*, und auch nicht Julius Hays Geschichtstragödie *Attilas Nächte*.
Natürlich verführte die Bregenzer Bucht am Berghang des Pfänders die Operette zu gewaltigen Entfaltungen. Die Bühnentechnik bekam es mit neuen Problemen zu tun: mit Wellenschlag und Winddruck, Unterwasserkabeln und Unterwasser-Seilwinden. Die Bucht wurde ausgebaggert, gewaltige Pfähle wurden in den Grund gerammt. Im Jahre 1950 gab es (für Millöckers *Gasparone*) die erste Drehbühne auf dem Wasser. Allmählich wuchs sich die Spielfläche oder wenigstens optisch wirksame Gesamtfläche auf 40 000 Quadratmeter aus. In diesem Gebiet tummeln sich 500 bis 600 Mitwirkende, von denen viele mit Booten an die Stelle ihres Auftritts befördert werden müssen. In der *Nacht in Venedig* kam Helge Rosvaenge aus 250 Meter Entfernung zu Schiff heran: »Sei mir gegrüßt, holdes Venezia ...«. Mit *Der Bettelstudent* begannen die eigentlichen Wasserspiele: drei Fontänen im Hintergrund. Daraus wurde in *1001 Nacht* von Johann Strauß (1949) ein 60 Meter hoher, 120 Meter breiter Wasservorhang, auf den farbige Projektionen geworfen wurden. Hunderte von Düsen verspritzten 120 000 Liter Wasser pro Minute. Manchmal spielte der See die Hauptrolle. Für *Wiener Blut* gestaltete Fritz Judtmann großes barockes Wassertheater in einem phantastischen Archipel, in dem Bäume wuchsen, deren Äste aus Wasserstrahlen bestanden, und Seerosen, denen Tänzerinnen entstiegen. Regiert wurde das Ganze von einem Turm aus.
Das Wasser ist eine gute Resonanzfläche, der meist landwärts wehende Abendwind tut ein übriges. Die arenaförmige Anordnung der 6 400 Plätze am Ufer fängt den Schall. Gegen stärkeren Wind helfen versteckte Mikrophone. Wenn es regnet, kön-

Seebühne in Bregenz, Aufbauten zu Lortzing, Zar und Zimmermann, 1967. Inszenierung: Adolf Rott. Bühnengestaltung: Ottowerner Meyer (Foto: Risch-Lau, Bregenz)

nen 1450 Besucher in der Stadthalle ein Ersatzprogramm sehen, meistens Ballett, das als Begleiterscheinung begann und seit 1953 eigenständige Beiträge liefert. Im Mai 1976 wurde der Neubau eines Bregenzer Festspiel- und Kongreßhauses beschlossen.

Die goldenen Jahre des Spiels auf dem See waren die von 1953 bis 1959. Jedes Jahr übertrumpfte das vorhergehende, selbst kleine Rollen waren prominent besetzt, trotzdem konnten fast 80 % der Ausgaben eingespielt werden.

Die notgeborenen Ruhrfestspiele gediehen in der Obhut der 1948 vom Deutschen Gewerkschaftsbund und der Stadt Recklinghausen gemeinsam gegründeten »Gesellschaft zur Durchführung der Ruhrfestspiele« immer repräsentativer und umfassender. Im Jahre 1949 gab es die erste »Eigeninszenierung«: Goethes *Faust*, regiert von Karl Pempelfort, mit einem für die »Kulturtage der Arbeit« zusammengestellten Wunschensemble: Bernhard Minetti als Faust, Elfriede Kuzmany als Gretchen, Wilfried Seyferth als Mephisto. Zur Eröffnung kam der Ministerpräsident des Landes Nordrhein-Westfalen mit seinem Kabinett, von 1951 an gar der jeweilige Bundespräsident.

Der Name des von Karl dem Großen gegründeten Ackerbaustädtchens, das 1946 noch keine 90 000 Einwohner gehabt hatte, wurde zum Exempel für alle, die Demokratie, Sozialismus und Kunst als Dreiklang empfanden. Der Arbeitersohn Otto Burrmeister, der 1947 als einer der Bittsteller für die Hamburger Staatstheater nach

Recklinghausen gereist war, zog in die Gewerkschaftszentrale nach Düsseldorf um, als Kulturreferent und »künstlerischer Gesamtleiter«. Für ihn sei Recklinghausen »das Symbol des Kulturwillens neu aufsteigender Schichten«, erklärte er (1951). Damals kamen 100 000 Besucher. »Eine so phantastische Zahl ist man sonst nur von Fußballplätzen gewohnt – hier taucht sie im Zusammenhang mit einem kulturellen Ereignis auf. Das ist wirklich beispiellos«, stand in der Zeitung. Drei Gründe sind dafür anzugeben: die Werbung der Gewerkschaften in den Betrieben, die künstlerische Qualität (die sich besonders im freien Verkauf auswirkte) und die Verbreiterung des Angebots. Im Jahre 1951 wurden zum ersten Mal Konzerte und ein Tanzprogramm geboten, zum zweiten Mal eine Ausstellung und ein »Europäisches Gespräch« (über »Arbeiter, Manager, Kultur«), zum dritten Mal ein hauseigener Klassiker: *Don Carlos* unter Stroux mit Hans Quest und Mathias Wieman, Walter Franck und Antje Weisgerber.
Der Anteil der von der Gewerkschaft vertriebenen oder verteilten Karten betrug 1951 59,7 %. Er stieg 1954 auf 76 % (von 133 000 Besuchern) und pendelte sich dann bei 70 % ein. Auch 70 % der Kosten wurden von der Gewerkschaft übernommen. Der Anstieg von 1954 war auch einer Rundreise zu danken: die Festinszenierung (*Nathan* mit Ernst Deutsch) wurde in sechzehn Städten Nordrhein-Westfalens und in Rotterdam gezeigt.
Im Sommer 1954 entschloß sich die Stadt zu einem Architektenwettbewerb für den Bau eines Festspielhauses auf dem Hügel im Stadtgarten. Noch blieb die Idee im Verborgenen, aber als 1957 die Zahl der Besucher auf 170 000 gestiegen war, erschien eine würdige Stätte der Begegnung als Notwendigkeit. Ort der Veranstaltungen war der »Städtische Saalbau«, ein häßliches Vorstadtlokal, das in zwei Anfällen von Ehrgeiz vorn zu einem Türmchen kam und hinten, beim Biergarten unter gestutzten Platanen, zu einem dörflich-dorischen Säulengang. Saal und Bühne waren ungeeignet fürs Theaterspiel, das Notwendigste war schlecht und recht eingebaut worden. Das Teerpappe-Dach wurde während der Festvorstellungen ständig berieselt. Ein Löschzug stand stets bereit. Es ging gut, achtzehnmal.
Eine (noch bescheidene) Festschrift erschien 1959, sie pries den Wert der Ruhrfestspiele »für die Bildung eines staatsbürgerlichen Bewußtseins«. »Solche Gegensätze überwindende, von Toleranz getragene Zusammenführung der Geister im Raum von Kunst und Kultur arbeitet [. . .] gewiß und entschieden mit an Entstehung und Festigung der Linien eines neuen deutschen Gesellschaftsbildes.« Die Gewerkschaft hatte eine Allianz zwischen Feier und Arbeit legitimiert, hatte selber dabei staatliche Anerkennung als Kulturträger erlangt. Die Klassengesellschaft und der schiere Kapitalismus schienen reformatorisch überwunden, die Christlich-Demokratische Union, damals regierende Partei, kam mit ihrer Vorstellung von Sozialpartnerschaft entgegen, Staat und Gewerkschaft feierten in Recklinghausen sich selbst und einander. Und im Mittelpunkt, als Katalysator gleichsam, stand das Theater. Glanz verbreitend, empfing es Glanz.
In den frühen fünfziger Jahren wurden viele Festspiele gegründet oder wiedergegründet. Die Kulturwelt konsolidierte sich. Die Wiesbadener Maifestspiele gab es von 1950 an wieder, ebenso die Münchner Festspiele. Die Wiener Festwochen sollten 1951 helfen, den damals in Wien viel beredeten Eindruck von einer Kulturkrise zu beenden. Der Promotor, Stadtrat Mandl, hatte »eine stattliche Anzahl berufener

Zweifler« gegen sich, wie er selber sagte. Aber er setzte sich durch: »Wien, Österreich und das Ausland nahmen die ersten Festwochen staunend zur Kenntnis.« Ein
Fest-*Fidelio*, ein Mozart- und ein Verdi-Zyklus, eine Totgeburt im Burgtheater.
Von 1951 an wurde auf dem »Grünen Hügel« in Bayreuth wieder Richard Wagner
aufgeführt. Ebenfalls 1951 begannen die Festspiele in der Bad Hersfelder Stiftsruine, und auf westalliierten Befehl wurden die ersten Berliner Festwochen organisiert. Erst 1957 konterte die DDR diese kulturpolitische Offensive mit Festspielen
in Ost-Berlin. Im Jahre 1952 machte der Süddeutsche Rundfunk die an der Währungsreform gestrandeten Schwetzinger Festspiele mit 100 000 DM wieder flott.
In Schwetzingen, wo Rokoko sich auf Flieder, Tabak und Spargel reimt, prägt das
Schloßtheater (etwa 500 Plätze) die Festspiele. Es ist das einzige im Zeitstil (um
1750) erhaltene Hoftheater Deutschlands. Es liegt im nördlichen »Zirkelbau« ver-
steckt und verrät sich dem Besucher der größeren Sehenswürdigkeit Schwetzingens,
des Parks, allenfalls durch sein für fürstliche Freizeitarchitektur anomales Dach.
Mozart, Haydn, Gluck sind die genii loci, und schon im ersten Jahre des Wiederbeginns wurde der denkwürdige Versuch unternommen, einen wesentlichen Teil des
vernachlässigten Opernwerks von Christoph Willibald Gluck in sorgfältigen und
reich ausgestatteten Inszenierungen erneut zur Diskussion zu stellen. An insgesamt
13 Opern-, Ballett- und Konzertabenden beteiligten sich das Badische Staatstheater
Mannheim, die Städtischen Bühnen Heidelberg, das Stuttgarter Kammerorchester.
Ein solch geschlossener Akkord war in Schwetzingen später nicht mehr zu vernehmen, er hätte auf die Dauer die Möglichkeiten verengt und auszehrend gewirkt.
Zu inländischen Gasttruppen mit archaisierend Zeitgenössischem (von Strawinsky,
Britten, Strauss) kamen ausländische mit aparten Spezialitäten. Wiederentdeckungen
(Paisiello, Rameau, Simon Mayr, Baldassare Galuppi, André Campra) und Kom-
positionsaufträge für Vertonungen traditioneller Sujets aus zeitgenössischem Empfinden prägten das Programm. »Gleichsam alte Arien mit neuen Noten«, so umschrieb Henze seinen sarkastisch-elegischen Operndreiakter *Elegie für junge Liebende*,
den die Bayerische Staatsoper 1961 in Schwetzingen uraufführte, inszeniert vom
Komponisten. Zwischen 1960 und 1971 wurden außerdem Auftragsopern von Gerhard Wimberger, Wolfgang Fortner, Hermann Reutter, Giselher Klebe und Aribert
Reimann uraufgeführt, und zwar durch verschiedene renommierte Musiktheater:
die Rheinoper in Düsseldorf und Duisburg, die Städtische Oper in Köln und die
Staatsopern in Stuttgart und West-Berlin. Schwetzingen ist ein kleines Festival,
man kann sich dort mit einem kleinen, elitären Publikum zufriedengeben.
Natürlich sind die Aktivitäten nicht zuletzt abhängig vom Reiz und von der Enge
der historischen Kulissenbühne. Erst Purcells Ballettoper *Die Feenkönigin* – eine
Produktion der Essener Oper für Schwetzingen, 1969 – vermittelte »eine Ahnung«
(wie Horst Koegler fand), »wie die Schloßbühne mit ihrem perspektivischen Tie-
fensog maximal zu nutzen sei«. Kurt Jooss schuf hier »das Opus summum seiner
Reife«. Die reglementierende Bühnenform harmonierte erstaunlich mit dem Sinn
des Choreographen für die zeremonielle Allüre der barocken Musik. »Zweifellos
besteht hier auch eine Verbindung zu Jooss' nicht weniger erfolgreicher Salzburger
Choreographie zu Cavalieris ›Rappresentazione di anima e di corpo‹, erst in der
Felsenreitschule und dann in der Kollegienkirche.«
Der »Wiesbadener Mai« erwarb sich rasch den Ruf, »Fenster zum Osten« zu sein.

Die großen Opernensembles der Ostblockstaaten gastierten in Wiesbaden. Das hatte zugleich kulturpolitische Bedeutung und informativen Wert in bezug auf Nationalstil und Niveau von Ballett und Oper.

Kaum hatte Georg Hartmann die Münchner Opernfestspiele wiedererweckt – fünf Jahre nach einem totalen Notstand! –, da war man sich der »festlichen Berufung« Münchens schon wieder sicher. Nachdem Erich Kleiber 1952 den *Rosenkavalier* dirigiert hatte (mit Maria Reining als Marschallin, Kurt Böhme als Ochs, Elisabeth Grümmer als Octavian), erklärte er, so etwas gebe es eben doch nur in Wien oder München. Man stützte sich neben Strauss vor allem auf Wagner und Mozart.

Als Besonderheit muß die Uraufführung von Hindemiths *Harmonie der Welt* im August 1957 gebucht werden, eine Kepler-Oper, in dissonant überlagerter Tonalität, mit polyphonen Suiten, fugenartigen Sequenzen, zum Schluß in einer grandiosen Passacaglia gipfelnd. Der Komponist dirigierte, Josef Metternich sang den Kepler, Hertha Töpper Keplers Mutter, Richard Holm den Wallenstein. »Einen beispielhaften Eindruck vermittelte – wie so oft in diesen Jahren – die Zusammenarbeit des Regisseurs und Staatsintendanten, Professor Rudolf Hartmann, mit seinem Chefbühnenbildner Professor Helmut Jürgens. In den weiträumigen, von Lichteffekten eindrucksvoll untermalten Szenenbildern blieb alles in fließender Aktion, vollführte – dem Orchestersatz adäquat – ein kontrapunktisches Gegeneinander der Bewegungen von einzelnen Gestalten und Volksmassen. Das Schlußbild wurde zu einem einzigen Durchfluten des Universums, zu einer Pracht und Glorie von nimmer endender Grenzenlosigkeit« (K.-R. Danler).

Die Berliner Festwochen leitete von 1951 bis 1962 der Komponist und Musikschriftsteller Gerhart von Westerman. In den ersten Jahren lag der Hauptakzent auf den Gastspielen berühmter Ensembles aus dem westlichen Ausland, von 1953 an bemühte man sich, die Berliner Kunstinstitute in den Vordergrund zu rücken. Auf die Dauer erwies sich das dann doch als nur scheinbarer Gewinn, weil die Berliner Bühnen der Versuchung erlagen, während der Festwochen Novitäten zu präsentieren, die sie in der jeweiligen Spielzeit sowieso gezeigt hätten.

Da Heinz Tietjen in der Städtischen Oper eine werkbewußte Repertoire-Politik alter Schule betrieben hatte (Schwerpunkte lagen bei Wagner und Strauss), hatte er ein gutes Fundament. Schon 1951 war er mit Menottis *Konsul* dabei, mit Gian Francesco Malipieros *Fantasien um Callot*, mit Bartóks *Herzog Blaubarts Burg*, nicht zu reden von Star-Engagements für Strauss und Wagner, Tietjens Hauptstützen. Im Jahr darauf wurde Blachers *Preußisches Märchen* uraufgeführt. Im Jahre 1953 inszenierte Rennert den Hauptbeitrag der Städtischen Oper: Gottfried von Einems Kafka-Paraphrase *Der Prozeß*, mit Erich Witte als Josef K.

Die Bayreuther Festspielidee basierte auf dem Weihespiel *Parsifal*, das Richard Strauss nur dort zelebriert wissen wollte, mit *Parsifal* begann es 1951 wieder. Nachdem Winifred Wagner im Januar 1949 zugunsten ihrer Söhne Wieland und Wolfgang auf die Mitwirkung verzichtet hatte, hatten die Amerikaner das zur »Truppenbetreuung« beschlagnahmte Haus freigegeben. Die *Parsifal*-Inszenierung des Wagner-Enkels Wieland wirkte wie ein Schock. Dekor und Pathetik waren weitgehend beseitigt, die Gebärden sprechend und sparsam, die seelische Situation war konsequent in die räumliche umgesetzt. Wieland hatte Wahrhaftigkeit gesucht, freilich noch nicht durchweg gefunden, denn das »mythologische Gesindel« des

Wieland und Wolfgang Wagner (Foto: Bayreuther Festspiele, Bildarchiv)

Wagner, Das Rheingold. Festspiele Bayreuth 1952. Regie: Wieland Wagner (Foto: Festspiele Bayreuth/Schwennicke)

Komponisten-Großvaters sträubte sich dagegen, vom Enkel mit menschlichem Maß gemessen zu werden. »Kein Denkmalschutz für Wagner!« proklamierte er. Zwar seien die Werkideen zeitlos gültig, die Bild- und Regievorschriften hätten jedoch nur für das 19. Jahrhundert gegolten. Wieland Wagner, der nur scheinbar respektlose Nachfahr, fand mit der Zeit die verdiente Anerkennung, Gegner wurden zu Zweiflern, Zweifler zu Verehrern.

Walter Erich Schäfer, der seine Stuttgarter Staatsoper zu Wieland Wagners Wintertheater machte (von 1954 bis 1966 sechzehn Inszenierungen), zählte die für Wieland Wagner entscheidenden Anregungen auf: die neurologische Behandlung des antiken Personals durch Anouilh, Giraudoux und Sartre, Freuds Psychoanalyse, Kafkas Zwischenwelt und C. G. Jungs Archetypen.

Bühnenbilder und Kostüme waren besonders auffällig und wurden darum am meisten beredet. Die Kostüme sollten ent-individualisieren und (wie schon bei Neher) von allem Zufälligen ent-kleiden; die vom Licht beherrschten, einfachen, sinnbildhaften Szenerien zeigten Einflüsse von Edward Craig und vor allem von Adolphe Appia, der wohl als erster den *Ring* »entrümpelt« hat. Schäfer schrieb: »Als die Stuttgarter Staatsoper 1955 mit Wieland Wagners ›Fidelio‹-Inszenierung in Paris gastierte, schrieb ein gescheiter Kritiker: ›Gewiß, das ist Avantgarde. Aber es ist Avantgarde von 1922.‹ Er hatte es ein wenig boshaft gemeint, aber er hatte recht wider Willen.« Denn der Expressionismus mit seinen Spielscheiben und Treppen sowie Fehlings Nibelungen, »deren Gestalten schwer auf Blöcken über einer leeren Bühne hockten«, waren Wieland Wagner gewissermaßen vorempfunden. Dessen »Leistung war es nicht nur, das auf die Oper anzuwenden – speziell auf das Bühnenwerk Richard Wagners, das dieser Purifizierung heftiger zu widerstreben schien als jede Oper. Er fügte diesen Elementen Entscheidendes zu, er prüfte sorgfältiger als jene Expressionisten Farben und Material und machte aus dem Licht, das sie noch zur Beleuchtung verwendet hatten, ein Bauelement.«

Im ersten Neu-Bayreuther Jahr inszenierte Wieland Wagner, dirigierte Hans Knappertsbusch nicht nur den *Parsifal*, sondern den ganzen *Ring*. Ein Jahr vor seinem Tode hat Wieland Wagner den *Ring* noch einmal inszeniert, er wurde 1965 von Karl Böhm geleitet. Zwischen beiden Zyklen lagen »Ausdruckswelten, Erfahrungswelten«, urteilte W. E. Schäfer, nämlich eine Verschärfung des Pessimismus zum Nihilismus.

Zum Neu-Bayreuther Ehrgeiz gehörte es auch, neue Sänger vorzustellen. Die für die Frühzeit typischen Bayreuth-Verträge, die Wieland Wagner mit seinen Entdeckungen abschloß, enthielten die Bedingung, nicht vorher anderswo in Deutschland aufzutreten. So war Astrid Varnay, die Wieland Wagner 1948 in der ›Covent Garden Opera‹ aufgefallen war, 1951 als Brünnhilde in Bayreuth eine Überraschung. Schon im nächsten Jahr war sie in München, Berlin und Hamburg zu sehen und zu hören.

Das Echo der neuen oder erneuerten Festspiele übertönte das der Internationalen Musikfestwochen in Luzern, die 1938 begonnen hatten, als wichtige Künstler nicht mehr in Salzburg auftreten durften oder wollten. Die Internationalisierung des Musiklebens nach dem Krieg brachte die Stardirigenten und -solisten natürlich auch nach Luzern. Böhm mit Strauss-Programmen, Solti und Furtwängler mit Wagner-Konzerten beispielsweise. Schon Wagner hatte Luzern als Festspielstadt ins Auge

Dürrenmatt, Der Meteor. Schauspielhaus Zürich; Theatertreffen Berlin 1967. Regie: Leopold Lindtberg. – Peter Brogle, Leonard Steckel, Ellen Schwiers (Foto: Ilse Buhs, Berlin)

Bernhard, Die Macht der Gewohnheit. Salzburger Festspiele 1974. Regie: Dieter Dorn. – Bernhard Minetti, Fritz Lichtenhahn (Foto: PSF/Steinmetz)

gefaßt. Den Kern des Festivals bilden seit jeher die Sinfoniekonzerte, doch seit 1950 leistet das Stadttheater regelmäßig einen Beitrag. Vorausgegangen waren Freilichtaufführungen lokalen Charakters und Gastspiele. Im Jahre 1947 gastierte ›The English Opera Group‹ mit Brittens *The Rape of Lucretia* und *Albert Herring*, dirigiert vom Komponisten selber. Zum Ensemble kommen Gäste, normalerweise inszeniert der jeweilige Direktor.

Die Zürcher Festwochen haben sich aus jahrzehntelanger Übung entwickelt, für Juni Gastspiele einzuladen. Von 1949 an beteiligte sich auch das Schauspielhaus in stärkerem Maße mit eigenen Produktionen (vor allem *Faust I* und *Faust II*, inszeniert von Leonard Steckel, ausgestattet von Caspar Neher), von 1950 an auch als Gastierhaus. Der Schwerpunkt liegt traditionsgemäß beim Musiktheater, Schweizer Komponisten mit Weltgeltung genießen Vorrecht: Othmar Schoeck, Arthur Honegger, Frank Martin, von der jüngeren Generation: Rolf Liebermann, Willy Burkhard, Armin Schibler und Heinrich Sutermeister. Es gab zwei Sutermeister-Uraufführungen, 1946 eine *Niobe* und 1967 eine *Madame Bovary*, Auftragsarbeit des Opernhauses und der »Gesellschaft zur Förderung der Zürcher Oper«.

Günstige Konjunktur und gute Verkehrsverbindungen machten die Stars auf der Bühne und hinterm Dirigentenpult rasch ubiquitär. Sie tauchten an allen Ecken des musikalischen Dreiecks Berlin–Wien–Zürich auf und auch an den Stationen auf halbem Wege: Salzburg und Bayreuth. Festspiel-Touristen hatten Mühe, Schritt zu halten. Anfang September 1951 veröffentlichte die Zeitung *Het Vaderland* in Den Haag ein Wochenprogramm des 66jährigen Furtwängler: »Am Freitag abend dirigierte Furtwängler in Salzburg ›Die Zauberflöte‹, Samstag morgen stand er um 10 Uhr vor den Wiener Philharmonikern und probte bis 14 Uhr Bruckners Fünfte plus ein Vorprogramm, denselben Abend leitete er von 7 bis halb 12 Uhr Verdis ›Othello‹, und genauso frisch stand er Sonntag morgens um 11 Uhr wieder vor dem Orchester, um Bruckner plus Mendelssohn und Mahler zu dirigieren. Montag darauf hatte er einen freien Tag: nur abends hielt er im Mozarteum einen Vortrag über Beethoven, am folgenden Tag (Dienstag) verreiste er per Flugzeug nach Luzern, am Abend leitete er am Vierwaldstätter See die Generalprobe zur *Götterdämmerung* und hatte dann in derselben Woche noch zwei Aufführungen dieses Riesenwerkes in Aussicht.«

Es waren die goldenen fünfziger Jahre. Das Kulturleben schien bestimmt zu sein, ein einziges Fest zu werden.

Tänzerischer Klassizismus

Der im deutschen Sprachbereich einflußreichste Choreograph hat nie in diesem Bereich gearbeitet, nur Arbeitsergebnisse sehen lassen: George Balanchine. Sein ›New York City Ballet‹ kam 1952 zum ersten Mal nach Deutschland (Berliner Festwochen). Die Wirkung war überwältigend. Was bisher nur als Gerücht existierte, was einige Glückliche, deren Schwärmerei man nur halb geglaubt hatte, auf Auslandsreisen gesehen haben wollten, hier war es Ereignis geworden: das klassische Ballett lebte, es lebte nicht nur, sondern zudem war es voll jugendlicher Anmut und inspirierender Kraft. Da tanzten Ballerinen, von deren technischer Vollendung man nur träumen konnte: Maria Tallchief, Tanaquil LeClerq, Patricia Wilde, Diana Adams. Da zeigten sich Ballerinos, die neue Maßstäbe setzten: Todd Bolender, Herbert Bliss, André Eglevsky. Die Gastspiele wiederholten sich 1953, 1955 und 1956 (auch Wien). Zwischendurch kam das ›American National Ballet Theatre‹ mit Choreographien von Leonide Massine und Michael Fokine und mit einem Marius Petipa nachgearbeiteten *Schwanensee*. Da sah man die klassische Tradition mehr als bewahrt, nämlich lebendig erhalten. Es kam das ›London Festival Ballet‹ mit einem auf Lew Iwanow und Petipa aufbauenden Repertoire, es kam das ›Grand Ballet des Marquis de Cuevas‹, mit Arbeiten von Massine und Serge Lifar.

Diesem Ansturm hielt der German Dance nicht stand, zumal da er sich den zwar bescheidenen, aber immerhin doch klassisch exerzierenden Operntrüppchen nicht hatte mitteilen können. Und nun winkte gar, wenn man es den Gästen nachtat, internationaler Anschluß! »Neoklassizismus« wurde zur Parole. Und so ganz ohne Bezugspunkte war man ja nicht. Der Tänzer Jerome Robbins, der wie Melissa Heyden vom American National zum New York City Ballet überwechselte und dort bei König Balanchine der Kronprinz wurde, zeigte als Choreograph, daß der traditionelle Stil durchaus mit turnerischer Fröhlichkeit einer Neuen Welt erfüllt werden konnte. Und wenn er Gruppen formierte, erinnerte man sich manchmal an chorische Bewegungen des Ausdruckstanzes. War nicht schon Fokine ein großer Erneuerer gewesen? Und zeigte nicht das American National Ballet neben Petersburger Kreszenzen auch Ausdrucksstudien von Agnes de Mille? Hatte nicht Jooss schon immer gesagt, ›klassisch‹ und ›modern‹ seien keine Gegensätze? Kam nicht die Gsovsky »eigentlich« aus der strengsten russischen Schule?

Den Ballettisten auf der anderen Seite der Demarkationslinie lag die Moskauer und Petersburger Ballett-Tradition selbstverständlich noch näher. Im Mai 1954 gab es im Ostberliner Friedrichstadt-Palast ein Gastspiel eines russischen Tanzensembles, das aus den besten Kräften des Akademischen Theaters in Leningrad und des Großen Akademischen Theaters in Moskau zusammengestellt war. Auch dies war eine große Stunde der Verifizierung von Gerüchten: die Ulanowa und die Dudinskaja tanzten, die Schelest und die Strutschkowa. Man sah das Springphänomen Farmanjantz, man sah Juri Kondratow und Konstantin Sergejew. Es war wie der sowjetrussische Segen für den nach dem Weggang der Gsovsky und ihrer Gefolgschaft zähneknirschend und halb entmutigt beschlossenen Kurs: nun erst recht auf der

Linie des Klassizismus weitertanzen. Die Puristen bekamen sogar Mut: fort mit expressiven Zugeständnissen! An der Ostberliner Staatsoper war Daisy Spies als Ballettmeisterin in die Bresche gesprungen, die Tatjana Gsovsky gerissen hatte. Mit der Übersiedlung der Staatsoper in den wiederhergestellten Knobelsdorff-Bau Unter den Linden übernahm Lilo Gruber (zuletzt in Leipzig) die Leitung. Ihr gelang es allmählich, aus den Trümmern der Compagnie und mit Neu-Engagements ein in der Tradition orientiertes Corps de ballet zu bilden. Zur Eröffnung der altneuen Staatsoper 1955 inszenierte sie mit achtzig Tänzern und Tänzerinnen die erste vollständige Aufführung von Chatschaturjans *Gajaneh*, der wortlosen Erzählung von Arbeit, Liebe, Sabotage und Ernte im Baumwoll-Kolchos.

Auch das Wiener Staatsballett orientierte sich an den alten Fundamenten, schon im Hinblick auf die Eröffnungsfeierlichkeiten im November 1955. Erika Hanka engagierte 1954 den Tänzer und Choreographen Gordon Hamilton als Hilfe bei der Erarbeitung der Standardwerke der klassischen Ballettliteratur in den Originalfassungen. Hamilton, in Sydney geboren, war in den Ballettcompagnien Marie Rambert, Sadler's Wells und Roland Petit als Tänzer und Assistent für die Klassik tätig gewesen.

Die für die Feierlichkeiten zum Abschluß des Staatsvertrags am 15. Mai 1955 vorgesehenen Spitzentänze auf der Freilichtbühne vor dem Schloß Schönbrunn wurden leider von einem Platzregen verhindert, doch die zur Bezauberung der Diplomaten vorgesehenen Solisten Edeltraud Brexner und Willy Dirtl hatten drei Wochen später ihren Erfolg. Es gab einen Beifallsorkan, als die Brexner in der Coda des *Schwarzen Schwans* ihre 32 Spitzenpirouetten drehte. Und Dirtl, der erst vor viereinhalb Jahren als Prinz im *Feuervogel* debütiert hatte, war plötzlich ein anerkanntes Springphänomen. »Wien erlag dem Zauber des klassischen Balletts – das hatte es hier seit Jahrzehnten nicht mehr gegeben« (Marcel Prawy).

Am Ende der drei ziemlich enttäuschenden Festwochen zum Wiederbeginn am Opernring hatte die Klassizität ihren rauschenden Erfolg mit Adolphe Adams *Giselle* in der alten Version von Jean Coralli (aber auch Erika Hanka mit Blachers *Mohr von Venedig*). Margaret Bauer, die sich seit 1945 zur Solistin emporgetanzt hatte, entzückte als Giselle. Die erste Wiederholung brachte schon die Entdeckung einer neuen Giselle: Erika Zlocha.

Unter dem Ballettmeister Gordon Hamilton wuchs das in Wien lange vernachlässigte klassische Repertoire zusehends. Er war keine fünf Jahre lang in Wien tätig, nur fünf Monate über den Herztod von Erika Hanka im Mai 1958 hinaus. Hamilton verschwand im Oktober Hals über Kopf nach Paris, um Nachforschungen zu entgehen, die einen »Sittenskandal in der Staatsoper« – wie die Schlagzeile einer Wiener Zeitung es ausdrückte – betrafen. In Paris ist Gordon Hamilton nach drei Monaten gestorben, 48jährig.

Schon vor dem großen Vorstoß des Traditionalismus hatte es in Westdeutschland klassisch orientierte Enklaven gegeben. Victor Gsovsky hatte nach der Rückkehr aus Frankreich programmatisch den zweiten *Schwanensee*-Akt in der alten Choreographie von Iwanow an den Anfang seiner Arbeit gestellt. Er wollte allmählich das klassische Repertoire erarbeiten und aus klassischem Geist Neues entwickeln, also endlich die leidige Grenze zwischen Klassik und Moderne beseitigen. Gsovsky hatte schnelle Erfolge und Zulauf aus allen Gegenden Deutschlands. Bei ihm schien man sich am besten zum Entreetänzer und zur Koryphäe drillen lassen zu können. Leider war Victor Gsovsky nur zwei Jahre lang (bis 1952) in München, dann ging er wieder nach Paris. Das puristisch traditionelle Ziel war mit der Wiederbelebung von *La Sylphide* von 1832 fürs erste erreicht. Den Brückenschlag zur Gegenwart markierte der *Pas d'Action* nach Musik von Henze.

In den Jahren 1951/52 hatten H. W. Henze und Peter van Dyk, angeregt von Tatjana Gsovsky, in Wiesbaden versucht, eine Insel der Tanz-Klassik zu gründen. Mitte der fünfziger Jahre hatte Wazlaw Orlikowsky ausgerechnet in Oberhausen Erfolg als russischer Drillmeister. Sein vieraktiger *Schwanensee* erregte 1954/55 Aufsehen. Nach drei Spielzeiten zog er mit einigen Tänzern weiter nach Basel. In den Spielzeiten 1955/57 überraschte Nika Nilanowa mit einem kleinen klassischen Ballettensemble in Hagen. Doch das waren rasch untergehende Evolutionen, nicht viel mehr als Indikatoren für den neuen Trend.

Dauerhaften Grund legte in Wuppertal der Ballettmeister Erich Walter (zuletzt in Wiesbaden), in Zusammenarbeit mit dem Bühnenbildner Heinrich Wendel. Sie begannen ihre gemeinsame Arbeit 1953 und arbeiteten 1976 noch immer zusammen, inzwischen an der Rheinoper Düsseldorf/Duisburg. Helmut Henrichs ließ sie anfangen, als er zur Spielzeit 1953/54 nach Wuppertal kam. Der Glaube, daß eine neue, lebendige Ballett-Klassik (nicht nur Wiederbelebung durch Drill) geschaffen werden könnte, erfüllte sich – auf einer Behelfsbühne. Chefdramaturg Rolf Trouwborst, der 1955 dazukam und auch heute noch zum Team gehört, beschrieb die Zusammenarbeit nach drei Jahren so: »Das Bühnenbild, selbst bei berühmten Truppen oft nur Folie, wurde zum Medium der Choreographie. Die Choreographie ihrerseits wurde erst in ihrer Identifizierung mit dem Bühnenbild gültig. [...] Beide, Erich Walter und Heinrich Wendel, zeichnen heute konsequenterweise nicht mehr als Choreograph und Bühnenbildner, sondern als gemeinsame Inszenatoren. In den erweiterten Kreis der inszenatorischen Choreographie ist ebenso der Kostümbildner, Günter Kappel, bezogen. Er ›liefert‹ nicht nur die Kostüme, sondern er formuliert auch Gedanken der Inszenierung. So hatte, wenn immer in der Stadthalle vor einem Ballett der Vorhang zur Seite gezogen wurde, der Zuschauer bereits das ›Bild‹ als Wesen der Inszenierung vor sich und nicht etwa nur den Rahmen für die Tänzer.« Walter kommt mit einem Minimum an gestischem und mimischem Ausdruck aus. Für ihn sind das tanzfremde Akzente.

Die Zusammenarbeit Walter/Wendel griff allmählich auf die gesamte Theaterarbeit des Dreisparten-Betriebs über. Hier wurde das Ballett Keimzelle für gemeinsame Theaterarbeit. Als 1957/58 der Düsseldorfer Schauspieldirektor Grischa Barfuß Intendant der Wuppertaler Bühnen wurde, ließ er das Corps de ballet von inzwischen vierzig auf sechzig Beine erweitern und ein Langzeitprogramm zur Erarbeitung eines Repertoires von abendfüllenden Programmen aufstellen. Zur Spielzeit 1964/65 ging Barfuß zurück nach Düsseldorf, nun als Generalintendant der Rheinoper, und nahm sein Team mit.

Horst Koegler zog die Bilanz des inzwischen im Barmer Opernhaus praktizierten »Wuppertaler Stils«: Es sei zunächst ein dramaturgischer Stil gewesen, ablesbar an der Werkwahl. »Ganz eindeutig im Mittelpunkt der Wuppertaler Ballettarbeit steht das Œuvre Igor Strawinskys, der mit neun Werken vertreten ist, danach kommt mit je vier Werken Monteverdi, Béla Bartók und Henze. Mindestens ebenso programmatisch ist aber der konsequente Verzicht auf [...] alle sogenannten Ballettklassiker des 19. Jahrhunderts. Aber es ist nicht nur die Werkwahl, sondern vielleicht in noch stärkerem Maße die Werkbedeutung, durch die sich der Wille zu einer eigenen Wuppertaler Ballettdramaturgie zu erkennen gibt – eine Dramaturgie, die weder Monteverdi noch Glucks ›Don Juan‹ als unveränderliche Werkvorlagen akzeptiert, die aber auch vor dramaturgischen Operationen etwa an Bartóks ›Holzgeschnitztem Prinz‹, Dallapiccolas ›Marsyas‹, Strawinskys ›Orpheus‹ und Henzes ›Undine‹ nicht zurückscheut.« Musikalisch war das recht anspruchsvoll, inhaltlich so etwas wie eine optische Philosophie.

Ein Fest des tänzerischen Klassizismus, Hommage à Strawinsky et Balanchine, bereitete die Hamburgische Staatsoper im Juni 1962, zum 80. Geburtstag Strawinskys. Das Ballett der Hamburgischen Staatsoper, mit Solisten des New York City Ballet veredelt, tanzte *Apollon Musagète* aus der Barock-Periode des Stil-Proteus Strawinsky und die beiden Arbeiten, die Balanchine sich bestellt hatte: *Orpheus* (1947) und *Agon* (1957). Den (konventionellen) *Apollon* dirigierte der Jubilar selber, den *Orpheus* leitete Leopold Ludwig, den zwölftönigen *Agon* Robert Craft, Strawinskys »musikalischer Gehilfe« seit 1947, der den Alten zu der von ihm bis dahin verachteten Kompositionstechnik Schönbergs verführt hatte. Choreographie in allen drei Fällen: Balanchine. Eine sinnvolle Doppel-Ehrung. Die beiden großen kühlen Konstrukteure, der Akrobat der Töne und der Drillmeister der Leiber, sind sozusagen Nachbarskinder, zwei Petersburger, die in Amerika zueinander gefunden haben.

Yvonne Georgi kam 1951 nach Deutschland zurück, als schon zu erkennen war, daß die Träume von der Wiedergeburt des German Dance sich nicht erfüllen würden. Nach drei Jahren in Düsseldorf wurde sie für fünf Jahre Ballettchefin in Hannover, wo sie schon von 1926 bis 1936 gearbeitet hatte. Yvonne Georgi fand den Weg vom Ausdruckstanz zu einem herben Neoklassizismus. Die Choreographin und Ballettmeisterin arbeitete auch als Tanzpädagogin an der dortigen staatlichen Hochschule für Musik und Theater.

Kurt Jooss kam als Nachfolger der Georgi in Düsseldorf nicht voran und zog sich auf die Lehrtätigkeit an der Folkwang-Schule zurück. Dore Hoyer vereinsamte engagementslos in Hamburg. Zweimal wöchentlich durfte sie in einer Turnhalle trainieren, auch in ihrem Zimmer konnte sie tanzen – wenn sie es völlig ausräumte. In der Phase ihrer reifsten Kunst stehe sie bittend »vor den Türen der Kulturmanager, vor einer Wand der Vorurteile, der Ahnungslosigkeit und des kalten Geschäftssinns«, schrieb Araça Makarowa 1955 in der *Frankfurter Allgemeinen.* »Der Ausdruckstanz ist tot, passé, vorgestrig«, heiße es. Dore Hoyer gehe nun »den Weg einer Bewegung allein zu Ende, deren Utopien zerfallen sind«.

Eine eigene Art von Vorurteilen und Ahnungslosigkeit auch über den Tanz in Westdeutschland pflegte man in Ost-Berlin. Die Überlegenheit der DDR »in der Ballettpflege und im Ballettschaffen« sei längst erwiesen, versicherte 1957 Dr. Eberhard Rebling, Pianist und Musikwissenschaftler, Chefredakteur der Zeitschrift *Musik und Gesellschaft*. In einem Ballett-Büchlein der »Musikbücherei für Jedermann« zeigte er »übelste Dekadenz« an, »verbunden mit technischen Raffinessen«. Schuld an diesem »Fäulnisprozeß« sei die Bindung des »klerikalfaschistischen Adenauerstaates« an die »imperialistischen« Großmächte. »Von der psychologischen Perversion, von der extravaganten Experimentiersucht bis zur formalistischen Spielerei trifft man im westdeutschen Ballett so ungefähr alle Ausgeburten einer todkranken ›Kultur‹ in der verschiedensten Gestalt an. Auch in den Balletten der Komponisten, die sich um eine gesunde humanistische Aussage bemühen, kommt die Dekadenz oftmals irgendwie zum Vorschein, sei es im Libretto, indem eine gute Grundidee durch Elemente der Untergangsideologie zurückgedrängt wird, sei es in der Musik, die durch mangelnde Bildhaftigkeit die Grundaussage abschwächte, oder sei es in der Choreographie, die das oberflächlich Sinnliche durch bis ans Obszöne grenzende Bewegungen in den Vordergrund stellt.« Das wurde noch 1965 in zweiter Auflage gedruckt, und noch in den siebziger Jahren verkauft. Rebling lehrte die Jugend, seit 1959 als Rektor der Ostberliner Hochschule für Musik.

Komfort als Weltanschauung

Im Herbst 1954 begann Friedrich Dürrenmatt eine Vortragsreise durch die Schweiz und Westdeutschland. Einige sarkastische Wendungen aus der Rede »Theaterprobleme« sind viel zitiert worden: »In der Wurstelei unseres Jahrhunderts, in diesem Kehraus der weißen Rasse, gibt es keine Schuldigen mehr. Alle können nichts dafür und haben es nicht gewollt. [...] Uns kommt nur noch die Komödie bei.« Der Eindruck war nicht neu, Hasenclever fand schon 1927: »Wir sind reif für die Komödie geworden.« Und Oscar Wilde konstatierte schon 1897: »Das Grauenvolle an der Modernität ist, daß man die Tragödie im Narrengewand auftreten läßt.« Jahrzehntelang, bis zum Verebben der »absurden Welle«, hat das Theater dann noch vom Kummer über das Gelächter und vom Gelächter über den Kummer gelebt. Schließlich ist es selber in die Konkursmasse des Abendlandes geraten.

Beim ›Darmstädter Gespräch‹ im Frühjahr 1955 bezeichnete der Musiktheoretiker und Soziologe Theodor W. Adorno, damals Direktor des Instituts für Sozialforschung in Frankfurt am Main, die »Stellung und Funktion der Oper in der gegenwärtigen Gesellschaft« als »fraglich«. Die Gattung habe überhaupt »einen Aspekt des Peripheren und Gleichgültigen angenommen«, »ohne Rücksicht auf ihre Rezeption«. Dieser Zustand werde »nur einigermaßen gewaltsam durch Neuerungsversuche bekämpft [...], die kaum zufällig, zumal im musikalischen Medium selber, meist auf halbem Wege stehen« blieben. Dennoch zieme es sich, von der Oper zu reden, weil sie einen »Prototyp des Theatralischen« setze, »und zwar gerade dessen, was heute erschüttert« sei. Die »Opernkrise« sah Adorno in dem Dilemma, daß die Oper »ihres Scheins sich nicht entäußern« könne, das aber »wollen« müsse. Diese notwendige Veränderung gelinge weder inszenatorisch (»Stilisierung als Ersatz des zerbröckelten Stils«) noch musikalisch.

Das war nur ein schwaches Nachgrollen des epochalen Verdikts der Kulturindustrie (»Aufklärung als Massenbetrug«) aus der *Dialektik der Aufklärung* von Max Horkheimer und Th. W. Adorno, 1947 in Amsterdam erschienen. Aber diese Aufsätze wurden in Deutschland erst vierzehn Jahre später allmählich bekannt. So waren die Diskutierer in Darmstadt und der Diskussionsleiter Gustav Rudolf Sellner, damals Intendant des Hessischen Landestheaters in Darmstadt, ziemlich verdattert: »Sie haben die erste Bombe in unser Gespräch geworfen. Ich danke Ihnen sehr.«

Günther Rennert, Chef der Hamburger Staatsoper (1946–55), artikulierte als erster den prinzipiellen Unwillen, fundamentale Zweifel zuzulassen: der Vortrag Adornos sei »ein gefährliches Vergnügen« gewesen (Heiterkeit und Beifall), »denn wenn wir uns diesem Vergnügen weiterhin hingeben würden, dann würden wir sehr bald die innere Berechtigung zu unserer Arbeit in Frage ziehen müssen. Das aber war nicht der Sinn, als wir vor soundsoviel Jahren uns entschlossen, unsere Kräfte in die Gestaltung und Weiterbildung dieser merkwürdigen Kunstform zu setzen.« Das ist gewiß richtig, aber was besagte das zehn Jahre später? Da war es nur noch eine Durchhalteparole, ein Appell zur Gesinnungstreue. Adorno stieß nach: »Es wird irgendwie alles geschluckt, aber in einer bloß bildungsmäßigen und im Grunde gar nicht substantiellen Weise.« Heinz Dietrich Kenter, Schauspieldirektor in Essen, sekundierte: »Heute sind wir saturiert. Wir streben nach Erfolg und kommen [...] in eine Betriebshysterie hinein. Ich habe manchmal Angst, daß wir uns totsiegen. Der gesunde Mißerfolg – darf es ihn noch geben?«

Dem Oberbürgermeister Ludwig Engel, dessen Einladung sie alle gefolgt waren, war nicht wohl. Er hatte kurz vor diesem Symposion in dem damals gerade erschienenen Buch von Egon Vietta *Katastrophe oder Wende des deutschen Theaters* gelesen: Haupt-Gefährdungen des »schöpferischen Kerns« seien erstens Kameralistik, zweitens das politische Vetorecht der Kulturausschüsse der Städte oder der Länder, drittens die Unmöglichkeit, die Spielpläne nach künstlerischen Gesichtspunkten aufzustellen. »Die Gestaltung der deutschen Spielpläne nach dem zweiten Weltkrieg ist das Produkt eines zögernden Guerillakriegs, der zwar mit bescheidenen Vorstößen operierte, aber sich auf die ausländischen ›Versorgungslager‹ stützte und im eigenen Land eine untergeordnete Initiative entwickelte, die Initiative des Konformisten, der sich nach allen Seiten und nach oben sichert: oben, das sind die politischen Parteien, die Kirchen, die ›Allgemeinwerte‹ (im Subventionstheater), die Publikumsinstinkte (in den Ansätzen zum Boulevardtheater), die Theaterausschüsse, die ›Kunstliebhaber‹ in der Verwaltungsspitze, die Minister oder die Selbstherrlichkeit des anerkannten Intendanten.« Überall »Meister des Geläufigen«, klagte Vietta, angefangen beim »zeitgerechten« Lektor, der das Stück sucht, »das den Apparat in Gang hält«, bis zum funktionierenden Schauspieler. »Wer in Rollenbesetzung, Theaterintrige, Publikumsnöte, kurz in die Praxis verstrickt ist, richtet den Blick zu den Sternen nur noch bei den kulturellen Anlässen, und er merkt schwerlich, daß die Sterne am Ordensband der bestallten Kulturpfleger leuchten.« Als Heilmittel empfahl Vietta: kultisches Theater, Wiederherstellung der Einheit aller theatralischen Aktivitäten anstelle des Spezialitätentheaters, das in »Gattungen« zerfallen ist, Theater aus dem Geist der Sprache, als »Kathedrale der Gegenwart«.

Mit dieser hohen Meinung, mindestens mit dieser Meinung von hohen Möglichkeiten, versöhnte Vietta die Theaterleute wieder, von denen Friedrich Sieburg damals unversöhnt schied. Sie fühlten sich entehrt, weil Sieburg das Theater der Zerstreuung, der Routine und der Unterhaltung gelobt hatte, auf Kosten des Theaters der Gesinnung, des Bekenntnisses und der Absicht. Zwar hatte er unter Beifall erklärt, das ganze Theaterproblem sei »im Grunde nicht wert, daß man um seinetwillen eine Unhöflichkeit« begehe, doch im Laufe der drei Gesprächstage war er immer wieder getadelt worden. In der Wochenzeitung *Die Gegenwart* (21. Mai 1955) sprach er dann das Nachwort: »Alles in diesem Deutschland ist Kultur, und wenn man es wagt, ein Haar in dem zu finden, was die Leutchen heute so auf dem ›kulturellen Sektor‹ treiben, so ist man ein ›Kulturpessimist‹. Das war vor sieben Jahren noch ein Ehrentitel, aber heute ist ja zum Pessimismus nicht mehr der geringste Anlaß, und so gerät der Bedenkliche, dem der Schreck trotz anhaltenden Wirtschaftswunders noch in den Knochen sitzt, in die Gesellschaft der ›zersetzenden Kritikaster‹, die heute so ausgestorben sind, daß sie bei Gesprächsveranstaltungen mit jener Abneigung behandelt werden, die man aufdringlichen Gespenstern entgegenbringt.«

Der Theater-Alltag war Mitte der fünfziger Jahre gekennzeichnet vom harmonischen Zusammenspiel zweier Phänomene, die nur in Endphasen zusammenkommen können: Konjunktur und Unproduktivität. Inbegriff des erhaltenden Theaters, das man vorerst allenfalls halblaut »restaurativ« nannte, der amtliche Klassikertempel, die »Adelsrepublik der Künstler«, war das Burgtheater. Dort gab und gibt es dynastische Verflechtungen wie bei Hofe: die Hörbigers, die Thimigs, die Albach-Rettys. Zu Weihnachten 1974 feierte Rosa Albach-Retty ihren 100. Geburtstag. Sie ist die Mutter des Filmlieblings und Bonvivants des Burgtheaters Wolf Albach-Retty, Schwiegermutter von Magda Schneider und Großmutter von Romy Schneider. Die Urmutter hat allerdings nur bis zu ihrem 84. Lebensjahr auf der Bühne gestanden. Die Heroine Auguste Wilbrandt-Baudius ist 94 Jahre alt geworden, Else Wohlgemuth 91, Hedwig Bleibtreu 90 Jahre. Seit 1893 durchlief sie an der »Burg« alle Fächer.

»Wien ist die einzige Stadt, in der ein Schauspieler in Würde alt werden kann«, sagte der Schauspieler Paul Hoffmann, als er im März 1972, zu seinem 70. Geburtstag, zum Ehrenmitglied des Burgtheaters ernannt worden war. Hoffmann war von 1968 bis 1971 Schauspieldirektor des Burgtheaters gewesen. Sein Vorgänger Ernst Haeusserman (1959–68) hat die Anhänglichkeit alten Burgschauspielern gegenüber einmal mit dieser Anekdote pointiert: »Als der schon schwerkranke Aslan einmal mühsam auf die Bühne kam und sein Text ständig wie schlecht synchronisiert störend aus dem Souffleurkasten zu hören war, hat ein fremder Besucher, der fassungslos den Kopf schüttelte, von seinen wie wahnsinnig applaudierenden Wiener Nachbarn zu hören bekommen: ›Den hätten S' vor zwanzig Jahren sehen sollen!‹«

Stirbt ein Burgschauspieler, so wird der Ringstraßenverkehr stillgelegt, und der Trauerkondukt geht rund um die Burg. Passanten stehen Spalier, vielleicht weniger um der oder des Toten willen, als wegen der begleitenden Kollegen. So viele berühmte Schauspieler auf einmal sieht man nämlich in keiner anderen Inszenierung.

Es haben sich erstaunliche Regeln aus alter Zeit erhalten, zum Beispiel das »Vorhangverbot«: außer beim 1. und 2. Auftreten und beim Jubiläum treten Burgschauspieler nicht vor den Vorhang, um Applaus entgegenzunehmen. (Das ist der Rest einer Anordnung Josephs II.: er verbot Beifalls- und Mißfallens-Kundgebungen in Anwesenheit des Hofes.) Der Autor darf vor den Vorhang – er gehört ja nicht zum Ensemble. Freilich rissen schon Ausnahmen ein: nach der Uraufführung der »eschatologischen Operette« von Thomas Bernhard *Die Jagdgesellschaft* im Mai 1974 nahmen Regisseur, Bühnenbildner und Hauptdarsteller den Beifall entgegen. (Der Autor zeigte sich nicht.) Und man hat es auch schon beim Tode eines Burgschauspielers mit einer internen Feier bewenden lassen.

Dankbar wiederbegrüßte Garanten des Fortbestandes, dann Impulsgeber des Systems, schließlich Markenartikel waren die Stars. Auch für sie hatte der Krieg, jedenfalls das Kriegsende, einen gewissen Einschnitt bedeutet. Die nach der Jahrhundertwende und vor dem ersten Weltkrieg geborenen Sängerstars bildeten in bezug auf den zweiten eine Zwischengeneration, deren internationale Wirkung beeinträchtigt war: Margarete Teschemacher (nach dem Krieg vor allem in Düsseldorf), Trude Eipperle (nach 1945 zunächst in Köln), Marcel Wittrisch (trat nach dem Krieg nur noch gelegentlich auf als Operettensänger), Karl Schmitt-Walter (seit 1950 im Ensemble der Bayerischen Staatsoper). Maria Cebotari sang nach dem

zweiten Weltkrieg vor allem an der Wiener Staatsoper, am 31. März 1949 stand sie zum letzten Mal auf der Bühne, schon vom Tode gezeichnet. Mancher von ihnen war ängstlich gewesen, ob er seine »Zugkraft« bewahrt hatte. Mit dem Mute der Verzweiflung war Heinz Rühmann zu dem Versuch aufgebrochen, sich wieder als »Mustergatte« zu empfehlen. Seit 1922 im Theater, seit 1937 auch im Film, hatte Avery Hopwoods Komödie sich als Sorgenbrecher bewährt. Mit Hertha Feiler, Werner Fuetterer und anderen Getreuen war Rühmann gleich nach dem Krieg auf Achse. Ob die alten Späße noch zündeten? Premiere war in dem vom Bänkelgesang verklärten Städtchen Treuenbrietzen. »Als das erste befreiende Lachen ertönte, empfand ich ein großes Glücksgefühl.«
Mit reisenden Stars ist allerdings kaum Theaterarbeit zu leisten, zumal mit den singenden, die von Inszenierung zu Inszenierung fliegen. Sie werden in vorfabrizierte Produkte eingesetzt wie Edelsteine in Uhrwerke. Sie werden dann zu Beweisen der glänzenden Routine, des routinierten Glanzes; eine stolze Elendsposition, die Thomas Bernhard in der bösen Studie *Der Ignorant und der Wahnsinnige* (Uraufführung Salzburg 1972) karikiert hat.
Die Gruppe der Superstars, die zwischen den renommiertesten Opernhäusern der Welt pendeln, ist allerdings klein. Sie umfaßt kaum zwei Dutzend Namen. Im Jahre 1964 gab der Präsident des Schweizerischen Bühnenverbandes die Abendgagen von Maria Callas und Birgit Nilsson mit je DM 20 000 an. »Wenn ein schweizerisches Theater einem italienischen Tenor für einen einzigen Starabend, Don José in ›Carmen‹, Fr. 9 000,– plus Spesen zahlt und daneben die Sopranistin Micaela, Mitglied des Hauses, notabene mit einer sehr schönen Stimme, Fr. 1 200,– als Monatsgage bezieht, dann ist wohl etwas ungesund an diesen Proportionen. Wenn dann im gleichen Fall der Tenor im Hausvertrag die Rolle in zweiter Besetzung nachsingen muß, mit einer Monatsgage von Fr. 1 800,–, dann ist wohl etwas weiteres weder in Ordnung noch gesund.«
Die italienischen Sänger traten als Preistreiber auf, vor allem nachdem Karajan 1956 einen Vertrag mit der Mailänder ›Scala‹ geschlossen hatte, der bis zu seiner Demission bestand. Die Italiener sangen nämlich nach dem italienischen Gagenschema: Engagement nur von Produktion zu Produktion, daher große Pausen, darum großes Risiko, ergo sehr hohe Abendgagen. In Wien lagen die Spitzengagen Mitte der fünfziger Jahre bei 10 000 Schilling (an die 1 600 Mark) für ständig engagierte Künstler mit Pensionsberechtigung. Die Zugvögel aus dem Süden verlangten das Vierfache. Zehn Jahre später hatten sich die Platzhalter in Wien dem Gagenniveau der Gäste angeglichen. In diesem Zusammenhang ist ein Etatvergleich zwischen Mailänder ›Scala‹ mit ›Piccola Scala‹ und Wiener Staatsoper mit Redoutensaal interessant (Zahlen der Spielzeit 1955/56). In Mailand eine Milliarde Lire Einnahmen, 900 Millionen Subvention (das entsprach 40 bzw. 36 Millionen Schilling); dagegen in Wien 23 Millionen Schilling Einnahmen und 40 Millionen Subvention. Die ›Scala‹ absolvierte 250 Vorstellungen, die Staatsoper 380.
Das Theatersystem war in seiner Blütezeit auch durch starre Spielpläne gekennzeichnet. Ein überraschendes Ausmaß an Unbeirrbarkeit und Unbeeinflußbarkeit lassen folgende Aufführungsziffern erkennen. Zunächst das Musiktheater. Zählung A: Wagner 151, Verdi 108, Mozart 70, Fall 50, Johann Strauß 49, Lehár 47, Bizet und Weber je 40, Offenbach 39, Lortzing und Puccini je 37 Aufführungen. – Zäh-

lung B: Mozart 127, Verdi 100, Lehár 64, Benatzky 45, Kálmán und Offenbach
je 40, Puccini 35, Richard Strauss 33, Jessel 30, Wagner 27 Aufführungen.
Die Unterschiede sind nicht nennenswert, wenn in Betracht gezogen wird, daß es
sich im Falle A um eine Auszählung der letzten zehn Jahre der Direktion Melitz
(1909–19) in Basel handelt, im Falle B aber um die sechs Jahre der Direktion
Wedekind (1955–60), ebenfalls in Basel. Ein halbes Jahrhundert – fast spurlos vor-
übergegangen.
Abgestorbene und neue Namen tauchen erst am Ende der Liste auf, unter den
erfolglosen. Am Ende stehen bei Melitz: Granichstaedten und Saint-Saëns mit je
10 Aufführungen. Bei Wedekind: Schoeck, Prokofieff, Pászthory, Menotti, Doni-
zetti, Dallapiccola und Bartók mit je fünf Aufführungen.
Vielleicht ist das Schauspiel weniger beharrlich? Die meistgespielten Dramatiker in
Basel 1909 bis 1919: Schiller 118, Shakespeare 78, Goethe 40, Lessing 36, Ibsen 31,
Kehm/Frehsee 25, Hauptmann und Hebbel je 24, Sudermann 21, Schönherr 20.
Und 1955 bis 1960: Schiller und Shakespeare je 71, Dürrenmatt 51, Lessing, Arthur
Miller und Patrick je 30, Anouilh 21, Giraudoux 19, Büchner 19, Saroyan 17,
Kleist 16, Hauptmann, Osborn und Ibsen je 14. Am Ende der Liste standen 1909
bis 1919 Molière und Tolstoi mit je 10, Bahr und Hofmannsthal mit je 11 Aben-
den, am Ende der Liste 1955 bis 1960: Beckett und Mell mit je 2, Fry, Hölderlin
und Stauffer mit je 4 Abenden.
Dasselbe im Zürcher Stadttheater. Zwanzig Jahre Direktion Reucker (1901–21):
Wagner 604, Verdi 284, Fall 196, Lehár 159, Puccini 156, Mozart 137, Offenbach
126, Lortzing, Bizet und Johann Strauß je 97, Mascagni 82. Am Schluß: Suppé
23 und Blech 4. In den drei Jahren der Direktion Graf (1960–62) sind die Zahlen
natürlich kleiner. Aber die Namen und Proportionen weichen kaum ab: Verdi 110,
Mozart 101, Johann Strauß 82, Lehár 61, Lortzing 60, Beethoven und Donizetti
je 38, Millöcker 35, Wagner 32, Fall 30, Offenbach und Puccini je 28. Am Schluß
Kelterborn 2 und Henze 1.
Im ersten Spieljahr des Zürcher Opernhauses (›Stadttheater‹) 1834/35 betrug das
Durchschnittsalter der dargebotenen Opern 24 Jahre. Im Jahre 1891/92, dem der
Eröffnung des neuen Hauses, betrug das Durchschnittsalter 56 Jahre, und in der
Spielzeit 1958/59 91 Jahre.
Für das Zürcher Schauspielhaus gibt es keine ähnlich weit zurückgreifende Zählung,
da es erst seit 1921 als selbständige Sprechbühne geführt wird. Für die Direktions-
zeit Wälterlin (1938–61) wurden folgende Aufführungsziffern ermittelt: Schiller
783, Shakespeare 756, Goethe 477, Shaw 292, Nestroy 214, Molière 213, Haupt-
mann 201, Ibsen 184, Brecht 178, Lessing 153, Kleist 152, Frisch und Zuckmayer
je 151, Grillparzer 130, Wilder 125, Dürrenmatt 123. Am Ende: Karl Kraus 2,
Faesi, Geraldy, Lernet-Holenia, Reinhart je 3.
In den ersten drei Jahren der Direktion Hirschfeld (1961–63) stießen Zeitgenossen
in die Spitzengruppe vor, und zwar diejenigen, die inzwischen als »Klassiker der
Moderne« gelten: Dürrenmatt (101) vor Lessing (84), Hofmannsthal (72) und
Shakespeare (66), dem Frisch zur Seite steht, vor Goethe (56), Ustinov (45) und
Schiller (42). Am Ende: Wechsler (13) und Walser (16).
In der Oper blieb also die Spitze unberührt, was immer auch geschah, im Schau-
spiel gab es einen langsamen Wandel. In Deutschland und Österreich im Prinzip

dasselbe Bild: an der Basis Veränderungen, welche die oberen Regionen nicht berühren.

Auch die Bühnenbildnerei hielt sich an das Erprobte. Vielseitigkeit, solides Handwerk, Unaufdringlichkeit waren die Tugenden. In Wien galt Robert Kautsky als ihr Meister, als Höhepunkt seiner jahrzehntelangen Arbeit wurde Kautskys wandlungsreiche und dynamische Präsentation von Claudels *Buch von Christoph Columbus* (Burgtheater 1957/58, Regie: Adolf Rott) angesehen. In Berlin, an der Städtischen Oper und darauf in der Deutschen Oper, war Wilhelm Reinking der Meister des vergeistigten Bühnenhandwerks. Mehr als 400 Schauspiel- und Operninszenierungen hat Reinking erarbeitet. Im neuen Münchner Residenztheater zeigte der Preetorius-Schüler Richard Panzer heile Kulissenwelt. Dieser konservative Bühnenbildner, der gleichwohl die Technik ausgiebig nutzte, ist über den Arbeiten von Helmut Jürgens vergessen worden. Nach Jürgens' Tod (1963) wurde Rudolf Heinrich für Oper und Schauspiel in München tätig. Heinrich kam von Felsensteins Komischer Oper, ihn zeichnete vor allem der Sinn für die Disponierung und Gliederung großer Räume aus. Er starb 1975 in London, nach einer *Salome*-Ausstattung für die National Opera.

Allmählich befriedigte die Herstellung lediglich brauchbarer Szenerien im Dienste des Textes und der Regie nicht mehr. Auch das Bühnenbild sollte ein Kunstwerk und Gegenstand spezieller Würdigung werden. Namhafte bildende Künstler wurden herangezogen. Oskar Kokoschka, der in seiner Jugend eigene Kleindramatik inszeniert und ausgemalt hatte, machte Entwürfe zu einer *Zauberflöte*, die 1955 bei den Salzburger Festspielen in der Felsenreitschule aufgeführt wurde. In den Jahren 1960, 1961 und 1962 stattete er je einen Raimund im Burgtheater aus. Willi Baumeister, der schon in den zwanziger Jahren gelegentlich für das Theater gearbeitet hatte, fand Ende der vierziger Jahre Gustav Rudolf Sellner und Egon Vietta als Theater-Partner. Gipfel dieser Zusammenarbeit war die Uraufführung der *Kasperlespiele* von Max Kommerell, die Sellner im November 1953 am Landestheater in Darmstadt zeigte.

Die kubischen Figuren des Bildhauers Fritz Wotruba schienen Sellner eine ideale Entsprechung zu seinem Streben nach monumentaler Einfachheit. Wotruba hat zwischen 1960 und 1965 vier von Sellner am Burgtheater inszenierte Dramen von Sophokles optisch gestaltet; als Sellner Opernchef in Berlin war, ließ er Wotruba dort die *Ring*-Tetralogie ausstatten. In der Spielzeit 1975/76 stellte Günther Uecker in Stuttgart den *Parsifal* in ein System von himmelhohen Stangen, streng wie seine Nagel-Formationen.

Anfang 1972 sollten die braun-golden schimmernden Quadern aus Stahlblech, die Wotruba für *Antigone* hatte anfertigen lassen, für eine Ausstellung ausgeliehen werden. Da stellte sich heraus, daß sämtliche Dekorationen Wotrubas und Kokoschkas vernichtet worden waren. Man hatte sie routinemäßig »ausskartiert«, um Platz zu schaffen für Neues. Gewohnt, daß man es im Theatermagazin nicht mit Kunst, sondern nur mit der Vortäuschung von Kunst zu tun hat, waren wertvolle Originale vernichtet worden. Allein der Marktwert eines von Wotruba entworfenen Zwischenvorhangs wurde auf eine Million Schilling geschätzt.

Die öffentliche, jedenfalls die veröffentlichte Meinung über das bundesdeutsche Theater Mitte der fünfziger Jahre kann man etwa so umreißen: Das Schlimmste

Wagner, Parsifal. Württ. Staatsoper Stuttgart. Regie: Götz Friedrich. – Peter Lindroos, Hubert Hofmann, Eva Randova (Foto: Hannes Kilian, Stuttgart)

liegt hinter uns, die Häuser sind wieder gefüllt, die Kassenrapporte günstig, sogar problematische Inszenierungen und schwierige Stücke können dank der Besucherorganisation so oft wiederholt werden, daß sie die gedeihliche Arbeit nicht belasten. Wer diesen Zustand damals als glänzendes Elend bezeichnete, galt als Spielverderber. Es schien eine goldene Zeit, in Westdeutschland war es das Zeitalter der unbegrenzten Wünsche. Sein Held war der gesunde, harmonisierte Phäake, der anpassungsfähig ist, keine unpopulären Ansichten vertritt und dem Ruhe zum Genuß den höchsten Erfolg bedeutet. Den besten Kommentar lieferte Arnold Schönberg, der das Treiben nur noch aus der Ferne beobachtete und von sich sagte, daß er ein Konservativer sei, den man gezwungen habe, ein Radikaler zu werden: »Komfort als Weltanschauung«. »Eine Linie gibt es heutzutage überhaupt nicht«, seufzte Werner Bergold, 1949 bis 1954 Chefdramaturg der Münchner Kammerspiele, als man ihn im Herbst 1952 nach dem Kurs fragte.

Im Mai 1957 gab es einen kleinen Theaterskandal, bei der Erstaufführung von Eugène Ionescos absurder Farce *Opfer der Pflicht* in Darmstadt. Oder eigentlich danach, denn das Echo war viel aufschlußreicher als der Ruf. »Es ging nämlich wie ein seliges Rauschen durch den Blätterwald, als wäre der Umstand, daß es überhaupt noch Skandal gab, schon ein Fortschritt. Es wurden an diesen vergleichsweise kleinen Vorfall langatmige Untersuchungen geknüpft, wie richtig, wie lebendig und Hoffnung machend solche Gewitterentladungen vor der Szene seien. Und Kollegen des trefflichen Herrn Sellner gingen in den Leserspalten der Sonntagsblätter in Positur, klopften dem tapferen Theaterleiter auf die Schulter und betonten mit hohen Worten ihre Solidarität. Es war, als hätte ein Winkelried und Volksheld endlich die Mauer der allgemeinen Theaterlethargie durchschlagen« (Friedrich Luft).

Die absurde Welle

Existenzangst, die unausweichliche Folge von Glaubensverlust und Ideologieschwund, läßt die Welt als sinnlos, mindestens als nicht deutbar, unberechenbar erscheinen. Diese Angst spiegelte sich zunehmend auch im Drama, nachdem die Hoffnungen begraben waren, die sich an den Neubeginn knüpften.

Franz Kafka (1883–1924), einer der ersten, die jene Angst literarisch formten, hatte den Glauben verloren und zeitlebens keinen Ersatz gefunden in irgendeiner Gemeinschaft. Allein geblieben mit seinem Schuldgefühl, im Bewußtsein seiner Schwäche, leidend unter Kontaktarmut, wurde er einer der bedeutungsvollsten Alpträumer der Epoche. Das Adjektiv »kafkaesk« kam auf. Seine beiden wichtigsten Romane erschienen auf vielen Bühnen und übten auch in diesem dialogisch skelettierten Zustand Wirkung aus: zuerst waren im Berliner Schloßpark-Theater *Der Prozeß* (Juni 1950) und *Das Schloß* zu sehen (Mai 1953). Der *Prozeß*, dramatisiert von André Gide und Jean-Louis Barrault, war schon in Paris gespielt worden, *Das Schloß* war neu, bearbeitet von Kafkas Nachlaßverwalter Max Brod, inszeniert von Rudolf Noelte, 49 Aufführungen. Eine Bearbeitung des Fragments *Amerika* erschien 1957 folgenlos auf der Bühne des Zürcher Schauspielhauses. Seitdem Klaus Kammer den *Bericht für eine Akademie* (über die Vermenschlichung eines Affen) zum aufsehenerregenden Virtuosenstück gemacht hat (1962), geht dieser Monolog Jahr für Jahr über die Studiobühnen. In der Spielzeit 1971/72 hat *Der Prozeß* sich in neuer Bearbeitung auf einer Tournee im In- und Ausland bewährt.

Doch das waren – verglichen mit der verstörenden und erleuchtenden Wirkung Kafkas in der Literatur – nur oberflächliche und Augenblicks-Wirkungen. *Der Prozeß* hat nicht einmal als existentielles, absurdes Gleichnis die Runde gemacht, sondern als politisches Drama! Solche Fehlzündungen sind für den Autor Schicksal, für das Theater sind sie berechtigte, sogar gleichberechtigte Wirkungen. Als im Mai 1975 gleichzeitig in Bremen und Krefeld eine *Prozeß*-Version von Peter Weiss gezeigt wurde, die Josef K. an der Sozialordnung zerbrechen läßt, gab es allerdings kaum einen, den diese Deutung überzeugte.

Im Schloßpark-Theater begann die Spielzeit 1953/54 mit der deutschsprachigen Erstaufführung des Zweiakters, der sich zum Klassiker des absurden Theaters entwickeln sollte: Samuel Beckett, *Warten auf Godot*. Nach der Generalprobe zur Uraufführung Anfang Januar 1953 im Pariser ›Théâtre de Babylone‹ wurde applaudiert. Darauf Beckett zu Sartre: »Mein Gott, man muß sich getäuscht haben, das ist nicht möglich!« Nach der Premiere war eine Minderheit begeistert und die Mehrheit entsetzt, wie in Steglitz. Aber zwanzig deutsche Bühnen hatten das Stück schon vorgebucht. Inszeniert hatte Karl Heinz Stroux, Friedrich Maurer und Walter Franck waren der Diener und sein Herr. Den Vergleich mit Kafka wehrte Beckett ab: »Bei Kafka ist noch ein starker Lebenstrieb.« Tatsächlich ist Josef K. aktiv; ob Wladimir wirklich wartet, ist fraglich. »Es ist kein symbolisches Stück«, erklärte der Autor. Trotzdem füllen die Deutungen inzwischen eine Bibliothek. Kortner entschied den Streit, ob dies ein komisches Spiel sei oder nicht, indem er Heinz Rühmann überredete, im März 1954 an den Münchner Kammerspielen den Estragon zu

spielen (Ernst Schröder aus Berlin war der Wladimir). Es war eine wichtige Rolle
für den 52jährigen Rühmann, eine Entwicklung gegen den von der Publikums-
erwartung geprägten Typ.
Im März 1956 gab es in Bochum eine »Woche der französischen Dramatik«. Sie
enthielt die »Komödie in drei Akten« *Amédée oder Wie wird man ihn los?*; der
Autor, mit dem man nicht viel anfangen konnte, saß in einer Bochumer Kneipe
und wartete das Ende ab. Dann reiste er heim. Es war die erste Ionesco-Premiere
in Deutschland, fast sechs Jahre nachdem das erste »Anti-Stück« uraufgeführt worden war: *Die kahle Sängerin*, am 11. Mai 1950 im ›Théâtre des Noctambules‹ in
Paris.
Im Juni 1956 gab es in den Mainzer ›Zimmerspielen‹ am Dom die erste deutsche
Aufführung des »komischen Dramas« *Die Unterrichtsstunde*. Sie wurde als Clownerie gegeben. Anfang Mai 1957 folgte der gleiche Einakter in Darmstadt, dort
aber ernst, zusammen mit dem »Pseudodrama« *Opfer der Pflicht*. Zu den Vorbereitungen gehörte eine Rede von Albert Schulze Vellinghausen, der sich gerade mit
Ionesco und Sellner zu der Broschüre *Das Abenteuer Ionesco* zusammengetan hatte
und der beste Verteidiger dieses genialen Außenseiters wurde. Tags darauf verursachte *Opfer der Pflicht* einen so eindrucksvollen Theaterskandal, daß der Urheber noch jahrelang daran gemessen worden ist. Die Zuschauer riefen teils »So ein
Mist!«, teils »Nieder mit Sellner!«. In der *Süddeutschen Zeitung* wurden die Pfeifer in zwei Parteien geschieden: mit Hausschlüsseln sei spontan auf das Stück, mit
Trillerpfeifen vorsätzlich auf den Intendanten gepfiffen worden. Hinterher sagte
Gustav Rudolf Sellner über seine Inszenierung in einem Interview: Ionescos Werk
gehöre »zu den eindringlichsten, großen Warnungszeichen«, es biete aber »eine
äußerst vergnügliche Arbeit, wenn man es einmal über sich gebracht hat, den ganzen Ballast aus konventionellen und intellektuellen Ordnungen von sich zu werfen«. Die *Schwäbische Donauzeitung* sprach von »Diagnose ohne Therapie« und
nannte dies »das Dilemma der Avantgarde«.
Mitte November 1957 meldete die *Abendpost* schon Konjunktur für das »absurde
Theater«, Mitte Dezember meinte die *Stuttgarter Zeitung* säuerlich, Beckett, Ionesco
und Genet verdienten »zum mindesten ihre Umstrittenheit«. Nun war Darmstadt
wieder an der Reihe. Ionesco drückte Sellner sein Vertrauen aus. Er erinnerte an
den Krach im Vorjahr und sprach von einer gewonnenen Theaterschlacht. Georg
Hensel bekräftigte im *Darmstädter Echo*: »Auf seiner Fahrt nach Darmstadt, die
Ionesco mit seinem Verleger Hans Rudolf Stauffacher von der Schweiz aus angetreten hat, kam er durch kaum eine größere Stadt, die nicht gerade ein Stück von
ihm auf dem Spielplan hat.« »Auch wir haben unsern Ionesco-Skandal«, meldete
im März 1958 die *Stuttgarter Zeitung* mit Befriedigung nach einer Aufführung der
Hanswurstiade *Das Gemälde*. Im *Münchner Merkur* hieß es im April 1958, nach
der Premiere der tragischen Posse *Die Stühle*: »Ionesco ist kein Talent, sondern
eine Mode.«
Mittlerweile war es in Darmstadt passiert: der *Mörder ohne Bezahlung* hatte seine
Uraufführung erlebt, das erste »abendfüllende« Drama Ionescos. »Das Publikum
spaltete sich spürbar in zwei Lager«, meldete Gerd Kahlow in der *Frankfurter
Allgemeinen*, »Lokalabnehmer und von weit herbeigeeilte Kenner und Avantgardisten. Erstere fühlten sich, an dauerndem Stühleknarren und Flüstern erkennbar,

höchst unwohl, wagten jedoch, im Gegensatz zum Vorjahr, keinen Pfiff. Ionesco ist doch jetzt beinahe ein Klassiker.« Die allgemeine Ansicht war: das Stück ist zu lang. Die Einakter erschienen inzwischen vergleichsweise passabel. Gleichzeitig kamen die ersten Anzeichen von Überfütterung. »Ionesco und kein Ende« stand in der *Süddeutschen Zeitung*. »Alle vierzehn Tage Erstaufführung: Das hält kein Autor, kein Ruhm, kein Ionesco aus.«

Im Januar 1959 konstatierte die *Allgemeine Zeitung* in Mainz: »Ionesco schockiert nicht mehr.« Aber vierzehn Tage später meldete das *Darmstädter Tagblatt*, die Premiere von *Jakob oder Der Gehorsam* sei »hart am Rande eines Theaterskandals« verlaufen. Wieder hatte man Trillerpfeifen mitgebracht. Mitte April 1959 äußerte sich Albert Schulze Vellinghausen in der *Frankfurter Allgemeinen* zu den »Mißverständnissen einer Rezeption«: »In der Befürchtung, der deutsche Bierernst werde sich Ionescos bemächtigen und jeden Sketch wie eine Epistel von Heidegger zelebrieren«, habe er selber dazu beigetragen, »den Fall Ionesco aufzulockern. Nicht gerade bis zur Biermimik hin, aber doch die ›Spielbarkeit‹ propagierend [...]. Die Woge von pathetischem Naturalismus, die sich davon zum Zugriff ermuntert fühlte, war nicht vorauszuahnen.«

Inzwischen hatte Beckett sich besser zu erkennen gegeben – indem er sich immer weiter entzog. Auch in *Endspiel* (1957 im Schloßpark-Theater) wird gewartet: vier Personen warten auf das Ende. Wahrscheinlich sind es die vier letzten Menschen: Hamm, der blind ist und nicht stehen kann, der Diener Clov, der nicht sitzen kann, und Hamms Eltern, die keine Beine haben und in zwei Mülleimern vegetieren. Die Eltern im Mülleimer – das sprach sich herum. Der Regisseur Hans Bauer verstand es als bittere, resignative Farce. Auch zu *Glückliche Tage* (zuerst von Walter Henn, September 1961, Schiller-Theater, mit Berta Drews) meinte Bauer: »Wer es nicht als Farce gibt, ist schon verloren, erreicht die mythischen Schatten des Nichts nie und grault das Publikum aus dem Theater.« Vorher gab es noch in der

Beckett, Endspiel. Schiller-Theater Werkstatt Berlin. Regie: Samuel Beckett. – Gudrun Genest, Werner Stock, Horst Bollmann, Ernst Schröder (Foto: Ilse Buhs, Berlin)

›Werkstatt‹ des Schiller-Theaters ein Solo für einen Greis: Krapp hört seine Vergangenheit auf Tonbändern ab *(Das letzte Band)*, auf der Suche nach einem glücklichen Moment (zuerst Bernhard Minetti, September 1959). Beckett wurde immer
wortkarger, nahm die Wirklichkeit immer stärker zurück, zeigte fast sprachlose
Minutenvorgänge, schließlich sprachlose Sekundenvorgänge, zeigte nichts mehr,
würde wohl am liebsten Das Nichts zeigen.
Eine ganze Welle von Verwandtem kam auf, vor allem in der Bundesrepublik,
teils der Theaterzahl wegen, teils weil dort die gesellschaftliche Labilität am weite-
sten war, welche die Voraussetzung ist zum Verständnis destruktiver Botschaften.
Zu den ersten gehörte Arthur Adamov, Franzose russischer Abstammung, der seine
absurden Stücke zwischen 1944 und 1954 schrieb. Auf deutsch kamen sie zuerst in
Pforzheim heraus, in den frühen fünfziger Jahren ein Avantgardetheater, mit Franz
Peter Wirth (Oberspielleiter 1951–54) als Regisseur: *Invasion*, 1952; *Alle gegen
Alle*, 1953.
Zur Gruppe der damals modernen Autoren gehörten vor allem der Exilspanier
Fernando Arrabal *(Picknick im Felde; Die Nacht der Puppen; Der Garten der
Lüste; Der Architekt und der Kaiser von Assyrien; Zeremonie für einen ermorde-
ten Neger* u. a.), die Franzosen Boris Vian *(Alle in die Grube; Die Reichsgründer
oder Das Schmürz; Die Generäle)*, Jacques Audiberti *(Der Glapion-Effekt; Quoat-
Quoat; Der Lauf des Bösen; Das Schilderhaus)* und Jean Tardieu, ein Anreger, der
spät aufgeführt wurde: *Der Schalter* (1959), *Sprachstudien* (1960), *Oswald und
Zenaide* (1965), *Die Liebenden in der Untergrundbahn* (1966).
Aus England und Amerika kam kaum Derartiges: aus England James Saunders
mit seinem existenziellen Kabarett *Ein Eremit wird entdeckt* und dem *Schulmeister*,
dessen Botschaft immer fragwürdiger wird, und Harold Pinter *(Der Hausmeister;
Der stumme Diener)*. Saunders bezog seine einaktige Groteske *Wirklich schade um
Fred* auf den Unruhestifter in Paris: »Ein Dialog in Ionescos Manier«. In der
›Werkstatt‹ des Schiller-Theaters ging der Spaß vor einem vergilbten Ionesco-
Porträt in Szene (1965). Der verkalkte bösartige Alte, straflos gebliebener Mörder
seines Nebenbuhlers, wurde eine Glanzrolle für Hans Schweikart, der auf seine
alten Tage die Darstellung scheußlicher Greise zu seinem Hobby machte. Schwei-
karts Dialog-Partnerin an den Münchner Kammerspielen war Adrienne Gessner
(November 1966). Aus den Vereinigten Staaten kamen Absurditäten von Edward
Albee *(Zoogeschichte)* und Arthur Kopit: *O Vater, armer Vater, Mutter hängt dich
in den Schrank und ich bin ganz krank* und *Als die Huren auszogen, um Tennis
zu spielen*.
Angesichts der Aufgeschlossenheit der westdeutschen Theater für die absurde Welle
ist die Beteiligung der westdeutschen Autoren erstaunlich gering. Es zählen streng
genommen nur Günter Grass und Wolfgang Hildesheimer. Grass, der sich eigentlich noch als bildender Künstler empfand, mit dem Zweiakter *Hochwasser* (1957,
Frankfurter Studentenbühne), mit dem Vierakter *Onkel, Onkel* (1958, Köln), den
1959 zuerst gespielten Einaktern *Beritten hin und zurück* (Studenten in Frankfurt,
›Theater 53‹, Hamburg) und *Noch zehn Minuten bis Buffalo* (›Werkstatt‹, Berlin)
sowie *Die bösen Köche* (1962, ›Werkstatt‹, Berlin).
Hildesheimer erklärte 1960 in Erlangen, er schreibe absurd »aus so tiefer Überzeugung«, daß ihm »nicht absurdes Theater mitunter absurd« erscheine. Er stellte die

*Pinter, Niemandsland. Schloß-
park-Theater Berlin 1975. Regie:
Hans Lietzau. – Martin Held,
Bernhard Minetti, Friedhelm Ptok,
Hans-Peter Hallwachs (Foto:
Anneliese Heuer, Berlin)*

*Saunders, Wirklich schade um
Fred. Werkraumtheater, Kammer-
spiele München. Regie: Dieter
Giesing. – Adrienne Gessner, Hans
Schweikart (Foto: Hildegard Stein-
metz, München)*

»Arbeitsthese« auf, jedes absurde Theaterstück sei »durch das absichtliche Fehlen jeglicher Aussage« eine »Parabel des Lebens«, das ja auch nichts aussage. Er lieferte etliche von solchen Abbildern des Lebens, von denen die erfolgreicheren etwa ein dutzendmal inszeniert wurden, zum Beispiel *Pastorale* (Münchner Kammerspiele 1958) und *Der schiefe Turm von Pisa*, zuerst 1959 in Celle, zusammen mit *Die Uhren*. Auch *Rivalen* (Münster 1961) und *Nachtstück* (Düsseldorfer Kammerspiele 1962) machten ihren Weg. Der Zweiakter *Die Verspätung* war die längstlebige Absurdität Hildesheimers, sie wurde noch Mitte der siebziger Jahre gezeigt. Zuerst hat ihn Hansjörg Utzerath an seinen Düsseldorfer Kammerspielen inszeniert, im September 1961.

Der Theaterkritiker André Müller sah damals darin eine »vollkommen reale Widerspiegelung der kleinbürgerlichen Weltauffassung. Für den Kleinbürger ist die Welt ein Chaos, unverständlich, absurd. [...] Ein Theaterstück, das ihm Menschen und Vorgänge als verrückt darstellt, entspricht also genau seinen geistigen Bedürfnissen.« Müller äußerte die Meinung in der Ostberliner Zeitschrift *Theater der Zeit*. Sie spiegelt den ziemlich mühsamen Standpunkt, den man für die DDR und in der DDR zum »absurden Theater« bezog. Man mußte es für sich ablehnen, die beste Begründung dafür schien allemal Polemik gegen den Westen zu sein.

Zwei Urväter dieser Entwicklung tauchten mit großer Verspätung auf. Anfang Mai 1959 erschien im ›Werkraum‹ der Münchener Kammerspiele der anarchische *König Ubu* von Alfred Jarry, mehr als sechzig Jahre nach der Uraufführung in Paris. Der damalige Skandal (schon nach dem ersten Wort von der Bühne: »Merdre«) war nur noch eine ferne Sage. Hans Dieter Schwarze, für zwei Jahre Dramaturg und Regisseur an den Kammerspielen, inszenierte den unflätigen Spaß. Das Publikum amüsierte sich, die Kritiker blieben reserviert.

Erst im März 1966 wurde zum ersten Mal in Deutschland Witkiewicz gespielt, Autor von 36 »formistischen« Theaterstücken für distanzierte Spielweise: ein Drama dürfe keinen Inhalt, nur »reine Form« bieten, wie die Musik, lehrte der Architekt, Maler, Philosoph Stanisław Ignacy Witkiewicz, der in den dreißiger Jahren hätte Epoche machen müssen, aber der Epoche zum Opfer gefallen ist. Er brachte sich im September 1939 um, achtzehn Tage nach dem deutschen, einen Tag nach dem russischen Einmarsch in Polen. Der Dreiakter *Im kleinen Landhaus*, 1921 entstanden, und die zweiaktige »Tragigroteske« *Die Mutter*, 1924 geschrieben, erschienen fast gleichzeitig auf deutschen Bühnen, in Saarbrücken und in Baden-Baden.

Die Mord- und Gespenstergeschichte *Im kleinen Landhaus* ist relativ verständlich, für arglose Theatergänger freilich gerade deswegen hanebüchen. Sie diente dem Maler und Regisseur Tadeusz Kantor nur als Spielmaterial für die Farce *Der Schrank*. Die Veranstaltung des Stadttheaters in der Kunsthalle Baden-Baden ging in dieser sich zu Unrecht auf Witkiewicz berufenden Fassung auf Tournee. Besser ging es einen Tag später Witkiewiczs Farce *Die Mutter* in Saarbrücken, die im Oktober 1971 auch in Düsseldorf erschien. Im Oktober 1967 wurde in Köln ein ›Studio‹ des ›Theaters am Dom‹ mit dem Dreiakter *Das Wasserhuhn* von Witkiewicz eingeweiht, einer »sphärischen Tragödie«, die 1922 in Krakau Skandal gemacht hatte. Ebenfalls 1967 gab es *Narr und Nonne* im Zimmertheater Tübingen. Nicht zufällig fanden die drei Dramen von Elias Canetti *Die Hochzeit* (1932),

Komödie der Eitelkeit (1934) und *Die Befristeten* (1952) endlich auf Bühnen. Die ehrsamen Bürger, die sich erst bei einer Hochzeitsfeier und dann angesichts des gemeinsamen Untergangs immer hemmungsloser gebärden, die Massenpsychose der Eitelkeit nach dem Verbot von Spiegeln, die Mentalität von Leuten, die ihr Todesdatum kennen – solche Verhältnisse zu zeigen, wagte man erst, nachdem viele andere Angriffe auf Anstand und Verstand die Macht der Verhältnisse nachhaltig erschüttert hatten. Dennoch waren die Uraufführungen von *Hochzeit* und *Komödie der Eitelkeit* (beide Braunschweig 1965) von törichten Skandalen begleitet; die deutsche Erstaufführung der *Befristeten* zum zehnjährigen Bestehen des Kleinen Theaters Bad Godesberg (1968) ging unter. An den Fehlwirkungen dieser satirischen Denkspiele hatten Inszenierungen und Besetzungen starken Anteil.

So verschieden diese Autoren auch sind, sie haben doch allerlei gemeinsam: »Keiner dieser Schriftsteller drückt einen ideologischen Standpunkt aus, sondern nur das Staunen über das Nichtvorhandensein irgendeines zusammenhängenden und allgemein akzeptierten, umfassenden Prinzips, das Fehlen jeglicher Ideologie, jedes ethischen Systems.« So Martin Esslin 1961 über die zwei Dutzend in seinem Buch *Das Theater des Absurden* behandelten Autoren. Dieser Buchtitel ist zum Schlagwort und Markenzeichen für die Richtung geworden.

Für die absurden Antidramen kann man folgende Kriterien nennen: Zerfall des Aufbaus, der Intrige, der Charakterzeichnung und der Sprache, Auftauchen von neuen Strukturen: Wiederholung, archetypische Situationen, wörtlich genommene Metaphern, sichtbar gemachte innere Realitäten, zweckfreie Poesie.

Im Absurden kann man schwerlich verharren, Hildesheimer wandte sich Stoffen mit »Aussage« zu (Helena, Turandot, Maria Stuart), dann wurde er wieder Erzähler und bildender Künstler, wie Günter Grass. Max Frisch hat sich der Mode nur vorübergehend genähert (mit dem »Lehrstück ohne Lehre« vom Biedermann und den Brandstiftern, 1958). Adamov gewann vorübergehend einen gesellschaftskritischen Standpunkt (*Paolo Paoli*, deutsch zuerst 1959 in Hannover), er polemisierte gegen Beckett und Ionesco und verzweifelte dann wie Witkiewicz. Ionesco wurde »vernünftiger«: er ging über zu abendfüllenden Parabeln, denen man Sinn abgewinnen konnte.

Karl Heinz Stroux begann in dieser Periode Sellner als führenden Ionesco-Interpreten abzulösen. Es begann eine neue Phase, die der repräsentativen Ur-Inszenierungen von Problem-Stücken, die immer schwerblütiger und schwermütiger wurden. Schon Mitte April 1959 hatte Stroux eine kühne Eingemeindung versucht, er hatte *Die Unterrichtsstunde* mit Kleists *Zerbrochnem Krug* kombiniert. Doch als so klassisch konnte man damals Ionesco noch nicht empfinden. »Theater ist nicht Kassenramsch, sondern Auseinandersetzung«, belehrte die *Abendpost* den Generalintendanten.

Am 31. Oktober 1959 erschienen zum ersten Mal *Die Nashörner*, und sie trampelten von Düsseldorf aus über zahllose Bühnen des In- und Auslandes, ein gewaltiges Rauschen im Blätterwald verursachend. »Alle Potentaten des westdeutschen Theaters fanden sich bei Karl Heinz Stroux ein, um die Welturaufführung [...] zu feiern«, schrieb Ivan Nagel in der *Deutschen Zeitung und Wirtschaftszeitung*. »Der Erfolg war im voraus entschieden, doch als der Vorhang fiel, übertraf die Ekstase des Jubels jegliche Erwartung.« Zum ersten Mal hatte Ionesco das gegeben, was man von ihm verlangte: eine verständliche Fabel, ein phantastisches Spiel, das sich konsumieren ließ. Die Freude der Konsumenten war allenthalben groß. Ein Jahr darauf konstatierte Friedrich Luft: »Diese Parabel hat Epoche gemacht.« Während die absurden Spiele allmählich die Provinz durchdrangen, in Trier »hintergründiges Vergnügen« verbreitend, in Pforzheim Ratlosigkeit zurücklassend, in Flensburg eine Diskussion entfachend, wurde in Düsseldorf der *Fußgänger der Luft* erarbeitet. Die Reaktionen nach der Premiere waren unterschiedlich. »Ich habe Ionesco an diesem Abend manches abgegeben«, schrieb Joachim Kaiser über diesen »Höhenflug«. In der *Stuttgarter Zeitung* las man von einem »dramatischen Blindflug«. Im *Echo der Zeit* wurde der Autor ein Erbe Chaplins genannt. »Wird Ionesco unsicher?« fragte Johannes Jacobi. Die *Berliner Morgenpost* reagierte auf die Inszenierung im Schiller-Theater unter der Spitzmarke: »Halbgott außer Atem«. Einen breiten Achtungserfolg errang *Der König stirbt* im November 1963 in Düsseldorf, dann auf sehr zahlreichen deutschsprachigen Bühnen nachgespielt. Der Farceur kehrte zurück ins Herz der Überlieferung, skizzierte Totentanz und Königsdrama, und das deutsche Stadttheater versagte sich diesem Memento nicht. Ionesco war damit eingemeindet.

Einen ganz anderen Stellenwert hatte das absurde Theater in den Ostblockstaaten – soweit es dorthin kam. Es kam vor allem nach Polen und in die Tschechoslowakei und wirkte von dort in den deutschen Sprachraum zurück. Als *Warten auf Godot* 1956 in Warschau gespielt wurde, verstand man das Warten auf die nationale Unabhängigkeit von der Sowjetunion, die ebenfalls oft versprochen, aber nie gewährt worden war und ist. Die Nonsens-Botschaft am Schluß der Farce *Die Stühle* wurde als Wahrheit gedeutet, die man nicht sagen darf. Während des »Tauwetters« wurden absurde Stücke also benutzt, um Aktuelles in »äsopischer Sprache« (Lukács) darzustellen. Zu diesem Zweck wurden auch neue Stücke geschrieben, die im westlichen Ausland gespielt worden sind. Im Jahre 1966 wurden in der Bundesrepublik 32 polnische Dramen aufgeführt. Manchmal ging die westdeutsche Premiere der polnischen voraus; zum Beispiel wurde *Die Zeugen oder Unsere kleine Stabilisierung* von Tadeusz Różewicz 1963 in der ›Werkstatt‹ des Schiller-Theaters aufgeführt und 1966 erst in Warschau. Der Titel »Unsere kleine Stabilisierung« wurde in Polen zum Slogan für das Schwanken zwischen Liberalität und Reaktion. Andere deutsch gespielte Absurditäten von Różewicz: *Die Karthotek* (Essen 1961), *Die Laokoon-Gruppe* (Berlin 1963, zusammen mit *Die Zeugen*), *Der unterbrochene Akt* (Ulm 1965).

Kaum in diesen Zusammenhang gehören, aber auch in diesem Zusammenhang gesehen wurden die Dramen von Witold Gombrowicz, Exilpole seit 1939. Gombrowicz wurde Anfang der sechziger Jahre in der Bundesrepublik bekannt, 1965 erschien in Dortmund *Yvonne, Prinzessin von Burgund* (als Oper von Blacher zuerst 1973 in Wuppertal). Es folgten *Die Trauung,* 1968 im Schiller-Theater Berlin, und *Operette,* 1971 in Bochum. Tatsächlich Theaterstücke mit absurden Elementen, jedoch Probleme der Identität und des Individualismus behandelnd, geschult an Pirandello und Witkiewicz.

Was Termin und Erfolg anbelangt, so ging Slawomir Mrożek voran mit *Die Polizei,* deutsch zuerst 1959 in Frankfurt, im Kleinen Theater am Zoo: Eine Diktatur hat sich so vollkommen durchgesetzt, daß Zwang als Freiheit erscheint und der letzte politische Häftling als Lobredner des Regimes entlassen wird – was die Polizei in große Verlegenheit bringt, weil sie überflüssig zu werden droht. Den Höhepunkt seiner Geltung im Westen erreichte Mrożek nach der deutschen Erstaufführung seines hintersinnigen Familiendramas *Tango* durch Stroux in Düsseldorf. Davor kamen *Das Martyrium des Piotr O'Hey*; *Karol*; *Auf hoher See* und *Striptease* – alles Dramolette, die mehr und anderes bedeuteten, als sie sagten, sogenannte »schielende« Literatur. Es folgten Achtungserfolge oder Mißerfolge, vor allem die Uraufführungen *Watzlaff*, Februar 1970 im Zürcher Theater am Neumarkt und *Ein freudiges Ereignis*, November 1971 in Düsseldorf. Diese Stücke sind nicht so viel schwächer, wie sie schienen – das kulturpolitische Klima hatte sich geändert und die Meinung über die Aufgaben des Theaters ebenfalls. Mrożek wurde im Herbst 1972 in Wien mit dem großen Staatspreis für europäische Literatur ausgezeichnet. Er lebte damals im Westen, aus Protest gegen die Strafexpedition der Mitglieder des Warschauer Pakts gegen die Tschechoslowakei. Im Herbst 1973 konnte er heimkehren. Im Frühjahr 1975 gab es den ersten Mrożek in der DDR: *Tango* in Rostock.

Der Einmarsch der »Brudervölker« zwecks »Rettung des Sozialismus« – dies die offizielle Version – beendete am 21. August 1968 den »Prager Frühling« und fror auch die Theater wieder ein, deren »schielende« Dramen die Liberalisierung in der Dubcek-Ära beschleunigt hatten. Von den betroffenen Autoren ist vor allem Václav Havel viel auf deutsch gespielt worden: *Das Gartenfest*, zuerst 1964 in der ›Werkstatt‹ des Schiller-Theaters, *Die Benachrichtigung* (Berlin 1965) und nach dem Regimewechsel, den vorsichtige Drosselung der Freiheit vor ihrer Erdrosselung charakterisierte – *Erschwerte Möglichkeit der Konzentration* (Berlin, November 1968). Bis zu diesem Zeitpunkt ging *Das Gartenfest* über einundzwanzig deutschsprachige Bühnen und *Die Benachrichtigung* über sechzehn. Anfang Februar 1974 gab es in Baden-Baden die Uraufführung einer politischen Groteske von Havel (*Der Retter*) – daheim war er mundtot gemacht worden. Thema ist Konspiration gegen einen verjagten Diktator, der schließlich von den Verschwörern zurückgerufen wird. Havel versicherte, es handle sich »um kein politisches Stück, um keine Propagierung oder Kritik des einen oder anderen politischen Systems«.

In Trier sollten die Einakter *Nachtigall zum Abendessen* von Josef Topol und *Der Irrgarten* von Ladislav Smocek als Beispiele des politischen »Prager Frühlings« vorgeführt werden; als sie im September 1968 gezeigt wurden, waren es Nachrufe auf den »Frühling«. »Ich sah nicht voraus, daß es eine Allegorie auf das Schicksal meines Landes und meiner Partei werden würde«, kommentierte Pavel Kohout seine traurige Zirkuskomödie *August, August, August* (deutsch zuerst in Krefeld, 1969). Als erstes »Schlüsselstück« aus Prag lief *Die Schlüsselbesitzer* von Milan Kundera, inszeniert von Heinz Hilpert, im Oktober 1963 in Göttingen. Damals fand es wenig Verständnis. Ivan Klimas politische Kafkajade *Ein Schloß* traf im Januar 1966 in Düsseldorf auf ein gewecktes Publikum. Allerdings fragt es sich, ob diese Stücke beim Überschreiten der Grenze nicht unmerklich ihren Sinn änderten, auch wenn sie von einem Tschechen oder Polen inszeniert worden waren. Jedenfalls änderten sie ihre gesellschaftliche Bedeutung. Ein Beispiel: *Das Staatsexamen* von Alexander Wampilow, 1967 als Studentenstück in Oberhausen präsentiert, das der Intendant und in diesem Falle auch Regisseur Christian Mettin so kommentierte:

»Das Überraschendste ist, daß die zornigen jungen Männer Rußlands in ihren Wünschen und Hoffnungen sich gar nicht so sehr von denen der westlichen Welt unterscheiden.« Die Parallelen zu Tschechows *Möwe* (bei Wampilow wird eine Elster statt der Möwe erschossen) blieben unverstanden und wurden gestrichen. Damit ging die Botschaft verloren: die Situation der russischen Jugend (jedenfalls in den gehobenen Kreisen) sei in den sechziger Jahren unseres Jahrhunderts im Grunde wieder dieselbe wie in den neunziger Jahren des vorigen. Ohne Zweifel wurde diese Anspielung in Rußland verstanden.

Nach 1965 verebbte die absurde Welle, die Rückwirkung aus Polen und der Tschechoslowakei war ihre letzte Phase. Sie lief ins neu erwachte Interesse am politischen Drama aus. Als im Januar 1969 das Hessische Staatsschauspiel in Wiesbaden *Die bösen Köche* von Günter Grass aufführte, entdeckte der Regisseur in den sechs Köchen, die einem Grafen das Rezept für eine unnachahmliche Suppe ablisten wollen, das Muster für die Auseinandersetzung zwischen Kollektiv und Individuum. Vor Tische las man's ganz anders.

Beckett, Nobelpreisträger von 1969, war so etwas wie ein Klassiker geworden, *Warten auf Godot* ein Abonnentenstück. Im Jahre der deutschen Erstaufführung schon zwanzigmal inszeniert, lief und lief *Godot* mit geringen Unterbrechungen (1960/61 nur zwei Inszenierungen, 1968/69 keine) weit über die Zeit der Absurditäten hinaus und war dann keine mehr, sondern »ein Spiel, um leben zu können«, wie Beckett sagte, als er es im Frühjahr 1975 im Schiller-Theater inszenierte.

Man lernte über Absurdes lachen, auch über *Godot* (in der Inszenierung von Ullrich Haupt Januar 1975 für das Münchner Marstall-Theater). Rechtzeitig war Ersatz herangeschafft worden, um den Erfolg prolongieren zu können: die französischen Farcen des Fin de siècle. Ab und zu war Feydeau schon immer einmal gespielt worden, aber seitdem 1967 das Nationaltheater in London mit *A Flea in her Ear* Erfolg gehabt hatte, begann eine Feydeau-Renaissance, an die schließlich Labiche angehängt wurde. Wahrhaftig, es ging da kaum weniger absurd zu, und im Londoner Programmheft äußerten sich nicht zufällig Audiberti (»Es handelt sich um Sintfluten in aller Gemütsruhe, um Apokalypsen im Sperrsitz«) und Ionesco: »Unser Galopp in den Abgrund«.

Daß der 1931 in Holland geborene österreichische Lyriker, Erzähler und schließlich auch Dramatiker Thomas Bernhard erst nach Jahren an die Eigenheiten des zwanzig Jahre älteren Ionesco erinnerte, zeigt an, wie tot das absurde Theater zu sein schien. Dabei verbreiten Bernhards abendfüllende Zaudereien, sinnloses Leben zu beenden (*Ein Fest für Boris*, Hamburg 1970; *Der Ignorant und der Wahnsinnige*, Salzburg 1972; *Die Jagdgesellschaft*, Wien 1973; *Die Macht der Gewohnheit*, Salzburg 1974), abgründige Verzweiflung wie nur je ein metaphysischer Kummer in Ionescos bester Zeit. Bernhards monomanisch-monologisches Schauspiel *Der Präsident* (Wien 1975) war ein mißglückter Versuch, Tod und Terror eine verzweifelte Komik abzugewinnen.

Neue Gehäuse

Der Bau des Stadttheaters in Münster ist als Beginn einer neuen Epoche des Theaterbaus empfunden worden. Das Team junger Architekten Deilmann/von Hausen/ Rave/Ruhnau war von den örtlichen Gegebenheiten ausgegangen und hatte die allgemeinen Vorstellungen davon, wie ein Theater auszusehen habe, hintangestellt, aus Protest gegen die langweiligen Wettbewerbsentwürfe. Man wollte endlich weg von der »Einschüchterungsarchitektur«, weg vom »Hoftheaterstil« und seinen Farbkombinationen Rot/Gold und Blau/Silber. Der »Herbst des Klassizismus« sollte zu Ende sein. Dem geschlossenen Körper des Bühnenhauses ist in Münster das Zuschauerhaus als gläsernes Oval vorgelagert, und diesem wieder der niedrige verglaste Trakt für Entrée, Café und Defilée. Der Bühnenturm zeigt sich nicht als der übliche Kasten, sondern er wird von zwei gekrümmten Flächen über Parabeln begrenzt.

Die Grundsteinlegung im Mai 1954 wurde mit der Festaufführung des Einakters *Die Auster und die Perle* von William Saroyan gefeiert, die Eröffnung zwei Jahre später mit der *Zauberflöte*. Die hochgezogenen, weißlackierten Stahlrohrrahmen der fliederfarbenen Klappsessel, die mit naturfarbenem Korbgeflecht drapierten Rang-Brüstungen, die mit Pendelleuchten vollgehängte Decke verblüfften. Die Presse schwelgte in Superlativen: »genial«, ein »Donnerschlag«, der »auch in anderen Städten gehört wird«, »ohne Zweifel der beste Theaterbau, der der neuen Architektur im deutschen Raum gelang«.

In der Tat: man hätte die Straßenecke mit einem der rechtwinkligen Riesenklötze füllen können, wie sie üblich wurden, nachdem man von den Säulenfassaden abgekommen war. Die dreifach gestufte Anlage nutzt das Gelände diagonal – wenn auch auf Kosten der Hinterbühne –, die Bebauung wirkt locker, die Lokaltradition wurde insofern respektiert, als ein Rest der klassizistischen Fassade des Romberger Hofes von den bungalow-artigen Vorbauten respektvoll gerahmt worden ist. Die Baukosten (5,2 Millionen, 1956) erschienen schon zehn Jahre später als unvorstellbar niedrig, doch ist zu bedenken, daß das ›Große Haus‹ (956 Plätze) in Münster nichts bot als den Bühnen- und Zuschauerbereich. Verwaltung, Garderoben, Werkstätten – das alles fehlte, blieb in einem benachbarten Altbau.

Die Benutzer haben sich ohne Sträuben eingelebt. Die Sicht im Saal ist gut, seine Ovalform begrenzt aber die Hörsamkeit. Die Stahlrohrsessel und die Rohrgeflecht-Balustraden verbreiten Cafeteria-Atmosphäre. Daß die Sitze und das Bühnenportal festgelegt sind, wurde inzwischen oft bedauert. Für die damalige Zeit war aber alles – abgesehen vom Bühnenbereich – wagemutig, und dieser Wagemut hat sich im wesentlichen bewährt.

Die bis dahin nach dem Kriege realisierten Theaterbauten waren Rekonstruktionen oder Einbauten gewesen. Der erste Neubau ist das Nationaltheater in Weimar gewesen, von dem nur noch Fassade und Außenmauern stehengeblieben waren. In zweijähriger Arbeit war das für das deutsche Theater wie für die deutsche Politik erinnerungsträchtige Haus aufgebaut worden, zum Teil aus Trümmerschutt. Der Verfall setzte entsprechend bald ein. Der Leiter des Aufbaus Richard Paulick wurde

1951 für seine Leistung mit dem Goethepreis ausgezeichnet. Eine Gedenktafel datiert den Wiederaufbau, eine zweite konstatiert die Weimarer Begegnung zwischen Thomas Mann und Johannes R. Becher (Schillerfeier 1955), die dritte weist darauf hin, daß hier die Nationalversammlung die Verfassung von Weimar beschlossen hat, deren Artikel 48 »Deutschland in das faschistische Verhängnis« gestürzt habe.

Im September 1948 wurde das ehemalige Schauspielhaus in Dresden als ›Großes Haus der Staatstheater‹ in Betrieb genommen. Noch weitere 29 Theater in der Sowjetzone beziehungsweise DDR erstanden im ersten Jahrzehnt nach dem Kriege erneut, alle möglichst in ihrer ursprünglichen Gestalt. Fast immer war ja auch die Fassade stehengeblieben – eine symbolische Erscheinung. In Westdeutschland wurde die Wiederherstellung des Staatstheaters in Braunschweig zu Weihnachten 1948 als große Ermutigung aufgefaßt. »Niemand wollte mehr zu einer Zeit, in der alles bestrebt war, wieder eine friedensmäßige Gestalt anzunehmen, durch die räumlichen Unzulänglichkeiten einer Bühne und eines Zuschauerraums gebunden sein, dessen bloße Existenz eine Erinnerung an die Zeit der Katastrophe war«, meinte Alois Johannes Lippl, Staatsintendant in München.

In fast fünfzehnjähriger Bauzeit versuchte Werner Kallmorgen das völlig ausgebrannte klassizistische Hoftheater in Hannover im Sinne neubelebter Tradition zu einem heutigen Staatstheater neu zu formen. Die Umformung in fünf Bauabschnitten kostete 21,6 Millionen. »Während der kreisförmige Zuschauerraum mit drei ihn umklammernden Rängen [...] noch stark der Konvention verhaftet bleibt, wurden im Treppenhaus, im Foyer und in den Buffeträumen gute Wirkungen von Alt gegen Neu und Alt mit Neu erzielt, sei es, daß in der Eingangshalle die roten Ziegelwände in Kontrast zu den weißen Stuckwänden gesetzt wurden, die klassische Nischenarchitektur in einen strengen Tonnenraum eingefügt oder im Buffetraum die Säulenordnung des Portals verkleinert zitiert wurde« (Hannelore Schubert).

Ein bürgerlicher Parvenü ist das Schauspielhaus in Bochum, ein Stolz seit 1953, der nicht in Ehren altern konnte. Auch in diesem Falle handelt es sich zum Teil nur um einen Wiederaufbau. Das Bühnenhaus war noch teilweise erhalten, und die Stahlstützen des alten Zuschauerraumes waren noch tragfähig. Immerhin wurde in Bochum zum ersten Male der eiserne Vorhang konvex gewölbt und vor den Orchestergraben gelegt, wodurch die Vorbühne verfügbarer wird. Die Lage des Ganzen in einem Straßenzwickel ist ungünstig. Das Schauspielhaus Bochum, eigentlich ein Mehrzwecktheater, war der erste Theaterbau des Architekten Gerhard Graubner, Professor an der Technischen Universität in Hannover, der sich schon seit 1941 mit Theaterbau befaßt hatte und einer der meistbeschäftigten Theaterarchitekten der Nachkriegszeit geworden ist. Graubner starb im Juli 1970; seine Haupttätigkeit im Theaterbau liegt in der Zeit zwischen dem Bau der beiden Bochumer Theater, dem ›Schauspielhaus‹ (1953) und den ›Kammerspielen‹ (1966). Der Unterschied zwischen diesen beiden Projekten zeigt recht gut den Wandel des Geschmacks vom würdigen Festsaal zum schicken Partykeller. (Das Foyer der Kammerspiele liegt unter dem Straßenniveau, damit die Bühne auf die gleiche Höhe mit der des Schauspielhauses gebracht werden konnte, der Kulissen-Transporte wegen.)

Graubner, der schon 1950 mit dem Neubau auf den Trümmern des zerbombten Theaters beauftragt worden war, ist stolz gewesen auf das in sechzehn Jahren zusammengewachsene Projekt. Doch der ältere Teil erscheint heute provinziell, seine verglaste Stirn mit den zehn weißen Stangen, die ein dünnes Betondach tragen, ist hohl. Die braune Täfelung ist reizlos, die tütenförmigen Lampen wirken wie eine Apotheose kleinbürgerlichen Schicks. Aber im Jahre 1953 wurde das Gebäude »prachtvoll gelungen«, »überraschend schön« und »Ausdruck moderner Baugesinnung« genannt. Nur Albert Schulze Vellinghausen hat sofort von einem Kompromiß gesprochen und die »schokoladenfarbene Nacht« des »eichengetäfelten Sitzungszimmers« bespöttelt. Inzwischen hat das mit rotbraunen Klinkern verblendete Bauwerk ein elegantes Ende bekommen. Die Faltung der wegen des Straßenlärms vorgehängten Fassade aus Kupferblech variiert die vertikalen Backsteinrippen des großen Bruders. Der Grundriß der Kammerspiele ist ein Siebeneck. Fünfeckig ragt der fensterlose Bau, auf acht niedrigen weißen Säulen ruhend, aus der Bauflucht heraus. Die Decke des Foyers steigt nach außen zu an, weil sich unmittelbar darüber der ansteigende Zuschauerraum befindet. Eine Lösung wie in Wuppertal (ebenfalls Graubner) und viel später in Düsseldorf (Bernhard Pfau). Das 1953 eröffnete ›Große Haus‹ (900 Plätze) kostete einschließlich Magazingebäude 7,75 Millionen, das kleine (400 Plätze) von 1966 4,9 Millionen, plus Aufstockung und Umbau des Verwaltungsgebäudes und eine Seitenbühne zusammen 6,75 Millionen.

Die nie zu beseitigende Diskrepanz zwischen Altem und Neuem, die man aber vielleicht auch als Spannungsverhältnis goutieren kann, ergab sich auch in Stuttgart, wo von der Doppeltheater-Anlage nur das Schauspielhaus zerstört worden war. Dort prellt (seit 1962) Hans Volkarts mit weißem Marmor verkleidetes Zuschauerhaus sechseckig hervor (841 Plätze arena-artig unter einem Zeltdach angeordnet).

In Frankfurt wurde von 1949 bis 1951 in das ruinierte Schauspielhaus für 12 Millionen die Oper eingebaut, 1960 bis 1963 wurde ein neues Schauspielhaus nebengeordnet. Es entstand ein verzwicktes Konglomerat, dem ein Foyer für beide Säle (1430 und 911 Plätze) vorgebaut wurde. Durch eine Hintertür kommt man in ein erfreuliches kleines Studiotheater mit hörsaalmäßig aufsteigendem Gestühl. Die Schauseite des Blocks scheint den Herankommenden die Lamellenfront eines stolzen Kaufhauses anzukündigen. Jedenfalls wenn abendliche Dunkelheit die Bühnentürme und die seitliche Ausdehnung (Verwaltung und Garderoben) verhüllt. Steht man dann davor, sind die tragenden Pfeiler auseinandergerückt, erblickt man hinter der Glasfront Zoltán Kemenys goldglänzende Deckenskulpturen, die in indirekter Beleuchtung eine gigantische Weihnachtsdekoration sein könnten, von innen aber gewichtig erscheinen, geschweißt und genietet. Der Volksmund sprach von »Blechtrommeln«. Ein Versuch, die große Höhe bei geringer Breite des Foyers optisch auszugleichen.

Das Münchner Residenztheater mißriet vor lauter Kompromissen. Seine Fassade mußte herhalten als »leichtes, stärker horizontal als vertikal gegliedertes [...] Band« (Architekt Karl Hocheder) zwischen der wuchtigen Residenz und der wieder zu errichtenden frühklassizistischen Staatsoper. Hocheder brachte es fertig, in diesen Winkel eine vergrößerte Bühne und eine fast verdoppelte Sitzzahl (1039) sowie die entsprechenden Foyer- und Vestibülräume zu mogeln. Vor allem der Wegfall der umlaufenden Logen ergab Platz. Die kostbaren Rokoko-Logenverkleidungen von Cuvilliés sind gerettet und nach jahrelanger Arbeit im »Apothekenstock« der Residenz eingebaut worden. Dieser Saal wurde 1958 als ›Cuvilliéstheater‹ zur 800-Jahr-Feier der Stadt eröffnet. Das neue Residenztheater wurde im Januar 1951 mit Raimunds *Verschwender* freigegeben. Damals führte der Weg zwischen den neuen Büros des Staatsschauspiels und den erhalten gebliebenen der Staatsoper über die Bühne des zerstörten Nationaltheaters. Man legte einen Holzsteg darüber, weil das Betreten gefährlich geworden war. Statt ins Parkett blickte man in einen Teich, von der Ausstattung der Oberbühne war einzig eine verrostete Zentralheizung übriggeblieben. Sie hing an der Außenmauer, in der Tauben nisteten.

Auch das Berliner Schiller-Theater und die Volksbühne am Luxemburgplatz (ehemals Bülowplatz) wurden unter Verwendung von Resten neugebaut. Auf einer Pressekonferenz der Volksbühne am 1. März 1948 war mitgeteilt worden, Generalmajor Kotikow habe den Wiederaufbau des Theaters befohlen. Genau zwei Monate später hatte die britische Militärregierung den Wiederaufbau des Schiller-Theaters befohlen. Zur jeweiligen Eröffnung inszenierten beiderseits die Chefs den *Tell*. In Fritz Wistens Einstudierung (April 1954) sprach Eduard von Winterstein das »Seid einig, einig, einig!«, bei Boleslaw Barlogs Einstand (September 1951) rief Albert Bassermann zur Einigkeit auf. Der alte Attinghausen war seine letzte Rolle.

Der Vorstadt-Intendant Barlog hatte bis dahin als purer Komödien-Regisseur gegolten. Die Belehnung mit dem Schiller-Theater war sein Sprung ins Zentrum. Er hatte die Weisung, möglichst viel Personal des von der Stadt verlassenen Hebbel-Theaters zu übernehmen. Nach Plänen der Architekten Voelker und Grosse war das Repräsentationstheater West-Berlins entstanden, ein einziger Raum, in dem es keine bevorzugten Plätze geben sollte. Ein breiter Balkon war jedoch nicht zu vermeiden, um 1 071 Sitze unterzubringen. »Äußerlich am reizvollsten wirken die Stirnwand mit den vorgezogenen Eingängen und die elegante Schwingung der Eingangshalle. Akzente bekam das Haus durch die Reliefs von Bernhard Heiliger im Wandelgang. Das große Glasbild von Peter Kowalski im Foyer hatte die undankbare Aufgabe, den Blick nach draußen zu versperren – denn damals lagen dort noch Trümmer« (Heinz Ritter).

Das Ostberliner Volksbühnen-Theater ist – der Volksbühnengesinnung zum Trotz – wieder ein Rangtheater mit Mittelloge geworden. Die Zahl der Plätze wurde von 1 800 auf 1174 reduziert. Der Entwurf des Dresdner Architekten Hans Richter brachte an drei Seiten Erweiterungen: beiderseits wurden Ausstellungsräume und Seitenbühnen angefügt, hinten kam eine Probebühne dazu.

Das Jahr 1955 ist ein Festjahr für den restaurativen Theaterbau gewesen. Die Staatsopern in Wien, Berlin und Hamburg wurden wieder in Betrieb genommen, auch das Burgtheater ist damals auferstanden aus Ruinen. Die Ostberliner Staatsoper Unter den Linden wurde kaum verändert. Die Außenmauern des von Knobelsdorff entworfenen Theatertempels waren stehengeblieben. Um den Blick auf die Hedwigs-Kathedrale nicht zu behindern, wurde das Dach des Schnürbodens gesenkt. Die Seitentrakte wurden um einige Meter verkürzt, die Garderoben aufs Erdgeschoß beschränkt. Der riesige Kronleuchter wird während der Vorstellung hochgezogen, um die Sicht vom dritten Rang aus nicht zu stören. Der vierte Rang wurde beseitigt, die Zahl der Plätze auf 1 450 reduziert. Spezialhandwerker, unter ihnen Stukkateure, die an der Wiederherstellung des Dresdner Zwingers gearbeitet hatten, haben den königlich-preußischen Prunk wiederhergestellt. Die Baukosten betrugen 55 Millionen. Auch diesen Wiederaufbau leitete Richard Paulick, der Nach-schöpfer des Nationaltheaters in Weimar, mittlerweile Nationalpreisträger und Architekt mehrerer Staatsbauten in Ost-Berlin. Ein Berlin-Korrespondent war »er-staunt« über die Großzügigkeit bei der Wiederherstellung der Hofoper und »bei-nahe schockiert« über den Luxus in dem äußerlich schlichten Gebäude der Intendanz in der Oberwallstraße. »Die Proberäume für das Ballett sind fast prunkvoll ausge-staltet, die Umkleideräume für die Tänzer und die Garderoben der Solisten glei-chen Boudoirs. In der Kantine stehen nußbaumpolierte Tische und tiefe Sessel. Der Raum des Intendanten ist mit einem Luxus ausgestattet, den sich kaum ein Mini-sterpräsident leisten würde« (Christian am Ende).

In Wien haben die Architekten Erich Boltenstern und Otto Prossinger die Schwie-rigkeit gemeistert, in die Ruine der Staatsoper ein modernes Theater im alten Stil zu bauen. Am geringsten sind die Veränderungen im Zuschauerraum: die Logen und die Farbzusammenstellung gold-weiß-rot wurden beibehalten. Das Prunkstück ist auch hier ein in fast 50 Meter Höhe schwebender Kristall-Lüster; er hat die Form eines Kranzes. Werkstätten und Depots wurden zugunsten der Probenräume ver-bannt. Die gesamte Bühnenfläche beträgt 1 500 Quadratmeter. Der Zuschauersaal (1 642 Sitze, 567 Stehplätze) nimmt nur ein Zwanzigstel der gesamten Grundfläche ein. Versteht sich, daß die maschinelle Ausrüstung den damals modernsten Anfor-derungen entsprach. Baukosten: 260 Millionen Schilling.

Knapp drei Wochen vor der Staatsoper, Mitte Oktober 1955, konnte auch das Burgtheater an den Ring zurückkehren. Direktor war damals Adolf Rott, an des-sen Name sich der mittlerweile auch schon traditionelle Spott an der Hochburg der Klassiker entzündete: »Ein feste Burg ist unser Rott.« Wie bei der Staatsoper konnte beziehungsweise mußte noch das Stahlskelett verwendet werden. So war die Bei-behaltung der alten Einteilung gegeben. Das hieß: nach wie vor Logentheater, wenn

Burgtheater Wien, Aufgang zu den Logen (Foto: Erich Lessing, Wien)

auch vereinfachter Zuschauerraum (in den Farben Elfenbein, Gold und Rot). Die Baukosten betrugen 122,7 Millionen Schilling. Einem Ondit zufolge spendete ein reicher Fleischermeister eine beachtliche Summe – weil er im ›Ronacher‹, dem Ausweichquartier des Burgschauspiels, endlich wieder Varieté sehen wollte.

Die am gleichen Tag wie das Burgtheater wiedereröffnete Hamburger Staatsoper bot eine neue Lösung für das Rangtheater an. Die leidige Sichtbehinderung von den seitlichen oberen Rängen aus wurde beseitigt durch Plazierung der Sitze auf kleinen Balkons, die auf die Bühne hin ausgerichtet sind (Architekt: Gerhard Weber). Sie erinnern an herausgezogene Schubladen, sind ästhetisch weniger befriedigend als die konzentrischen Rangrundungen, bieten aber die Vorteile des Rangtheaters (kurze Entfernung zur Bühne) ohne dessen Nachteile. Die Idee zu diesem neuen Logentypus, der zwei Jahre später auch in Köln auftauchte und drei Jahre später in Lünen, entstammt wohl der Royal Festival Hall in London (1951). Die Fassade der Hamburger Staatsoper wurde verglast, um das Foyer weiter erscheinen zu lassen. Da es sich um einen Wiederaufbau am alten Platz handelte (das Bühnenhaus stand noch), mußte die innerstädtische Beengung in Kauf genommen werden. Der neue Zuschauerraum bietet 1679 Plätze, die Baukosten betrugen ca. 7 Millionen.

Der 1958 begonnene Wiederaufbau der Bayerischen Staatsoper (für 62,5 Millionen) war eine möglichst genaue Rekonstruktion des im Oktober 1943 ruinierten monumentalen Bauwerks (2111 Plätze) Karl von Fischers. Abweichungen ergaben sich nur wegen der inzwischen viel strengeren Sicherheitsvorschriften, um die Sichtverhältnisse zu verbessern, eine Klimaanlage einbauen und technische Finessen anbringen zu können.

Nationaltheater München (Foto: Sabine Toepffer, München)

Bei der Wiederherstellung alter Theatergebäude betätigt sich der Architekt vorwiegend als Denkmalspfleger. Dies war überhaupt zunächst die vordringliche Aufgabe beim Theaterbau. Nach dem »Donnerschlag« von Münster (1956) wurde das anders. Fast gleichzeitig mit dem Theaterbau in Münster wuchs in Mannheim ein extrem sachlicher Bau: das neue Nationaltheater. Ein von Gerhard Weber nach einer Idee von Mies van der Rohe konstruierter langgestreckter Kasten, dessen Erdgeschoß großenteils als Foyer zur Verfügung steht. Darüber befinden sich, sozusagen Rücken an Rücken, getrennt durch eine Transportzone, das ›Große‹ und das ›Kleine‹ Haus. Eine redliche Konstruktion, die im Kleinen Haus sogar die rohen Wände (Lochziegel) zeigt. An der Decke entlang laufen Stangen, von denen Dekorationsteile herabgelassen werden können. Die Proszeniumsanlage kann in eine Art Rundtheater verwandelt werden. Verwaltung, Werkstätten, Probenräume befinden sich außerhalb. Die Anlage kostete 13 Millionen, was damals enorm viel Geld war.
Die weiträumige Theateranlage, die in Westdeutschland nach dem Kriege gebaut wurde, steht in Köln, entworfen von Wilhelm Riphahn. Eine Doppelanlage, deren zwei Teile 1957 (Opernhaus) und 1962 (Schauspielhaus) in Betrieb genommen wurden. Charakteristisch für das Kölner Opernhaus sind die zwei den Bühnenturm flankierenden, monumentalen, schräg nach oben zurückweichenden Seitentrakte. Sie könnten zu einer überdimensionalen *Aida*-Dekoration gehören und haben den Volkswitz jahrelang herausgefordert (»Grabmal des unbekannten Intendanten«, »Trockendock« usw.).
»Denn es sieht zunächst wie ein Berg aus, der in der Mitte aber wieder zu einer flachen Senke einfällt«, erklärte Carl Linfert. »So war der ›Bühnenturm‹, dieses Gerüst der Prospekte und Soffiten, seit Jahrhunderten an allen Theatern das Langweiligste, nämlich ein öder herausragender Kasten, unsichtbar gemacht worden: er ist das niedrigere Stück zwischen den beiden, mit schräg gestemmten Betonpfeilern dagegengelehnten Hochhäusern. [...] Da die Logenzugänge verschieden hoch liegen müssen, kommt man nicht sogleich auf dem höchsten Boden der hinführenden Geschosse an, sondern geht auf Treppenbrücken und zwischengelegten Querbrücken in Abständen hoch. Man sieht aufwärts und findet die Gebälke, die man gegangen ist, in geknickten, facettierten und seltsam umrissenen Vieleckformen als Untersicht wieder. Mir kommen diese Zonen desto phantastischer und erregender vor, als sie nicht wie Bauplastik-Künste (nach Art von Piranesis mauerreichen Visionen) erfunden und gemeißelt wurden, sondern aus der inneren Raum-Konstruktion sich ergaben.« Das niedrige Schauspielhaus, zurückgesetzt und halb versenkt, hält sich bescheiden zurück. Innen ist es roh: technoide statt beschwingte Räume.
Das Münsterer Architekten-Team hatte inzwischen ein Stadttheater für Gelsenkirchen entworfen und dabei einige Ansätze ausreifen lassen: die Zugangs-Treppen laufen außen um das zylindrische Zuschauerhaus, die der Stadt zugewandte Seite wurde in voller Breite verglast. Der Zuschauerraum ist spartanisch gehalten: graue Sessel (1018), mattiertes Aluminium für die Rangbrüstungen, schwarz gestrichene Lattenroste für die Innenwände. Der Grundriß der gesamten Anlage, die 18,6 Millionen kostete und im Dezember 1959 eröffnet wurde, ist fast quadratisch. Ein freundlicher ausgestattetes Studio (353 Plätze) ist als seitlicher Kubus beigeordnet.
Einen ungewöhnlichen Ehrgeiz hatte Clemens Holzmeister, als er das Salzburger Festspielhaus entwarf, das im Juli 1960 eröffnet wurde: es sollte möglichst wenig

Städtische Bühnen Gelsenkirchen, Großes Haus (Foto: Städt. Bühnen Gelsenkirchen)

auffallen. Des Architekten größter Stolz war, daß ihn einmal ein vor dem Festspielhaus stehender Tourist fragte, wo es sich befinde. Der Bau für 210 Millionen
Schilling ist vom Mönchsberg in einer Richtung beengt, der Baugrund mußte teilweise durch Sprengen dem Bergmassiv abgewonnen werden. Man hat die Kammerspiele des Landestheaters Linz (1957) als Vorarbeit Holzmeisters für Salzburg aufgefaßt. Die Strenge der Linien, die Schwergewichtigkeit auf beengtem Baugrund
lassen diesen Vergleich nicht ganz falsch erscheinen. »Holzmeisters Stil hat einen
Zug ins Schwere, Monumentale, und das verleiht den Räumen, die sich nicht immer
frei nach allen Richtungen entfalten können, einen merkwürdigen Zug der Ge-
drücktheit. Die schmalen Wandelgänge vor dem Zuschauerhaus und die wuchtigen
Pausensäle, die ihnen seitlich zugeordnet sind, lassen jede Leichtigkeit der charman-
ten Barockstadt vermissen. Der große Zuschauerraum mit einem Fassungsvermögen
von mehr als 2 000 Plätzen wirkt trotz seiner Weiträumigkeit nicht übermäßig
groß« (Hannelore Schubert).
Die stark befahrene Berliner Bismarckstraße und die geringe Tiefe des Grundstücks
machten es Fritz Bornemann nicht leicht, auf den Trümmern der Charlottenburger
Oper ein modernen Ansprüchen genügendes neues Haus zu errichten, obwohl das
alte »Deutsche Opernhaus« für damalige Zeit (1912) geradezu riesige Ausmaße
hatte: 4 Ränge, 2 098 Plätze, die Bühne 1 300 Quadratmeter groß. Dagegen die
neue »Deutsche Oper«, die nach fünfjähriger Bauzeit im September 1961 eröffnet
werden konnte: 2 Ränge und seitliche Logen, 1 899 Plätze, gesamte Bühnenfläche

1 700 Quadratmeter. Kosten: 27,4 Millionen. Der lärmigen Lage und der Sonne wegen wurde das Haus nach vorn (Süden) mit einer 67 Meter langen, über den Bürgersteig auskragenden, mit bunten Kieseln verkleideten Betonfront abgeschlossen. Dafür wurden die beiden Seitenfronten (Westen und Osten) ganz zu Glasflächen aufgelöst. Beiderseits vor diesen hellen Fronten scheinen die Treppen zum ersten und zweiten Rang zu schweben. Der Zuschauerraum wirkt sachlich, jedoch nicht unfreundlich, man sprach bei der Eröffnung von »preußischem Charme«.
Schlicht und preiswert (9,5 Millionen), aber normale Ansprüche befriedigend, geriet Fritz Bornemann das Theater der Freien Volksbühne in Berlin (1963). Da das Haus nicht groß ist (umbauter Raum: 50 842 Kubikmeter), wirken die einfachen kubischen Formen weder klotzig noch roh. (Zum Vergleich: Münster 48 470 Kubikmeter, Dortmund und Recklinghausen 130 500, Gelsenkirchen 135 000, Salzburg 200 000, Deutsche Oper Berlin 230 000.)
Zwei etwa gleichzeitig realisierte Graubner-Projekte für mittlere Städte zeigen die Wandlungsfähigkeit Gerhard Graubners je nach örtlichen Erfordernissen: das im Januar 1963 eröffnete Stadttheater in Krefeld (832 Plätze, 11,8 Millionen Bau-

Erwin Piscator und Ernst Ginsberg mit dem Modell der Freien Volksbühne Berlin, 1963 (Foto: Heinz Köster, Berlin)

kosten) ist ein typischer Repräsentationsbau mit modischem Einschlag, das im September 1964 eröffnete Stadttheater in Trier (626 Plätze, 10 Millionen) erscheint als gelungene Ingenieursarbeit. Trier hat zum ersten Mal seit römischer Zeit einen eigenen Theaterbau erhalten; der Plan, im römischen Bereich zu bauen, scheiterte am Einspruch von Archäologen. Progressiv ist die Behandlung der Portalzone: wenn das Portal hochgezogen ist und die in der Decke verborgenen Züge benutzt werden, geht die Bühne nahtlos in die Vorbühne über.

Erstaunlich lange hat das Bonner Stadttheater im Gesellschaftshaus des Bürgervereins ausgehalten. Der Saal war fast abstoßend, die Bühne fast weniger als ein Behelf. Beim Umzug in das neue Haus am Rhein (Mai 1965) war Bonn schon 14 Jahre lang Bundeshauptstadt. Seitdem schwankt die Theaterleitung zwischen Ambition und Bescheidung. Die Stadt und der Staat teilten sich in die Baukosten von 23 Millionen.

Statt in einer Loge werden die Staatsbesuche auf einige mit verchromten Stahlbügeln abgetrennte Sessel im ersten Rang plaziert. Dieser obere Rang gibt sich demokratisch, denn er ist seitlich ins Parkett hinuntergezogen und von dort über eine kurze Treppe zu erreichen. Der Charme des Hauses sind die Nebenräume, die zum Rhein vorspringenden Terrassen, vor allem die Foyers mit den drei Lichtkugeln von Piene, die größte wird von 900 Glühbirnen gebildet. Die beiden Architekten von der Technischen Hochschule in Stuttgart (Klaus Geßler und Wilfrid Beck-Erlang) haben auf ihre Weise versucht, den Bühnenturm in die Form zu integrieren: sie faßten ihn und das Hauptdach zu einer trapezförmigen Haube zusammen, die sie mit rautenförmigen Aluminiumplatten bestückten. Allerlei Spielerei am und im Bau, die Puristen nicht gefällt. Feierabend-Architektur.

Stur und massig dagegen das Haus der Ruhrfestspiele. Der Hügel im Stadtgarten, Recklinghausens schönste Gegend, trägt den grauen Klotz nur mit Mühe, denn er ist vom Bergbau unterminiert. Der 100 Meter lange und 63 Meter breite Quader ruht auf einer Platte aus Stahlbeton. Die Gipfellage schmeichelt dem Kasten: man blickt zu ihm auf, zu seiner hohlen Stirn. Acht gewaltige T-Träger aus Beton stützen das Flachdach, das an dieser Stelle Wuchtigkeit vortäuscht. Der Quader ist den Erfordernissen entsprechend in quadrige Räume zerlegt, wobei reizlose Gänge und Treppenhäuser, ein schlauchartiger Erfrischungsraum und ein tristes Rangfoyer »anfielen«. Der Zuschauerraum ließ sich die sture Geradlinigkeit nicht aufpressen, beim Hineinkonstruieren dieser Anomalie ergaben sich Raumreste, die als Schleusen für Wärme und Licht bezeichnet werden. Im Juni 1965 wurde dieses Monument für 23 Millionen eingeweiht. Die größte Enttäuschung im Theaterbau der Nachkriegszeit.

Das Jahr 1966 war das stolzeste Baujahr der deutschen Bühnengeschichte: nicht weniger als ein Dutzend Eröffnungen, darunter allerdings zwei Kleintheater, das des Contra-Kreises in Bonn (200 Plätze) und das Intime Theater in Wiesbaden (100 Plätze) sowie ein umgebautes Kino (›Theater am Elisenplatz‹, München). Häuser ohne Ensemble nahmen Worms (10,8 Millionen) und Schweinfurt (12 Millionen) in Betrieb. Die Eröffnung in Schweinfurt wurde aus München importiert (Mozarts *Figaro*).

Eine halbe Autostunde von Schweinfurt entfernt und drei Tage später eröffnete Würzburg sein Drei-Sparten-Theater (19,5 Millionen). Eine »Zierde des Franken-

Stadttheater Bonn (Foto: Foto-Hatt Stuttgart)

Haus der Ruhrfestspiele, Recklinghausen (Foto: Hermann Pölking, Recklinghausen)

landes«, wie Bayerns Ministerpräsident sagte. Es besteht aus mehreren hintereinander gestaffelten Kuben, die sich vom Vorplatz her aufbauen: das fensterlose Erdgeschoß mit Kassenhalle und Garderoben, darauf der überhängend aufgesetzte Hauptquader mit dem Bühnenturm, schließlich ein dreistöckiger Block mit den Büros und Nebenräumen. Den Schluß bildet eine runde Hochgarage, eine Art Betongasometer, der die rechteckigen Formen angenehm unterbricht. Der Entwurf stammt von dem Dortmunder Architekten Hans Joachim Budeit. Siebenhundertzwanzig nackte Glühbirnen hängen ins Parkett (568 Plätze). Sie machen von unten einen leidlichen Eindruck, vom Rang aus (124 Plätze) blickt man allerdings in einen Pendelwald. Da ist wohl die Münstersche Lampensammlung abgewandelt worden.

Die bedenkliche Eröffnung in Würzburg mit einem weitgehend neuen Team – bedenklich, weil die 122 000 Einwohner die 450 Plätze des alten Hauses nur zu 60 % zu füllen pflegten und der Oberbürgermeister schon seit Jahren auf ein Städtebundtheater mit Bamberg, Bad Kissingen und Schweinfurt hoffte –, die ängstliche Eröffnung in Würzburg stand am Ende des glorreichen Baujahres 1966. Begonnen hatte es mit Bayerns modernstem und schönstem Theater – wie Peter Bode in der *Süddeutschen Zeitung* sagte, Ingolstadt gegen München ausspielend (zur Einweihung spielte allerdings wie in Schweinfurt das Bayerische Staatstheater den *Figaro*). »Für 23 Millionen DM haben nun 60 000 Bürger ein festliches Haus erhalten. Welche Kluft tut sich zwischen dem hiesigen Residenztheater, das sich mit so viel kaltem, schnell verblaßtem Glanz behing, und dieser jungen Bühne auf, die exakt eine inzwischen zum Besseren gewandelte neue deutsche Baugesinnung spiegelt.«

Die genannte Bausumme ist insofern übertrieben, als der eigentliche Theaterbau »nur« 16 Millionen in Anspruch nahm. Auf dem Hügel an der Donau hat Architekt Hardt-Waltherr Hämer Theater, Festsaal (1 400 Plätze, auf 500 reduzierbar), Werkstätten und Gastronomie zu einer modernen Betonburg integriert. »In Ingolstadt präsentiert sich das Gesicht der nächsten Generation. Der rechte Winkel wird aufgebrochen, wo irgend es zu verantworten ist, der Bau breitet sich aus, verklammert sich in der Weite des Platzes und stuft sich schrittweise zum Bühnenturm empor. Der rohe Beton bleibt stehen und wird zum Sprechen gebracht, aber doch mit Verve und Kraft des Jungen, der sich seine eigenen Lehrmeister gesucht hat« (Hannelore Schubert).

Der teuerste Theaterbau des Jahres 1966 steht in Dortmund: für 37 Millionen ein fragwürdiger Aufwand. Inbegriffen »Kunst« für DM 610 000, nicht inbegriffen ist eine doppelstöckige Tiefgarage für 2 Millionen. Die Aufsehen erregende Betonkuppel, die das Foyer und den Raum für 1 160 Zuschauer überwölbt, wurde zum Dreispitz reduziert, um den Kostenvoranschlag nicht überschreiten zu müssen. Dieser um einen Pfeiler gebrachte Betonhut findet nun keinen rechten Anschluß mehr zu dem Quertrakt hinter sich, der einem Ministerium ähnelt. Dieser Quertrakt verbirgt einen unansehnlichen Kasten, in dem sich das bisherige Opernhaus, fortan Schauspielhaus befindet, erbaut 1950, als man noch keine sonderlichen Ansprüche stellte. Zwecks Verbindung zwischen Vorbau und Quertrakt wurde eine Art Manschette erfunden, die sich innen und außen als Engpaß zu erkennen gibt. Der Mitplaner des Architekten Heinrich Rosskotten distanzierte sich von dieser Notlösung.

Während der Planung (drei Jahre) und in der Bauzeit (acht Jahre) verlangsamte

sich die Konjunktur, die öffentliche Meinung schlug um, darum erntete die kühne Tat allgemeine Schelte. Den Sparern ist sie viel zu aufwendig, den Ästheten kompromißlerisch. Außerdem kennen sie die Kuppel schon, aus Boston. Gewiß ist die Innenausstattung eine Ansammlung von Ratlosigkeiten. Aber der Betonhut mit immer noch 54 Metern Spannweite und 22 000 Quadratmetern Fläche, elf Tonnen Gewicht und einer Million Baukosten ist ein Wahrzeichen der Stadt geworden. Nicht nur finanziell, auch künstlerisch sind diese Theaterbauten problematisch. Einer der ersten Warner war der Bühnenbildner Teo Otto. Er schrieb im Jahre 1958 einen Aufsatz, der die Euphorie gestört hätte und darum kaum beachtet wurde. Otto ließ von der Technik kaum mehr als die Lichttechnik gelten. Das Maß der Bühne sei der Schritt des Schauspielers, der die Technik letztlich nicht brauche. »Es ist zu unterscheiden zwischen dem projektierenden Ingenieur und dem eigentlichen Theatertechniker, jenem Nachbarn des Zauberers, der von Vorstellung zu Vorstellung technisch seine Aufgaben zu erfüllen hat, gleich, ob Himmel oder Hölle, Regen oder Schnee verlangt wird. Er wird beim Theaterneubau meistens übersehen. Es handelt sich um jene mit dem Neubau gelieferte Technik, um jenes millionenschwere Unterfangen, etwas zu heben, zu drehen oder zu schieben. Es handelt sich um das technische Kuckucksei des naturalistischen Theaters, das heute vollentwickelt sich breit macht. Das modernste, nützlichste, eleganteste technische Verwandlungsmittel des Theaters ist immer noch der alte Schnürboden aus der vornaturalistischen Epoche. [...] Begegnen Bühnenbildner und Regisseure dieser Technik, so ist ihr erstes Bemühen, die Bühne zu verkleinern, den Darsteller näher an den Zuschauerraum heranzubringen. Sie sehen sich gezwungen, die Technik zu ignorieren. Der Schauspieler, auf den es letztendlich ankommt, merkt, daß er sich mit seinen eineinhalb Quadratmetern Körperfläche im Bühnenausschnitt von über 100 Quadratmetern verliert, daß Intimität, Differenziertheit nicht mehr aufkommen kann. Es vollzieht sich in ihm einmal mehr der tragische Kampf gegen das Monumentale und Imposante. Er fühlt, daß ihm der künstlerische Höhepunkt, das Einswerden von Zuschauer und Schauspieler versagt bleibt. Er spürt, daß auf einer solchen Bühne nur noch die gebündelten Wirkungen der Revue und der Masse zu Hause sind. Wie soll er mit seiner Sensibilität gegen den Knalleffekt ankommen?«
Diese Meinung eines der seinerzeit meistbeschäftigten Bühnenbildner ist bedenkenswert, wenngleich Teo Otto zweierlei tadelte, als wäre es einerlei: erstens die übergroßen Bühnen, die das Spiel, und die übergroßen Zuschauerräume, welche die Anteilnahme am Spiel behindern oder verhindern, und zweitens Bühnenmaschinerie, die kaum einmal schädlich ist, aber oft überflüssig.
In den fünfziger Jahren war die ältere Generation der Neubauten schon wieder reparaturbedürftig. In zwanzig Monaten für zwanzig Millionen wurde die Komische Oper in Ost-Berlin umgebaut. Beim Aufbau im Jahre 1947 war man von dem vorhandenen Trümmerhaufen ausgegangen, ohne zu bedenken, daß das ehemalige Metropol-Theater die ganze Spielzeit hindurch immer dasselbe Stück gespielt hatte, aber eine Komische Oper mit wechselndem Spielplan eine viel aufwendigere technische Ausstattung braucht. Fast zwanzig Jahre lang arbeitete man in Behelfsräumen, von denen manche auch noch weit entfernt lagen. Erst auf der Höhe seines Ruhms konnte Felsenstein den Umbau durchsetzen. Sein Theater zeigt sich nun als quadratischer Bau mit nüchterner Sandsteinfassade. Die Bühne wurde auf das dop-

pelte Maß gebracht, ein Nebengebäude nahm Werkstätten und Garderoben auf Zwei Monate lang wurde die Wiedereröffnung (Dezember 1966) gefeiert. Felsen stein hatte einen total doppelt besetzten *Don Giovanni* inszeniert, dessen Gala premiere das Fernsehen bis nach Moskau übertrug.

»Kein Land der Bundesrepublik hat nach 1945 so viele Theater gebaut wie West falen«, bemerkte Wilhelm Westecker im *Westfalen-Spiegel* (Oktober 1966). »Wenn die geplanten Theaterbauten – das Düsseldorfer Schauspielhaus von Pfau und das Große Essener Haus von Alvar Aalto – errichtet worden sind und man die neuen Häuser Wuppertal, Marl, Krefeld und Lünen dazuzählt, wird Nordrhein-Westfalen über mehr neue Theater verfügen als die ganze Bundesrepublik einschließlich West-Berlin.«

Das hat man fünf, sechs Jahre später wiederholt – aber im Tone des Vorwurfs Vorerst gab es nur vereinzelte Zwischenrufe. Johannes Jacobi erklärte im März 1953 in der *Neuen Zeitung*, den städtischen Theatern drohten »durch Neubauten ernste Gefahren«. Das werde sich zeigen, »sobald die verhältnismäßig günstige Finanzlage der Gemeinden von einer Baisse heimgesucht wird«. Tatsächlich dachte damals vor lauter Freude darüber, daß das Baugeld sich beschaffen ließ, niemand an die Folgelasten. Auch das Problem, was man denn auf diesen wundervollen Bühnen spielen solle, konnte von den Architekten selbstverständlich nicht gelöst werden. Die »Geschicklichkeit, die ohne Geist regiert«, habe »sich ihre feste Burg« gebaut, klagte Ludwig Berger 1958 angesichts der Theaterneubauten.

Drei Bautypen unterschied der Theaterarchitekt Graubner: das Rampentheater zur Konfrontation, das Arenatheater zur Konzentration, das Raumtheater zur Inte-gration. »Den Grenzen, die jeder dieser Spielarten in ihrer Wirkung gegeben sind, steht die Unbegrenztheit der Wünsche für die Interpretierung und Inszenierung gegenüber. Je mehr aber einer dieser Möglichkeiten der Zuordnung stattgegeben wird, desto mehr werden die anderen zwangsläufig eingeschränkt.«

Manche kühnen Ideen wurden preisgekrönt, in Auftrag gegeben, kalkuliert, ge-plant (Scharouns Entwurf für Kassel, Mies van der Rohes Plan für Mannheim, das veränderbare Theater der Zürcher Architekten Frey und Schader für Basel, das wandelbare Haus der Schweizer Architekten von Laban und Stoecklin für Krefeld, die Aufforderungen an Gropius, Aalto, Mies van der Rohe und andere Prominente, ein Festspielhaus für Recklinghausen zu entwerfen) – gebaut wurde dann etwas Normaleres, schlimmstenfalls heimische Konfektion. Zum Schaden der Ästhetik, nicht unbedingt zum Schaden des Theaters. Ein architektonisch interessanter Bau ist zwar erfreulich, wichtiger als eine beispielhafte Bühne ist aber – um die alte Weis-heit zu wiederholen – ein beispielhaftes Bühnenstück. »Es ist nicht sicher, wieweit das Theaterspiel den Theaterbau in Zukunft inspirieren wird, als sicher muß jedoch gelten, daß der Theaterbau nicht in eigener Machtvollkommenheit zu revolutio-nieren trachten kann, was vom Theaterspiel her nicht durch und durch gerecht-fertigt ist«, bekannte Gerhard Graubner.

Was die Theaterarchitekten auch in Angriff nahmen, der Hauptangriff richtete sich gegen das Portal, also den Bühnenrahmen. Er wurde variabel (zuerst in Gelsen-kirchen), die Orchesterböden können in der Regel auf Bühnenhöhe gebracht, also bespielt werden. Man wollte den Guckkasten beseitigen, weil er das Spiel distan-zierend rahmt, wie ein Passepartout das Bild. Die Bühne des Festspielhauses in

Salzburg kann man mittels »Lamellen« von 14 auf 30 Meter erweitern. Aber die so entstehenden »Cinerama-Bühnen« reißen auseinander, was konzentriert werden muß. Den entsprechenden Wünschen der Regisseure kommen die Bühnenbildner dadurch entgegen, daß sie in die aufgerissene Weite Spielinseln stellen, die Bühne also durch Einbauten verkleinern. Für den Betrachter also ringsum toter Raum, wie bei mechanischer Verengung des Bühnenrahmens. Im Frankfurter Schauspielhaus wurde das vermieden, dort kann man die seitlichen Begrenzungen des Zuschauerraums dem variablen Bühnenrahmen entgegenschwenken. Aber die ausgeschwenkten Wände lasten schwer über den Zugängen ins vordere Parkett.

»Das ideale Theater« gibt es nicht, so lautete das Fazit eines Colloquiums 1965 in Berlin. Sellner bezeichnete damals das Mehrzwecktheater als »Mist«. Scharoun zitierte den Architekten Hugo Haering, der einmal für jedes Stück ein spezielles Theater gefordert hat. Graubner führte 1966 in Bochum aus: »Bei einem Opernhaus-Zuschauersaal sollte das Raumvolumen aus akustischen Gründen 6 bis 8 Kubikmeter pro Platz betragen, während für ein Sprechtheater 4,5 bis 5 Kubikmeter völlig ausreichen. Wenn ein Theaterbau beiden Spielarten dienen soll, muß daher ein mittleres Raumvolumen gewählt werden, das keiner Spielart hundertprozentig Rechnung tragen kann, auch, weil die Einzelheiten der akustischen Konstruktion infolge der unterschiedlichen Frequenzbereiche und erforderlichen Nachhallzeiten für Musik und Sprache sich nicht unerheblich beeinflussen. Hinzu kommt, daß die Bühne, besonders aber die Vorbühne beziehungsweise der Orchestergraben für die Oper ganz andere Größenabmessungen verlangen als für das Schauspiel, so daß hier vielfach Beengungen in Kauf genommen werden müssen. Bei einem Mehrzwecktheater sollen aber oft nicht nur die Bühne und Vorbühne verändert werden, auch der Zuschauerraum soll in seiner Größe variabel sein, damit Raum und Besucherzahl aufeinander abgestimmt werden können. Bei solchen Wünschen nach Veränderung der Raumgröße durch fahrbare Unterteilungen vergißt man, daß die akustischen Bedingungen, die ja für das maximale Raumvolumen und dessen Zuschnitt der Raumumgrenzungen errechnet und erprobt worden sind, sich nicht einfach ohne Einbußen auf andere Raumvolumina und -zuschnitte übertragen lassen. Darüber hinaus bringt die Unterteilbarkeit des Zuschauerraums Schwierigkeiten in der Anordnung der Regie und Projektionsapparate im rückwärtigen Teil des Zuschauerraums.«

Bei besagtem Berliner Colloquium zeigten sich die Theaterpraktiker weniger am Spielplatz als am Spiel interessiert. Die Debatte um das »Theater für morgen« war nicht zufällig von Theoretikern einberufen worden, vom Bund Deutscher Architekten, im Einklang mit der Akademie der Künste, dem Deutschen Werkbund, dem Internationalen Theater-Institut und der Redaktion *Theater heute.* Die Leitung hatten Fritz Bornemann, Rolf Gutbrod und Henning Rischbieter. Sellner erklärte das Theater für bereits erfunden und den Wunsch, um jeden Preis Neues zu finden, für gefährlich. Piscator hielt Sellner entgegen, keine Zeit sei so neu wie unsere und die gesellschaftlichen Formen seien verändert; aus diesen Formen sei neues Theater zu entwickeln. In der Sowjetunion seien 200 neue Theater entstanden. Sie entsprächen nicht einer neuen Gesellschaft, sondern seien 200 neue »Zarentheater«. Der Architekt Walter Ruhnau forderte mehr Variabilität der Gehäuse, denn künftige Ansprüche seien heute noch nicht zu erkennen. Der Schauspieler und Regisseur

Ernst Schröder forderte diese Variabilität auch für den Schauspieler: Die heutigen Bühnenformen böten ihm keine Möglichkeiten, anzugreifen und angegriffen zu werden. Schröder wollte sowohl von der Bühne her agieren können wie »von der vierten Reihe aus«, er wollte aber auch den Zuschauern (»verhinderten Schauspielern«) die Chance geben, anzugreifen und angegriffen zu werden. Hier berührten sich Schröders Vorstellungen eng mit denen Ruhnaus und Piscators. Der Wunsch, alle Möglichkeiten offenzuhalten, spiegelt gewiß auch Ratlosigkeit. »Sagen Sie uns, was ein Theater ist«, flehte der Architekt Kallmorgen und versprach: »und wir werden Ihnen ein Theater bauen«. Die materiellen Möglichkeiten überstiegen die Voraussicht, immerhin hatte man Sorge, sich für die Zukunft einzuzementieren.

Warum wurden so viele Theater gebaut? Die Gesellschaft, vertreten durch die tonangebende Minderheit der Meinungsbildner, war zu Wohlstand gekommen und entsprechend selbstbewußt geworden. Sie wollte sich selbst feiern. Um dies kollektiv und als Kollektiv tun zu können, boten sich mehrere Möglichkeiten an: Rathäuser, Stadthallen, Sportanlagen, Kirchen und Theater. Theater und vor allem Kirchen dienen einer sublimeren Art von Selbstfeier. Die Feier der Kunst und des Künstlers weist natürlich zurück auf das hervorbringende Kollektiv, der metaphysische Bezug adelt das Geschöpf, die Masse ehrt sich im Außenseiter, sei es Goethe, sei es Gott. Es seien einige ausgesprochen kühne und zukunftsweisende Kirchen gebaut worden, sagte Teo Otto, aber die Theaterbauten seien nur »ordentlich, brauchbar, austauschbar«. Nirgends hätten die großartigen Erfahrungen, die an den Behelfstheatern gemacht wurden, ihren Niederschlag beim Bau der neuen Bühnenhäuser gefunden.

Tatsächlich ist viel Beispielhaftes in Behelfstheatern entstanden. Das beste Beispiel: die Darmstädter Orangerie. Dort hat Gustav R. Sellner (1951–60) sein »instrumentales« und Gerhard F. Hering sein »poetisches« Theater realisiert. Sellners Stilwillen erkannte man auf Anhieb an den Bühneneinrichtungen von Franz Mertz: monumentale Zeichen. Eine »unerhört konsequente und einseitige Arbeit«, urteilte der Darmstädter Kritiker Georg Hensel. Und als Kurt Hübner und seine Leute (1962 bis 1973) mit ihrem »Bremer Stil« eine bundesweite Debatte entfachten, da war ein architektonisch äußerst langweiliges, behelfsmäßig für drei Sparten genutztes Schauspielhaus plötzlich »Deutschlands heißestes Theater« geworden.

Das Behelfstheater in Wuppertal – vom »Wuppertaler Stil« war schon die Rede – machte zuletzt im Mai 1964 von sich reden, als die Platzmieter, welche *Der Widerspenstigen Zähmung* betrachten wollten, keinen Einlaß fanden, dafür aber einen Zettel mit der Aufschrift: »Das Schauspielhaus an der Bergstraße muß ab sofort nach einer Forderung der Baupolizei aus Sicherheitsgründen geschlossen werden.« Dieser plötzliche Vorstoß einer Behörde mitten in der Spielzeit hat der Wuppertaler Theaterpartei den gehörigen Schwung verliehen.

Das von Graubner erbaute Theater im Wupperbogen auf der Grenze zwischen Barmen und Elberfeld ist von außen kaum mehr als ein »umbauter Raum« (Kubikmeterpreis DM 287). Die einzige unschematische Außenform bietet der Zuschauerraum. Seine fensterlose Betonschale zieht sich von der Straße zurück und streckt sich nach oben, dem inneren Anstieg entsprechend. Gespreizte Betonbeine tragen sein Gewicht. Die lärmvolle Umgebung zwang dazu, das Theater nach außen hin

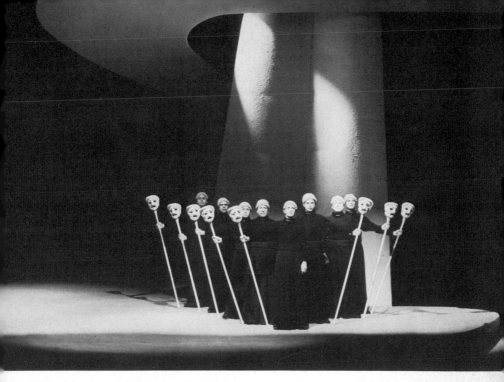

Sophokles, König Ödipus. Landestheater Darmstadt. Regie: G. R. Sellner (Foto: Pit Ludwig, Darmstadt)

möglichst abzuschließen. Daß es auf so kunstlose Weise geschah, liegt an der Sparsamkeit.

Umwanderte man 1957 den kahlen Kasten des Nationaltheaters in Mannheim und fragte sich, was denn da eigentlich dreizehn Millionen gekostet habe, so umrundete man 1966 den weiß gestrichenen, fast fensterlosen Betonkörper in Wuppertal und sagte sich: für zwölf Millionen kann man halt nicht mehr verlangen. Das Foyer ist immerhin eine angenehme Überraschung, es ist weit und hoch, weil die Treppenaufgänge nicht abgetrennt wurden (ein Sieg über die Feuerpolizei) und die Decke des Foyers stark ansteigt, denn sie ist gleichzeitig die Unterseite des Zuschauerraums.

Beim Festakt zur Eröffnung zitierte der Vertreter des Kultusministers Rilkes Herbstgedicht: »Wer jetzt kein Haus hat, baut sich keines mehr.« Das fuhr den Abgesandten der bauwilligen Theaterstädte in die Knochen. Vor allem in Essen vernahm man's betreten. Der von der Stadt Essen 1958 ausgeschriebene Wettbewerb hatte 33 Einsendungen erbracht. Preisgekrönt wurde der Entwurf von Alvar Aalto, dessen Realisierung 1964 auf 40 Millionen taxiert wurde. Die Bürger sammelten eine halbe Million. Eine Spende der Großindustrie liege in Essen doch nahe, meinten sie.

Von den im zweiten Weltkrieg zerstörten Theatern waren nun allein in Westdeutschland rund achtzig wiederaufgebaut. Und immer noch hielt die Baulust an.

In Österreich nach dem Staatsvertrag

Der Jubel über die Eröffnung der wiederaufgebauten Wiener Staatsoper Anfang November 1955 ließ sich mit der Freude über den Abschluß des Staatsvertrages im Mai nicht vergleichen. Der Tag des Wiederbeginns am Opernring schien der eigentliche Befreiungstag zu sein. Man sprach von »Austrian Coronation«. Übrigens besiegelte der Abzug der Besatzungstruppen das Schicksal des ›Neuen Theaters in der Scala‹, einer kommunistisch orientierten Sozietät, die trotz gemischtem Spielplan und guter Arbeit sich ohne das Wohlwollen der Sowjets nicht halten konnte.

Damit die erneuerte Oper der erneuerten Burg nicht »die Schau stahl«, bekam das Burgtheater drei Wochen Vorsprung. Die erste Darbietung war kaum mehr als eine patriotische Demonstration: *König Ottokars Glück und Ende*, mit Ewald Balser, inszeniert von dem Operettenspezialisten Adolf Rott. Seit einem Jahr war Rott praktisch alleiniger Burg-Direktor, denn er hatte seinen Mitdirektor, den Dramatiker Friedrich Schreyvogl, überspielt. Nach dem kläglichen *König Ottokar* erlebte Rotts Amts-Vorgänger Josef Gielen, den Reibereien mit der Behörde hatten demissionieren lassen, die Freude, mit der Zweitpremiere (*Don Carlos*) demonstrativ gefeiert zu werden. Der Remigrant Gielen – vorher Opernregisseur in Südamerika – hatte sechs Jahre lang Ensemble und Repertoire systematisch aufgebaut. Er hatte die Regisseure Berthold Viertel und Leopold Lindtberg geholt, er hatte Inge Konradi, Annemarie Düringer, Johanna Matz, Robert Lindner und Heinrich Schweiger engagiert. Die Namhaften standen zu seiner Zeit wirklich noch vorn: in einer einzigen Saison trat Balser 148mal auf, Oskar Werner 183mal, Curd Jürgens 103mal, Käthe Gold war 91mal zu sehen, Käthe Dorsch 83mal. Attila Hörbiger spielte an 54 Abenden, Paula Wessely an 49. In sechs Jahren hatten 70 Dramatiker zusammen fast 120 Premieren. Vor allem Gielen war es also zu verdanken, daß das Burgtheater nach der Rückkehr wirklich etwas zu zeigen hatte. Als Rott den Berliner Boulevardschauspieler Victor de Kowa den Mephisto spielen ließ, war er dem Ende seiner Direktion um einen großen Schritt nähergekommen. Dann wurde er wieder, was er vorher gewesen ist: ein fähiger Regisseur.

Rotts Nachfolger Ernst Haeusserman war unglaublich gut für sein Amt vorbereitet: schon sein Vater war Burgschauspieler gewesen, der Sohn war als Kind an der Burg aufgetreten, in der »Ostmark-Zeit« war er freiwillig emigriert, hinterher hatte er als Presse- und Rundfunkoffizier jede nützliche Verbindung geknüpft, und die Sporen als Theaterleiter hatte er sich als Mitdirektor in der Josefstadt verdient. Haeusserman war im Herbst 1953 eingesprungen, als die Josefstadt unter Rudolf Steinboeck und Franz Stoss stagnierte. Dieses wienerischste aller Theater hatte sehr viel nachzuholen gehabt, weil Boulevardspiel besonders schlecht in die »großdeutsche« Konzeption gepaßt hatte. Aber Steinboeck hatte allmählich seinen Elan verbraucht und schied aus. Tatsächlich ging es dann wieder besser, es konnte sogar neben den ›Kammerspielen‹ eine zweite Filialbühne eröffnet werden, das ›Kleine Theater im Konzerthaus‹ (108 Plätze). Als Haeusserman 1959 das Burgtheater übernahm, wurde Stoss alleiniger Direktor. Als Supermann annonciert, konnte

Haeusserman nur enttäuschen. Er blieb bis Herbst 1968, vier Jahre später wurde er wieder Mitdirektor von Franz Stoss.

Der »Josefstädter Stil« ist legendär geworden, Kritik und Publikum verteidigen diese Legende schwärmerisch, vorwurfsvoll, eifersüchtig. Friedrich Torberg subsumierte diesen Stil unter dem Begriff ›Eleganz‹: »Ich erinnere mich an Aufführungen von (keineswegs substanzlosen) Konversationsstücken, bei denen man den Eindruck gewann, als wäre der Vorhang zu früh hochgegangen und die Schauspieler wüßten nicht, daß es schon angefangen hat: so nonchalant saßen oder standen sie herum, so gelassen plauderten sie miteinander, so unauffällig präsentierten und beherrschten sie die Szene. Auch die Unauffälligkeit gehört nämlich zu den integralen Bestandteilen der Eleganz, auch die Mühelosigkeit des Dialogs, auch das lockere Ineinandergreifen von Gängen und Gebärden, von Pause und Aktion. Das, so sagte man sich immer wieder, gibt's halt nur in der Josefstadt.«

Dieser Standard war kaum noch zu halten, nachdem die Josefstadt in den fünfziger Jahren für viele große Schauspieler nicht mehr das Ziel, sondern nur noch Durchgangsstation geworden war. Wer »gefragt« war, für den bedeutete das Bleiben Verzicht, denn an der Burg kann man für die gleiche Leistung das Doppelte und Dreifache verdienen. Obendrein sind Burgschauspieler nach zehn Jahren praktisch Beamte, sie bekommen 85 % der letzten Gage als Pension.

Dieses Mißverhältnis macht vor allem dem dritten großen Ringtheater Schwierigkeiten, dem auf halbem Weg zwischen Burg und Oper gelegenen Volkstheater. Diese »Gegen-Burg« ist etwas größer als die Burg (1539 Plätze, die Burg 1309 plus 210 Stehplätze), bekommt aber nur etwa 10 Prozent der Subventionen, deren sich das Burgtheater erfreut. Die Staatsbühne kann jeden Volks-Schauspieler abwerben. Andererseits ist es auch oft vorgekommen, daß nicht ausgelastete Burg-Schauspieler die schönsten Rollen als Gäste im Volkstheater spielten. Das Volkstheater, das Theater in der Josefstadt und das Raimund-Theater bekamen 1959/60 zusammen einen Zuschuß von 13 Millionen Schilling, das Burgtheater allein 28 Millionen. In der Spielzeit 1963/64 bekam die Burg 39 Millionen, die andern drei erhielten 20 Millionen.

Als Leon Epp zu Beginn der Spielzeit 1952/53 das Volkstheater übernahm, fand er einen Weg zum »Volk«, den Barnays ›Volkstheatergemeinde‹ nicht gewiesen hatte. Epp ließ sich von der Wiener ›Arbeiterkammer‹ beauftragen, in den Randbezirken Vorstellungen zu geben. (Die Arbeiterkammer ist eine gesetzliche Interessenvertretung der Arbeiter und Angestellten, analog der Ärztekammer, im Gegensatz zur Gewerkschaft, bei der die Mitgliedschaft freiwillig ist, mit der aber enge Verbindung besteht. Die Arbeiterkammer hat das Recht und die Pflicht, Gesetzesentwürfe zu begutachten. Sie ist im Bundestag vertreten, finanziert Schulungskurse und Erholungsheime, jeder Arbeitnehmer muß vom Gehalt oder Lohn eine Arbeiterkammer-Umlage bezahlen.)

Die Wendung Epps ist erstaunlich, weil er vorher in seiner ›Insel‹ elitäres Theater gemacht hatte. Seine »Linie« war nolens volens allmählich eine Schlangenlinie geworden, der letzte große Erfolg war John Patricks Schottenkomödie *Das heiße Herz* gewesen; im Frühjahr 1951 hatte Epp aufgeben müssen. Die Gemeinde Wien machte aus dem Theater in der Johannesgasse ein Kino.

Seit 1954 spielt nun das Volkstheater auch in den Außenbezirken, zum Beispiel in

der Arbeiter-Vorstadt Floridsdorf und im 19. Bezirk, mit einem ungewöhnlich
hohen Prozentsatz älterer Leute unter den Zuschauern. Es wird eine gemäßigte
Auswahl aus dem Spielplan im Mutterhaus geboten, stark verbilligt, allerdings
auch äußerlich vereinfacht, wegen der Bühnenverhältnisse in den Schulen und Volksbildungsheimen. Das Spiel in den Außenbezirken wurde auch nach Epps Abgang
(1969) fortgesetzt. In der Saison 1971/72 zum Beispiel wurden sieben Stücke angeboten, die je zwanzig Vorstellungen erlebten, zu Einzelpreisen von 10 bis 28
Schilling, im Abonnement 63 bis 161 Schilling. (Eine Mark hatte damals etwa 6
Schilling.) Die normalen Abendpreise im Mutterhaus lagen 1971/72 zwischen 10
und 86 Schilling, im normalen Abonnement zwischen 5 und 43 Schilling. Das Burgtheater verlangte damals in der niedrigsten Preisgruppe zwischen 6 und 150 Schilling, in der höchsten zwischen 6 und 300 Schilling. Die Volksoper (seit 1955 von
der Staatsoper unabhängiges Bundes-Theater) zwischen 10 und 90 bzw. 180 Schilling, die Staatsoper zwischen 10 und 300 bzw. 600 Schilling. (Ein Stehplatz in der
Oper war und ist also billiger als eine Kinokarte.) Die Höchstpreise in der Spielzeit 1955/56, also im Jahr der Eröffnung der beiden Staatstheater am Ring, waren
50 bzw. 60 Schilling in der Burg und 70 bzw. 84 Schilling in der Staatsoper. Die
teuersten Plätze für die Eröffnungspremiere der Staatsoper kosteten allerdings
5 000 Schilling, also etwa 830 Mark. Staatsgäste kamen aus aller Welt, zwei Tage
und Nächte lang standen die unprivilegierten, aber doch wohl überwiegend sach-
verständigeren Opernfreunde nach den Stehplätzen an.
Am Vormittag des 5. November 1955 empfing Karl Böhm vom Unterrichtsministerium den »Schlüssel zur Oper«, abends dirigierte er den *Fidelio* – eine musikalisch gute (Martha Mödl nicht tadellos als Leonore), vom Regisseur Heinz Tietjen
aber schlecht durchdachte Aufführung. Von den restlichen sieben Eröffnungspremieren, die der überhöhten Preise wegen nicht ausverkauft waren, hatten nur die letzten drei das dem Anlaß entsprechende Niveau: ein *Rosenkavalier* unter Knappertsbusch, inszeniert von Josef Gielen, ein *Wozzeck* unter Böhm, inszeniert von O. F.
Schuh (mit Walter Berry in der Titelrolle) und ein klassisch-moderner Tanzabend,
an dem Erika Hanka gefeiert wurde für die Choreographie zur Uraufführung von
Boris Blachers Othello-Version *Der Mohr von Venedig*. Als Othello triumphierte
Willy Dirtl, als Desdemona debütierte eine neue Solotänzerin: Christl Zimmerl.
Nach dem Opernfest war der Opern-Alltag so traurig wie noch nie. Ein Haus-
regisseur adaptierte das Repertoire des Theaters an der Wien für die neue, viel
größere Staatsbühne. Das ging vielfach schlechter als recht. Die großen Sänger
waren fortgeflogen. Auch Direktor Böhm war weg, er hatte Verpflichtungen in
Amerika. Die Zurückgebliebenen murrten. Als Böhm Ende Februar heimkam, sprach
er am Flugplatz einen Satz, dem viel Ärger und seine Demissionierung folgten:
»Ich denke nicht daran, meine Karriere der Wiener Staatsoper zu opfern.« Sechs
Monate nach ihrer Eröffnung war die Wiener Staatsoper ohne Direktor.
Nun begann die Ära Karajan; Herbert »von« Karajan – obwohl in Österreich
das Adelsprädikat seit 1919 abgeschafft worden ist. Man nahm es sogar Otto von
Habsburg. Aber den Nachkommen Theodor Georg Ritters von Karajan, Abge-
sandten im Frankfurter Parlament, Professors für Germanistik, wagte man nicht
zu berauben und erklärte das »von« zum Bestandteil des Künstlernamens.
Am 12. Januar 1956 dirigierte Karajan im Rahmen der Wiener Festwochen ein

Ensemble-Gastspiel der Mailänder Scala mit *Lucia di Lammermoor*. Fans hatten sich eine Nacht lang nach Karten angestellt. Es hatte sich gelohnt. Maria Meneghini-Callas sang die Lucia. Beim Schlußbeifall küßte sie dem Maestro mit einem tiefen Knicks die Hand. Einen Tag später wurde bekanntgegeben, Herbert von Karajan sei »künstlerischer Leiter« der Staatsoper geworden (den Titel Direktor hatte er abgelehnt).
Seit 1950 war Karajan Dirigent und Regisseur der Mailänder Scala. Außerdem leitete er das Londoner Philharmonia Orchestra und war Konzertdirektor der Wiener Gesellschaft der Musikfreunde. Nach dem Tode Furtwänglers 1955 wurde er dessen Nachfolger als Chefdirigent der Berliner Philharmoniker, mit denen er Konzertreisen unternahm. Seit 1956 ist er auch als künstlerischer Leiter der Salzburger Festspiele Erbe seines großen Rivalen. In Salzburg dirigierte Karajan »seine« Berliner und auch die Wiener Philharmoniker, die über die Berliner Konkurrenz ziemlich unglücklich waren. Auch mit ihnen unternahm er weltweite Konzertreisen. Hinzu kamen Schallplattenaufnahmen. Nicht zu Unrecht nannte man Karajan den »Weltmeister im Dirigieren« und »Generalmusikdirektor der Welt«.
Während andere Opernchefs noch gegen das Gastiertheater, den Zerfall des Ensembles, das Schrumpfen des Repertoires hinhaltenden Widerstand leisteten, machte Karajan schon aus dieser unaufhaltsamen Entwicklung eine Konzeption – mindestens verkündete er diese Not als Tugend: Da die Perfektionsansprüche sich auf wenige Spitzenkünstler konzentrieren, können sich diese nicht langfristig binden. Früher hatte das Repertoire den Künstler, jetzt hat der Künstler das Repertoire und reist von einer Verwirklichung zur andern. Spezialisten finden sich kurzfristig zusammen, absolvieren ihr Pensum, zerstreuen sich, formieren sich anderswo neu oder genauso zur selben oder entsprechenden Leistung. Die jeweils optimale Besetzung, freilich nur von Fall zu Fall. Weltweite Zusammenarbeit der Manager der führenden Opernhäuser in bezug auf Termine und Gagen wird notwendig. Jede Oper soll in ihrer Originalsprache realisiert werden, weil das die künstlerisch vertretbarste Lösung des Problems ist, Sänger verschiedener Nationalität miteinander zu kombinieren. Eine Art Opernkartell sozusagen, verkündet in einer Stadt, in der der Stolz auf das lokale Ensemble noch am ungebrochensten und berechtigtsten war. Wien zerfiel in Karajan-Verehrer und Karajan-Verächter. Die Oper wurde Gesprächsthema Nr. 1. Man redete einander die Köpfe heiß über Karajans Charakter, Tun und Lassen. Die »Karajan-Trance« vor dem Heben des Taktstocks wurde berühmt.
Der Anfang war unversehens schon gemacht, mit der Mailänder Scala. Und man mußte zugeben, daß dieser Import die Böhm-Misere beendete. Zwar gab es noch schwache Abende, aber auch Sternstunden mit der Callas, mit Renata Tebaldi, Tito Gobbi, Giuseppe Zampieri und anderen. Freilich schickten die Mailänder zuweilen Sänger zweiter und dritter Wahl, wie man sie auch in Wien hatte. »Die Theaterzettel jener Jahre sahen manchmal aus wie eine Mitgliederliste der sizilianischen Mafia oder ein Verzeichnis der Dörfer Kalabriens« (Marcel Prawy).
Karajan konnte nun seinen Regie-Ambitionen frönen. Das Bestreben, Musik und Licht miteinander in Einklang zu bringen, ließ die Beleuchtung zu Karajans Steckenpferd werden. Es gab 25, 50, sogar 75 Beleuchtungsproben. Das Ergebnis war oft auffällige Dunkelheit. Birgit Nilsson, vor allem gefeiert als Wagner-Interpretin,

behauptete, man könne in Karajans Inszenierungen unbemerkt von der Bühne verschwinden, Kaffee trinken und wiederkommen. Die Sänger schonte er. Statisten markierten deren Stellungen, sie bekamen gesonderte Stell- und Klavierproben, bei den Bühnenproben begnügte Karajan sich mit Musik vom Tonband.

Den *Ring* erarbeitete er sich vom Frühjahr 1957 bis zum Frühsommer 1960 – Wieland Wagner empfand er wohl als Konkurrenten, der ihm sein eigenes Theater voraushatte, wenn es auch nur ein Saisontheater war. Dadurch war es einfach, sich die Wagner-Sänger aus Bayreuth zu holen, auch den Bühnenfotografen. Aber Karajan mußte noch mit den heroisierenden Bühnenbildern des alten Preetorius arbeiten. Der Wagner-Stil, der ihm vorschwebte, war schon zu ahnen: unpathetisch, kammermusikalisch sozusagen. Er reifte später bei den Salzburger Oster-Festspielen aus, in Dekorationen von Günther Schneider-Siemssen. Nach Karajans Demission kam Wieland Wagner für dreieinhalb Inszenierungen nach Wien: *Lohengrin*, *Salome*, *Elektra*. Der *Fliegende Holländer* wurde von seiner Witwe vollendet – und vom Publikum ausgelacht. Stil und Eigenwille Wieland Wagners gefielen in Wien grundsätzlich nicht. In Bayreuth dominiert die Idee, in Wien die Stimme, eventuell auch der Dirigent.

Auch Karajan unterlief bei den Versuchen, »modern« zu sein, manches Bedenkliche. Im *Rheingold* (Weihnachten 1958) doubelten Ballettratten die im Verborgenen singenden Rheintöchter, Alberichs Tarnkappe überzeugte trotz Fachberatung durch den Zauberer Kalanag nicht. Die Gewerbeschule lieferte zehn echte Ambosse zur Ausrüstung von Nibelheim. Dazu Lichtregie. Das Musikalische verstand sich von selbst.

Und die berüchtigten Karajan-Kosten? Er bekam 6 000 Schilling monatlich als künstlerischer Leiter und 18 000 pro Abend als Dirigent. Woanders hätte er mehr verdienen können. Freilich war er auch oft woanders. Nie war er länger als 180 Tage pro Jahr in Österreich. Mehr konnte man zwar nicht erwarten, aber der Grund ärgerte die Wiener: um sein Einkommen nicht in Österreich versteuern zu müssen. Und der Betrieb verteuerte sich unter seiner Leitung. In Karajans erster Vertragsperiode wurde der Zuschuß von 48,9 auf 69 Millionen Schilling erhöht. Immerhin stiegen die Einnahmen um 7 Millionen. Die Einnahmen deckten fast den Sachaufwand (1959: 20,2 Millionen). Dazu kam der viel höhere Personalaufwand (1959: 78,6 Millionen). Die Wiener Staatsoper war noch nie so teuer vor Karajan, aber auch nie mehr so billig nach ihm. Und man mußte auch ohne ihn auf seine Art weitermachen. Er demissionierte sogar zweimal. Das erstemal, nachdem die Bundestheaterverwaltung in seiner Abwesenheit mit den seit einem halben Jahr für einen besseren Kollektivvertrag streikenden Bühnenarbeitern einen Kompromißvertrag ausgehandelt hatte. Karajan mißbilligte ihn, obwohl es in der Spielzeit 1961/62 des Streiks wegen nur drei Premieren gab. Die Versöhnung des Maestro kam teuer: er bekam einen Mitdirektor und einen Teil des Etats zur unmittelbaren Verwirtschaftung. Die Oper wurde dadurch flexibler, sie durfte Mehrleistungen, für Gäste und Ausstattung beispielsweise, selber verantworten. Dieses sogenannte »Additionale« war der Verwaltung ein gewaltiger Dorn im Auge. Noch lange nach Karajans Weggang wurde versucht, dieses Stückchen Autonomie zu beseitigen. Großer Jubel bei Karajans Rückkehr im März 1962, um eine *Aida* zu dirigieren. Es lagen rote Rosen auf dem Pult.

Der erste Mitdirektor war Walter Erich Schäfer, Generalintendant der Württembergischen Staatstheater. Er wurde in Wien nicht warm und ging nach einer Spielzeit zurück nach Stuttgart. Karajan empfahl als Nachfolger Egon Hilbert, den Motor des Wiederaufbaus, der 1953 im Zorn aus der Bundestheaterverwaltung und der Direktion der Salzburger Festspiele geschieden war, das österreichische Kulturinstitut in Rom geleitet und nach 1959 die Leitung der Wiener Festwochen übernommen hatte. Keine Frage, daß Hilbert nun Karajans Ko-Direktor wurde. Er war ein Fanatiker der Arbeit, ein herrischer Liebhaber der Oper – mehr des Apparates als der Kunst. Es gab eine Serie von Krächen, im Sommer 1964 hatte Karajan genug und erklärte, in Österreich nie wieder dirigieren zu wollen. Mit Salzburg machte er dann doch eine Ausnahme.

Hilbert war am Ziel seiner Träume: Operndirektor. Er machte manches richtig (engagierte Leonard Bernstein, avancierte Otto Schenk zum Oberregisseur) und manches falsch (holte Wieland Wagner und den verfallenden Giuseppe di Stefano), er gab mehr Geld aus als der angeblich verschwenderische Karajan. Hilbert war ein Autokrat von Format – je länger desto weniger paßte er in die sich demokratisierende Theaterlandschaft. Schließlich wurde er zum »freiwilligen« Rücktritt gezwungen und erlitt kurz danach seinen Herztod (Januar 1968). Die Oper, das Ungeheuer, wurde nun ungenial aber ersprießlich von einem redlichen Hofrat mit neuen Menschen und Geldern gefüttert. Daraufhin erhob sie sich strahlend zu ihrem hundertsten Geburtstag. In 60 Tagen gab es 46 verschiedene Werke zu sehen. Am 25. Mai 1969, dem Jubiläumstag selber, kam Karl Böhm zurück und siegte mit *Fidelio*.

Dank seiner Bemühungen um die Moderne wurde das Landestheater in Linz, ein Dreisparten-Betrieb, zum schlechten Gewissen der Staatsbühnen in Wien. Als man im Frühjahr 1953 anläßlich des 150jährigen Bestehens des Linzer Theaters zurückblickte, wurden rund 50 Ur- und österreichische Erstaufführungen nach 1945 gezählt. Ernst Kreneks Oper *Leben des Orest*, Jakov Gotovacs Volksoper *Ero, der Schelm*, Werner Egks *Zaubergeige*, Haydns Lustspieloper *Die Welt auf dem Monde*, Liebermanns *Leonore 40/45*, *Die Harmonie der Welt* von Hindemith, *Tobias Wunderlich* von Joseph Haas – das alles gab es zuerst in Linz statt in Wien. (Das dritte große Opernhaus Österreichs, das in Graz, strebt Wien nach, nicht Linz.) Ladislaus Fodors *Gericht bei Nacht* kam drei Jahre vor der Wiener Premiere in Linz heraus, Richard Billinger und Arnolt Bronnen, die Komponisten Nico Dostal und Ludwig Schmidseder wurden in Linz uraufgeführt. Becketts *Warten auf Godot*, Brechts *Schweyk im zweiten Weltkrieg*; *Der Frieden* nach Aristophanes von Peter Hacks, *Sauschlachten* von Peter Turrini hatten am Landestheater ihre Premiere für Österreich.

Dabei hatte auch dieser Betrieb seine Krisen, mit weniger als 160 000 Besuchern pro Jahr (1949/50), weniger als 50prozentiger Platzausnützung, weniger als 20-prozentigem Einspielergebnis, sogar einem Konkurs (1947/48). Inzwischen ist das Risiko sozialisiert worden: Land, Stadt und Bund schießen gemeinsam zu, mehr als in Klagenfurt, weniger als in Graz. (In Millionen Schilling Klagenfurt 1959/60: Land 2,7, Stadt 2,2, Bund 1,7. – 1963/64: Land 4,4, Stadt 4, Bund 3,5. Die entsprechenden Zahlen für Linz: 7,6, 5,2, 1,7 und 8,8, 7,4, 4,4. Für Graz: 9,7, 8,2, 2,5 und 12,9, 12,4, 5,7.) Im Jahre 1967 ist das Bruckner-Orchester aus dem Etat des Landestheaters Linz herausgenommen worden. Von den österreichischen Landeshauptstädten Linz, Graz, Klagenfurt, Salzburg, Innsbruck gab 1971 Graz den größten Anteil des Kulturbudgets für das Theater aus (79 %), Linz den kleinsten: 21,5 % (Klagenfurt 75 %, Salzburg ohne Festspiele 35 %, Innsbruck 31 %).

Nach zehn Jahren (1974) kam es zur Aussöhnung zwischen Karajan und dem Bundesministerium für Unterricht und Kunst. Karajan versprach, von 1977 an alljährlich im Mai an der Wiener Staatsoper zu arbeiten – nachdem seine Nachforderung für einstige, unbezahlt gebliebene »künstlerische Leitung« zu seiner Zufriedenheit auf 3 Millionen Schilling taxiert und bezahlt wurde. Jeweils im Mai soll Herbert von Karajan organisatorisch und künstlerisch allein verantwortlicher Opernchef sein. Außerdem sieht die Vereinbarung vor, daß Karajan »die künstlerischen Ergebnisse dieser Planung durch modernste Mittel der Massenmedien weitesten Bevölkerungskreisen zugänglich macht«.

Zürich und Basel im Widerspiel

Festlich beging das Zürcher Schauspielhaus im September 1958 den zwanzigsten Geburtstag der ›Neuen Schauspiel-AG‹, jener Neugründung nach dem Abgang von Ferdinand Rieser, der 1947 heimgekehrt und bald darauf tödlich verunglückt war. In den bis 1958 zwanzig Jahren der Direktion Wälterlin waren 445 Stücke, darunter 111 Ur- und Erstaufführungen geboten worden.

Zwei Hausautoren wurden berühmt: Max Frisch und Friedrich Dürrenmatt. Mit *Don Juan oder Die Liebe zur Geometrie* – Anfang Mai 1953 in Zürich (und zugleich im Schiller-Theater) – war dem inzwischen 42jährigen Architekten eine traditionsträchtige, intelligente Variation gelungen: der berühmte Frauenjäger ist diesmal der Gejagte, er sehnt sich nur nach der geistigen Schönheit der Geometrie. Als Max Frisch merkte, daß er mit seiner Schriftstellerei sein Architekturbüro erhielt und nicht mehr das Architekturbüro seine Schriftstellerei subventionierte, gab er den bisherigen Brotberuf auf. Das war 1954, als sein Roman *Stiller* erschien.

Im Januar 1956 brachte das Schauspielhaus die Tragikomödie des zehn Jahre jüngeren Dürrenmatt: *Der Besuch der alten Dame.* Wälterlin führte Regie, Therese Giehse spielte die Alte, die den Wohlstand in ihr armes Heimatstädtchen Güllen bringt – unter der Bedingung, daß der Güllener umgebracht wird, der ihr vor 45 Jahren ein Kind gemacht und sie dann sitzengelassen hat. Der Weg zum Wohlstand führt über eine Leiche – eine der großen Parabeln der Zeit, zum Schluß auch noch gesungen: als Oper Gottfried von Einems, zuerst in Wien (Mai 1971), dann in Zürich (September 71). Mit der *Alten Dame* setzte Dürrenmatt sich auch in der Heimat durch, nachdem er sich und Hans Schweikart ihm in München die Sporen verdient hatte: *Die Ehe des Herrn Mississippi* (März 1952), *Nächtlicher Besuch* (Juli 1952), *Ein Engel kommt nach Babylon* (Dezember 1953).

Es kam Idealkonkurrenz auf zwischen dem urbanen Zürcher und dem knorzigen Konolfinger: der eine zeigte in Zürich seinen *Biedermann* und den *Philipp Hotz* (1958), der andere darauf *Frank V.* (1959), der erste kam wieder mit *Andorra* (1961), der zweite dann mit den *Physikern* (1962). Frisch wurde kein Theatermensch mit Haut und Haar wie Dürrenmatt, Frisch blieb Erzähler, der er schon vor dem Architekturstudium einmal gewesen war. Viele Jahre spann er das für die Lebensmitte wohl typische Gedankenspiel aus: was man tun würde, wenn man sein Leben korrigieren könnte. Erst nach dem Bildhauer Stiller, der seine Identität verleugnet, und nach dem Schnittmusterbuch für Lebensläufe *Mein Name sei Gantenbein* (1964) stellte Frisch einen solchen Schicksalsverweigerer als »Kürmann« auf die Bühne, in dem Spiel *Biografie* (1968), zugleich in Zürich, Düsseldorf, München, Frankfurt. Im *Tagebuch* konstatierte er grimmig einen vierfachen Sieg der Bühne über den Autor: »er bestreitet die Fatalität, die Bühne bestätigt sie – spielend.«

Mittlerweile hatte Dürrenmatt in Zürich *Die Physiker*, die Komödie einer Flucht vor der Verantwortung ins Irrenhaus, gezeigt (Februar 1962), einen schwachen (sogar logisch schwachen) *Herkules*, dem alles mißlingt (März 1963), und den *Meteor* (Januar 1966), einen wider Willen unsterblichen Schriftsteller, der vom Sterbebett aus alle ruiniert, die mit ihm zu tun kriegen. Auch dies wieder ein »Endspiel«,

Frisch, Andorra. Schauspielhaus Zürich. Regie: Kurt Hirschfeld. – Kuhlmann, Ehrlich, Willy Birgel, Mächtlinger, Gert Westphal (Foto: B. Herbold, Zürich)

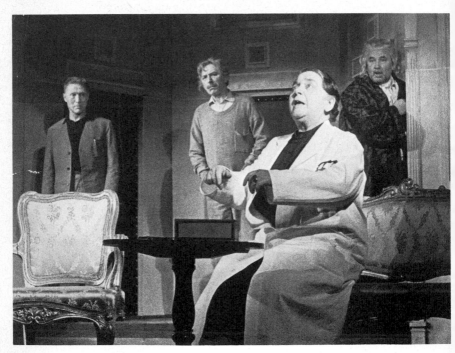

Dürrenmatt, Die Physiker. Schauspielhaus Zürich. Regie: Kurt Horwitz. – H. Ch. Blech, Th. Lingen, Th. Giehse, G. Knuth (Foto: René Haury, Zürich)

das religiös motiviert ist, wie das meiste, was dieser Pfarrerssohn schreibt, eine das Ärgernis suchende szenische Predigt: »Die Auferstehung ist in meinem Stück als das genommen, was sie eigentlich ist, ein Skandalon, als eine anstößige Geschichte.«

Inzwischen eine einschneidende Veränderung am Zürcher Schauspielhaus: Wälterlins überraschender Abgang. Er hatte sich zum Allround-Regisseur entwickelt, der an vielen Orten inszenierte, nicht nur Schauspiele, sondern auch Opern. Seine Freunde fragten sich, warum er sich so viel aufhalse, denn es ging ihm über die Kraft, zumal da er ein Genaunehmer war. Wälterlin brachte es fertig, altgedienten, profilierten Mimen die Betonungen vorzusprechen. Im zweiundzwanzigsten Jahr seiner Direktion kündigte er. Er wollte ans Stadttheater seiner Vaterstadt Basel zurückkehren. Er hatte es schon einmal geleitet, von 1925 bis 1932. Inzwischen war er im Pensionsalter und verließ eine Schauspielbühne, um sich mit einem Dreisparten-Betrieb herumzuschlagen. Eine äsopische Theodizee zum Ostersamstag 1961 war Wälterlins 125. und letzte Inszenierung am Schauspielhaus: die *Maikäferkomödie* von Viktor Widmann. Sie war 1942 schon einmal gegeben worden, zum 100. Geburtstag des Berliner Schulmeisters und Redakteurs Widmann, der einst als Literaturpapst der Schweiz gegolten hatte. Bei den Proben erlitt Wälterlin einen Ohnmachtsanfall. Nach der Premiere fuhr er nach Hamburg, um an der Staatsoper Debussys *Pelleas und Melisande* zu inszenieren. Zur zweiten Probe erschien Wälterlin nicht. Man fand ihn in seiner Mietwohnung, tot im Sessel zusammengesunken.

Nachfolger wurde Kurt Hirschfeld. Er verbürgte Kontinuität: seit 1938 Chefdramaturg und schließlich Vizedirektor. Gleich in seiner ersten Spielzeit konnte er zwei Trümpfe ausspielen, die seitdem schwerlich übertrumpft worden sind: Frischs Lehrstück vom Vorurteil (*Andorra*) und Dürrenmatts böse Fiktion, der Fortbestand der Welt hänge von der Entscheidung einer buckligen Irrenärztin ab (*Die Physiker*). Die Giehse spielte dieses »Fräulein Doktor«, das die Wahnsinn simulierenden Physiker (Hans Christian Blech, Gustav Knuth, Theo Lingen) schließlich in den Wahnsinn treibt. Auch die Ur-Besetzung von *Andorra* war imponierend: Peter Brogle als Andri, dazu Carl Kuhlmann, Rolf Henniger, Willy Birgel, Heidemarie Hatheyer. Auch sonst brauchte Hirschfeld nicht zu kleckern, er konnte klotzen: Rolf Henniger spielte den »Hamlet«, Heidemarie Hatheyer Shaws »Candida«. Ernst Lothar inszenierte Hofmannsthals *Schwierigen* mit einer fast rein Wiener Besetzung, mit seiner Frau Adrienne Gessner, zu deren Glanzrollen die Toinette gehörte. Und das alles in einer einzigen Spielzeit!

Die Ära Hirschfeld war der Ausklang der großen Zeit des Zürcher Schauspielhauses. Keine vier Jahre, da starb auch Hirschfeld. Ein Jahr vor seinem Tode hatte man sich in der Heimat des Emigranten entsonnen und ihm den ›Großen Niedersächsischen Kunstpreis‹ verliehen. Noch einmal wurde jemand von der alten Garde des Emigranten-Theaters an die Spitze geholt: der Regisseur Leopold Lindtberg, bekannt für repräsentative Klassiker-Inszenierungen. Es wurde still um das Schauspielhaus. Lindtberg war kein rechter Theaterdirektor, er war ein Regisseur, der sich in die Rolle eines Direktors hatte drängen lassen, der sich verpflichtet glaubte, diese Rolle zu spielen. Als der Schweizer Journalist Gody Suter Ende 1964 die Ära Lindtberg eine »Gnadenfrist« genannt hatte, war er von der *Neuen Zürcher Zeitung* angepfiffen worden.

Wie vergleichsweise einfach die geistige Situation im Opernhaus war, deutet der Jubiläumsspielplan 1959/60 an: Man feierte mit der Eröffnungsoper von vor 125 Jahren, der *Zauberflöte*, und hatte damit auch den größten Erfolg (24 Vorstellungen) – wenn man von der *Gräfin Mariza* absieht (35 Aufführungen). Verdi, Wagner, Strauss, Offenbach waren die deklarierten Säulen der Saison, neu war Rimsky-Korssakow mit *Sonnwendnacht* (alias *Mainacht*, 1880). Als Professor Dr. Hermann Juch zur Spielzeit 1964/65 die Leitung übernahm, ging diese Verlautbarung als sein »Arbeitsprinzip« durch: »Das Alte erhalten und neu beleben, dem Neuen Gehör verschaffen und Raum zu gewinnen ist stets vornehmste Aufgabe eines Kunstinstitutes gewesen. In diesem Sinne . . .«

Vom Herbst 1968 an blickte man nach Basel: Werner Düggelin, der sich nach 1955 in Darmstadt die Sporen verdient und später in Zürich, München, Wien und Düsseldorf inszeniert hatte, begann mit der Arbeit und konnte sich auf Friedrich Dürrenmatt als Berater stützen. Die Bühne solle nicht länger eine Stätte der Reproduktion sein, sondern ein Ort der Produktion werden, hieß es. Im ersten Anlauf imponierte das neue Gespann: so frisch hatte man in Basel schon lange nicht mehr gespielt. Unter den Eröffnungspremieren ein von Dürrenmatt bearbeiteter Shakespeare: *König Johann*. Dürrenmatt gab der nationalen Geschichte gesellschaftskritischen Sinn: Regieren als lebensgefährliches Gesellschaftsspiel. Alle sind Komplizen, und wenn sie einander gelegentlich ermorden, so gehört das zu den in ihren Kreisen üblichen Umgangsformen. – Im Frühjahr danach ein mit der Klaue des Löwen veränderter Strindberg: »Aus einer bürgerlichen Ehetragödie wird eine Komödie über die bürgerlichen Ehetragödien«, aus fünf Stunden *Todestanz* wurden anderthalb Stunden *Play Strindberg*. Drei Leute gehen aufeinander los. »Zwölf Runden. Keine Pause.«

Basel kam ins Gespräch und ins Gerede, alte Abonnenten blieben weg, die Nachfrage an der Kasse stieg, vor allem junge Leute liefen zu. Aber im Innern kriselte es. Dürrenmatt dachte rigoroser, als ein Theaterdirektor handeln kann.

Dürrenmatt verachtete das »Versorgungstheater«, wollte das Theater vom »Dienstleistungszwang« befreien, Düggelin kam an der Tatsache nicht vorbei, daß er und sein Theater versorgt wurden von Leuten, denen das Institut zu Diensten sein mußte. Im Oktober 1969 schilderte der erbitterte Dramatiker nach einem »ehrlich verdienten Herzinfarkt« im *Sonntags-Journal* die Situation aus seiner Sicht: »Die Probleme wurden nicht durchdacht, Scheinlösung häufte sich auf Scheinlösung, der wahre Sinn für Qualität ging verloren, ein fauler Kompromiß nach dem andern wurde geschlossen und jeder Durchfall des Zürcher Schauspielhauses mit Freudentänzen gefeiert.« Andererseits gab er zu, daß seine »Funktion am Basler Theater von Anfang an unklar war«, er wisse auch nicht, ob die Gründe, die ihn nach Basel führten, »künstlerische oder sentimentale« gewesen seien. »Meine Rolle fiel von Anfang an anders aus, als ich mir vorgestellt hatte.« Es hatte obendrein die Theaterkräche und Intrigen gegeben, die meistens aufkommen in kritischen Situationen. Dürrenmatt räumte das Feld, »froh, der Verlierer zu sein«.

Einen Monat später, als Dürrenmatt den Berner Kulturpreis entgegennahm, fand er die Basler Aufgabe unlösbar: in zwei Jahren für sechzehn Millionen Franken Subvention dreiundsechzig Produktionen – »eine solche Leistung setzt einen technischen Apparat, eine Menge von Regisseuren und eine Denkkraft voraus, die kein

Theater der Welt aufzubringen vermag. Wenn uns hin und wieder anständige Produktionen gelangen, so nur, weil der größte Teil unserer Produktion überflüssig und flüchtig gearbeitet war. Die Stadt Basel – und mit ihr andere Städte – zwingt durch ihre Kulturpolitik das Theater zur Mittelmäßigkeit und gewöhnt, was noch schlimmer ist, sein Publikum, das Mittelmäßige als Kulturleistung hinzunehmen.« Mit einiger Verspätung setzte sich auch in der Schweiz der Eindruck durch, daß man nicht mehr einfach weitermachen könne. Im Jahre 1955 hatte der Geschichtspolitiker Jean Rodolph von Salis sich in einem Vortrag in Luzern noch verwundert, daß kulturell alles in Ordnung sei, obwohl die Voraussetzungen dafür »denkbar ungünstig seien«: keine gemeinsame Sprache, keine gemeinsame Konfession, keine auf das ganze Land wirkende und es repräsentierende Hauptstadt. Es gebe Widersprüche zwischen den in Europa landläufigen Regeln der Identifikation von Sprache, Kultur und Staat und der Schweiz, die sich mitten in Europa abgesondert habe. Im Jahre 1963 sprach der Literaturwissenschaftler Karl Schmidt ungeniert vom »Unbehagen im Kleinstaat«. Es werde von drei fundamentalen Erlebnissen gespeist: man stehe »abseits von der Geschichte«, »zwischen den großen Nationen und Kulturen«, und es fehle der »Wille nach Entscheidung«. Und im Sommer 1968 schalt Benno Besson in Zürich, nach einer Gastinszenierung (Sophokles, *Ödipus Tyrann*) für die Festwochen: »Die Möglichkeiten zur Entwicklung für einen Theatermann in der Schweiz« seien »gleich Null. Er kann dort wenig lernen, also nicht weiterkommen. Und es verhält sich nicht nur mit dem Theater so. [...] Die Schweiz ist organisiert in einer Unzahl von Vereinen, in denen Selbstzufriedenheit konserviert wird. Die Meinung der Vereinten ist jederzeit von oben rasch beeinflußbar.« Zum 1. Januar 1969 hatte man in Zürich dann doch auf die jüngere Generation gesetzt, auf den Zürcher Peter Löffler, damals immerhin auch schon ein Endvierziger. Er hatte unter Wälterlin als Regieassistent, unter Hirschfeld als Regisseur gearbeitet, hatte aber auch auswärtige Meriten: seit 1965 Sekretär der Westberliner Akademie der Künste, dann Leiter der Berliner Festwochen. Nach einer einzigen Berlin-Saison kam schon die Berufung nach Zürich. Löffler verkündete das »Ende des Solistentheaters«, er hoffte auf Zusammenarbeit mit den Münchner Kammerspielen und der Schaubühne am Halleschen Ufer (Berlin). Aber dem Publikum mißfiel der Kurs, dem Verwaltungsrat auch. Schon im dritten Monat seiner ersten Spielzeit bekam Löffler seine Kündigung vom Verwaltungsrat, »dem übrigens kein einziger Theatermann angehört, hingegen der eine und andere Bankier, neben Vertretern der städtischen Behörde« (Max Frisch). Frisch und andere Schriftsteller (Walter Muschg und Walter M. Diggelmann) versuchten vergeblich, »vorerst diesen Verwaltungsrat zu entmachten, der über öffentliche Gelder verfügt nach dem Kunstbedürfnis der Bankiers« (Frisch). Muschg war 1968 und 1970 im Schauspielhaus (und später auch anderswo) als Dramatiker aufgetreten (*Rumpelstilz*, eine »kleinbürgerliche Tragödie« zum »leisen Heulen« und *Die Aufgeregten von Goethe*). Diggelmann wurde im Januar 1974 in Bern folgenlos uraufgeführt (*Menschen glücklich machen*). Dürrenmatt brüskierte die Kollegen, indem er nun in Zürich »künstlerischer Berater« und Mitglied des Verwaltungsrates wurde.

Ab August 1970 regierte dann wieder ein »alter Hase«, der 66jährige Harry Buckwitz, der in Frankfurt die Tür ins Schloß geworfen hatte. Bald stimmte jedenfalls die Kasse wieder – das andere schien nicht so wichtig. Buckwitz, zunächst nur ein-

gesprungen, sollte später von Dürrenmatt abgelöst werden. Dürrenmatt hatte ers'
geliebäugelt, dann winkte er ab. Er wolle lieber Stücke schreiben und inszenieren
Sicher suchte er nichts als persönliche Realisierungsmöglichkeiten, als er zwischer
Basel und Zürich lavierte. Anderes ist von einem Autor auch kaum zu erwarten.
Frisch zog sich von der Bühne zurück, nach dem *Biografie*-Erlebnis, das für sein(
Begriffe schon ein halber Mißerfolg war. Dürrenmatt aber schlug sich weiter in'
Rampenlicht herum, legte selber Hand an. Seine erste Regie-Tat war der *Herr*
Mississippi gewesen, 1954 in Bern. In Basel, als es darum gegangen war, die dürren-
mattisierten Stücke *König Johann* (Shakespeare) und *Todestanz* (Strindberg) zu
inszenieren, hatte er die Spiele sozusagen auf der Bühne fertiggeschrieben (in beiden
Fällen stand Düggelin als Regisseur auf dem Zettel). Diese beiden verschärfenden
Erneuerungen gingen in die Theatergeschichte ein, im Gegensatz zum *Urfaust*, den
Dürrenmatt im Oktober 1970 zeigte, nachdem er das Zürcher Schauspielhaus zu
seinem Theater erkoren hatte. Er wurde relativ textgetreu gespielt (Attila Hörbi-
ger als Faust, Hans-Helmut Dickow als Mephisto, Anne-Marie Kuster als Gret-
chen), war aber mit Einschüben aus dem Volksbuch verschnitten.
Im Dezember 1970 gab es in Düsseldorf einen eigentlich für Basel bearbeiteten
Titus Andronicus, von Dürrenmatt zum »Grand Guignol der Weltgeschichte«
(Hans Schwab-Felisch) verschärft. Ein Teil des Publikums muckte auf. Nur ein
Vierteljahr später hatte Dürrenmatt in Zürich ein eigenes Drama einstudiert: *Por-*
trät eines Planeten, unsere Erde nach einer weltweiten Katastrophe. »Ein erbar-
mungswürdiger Abend«, meinte Schwab-Felisch, der das in Düsseldorf sah, von
Erwin Axer inszeniert. »Er zeigt die Verwirrung eines Autors, der offenbar am
Scheideweg steht, weg vom Komödianten, hin zum religiösen Dramatiker, der aber
noch zögert, ihn zu beschreiten, und so beim Traktat landet, das sich gesellschaftskritisch gibt.« Im Februar 1972 folgte in Zürich ein von Dürrenmatt bearbeiteter
und inszenierter *Woyzeck*, ein »vergeblicher Annäherungsversuch an ein unerreich-
bares Stück« (Benjamin Henrichs). Woyzeck, gespielt von Dickow, geht nach dem
Mord nicht ins Wasser, sondern verkriecht sich im Bett der Ermordeten. Im Frühjahr 1973 redete der selbstbewußte Dramatiker dem polnischen Regisseur Andrzej
Wajda dermaßen in die Realisierung seines *Mitmacher* hinein, daß Lindtberg wei-
terproben mußte (als Regisseur der Uraufführung gilt Wajda). Die Geschichte von
dem Biologen, der seine Erfindung, Leichen spurlos zu beseitigen, politischen Gang-
stern zur Verfügung stellt und immer tiefer in Abhängigkeit gerät, wurde in Zürich
abgelehnt. In Mannheim machte es Dürrenmatt als Regisseur tatsächlich besser
(November 1973), wenn auch nicht gut – das läßt der Text nicht zu. Und im
Januar 1974 gab es in Zürich Beifall für eine verschlimmbesserte *Emilia Galotti*:
»Dürrenmatt läßt keine infame Seite des Stückes, keine Möglichkeit zu dessen
Verschlimmerung ungenutzt« (Friedrich Luft).
Dann eine Verschnaufpause. Der Vulkan, der ziemlich wahllos in die Luft schleu-
derte, was er in seinem Bereich fand, sammelte neue Kraft.

Brechts Erben

»Als Brecht starb, stand das Ensemble nackt da«, sagte Peter Palitzsch viele Jahre später in einem Interview. Das Ensemble: das waren 250 Leute, davon 60 Schauspieler. »Nach einem Jahr sollte es aufgelöst werden. Es stellte sich schnell heraus, daß die jungen Regisseure, denen nun die überragende Persönlichkeit Brechts fehlte, eine kollektive Haltung einnehmen mußten. Denn bis zum Tode Brechts hatten wir ja immer ›mit Netz‹ gearbeitet. Da wußten die Schauspieler: Irgendwann wird Brecht kommen und das schon machen. Sie arbeiteten mit uns unter Vorbehalt – was wirklich schwierig war für uns. Das ist der historische Hintergrund für das Kollektivbewußtsein im Berliner Ensemble.«

In wenigen Jahren hatte Brecht erstaunlich viele Talente um sich versammelt. Die Regisseure Peter Palitzsch, Egon Monk, Benno Besson (der 1958 das Berliner Ensemble verließ), Joachim Tenschert. Manfred Wekwerth, Jahrgang 1929, Assistent Brechts von 1951 bis 1954, wurde Chefregisseur des Berliner Ensembles, nun am »Bertolt-Brecht-Platz«.

Eine ganze Gruppe von jungen Dramatikern war von Brecht geprägt, sein begabtester Schüler war Peter Hacks. Der Bühnenbildner Hainer Hill entwickelte sich bei Brecht, die Lyriker Heinz Kahlau und Günter Kunert gehörten zu seinen Schülern. Lernwilligen hielt er immer die Tür offen.

Beispielsweise kam eines Tages ein junger Gebrauchsgraphiker von der Fachschule für angewandte Kunst mit einem großen Sack voll selbstgenähter Puppen zu Brecht. Dem gefielen die Puppen. Der junge Mann sagte, er wolle Bühnenbilder machen. Brecht meinte, das gehe wohl nicht so einfach und nebenbei. »Und so nahm er mich als Meisterschüler an, obwohl das eigentlich einen Hochschulabschluß mit der besten Note voraussetzte. Aber er ging eben frei vor, war auch etwas mißtrauisch gegenüber Akademikern, die er für verbildet hielt. [...] Er verstand viel mehr vom Bühnenbild als ich. Sein Interesse für Details war unerschöpflich: er ließ einen Schauspieler fünfzehn Hüte aufprobieren, bis ihm einer gefiel, und der war dann eigens angefertigt. Ich jedenfalls habe in den zwei Jahren bei ihm und seinem Ausstattungsleiter Karl von Appen ungeheuer viel gelernt.« Im Herbst 1968 bekam Achim Freyer, der hier zitiert wurde, erstmals einen großen Auftrag: er stattete den *Barbier von Sevilla* aus, eine Inszenierung von Ruth Berghaus in der Staatsoper. (Ein Gastspiel der Volksbühne in Italien gab ihm 1972 Gelegenheit, sich in den Westen abzusetzen.)

Aus der Theaterarbeit am Brecht-Platz gingen auch nach dem Tode des Meisters noch Schüler hervor, Fritz Bennewitz beispielsweise, der nach Weimar ging, Wolfgang Pintzka (später Greiz) und Peter Kupke (später Potsdam). Vom Berliner Ensemble kommen, das war wie ein Diplom. Sein Wert war nicht leicht zu prüfen, weil stets eine ganze Menge von Adepten am Schiffbauerdamm herumwimmelte. Und mancher, der nicht recht vorankam, kalkulierte kühl: ich gehe jetzt für ein Jahr zum Berliner Ensemble, dann komme ich wieder, und dann wollen wir mal sehn!

Die hinterbliebenen Brechtler bildeten eine Fronde, weil sie Ein- und Übergriffe fürchten mußten. Manchmal löckten sie wider den Stachel, zum Beispiel als sie von ihrer Bühne herab gegen das emotionale Spiel polemisierten, zum Beginn einer Inszenierung der *Optimistischen Tragödie* von W. Wischnewski (Wekwerth/Palitzsch, 1. April 1958), des Revolutionsstücks par excellence – ausgerechnet. Andererseits am gefahrlosesten in diesem Falle, denn wenigstens das Stück war tabu, und wenn man glaubhaft machen konnte, daß man das Beste gewollt habe, konnte der Gag nicht allzu übel vermerkt werden. Kurz: es ging los mit einer opernhaften Revolutionsszene im Pappkameraden-Stil, die ein Sprecher bald abbrechen ließ, und dann begann eine überlegsame statt mitreißende Aufführung, mit Angelika Hurwicz als Kommissarin, nicht im Lederol-Mantel, sondern in Zivil. Eine Kommissarin, der die Matrosen nur widerwillig parierten. Sogar der Kampflärm war stilisiert, von Hans-Dieter Hosalla, der fortan etliche Bühnenmusiken für das Berliner Ensemble schrieb.

Nie waren die Vorbehalte in der DDR gegenüber Brecht und seiner Methode verschwunden. Der Meister hatte selber im Jahre 1956 geklagt, daß die Theater in der DDR (»betrüblicherweise, von meinem Standpunkt aus«) zu den wenigen in Europa zählten, die seine Stücke nicht aufführten. Das war nicht ganz richtig, aber auch nicht ganz falsch. Zwar gab es schon Ende 1947 in Frankfurt an der Oder *Die Gewehre der Frau Carrar* (das war die erste Aufführung eines Brecht-Werks in der Zone), zwar erlebten die Stücke 1947 bis 1955 in der Zone bzw. DDR 800 Aufführungen in 60 Inszenierungen, aber es waren nur fünf Stücke, von den anderen ließ man lieber die Finger. In den Jahren 1956 bis zur Spielzeit 1966/67 besserte sich das: 17 Stücke in 171 Inszenierungen mit mehr als 3 900 Aufführungen. Das war immer noch ungefähr nur der halbe Brecht.

Genau kann man es deshalb nicht sagen, weil es eine Ermessensfrage ist, ob man manche Bearbeitungen, spielbare Fragmente und Frühwerke noch oder nicht mehr dazurechnet. Als Nachholen begann es (*Die Rundköpfe und die Spitzköpfe*, 1962 in Hannover), allmählich mußte man immer mehr an Resteverwertung denken: *Messingkauf* in Ost-Berlin und *Die Kleinbürgerhochzeit* in Heidelberg (beides 1963), *Der Ingwertopf* 1965 und *Der Fischzug* 1967 in Heidelberg, die *Flüchtlingsgespräche* in Stuttgart und *Der Brotladen* beim Berliner Ensemble (beides 1967), *Dansen* 1967 in Köln, *Lux in tenebris* 1969 in Essen, *Fatzer* 1976 an der Berliner ›Schaubühne‹.

Zunächst galt es, die noch von Brecht selbst vorbereiteten Projekte zur Bühnenreife zu bringen. Fünf Monate nach des Autors Tod zeigte Altmeister Erich Engel das *Leben des Galilei*. Die Titelrolle spielte Ernst Busch – zu sehr als Draufgänger. Das Bühnenbild Nehers preßte das Spiel zwischen himmelhohe Wände, wohl um Gefangenschaft anzudeuten. Für den Fastnachtsumzug war der Pantomime Jean Soubeyran tätig. Die Schlußszene, in der Andrea Galileis »Discorsi« über die Grenze schmuggelt, wurde weggelassen.

Die Aufführung bewirkte »eine anhaltende Erschütterung« (Sabine Lietzmann in der *FAZ*). »»Wenn die Wahrheit zu schwach ist, sich zu verteidigen, muß sie zum Angriff übergehen‹, heißt es im ›Galilei‹. Mit diesem Stück jedenfalls hat Brecht sie in Marsch gesetzt. Aus den Dialogen des Textes scheint das Auge des Dichters listig und bedeutungsvoll den ›Nachgeborenen‹ zuzuzwinkern.« Zu Lebzeiten Brechts hatte es schon eine *Galilei*-Inszenierung in der Bundesrepublik gegeben, 1955 in Köln, mit Kaspar Brüninghaus als Galilei.

Der Ungarn-Aufstand im November 1956 und seine Folgen verschlechterten erneut das Image des Kommunismus; das hatte Konsequenzen für die Spielpläne im Westen; bester Indikator für das Klima war lange Brecht. »Mehrere Bühnen haben Stücke von Brecht abgesetzt«, berichtete Siegfried Melchinger Ende November 1956 als Einleitung zur Rezension einer Neuinszenierung der *Dreigroschenoper* in der Stuttgarter ›Komödie im Marquardt‹, einer Wiederaufführung, die »wir entschuldigen, aber nicht billigen«. Infolgedessen beschäftigte sich Melchinger »nicht mit dem Stück, sondern nur mit der Aufführung«. Es war eine moritatenhafte Version, inszeniert von Gandolf Buschbeck aus Wien, die dem Publikum sehr gefiel, mit Ann Höling als Polly. Anfang Mai 1957 meinte der damalige Außenminister Heinrich von Brentano in einer Fragestunde des Bundestages, »daß die späte Lyrik des Herrn Bert Brecht nur mit der Horst Wessels zu vergleichen« sei. Dieser Unsinn löste eine nicht weniger törichte Debatte aus.

Einer Ende Mai 1957 von der ›Dramaturgischen Gesellschaft‹ veranstalteten Brecht-Debatte über den Dramaturgen Brecht im Berliner Renaissance-Theater bot die Polizei Saalschutz. Doch es passierte nichts, die Brechtomanen blieben unter sich. Buckwitz teilte sie in »reine Toren« und »notgeborene Dualisten« ein. Auf der Gegenseite stünden die »militanten Demokraten«, die Brechts »Aussagewert« auf politische Nutzanwendung hin zurechtstutzen. Außerdem gäbe es »Gelegenheitsbrechtler« und Abwarter, die Brechts Stücke zurücklegen wie ein Geschäftsmann die Regenmäntel während einer Schönwetterperiode, um sie »zwischen 17. Juni und Ungarnaufstand vorsichtig hindurchmanövrieren zu können«.

Der Frankfurter Generalintendant war befugt zu solchem Spott, denn er hat sich in zehnjähriger Brecht-Arbeit – von der Uraufführung *Sezuan* 1952 bis zur Uraufführung *Coriolan* 1962 – nicht beeinflussen lassen von der Parteien Haß und Gunst. Die gesellschaftskritischen Buckwitz-Bühnen waren die Stätte konsequentester Interpretation der Werke Brechts in Europa – sieht man vom Berliner Ensemble ab. Brecht lobte selber: »Die Arbeit am Frankfurter Theater ist mit die großartigste, die ich erlebte.«

Da war – abgesehen davon, daß auch in Frankfurt Therese Giehse die Landstörtzerin Courage spielte, daß es auch in Frankfurt den Galilei (Hans Dieter Zeidler) gab – der erste *Kaukasische Kreidekreis* in Westdeutschland (April 1955), die erste *Simone Machard* überhaupt (März 1958), der erste westdeutsche *Schweyk im zweiten Weltkrieg* (Mai 1958). Buckwitz war kein Purist, sondern ein Pragmatiker. Walter Maria Guggenheimer meinte, Buckwitz lasse »seinen Hauptdarstellern ganz gehörig Leine, um Sympathien zu sammeln, die dann das theoretisch immer noch mögliche abwägende Urteil beeinflussen können«. Effekte erzielte Buckwitz speziell bei Brecht durch »beinahe schon kabarettistische Isolierung songartiger Passagen«, durch das Ineinandergreifen von Regie und Bühnengestaltung, dessen unbestrittener Höhepunkt die Kombination von Ausstattung (Teo Otto) und Regie für die *Simone Machard* gewesen sei (Schwierigkeit und Reiz liegen hier in der Verbindung der als real gesetzten Vichy-Zeit und der imaginierten Jeanne-d'Arc-Zeit).

Am falschen Ort zur falschen Zeit im falschen Theater gab es die Uraufführung der *Heiligen Johanna der Schlachthöfe*, nämlich April 1959 im Deutschen Schauspielhaus zu Hamburg. Gründgens führte Regie, auf Grund einer uralten Verabredung: »Sie fragten 1932 um die Erlaubnis, ›Die heilige Johanna der Schlachthöfe‹ auf-

führen zu dürfen. Meine Antwort ist Ja« (Brecht im Januar 1949 an Gründgens)
Einige Sympathie-Erklärungen für den Kommunismus waren weggelassen. Herbert
Ihering urteilte über Brechts Tochter in der Titelrolle: »Hanne Hiob ist mit der
›Heiligen Johanna der Schlachthöfe‹ in die erste Reihe der deutschen Schauspiele-
rinnen gerückt. Sie spielte einfach, bescheiden, fast ärmlich. Man glaubte ihr das
Mädchen der Heilsarmee, ihre Frömmigkeit, ihre Enttäuschung, ihr Suchen, ihre
Verzweiflung und neue Erkenntnis.«

Dem *Arturo Ui* beim Berliner Ensemble (März 1959) war dessen »aufhaltsamer Aufstieg« im Württembergischen Staatsschauspiel um vier Monate vorangegangen. West
und Ost hatten sich in Stuttgart zum Applaus zusammengefunden. Es war die verspätete Premiere eines zur Aufführung in den Vereinigten Staaten während des
Krieges konzipierten »Gangsterspektakels« in Jamben. Inzwischen genügte eine
solche Darstellung der »Machtergreifung« eigentlich nicht mehr. Brecht war selber
nicht zufrieden, wie die Varianten zeigen. Eine Simplifikation: es geht einzig um
Profit. Wolfgang Kieling chargierte als der Gangsterboß Ui virtuos zwischen Lethargie, Kriecherei, Gehemmtsein, Ekstase und Brutalität. Der einzige Widerständ-
ler, Verteidiger im Reichstagsbrand-Prozeß, trug eine blaue Arbeiter-Kluft. Bei der
Uraufführung in Stuttgart (Regie Palitzsch und Wekwerth) schwankte das Interesse je nach Ergiebigkeit der Szenen auf und ab.

Brecht, Der aufhaltsame Aufstieg des Arturo Ui. Württ. Staatstheater Stuttgart. Regie: Peter
Palitzsch. – Wolfgang Kieling, Hans Mahnke (Foto: Madeline Winkler-Betzendahl, Stuttgart)

Die Schlußwarnung »Der Schoß ist fruchtbar noch, aus dem das kroch« und vor allem Änderungen im Prolog richteten die Botschaft gen Westen: »Der Direktion ist bekannt / es ist ein heikler Gegenstand. / Ein gewisser zahlender Teil des sehr verehrten Publikums / wünscht nicht, daran erinnert zu werden. / Gerade das spricht aber dafür, / hineinzustechen in dieses Geschwür!« In Ost-Berlin 1959 keine aktuellen Anspielungen, obwohl es in den Ostblockstaaten neuere Beispiele für gewaltsame Machtergreifungen und manipulierte Wahlen gegeben hat. *Der aufhaltsame Aufstieg des Arturo Ui* erschien nun rein historisch, die wünschenswerte Position als Kontrast zur Negation konnte freilich mangels Text auch am Brecht-Platz nicht dargestellt werden. Man behalf sich mit ein paar Sprechchören aus der Kulisse. Doch die Inszenierung behauptete sich mit Recht jahrelang als glanzvoller Theatercoup, Ekkehard Schall trug seine Darstellung des Arturo Ui immer wieder neue Bewunderung ein.

Die Veränderung der *Dreigroschenoper*, gezeigt im April 1960, verdient besonders deswegen Beachtung, weil der Regisseur der Uraufführung sie vornahm: Erich Engel. Unter Verzicht auf Verbrecherromantik eine böse Inszenierung, in der die Komplizentreue zwischen Mackie Messer und Tiger Brown betont wurde. »Daß Mackie Messer am Ende geadelt und in die hohe Gesellschaft aufgenommen wird, war damals ein parodistischer Opernschluß. Heutzutage, wo sich überführte Verbrecher an der Menschlichkeit und politisch fragwürdige Gestalten in einer Regierung und deren Justiz breit machen dürfen, bekommt dieser Schluß eine gewichtige aktuelle Bedeutung« (Engel).

Auffällig *Frau Flinz* von Helmut Baierl, weil die Komödie das zweite in der DDR der Gegenwart spielende Stück des Berliner Ensembles war – zwölf Jahre nach der Gründung, acht Jahre nach dem ersten (*Katzgraben*). Darstellung der DDR-Gegenwart war das bei weitem glatteste Eis, auf das man sich in der DDR begeben konnte. Wekwerth erzählte die kollektiv erarbeitete Geschichte so: »Eine Häuslerin, die im Guerilla-Krieg mit der alten Obrigkeit ihre fünf Söhne heil durch den Krieg gebracht hat, wendet ebendiese Waffen gegen die neue Obrigkeit an. Sie bringt die neue Obrigkeit, die noch nicht auf sicheren Beinen steht, ins Wanken, verliert aber gerade ihre Söhne an den Staat wegen jener Schläge, mit denen sie sie zu verteidigen hoffte. Alleingelassen, beginnt sie zu begreifen, daß sich da irgend etwas an Oben und Unten verändert haben muß.« In der Titelrolle Helene Weigel, »eine prächtige, urvolkstümliche Gestalt, in ihrer Verschlagenheit kurzsichtig und bei aller Hinterhältigkeit ehrlich. [...] Der Zuschauer liebt sie auch, wenn sie falsch handelt, weil er stets spürt, weshalb sie ist, wie sie ist« (Dieter Kranz im *Sonntag*). »Eine fixe Komödie, in der die Dialektik der Wirklichkeit weit voraus ist und ihr nur mit Kalauern beizukommen versucht«, meinte Klaus Völker in der *FAZ*. Die Flinz ist ein verkleinerter Schweyk, ein Sandkorn im Getriebe, das sich als Rädchen gebärdet, dann aber, und das ist der Unterschied zu Schweyk, tatsächlich ein Rädchen wird: Vorsitzende einer landwirtschaftlichen Produktionsgenossenschaft.

Zwei Jahre später nahm Baierl sich die heilige Johanna vor: wie, wenn sie wiederkehrte? In einen volkseigenen Betrieb? *Johanna von Döbeln*, ur-inszeniert im April 1969 von Wekwerth, nachdem er Brechts *Heilige Johanna der Schlachthöfe* einstudiert hatte, nimmt naiverweise den Sozialismus im volkseigenen Betrieb ›Landmaschinenbau Rotes Banner‹ in Döbeln beim Wort.

Der Mauerbau quer durch Berlin brachte wieder eine Verhärtung des Kurses. Barlog brach die *Puntila*-Proben im Schiller-Theater ab, Rolf Liebermann die *Mahagonny*-Proben in der Hamburger Staatsoper. Ein Jahr später holte er die *Mahagonny*-Premiere nach, weil auf Brecht ja doch »niemand bauen« könne. Vor der Tür wurde mit Flugblättern gegen das Unternehmen demonstriert.

In Österreich hatte man sich stillschweigend geeinigt, Brecht überhaupt nicht zu spielen. In der Spielzeit 1957/58 brach das Grazer Schauspielhaus den Boykott mit einer Aufführung der *Mutter Courage*. Er war dann aber noch fünf Jahre lang wirksam. Im Sommer 1958 setzte sich Günther Nenning in der Monatsschrift *Forum* für eine Änderung ein: zwar gebe es die »Ware Brecht« nur mit »kommunistischer Zuwaage«, aber die Regel, daß die künstlerische Qualität eines Autors gelte und nicht seine politische Gesinnung, habe die Demokratie »sich selbst gegeben«. Sie dürfe »nur im Notstand« aufgehoben werden. »Daß Brecht Kommunist war, reicht für die Ausrufung des Notstandes nicht zu.« Der temperamentvollste Vertreter der Gegenmeinung war Friedrich Torberg, der »Aufweichung« und »Propagandawirkung« bei naiven Gemütern fürchtete. Im Westdeutschen Rundfunk erklärte Torberg (1961), man dürfe nicht »die Tunlichkeit von Brecht-Aufführungen im Westen, besonders im westlichen Teil Deutschlands, danach beurteilen oder gar davon abhängig machen, in welchem Ausmaß die barbarischen Aspekte des Kommunismus gerade zutage treten«. Jede Brecht-Premiere entarte »zu einer ressentimentgeladenen Demonstration, also zu einem Sieg der kommunistischen Propaganda, der im Osten dann auch pünktlich als solcher verbucht wird. Und da Bertolt Brecht ohne solche Begleiterscheinungen offenbar nicht gespielt werden kann, bin ich dagegen, daß er gespielt wird.«

André Müller meldete aus dem Westen der Ostberliner Zeitschrift *Theater der Zeit*: »Brecht spielen oder nicht spielen, das wurde über Nacht zu einer Frage, von der Zukunft und Existenz abhängen konnte.« Müller lobte, daß bei Schweikart in München der *Kaukasische Kreidekreis* weitergespielt werde, in Bremen die *Dreigroschenoper*, in Frankfurt und Essen der *Galilei*, in Freiburg und im Göttinger ›Jungen Theater‹ *Die Ausnahme und die Regel.* »In diesen Fällen hat die kulturelle Gegenrevolution eine offene Niederlage errungen.«

Der vielberedete Brecht-Boykott ist an der Zahl der Vertragsabschlüsse mit dem Suhrkamp-Theaterverlag, der die Brecht-Rechte in Österreich, der Schweiz und der Bundesrepublik verwaltet, schwer abzulesen. Folgen des 17. Juni 1953 sind in den Abrechnungen kaum zu erkennen. Daß 1954 kein Vertrag über *Mutter Courage* zustande kam, kann politische Gründe haben, doch was besagt das schon, wenn der *Kaukasische Kreidekreis* und *Der gute Mensch von Sezuan* Jahr für Jahr gespielt wurden. Die *Antigone* wurde zwischen 1952 und 1954 nicht gebucht. Zufall?

Etwas deutlicher wirkte sich der »Mauerbau« aus. Daß *Arturo Ui* zwischen 1960 und 1963 im Westen nicht gespielt worden ist, bedeutet wohl nicht viel, aber daß die Gesamtzahl der Abschlüsse 1962/63 nur 27 betrug, 1963/64 aber 46, deutet auf politische Abstinenz (1964/65: 45, 1965/66: 42, 1966/67: 57, 1967/68: 68, 1968/69 nur noch 49 – im August 1968 Strafexpedition in die Tschechoslowakei! Spielzeit 1969/70: 50, 1970/71: 62, 1971/72: 60, 1972/73: 55 Brecht-Inszenierungen).

Auch in Wien war es die *Mutter Courage*, die das Kavaliersdelikt beging, den Boykott zu brechen: im Februar 1963 im Volkstheater, mit Dorothea Neff in der Titelrolle. »Eine keuchende Heroine, die ihren Wagen ins Pantheon der großen Frauen-Seelen zog«, fand Joachim Kaiser. Am Schluß Ovationen für eine – laut Robert Jungk – »uneinheitliche«, »unerträglich schleppende«, »durch falsche Komik und Sentimentalität verunstaltete Inszenierung« von Gustav Manker. Ein Jahr später folgte, wieder im Volkstheater, der *Kaukasische Kreidekreis*.

Zu Silvester 1962 zeigte das Berliner Ensemble Brechts *Schweyk im zweiten Weltkrieg*, auch eine politisch dubiose Hinterlassenschaft. Denn vor der List des schlecht Regierten, der ein Brett vor dem Kopf simuliert, um es als Schutzschild benutzen zu können, wird alle Ideologie zuschanden – auch der Antifaschismus. Brechts *Schweyk* ist 1957 in Warschau uraufgeführt, im März 1958 in Erfurt und zwei Monate später in Frankfurt am Main gespielt, aber erst nach der Berliner Einstudierung durch Erich Engel durchgesetzt worden (290 Aufführungen bis 1969). Es war die letzte Theaterarbeit von Engel, assistiert von Wolfgang Pintzka, der 1965 als Intendant in Gera den *Schweyk* auch dort herausgebracht hat. In Berlin spielte Martin Flörchinger die Titelrolle.

Erich Engel war der große alte Mann beim Berliner Ensemble geworden. Er hatte den Ruf, der allerbeste Dialogregisseur zu sein. »Es fehlte ihm glücklicherweise alles, was den Regisseur alten Stils ausmacht«, erinnerte sich Wekwerth, »zunächst einmal sprach er leise auf den Proben, das Gebrüll der Dompteure fehlte. Schon dadurch verbreitete er um sich eine Atmosphäre der Arbeit, und ich glaube, damit beginnt das neue Theater.« Karl von Appen verglich Engels Erscheinung (englische Mütze, den Schal über die Schulter geworfen) mit der eines pensionierten Kolonialbeamten. Er habe seine Gedanken auf »leicht gnatzige, uncharmant egozentrische Art« mitgeteilt. Erich Engel ist am 10. Mai 1966 nach langer Herzkrankheit gestorben. Er hinterließ mehr als 200 vollgeschriebene Diarien, Vorarbeiten und Material zu seinem opus magnum. Engel hat nur kurze Gelegenheitsarbeiten veröffentlicht, weil er – wie er selbstironisch und wehmütig sagte – einen »Vollkommenheitsfimmel« hatte.

Endlich der *Coriolan* (nach Shakespeare), im September 1969, die berühmteste Aneignung, gefunden auf der Suche nach einer Aristokraten-Rolle für den erzproletarischen Sänger Ernst Busch, den »Barrikaden-Tauber«, die dann Ekkehard Schall spielte. Es hätte auch der Alte Fritz sein dürfen; Brecht entstellte flugs die (unhistorische) Anekdote vom Müller von Sanssouci, die Peter Hacks später ausarbeitete. Die Eingriffe machten Coriolan zum Klassenfeind, an dem ein Exempel statuiert wird. Auch dieses Projekt war vorher schon anderswo zu sehen gewesen, Heinrich Koch hatte es in Frankfurt gezeigt (September 1962), aber erst das Berliner Ensemble brachte eine gültige Aufführung.

Brechts Leute waren die besseren Arbeiter, schon wegen der besseren Arbeitsbedingungen. Nirgends konnte so lange und so ausschließlich am jeweiligen Vorhaben gearbeitet werden. Für den *Hofmeister* hatte es 44 Vorproben und 40 Bühnenproben gegeben, für die *Tage der Commune* 212 Proben, für *Coriolan* 199 Proben, für *Arturo Ui* 92 Proben. Nicht mitgezählt sind jeweils Schmink-, Kostüm- und Musikproben, Proben mit Chor, Tänzern, andre etwaige Besonderheiten. Besson nannte auf die Frage nach der für ihn normalen Probendauer als Maximum drei Monate, die Vorbereitungszeit nicht gerechnet. Er könne höchstens zwei Stücke pro Jahr bewältigen.

Ein sehr großer Nutzen ist ohne Zweifel die Kontinuität der Arbeit. Um nicht immer wieder von vorn anfangen zu müssen, entschloß sich Peter Palitzsch, der nach dem »Mauerbau« als freier Regisseur im Westen herumvagierte, Schauspieldirektor in Stuttgart zu werden. Sechs Wochen Probenzeit, meinte Palitzsch, reichten allenfalls aus, eine Basis zu schaffen. Zum Beispiel Isaac Babels *Marija* (November 1967 in Stuttgart): »Da sind wir bei der Aufführung auf halbem Wege stehengeblieben. Die Schauspieler waren annähernd so weit, naturalistisch zu spielen. Was zu historisieren war, also die Brechtsche Schicht, fehlte ganz. Eigentlich sind, da die Probenzeit nie ausreicht, alle meine Inszenierungen immer Strecken von Stanislawski auf Brecht zu.«

Ein gutes Beispiel für die handwerkliche Überlegenheit des Berliner Ensembles ist *Purpurstaub* von O'Casey: im Februar 1966 als »Mordsspaß am Schiffbauerdamm« empfunden (und so von Dieter Hildebrandt in der *FAZ* angezeigt), vorher in Stuttgart ein geringer Erfolg und nachher in Frankfurt ein Reinfall.

Im Jahre 1964 sagte Frisch, Brecht habe »die durchschlagende Wirkungslosigkeit des Klassikers«. Dieses mauvais mot wurde viel zitiert, denn es war doppelt brauchbar, in Debatten über Klassik und in Diskussionen über Brecht. Aber die treffendste Wendung stammt wieder einmal von Brecht selber: Abstieg in den Ruhm. Er münzte sie schon um 1939, und zwar auf seine Frau, im Sinne von: Verlust des bürgerlichen Theaterpublikums und Gewinn von Verehrung bei den Unterprivilegierten. Doch auch diese Formel machte sich selbständig. Gemeinsam wurden Bert Brecht und Helene Weigel beliebte Beiträger zur Unterhaltung der Kulturverbraucher, Motoren der dramatischen Industrie. Wekwerth drückte das 1965 so aus: »Die szenischen Mittel Brechts, erfunden zur Zerstörung sozialer wie künstlerischer Gewohnheiten, werden durch gedanken- und bedenkenlose Wiederholung selbst zu Gewohnheiten. Man vermittelt nicht mehr die Wirklichkeit, man verwirklicht nur mehr Mittel.«

Die Modell-Inszenierungen, dokumentiert als mehr oder minder verbindliches Beispiel, erfunden zur Wahrung von Intention und Niveau, wurden vom Standard zum Klischee: äußerlich nachahmbar, Imitation. Es gab Brecht-Scholastik und Brecht-Häresie, es gab eine Flut von »Interpretationen« und den zugehörigen Streit »unterm Strich«. Authentisch geführt oder nicht – Brechts Figuren zogen ihre Kreise. In der Spielzeit 1963/64 rangierte Brecht an deutschsprachigen Bühnen mit 1 393 Aufführungen in 74 Inszenierungen als dritter hinter Schiller (1 458/70) und Shakespeare (3 981/209). In der Spielzeit 1964/65 drängte sich Shaw dazwischen, von 1965/66 an hielt Brecht wieder den dritten Platz.

Zu Brechts 70. Geburtstag (1968) zog der Suhrkamp-Verlag stolze Bilanz: 7,9 Millionen Leute sahen Brechts Stücke in 15 920 Aufführungen an den deutschsprachigen Theatern, in 796 Inszenierungen seit 1950. *Mutter Courage* erlebte 105 Inszenierungen, *Puntila* 87, die *Dreigroschenoper* 74, *Der gute Mensch von Sezuan* 73, *Furcht und Elend* 57, *Schweyk* 26, *Kreidekreis* 33, *Frau Carrar* 46, *Galilei* 40, *Mann ist Mann* 28, *Flüchtlingsgespräche* 28, *Die Ausnahme und die Regel* 22, *Antigone* 17, *Die Mutter* 14. Dazu verkaufte der Buchhandel Millionen Brecht-Bände. Joachim Kaiser berichtete über das Geburtstags-Jubilate in Frankfurt: »Überall waren Brecht-Bücher aufgebahrt. Freilich, das Auswärtige Amt, das diese Ausstellung verschicken will, hatte offenbar gebeten, die nicht unbeträchtliche DDR-Literatur über Brecht nicht vorzulegen. Wie kleinlich und begreiflich! Leise drang aus Lautsprechern Brechtsche Songmusik. Flüsternde Gruppen bewegten sich von einem Verehrungsstand zum anderen. Im Nebenraum geschah Schriftexegese. Mußte man sich da nicht fragen, worin sich wohl eine Claudel-Ehrung von der Feier in dieser Brecht-Kathedrale unterscheiden könnte?« Die Kathedrale war das Schauspielhaus, in dem Buckwitz zwischen 1951 und 1968 seinem Publikum nicht weniger als fünfzehn Brecht-Inszenierungen geboten hatte.

In Ost-Berlin gab es anläßlich des 70. Geburtstags ein entsprechendes Konzil der Brechtianer. Der Literaturwissenschaftler Werner Mittenzwei und der Chefregisseur Manfred Wekwerth erklärten, Brecht könne gar kein Klassiker geworden sein, weil er die »Veränderbarkeit« zum Prinzip erhoben habe.

Im Themenkomplex des Mißbrauchs von Macht, mit dem sich Brecht seit den dreißiger Jahren bis zu seinem Tode beschäftigt hat, wartete immer noch ein Stück auf das Licht der Bühne, ein Seitenstück zum *Arturo Ui*, 1954 zu Ende geschrieben. Der Diktator erscheint diesmal als der Straßenräuber Gogher Gog; er soll dem Baumwollhandel aufhelfen, beim Ui ging es um Blumenkohl. Doch die wirtschaftspolitischen Zwischenfälle sind hier nur Folie für das klägliche Verhalten der Intellektuellen, der »Tuis«. Auf einem »Kongreß der Weißwäscher« erlügen die Tuis befehlsgemäß Gründe für das Verschwinden der Baumwolle, das der Kaiser selbst veranlaßt hat, damit der Preis steigt. Wer das Volk überzeugt, soll Turandot, des Kaisers Tochter, bekommen. Aber sie lügen sich alle um Kopf und Kragen.

Die Parabel *Turandot oder Der Kongreß der Weißwäscher* wurde im Januar 1969 in Zürich von überlegsamen Leuten recht mißmutig aufgenommen. Man fragte sich, da man den Autor nicht mehr fragen konnte, ob es denn irgendwo auf der Welt eine Gesellschaft gebe, auf die diese Parabel passe. Max Frisch schimpfte: »Dieses Kinder-Theater für Intellektuelle! Wenn ich die abgeschlagenen Köpfe auf der Mauer sehe, weiß ich natürlich, welche Köpfe nicht gemeint sind; sie fallen mir trotzdem ein. Und da hilft kein Matterhorn-Plakat, wie Benno Besson es an die Wand wirft, um Mißverständnissen zu wehren. Aber Zürich hat gejubelt; das tut keine Gesellschaft, die sich entlarvt sieht. Es war schlimm, ein Theater-Ereignis.« Im Februar 1973 folgte *Turandot* am Schiffbauerdamm, mit Curt Bois als Kaiser von China.

Ein Prospekt des Berliner Ensembles zu Beginn der Spielzeit 1970/71 teilte mit, es seien in den vergangenen zwanzig Jahren 43 Stücke inszeniert worden, davon 19 von Brecht. Im Repertoire befänden sich zehn Brecht-Stücke, obendrein *Purpurstaub* von O'Casey und *Coriolan*, also ein verbrechteter Shakespeare. Als Neuheiten angekündigt waren drei weitere Stücke Brechts, ein bearbeiteter Aristophanes (*Weiberherrschaft*) und ein O'Casey (*Kikeriki*). Lebendige Stücke zwar, aber kein einziger lebender Autor. Eine Monokultur, viel zu einseitig für ein Theater, richtig für ein Festspielhaus, etwas weniger einseitig als Bayreuth.

Noch immer wachte Helene Weigel. Gelegentlich trat sie auch noch auf. Im Herbst 1969 hatte sie ihr fünfzigjähriges Bühnenjubiläum. Sie war »die Weigel« geworden; Günther Rühle erinnerte in seiner Gratulation in der *FAZ* an die Neuberin. Zuletzt hat sie – in zweiter Besetzung – eine Witwe in den *Tagen der Commune* gespielt, eine Frau, die für zwanzig Teller Suppe darauf verzichtet, nach ihrem verunglückten Mann zu forschen. Sie spielte das in einer bejahrten Repertoirevorstellung; die Premiere war im Oktober 1962 gewesen. Wieder ein umfangreiches Stück Hinterlassenschaft, das eigentlich des Autors noch bedurft hätte. »Wir entschlossen uns, die Fabel von der Familie her zu erzählen, die im Verlauf des Stükkes zu ihrer Existenz die Commune benötigt, um am Ende, nach dem Versagen der Commune, wieder auf sich allein, auf die Barrikade, gestellt zu sein« (Wekwerth). Besson und Wekwerth hatten dies schon im Herbst 1956 in Karl-Marx-Stadt ausprobiert.

Rühle fand, Brecht habe aus der Weigel etwas herausgeholt, was es bis dahin auf der deutschen Bühne nicht gab: die bewußte Proletarierin. Fritz Raddatz bemerkte sozusagen das Umgekehrte: »daß fast alle Frauenfiguren bei Brecht von der Gestalt der Helene Weigel beeinflußt« seien. Er schrieb es in einem Nachruf.

Helene Weigel wurde an ihrem 71. Geburtstag begraben, auf dem Dorotheenstädtischen Friedhof. Rolf Michaelis berichtete: »Was sich auf diesem alten, lichtüberfluteten, von Vogelgezwitscher erfüllten Gottesacker in der halben Stunde bis zur Grablegung der Weigel abspielt, ist ein kleines internationales, vor allem aber innerdeutsches Friedensfest der Künstler im Zeichen des Todes. Die von der Partei auf allen Gebieten des Lebens verordnete ›Abgrenzung‹ gegenüber der Bundesrepublik ist aufgehoben für die Dauer einer Totenfeier. [...] Vor den Kränzen um das ausgehobene Grab begrüßen einander Theaterleute, die früher einmal zusammen gearbeitet haben, mit unaufhörlichem Händeschütteln und retten sich angesichts der sie übermannenden Rührung ins gemeinsame Entziffern der Kranzschleifen. Um 14 Uhr formieren sich die tausend Trauergäste zum Zug für den letzten kurzen Gang zur Grabstätte. FDJ-Paare in Blauhemden tragen dem Sarg drei Kränze voran, einen vom Staatsrat mit Ulbrichts Namen, einen vom Ministerrat, einen vom ›Berliner Ensemble‹ mit dem Namenszug aller Mitarbeiter. Wie bei Brechts Beerdigung: keine Reden. In dieser Stille wirkte die zum Kampfgruß der Arbeiterklasse erhobene Faust, die ein Mann über dem Grab reckt, wie ein Schrei.«

Die Mauer und die Grenzgänger

Bevor Walter Ulbricht, Vorsitzender des Staatsrates und erster Sekretär des Zentralkomitees der SED, am 13. August 1961 die Mauer rings um West-Berlin ziehen, das größte Nationaldenkmal Deutschlands bauen ließ, gab es in Berlin 13 000 tägliche Grenzgänger in West-Ost-Richtung, davon die Hälfte Angestellte der Reichsbahn, und 56 000 in Ost-West-Richtung. Zu diesen offiziellen Grenzgängern (die gesamte Fluktuation in beiden Richtungen mit Schwarzarbeitern, Flüchtlingen, Touristen etc. betrug 500 000 pro Tag) gehörten zahlreiche Theaterleute. Soweit sie im Osten arbeiteten, aber im Westen wohnten, wurden sie vor die Alternative gestellt, ihren Vertrag zu lösen oder in den »demokratischen Sektor« umzuziehen. Große Aufregung. Zunächst gab es für die Schwankenden Ausweise, die allmonatlich erneuert werden mußten. Es werden ihnen vier Übergangsstellen offengehalten. Die Gruppe derer, die in Ost-Berlin (billig) wohnten und in West-Berlin arbeiteten, war von jeher klein, die Wanderung in dieser Richtung wurde völlig unterbunden.

Es war nicht die erste derartige Aktion, aber die erste radikale, endgültige. Schon im Sommer 1952 hatte es eine Kündigungsaktion gegeben, die alle in West-Berlin wohnenden, in Ost-Berlin arbeitenden Theaterleute zum Umzug oder Abgang hatte zwingen sollen. Felsenstein setzte damals eine Ausnahme für seine Leute durch. Aber 231 Mitglieder der Staatsoper wurden fristlos entlassen, worauf ihr Chef Ernst Legal dem Ostberliner Dienstwagen an seiner Zehlendorfer Haustür abwinkte: er gab auf. Legal wurde durch ein Triumvirat ersetzt, zu dem Michael Bohnen gehörte, der in West-Berlin 1947 ausgebootete, 1952 nach Ost-Berlin verzogene Exintendant und Opernsänger.

Im August 1961 wurde die Trennung tödlicher Ernst. Theaterbesuche im jeweils »anderen« Teil der Stadt waren fortan nicht mehr möglich. Nur Ausländer und Westdeutsche durften den Ostsektor Berlins (»Hauptstadt der DDR«), also auch die dortigen Theater besuchen, gegen Visumsgebühr und Zwangsumtausch von je fünf Westmark (später erhöht). Die 26 000 Ostberliner Mitglieder der Westberliner Volksbühne, fast ein Viertel aller Mitglieder der ›Freien Volksbühne‹, mußten künftig fernbleiben. Sie hatten in Ost-Mark gezahlt. Der Vorstand verbreitete eine Bekanntmachung, in der sie »der Stolz der Freien Volksbühne« genannt wurden, und hob die Sperre für Neuaufnahmen auf. Im Jahre 1962 hatte die Freie Volksbühne den Verlust schon aufgeholt: 100 000 West-Mitglieder.

Horst Stein, den Erich Kleiber nach Ost-Berlin gerufen hatte und der nach Kleibers Verzicht Generalmusikdirektor der Staatsoper Unter den Linden geworden war, absolvierte gerade einen genehmigten Gastvertrag in Hamburg. Er telegrafierte an seinen Generalintendanten Max Burghardt: »Da die vollzogene Trennung der Stadt Berlin zwangsläufig meine vertraglich festgelegte Freizügigkeit in persönlicher und künstlerischer Hinsicht unmöglich macht, habe ich mich entschlossen, meine Tätigkeit an der Deutschen Staatsoper Berlin ab sofort einzustellen und auch meinen Wohnsitz in die Bundesrepublik zurückzuverlegen. Die jüngste politische Entwicklung sowie ihre Konsequenzen führen nach meiner Ansicht zum künstleri-

schen Zusammenbruch des Instituts. In leitender Position dafür die Mitverantwortung zu tragen, sehe ich mich außerstande.« Stein blieb zunächst in Hamburg, wurde 1964 Generalmusikdirektor in Mannheim, 1972 in Hamburg.
Vor allem das Ostberliner Musiktheater verlor Belegschaft. Etwa 70 % des künstlerischen Personals der Lindenoper wohnte in West-Berlin. Auch die meisten von denen, die gerade irgendwo gastierten, blieben weg. Gerhard Stolze, der gerade in Bayreuth den Loge gesungen hatte, kam nicht wieder, auch Gerhard Unger, zweiter Tenorbuffo, fand aus Bayreuth nicht zurück. Ähnlich prekär war die Lage der Komischen Oper. Auch Felsenstein würde aufgeben müssen, nahm man an.
Peter Palitzsch, vom Berliner Ensemble, inszenierte in Ulm den *Prozeß der Jeanne d'Arc zu Rouen 1431* von Anna Seghers, ein ehemaliges Hörspiel, das beim Berliner Ensemble 1952 ins Optische übersetzt worden war. Angesichts der Maßnahmen des Ulbricht-Regimes entschloß sich Palitzsch, nicht mehr in die DDR zurückzukehren, und begründete dies in einem Brief an Manfred Wekwerth: er könne »die jüngsten Ereignisse nicht verantworten«, so wenig wie er »die Ereignisse des 17. Juni verkraftet« habe und »bestimmte Abschnitte in der Entwicklung der SU und in Ungarn verstehe«. Ein ratloser, geradezu zerknirschter Brief, als gebe er im 43. Jahr sein Leben auf: »Unwiderruflich dahin sind der Sinn meiner Arbeit und damit der wesentlichste Teil meines Lebens, die Hoffnung, in bescheidener Weise bei der Gründung einer humanistischen Welt helfen zu können. Es klingt dumm, aber ich stehe buchstäblich vor dem Nichts. [...] Natürlich werde ich weiterarbeiten, so gründlich und so gut es die Verhältnisse zulassen, aber diese Arbeiten werden schlechter sein als die bisherigen in unserem Team, ohne die Freude, das Wissen und die Grundsätzlichkeit. Sooft ich daran denke, packt mich die nackte Verzweiflung. [...] Es ist meine unbedingte Pflicht, jedes Quentchen Gewalt auf seine Unvermeidlichkeit hin zu untersuchen, und also ist es die Pflicht der Verantwortlichen, es vor mir und jedermann zu verantworten [...]« Die Kameraden von gestern veröffentlichten im *Neuen Deutschland* (4. Oktober 1961) ein dialektisches Anathema in Brechts Stil, aber ohne Brechts Logik: »Sie müssen wissen, daß jede Ihrer künftigen Arbeiten, gemacht im Lande der aufsteigenden Uis, eben diesem Aufstieg nützen muß, weil der Preis, mit dem Sie Ihre Arbeiten erkaufen, Ihr persönliches Versagen ist. Sie haben das Land verlassen, in dem die Uis ökonomisch und politisch entmachtet sind. Wir haben Verluste erlitten. Wir haben sie ausgeglichen.«
Das hieß den Mund reichlich voll nehmen. Die Verluste auszugleichen war sehr schwer. Künstler aus den Ostblockstaaten sprangen ein. Auch ihrer konnte man nicht völlig sicher sein. Aber die Nachteile der Scheidung waren das kleinere Übel. Die geringe Zahl von Inszenierungen in der Spielzeit 1961/62 ist ein zuverlässiges Indiz für die Schwächung des Theaters in Ost-Berlin. Die sieben großen Theater Ost-Berlins, die in der Spielzeit 1960/61 32 Premieren anboten, zeigten 61/62 nur noch 24 Neuinszenierungen. Die Staatsoper brachte drei Neuinszenierungen, in der Spielzeit davor waren es sieben, das Ballett der Staatsoper mußte pausieren, es war ziemlich am Ende, wie 1950, als Tatjana Gsovsky mit ihren besten Tänzern in den Westen ging. Die Komische Oper und das Metropol brachten je eine Premiere weniger als normal (drei statt vier), das Deutsche Theater, schon vorher auf dem Minimum, steigerte sich von einer auf zwei, die Kammerspiele brachten immerhin fünf statt sechs Premieren. Das Berliner Ensemble beschränkte sich auf einen Brecht-

Abend, die Volksbühne brachte 1961/62 drei Inszenierungen, in der Spielzeit davor fünf.

Die sieben großen Theater in West-Berlin, denen die Kollegen aus dem Osten zuliefen, boten in der Spielzeit 1960/61 zusammen 50 Premieren, in der Spielzeit nach dem Mauerbau sogar 61. Das Premierenangebot der Staatsoper stieg von zwei auf zehn, des Schiller-Theaters von acht auf zehn, zusammen mit ›Werkstatt‹ und Schloßpark-Theater bot das Barlog-Kombinat 23 Premieren (im Vorjahr 20).

In einer Betriebsversammlung der Ostberliner Volksbühne wurde Fritz Wisten von Scharfmachern in die Zange genommen: jetzt wolle man endlich ernsthaft anfangen. Sie ließen kaum ein gutes Haar an den bisherigen Zuständen. Wisten hörte zu, zitternd, vom Tode gezeichnet; ein beschämendes Schauspiel. Er gab auf, ihm reichte es schon lange. Fünf Vierteljahre später starb er. Leberkrebs.

Allmählich blieben nur noch ein paar prominente Grenzgänger übrig, wie Erich Engel, Herbert Ihering, Walter Felsenstein. Diese großen Alten in ihren Lebensgewohnheiten zu beschneiden wäre allzu peinlich und kleinlich gewesen. Auch Felsensteins Chauffeur und sein Gärtner hatten einen Dauerpassierschein. Im März 1963 benutzten sie ihn, um sich in den Westen abzusetzen. Die Sondergenehmigungen wurden in West-Berlin zur Debatte gestellt. Es gab eine Pressekampagne, welche die »Grenzgänger« isolierte.

Versteht sich, daß diese Verhältnisse in der Ostpresse noch weit schlimmer dargestellt wurden. André Müller meldete dem *Theater der Zeit* aus dem Westen: »Die Grenzmaßnahmen vom 13. August waren der geeignete Anlaß, um endlich die Ziele des westdeutschen Monopolkapitals auch auf kulturellem Gebiet durchzusetzen.« Schlimmer noch: »Der literarische Mob sah seine Stunde gekommen.«

Vorbei war die Zeit, da Seitenwechsel noch kein Verrat, sondern Bestandteil der Karriere war. Johannes Schüler, bis 1949 Kapellmeister an der Lindenoper, ging als Generalmusikdirektor nach Hannover, um dort Franz Konwitschny zu ersetzen, der das Gewandhausorchester übernahm, trotzdem weiter im Westen dirigierte und 1955 auch Musikchef der Berliner Staatsoper wurde. Schüler kam immer wieder als Gastdirigent zurück, sogar nach dem Mauerbau. Artur Rother war Musikchef an der Städtischen Oper West-Berlin und obendrein Chefdirigent des Ostberliner Rundfunks. Als Josef Keilberth, der seit Sommer 1948 außer in Dresden auch an der Berliner Staatsoper dirigierte, obendrein die in Bamberg neu formierten Prager Philharmoniker leiten wollte, gab Legal ohne weiteres die Erlaubnis. Allmählich wurde Keilberth es allerdings müde, sich dem Sog des Westens entgegenzustellen, und ließ sich 1951 zum Generalmusikdirektor in Hamburg machen. Rudolf Kempe, Generalmusikdirektor in Dresden, gefiel 1951 bei einem Münchner Gastspiel dermaßen, daß er 1952 Georg Soltis Nachfolger wurde. Als er sich dort mit Rudolf Hartmann nicht vertrug, ging er zur Komischen Oper nach Ost-Berlin zurück und begann von dort aus eine internationale Karriere. Der Tscheche Rafael Kubelik war seit 1946, der Jugoslawe Lovro von Matačić von 1957 an so viel unterwegs, daß man sie sowieso keinem Regime zuordnete. Der Ungar István Kertész fand rasch Anschluß, erst in Wien, dann in Hamburg, als er nach der Ungarn-Revolution (Oktober 1956) sein Land verlassen hatte. Damals begann in Ungarn ein massenhafter Exodus nach Westen, speziell von Künstlern, weil die bisherige Abgeschlossenheit des Landes einen geradezu psychotischen Freiheitsdrang geweckt hatte. Im März 1960 wurde Kertész

Generalmusikdirektor in Augsburg. Von Salzburg aus (1961) begann die internationale Karriere.

Was bei Musikanten recht war, erschien bei Schauspielern nicht billig. Als Barlog begann, im Hinblick auf den Bau des Schiller-Theaters Überläufer zu hamstern, und sie zunächst im Schloßpark-Theater beschäftigte, sprach die Boulevard-Presse vom »roten Sturm über Steglitz«. – Als Horst Lommer in den Westen übergewechselt war (März 1951), da legte er ganz im kommunistischen Stil öffentliche Selbstkritik ab: »Alle Verachtung und Ablehnung, auf die ich stoßen werde, können mich von meinem Schritt nicht zurückhalten. Denn mein Gewissen zwingt mich dazu, auf der Stelle und ohne Übergang einen Weg zu verlassen, den ich allzu weit und allzu blind mitgegangen bin, in der Erwartung, daß er zu Sozialismus und Weltfrieden führen werde.« Lommer überschätzte die Bedeutung, die man seinem Übertritt im Westen beimaß. Kleinere Bühnen brachten nach wie vor ganz gern seine Lustspiele, für den Osten war er nun allerdings »gestorben«. Als er dann wirklich starb (1969), hatten sich Boulevardscherze à la *Das unterschlug Homer* überlebt.

Ein Virtuose der Ost-West-Balance war Lion Feuchtwanger. »Mit der Linken kassierte er 1953 den Nationalpreis 1. Klasse für Kunst und Literatur der DDR. Mit der rechten Hand empfing er 1957 den Literaturpreis der Stadt München, dessen 3 000-DM-Dotierung er sofort an den ›Schutzverband deutscher Schriftsteller‹ und eine Studentenzeitschrift verteilte. Dies, wie die Tatsache, daß ihm die Münchner Universität sein altes Doktordiplom neu ausstellte und die Ostberliner Universität ein zusätzliches gab, hier die Juristen, dort die Philologen, interpretierte er (tat er's augenzwinkernd?) als ›hoffnungsvolles Zeichen gesamtdeutscher Kulturpolitik‹« (Walther Huder). Feuchtwanger starb 1958, über kurz oder lang wäre er wohl doch über die Fanatisierung gestolpert. Aufführungen hatte er vor allem im Osten (*Wahn oder Der Teufel von Boston*; *Die Witwe Capet*; *Die Füchse im Weinberg*) – sieht man von dem mit Brecht zusammen geschriebenen Drama *Die Gesichte der Simone Machard* ab (Uraufführung 1957 in Frankfurt am Main).

In der Westberliner Presse wurde immer lauter das »Zweigleisigfahren« von Künstlern beklagt. Man versuchte, wenigstens den Berlinern allerlei Beschränkungen aufzuerlegen. Daraufhin gingen Margarete Klose und Josef Herrmann an die Lindenoper. »Westdeutschland aber folgte dem Westberliner Beispiel nicht, sondern verschloß sich der Erkenntnis, daß Kunst und politische Diktatur unvereinbar seien. Westdeutsche Kapellmeister und Opernsänger grasten die ostdeutschen Fluren unbekümmert ab.« Dies wurde 1956 in West-Berlin geschrieben (von Erwin Kroll) und zeigt das politische Klima von damals. »Es wäre nun aber grundfalsch, über alle diejenigen Opernkünstler den Stab zu brechen, die an Ost-Berlin wirtschaftlich oder sonstwie gebunden sind und sich nicht der Freizügigkeit eines Kleiber erfreuen. Sie dienen der Sache der Oper gleichsam als Widerstandskämpfer.«

Als Curt Bois 1951 am Deutschen Theater kündigte, weil er sich von Langhoff nicht gehörig gewürdigt fand, da manövrierte er sich unversehens aus. Er ging legal in den Westen, Ministerpräsident Grotewohl hatte ihn persönlich zu bleiben gebeten, aber der verärgerte Künstler ließ sich nicht erweichen. Die Folge war ein jahrelanges Spazierengehen im Westen, mit sehr geringen Arbeitsmöglichkeiten. In diesem Zusammenhang ist erwähnenswert, daß Bois niemals tätige Konsequenzen aus sei-

ner Weltanschauung gezogen hat. Er träumte immer nur von einem »schönen, an-
genehmem Sozialismus« à la William Morris.

Als 1952 Umbesetzungen in der *Puntila*-Besetzung des Berliner Ensembles nötig
waren, durfte der schmächtige Bois den Gutsherrn Puntila spielen, eine beherzte
Besetzung gegen den Typ. Im Jahre 1957, als Kortner in den Münchner Kammer-
spielen ein schwermütiges *Was ihr wollt* inszenierte, holte er sich den traurigen
Clown Bois als Malvolio. 1958 war es Kortner, der ihn in seine Inszenierung von
Shaws *Androklus und der Löwe* im Bayerischen Staatsschauspiel einbaute.

Als Bois 1959 sich entschlossen hatte, nach West-Berlin zurückzukehren, wurde ihm
die Zuzugsgenehmigung nur ungnädig erteilt: er würde besser dorthin zurückkehren,
wo er hergekommen sei. Das Schiller-Theater nahm ihn auf. So werden Lebensläufe lädiert, auch außerhalb von »großen« Zeiten. Inzwischen bekam Bois das
Bundesverdienstkreuz, ein Filmband in Gold, und die Zusicherung eines Ehren-
soldes, falls er nicht in den Sielen stirbt, was er natürlich vorziehen würde.

Nach einer schweren kulturpolitischen Auseinandersetzung, in deren Verlauf er gemaßregelt wurde, distanzierte sich Langhoff von seinem Chefdramaturgen. Heinar
Kipphardt wurde im Mai 1959 entlassen und tauchte im Herbst 1959 in Düsseldorf
bei Stroux als Dramaturg auf. Eine Spielzeit später war er an den Münchner Kammerspielen.

»Republikflucht« wurde zum Dramenthema. Helmut Baierl lieferte 1958 eine Szenenfolge (*Die Festvorstellung*), in der die Motive für die Flucht eines Bauern aus
der DDR dargestellt, variiert, diskutiert werden. Claus Hammel schrieb 1964 *Um
neun an der Achterbahn*, die Geschichte eines hoffnungsvoll zur Mutter nach Westdeutschland auswandernden, aber enttäuscht in die DDR zurückkehrenden Mädchens, das meistgespielte Gegenwartsstück der DDR. Auch in der »Westdramatik«
fehlt das Thema nicht. Der Leipziger Gerd Oehlschlegel, 1947 der Zwangsver-
pflichtung ins Uranbergwerk nach Hamburg entwichen, erlebte 1957 die vielfache
Premiere seines Flucht- und Liebesdramas *Romeo und Julia in Berlin*.

Erst vom 9. April 1968 an gab es ein wenigstens papierenes Recht, DDR-Bürger
am Verlassen ihres Landes zu hindern, bis dahin galt nämlich Artikel 8 der Verfassung, der jedem das Recht zusicherte, »sich an einem beliebigen Ort niederzulassen«.
In Artikel 10 hieß es bis dahin sogar ausdrücklich: » Jeder Bürger ist berechtigt aus-
zuwandern.« Die Verfassungsänderung stoppte natürlich die Fluchtbewegung nicht,
und man kann sich leicht den Zorn der Verantwortlichen vorstellen, wenn trotz aller
Vorsichtsmaßnahmen wieder einmal ein Auslandsgastspiel oder ein Urlaub benutzt
wurde zum Sprung in den Westen – notfalls, die Knochen riskierend, von der Fähre
in Trelleborg.

Wer den umgekehrten Weg ging, wurde gut aufgenommen und war zunächst alle
Sorgen los. Im Westen dagegen mußte man selber sehen, wo man blieb. Doch die
Privilegien hielten natürlich nicht ein Leben lang. Ein Musterbeispiel für politischen
Figurentausch war der Positionswechsel Hartmann–Burghardt. Im Oktober 1946
verschwand Rudolf Hartmann, Intendant des Metropol-Theaters. Man glaubte ihn
von den Russen verschleppt. Nach einiger Zeit gab er sich in Hamburg zu erkennen.
Er war bei den Engländern untergetaucht. Über die Gründe schwieg er sich zeit-
lebens aus. Zum 1. September 1947 wurde er Intendant des Nordwestdeutschen
Rundfunks. Die Position war vakant geworden, nachdem der Kommunist Max

Burghardt – wohl auf Druck der Engländer hin – sie aufgegeben hatte. Burghardt wurde Intendant in Leipzig.

Peter Hacks zog 1955 als 27jähriger von München nach Ost-Berlin. Schweikart hatte gerade mit großer Besetzung, aber geringem Erfolg die *Eröffnung des indischen Zeitalters* inszeniert (mit Kurt Meisel als Columbus). Das Stück war 1954 im »Wettbewerb für junge Autoren der Stadt München« mit dem ersten Preis bedacht worden. Brecht sah eine Vorstellung und lud Hacks ein. Hacks wurde Dramaturg am Deutschen Theater, die dortige Inszenierung des Columbus-Stücks (mit Rudolf Wessely) geriet Ernst Kahler ledern – es liegt am Autor: der Held als Funktion der Weltgeschichte, das ist kein Theaterheld. Im Jahre 1956 wurde Hacks mit dem Lessing-Preis ausgezeichnet.

Unerfreulich war der Fall Kieling: Wolfgang Kieling ging im März 1958 nach Ost-Berlin, aus Protest gegen die gesellschaftlichen Zustände in der Bundesrepublik und die Vietnampolitik der Amerikaner – wie er sagte. Kieling wurde Staatsbürger der DDR, genoß die Extrawurst, auch im Westen arbeiten zu dürfen, und kehrte im Sommer 1970 von Dreharbeiten in Wien nicht zurück. Er habe erkennen müssen, daß er »leider auf bestimmte Annehmlichkeiten, die zu finden etwas schwierig ist im anderen Teil Deutschlands, nicht mehr verzichten« könne.

Der Zimmermann Horst Kleineidam kehrte 1958 in die DDR zurück, die er 1951 gegen die BRD vertauscht hatte. Nun wurde er ein »schreibender Arbeiter«, der von 1962 an mit Komödien aus der Arbeitswelt hervortrat.

Auch der Bau der Mauer wurde Thema von Theaterstücken, erwünschten und unerwünschten. *Der Bau* von Heiner Müller, nach einem Roman von Erich Neutsch, entstand 1963 und sollte 1965 Premiere haben, wurde aber verboten. Der »demokratische Schutzwall« (östliche Sprachregelung) oder auch die »Schandmauer« (Westjargon) ist nur ein Nebenthema dieses Dramas aus der Arbeitswelt. Da sagt ein unbotmäßiger Führer einer Baubrigade zum Bezirkssekretär: »Gratuliere zum Schutzwall. / Ihr habt gewonnen eine Runde / aber es ist Tiefschlag. / Hätt' ich gewußt, daß ich / mein eigenes Gefängnis bau hier, / jede Wand hätt' ich mit Dynamit geladen.«

Aus Szenen für Arbeitertheater entstand in Zusammenarbeit mit der Dramaturgie der Städtischen Bühnen in Leipzig ein Fünfakter »nach Berichten und Dokumenten« über den Mauerbau: *Schlag 13* von Helmut Baierl. Er wurde im Frühjahr 1971 in den dortigen Kammerspielen uraufgeführt und im Herbst 1971 im Rahmen der »Berliner Festtage« als Gastspiel gezeigt. Einem Volksarmisten, der an der zunächst improvisierten Grenze Dienst tut, wird Einsicht in die Notwendigkeit dieser »Maßnahmen« vermittelt. Eine geschickte Szenenfolge, denn der junge Mann ist sympathisch, kritisch, witzig, ein sorgfältig gebautes Sprachrohr der politischen Weisungen. »Ich halte die Grenze nicht für normal«, erklärt ihm ein Major der Volksarmee, »aber unsere Macht sichern, das ist normal. Was heißt, nicht mehr nach drüben können? Die Menschen am Leben erhalten, darum geht's. Auch die drüben . . .« Höhepunkt der Einsicht ist die Arretierung eines fluchtwilligen Freundes. »Die Zeit, die kommt, wird nicht leichter«, heißt es am Schluß. Replik: »Nee, aber klarer.« Wenn der Vorhang zugeht, sind natürlich wieder oder immer noch alle Fragen offen.

Und die Mauer hält ja auch nur die kleinen Leute. Götz Friedrich, Jahrgang 1930,

Oberspielleiter an der Komischen Oper, trennte sich im Herbst 1972 nach zwanzig Jahren von seinem Meister Felsenstein, Jahrgang 1909, dessen Nachfolger er wohl bald hätte werden können und sollen. Aber Felsensteins Einstellung zu Friedrichs Regieangebot sei »deutlich und unbestreitbar [...] immer negativer« und der Mangel an »künstlerischem und menschlichem Vertrauen« immer spürbarer geworden. Darum bat Friedrich von Stockholm aus, wo er Janáčeks *Jenufa* einstudierte, brieflich »in aller Form um Beurlaubung«. Felsenstein befahl telegrafisch Heimkehr und schickte seinen Chefdramaturgen nach Stockholm. Umsonst. Das Präsidium des Verbandes der Theaterschaffenden schloß Friedrich aus und warf ihm »ehrloses Verhalten« vor. Friedrichs Name wurde aus der Geschichte der Komischen Oper getilgt: bei den Würdigungen zum 25jährigen Bestehen wurde er nicht mehr erwähnt. Götz Friedrich will sein Weggehen nicht politisch interpretiert wissen. Auch der Dramatiker Hartmut Lange, seit 1965 in West-Berlin, sprach von einem ganz normalen Umzug. Gewiß haben Künstler in den seltensten Fällen politische Motive. Sie suchen ihren Vorteil – wie andere Leute auch.

Ende Dezember 1973 gab es eine gleichnishafte Ost-West-Begegnung auf der Stuttgarter Schauspielbühne: Hartmut Langes »Staschek«, einst Knecht bei Marski, der inzwischen jenseits der Elbe »Ärger gekriegt hat mit einem Menschen der höheren Verwaltung«, kommt in den Westen. Hier stößt er auf Wladimir und Estragon (aus Becketts *Godot*), auf den Lobredner der Macht Horaz und auf den verbannten Lyriker Ovid. Staschek will sich »durchaus in die Verhältnisse schicken«, doch die sind nicht so, wie man sie sich »drüben« vorgestellt hat. Er lernt, daß Wahrheiten relativ sind, abhängig von Zeit und Ort. In *Staschek oder Das Leben des Ovid*, inszeniert von Wolf Seesemann, mit Manfred Zapatka und Karl-Heinz Pelser in den Titelrollen, werden beide ideologischen Positionen relativiert. Am Schluß, der formal dem Anfang gleicht, ruft Staschek, »zum letzten Mal zu Boden gegangen, zum letzten Mal wieder auf den Beinen«, nun wisse er endlich Bescheid.

Eine späte, spöttische Replik erschien im Oktober 1974 in Ost-Berlin, das Dramolett eines Nachwuchsautors: *Schlötel oder Was soll's* von Christoph Hein. Manfred Karge und Matthias Langhoff haben es für ein »Spektakel« in der Volksbühne inszeniert. Da kommt ein linker Soziologe aus Frankfurt am Main in die DDR, sein Gelobtes Land. Man schickt ihn nach Schwedt, zur Erdölraffinerie. Da findet er rauhe Wirklichkeit: Spießbürger, Pragmatismus, Lohn-Preis-Erfolgsmeldungentaktik. Gibt Schlötel nun seinen Traum auf oder die DDR? Er verschwindet Richtung Ostsee, wohl um ins Wasser zu gehen. Fraglich bleibt: was ist da »badengegangen«?

Schönberg und die Folgen

Während der Zürcher Juni-Festwochen 1957 gab es die szenische Uraufführung des Opern-Oratoriums *Moses und Aron.* »Das Stadttheater hat den Beweis für das erbracht, woran selbst Schönberg seine Zweifel äußerte: daß ›Moses und Aron‹ szenisch aufführbar ist. Nach Hindemiths ›Mathis der Maler‹ und Alban Bergs ›Lulu‹ wird hier abermals ein Maßstab gesetzt, ein epochales Werk auf die Bewährungsprobe gestellt. Der starke Beifall nach dem ersten, der langanhaltende nach dem zweiten Akt hat gezeigt, daß Schönbergs Botschaft verstanden worden ist, trotz einigen Protestpfiffen, die vom Olymp her laut wurden.« So H. H. Stuckenschmidt in der *Neuen Zürcher Zeitung,* knapp sechs Jahre nach Schönbergs Tod, ein Vierteljahrhundert nachdem er die Arbeit an seinem opus summum aufgegeben hatte. Karl Heinz Krahl hatte inszeniert, Helmut Melchert sang den Aron, Hans Herbert Fiedler sprach den Moses. Hans Rosbaud dirigierte, er hatte schon 1954 die konzertante Aufführung in der Hamburger Musikhalle geleitet.

Schönberg hatte sich damals schon epochal ausgewirkt, die späte Uraufführung dieses gewaltigen Torsos war eher eine Bekräftigung. Bis 1974 folgten ihr immerhin zwölf Inszenierungen. Sellners Einstudierung zu den Berliner Festwochen 1959 bot auch den Text des dritten, nicht komponierten Akts. Dazu ertönte gedämpft vom Tonband Musik aus der ersten Szene. In Düsseldorf (unter Günther Wich) versuchte man es mit Schönbergs *Genesis-Prélude,* in Nürnberg (unter Pierre Boulez) mit Schönbergs *Begleitmusik zu einer Lichtspielszene.* Fragwürdige Versuche. »Alle bisherigen Aufführungen, in denen die Szene des dritten Akts gesprochen wurde, haben bewiesen, daß das noch eine Steigerung, ja Erfüllung bedeutet«, schrieb Wolfram Schwinger, nachdem er die für ihn sechste Inszenierung von *Moses und Aron* gesehen hatte, 1973 in Wien, inszeniert von Götz Friedrich, mit Rolf Boysen und Sven Olof Eliasson in den Titelrollen, dirigiert von Christoph von Dohnányi.

Dieses mit Hochachtung, sogar mit Ehrfurcht aufgenommene sakrale Fragment war die theatralische Krönung eines Jahrzehnts der Auseinandersetzung mit Schönbergs System und Musikästhetik. Nachdem in der Bundesrepublik die Phase wahllosen Nachholens und wirren Diskutierens vorbei war, rückte Schönbergs Reihentechnik in den Mittelpunkt. »Schönberg schien als einziger ein System entwickelt zu haben, Gesetzestafeln der Atonalität, die Halt versprachen und der außer Kraft gesetzten Harmonielehre ein Äquivalent bieten konnten« (Kurt Honolka). »Daneben fehlte nicht Alibi-Modernismus nach dem Motto ›Vom Hitlerpathos zur Zwölftonaskese‹« (Walter Abendroth).

Ein wichtiger Vorkämpfer für die Neue Musik war Hermann Scherchen. Seit den zwanziger Jahren hatte er viele zeitgenössische Werke aus der Taufe gehoben, während der zwölf Hitler-Jahre hatte er erst in Österreich, dann in Belgien und der Schweiz gearbeitet. Seit der Gründung der ›Internationalen Gesellschaft für Neue Musik‹ nahm er an deren Veranstaltungen teil und leitete viele Konzerte Neuer Musik.

Im Jahre 1951 dirigierte Scherchen an der Ostberliner Staatsoper Brecht/Dessaus *Verurteilung des Lucullus,* 1956 an der Städtischen Oper Henzes *König Hirsch,*

Schönberg, Moses und Aron. Opernhaus Zürich. Szen. Gestaltung: K. H. Krahl, P. Haferung, J. Berger. Musikalische Leitung: Hans Rosbaud (Foto: Susann Schimert-Ramme)

1957 die Berliner Erstaufführung der *Abstrakten Oper Nr. 1* von Blacher, 1959 an der Deutschen Oper seine eigene Version von *Moses und Aron.* Scherchen gründete 1950 den Musikverlag Ars viva, der 1953 vom Musikverlag Schott's Söhne in Mainz übernommen wurde, 1954 ließ er sich in Gravesano (Tessin) nieder, veranstaltete dort in seinem Haus Meisterkurse für Dirigenten, baute ein elektroakustisches Experimentalstudio an und gab vierteljährlich *Gravesaner Blätter für Grenzprobleme der Musik* heraus.

Scherchen hat seinen Schüler Karl Amadeus Hartmann, der vorher bei Schönberg, Berg und Webern studiert hatte, zu einer Oper *Simplicius Simplicissimus* angeregt und selber das Szenarium dazu geschrieben. Die Komposition entstand 1936, konnte aber erst 1949 uraufgeführt werden, in Köln unter Richard Kraus, mit Charlotte Hoffmann-Pauels als Simplicius, die in dieser Rolle ihren künstlerischen »Durchbruch« vollzog. Das Werk wurde kaum nachgespielt, deswegen entschloß Hartmann sich 1957 zu einer orchestralen Erweiterung. Nachdem diese Fassung in der Spielzeit 1969/70 in Hagen aufgeführt worden war, urteilte Herbert Eimert, man erkenne nun die Problematik der integralen Verbindung von alter und neuer Musik, von alten Choralklängen, spätmittelalterlichen Trinkliedern und Landsknechtsmärschen mit den modernen ›Wozzeck-Mitteln‹. »Es ist im Grund die heute vielgeübte

Collage-Technik, die hier – vielleicht zu offen – ihren ersten entschiedenen Vorstoß unternimmt.«

Alban Bergs *Wozzeck* setzte seinen Siegeslauf über die Opernbühnen fort, der kurz nach dem Tode des Komponisten (zu Weihnachten 1935 in seiner Vaterstadt Wien) unterbrochen worden war. Auch die unvollendet hinterlassene Oper *Lulu* setzte sich durch. Den Beginn machte eine Aufführung 1953 in Essen mit Carla Spletter in der Titelrolle; unter Hans Hartleb wurde schlecht und recht Wedekind gespielt. In Hamburg 1957 und Frankfurt 1960 hatte Rennert inszeniert, sang Helga Pilarczyk, »eine souveräne Bewältigung des zwischen gletscherblauer Zierkoloratur und mitleidslosem Sprechton schillernden Partes« (Heinrich Lindlar).

Anläßlich der ersten *Wozzeck*-Aufführung an der Wiener Staatsoper nach dem Krieg (1952) verglich Friedrich Torberg das Publikum mit dem der Wiener Premiere 1930: »Die diesmal klatschten, hätten vor 20 Jahren noch gezischt, und die diesmal zischten, wären vor 20 Jahren gar nicht erst hineingegangen. Einige gingen in den Pausen weg. Sie werden vermutlich in 20 Jahren wiederkommen, um zu zischen. Es wäre allerdings auch möglich, daß sie, im Gegenteil, schon vor 20 Jahren geklatscht haben und daß ihnen das Zeug mittlerweile zu unmodern geworden ist.«

Als die Ostberliner Staatsoper 1955 den *Wozzeck* herausbrachte, dirigiert von Johannes Schüler, der das für die Provinz scheinbar unaufführbare Stück 1929 in Oldenburg durchgesetzt hat, da weckte die von Wilhelm Pieck besuchte Premiere Hoffnung auf einen liberalen Kurs.

Die Schönberg-Rezeption in der DDR ist mitbestimmt vom Konflikt zwischen Schönberg und seinem abtrünnigen Schüler Eisler, der den Meister schon 1926 musikalisch verspottete. Das Haupthindernis ist natürlich die kulturpolitische Distanz. Für die DDR-Erstaufführung von *Moses und Aron* an der Dresdner Staatsoper (April 1975) ließ Harry Kupfer den dritten Akt weg. Siegfried Kurz dirigierte die Staatskapelle, Werner Haseleu sprach den Moses, Reiner Goldberg sang den Aron. Stuckenschmidt lobte Kupfers Deutung als die bisher »überzeugendste und kongruenteste«. Die Aufführung, schon wochenlang vorher ausverkauft, endete mit einer halbstündigen Ovation.

Bis Dodekaphonie in Mitteldeutschland zum Gestaltungsmittel von Opernkomponisten wurde, floß noch viel Wasser die Elbe hinunter. Paul Dessau, der 1935 bei René Leibowitz Zwölftontechnik studiert hatte, integrierte sie in seine *Puntila*-Oper (1966). Im *Einstein* (1974), dem pluralistischen Spätwerk des Achtzigjährigen, ist die Entwicklung nach Webern reflektiert. Sogar bruitistische Passagen kommen vor: Cluster, die mit den Ellenbogen auf zwei Klavieren ausgeführt werden, und rasende Motivwiederholungen, die den Spielern überlassen sind. Am Pult der Staatsoper in beiden Fällen Otmar Suitner. Den Puntila sang Reiner Süß, »ein Bariton mit hundert Nuancen zwischen Sprechgesang und Arioso, ein Darsteller von Geist und Gemüt, ein schwindelfreier Akrobat-Tänzer auf Tischen und Stühlen: unvergeßlich« (Stuckenschmidt). Der erste Einstein, der »geprügelte Held«, war Peter Schreier.

Mit den Erstaufführungen der Einakter *Nachtflug* in Freiburg im Breisgau und *Der Gefangene* in Essen begann Luigi Dallapiccola 1952/53 in deutschen Opernhäusern (und Konzertsälen) heimisch zu werden. Dallapiccola hatte eine eigene Dodekaphonie entwickelt: Lösung von der Tonika und Erfindung sangbarer Melodien aus Zwölftonreihen. Bis 1963/64 wurde *Der Gefangene* auf neun westdeutschen Bühnen gezeigt, bis 1971 der *Nachtflug* auf dreizehn. Dallapiccolas strengstes Zwölfton-Werk ist das Opern-Oratorium *Hiob* (zuerst 1956 in Wuppertal). Ende September 1968 folgte im Deutschen Opernhaus (Berlin) ein *Odysseus*, der nur in Düsseldorf nachgespielt wurde, ein statuarisches Werk, »selbst die Frauengespräche sind Philosophie« (Stuckenschmidt), das Sellner mit der monumentalen Ruhe präsentierte, für die er bekannt geworden ist. (»Gefrorener Expressionismus«, spottete man gelegentlich.) »Orchester und Chor haben es schwer. Die gespaltene Vielstimmigkeit des Satzes und selbst gelegentliche Akkord-Ostinatos erfordern eine Art drittes Ohr, um Zusammenhänge zu unterscheiden« (Stuckenschmidt).

Der Schönberg-Schüler Winfried Zillig kam 1951 durch die Uraufführung seiner Oper *Troilus und Cressida* in Düsseldorf auf die Bühne zurück. Eine große, quantitativ bedeutende Rolle spielen Chorszenen, deren Statuarik der Regisseur Ulrich Erfurth, deren Monotonie der Chorleiter Michael Rühl erfolgreich bekämpft hatte. Ende November folgte die Berliner Erstaufführung unter Leopold Ludwig an der Städtischen Oper. In Bielefeld gab es 1961 *Die Verlobung von Santo Domingo*; in Linz 1963, kurz vor dem Tode des Komponisten, die Uraufführung der auf einem Stoff von Billinger fußenden Oper *Das Verlöbnis*. Beide Male wieder »modifizierte« Zwölftonmusik, die Kenner als Kompromiß tadelten.

Die Entwicklung Wolfgang Fortners wurde repräsentativ für die Schönberg-Renaissance. Seine Sonate für Violine und Klavier von 1945 brachte ihm den Durchbruch zur Reihentechnik. Fortner machte sie vielfältig nutzbar, er wurde ein einflußreicher Anreger. Als ein Sieg der modernen Musikszene wurde die Uraufführung der Lorca-Oper *Bluthochzeit* im Januar 1957 in Köln empfunden, obwohl nur die musikalische Realisation (Günter Wand und das Gürzenich-Orchester), nicht die szenische einwandfrei war. Die tragende Sängerin: Natalie Hinsch-Gröndahl als Mutter. Was Fortner an folkloristischem Material brauchte, um die spanische Abkunft nicht verleugnen zu müssen, schöpfte er aus andalusischen Quellen. Er verband sie »mit höchster Kunstfertigkeit seinem Stil einer freien Reihenkomposition in Rondo- und Variationsformen«. »In den Übergängen von Sprache und Gesang offenbart sich das erregend Neue dieses Werkes: Fortners eminenter Kunstverstand heftet sich an das Wort des Dichters, an Wortsinn, Wortwahl und Wortbildung und trifft die Stellen, an der musikalische Überhöhung wirksam werden kann und muß« (Ernst Thomas).

Weiter auskomponiert als die *Bluthochzeit* ist Fortners zweite Lorca-Oper *In seinem Garten liebt Don Perlimplin Belisa*, der weitgehend lyrischen Vorlage entsprechend. Auch diese Realisation erarbeitete (für die Festspiele in Schwetzingen) die Kölner Oper, das Team Sawallisch/Schuh/Teo Otto mit Ernst Gutstein und Lia Montya in den Titelrollen.

In Heidelberg folgte 1966 eine Fortnersche Neufassung der *Beggar's Opera*, in der Neuübersetzung von Hans Magnus Enzensberger (Realisation: Grünauer/Palitzsch/ Minks), im Jahre 1972 errang Fortner mit *Elisabeth Tudor* (Albrecht/Kelch/Heinrich) einen Achtungserfolg an der Deutschen Oper in Berlin. »Der melodische Stil hat einen Oszillogrammcharakter, den riesige Zickzacksprünge, oft in Septimen und Nonen auf- und abwärts, kennzeichnen. Schon das gibt der Musik eine Aura von Aufregung und Getriebenheit, die den Hörer unablässig in Spannung hält. Die

Harmonik – wenn man nicht richtiger von Akkordik sprechen sollte – ist dissonant« (Stuckenschmidt).

Geführt von Fortner, fand der fast eine Generation jüngere Hans Werner Henze ins Laboratorium für moderne Musik im Jagdschloß Kranichstein und weiter zu René Leibowitz in Paris. Bei Leibowitz erlernte Henze die Reihenkomposition à la Schönberg. Henze schrieb zahlreiche Ballettmusiken (u. a. *Anrufung Apolls*, 1949; *Jack Pudding*, 1951; *Labyrinth*, 1952; vor allem *Undine*, choreographiert von Frederick Ashton für Margot Fonteyn, uraufgeführt Oktober 1958 im Covent Garden vom Royal Ballet, anschließend Tournee). »Mit der zunehmenden Dodekaphonisierung meiner Partituren spalteten sich dann immer mehr Klang, Melodie und Rhythmus.« Diese Entwicklung war jedenfalls für Sänger problematisch. Im Februar 1952 wurde in Hannover Henzes erste Oper *Boulevard Solitude* uraufgeführt (nach dem Roman des Abbé Prévost *Manon Lescaut*), in der die Liebesgeschichte zwischen Manon Lescaut und Armand Des Grieux musikalisch und tänzerisch gebrochen ist.

War schon 1952 nach Hannover die internationale Fachwelt zur Begutachtung gekommen, so kam sie erst recht im September 1956 nach Berlin, als es galt, Henzes Vertonung von Gozzis *Il Re Cervo (König Hirsch)* zu beurteilen, dirigiert von Scherchen, inszeniert von Steckel, ausstaffiert von Jean-Pierre Ponnelle. Sándor Kónya sang den hirschgewordenen Märchenkönig, Helga Pilarczyk das liebende Mädchen. »Mit diesem Werk ist Henze er selbst geworden, eine unabhängige Persönlichkeit. Die Reihenfesseln sind abgestreift, er gehört fortan keiner Schule und Gruppe mehr an« (Honolka) – zur Enttäuschung einer sich fortschrittlich empfindenden Arrièregarde, die Trillerpfeifen mitgebracht hatte und auch benutzte. Die Protestierer steigerten wohl noch den Beifall, es gab 53 Hervorrufe. Leider war annähernd ein Drittel der Partitur gestrichen. Eine Neufassung gab es 1963 in Kassel. Heinz Joachim schrieb in der *Welt*, *König Hirsch* wirke »wie eine befreiende Tat«. Diese Oper dürfe »für unsere Zeit den gleichen Rang und eine ähnliche Stilbedeutung beanspruchen wie Alban Bergs ›Wozzeck‹ für die Zeit nach 1925: als ein Werk, das eine Entwicklung abschließt und zugleich das Tor in die Zukunft weit aufstößt.«

Im Mai 1960 folgte Henzes *Prinz von Homburg* in Hamburg vor seltsam gemischtem Publikum: internationale Avantgarde, jugendliche Randalierer und einige Vertreter derer von Homburg. Es war Helmut Käutners erste, nicht überzeugende Opern-Regie. Vladimir Ruzdak war als Prinz stimmlich, Liselotte Fölser als Nathalie darstellerisch überlegen, Leopold Ludwig dirigierte. »Im ganzen ist die Sprache des Werks distanzierter als in ›König Hirsch‹. Eingebung und schwellende Phantasie ordnen sich dem Kunstverstand unter« (Stuckenschmidt). Vier Jahre später hatte Henze in Düsseldorf großen persönlichen Erfolg, als er seinen *Prinzen von Homburg* selber inszenierte, ausstattete und dirigierte.

Als »Werk von bestürzender Eigenart« annoncierte Klaus Geitel Henzes *Elegie für junge Liebende*, das die Bayerische Staatsoper 1961 in Schwetzingen kreierte, von Heinrich Bender dirigiert, von Henze selber allzu rücksichtsvoll als mehr als dreistündiges Werk inszeniert; Dietrich Fischer-Dieskau als der Schicksal spielende Olympier, Friedrich Lenz und Ingeborg Brennert als Liebespaar, das er in den Tod gehen läßt.

Die weitgehende Tonalität im *Jungen Lord* (1965 in Berlin, Dohnányi/Sellner/ Filippo Sanjust) empfand Stuckenschmidt als »Zurückstellen der Uhr«, Heinz Joachim als »Wiedergeburt der opera buffa«. Die 1966 in Salzburg uraufgeführten *Bassariden* (wieder Dohnányi/Sellner/Sanjust), eine blutrünstige Geschichte nach den *Bakchen* des Euripides, sind musikalisch charakterisiert vom Montage-Prinzip: Die Oper »enthält, teils als Zitat, teils als Stilkopie, Elemente von Rameau, Wagner, Mahler, Strawinsky, Berg, Schönberg und Messiaen. Das Intermezzo hat Offenbach-Züge, bis im Quartett Bachsche Seufzer auftreten, die verklärend im Grauen des Finales wiederkehren und wie ein Zitat der Matthäus-Passion wirken« (Stuckenschmidt). Henze hat sich also zum Alleskönner entwickelt, für den Dodekaphonie nur noch ein Stilmittel unter vielen ist.

Auch Werner Egk, Jahrgang 1902, geriet in den Sog der aufgewerteten Zwölf-tönigkeit. Zunächst aber veranlaßte er Boris Blacher, Urlaute zu Gefühlen wie Angst, Liebe, Schmerz, Panik zu komponieren. Blacher, der Logik und Bündigkeit erstrebte und Materialvergeudung verachtete, machte strengen Gebrauch von Egks Stammel-Libretto: er unterwarf die Töne »variablen Metren«, die in mathematischer Ordnung wechselten. Diese *Abstrakte Oper Nr. 1* machte nach der Uraufführung (Mannheim 1953) ein bißchen Skandal. Es handle sich um ein Gegenstück zur abstrakten Malerei, erklärte Blacher. Egk grüßte dann in seiner Oper *Irische Legende* (Salzburg 1955) mit einer Harmonik von Komplementärklängen die Dodekaphonie von weitem. Auch Rudolf Wagner-Régeny benutzte in der in Salzburg uraufgeführten Oper *Das Bergwerk von Falun* (1961) die Dodekaphonie, doch erwies sich das »ihren Autoren im Grunde fremde Idiom als hinderlich« (Honolka).

Sieben Jahre nach der *Abstrakten Oper* versuchte Blacher sich an Georg Kaisers *Rosamunde Floris*, uraufgeführt bei den Berliner Festspielen 1960 durch die Städtische Oper, eine absurde Mordgeschichte, höchst versiert eklektisch komponiert. Heinrich Lindlar hörte neben Blacher auch Klebe, Henze, Orff und Egk, Schönberg und Webern und meinte, der Regisseur Piscator habe die Musik ihrer Schwäche wegen unterjochen können.

Ernst Krenek hat sich mit *Karl V.* zum Zwölftonsystem bekannt, zwölf Jahre nach der Uraufführung in Prag kam das Werk 1950 in Essen heraus, dirigiert von Gustav König, einstudiert von Hans Hartleb. *Pallas Athene weint* (Oktober 1955 in Hamburg) dienen Reihen als Grundmaterial. Eine Zwölftonreihe und gelegentlich serielle Verfahren bestimmen die Struktur von Kreneks 1964 in Hamburg uraufgeführter Oper *Der goldene Bock*, einer Travestie der Sage vom Goldenen Vließ. Der dirigierende Komponist ließ sich von den Protesten gegen die Greuelszenen am Ende des zweiten Akts nicht aus der Ruhe bringen. Ein Kuriosum, meinte Stuckenschmidt: parodistischer Grand Guignol.

Die Kombination zweier Kompositionstechniken ist signifikant. Es kam nämlich eine kurze, aber heftige »serielle« Periode, nachdem das Schönberg-Pensum nachgelernt war. Sie stützte sich auf Schönbergs Schüler Anton Webern, der einen Fortschritt in Richtung auf noch strengere Determinierung des Klangmaterials gemacht zu haben schien. Vollkommen kalkulierter Ablauf galt als Ideal. Schönberg erschien nun lässig, Bartók, Strawinsky, Hindemith wurden für »überholt« erklärt, man fand hinter Webern sogar einen neuen Stammvater: Josef Matthias Hauer (1883 bis 1959), der Schönberg gegenüber Priorität beanspruchte. Hauers 1925 aufgestellte »Tropentafel« zeigt 497 001 600 Zwölftonreihen. Hauer polemisierte gegen alles, was vor ihm Musik hieß, er wollte nun den »reinen Geist« walten lassen. Hauers Singspiel *Die schwarze Spinne* (nach einem Stoff von Gotthelf, den später auch Sutermeister und Willy Burkhard vertonten) unter Michael Gielen zu den Wiener Festwochen 1966 uraufgeführt, enttäuschte. Man fand Hauer auf einem von ihm selber verurteilten Wege. Allerdings hat Fritz Raceks Bearbeitung wohl oder übel die Esoterik theatralisiert.

Die totale Organisation des Klangmaterials, der Triumph des Kalküls über Inspiration und Gefühl, macht strikte serielle Technik für die Opernkomposition ungeeignet. Darum hat der serielle Komponist Giselher Klebe als Opernkomponist sich mit Reihentechnik à la Schönberg begnügt, die zwar die Melodik regelt, die Dynamik aber ins Belieben des Komponisten stellt. Die *Räuber*-Oper, die Reinhard Peters im Juni 1957 in Düsseldorf aus der Taufe hob, war wie ein Schulfall von Dodekaphonie: der Kanaille Franz hat Klebe eine engstufige, chromatische Reihe zugeordnet, dem braven Karl aber eine weiträumige. Auch die Instrumente wurden ziemlich banal verteilt: Harfe und Cembalo für den bösen, Bläser für den guten Bruder, Streicher für Amalia. »Auf dem tragischen Höhepunkt, beim Tode Franzens, festigt sich die Musik zu instrumental bestimmten Formen, zu Variationen und Ricercar; das Vorbild ›Wozzeck‹ scheint durch« (Werner Oehlmann). »Dem Andenken Giuseppe Verdis gewidmet«, schrieb Klebe über die Partitur. Tatsächlich strebte er nach der Quadratur des Kreises: zwölftönigem Belcanto.

Klebe wurde immer routinierter, er entwickelte eine neue Konvention, der er ziemlich leicht neue Opern abgewinnen konnte, zumal da er um Sujets nicht verlegen war: *Die tödlichen Wünsche* (1959 nach Balzac), *Alkmene* (1961 nach Kleist), *Figaro läßt sich scheiden* (1963 nach Horváth), *Jacobowsky und der Oberst* (1965 nach Werfel), *Das Märchen von der schönen Lilie* (1969 nach Goethe).

Luigi Nono, der bei Scherchen, von Webern, Dallapiccola und Schönberg, seinem Schwiegervater, gelernt hat und neben Boulez und Stockhausen zur »Darmstädter Schule« gerechnet wurde, hatte einen spektakulären Erfolg auf der Opernbühne mit *Intolleranza*: im Frühjahr 1962 von Hans Lietzau in Köln einstudiert, von Chargesheimer ausgestattet und von Bruno Maderna – wie schon bei der Uraufführung in Venedig April 1961 – dirigiert. Man sprach von »punktueller« (die Klänge isolierender) Musik, was Nono als Erfindung von Kritikern ablehnt. Er beschrieb seine Arbeitsweise so: »Zuerst wählte ich das Material, das intervallische, das klangliche, das rhythmische. Dann experimentierte ich mit diesem Material, unterzog es vielleicht auch verschiedenen prädeterminierenden Prozessen, aber nur um zu sehen, in welcher Richtung es sich entwickeln könnte. Und dann komponierte ich, leitete also aus dem Material und den ihm einbeschriebenen Möglichkeiten eine ihm gemäße Form ab.«

Konsequenter als andere übertrug Nono die serielle Technik auf den Chorsatz: Rhythmus als Folge von Beziehungen zwischen Tonhöhen, Klangfarben, Tempi. Dazu in Silben und Laute zersplitterte Texte. »Für die Chöre mag ein Gliederungsmoment erreicht sein. Für die Solopassagen der gänzlich unentwickelten, gänzlich passiven Haupthelden keinesfalls«, urteilte Heinrich Lindlar. »Rührend eigentlich, wie hinter den Protagonisten die Typik der verdischen Oper durchscheint: Heldentenor (Lawrence White) und Primadonna (Catherine Gayer), dazu die Femme Fatale (Helen Raab), daneben Baß und Bariton als Quintettergänzung. Kein Wort der Anerkennung zu hoch [. . .] für die souveräne Steuerung der Klang- und Gesangregie durch Nonos venezianischen Kampfgefährten Bruno Maderna am Kapellmeisterpult. Wie er die weißen Flecke, die unverbundenen Stücke vollendet improvisiert aufklingen läßt, wie er das Blech, das Schlagwerk des Gürzenich-Orchesters faßt, formt, trägt, treibt, das ist ohne Beispiel. Aber freilich, es ist im Wirkungseffekt auch selbstzerstörerisch.«

Die Summe der Techniken des Musiktheaters unserer Zeit zog der Kölner Kompositionslehrer Bernd Alois Zimmermann mit seiner Oper *Die Soldaten*, auf deren Uraufführung er fünf Jahre lang warten mußte. Herbert Maisch erteilte den Auftrag, O. F. Schuh bezeichnete die Oper als unaufführbar, Arno Assmann ließ sie aufführen, am 15. Februar 1965. (Innerhalb der nächsten Jahre wurde das gigantische Werk auch in Kassel, München, Düsseldorf und Nürnberg bezwungen.) Das Tonmaterial gewann Zimmermann kombinatorisch aus einer symmetrischen »Allintervallreihe«. Die brandenden, berstenden, flirrenden, gleitenden Klänge wurden mit strenger Ökonomie eingesetzt. Die Tonflut ist zeitweilig amorph, zeitweilig aber rhythmisiert und manchmal mit Zitaten von Chorälen, Tänzen und Märschen bestückt. Zimmermann sprach von »Pluralismus«, vom »Strudel der Zeitspirale«, von der »Kugelgestalt der Zeit«, vom »Tanz der Simultaneität«. Ein Teil der 120 Instrumentalisten fand im Orchestergraben keinen Platz und wurde in Nebenräumen untergebracht. Der Zimmermann-Spezialist Michael Gielen, neben Boulez und Maderna führender Anwalt moderner Musik, dirigierte die Einsätze mit napoleonischer Überlegenheit, Unterdirigenten übernahmen seine Einsätze von Monitoren. Stellenweise ist das Werk sangbar, es gibt Arien, sogar ein opernhaftes Frauenterzett. Die Sänger haben die schwierigsten Intervalle zu bezwingen, obendrein müssen sie sprechen und nicht zuletzt spielen, denn der Abstieg des Bürgermädchens Marie zur Soldatenhure ist ein veristischer Stoff. Edith Gabry wurde nicht nur mit der Partie fertig, sie stellte obendrein ein kokettes, launisches, in seiner Haltlosigkeit aber gutartiges Bürgermädchen dar. Hans Neugebauer führte Regie, die Massenszenen hat Todd Bolender tänzerisch gebunden. Die Familienszenen spielten teils nacheinander, teils gleichzeitig, je nachdem deckte ein Schleier ein Drittel oder zwei Drittel der Bühne ab. Auf dem Schleier lag die Projektion eines Kasernenhofes mit Silhouetten von exerzierenden Soldaten, ein Bild, das sich jeweils kleiner und schärfer auf dem Hintergrund der Bühne wiederholte (Bühnenbild: Max Bignens). Zum Schluß birst die Tonflut, von überallher überschütten Klänge und Geräusche die Zuschauer, während Maries letzte Erniedrigung (in Köln) übertrumpft wurde von brutalen Filmszenen. Dann versank die Bühne im Dunkel, vor dem grell erleuchteten Hintergrund marschierten langsam mit gesenkten Köpfen minutenlang Soldaten vorüber, dazu Trommelwirbel. Darauf senkte sich schwarz und drohend die Beleuchtungsbrücke auf die Szene, Scheinwerfer richteten sich gegen das Publikum und schossen Strahlenbündel ins Parkett. Ein Angriff, der bei der Uraufführung Protest auslöste. Jeder sei schuld, sagte Zimmermann, Maries Schicksal sei Beispiel für jede Art von Vergewaltigung.

Das Drama des verführten Mädchens würde auf schlichtere Weise intensiver wirken, etwa in der Vorlage von J. M. R. Lenz. Aber hier geht es um anderes: um die letzte Aufgipfelung der Musiktradition, die von der Renaissance bis zum Serialismus reicht. Zimmermanns Oper *Die Soldaten* hat wohl denselben Stellenwert in der Musikgeschichte wie Bergs *Wozzeck*, die Grenzüberschreitung von 1925, deren Errungenschaften inzwischen allgemeiner Besitz geworden sind. Zimmermann fühlte sich in der »postseriellen Phase«; die Wege Bergs und Weberns seien zu Ende gegangen. Adorno hatte schon 1954 vom »Altern der Neuen Musik« gesprochen. »Der Begriff des Fortschritts verliert sein Recht, wo Komponieren zur Bastelei [...] wird; wo eine gewalttätige und äußerliche Totalität, gar nicht so unähnlich den politischen totalitären Systemen, die Macht ergreift.«

In Zimmermanns Totaltheater war jedes Detail noch sorgfältig ausnotiert. Währenddessen hatte sich aber auch die gegenteilige Idee verbreitet: die Laune des Augenblicks, den Zufall mitwirken zu lassen. Auch dieser Ausbruch aus der totalen Konstruktion kam aus Richtung Schönberg: der Schönberg-Schüler John Cage realisierte schon in den frühen fünfziger Jahren Ideen, die den Spielern freistellten, Elemente nach eigener Wahl zusammenzufügen oder sie gar zu erfinden. Solche »aleatorische« Musik hatte auch optische Komponenten, ihre Herstellung wurde zur Schau. Karlheinz Stockhausen, zunächst Zwölftöner, dann serieller Komponist, folgte John Cage rasch. Nach kurzer Lehrzeit im Studio für Musique concrète des französischen Rundfunks (ORTF) begann Stockhausen 1953 im Studio für elektronische Musik des WDR zu experimentieren. Beim *Klavierstück X* (1956) begann der Zufall eine Rolle in Stockhausens Kompositionen zu spielen. Im Jahre 1961 entstand im WDR *Originale*, eine Komposition, die im gleichen Jahr im ›Theater am Dom‹ elfmal vorgeführt wurde (1973 auch in Zürich), präsentiert von Stockhausen, dem koreanischen Provokationsartisten Nam June Paik, dem Pianisten David Tudor, dem Schlagzeuger Christoph Caskel, der Malerin Mary Bauermeister, einer Stripperin, einer Garderobenfrau, einem Bettler, einem Hund, Goldfischen und allerlei Getier unter der Regie von Carlheinz Caspari.

Solche »Theatralisierung von Musik« traf zusammen mit »Musikalisierung von Theater«. Im »absurden« Theater (und schon vorher bei Strindberg, Tschechow, Maeterlinck und anderen) waren musikalische Bauformen aufgetreten. In *La sonate et les trois messieurs ou Comment parler musique* von Jean Tardieu wird »Musik gesprochen«. Als *Sonate à trois* wurde sie 1961 im ›Theater am Dom‹ mit Stockhausens Komposition *Originale* (und drittens einem Versuch eines Gesamtkunstwerks en miniature, ausgestattet von Hans Platscheck, mit Musik von Hermann Heiß und Texten von Egon Vietta) zusammengespannt. Die Idee für die szenische Bedeutung zeugte von munterer Ratlosigkeit: man präsentierte das als Persiflage des Kunstgeschwätzes. Unter den Dramatikern dieser Richtung ist noch Jean Vauthier zu nennen, auch bei Beckett gibt es entsprechende Passagen. Zu den Komponisten, die szenische Aktion anstreben (und sei es nur, um auf dem Podium irgend etwas zeigen zu können, wenn die Elektronik das Orchester ersetzt), gehören Mauricio Kagel und György Ligeti.

»Aleatorisches Theater« kann man die »Happenings« nennen. Es handelte sich meistens um geplante, manchmal sogar geprobte Vorgänge, die sich selten in Theatern, meistens auf Straßen und Plätzen, an abstoßenden Orten wie Autofriedhof oder Schlachthof abspielten. Manchmal kam es zu unvorbereiteten, spontanen Vorgängen. Sie sollen den Betrachter lehren, das Leben als Kunstwerk und sich selbst als Ereignis anzusehen. Auch diese Erscheinung kam aus den Vereinigten Staaten, sie hat allerdings in Kurt Schwitters' Idee von einem »Merztheater« und in Aktionen der Dadaisten und Surrealisten Vorläufer. John Cage erweckte die Erinnerung zu neuem Leben. Er arrangierte 1952 in einem College eine »Simultandarstellung zusammenhangloser Vorfälle«. Das Wort »Happening« ist erstmals für eine Aktion von Allan Kaprow in einer New Yorker Kunstgalerie Oktober 1959 benutzt worden.

Diese Bewegung ist eher der bildenden Kunst zuzuordnen als der darstellenden, jedoch hat Wolf Vostell im November 1964 auch ein Happening für das Ulmer Theater (und eine Ulmer Privatgalerie) arrangiert. Claus Bremer, damals Dramaturg in Ulm, versuchte in einem »Aktionsvortrag« die Ereignisse in die Theater-Überlieferung einzuordnen. Die Ulmer Angelegenheit hieß »In Ulm, um Ulm und um Ulm herum«, 250 Teilnehmer wurden in Omnibussen von Nonsens zu Nonsens transportiert.

Innerhalb einer Woche für experimentelles Theater, die von der Deutschen Akademie der Darstellenden Künste Anfang Juni 1966 in Frankfurt organisiert worden ist, veranstaltete der ehemalige Dramaturg, inzwischen »Verbokrat und Animateur« Bazon Brock im Kammerspieltheater der Städtischen Bühnen eine »dramatisierte Illustrierte« namens »Theater der Position«. Es war der Versuch einer »Zustimmungslehre«: Zustimmung zur Warenwelt. »Bazon Brock will mit seinem Theater nicht nur sagen ›Ihr seid frei‹, er will auch Freiheit bewirken. [...] Er arbeitet mit echten Mannequins, echten Fotografen, einem echten Arzt, einer echten Fürsorgerin, echten Waren und Materialien, wie wir sie kreuz und quer durch alle Abteilungen aus den modernen Kaufhäusern kennen, bewußt filmischen Filmen, Zuschauerporträts und echten Schauspielanfängern, die ihre Texte derart aufsagen, daß man erfährt, es ist Theater« (Claus Bremer).

Es zeigte sich, daß das Publikum, mit derlei konfrontiert, verärgert war, sogar dazu neigte, rabiat zu werden. Es fühlte sich herausgefordert und reagierte mit Wut. Nach Brocks Darbietung der Warenwelt zeigte es banale Zustimmung zur Warenwelt, indem es sich aneignete, was übriggeblieben war: Hosen, Rosen, Büstenhalter, Waschmittelpakete, Plastikkörbe. So war es freilich durchaus nicht gemeint gewesen. Die theatralische Demonstration hatte Alltagserscheinungen ästhetisieren und affirmieren sollen.

Von der Operette zum Musical

Ende November 1955 gab es im Frankfurter Schauspielhaus das erste Musical, das sich im deutschen Sprachbereich durchsetzte: *Kiss me Kate*. Der Kabarettist Günter Neumann, damals West-Berlins bester Propagandist, hatte die Dialoge der beiden Spewacks und die Lieder von Cole Porter in ein witziges Reim-dich-oder-ich-freß-dich-Deutsch gebracht: »Homer gibt dir über Frauen Macht, / Homer ist der, wenn man trotzdem lacht! / Die Mädchen verehr'n Deinen Kunstverstand, / hast Du'n Knüller von Schiller zur Hand. / Aber Shakespeare ist der Clou, / Du wirst im Salon zum Löwen, / rezitierst Du immerzu / den Schwan von Stratford am Avon ...« Mit Hannsgeorg Laubenthal, der früher im Operettengeschäft gedient hatte, und Lola Müthel, die ihre »Stimme entdeckte«, kam Harry Buckwitz als Regisseur ganz gut über die Runden. »Ein theaterhistorisches Ereignis«, entschied die *Frankfurter Allgemeine*. Die bald »geflügelte« Aufforderung »Schlag nach bei Shakespeare«, überhaupt die Verarbeitung von *Der Widerspenstigen Zähmung*, roch zwar ein wenig nach literarischem Sakrileg, aber da half die Formel, man belustige sich mit Shakespeare und mache sich nicht über ihn lustig.

Zu Weihnachten 1955 folgte Hans Wölffers Komödie am Kurfürstendamm; Leonard Steckel hatte inszeniert, Hannelore Schroth war das Käthchen, Wolfgang Preiss unternahm die Zähmung. Die Kritik war gönnerhaft heiter. In Nachtvorstellungen wurde gleich die Parodie von Wolfgang Neuss und Wolfgang Müller mitgeliefert: »Schieß mich, Tell, schieß mich, Tell! Wir wolln deutsches Mjusikell!« Im Berliner Programmheft wurde eingehend erklärt, was ein Musical sei und wie es sein müsse.

Das hatte im Sommer 1948 schon der 78jährige Oscar Straus dem 78jährigen Franz Lehár in Bad Ischl klarzumachen versucht. Straus, 1938 emigriert, war gerade aus New York und Hollywood zurückgekommen, Lehár war nach zwei Jahren aus der Schweiz heimgekehrt, in Bad Ischl war der Ehrenbürger festlich empfangen worden. Straus erzählte von *Oklahoma* und anderen »hits« am Broadway. Ein gewisser Irving Berlin habe gerade die Hymne des amerikanischen Musiktheaters geschrieben: »There's no business like showbusiness«.

Ein rechtes Produkt des Schmelztiegels Amerika, erklärte Straus. Der Hang zu Superlativen, der Optimismus, die Präzision, die Farbigkeit. Nebeneinander Überschwang und Sentimentalität, Ironie und Selbstmitleid, Realistik und fabrizierter Traum. Milieus von den Neger-Slums bis zur High-Society. Ein bißchen Oper, ein bißchen Reißer, ein bißchen Revue. Ein bißchen Operette. Das Happy-End sei entbehrlich, wie *Westside Story* beweise. Und kein Buffo und keine Soubrette, kein »komisches« und kein »seriöses« Paar, überhaupt keine Trennung mehr nach »Fächern«. Nicht mehr vom Komponisten und vom Librettisten in einsamer Arbeit erdacht, sondern in Teamwork gemixt, sogar noch auf den Proben. Stoffe von überallher, alles, was gut und teuer ist, Shakespeare und Shaw und der Wilde Westen. *Carousel* von Richard Rodgers und Oscar Hammerstein: eine Transponierung von Molnárs *Liliom* ins New-England-Milieu von 1870. »Ja — und dies dürfte Lehár besonders interessieren — die letzte New Yorker Novität, ›Brigadoon‹, eine Art

Märchenoperette mit höchst inspirierter Musik von Frederick Loewe, einem Sohn jenes Edmund Löwe, der in den Urtagen der Lustigen Witwe den Danilo sang, wenn Treumann indisponiert war.« So schilderte Bernard Grun das Gespräch zwischen den beiden Operettenkönigen in seiner Lehár-Biographie (1970).
Sie waren beide nur noch Beobachter der Szene, heimgekehrt, um in Bad Ischl zu sterben. Straus hatte ein paar Alterswerke mitgebracht, die Achtungserfolge erzielten: *Die Musik kommt* (Zürich 1948), *Ihr erster Walzer* und *Bozena* (beide erstmals am Münchener Gärtnerplatz-Theater 1950 bzw. 1952). 1948 wurde Franz Lehár ins Grab gesenkt, unter den Klängen seines Wolga-Liedes; 1954 folgte ihm Oscar Straus. Es überlebten Robert Stolz und Nico Dostal. Stolz schien auch körperlich unsterblich zu sein. Als er 1946 aus Amerika nach Wien zurückkam, war er 66 Jahre alt. Allmählich galt er als der älteste Komponist der Welt. Als Kind hatte Stolz Brahms vorgespielt, als Jüngling hatte er noch eine von Johann Strauß persönlich dirigierte *Fledermaus* gesehen. Er hat die *Lustige Witwe* uraufgeführt und seinerseits ein halbes Hundert Operetten hinterlassen, als er im Sommer 1975 in Berlin starb, 95 Jahre alt.
Im Juli 1946 wurde Hermann Juch Direktor der Wiener Volksoper. Unter dem Druck von Hilbert und um die Volksoper von der Staatsoper abzusetzen, machte Juch aus der Volksoper eine Opéra Comique, in der die klassische Operette erneuert wurde. Anton Paulik kam vom Ring an die Volksoper und wurde hier zum Altmeister der Wiener Operette. Walter von Hoesslin, Schüler von Reinhardt und Oskar Strnad, kam vom ›Opernhaus der Stadt Wien‹ und wurde am Währinger Gürtel Ausstattungschef und technischer Direktor. Damit war das Triumvirat beisammen, das die Volksoper zum »Bayreuth der Operette« machte (in bezug auf die Sänger war das kaum übertrieben). Bei Juch inszenierten O. F. Schuh, Hubert Marischka, Hans Jaray, Theo Lingen, Axel von Ambesser, vor allem der vom Chef für die Operette entdeckte Adolf Rott. Mit seinem *Bettelstudenten* auf der »rottierenden« Drehbühne begann Rott eine neue Ära der Operetten-Show. Der berühmte Anfang zeigte eine Art Karussell. »Die Sänger, die, während sich die Bühne dreht, die Anfangstakte ihrer größten Melodien singen, stehen auf Postamenten gleich Standbildern in barocken Gärten – Hoesslin hat das dem zauberhaften ›Komödiantenparterre‹ im Schönbornschen Garten aus dem Jahre 1737 nachgebildet« (Prawy). Esther Rethy war die Diva dieser Operette, Maria Cebotari sang die Laura, Kurt Preger etablierte sich mit dem Ollendorf als der stimmgewaltigste Operettenkomiker, den Wien je erlebte. Fred Liewehr von der Burg wurde in der Titelrolle zum Operettenstar. Sein Eisenstein in der *Fledermaus* wurde klassisch.
Rott hatte allerdings ein Vorbild gehabt, die von der Kritik wenig geachtete, vom Publikum aber als Besonderheit erkannte Inszenierung von *Orpheus in der Unterwelt* von Willi Forst. Sie bot eine genau ausgewogene Mischung von Sängern und Schauspielern (Hans Moser, Paul Kemp), auf die Drehbühne gestellt. Gleiche Sorgfalt für Gesangs- und Sprechrollen sowie größtmögliche Mobilität, das war das Erfolgsrezept. Forsts *Orpheus* lief 45mal (ab April 1947), Rotts *Bettelstudent* 33-mal (ab März 1949).
Die »Staatsoper in der Volksoper« – dies die offizielle Bezeichnung – überließ der Direktion des Raimund-Theaters in der Wallgasse das weite Feld der »Wiener Lokaloperette«, des Volksstücks mit Musik. Dort triumphierten Wiener Typen als

»Episodisten« oder auch Stars, denen zugeliefert wurde: Marika Rökk, Zarah Leander, Hans Albers, Johannes Heesters. Im Raimund-Theater wurden Edmund Eysler, Bruno Granichstaedten und Paul Abraham aufgeführt.

In jenen Jahren las man immer wieder in den Zeitungen, die Operette sei in einer »Sackgasse«, es fehle ihr die »Lebenslust«; sogar vom »Tod der Operette« war die Rede. Aufwand und Können konnten nicht darüber hinwegtäuschen, daß dem »silbernen« Operettenzeitalter mit der Sekundogenitur Lehár – Fall – Straus – Stolz bestenfalls ein eisernes gefolgt war.

Im Frühjahr 1956 gab es dann den ersten Einbruch des Musicals in Wien: der aus Emigrantenzeiten amerika-erfahrene Marcel Prawy inszenierte in der Volksoper *Kiss me Kate*. Und als 1959 Robert Stolz, inzwischen Professor und Ehrenbürger von Wien, als sein 45. Bühnenwerk eine »Musicalette« präsentierte, da empfand man das in Wien als Ende einer Ära. Es war *Kitty und die Weltkonferenz*, die Aufbereitung eines erfolgreichen, längst verfilmten Lustspiels, dargeboten im Theater in der Josefstadt. *Kitty* weckte kaum mehr als Erinnerungen. Der Berichterstatter der *Frankfurter Allgemeinen* ging auf das Werkchen nicht ein, sondern ergriff die Gelegenheit zu allgemeinem Tadel: »Die Anstrengungen, die in Wien seit Jahren unternommen werden, um die Operette zu regenerieren, übersteigen das Maß des Vernünftigen: ein eigenes Opernhaus, die Volksoper, ist von Staats wegen dazu verhalten, ihren Spielplan zu zwei Dritteln mit Werken der Operetten-Primogenitur Strauß – Millöcker – Suppé zu bestreiten: jede Operetteninszenierung von privater Seite kann mit großzügigsten Subventionen der öffentlichen Hand rechnen; zwei Fünftel der vom österreichischen Staatsrundfunk gesendeten Musik sind ›Operettenklänge‹. Der triumphale Erfolg, den das amerikanische Musical bei seinem Einzug in Wien mit ›Porgy und Bess‹ und ›Kiss me, Kate‹ feierte, rief das Stadtamt für Kultur als offiziellen Gegner auf den Plan; als Gegenschlag wurde ein Wettbewerb um ein österreichisches Musical, welches in der Wiener Operettentradition wurzeln sollte, behördlich ausgeschrieben – es endete allerdings mit einem Mißton – und es vergeht kaum ein Tag, an welchem in Wien nicht die Frage nach einer zeitgenössischen Operette gestellt würde« (Peter Weiser).

Auch Nico Dostal ging zur »Musicalette« über: *So macht man Karriere*, uraufgeführt im April 1961 in Nürnberg, mit Schauspielern und nur einer Sängerin. Im Sommer 1956 verlangten sieben streitbare Unterhaltungskomponisten vom Berliner Senat ein subventioniertes Uraufführungstheater für Operetten, denn die Gattung lebe; Beweis: der von Schuh inszenierte *Opernball* (Richard Heuberger), seit Ende April schon mehr als 50mal aufgeführt. Der Beweis wäre in München überzeugender ausgefallen, denn dort gab (und gibt) es das andere, das zweite Staatstheater für Operetten im deutschen Sprachbereich (das dritte und vierte stehen in Ost-Berlin).

Zur Zeit von Curt Hurrle, dem ersten Nachkriegsintendanten, bemühte man sich auch am Münchener Gärtnerplatz um die Show-Operette, und Paul Burkhards *Feuerwerk* (Premiere: 16. Mai 1950) war auch erfolgreich – oder wenigstens aufsehenerregend. Denn den Haupterfolg dieser Coproduktion mit den Kammerspielen hatten später die Kammerspiele. Es hatte der legendäre Altmeister der Revue inszeniert, Eric Charell. Und mit seinem Namen blieb *Feuerwerk* verknüpft. Man begeisterte sich für den Zauber, den Charell vor allem im zweiten Akt entfesselt

hatte, als das Bürgermädchen Anna (Erni Wilhelmi) vom Zirkus träumt, in der
Ausstattung von Clavé, einem Maler aus dem Picasso-Kreis. »Und hier gibt es auch
jene kurze Szene, die wirklich mehr als nur eine amüsante Revueoperette, nämlich
einen echten großen künstlerischen Moment bringt: Wenn makaber und ironisiert
der schwarzgekleidete tote Papa mit weißer Maske herumstolziert, während die
grünlichen Clowns ihn mit leuchtenden Papierziehharmonikas ›O mein Papa‹ um-
tanzen, bis die ganze Gespenstervision in den Boden versinkt« (Bruno E. Werner).
Unglaublich, aber wahr und vielen unvergeßlich ist das radebrechende Deutsch in
dem Liedchen vom »sißen Pony«, was »sein so lieb und klug, sein wie ein Mensch
beinah«, und vom Papa, der »eine wunderbare Clown« und »eine schöne Mann«
gewesen ist. (»Ei, wie er lacht, sein Mund, sie sein so breit, so rot«!) Die Liedtexte,
die sozusagen in aller Munde waren, stammten von Jürg Amstein und Robert Gilbert; von dem Substrat, dem Lustspiel *Der schwarze Hecht* von Emil Sautter, sprach
man mit Herablassung. Zu Unrecht. Denn Charells gepriesene Revue-Fassung war
nicht das Optimum für diesen Stoff. Sie konnte auch nur 30mal wiederholt werden.
Was Franz Josef Wild von den Kammerspielen, der Charell assistiert hatte, zusammen mit Wolfgang Znamenacek Anfang Dezember 1952 auf die Kammerspielbühne
stellte, lief in anderthalb Jahren 142mal. Es war eine schlichtere Fassung, zu Musik
an zwei Klavieren. Und überall sonst ist danach dieses kleinere *Feuerwerk* gespielt
worden, in Stuttgart (1953) sogar ganz bewußt wieder Sautters *Schwarzem Hecht*
angenähert, des Generalvertrags wegen allerdings ebenfalls als »musikalische Komödie von Erik Charell«. Die schlichte Geschichte von der Kaufmannstochter, die
nach der Zirkussehnsucht dann doch lieber bürgerlich heiratet, mundet sanft und
süß wie Apfelsaft – Charell hatte Brausepulver dazugetan. Andere Burkhard-
Premieren am Gärtnerplatz machten weniger von sich reden: *Spiegel, das Kätzchen*,
eine Seldwyler Geschichte, dramatisiert von Fridolin Tschudi (1956) und die Neufassung von *Hopsa* (1957).
Das Gärtnerplatz-Theater erlangte keine allgemeine Gunst, so konnte Rudolf
Hartmann es 1952 der Staatsoper angliedern, als Ausweichstätte für Spielopern, die
sich für das pathetisch-amphitheatralische Prinzregententheater nicht eigneten. Das
war immer noch ein weit glimpflicheres, weil pfleglicheres Schicksal, als der damaligen Volks- oder besser Zeitungsmeinung nachzugeben und den Gärtnerplatz
zu privatisieren oder in ein Volkstheater umzuwandeln, denn eine »Staatsoperette«
sei ein Widerspruch in sich.
Zu Beginn der Spielzeit 1955/56, mit Beginn der Ära Duvoisin, errang der Gärtnerplatz wieder seine Selbständigkeit. Mit Kurt Eichhorn als Chefdirigent und Max
Bignens als Chefbühnenbildner setzte Willy Duvoisin den Spielopern-Kurs drei
Jahre lang fort. Nach seinem Unfalltod trat Arno Assmann das Erbe an. Assmann,
damals noch Regisseur in Frankfurt, hatte sich zu Weihnachten 1958 durch eine
Gastinszenierung des *Zigeunerbarons* empfohlen: er hatte die Geschichte zum Traum
Barinkays gemacht. Ein verdächtiger, für die Gattung trauriger Ausweg, der sich
immer anbietet, wenn man die Zustände nicht mehr als Realität anzubieten wagt.
Assmann war groß in solchen Erfindungen: Donizettis *Regimentstochter* verlegte
er ins Militärmuseum, Millöckers *Armer Jonathan* wurde zum Märchen vom kleinen Mann im Getriebe der allzugroßen Welt, Lortzings *Undine* ließ er einem alten

Folianten entsteigen. Assmann zielte auf totales Theater, dessen Pracht blendete und dessen Schwung überrannte.

Mit dem Musical war man am Gärtnerplatz nicht recht vorangekommen, der erste Versuch dieser Art war sogar abgelehnt worden: *Fanny* nach Marcel Pagnol, von Duvoisin mit Christine Görner in der Titelrolle inszeniert. Der Dirigent Silvio Varviso (er wurde 1972 Musikchef an der Stuttgarter Staatsoper) gefiel besser als die Musik von Harold Rome. Im Jahre 1956 folgte *Kiss me Kate* mit Johannes Heesters und Annaluise Schubert.

Kiss me Kate wurde stets nur in vereinfachter Form dargeboten, denn das große Musical, das echte Revue-Musical im deutschen Sprachbereich einzuführen machte fast unlösbare Schwierigkeiten. Die erforderlichen künstlerischen und finanziellen Mittel (bis zu einer Million!) können vom Repertoiretheater weder investiert, noch könnten die Investitionen ausgenützt werden. Der Betrieb würde zusammenbrechen, obwohl in Deutschland alles Erforderliche schon da ist, nur verbessert, vergrößert, spezialisiert werden müßte.

Kein Zufall, daß das operettenhafteste Musical (viel Charakterzeichnung und Lieder, wenig Artistik, wenig Temperament) der größte Musical-Erfolg in Deutschland wurde, der einzige Großerfolg: *My Fair Lady* von Frederick Loewe. Es lief Ende Oktober 1961 in Berlin in dem damals von Hans Wölffer gepachteten »Theater des Westens« an, und im Sommer 1963 aus, nachdem eine Million Leute es in etwa 700 Vorstellungen gesehen hatten. Es folgten Gastspiele in Wien, München und Hamburg. Schon der nächste Versuch Wölffers *Annie Get Your Gun* (Irving Berlin) ab September 1963 blieb weit hinter der *Fair Lady* zurück. Gründgens hatte sich für die *Fair Lady* interessiert, aber dann doch lieber die Finger davon gelassen. Assmann sah sich die *West Side Story* (Leonard Bernstein) in London an und kam resigniert zurück: er traute seiner Staatsoperette diesen Temperamentsausbruch nicht zu.

Als das deutsche Schauspielhaus 1961 mit dem *Faust* in New York gastierte, studierte Karl Vibach für Gründgens die Walpurgisnacht mit dortigen Komparsen ein, sogenannten »gypsies« (Zigeunern). Sie ließen ihn die Produktionen sehen, in denen sie momentan beschäftigt waren, Musicals, und Vibach war begeistert. Er hatte zwar schon Musicals inszeniert, sein erstes für das Nordmark-Landestheater (1958, *No, no Nanette*, Premiere in Westerland), aber was er in New York sah, ließ alles in Deutschland Gemachte und Gesehene verblassen. Im Hamburger Operettenhaus inszenierte er 1962 *Heimweh nach Sankt Pauli*, Gustav Kampendonks an Freddie Quinn orientierte Geschichte von einem blonden Hein, der als Jimmy Jones Karriere macht, aber vom Heimweh besiegt wird. »Freddie«, ein österreichischer Schauspieler, der 1954, 23jährig, zu singen begann, spielte und sang selber die Hauptrolle, Lotar Olias hatte die Musik geschrieben. Das Rührstück lief auch in Berlin, München und Wien, im ganzen 500mal; es gab goldene Schallplatten. In Stuttgart inszenierte Vibach *Kiss me Kate*; *Cancan*; *Stop the World*; nach seinem Scheitern als Stuttgarter Schauspieldirektor (Herbst 1966) war dann der Weg frei für eigene Interessen, eigene Begabung. Der Durchbruch kam mit der Inszenierung von Jerry Bocks *Anatevka* mit Shmuel Rodensky aus Israel als Milchmann Tevje und Lilly Towska als seine Frau Golde. Jüdische Jauchzer und jüdischer Jammer anno 1905 in Westrußland. Als dieser Bilderbogen von Weisheit und Einfalt der Ostjuden im

Hamburger Operettenhaus mit Beifall überschüttet wurde (Februar 1968, Produktionskosten 700 000 Mark), da lief er in London im zweiten und in New York schon im vierten Jahr. Von dort hatte man die Original-Choreographie importiert, ein Assistent von Jerome Robbins war nach Hamburg gekommen. Auch in dieser Umformung in eine fremde Sprache und ein fremdes Medium zeigte sich der Stoff von Scholem Alejchem den üblichen Libretti überlegen. *Wenn ich einmal reich wär* (deutsch von Rolf Merz) wurde in Rodenskys ostjüdelnder Artikulation geradezu zum »Ohrwurm«. Vibach galt fortan als Musical-Fachmann.

Als Generalintendant in Lübeck (vom Herbst 1968 an) bekam er den Apparat in die Hand, den er für kontinuierliche Musicalitäten brauchte. Immer war es nötig, die Werke zu bearbeiten. Nicht nur um den Aufwand zu verringern, auch weil es im Orchester und auf der Bühne an hinreichend vielseitigen Leuten fehlt. Ein Musical braucht »Doubles«: Musiker, die mehrere Instrumente spielen, und Darsteller, die singen und tanzen können. Teils behilft man sich bei uns mit großem, sogar um besondere Instrumente vergrößertem Orchester, was dazu führt, daß ganze Instrumentalgruppen zeitweilig herumsitzen, weil andere »dran« sind. Eine bessere Notlösung ist die Uminstrumentierung für Combos, in denen jedes Instrument nur einmal vertreten ist. Auch die deutsche Mentalität, die Hör- und Sehgewohnheiten müssen berücksichtigt werden. Allmählich war das Musical in Lübeck als Gattung durchgesetzt, es gab pro Spielzeit nur noch eine Operette, aber zwei Musicals. Eine Inszenierung konnte etwa 25mal im ›Großen Haus‹ gegeben werden; das bedeutet, daß etwa 23 000 Lübecker, jeder zehnte, sich Vibachs neueste Adaption ansahen. Diese Arbeit, welche die Stadt als förderungswürdig anerkennt, zahlt sich auch bei Opern- und Operetten-Inszenierungen aus, denn Solisten, Ballett und Chor sind zum Leben erweckt worden, auch *Idomeneo* oder *Poppaea* werden frischer. – *Zorba* (Sorbas), *Cabaret*, *Applaus* mit Nadja Tiller, *The King and I* mit Freddie Quinn waren Kieler Erstlinge.

Vor allem um Musical-Profis wie Liza Minnelli und Barbra Streisand heranzuziehen, wurde 1975 in Kooperation mit der Universität in Boston der Hamburger Hochschule für Musik ein ›Institut für Musiktheater‹ angegliedert. Norman Foster, ein Tausendsassa des Showgeschäfts, war Direktor geworden, der Tanzstar Gene Kelly als Lehrer gebucht. Geplant war eine alle Sparten übergreifende Allround-Ausbildung, auch für schon im Engagement stehende Darsteller. Es dauerte kein Jahr, da war das Unternehmen schon am Ende.

Seiner Seltenheit gemäß wird das deutsche Musical über Gebühr beachtet. *Heimweh nach Sankt Pauli* war schon der zweite Start der herzergreifenden Geschichte gewesen, die erste Version für großes Operettenorchester (*Das große Heimweh*, 1955) war untergegangen. Die Zweitfassung, mit einem Seitenblick aufs Fernsehen instrumentiert, widersetzt sich normalen Theaterorchestern, beziehungsweise deren Etats, denn Saxophone, Jazztrompeten, Jazzposaunen müssen abendweise dazugemietet werden. Zum Herbst 1975 erschien dann die Sparfassung des in derlei bewährten Hans Hofmann, Kapellmeister an der Städtischen Bühne in Hagen, einem reinen Musiktheater. Premiere war in Oberhausen, wo man für Musical-Produktionen durchschnittlich mit 13 000 DM auskommt. Von dieser Version erhofft man sich den Lauf durch die Provinz, zumal da Lotar Olias, Klindworth-Scharwenka-Schüler, der deutsche Erfolgskomponist in dieser Sparte ist. Seine Westernparodie *Prärie-*

saloon (Libretto: Heinz Wunderlich, Uraufführung 1958 im Jungen Theater, Hamburg) ging über fünfzig Bühnen. *Charleys neue Tante* von Olias und Kampendonk erschien 1968 in Hamburg, als musikalische Fassung des damals 75 Jahre alten, in rund 250 000 Aufführungen bewährten Lustspiels von Brandon Thomas. Der Bühnenverlag bietet außer dem üblichen Aufführungsmaterial für Orchester auch ein Playback-Tonband, welches das Orchester erspart und von den lokalen Künstlern nur noch solistisch ergänzt zu werden braucht. Üblich ist der Vertrieb einer Fassung für großes und einer für kleines Orchester, zum Beispiel für Olias' *Millionen für Penny* (1967 München, Gärtnerplatz-Theater). Das ist eine Falschmünzer-Komödie mit »Theater im Theater« wie in *Kiss me Kate*: fast entdeckte Falschmünzerei in einem leerstehenden New Yorker Theater zwingt die Fälscher, »wirklich« Theater zu spielen, nämlich Schillers *Räuber* – übrigens ein in Amerika unbekanntes Stück. Nächst Olias ist der Kölner Gerhard Jussenhoven der erfolgreichste deutsche Musical-Komponist. Er musicalisierte Sardou (*Cyprienne*, alias *Also gut, lassen wir uns scheiden*, 1966 Köln, Theater am Dom) und Molière (*Monsieur Malade* alias *Der eingebildete Kranke*, Koblenz 1972).

Daß man auch in kleinen Verhältnissen viel erreichen, eigentlich Unmögliches möglich machen kann, erwies Peter Zadek in Ulm. Auf dem Podium einer Turnhalle entfesselte er im Herbst 1961 eine entwaffnend un-verschämte Paraphrase auf den irischen Freiheitskampf: *Die Geisel* von Brendan Behan. Damals hatte sich in Ulm bei Kurt Hübner ein Team zusammengefunden, das nach zwei Jahren auszog, um von Bremen aus Aufsehen zu erregen: Helmuth Erfurth, Katharina Tüschen, Hannelore Hoger, Friedhelm Ptok; die Bühneneinrichtung stammte von Wilfried Minks, Regisseur Peter Zadek wurde in Bremen Schauspieldirektor.

Zadek kannte aus England das »Show Biz« (amerikanische Abkürzung für »Business«), er bewies immer wieder Vorliebe für dieses Genre (*Music Man* von Meredith Wilson, März 1963; *Die alten Zeiten sind vorbei* nach Joan Littlewood, Januar 1965), zumal als Generalintendant in Bochum (ab 1972/73). In Bochum gehörten hausgemachte Musicalitäten zu Zadeks Publikums-Freundlichkeiten: *Kleiner Mann, was nun?* von Tankred Dorst nach Fallada (1972/73), *Professor Unrat* von Zadek nach Heinrich Mann (1974/75).

Den nach der *Fair Lady* zweitgrößten Musical-Erfolg in den Vereinigten Staaten zeigte das Düsseldorfer Schauspielhaus im November 1966: *Hallo Dolly!* – Thornton Wilders *Heiratsvermittlerin*, die ihren besten Klienten selber nimmt. (Das Schauspiel hatte von 1955 an, von Zürich aus, auf deutschsprachigem Gebiet die Runde gemacht.) Dieses recht potente Repertoire-Theater holte einen amerikanischen Fachmann als Choreographen, den vielseitigen Dick Price: Tänzer, Regisseur, Texter, ehemaliger Stierkämpfer und Meister im Eiskunstlauf. Price konnte freilich in sechswöchigen Proben aus den Schauspielern nicht mehr an Stimme und Gelenkigkeit zur Geltung bringen, als vorhanden war. Otto Rouvel zog sich als das halb willige, halb unwillige Objekt der Heiratsvermittlerin am besten aus der Affäre, denn die Rolle des grantigen Greises erlaubte ihm, das Singen und Tanzen selbstironisch zu markieren. Tatjana Iwanow, als listige und lustige Witwe Dolly, eine achtbare Diseuse, zeigte sich im Romanoff-Restaurant so intim wie Lehárs Graf Danilowitsch im Maxim – nur daß sie die Herren statt die Damen bei ihren Kosenamen nannte. Der Vergleich kommt nicht von ungefähr: dem deutschen Theater gerät jedes Musical operettoid, das ist eine Sache der Mentalität und der Tradition. Dank Tradition fiel in Düsseldorf auf, was in New York niemand scherte: daß Lehár ein viel besserer Komponist war, als Jerry Hermann einer ist. Trotzdem auch bei der deutschen Erstaufführung ein Beifallssturm, als zum Schluß alles, was Beine hatte, auf der Bühne stand und acht Verlobte grüßten.

Gegen Ende der sechziger Jahre holte die Operette auf. Es kam sozusagen zum Duell zwischen Musical und Operette. Daß die Operette sich erholte, verdankt sie nicht zuletzt beliebten Opernstars, die zur Abwechslung gern einmal hinüberwechselten: Anna Moffo (Csárdásfürstin), Anja Silja (Lustige Witwe), Anneliese Rothenberger und Gundula Janowitz (als Rosalinde in der *Fledermaus*). In der Spielzeit 1971 lag erstmals wieder eine Operette, der *Zigeunerbaron*, mit 312 000 Besuchern in 376 Aufführungen, vor dem beliebtesten Musical *My Fair Lady*. Auf dem dritten, vierten, fünften und sechsten Platz Operetten: *Land des Lächelns*; *Csárdásfürstin*; *Fledermaus*; *Lustige Witwe*.

Dennoch wird die Operette ihren Ruf der Überständigkeit nicht los. Im Nachlaß von Witold Gombrowicz fand man ein bitteres Stück, das den Zusammenbruch falscher Traditionen und gefährlicher Ideologien von links wie von rechts mit Hilfe von Operettenklischees darstellt. Beiläufig die Diffamierung einer Gattung, die dank ihres »göttlichen Idiotismus« Gombrowicz als Hülse des »vollkommenen Theaters« erschien (deutsch zuerst im März 1971 von Jorge Lavelli mit großer Maschinerie in Bochum inszeniert, im Februar 1972 von Ernst Schröder im Berliner Schiller-Theater).

Auf der Musical-Szene tat sich Abwechslungsreicheres, Aktuelleres, nicht unbedingt auf höherem Niveau. Im Oktober 1968 erschien das Protestmusical *Hair* in München (Theater in der Brienner Straße) und erwies sich als kommerzialisierter Underground. *Jesus Christ Superstar*, die kommerzialisierte »Jesus-Welle«, lief im Februar 1972 in Münster an. Das Musical hat einen guten Magen, es frißt wahllos Moden, Literatur, Geschichte.

Als Günter Könemann 1971 von Kaiserslautern als Generalintendant nach Gelsenkirchen gekommen war, begann man am »Musiktheater im Revier« neue Formen des musikalischen Unterhaltungstheaters zu erarbeiten. Bald gab es neue Musicals, hausgemachte deutsche. Günther Schwenn schrieb, Paul Kuhn komponierte, Könemann inszenierte *Fanny Hill* (1972/73). In der Spielzeit 1973/74 inszenierte Könemann die musikalische Geschichte eines von Klaus Wirbitziky erfundenen Pop-Stars: *Wer kennt Jürgen Beck?*. In derselben Spielzeit boten Leinert Vater (Musik) und Sohn (Textcollage) *A. H., Bilder aus einem Führerleben*. Ein Jahr danach gab es Ludwig Thomas Komödie *Moral*, vertont von Franz Grothe nach einem Libretto von Günther Schwenn. Hermann Schomberg spielte den Rentier Beermann.

Leider muß sich solche Initiative weitgehend selbst belohnen. Mit dreißig Aufführungen ist der Gipfel des Erfolges erreicht, die Hitler-Collage kam nur auf drei. Es gibt vertraglichen Austausch mit Bochum, gelegentlichen mit Kiel, Dortmund und Münster. *Moral* wurde in Sankt Gallen nachgespielt, *Fanny Hill* in Wien (Raimund-Theater).

In Wien bekam das Musical eine eigene Pflegestätte: Rolf Kutschera widmete ihm das Theater an der Wien, das nach der Rückkehr der Staatsoper an den Ring (1955) in Ratlosigkeit zurückgelassen worden war. Nach der Wiedereröffnung im Jahre

1962 versuchte Fritz Klingenbeck vergeblich, das Haus »kostendeckend als Gast-spielbühne« zu führen, es vor allem den Bundestheatern, den Wiener Festwochen und dem Theater der Jugend zu vermieten. Die Verbindung mit den Bundestheatern war kurz, dauerhaft ist die mit den Wiener Festwochen (jeweils Mai/Juni) und mit dem Theater der Jugend.

Im Dezember 1965 zeigte Kutschera die erste Musical-Eigenproduktion: *Wie man was wird im Leben, ohne sich anzustrengen*, eine von Robert Gilbert und Gerhard Bronner verdeutschte Version der von Frank Loesser musicalisierten Komödie von Shepherd Mead: *How to succeed in Business without really trying*. Diese Anlei-tung erreichte in 62 Vorstellungen fast 30 000 Besucher, *Irma La Douce* (März 1966) lockte fast ebenso viele Leute in nur 45 Vorstellungen. Erfolgreicher waren *Der Mann von La Mancha* (ab Januar 1968, 134 Vorstellungen), mit Josef Meinrad als Don Quixote und Fritz Muliar als Sancho, und *Anatevka* (ab Februar 1969, 232 Vorstellungen), mit Yossi Yadin und Lya Dulizkaya, zwei Stars aus Israel. Marika Rökk übernahm die Titelrolle in *Hallo Dolly!* (ab September 1968, 134 Vorstellun-gen), damit war der Stoff an seinen Ursprungsort heimgekehrt, denn es liegt Nestroys Posse *Einen Jux will er sich machen* zugrunde. Wilder hat ihn aus dem Wiener Vor-märz in die amerikanischen Gründerjahre verpflanzt.

Um die oft sehr hohen Tantiemen, die für amerikanische Musicals gezahlt werden müssen, besser amortisieren zu können, versucht die Direktion, die Werke direkt vom Hersteller für den gesamten deutschsprachigen Raum zu erwerben. Sie werden dann ohne Gewinnabsichten weitergegeben. Das gelang beispielsweise bei *Cabaret* (nach Christopher Isherwood, 50 Vorstellungen, ab November 1970) und *Sorbas* (nach Nikos Kazantzakis, 89 Vorstellungen ab Januar 1971, Yossy Yadin in der Titelrolle).

Nicht zuletzt wirtschaftliche Zwänge machten also das Theater an der Wien zum wichtigsten Umschlagplatz im deutschsprachigen Bereich. In zehn Jahren (1965 bis 1975) sind siebzehn Musical-Produktionen gezeigt worden, daneben auch einige risikolose Operetten. Die Haupt-Regisseure sind neben Rolf Kutschera Dietrich Haugk, Michael Maurer und Kurt Pscherer (seit 1963 Intendant am Münchner Gärtnerplatz). Allmählich kam man vom vertraglich erzwungenen Kopieren ameri-kanischer Uraufführungsmodelle los, man durfte und konnte zu freier Nachgestal-tung übergehen. In der Spielzeit 1966/67 begann die Heranbildung eines Spezial-balletts. Zuschuß bleibt nötig: 41 Millionen Schilling (1973). Inzwischen beherrscht man in Wien die Ingredienzien, lange genug arbeitete Kutscheras Mannschaft an der Feinlegierung aus Musik, Schauspiel, Literatur, Tanz und Bild. Im Jahre 1972 wurde nach Rezept ganz nüchtern ein Erfolgsmusical hergestellt: *Helden, Helden* nach Shaw, Musik: Udo Jürgens, »der Deutschen liebster Minnesänger«. Die Liedtexte hatte der Kabarettist Eckart Hachfeld geschrieben, das Buch Hans Gmür. Michael Heltau spielte den Hauptmann Bluntschli. Nach einem monatelangen publizisti-schen Countdown kam es zum erfolgreichen Start. Man hatte einen Erfolg pro-grammiert, und der Erfolg trat ein, reichte noch bis Hamburg (Februar 1973, mit Paul Hubschmid als Bluntschli), aber nicht mehr bis Berlin.

Im Herbst 1972 haben die Pächter des Hamburger Operettenhauses, schweizerische Geschäftsleute, auch das Berliner Theater des Westens übernommen. Der alterfah-rene Hans Wölffer, der seinen Nachfolger Karl-Heinz Stracke (seit 1964) zum

Jahresbeginn 1972 abgelöst und mit dem Import des in London erfolgreichen Musicals *Catch my soul (Othello 72)* einen fulminanten Durchfall erlebt hatte, trat still in die ›Theater des Westens GmbH‹ zurück. (Er starb im Juli 1976.) Nun entwickelt sich ein Operetten- und Musical-Verbund Wien – Hamburg – Berlin. Ost-Berlin folgte mit Verspätung, folgte aber. Hans Pitra, der Nachfolger des 1950 in den Westen entwichenen Rabenalt, steht nun schon seit mehr als einem Vierteljahrhundert an der Spitze des Metropol-Theaters. Mit der *Fledermaus* feierte das Operetten-Leittheater der DDR zu Weihnachten 1955 den Umzug in den ehemaligen Admiralspalast, den die Staatsoper freigegeben hatte. *Kiss me Kate* erschien dort 1965, also zehn Jahre nach der westdeutschen Erstaufführung, *Feuerwerk* im Januar 1966 (sechzehn Jahre später), die *Fair Lady* im September 1966 (fünf Jahre nach West-Berlin), die DDR-Erstaufführung ist schon ein Jahr eher in Dresden zu sehen gewesen. *Music Man* kam im Mai 1967, vier Jahre nach Bremen, im ›Metropol‹ heraus, *Cancan* von Cole Porter spielte Rostock 1967 dem Stadttheater Regensburg nach (deutsche Erstaufführung November 1961). *Hallo Dolly!* mit Gisela May in der Titelrolle gab es Ende 1970 im Metropol-Theater.

Am Landestheater Halle wurde im Juni 1965 *Polly oder Die Bataille am Bluewater Creek* uraufgeführt, eine Neubearbeitung der gleichnamigen Fortsetzung von John Gays *Bettleroper* durch Peter Hacks. Die Musik schrieb André Asriel, in Halle spielte Micaela Kreißler die Titelrolle, in München (Theater an der Brienner Straße, November 1971) Christine Ostermayer. Diese Polly zwischen »Piraten ohne Moral, Puritanern mit falscher Moral und Indianern mit Moral« (Horst Laube) war 1965 in Halle Hacks' Freunden zu harmlos, die Arbeit gehörte zur Abkehr und Erholung vom Ärger mit Wichtigerem.

Originäre DDR-Musicals wurden mit Recht bald vergessen: *Treffpunkt Herz* (1951) und *Jedes Jahr im Mai* von Herbert Kawan oder ein *Sieg der Musen* (1969) von dem Filmkomponisten Helmut Nier, dem der Fernsehkollege Walter Baumert ein gesinnungsstarkes Libretto geliefert hat: die »durch die ökonomischen Erfolge der LPG sehr gut dastehenden Einwohner des Dorfes Unterweil« müssen »ihre Unterschätzung der Kultur aufgeben« und beginnen »ein neues sozialistisches Verhältnis zur Kultur zu entwickeln«. In *Verlieb dich nicht in eine Heilige* wird ein Träumer, der mit der Gegenwart nicht zufrieden ist, ins Mittelalter versetzt und lernt auf diese Weise die DDR schätzen (September 1971 im ›Metropol‹). Von einem im August 1971 in Gera uraufgeführten Villon-Musical meldet die *Volkswacht*, der Autor bewerte »von unserer sozialistischen Gegenwart aus« den »Traum der gesellschaftlich Deklassierten von einem besseren menschlichen Leben«.

Hanns Anselm Perten bemüht sich in Rostock, aus dem Westen sozialkritische Musicals zu importieren, um das Angenehme mit dem politisch Nützlichen verbinden zu können. Er präsentierte 1966 (unter dem Titel *Ein Hauch von Romantik*) *Make Me an Offer* von Wolf Mankowitz (Musik von David Heneker), die Geschichte von dem kleinen Antiquitätenhändler Charlie, der erfahren muß, daß man mit Liebe zum Schönen und mit Ehrlichkeit im Business nicht weiterkommt. Ein Jahr darauf folgte *Ich sehne den Tag herbei* alias *The Matchgirls*, ein Spiel von Armut und Streik englischer Zündholzarbeiterinnen. Wieder ein Jahr später wurde aus Dänemark *Teenagerlove* herbeigeschafft, eine überzogene Satire auf die Verlogenheit der Schlagerbranche, die in Rostock als getreuer Spiegel hingestellt wurde. Fürs eigene Land natürlich eitel Wohlwollen: *Ein Strom, der Liebe heißt* war ein in Rostock 1969 unter Rekruten der »Volksmarine« spielendes und auch uraufgeführtes Singspiel um Liebe zum Staat, zur Heimat, zum Partner.

Das Dresdner Operettentheater, seit 1950 im Vorort Leuben, schied 1967 aus dem Verband der Staatstheater aus und wurde selbständig. Auch Fritz Steiner, Intendant seit 1958, müht sich um heitere Gegenwart: *Irene und die Kapitäne* (1967) zeigt die Begegnung einer Operettensängerin mit einer Brigade des ›VEB Kraftverkehr Dresden‹, zu der Steiners Theater tatsächlich Verbindung hat.

Zum 1. September 1973 zog das ›Metropol‹ seine Nachkriegsbilanz: 105 Inszenierungen seit Kriegsende, darunter 23 Uraufführungen und acht Erstaufführungen für die DDR. Kurz vor Ende der Spielzeit 1972/73 war der neunmillionste Besucher gekommen. Anlaß zu dieser Rechnung war die Erinnerung an die Eröffnung des ersten Theaters namens ›Metropol‹ vor damals 75 Jahren. In der »Jubiläumsspielzeit« wurden sechs Musicals zusammengefaßt, darunter das Verkehrserziehungs-Spiel *Karambolage* und ein musikalischer *Raub der Sabinerinnen* unter dem Titel *Bretter, die die Welt bedeuten.*

Die Bühne als Tribüne

Rolf Hochhuth setzte 1963 mit seinem Papstdrama *Der Stellvertreter* einen neuen Anfang, unter Berufung auf Schiller, geschult am *Wallenstein*. Es sollte der Geschichte wieder ein Sinn abgewonnen werden. Auseinandersetzung mit der »unbewältigten« Vergangenheit stand an. Die allmählich herangewachsene Nachkriegsjugend stellte Fragen an die Väter, auch an das Theater der Väter. Das Theater konnte nicht länger dem schönen Schein oder gar der Verdrängung dienen. »Nach Auschwitz« – ein damals gängiger Begriff – müsse auch das deutsche Drama »anders« sein, hieß es. Aber wie?

Selbstverständlich ist im weiteren Sinne alles wirksame Theater politisch. Politisches Theater im engeren Sinne aber, nämlich Politik als Thema des Dramas und die Darstellung von Geschichtlichem als Meinung zur Gegenwart, das kam damals kaum noch vor. Der beherzte Griff in die Wirklichkeit, der das Nächstliegende für Dramatiker zu sein scheint, war sehr selten geworden. Auch deshalb wirkte es alarmierend, als im Oktober 1957 Klaus Kammer in der Rolle des Jimmy Porter von der Bühne des Schloßpark-Theaters herabschimpfte: »Niemand denkt, niemand interessiert sich für irgend etwas, kein Glaube, keine Überzeugung, keine Begeisterung.« Und: »Vernunft & Fortschritt, die alte Firma, ist im Begriff, Pleite zu machen.« Der Stück-Titel *Blick zurück im Zorn* (Osborne) ist eine Redensart geworden. Die Barlog-Inszenierung lief 61mal, hinzu kamen einige Gastspiele. Klaus Kammer war ein idealer Jimmy Porter; dieser gefährdete Schauspieler, der im Mai 1964 aus dem Leben schied, gab der Labilität und Zerrissenheit der rebellierenden, aber dann resignierenden Figur bedenkenswerte Überzeugungskraft.

Was es damals an politischen Stücken gab, das waren eigentlich Kostümierungen politischer Konstanten, bei Sartre und Camus beispielsweise. Noch einmal machte Sartre die Antike zum Vehikel seiner Gedanken: Gegen den Krieg im allgemeinen, den Kolonialkrieg im besonderen aktivierte er *Die Troerinnen des Euripides*. Von den Festspielen in Bad Hersfeld aus machten diese *Troerinnen* die Runde.

Solche allgemeinen Appelle, die darauf hinausliefen, daß der Mensch edel, hilfreich und gut sein müsse, konnten des Beifalls sicher sein. Es waren ja nur Parabeln. Brecht hatte das vorgemacht. »Wie man's auch drehen mag, er wollte die Verhältnisse ideal abbilden«, urteilte Martin Walser 1964, also im Jahre 1 nach Hochhuth. »Moabit oder das Ruhrgebiet taugten ihm offensichtlich nicht, die Verhältnisse so ideal abzubilden, wie er es wollte.«

Walser selber überanstrengte sich dreimal beim Idealisieren der Verhältnisse – und ideal war für ihn ein monumentales Ausmaß von Miesigkeit, das er durch Übersteigerung der Verhältnisse erreichte, mit der »Deutschen Chronik« *Eiche und Angora* (Schiller-Theater 1962), mit *Überlebensgroß Herr Krott* (Stuttgart 1963), dann mit *Der schwarze Schwan* (Stuttgart 1964). Das erste Stück ist die Geschichte eines Opportunisten, der immer wieder dadurch in Schwierigkeiten kommt, daß seine Umwelt sich schneller umstellen kann als er selber. Es folgte das Porträt eines Überkapitalisten, der gegen seinen Willen immer mächtiger wird und nicht sterben kann – eine Allegorie auf den Kapitalismus. Drittens eine Hamlet-Variante: der

Hochhuth, Der Stellvertreter. Theater am Kurfürstendamm, Haus der Freien Volksbühne Berlin. Uraufführung 1963. Regie: Erwin Piscator. – Günter Tabor, Dieter Borsche, Hans Nielsen (Foto: Erwin-Piscator-Center im Archiv der Akademie der Künste, Berlin)

Sohn eines ehemaligen KZ-Arztes will seinen Vater durch Spiel im Spiel entlarven. Ringsum das weitere Personal zeigt verschiedene Möglichkeiten der »Vergangenheitsbewältigung«.

Das war Gewissensdramatik, vorgerichtete und zugespitzte Wirklichkeit, wie auch Kipphardts Satire auf eine verspätete Wahrheitsfindung *Der Hund des Generals* (zuerst 1962 in den Münchner Kammerspielen). Es gibt in Frischs *Andorra* wie in Hochhuths *Stellvertreter* eine Selektionsszene, sie spielt bei Hochhuth an der Entladerampe von Birkenau, bei Frisch aber auf dem imaginierten Marktplatz eines imaginären Landes. Außerdem ist sie ritualisiert, wie auch der Mord an Ill in Dürrenmatts Güllen eine ritualisierte Hinrichtung ist, anders hätte man sie unerträglich gefunden, und es wäre »keine Kunst« gewesen. Kunst schien auf der Bühne unerläßlich, bevor man sie als Tribüne verstehen lernte. Dürrenmatts Physiker nennen sich Newton und Einstein, haben aber mit den wirklichen Trägern dieser Namen nichts zu tun. In Zuckmayers Resistence-Drama *Der Gesang im Feuerofen* (erstmals 1951 in Göttingen) werden zwecks höherer Gerechtigkeit Freund und Feind von denselben Schauspielern verkörpert, spielen Bruder Nebel, Vater Wind, Mutter Frost poetische Nebenrollen. Näher an der Wirklichkeit waren die szenischen Berichte über Anne Frank, ein jüdisches Mädchen, das im Konzentrationslager Bergen-Belsen ermordet wurde, und über Janusz Korczak, den polnischen Arzt und Pädagogen, der die ihm anvertrauten Kinder ins Vernichtungslager Treblinka begleitete. *Das Tagebuch der Anne Frank* von Frances Goodrich und Albert Hackett (deutsch zuerst 1956 in Aachen) und *Korczak und die Kinder* von Erwin Sylvanus (Uraufführung Februar 1957 in Krefeld) waren damals die meistgespielte Sühnedramatik, eher Requiem als Dokumentation.

Der Russe Jewgeni Schwarz hatte in den dreißiger Jahren Märchenmotive zur Camouflage und Poetisierung seiner kritischen Botschaften gewählt, aber auch naive Märchen für Kinder geschrieben. Von seinen ungefähr zwei Dutzend Theaterstücken wurde *Die Schneekönigin* in Westdeutschland am häufigsten gespielt, sie half Dutzenden von Theatern aus der Verlegenheit, zu Weihnachten ein Märchen spielen zu müssen. Auch *Die verzauberten Brüder* und *Das alltägliche Wunder* waren vielgespielte Harmlosigkeiten. *Der Schatten*, die Parabel vom Bösen, das die Macht usurpiert, kursierte seit der berühmt gewordenen Gründgens-Inszenierung 1947 in Berlin bis in die siebziger Jahre. Ähnlich erfolgreich war die Märchenkomödie *Der Drache*, die Geschichte vom fahrenden Ritter Lanzelot, der eine Stadt vom Drachen befreit, welche dann die Freiheit mißbraucht und noch einmal gerettet werden muß. Deutsch zuerst 1962 in Stuttgart, 1972 zum ersten Mal in der Schweiz (Bern), beliebt auch im Marionettentheater und auf Laienbühnen.

Eine Inszenierung aber übertrumpfte alle anderen, die von Benno Besson im (Ost-) Deutschen Theater Berlin (März 1965). Besson war damals der Erfolgsregisseur in der Schumannstraße, seine Arbeiten begeisterten Presse und Publikum.

Lanzelot (Eberhart Esche) kam wie ein Western-Held in Horst Sagerts labyrinthisches Spießer-Städtchen, und als er übers Jahr wiederkam, da trug er eine Arbeitermütze. Eine proletarische Geste, weil es ein sozialistisches Märchen sein sollte. Darum versuchte die Inszenierung zu suggerieren, Lanzelot befreie die Stadt nicht der schönen Elsa wegen, sondern um den Vierten Stand zu befreien – bei Schwarz, der beim Schreiben an den Faschismus gedacht hatte und den Stalinismus genauso traf, leider nur durch ein paar Handwerker vertreten. Auch die anderen, kindlicheren Märchen von Schwarz wurden in der DDR viel gespielt.

Julius Hay kam wieder, sogar leibhaftig. Nach vieljährigem Auf und Ab je nach dem politischen Kurs in Ungarn, nach Haft (1957) und Amnestie (1960) wurde dem mittlerweile 63jährigen wieder Reisen ins westliche Ausland erlaubt. Bühnen und Fernsehanstalten in der Bundesrepublik, in Österreich und der Schweiz waren ihm überaus zugänglich; Hay erzielte zwar keine großen Erfolge mehr, aber viele kleine. Altes und vor allem Neues von ihm wurde aufgeführt. Mit einem traurigen Scherz kommentierte der Autor sein Comeback: wie die in Münchhausens Trompete eingefrorenen Töne sich bei Tauwetter lösten, so auch diese Theaterstücke . . In der DDR war den Serienfolgen *Gerichtstag* und *Haben* nur der einsame *Putenhirt* gefolgt (1954), die Tragikomödie vom moralischen und finanziellen Ruin eines ungarischen Gutsbesitzers. Im Sommer 1964 leitete das »Europa-Studio« der Festspiele im Landestheater Salzburg mit der Satire auf den Personenkult *Das Pferd* die Hay-Renaissance ein. Es folgten 1965 *Der Barbar* in Köln und *Gaspar Varros Recht* in Wuppertal, 1966 *Attilas Nächte* bei den Bregenzer Festspielen. Im Oktober 1968 folgte das Lehrgespräch *Der Großinquisitor* in der Josefstadt. Hay suchte Antwort auf die Frage: »Wie, wo, wann, durch wessen Mund hat Gott Menschen erlaubt, andere Menschen in Besitz zu nehmen, die Macht über anderer Menschen Körper und Seele, Schaffen und Denken, Leiden und Genießen an sich zu reißen?« Auch im fremdsprachigen Ausland und im Fernsehen gab es Hay-Aufführungen. Im Jahre 1965 zog sich der Autor, der so alt war wie das Jahrhundert, ins Tessin zurück. Dort ist er im Mai 1975 gestorben.

Mit allgemeinen Moralitäten, wie sie auch Hochwälder (*Der Himbeerpflücker*, Zürich 1965, *Der Befehl*, Wien 1968) und H. G. Michelsen (u. a. *Helm,* Frankfurt a. M. 1965) geschrieben haben, gab sich Hochhuth nicht zufrieden. Dieser Neuling im dramatischen Gewerbe hat in seiner redlichen Empörung die Abbilder auf der Bühne nach ihren Vorbildern im Leben genannt: Pius XII., Kurt Gerstein, Eichmann. Das machte Ärger, schadete dem »Anliegen« (dem Appell für moralische Radikalität gegen Kompromisse), nutzte aber der Gattung, denn die weit über den deutschsprachigen Raum hinausgehenden Polemiken für und gegen Hochhuth bereiteten einer »Dokumentationsdramatik« den Boden, die der »Aufklärung« dienen wollte.

Ohne Piscators Mut wäre Hochhuths *Stellvertreter* später, vielleicht zu spät erschienen. Piscator hatte sich allmählich wieder hochgedient, als »commis voyageur du théâtre« – so nannte er sich selber in dieser Zwischenzeit als Reise-Regisseur. »Eine scheußliche Angelegenheit, wenn man bedenkt, daß alles bei mir einem inneren Wachstum gewidmet ist.« Elf Jahre hatte er gebraucht, seinen alten Rang zurückzugewinnen. Kleine und kleinste Theater hatte er nicht verschmäht; die Arbeitsorte hatte er sich nicht aussuchen können, eher schon die Stücke: Sartres Filmszenario *Im Räderwerk*, eine Darstellung der Maschinerie politischer Macht hatte er in der Bühneneinrichtung von Oscar Wälterlin zweimal inszeniert, Arthur Millers *Hexenjagd* fünfmal, eine Dramatisierung von Tolstois *Krieg und Frieden* (unter Mitarbeit von Alfred Neumann und Guntram Prüfer) ebenfalls fünfmal, viermal *1913,* den dritten Teil von Sternheims Maske-Tetralogie, zweimal Strindbergs Ehedrama *Totentanz* in einer eigenen Version. In Essen inszenierte er O'Neills amerikanisierte Atriden-Trilogie *Trauer muß Elektra tragen* (Januar 1958).

Im Jahre 1927 hatte Piscator seinen Posten als Oberregisseur der Berliner Volksbühne, eines für ihn zu quietistischen Vereins, verlassen; im Jahre 1962 wurde er, fast siebzigjährig, als Nachfolger von Günter Skopnik, Intendant der Freien Volksbühne in Berlin. Er hatte sich vorgenommen, »die allgemeine Vergeßlichkeit, das allgemeine Vergessenwollen in Dingen unserer jüngsten Geschichte aufzuhalten«. Er begann mit Hauptmanns *Atriden*, präsentiert als »mythologisch verschlüsselte Beschwörung der Hitler-Barbarei« (so formulierte er es selber). Es folgte *Die Grotte*, Küchensozialismus eines aus der Belétage der Belle époque überraschend herabgestiegenen Anouilh. Und dann kam Hochhuths Antwort auf eine Frage, die vor ihm noch nicht einmal jemand zu stellen gewagt hatte: durfte der Papst angesichts der Nazigreuel schweigen?

Nachdem Hochhuth den ersten Wirbel verursacht hatte, kam eine breite Strömung politischer Aufklärung auf. Piscator schwor auf Tatsachen. Ein dokumentarischer Text sei weniger leicht zu verfälschen. »Keine Angst vorm Material!« Heinar Kipphardt wurde der erfolgreichste Dokumentar-Dramatiker. Das Volksbühnentheater teilte sich mit den Münchener Kammerspielen in die Uraufführung von Kipphardts szenischem Bericht *In der Sache J. Robert Oppenheimer* (11. Oktober 1964). Zugrunde liegt die Untersuchung des Sicherheitsausschusses der Vereinigten Staaten vom Frühjahr 1954, ob der Physiker Dr. Oppenheimer, langjähriger Leiter der amerikanischen Atomforschung, der Spionage für die Sowjetunion schuldig sei. Das Szenarium läuft nicht auf politische, sondern auf moralische Schuld hinaus: In einem melancholischen Schlußwort fragt Oppenheimer, ob die mit der Kernspaltung befaßten Physiker nicht etwa dem Geist der Wissenschaft gegenüber schuldig geworden seien, weil sie ihre Arbeitsergebnisse den Militärs überlassen haben. Im Oktober 1965 inszenierte August Everding in München Kipphardts *Joel Brand*, »die Geschichte eines Geschäfts«, das Eichmann mit den Alliierten hatte machen wollen: ungarische Juden gegen Lastwagen.

Den Höhepunkt der szenischen Information bildeten die von Peter Weiss komprinierten Aussagen vom Frankfurter Auschwitz-Prozeß. Sechzehn Bühnen in Ost und West zeigten *Die Ermittlung* gleichzeitig, allerdings nur sieben davon szenisch. Natürlich glichen die Szenen einander wie ein Tribunal dem andern. Eine Demontration, kein Spiel. Die Bühne als Tribüne. Der Verlag hatte gemeint, die Sache sei so grauenvoll, daß man sie wohl nicht auf die Bühne bringen könne. Man habe den Text nur dem Autor zuliebe vervielfältigt. Weiss hatte sich nämlich durch einen strahlenden Erfolg im Schiller-Theater empfohlen: *Die Verfolgung und Ermordung Jean Paul Marats, dargestellt durch die Schauspielgruppe des Hospizes zu Charenton unter Anleitung des Herrn de Sade*. Eine im April 1964 jubelnd aufgenommene Premiere, einstudiert von Konrad Swinarski, mit Peter Mosbacher (Marat) und Ernst Schröder (de Sade), deren beiderseitige Ansichten – sozialrevolutionäre Ideen gegen krassen Individualismus – unentschieden aufeinanderprallen; insofern also noch ein unparteiisches Stück.

Piscators Dramaturg hatte seinem Chef von der *Ermittlung* abgeraten; das Volksbühnentheater hatte ein besonders großes Risiko, weil dort mit ad hoc engagiertem Ensemble und darum ohne Repertoire en suite gespielt werden mußte. Fünf Stücke pro Spielzeit mußten sich wenigstens leidlich bewähren, denn es gab keinen Ersatz. Piscator, der bis zum letzten Moment vergeblich ein Stück zum 75. Jahrestag der

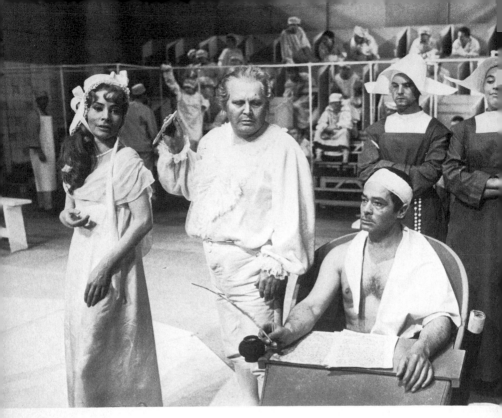

Weiss, Marat ... de Sade. Schiller-Theater Berlin. Regie: Konrad Swinarski. – Lieselotte Rau,
Ernst Schröder, Peter Mosbacher (Foto: Harry Croner, Berlin)

Volksbühnengründung (19. Oktober 1965) gesucht hatte, wählte im allerletzten
Die Ermittlung. Er hätte auch die Volksbühnenpremiere von vor 75 Jahren repetieren können, Ibsens *Stützen der Gesellschaft,* und alle hätten damit zufrieden sein
müssen. Aber er suchte immer das Neueste, er wollte lieber in Ehren scheitern. Als
Bühnenbildner bevorzugte Piscator Hans-Ulrich Schmückle, seit 1954 Ausstattungsleiter der Städtischen Bühnen Augsburg, dessen Spielräume für das politische Theater zu seinen eindringlichsten Arbeiten gehören.
Namhafte Kritiker waren gegen das »Theater-Auschwitz«. Auch der *König Lear*
handle von Gewalt, erklärten sie, aber seine Wahrheit sei keine Faktenwahrheit,
sondern Kunstwahrheit. Daß man Gretchens Schicksal spielen könne, hänge mit der
Nicht-Realität des Gezeigten zusammen. Wenn Kunst ihre eigentümliche Macht
ausüben solle, dann müßten Freiheit, Auffassung und Gestaltung mit dabei sein.
Wenn die Dichtkunst den Boden der Geschichtsschreibung betrete, dann müsse sie
den innersten Kern und Sinn einer Begebenheit, Handlung, eines nationalen Charakters, einer hervorragenden historischen Individualität herausfinden, hatte Hegel
in seiner Ästhetik gefordert. Der Faschismus freilich, meinte Adorno, sei undarstell-
bar. Er erklärte Hochhuth, »jedes vermeintliche Drama des Atomzeitalters wäre

Hohn auf sich selbst, allein schon, weil seine Fabel das historische Grauen der Anonymität, indem sie es in Charaktere und Handlungen hineinschiebt, tröstlich ver-
fälscht«. Hochhuth replizierte: »Das Theater wäre am Ende, wenn es je zugäbe,
daß der Mensch in der Masse kein Individuum mehr sei.« Er personalisierte die
Judenverfolgung im *Stellvertreter* und später den Bombenkrieg im »Nekrolog auf
Genf« (gemeint ist die Genfer Konvention) *Soldaten*. Adorno tadelte die »Konzentration auf unverwechselbare Menschen«, weil – laut Brecht – längst das Wesentliche ins Funktionale gerutscht sei. »Der Satz Rilkes vom eigenen Tod, auf den Sie
sich berufen, ist zum blutigen Hohn auf die geworden, welche in den Lagern ermordet wurden oder in Vietnam fallen.«
Man hatte von den *Soldaten* ein zweites Hochhuth-Wunder erwartet, für Premie-
renkarten wurden hohe Schwarzmarktpreise gezahlt. Die dem Andenken Piscators
(gest. 1966) gewidmete Tragödie hat ein doppeltes Thema, das die Figur Churchills
(gespielt von O. E. Hasse) notdürftig verklammert: Bombenkrieg und der Tod des
polnischen Exilpolitikers Sikorski, der nach der momentanen Vertilgung Polens
und vor der Neuordnung durch Stalin seltsam erwünscht starb. Theatralisch war's
zunächst (Oktober 1967) eine Niederlage, Schweikart ließ im inzwischen von Hansjörg Utzerath geleiteten Volksbühnenhaus nicht einmal das halbe Soldaten-Drama
spielen, es war wie alle Dramen von Hochhuth ein ausuferndes Werk; mühsame,
aber lohnende Arbeit für Dramaturgen.
Die politische Orientierung machte Armand Gatti bekannt. Er galt als Anarchist,
Le Monde nannte ihn einen »Vulkan in dauernder Eruption«. In Deutschland war
Gatti zuerst 1963 in der Berliner ›Schaubühne am Halleschen Ufer‹ hervorgetreten,
mit dem szenischen Nachruf auf seinen bei einem Streik erschossenen Vater (*Das
imaginäre Leben des Straßenkehrers Auguste G.*). Im Januar 1965 folgte in Essen
die schwerblütige und schwermütige Darstellung der Vergewaltigung der Gegenwart durch die Vergangenheit (*Die zweite Existenz des Lagers Tatenberg*). Im
Februar 1966 folgten in Ulm Rückblicke auf den SS-Staat auf einer als Fernseh-
schirm verkleideten Bühne (*Berichte von einem provisorischen Planeten*), Buckwitz
inszenierte im März 1966 in Frankfurt politische Mystik von Gatti (*Der schwarze
Fisch*). Mit gewaltigem technischem Aufwand pflegte Gatti auf die Gegenwart zu
zielen (»Alle fünf Jahre wechselt die SS die Nationalität«), jedoch ungenau. Das
erste wirklich aktuell wirkende Stück Gattis im deutschen Sprachbereich gab es im
November 1967 in Kassel zu sehen: *General Francos Leidensweg*. Gemeint waren
Leiden, die Franco verursacht hat, gezeigt wurden Erinnerungen und Vorstellungen
spanischer Emigranten. Gattis Versuche, durch Darstellung von Alternativen den
»Zerstörungsprozeß am Menschen« aufzuhalten, mißlangen. Er verwirrte, weil er
die Szene zerschlug, um die Köpfe zu öffnen, und nirgends einzuordnen war. Die
Uraufführung von *Rosa Kollektiv* (gemeint ist kollektive Bemühung um eine Rosa-
Luxemburg-Darstellung), April 1971 in Kassel, bekam nur noch böse Nachrufe.
Im November 1964 erregte ein Kollektiv Aufsehen, das man damals als politische
Gruppe verstand: das ›Living Theatre‹ stellte *The Brig* von Kenneth Brown vor,
zunächst auf dem Podium der Akademie der Künste. Das von Julian Beck und
Judith Malina 1951 in New York gegründete Ensemble hatte Repressionen weichen
müssen, die Einladung nach Berlin erleichterte den Übergang zur Mobilität. Ge-
zeigt wurde eine »geschlossene Gesellschaft« im Arrestbunker einer Einheit ameri-

kanischer Marine-Infanterie. Zu Beginn wird das Reglement verlesen (nicht miteinander sprechen, immer im Laufschritt sich bewegen, sich nie hinsetzen, nie ohne Befehl sich rühren, nach Ausführung eines Befehls neben der Pritsche stehend im Reglement lesen, nie die auf dem Boden gezogenen weißen Linien ohne Erlaubnis überschreiten usw.), dann wird es in zweistündiger Hetzjagd und Tortur, die auch für die Zuschauer quälend ist, »durchgeführt«. Diese »Inszenierung«, die in viele Städte Westeuropas kam, gehört zum Härtesten, was jemals auf der Bühne zu sehen gewesen ist, obwohl »eigentlich« nichts Besonderes passiert: einer wird entlassen, ein Neuer aufgenommen, einer wird allerdings wahnsinnig.

Anfang 1967 fand das wilde Ensemble (damals 32 Personen) nach langer Suche im In- und Ausland vorübergehend in Krefeld Unterkunft. Dort wurde eine *Antigone* »after Sophokles, after Hölderlin, after Brecht, a new translation by Judith Malina, a new version by The Living Theatre« aufführungsreif. Premiere war im Februar. Die von Brecht versachlichte Vorlage war exzessiv aufgeladen, doch die 189 Zeilen seiner Antigone-Legende tauchten, in kurze Passagen zerlegt, als nüchterne Splitter im Strom der Leidenschaft auf. Sie wurden deutsch zitiert und waren willkommene Erläuterungen für die konsternierten Zuschauer, denen auf der völlig leeren, weit aufgerissenen Bühne zwei Stunden lang ohne Requisiten, ohne Kostüme, ohne Masken ein pausenloses Inferno geliefert wurde. Zum Schluß gab es einen Vormarsch in breiter Front bis an die Rampe, Aug in Auge mit dem Publikum begannen die Spieler angstvoll, erst stumm, dann schreiend, langsam zurückzuweichen. Schließlich stand die Menschenkette an die ramponierte, kahle Bühnenrückwand gepreßt, wie zur Erschießung. Dunkel. Der dann einsetzende Beifallssturm machte aber alles wieder zu Theater.

In den folgenden Jahren wurden an vielen Orten neu erarbeitete Produktionen gezeigt, in denen politische Slogans kanonartig auftauchten: »Stop the war in Vietnam! Ban the Bomb! Freedom now! Change the World! Feed the Poor! Amnesty!« und »How can we end human suffering?«. Der am Schluß von *Mysteries* »nachvollzogene« Tod in der Gaskammer, der Horror in *Frankenstein* wirkten peinigend und peinlich, »aber das spricht für die Truppe, daß sie sich mit Leib und Seele in ein Abenteuer stürzt, dessen Ausgang sie nicht kennt« (Hellmuth Karasek).

Das auf Veränderung zielende Theater, das Personen und Sachen beim Namen nannte, verursachte und bekam Schwierigkeiten. Das ›Living Theatre‹ hatte immer wieder Zusammenstöße mit der Polizei, die Spanische Botschaft protestierte beim Auswärtigen Amt gegen Gattis szenische Spanienpolemik; Rattenschwänze von Auseinandersetzungen, gerichtliche und außergerichtliche, folgten dem Papstdrama und dem Churchill-Sikorski-Schauspiel Hochhuths. J. R. Oppenheimer, der »Vater der Atombombe«, fand sich von Kipphardt falsch porträtiert, der ehemalige Leiter einer jüdischen Hilfsorganisation protestierte gegen die »glorifizierende« Darstellung Joel Brands (Brand selbst hatte Kipphardts Darstellung gebilligt). Günter Grass, inzwischen ein politischer Autor, wurde von jenseits der Mauer beschimpft für sein Stück über Brecht und den 17. Juni. Schon bevor *Die Verschwörer* von Wolfgang Graetz vom Pfalztheater Kaiserslautern in Ludwigshafen gezeigt wurden (November 1968), wurde das Institut für Zeitgeschichte zwecks Wahrheitsfindung bemüht. Dem Autor wurden Strafanzeigen angedroht »wegen Verunglimpfung des Andenkens Verstorbener«, denn seine Darstellung der Offiziersrevolte vom 20. Juli 1944 zeigte Verschwörer, die politisch unreif und mangelhaft vorbereitet waren.

Mitte der sechziger Jahre wurden die Studenten unruhig, die in Berlin faßten das politische Mandat der Freien Universität nicht mehr nur als antikommunistischen Auftrag, sondern als Verpflichtung zur politischen Wachsamkeit auf. Als am 2. Juni 1967 vor der Deutschen Oper Studenten gegen den Schah von Persien demonstrierten, der die *Zauberflöte* zu sehen gekommen war, erschoß die Polizei im Verlaufe schwerer Ausschreitungen den Studenten Benno Ohnesorg. Sie lieferte damit ein Fanal, das auf Jahre hinaus die außerparlamentarische Opposition schürte und Radikalen den Anlaß oder Vorwand gab für Gewalttaten. Michael Hatry machte daraus eine szenische Montage, die den brutalen Einsatz von Polizei als *Notstandsübung* hinstellte (aufgeführt im März 1968 vom Ulmer Theater in der Hochschule für Gestaltung).

Im April 1968 heizte der Mordanschlag auf den radikalen Studentenführer Rudi Dutschke das Klima noch weiter an, im Mai wurden vom Parlament »Notstandsgesetze« verabschiedet, die bis dahin umfangreichste Verfassungsänderung in der Bundesrepublik – zum Schutz der Demokratie oder zu deren Aushöhlung, darüber gingen die Meinungen auseinander. Von den Bühnen herab und mit ad hoc geschriebenen Agitationsszenen für »Straßentheater« wurde von jungen Schauspielern und Regisseuren gegen die Notstandsgesetze polemisiert.

Die Mai-Unruhen in Paris vermehrten die Unruhe weiter. Es kam zu Demonstrationen vor, in, nach Aufführungen, Theater wurden als »Einrichtungen des Establishments« unter Druck gesetzt. In Universitätsstädten kam es zu Störungen, Sitzstreiks auf der Bühne, Theaterbesetzungen, Sprengung von Vorstellungen. Judith Malina, einst Schülerin Piscators in dessen ›Workshop‹ in New York, sagte im Sommer 1968: »Ich glaube, daß Piscators Idee vom politischen Theater sich in der Besetzung des Théâtre de l'Odéon durch Studenten während der Mai-Revolution vollendet hat. [...] Es war ja beinahe ein Wunder: Tagelang ist im Theater politisch diskutiert worden. Alles ging ohne Autoritäten und Formalitäten vor sich. Niemand war Regisseur, niemand Schauspieler. Die Studenten fanden ganz einfach: das Beste, was man aus einem Theater machen kann, ist eine Tribüne. [...] Überall, wo Studentendemonstrationen in Frankreich stattgefunden haben, ist das Theater als Tribüne benutzt worden. Die Revolution ging dieses Mal von den Universitäten ins Theater und erst dann in die Fabriken.«

Kultur wurde als soziale Aktion aufgefaßt. Günter Grass lieferte ein besonnenes und entsprechend blasses demokratisches Lehrspiel (*Davor*, zuerst Februar 1969 im Schiller-Theater), andere scherten sich den Teufel darum, ob sie die Verhältnisse verantwortlich und richtig darstellten. Sie legten sich Material zu Beweis oder Scheinbeweis zurecht, lieferten szenische Polemiken, die soziale, religiöse, moralische, politische Tabus verletzten.

Die antikommunistische Front weichte auf; linke Positionen fanden Sympathie; Sympathisanten verhinderten im Dezember 1969 in Tübingen die Satire Z von Manfred Bieler, einem aus der DDR stammenden, in die Tschechoslowakei ausgewanderten und kurz nach dem Einmarsch der Truppen des Warschauer Pakts in die Bundesrepublik verzogenen Lyrikers und Erzählers. »Z« bedeutet »Zentralamt zur Aufbewahrung verdienter Genossen« und zeigt einen DDR-Funktionär in einem marxistischen Himmel, wo er sich vor Lenin, Marx und Engels zu verantworten hat: »Du korruptes Schwein . . .!«

Die gewaltsame Rückführung der Tschechoslowakei auf die Moskauer Linie veränderte die Stimmung insofern, als der Kommunismus nun auch gegen den Ostblock verteidigt wurde. Nachdem im Januar 1969 der tschechische Student Palach sich auf dem Wenzelsplatz in Prag aus Protest gegen die Okkupation seines Landes mit Benzin übergossen und angezündet hatte (»Mein Tod ist kein Selbstmord!«), konstruierte Erwin Sylvanus daraus eine Dokumentation: *Jan Palach*. Als sie im Februar 1973 im Hamburger Jungen Theater erschien, reichte es nur zu freundlichem Beifall.

Der Krieg in Vietnam rückte immer stärker ins Bewußtsein. Er kostete in den neun Jahren zwischen dem Tonking-Zwischenfall (1964) und dem Abzug der US-Truppen (1973) die Vereinigten Staaten einen großen Teil ihres moralischen Kredits. Unter Polizeischutz entwickelte sich im März 1968 im Frankfurter Schauspielhaus der *Viet Nam Diskurs* von Peter Weiss »über die Vorgeschichte und den Verlauf des lang andauernden Befreiungskrieges in Vietnam als Beispiel für die Notwendigkeit des bewaffneten Kampfes der Unterdrückten gegen ihre Unterdrücker sowie über die Versuche der Vereinigten Staaten von Amerika, die Grundlagen der Revolution zu vernichten«. Dieser *Viet Nam Diskurs* war kühler als die im Oktober 1967 in der Berliner ›Schaubühne‹ gezeigte szenische Polemik von Weiss gegen die portugiesische Kolonialpolitik: *Gesang vom lusitanischen Popanz*, eine Allegorie auf Totalitarismus in Portugal und auf Salazar, dessen Name nicht fällt. Als Popanz hatte Gunilla Palmstierna-Weiss einen klapprigen bespielbaren Unhold gebaut; für Vietnam ließ sie die Bühne kahl, »größte Einfachheit« hatte ihr Mann gewünscht. Die Vietnamesen trugen schwarze, ihre Gegner weiße Kleidung. Harry Buckwitz versuchte, die Schwarz-Weiß-Darstellung durch Standortwechsel zu beleben. Es waren drei »Nachhilfestunden«, die etwa 2500 Jahre zusammenfaßten. Maoisten randalierten ein wenig. Hinterher wurde diskutiert. Die einen glaubten, einen Sieg des bürgerlichen Theaters gesehen zu haben, die andern das Gegenteil.

Im Sommer 1968 inszenierte Peter Stein den *Viet Nam Diskurs* im Münchner ›Werkraumtheater‹ und im Januar 1969 in der Berliner ›Schaubühne‹. Beide Inszenierungen wurden nur dreimal gezeigt: in München setzte die Intendanz die politische Predigt ab, um die jeweils anschließende Geldsammlung für den Vietcong zu unterbinden, in Berlin wurde das Spiel von der Theaterleitung »aus künstlerischen Gründen« gestoppt. In Berlin war die Kritik gleich mitinszeniert: Der Kabarettist Wolfgang Neuss conferierte, polemisierte, glossierte Stück und Publikum, das Textbuch unterm Arm, das er als die »knochentrockene Suhrkamp-Fibel« verspottete.

Auf anderen Bühnen eskalierte das Thema Vietnam zur antiamerikanischen Agitation: März 1968 in Stuttgart *MacBird* von Barbara Garson, Dezember 1968 in Wuppertal *V wie Vietnam*, von Armand Gatti, Ende Januar 1970 *Ficknam* von Tuli Kupferberg in einem Wuppertaler Beat-Keller (das etablierte Theater traute sich an diesen obszönen Text nicht heran). Ende August 1971 inszenierte George Tabori mit Schülern des Reinhardt-Seminars in einer evangelischen Kirche der Berliner Trabanten-Stadt Buckow seine Darlegung, wie man Menschen zu Mördern abrichtet, eine Totenmesse für die Opfer eines Massakers: *Pinkville* (das war der

Kodename für das Gebiet von My Lai in Südvietnam). Ende August 1971 gab es in Düsseldorf die szenische Reportage *Der Prozeß gegen die Neun von Catonsville* von Daniel Berrigan. Es sind Amerikaner, die die Einberufungsbefehle verbrannt haben, der Text ist das szenische Plädoyer eines Jesuitenpaters.
Besonders deutlich wurde die Radikalisierung an der verschärfenden Bearbeitung eines älteren Stückes aus der Parabel-Epoche: aus dem Märchen *Der Drache* von Jewgeni Schwarz wurde 1971 *Der Dra-Dra*, urinszeniert von Hansgünther Heyme in den Münchner Kammerspielen. Im Jahre 1963 hatte Schweikart den *Drachen* von Schwarz an seinem Theater gezeigt, nun stand als Autor einer »großen Drachen-töterschau« in acht Akten mit Musik nur noch Wolf Biermann auf dem Programm, der politische Sänger aus Hamburg, der seit 1953 in Ost-Berlin lebt, seit 1965 dort mundtot gemacht. »Neu ist eigentlich nur, daß aus Held Lanzelot ein Hans Folk gemacht worden ist, der mangels unverbildeter Menschen statt von einem, von sechs revolutionären Tieren unterstützt wird«, urteilte Wolfgang Petzet. Das Skelett war geblieben, aber es sah nun anders aus, weil Songs, satirische Sketchs, politisierende »Einfälle« dazugekommen waren. Biermann hat den Drachen zum »Gleichnis für parasitäre Macht, für Ausbeutung, Willkür und konterrevolutionären Terror« erklärt. Hans Folk »sei einer jener lobenswerten Verräter an der eigenen, reaktionär gewordenen Klasse«.
Dazu Musik, deren leitmotivische Kompositionsfetzen ein »infernalisches Getöse« (Petzet) machten, und als Dekor ein Schuttberg aus Wohlstandsmüll, auf dem die Drachenburg thronte und in dem eine rattenartige Konsumgesellschaft hauste »Ein Meisterstück des in Pop-Wirkungen erfahrenen Bert Kistner« (Petzet). Als der Riesen-Penis des Gouverneurs und Drachennachfolgers am Käfig der Opferbraut hängenblieb, begehrte das Publikum auf, die Aufführung endete in lautstarken Auseinandersetzungen. Im Programmheft sollten die Paßbilder von vierundzwanzig »Drachen« zu sehen sein: Kardinal Döpfner, Franz Josef Strauß, Gerhard Löwenthal, Ministerpräsident Goppel, Polizeipräsident Schreiber, Finanzminister Schiller und andere. (Biermann: »Revolutionäre Künstler werden sich nicht damit bescheiden, dieses Stück gegen alle möglichen Drachen der Welt zu spielen, sondern werden es gegen ihren eigenen Drachen in Szene setzen.«) Everding hatte Einspruch erhoben, das Programm erschien mit zwei leeren Seiten.
Es kam zu Protesten und Kündigungen, zu Solidarisierungen mit dem für das Programmheft verantwortlichen Chefdramaturgen Kipphardt, zu Boykotterklärungen gegen die Kammerspiele. Rainer Werner Fassbinder zog sein Versprechen, Grabbes *Scherz, Satire, Ironie* zu inszenieren, zurück und bat Everding öffentlich um Verständnis dafür: »Das von Ihnen geleitete Theater ist gewiß nicht übler als andere – auch in politischer Hinsicht. Meine Freunde haben mich darüber aufgeklärt, welche Bedeutung der Boykott der Kammerspiele hat. Er ist ein Anlaß, Machtverhältnisse an Theatern zu demonstrieren.« Everding sprach von Gesinnungsterror, die Stadt ließ Kipphardts Vertrag zum Spielzeitende auslaufen, der Spielplan brach zusammen, die Kammerspiele gerieten in Notstand.
Anfang Dezember 1968 platzte in Hamburg die Uraufführung des Oratoriums *Das Floß der Medusa* von Ernst Schnabel und Hans Werner Henze, ein Auftragswerk des Norddeutschen Rundfunks. Der Chor weigerte sich, angesichts einer roten Fahne zu singen, die Studenten aufgehängt hatten, dazu auch eine schwarze und

ein Bild von Che Guevara, dem die Urheber das Werk gewidmet hatten. Schnabel hatte den Eindruck, daß eine gütliche Einigung noch möglich gewesen wäre, als Polizei einrückte und alle mitnahm, die herumstanden, egal ob beschwichtigend oder schürend. Auch Schnabel wurde verhaftet, unter grotesker Beschuldigung: Hausfriedensbruch, Widerstand gegen die Staatsgewalt und Gefangenenbefreiung. Das Publikum ging heim, der NDR sendete ungerührt die Aufnahme der Generalprobe. Die Uraufführung fand im April 1972 in der Nürnberger Oper statt.

Inzwischen (Ende September 1971) hatte die Deutsche Oper in Berlin Henzes szenische Kantate nach einer Ballade von Gastón Salvatore (ein Links-Bourgeois sucht im Arbeiterviertel Kreuzberg Geborgenheit) *Der langwierige Weg in die Wohnung der Natascha Ungeheuer* herausgebracht. »Nach jeder kurzen Passage, die möglicherweise eingeübten Hörgewohnheiten entgegenkommt, fügte der Komponist Störelemente ein« (Jürgen Beckelmann). Das Premierenpublikum buhte und pfiff. Verkleidung der Musiker sollte Politisierung der Musik verdeutlichen. Eine Klanggruppe war behelmt und saß in prunkvollen Sesseln, eine andere trug weiße Kittel, zwei hatten Dreispitze auf dem Kopf, einer trug einen Augen-Spiegel vor der Stirn.

Henze blieb neben Luigi Nono, der schon 1961/62 mit *Intolleranza* ein Signal gesetzt hatte, einer der wenigen politischen Komponisten. Nono war durch Antonio Gramscis Schriften zum Kommunismus gekommen, Henze ist 1967 unter dem Einfluß von Dutschke Marxist geworden; seitdem komponiert er »für die deprimierten Massen, die Genossen der Linken, für alle, die Aufklärung und Hilfe von der Kunst erwarten«. Nono hatte am Algerienkrieg gelernt, »daß der Kampf gegen Faschismus und Repression nicht nur eine Erinnerung war«. So war das in den Grundzügen von italienischen Verhältnissen geprägte Libretto von *Intolleranza* (deutsche Version von Alfred Andersch) – italienischer Arbeiter geht in belgisches Bergwerk, kehrt zurück und gerät in eine Naturkatastrophe – überlagert von repressiven Situationen aus verschiedenen Epochen: Faschismus, Resistenza, Algerienkrieg, Spartakus, Überfall der Deutschen Wehrmacht auf die Tschechoslowakei, Spanienkrieg: alles Beispiele für Intoleranz. Für die Erstaufführung in Köln lieferte Chargesheimer Bilddokumente aus Konzentrationslagern, von Aufmärschen und Straßenschlachten. Rotierende Hakenkreuze und ein Atomblitz wirkten eher als Bühnengags. Das Publikum lieferte zum Schluß ein Unentschieden zwischen Buh und Bravo.

Politisches Musiktheater blieb selten, sein größter Erfolg war und blieb *Der Konsul*; der Uraufführung 1950 in Philadelphia folgte die deutschsprachige Version schon im Januar 1951 in Hamburg. Sie wanderte durch den ganzen deutschsprachigen Westen, dank der gehobenen Unterhaltungsmusik von Gian Carlo Menotti. Der Komponist hatte das Libretto selber nach eigenem Erleben geschrieben: Flüchtlinge geraten aus der Hölle der Gewalt in die Hölle der Bürokratie.

Ernst Krenek hat im Auftrag der Hamburger Staatsoper eine kaum noch fragwürdige aktuelle »Così-fan-tutte«-Paraphrase geschrieben: ein linkslastiger Dichter mit angejahrtem Groupie sowie ein behandlungsreifer Psychoanalytiker mit karatekundiger Freundin bandeln übers Kreuz an, nach Da Pontes Muster; hinzu kommt ein abwegiges politisches Intrigenspiel. »Halbstarker Tobak, eine merkwürdige Mischung aus Anzüglichkeit und plattem Ulk« (Klaus Wagner). Auch musikalisch viele Zitate. Ein kleines, aber stark mit Schlaginstrumenten besetztes Orchester, mehr Buh als Bravo bei der von Lindtberg einstudierten, von Krenek dirigierten Uraufführung von *Das kommt davon* im Juli 1970. Zwanzig Jahre früher hatte es in Köln schon einmal eine politische Oper von Krenek gegeben: *Tarquin,* die ins Römische transponierte Annexion Österreichs. Die nach dem Willen des Komponisten weder untermalende noch illustrierende Zwölftonmusik schien beziehungslos neben dem Libretto von Emmet Lavery herzulaufen. Dennoch anhaltender Beifall in den Kölner Kammerspielen, jedenfalls für die Sänger und den Dirigenten Wolfgang von der Nahmer.

Paul Dessau schrieb nach dem Anecken mit dem Brechtschen Libretto zum *Lukullus* (1951) noch drei politische, formal interessante Opern, die an der Staatsoper Unter den Linden uraufgeführt worden sind, alle drei inszeniert von Ruth Berghaus (verheiratete Dessau): *Puntila* (1966) ebenfalls nach Brecht, *Lanzelot* (1969) von Heiner Müller nach Jewgeni Schwarz (1969) und *Einstein* (1974) von Karl Mickel, einem damals 39jährigen Lyriker, Mitglied des »Leitungsgremiums des Berliner Ensembles«. Artifizielle Werke, deren Darbietung künstlerische und kulturpolitische Ereignisse waren. Der Freund Brechts und Altmeister des Musiklebens in der DDR hat seine Ästhetik in die weitgehend eingeebnete Tonwelt einbringen können und dürfen. Mit der *Lanzelot*-Uraufführung hat der Staat »den großen sozialistischen Musiker« zum 75. Geburtstag geehrt, er seinerseits hat das Werk der DDR zum 20. Geburtstag geschenkt. Der Volkston und die Dodekaphonie haben in Dessaus »gestischer Musik« nebeneinander Platz: Ziehharmonika neben Zwölftonkonstruktionen, auch Mahlersches Espressivo im *Puntila,* das in meditativen Szenen *Einsteins* wieder auftaucht. Dreiklangharmonie für den Retter Lanzelot und die Arbeiter, Artistik für die Bürger, Klangexplosionen für den Drachen, im Orchester wieder Ziehharmonika, auch Mandoline. Volkstümliches wird immer wieder zitiert, dabei aber auch ironisiert: »Ein Hornruf, Vögel zwitschern in den Flöten, die Harfe rauscht, die Geigen winden melodiöse Kränze« – so beschrieb Heinz Koch den Anfang der »Drachen«-Oper *Lanzelot.* Die *Einstein*-Oper zieht musikalisch die Summe aus allem, zitiert wird da vor allem Bach. Das Libretto säumt den Lebensweg des Physikers mit den unterschiedlichsten Zeiterscheinungen zwischen Galilei und McCarthy. Jeder der drei Akte endet mit einer Hanswurstiade, die das Drama vom Gewissen der Wissenden ironisiert. Der »Gesellschaftliche Rat der Staatsoper« befaßte sich mit Text und Musik, ließ beides aber nach einigen Änderungen passieren. Ein Sarkasmus beendet das Ganze: Hans Wurst, vom Krokodil wieder ausgespuckt, überquert das Wasser auf einem Rasiermesser und singt dem Publikum zu: »Sie sehen, ich lebe gern.«

Politische Tanzlegenden wurden in der DDR planmäßig erzeugt. Fritz Geißler machte Musik zu dem Rassenballett *Pigment* (Dresden 1960); *Grand jeté* von Anni Peterka (Metropol-Theater 1961) meint den »großen Sprung« vom Ich zum Wir. Das Tanzensemble des FDGB tanzte *Freiheit für Algerien; Buchenwald mahnt; Eine Mutter klagt an; Ein Fremdenlegionär erzählt.* Die Tanzgruppe der Buna-Werke Schkopau zeigte *Zwei fanden einen Weg* – nämlich aus Westdeutschland über die Fremdenlegion in die DDR. Die Tanzgruppe der Hochschule für Bauwesen in Cottbus tanzte *Das Recht des Herrn* (Jus primae noctis). »Wenn auch die Entwicklung des Balletts in der Deutschen Demokratischen Republik nicht frei ist von künstlerischen Schwächen und Hemmnissen, so haben die lautere Gesinnung und das ständig wachsende Können der Schaffenden und Ausführenden, vor allem aber das ehrliche Ringen um eine starke realistische Aussage und die völlige Abkehr von der bürgerlichen Dekadenz, die Überlegenheit gegenüber Westdeutschland längst eindeutig bewiesen« (Eberhard Rebling).

Im Sommer 1968 zeigte Hans Kresnik, damals Tänzer in Gise Furtwänglers Compagnie, im Rahmen der Kölner ›Tanzakademie‹, einem Ballettstudio für junge Choreographen, die umstrittene Tanzschöpfung *Paradies?*. »Zu grellen Tonmontagen und Transparenten, die fragten: ›Wer sind wir?‹ und ›Warum sind wir so?‹ vor Großfotos, zwischen Mülleimern, Schlagstöcken und Schutzhelmen hatte Kresnik hier eine Ballett-Show arrangiert, die mit harmlosen Pistolenspielchen begann und mit Mord und Totschlag endete. Kresnik selbst hatte sich da auf offener Bühne die grüne Maske des Außenseiters angeschminkt. Für ihn erwies sich das in Frage gestellte Paradies eher als die Hölle – denn Paradies war das nur für Konformisten und potentielle Mörder. Der Nonkonformist wurde am Ende halb totgeschlagen« (Horst Koegler). Als Ballettchef in Bremen hat Kresnik weitere politische Themen aufgegriffen: *Kriegsanleitung für jedermann* (nach einem Libretto von Marianne Eichholz) und die antiamerikanische Tanzrevue *PIGasUS* (Libretto: Yaak Karsunke).

Für die politische Dramatik des Westens war die DDR relativ aufgeschlossen. Hochhuths *Stellvertreter* kam zwar erst nach drei Jahren in die DDR (zuerst nach Greifswald, Februar 1966), aber der Autor hatte seinen Angriff auf den Papst zwei Jahre lang für den Ostblock gesperrt, weil dort »die Kirche an die Wand gedrückt wird«. Im März folgte als fünfzigste Bühne das Deutsche Theater in Ost-Berlin, drei Tage später das Leipziger Schauspielhaus.

Die DDR-Erstaufführung des *Viet Nam Diskurs* folgte Anfang April 1968 in Rostock, 14 Tage nach der Frankfurter Premiere. Hanns Anselm Perten hat den von Weiss als Aufklärung gemeinten szenischen Essay polemisch zugespitzt (zum Beispiel wurde die sanfte Kritik des Autors an der Haltung Moskaus durch die Erwähnung eines Kredits an Ho Tschi Minh ersetzt) und »optisch aufgereizt«. »Die Gespräche zwischen Dulles und Eden: ein Boxkampf. Jedes Argument ein Schlag. Schließlich hängt Eden angeschlagen an Dulles' Hals« (Rühle). Vier Wochen später dasselbe und doch nicht dasselbe am Schiffbauerdamm: Ruth Berghaus hatte die Lektion energisch gekürzt und unterhaltsam kostümiert, Paul Dessau Musik dazu gemacht. *V wie Vietnam* von Gatti ging auf der Ostberliner Volksbühne (März 1969) der Wuppertaler Aufführung um neun Monate voraus.

Im Juni 1970, nur ein paar Tage nach der Uraufführung der Dokumentation von Hans Magnus Enzensberger *Das Verhör von Habana* im Jungen Forum Recklinghausen, war eine umgepolte Version im Berliner Deutschen Theater zu sehen: »Der große, reiche Nachbar mit ansehnlichem militärischem Arsenal, der den Versuch mit dem Sozialismus beim armen, kleinen Anrainer scheelsüchtig betrachtet, heißt nicht mehr USA, sondern Bundesrepublik. Die bösen Exilkubaner verwandeln sich in Ost-Flüchtlinge, von denen in der DDR ja nur als von ›Revanchisten‹ gesprochen wird. Die guten kubanischen Kommunisten, die dröhnend lachen über die armen Idioten, die von ›freien Wahlen‹ faseln, von einem ›dritten Weg‹ oder von den Vorzügen freier Marktwirtschaft träumen, verwandeln sich in die wackeren Sozialisten der SED« (Rolf Michaelis). Natürlich fehlten die entsprechenden Deutschen. »Das hätte ja bedeutet, daß es die – gefürchteten – Konterrevolutionäre im eigenen Land tatsächlich gibt.«

In Recklinghausen waren die zehn Selbstaussagen der Gefangenen, die beim verunglückten Landemanöver in der Schweinebucht 1961 erwischt worden waren, mit Aussagen von Bundesbürgern mit ähnlichem Schicksal, Beruf, sozialem Rang parallelisiert worden. Der Moderator Reinhard Münchenhagen leitete die gestellten Verhöre und die echten Befragungen so geschickt, daß die realen Personen als Sympathisanten wirkten. »In diesen Augenblicken hatte der Abend knisternde Atmosphäre. Die Schauspieler sahen sich dadurch allerdings weitgehend um ihre Schau gebracht« (Werner Schulze-Reimpell).

Peter Weiss, Ende der sechziger Jahre schwankend zwischen West und Ost, auf der Suche nach einem »dritten Standpunkt«, setzte sich unvermeidlich zwischen die Stühle, seine Haltung überzeugte weder im Osten noch im Westen. Im Osten zog man die Konsequenz. Hatte schon sein Protest gegen den Einmarsch der »Brudervölker« in die CSSR mißfallen, so noch mehr sein Drama *Trotzki im Exil* (Januar 1970 in Düsseldorf). Und sein *Hölderlin* (September 1971 in Stuttgart) paßte nicht in die dortige Vorstellung von Pflege klassischen Erbes, zumal da Goethe, Schiller, Hegel als recht fossile Präzeptoren auftreten. Anfang Oktober 1971 verweigerten die Grenzer Weiss den Übertritt von West- nach Ost-Berlin, seine Stücke verschwanden aus dem Spielplan. Anderthalb Jahre später wurde Weiss verziehen, Hanns Anselm Perten inszenierte in Rostock eine die Klassiker würdigende Neufassung des *Hölderlin,* die – laut *Neues Deutschland* – »der dialektischen Geschichtsbetrachtung Rechnung« trägt.

»Politisches Theater rundum« überschrieb E. O. Plunien in der *Welt* einen Überblick zum Beginn der Spielzeit 1972/73 im Rheinland: der Regisseur Kai Braak hatte in Düsseldorf vor *Minna von Barnhelm* einen »langen dokumentarischen Vorspann gesetzt, der uns über den Siebenjährigen Krieg, seine Toten und Verwundeten belehrt«. Claus Leininger ließ in Essen »einen Landser unserer Tage, die Maschinenpistole unter den Arm geklemmt, den Prolog zu Shakespeares ›Troilus und Cressida‹ sprechen«. In Dortmund ließ Gert Omar Leutner die *Sozialaristokraten* von Arno Holz (1897) vor einem Atompilz spielen. »So verschleißt man Symbole.«

Der damalige Bundeskanzler Willy Brandt sprach im Düsseldorfer Schauspielhaus über »Theater als Schwester der Politik«. Anschließend ein Podiumsgespräch. Über die Prämisse, daß es unpolitisches Theater nicht geben dürfe, strenggenommen nicht geben könne, war man sich einig. Es wurde vornehmlich der Warenhaus- oder freundlicher: der Museumscharakter des Theaters beklagt und getadelt, statt dessen ein politisch-erzieherischer Spielplan gefordert.

In Österreich und der Schweiz ging es sehr viel ruhiger zu. Im Februar 1969 überraschte der Dramatiker, Lyriker und Erzähler Herbert Meier mit einem *Manifest.* Er hatte bis dahin ein lyrisches Drama (*Die Barke von Gawdos,* 1954) und Libretti für ein Oratorium (*Dem unbekannten Gott,* 1956) und eine Oper von Rudolf Kelterborn (*Kaiser Jovian,* 1967) geschrieben, nun aber unter dem Eindruck von Fernsehberichten über Berlin und Vietnam »zwölf Punkte« notiert. Der dritte Punkt »Der neue Mensch steht weder rechts noch links – er geht« zeigt, daß der erste nicht politisch gemeint ist: »Es sind in den nächsten Jahren neue menschliche Verhältnisse zu schaffen, und zwar von Grund auf.« Immerhin wollte Meier die »überkommene Ordnung der Positionen und Autoritäten« gestürzt wissen zugunsten der »Ordnung der Talente«. Im übrigen berief er sich auf die Bergpredigt.

»Die Welt läßt sich weder links- noch rechtsgetrimmt von der Rampe aus verändern«, belehrte René Bortolani im *Jahrbuch des Opernhauses Zürich 1970/71* seine deutschen Kollegen. »Die deutschsprachigen Schauspielhäuser wurden immer tiefer in den Strudel einer Krise hinabgerissen, die sie selbst verschuldet haben. Intendanten kamen und gingen. Dramaturgen wurden gefeuert und teilweise für die Misere verantwortlich gemacht. Der kaufmännische Direktor einer der großen und einst angesehensten Bühnen Deutschlands beging gar ›aus Verzweiflung über die Zustände an diesem Theater‹ Selbstmord. Kulturausschüsse und Verwaltungsräte mischten sich in die Arbeit der Theaterleute, entließen Autoren und Regisseure und stellten Anforderungen an die Spielpläne. Intrigen und Machtkämpfe verunmöglichten sachliche Diskussionen über Sinn und Unsinn des Theaters in der heutigen Zeit.«

Rückkehr zur Subjektivität

Der junge Kärntner Peter Handke wurde zum Star der Re-Privatisierung der theatralischen und literarischen Szene. Ohne Konzessionen nach rechts oder links setzte Handke die Innenwelt über die Außenwelt. Es begann mit einigen »Sprechstücken«, in denen auf mehrere Stimmen verteilter »Wort-Beat« vorgetragen wurde und deren erstes zum Schlagwort in der Branche wurde (*Publikumsbeschimpfung*, 1966). Im politisch ominösen Mai 1968 inszenierten in Oberhausen und im Frankfurter Theater am Turm jeweils die Oberspielleiter (Günther Büch, Claus Peymann) gleichzeitig das erste abendfüllende Stück Handkes: *Kaspar*. Dargestellt wurde die Entwicklung einer Figur aus der Sprache, am Beispiel Kaspar Hausers. Zum ersten Mal wurde der geistige Hintergrund der Sprechstücke klar: eine Poetik, die davon ausgeht, daß die Sprache ein Steuerungsmechanismus sei, der das Denken leite.
Im Februar 1969 stellte Peymann im Theater am Turm Handkes Gegenprobe auf die »Sprechstücke« vor. In *Publikumsbeschimpfung*, *Weissagung* und *Selbstbezichtigung* hatte der Autor das Spiel verweigert, in *Das Mündel will Vormund sein* ver-

Handke, Publikumsbeschimpfung. Theater am Turm, Frankfurt a. M. Regie: Claus Peymann. – Ulrich Hass, Michael Gruner, Rüdiger Vogler, Claus-Dieter Reents (Foto: Günter Englert, Frankfurt a. M.)

weigerte er seinen Figuren die Sprache. Statt Sprache ohne Gegenstände nun Gegenstände ohne Sprache. Alltagsszenen, in denen banale Umwelt Erwartungen bei zwei stummen Spielern und beim Publikum weckt, die dann enttäuscht werden, logisch unerwartete Ergebnisse haben, die bei Wiederholung ihrerseits gewohnt werden. Da alles unerklärt blieb, mußte man sich selber Gedanken machen, begann das Publikum sich schlecht und recht selbst zu unterhalten, weil es sich nicht unterhalten fühlte.

»Der letzte Gedanke an ›Kaspar‹ war der erste Gedanke zu ›Der Ritt über den Bodensee‹«, schrieb Handke im Programmheft der Uraufführung in der ›Schaubühne‹ (Januar 1971, Regie Claus Peymann und Wolfgang Wiens): »die in dieser Gesellschaft vorherrschenden menschlichen Umgangsformen darzustellen durch genaues Beobachten 1) der anscheinend im freien Spiel der Kräfte formlos funktionierenden täglichen Lebensäußerungen bei Liebe, Arbeit, Kauf und Verkauf und 2) ihrer üblichen Darstellungsform auf der Bühne.« Nun also die Handkesche Idiosynkrasie in Formeln und Posen gleichzeitig akustisch und optisch ausgebreitet. Die Figuren verlieren ihre sprachgestische Ausdrucksunschuld, brechen zusammen wie der Reiter über den Bodensee, nachdem ihm die Gefahr bewußt geworden ist.

Von April 1974, ur-inszeniert von Horst Zankl im Zürcher Theater am Neumarkt, bis Juni 1974 gleich fünf Erprobungen (Stein in Berlin, Fassbinder in Frankfurt, Büch in Wiesbaden, Günter Fischer in Düsseldorf) einer neuen Untersuchung der Divergenz zwischen Rolle und Bewußtsein, diesmal expliziert am Typus »Unternehmer«: *Die Unvernünftigen sterben aus.* Ob heruntergeholt in reales Ruhrmilieu (Düsseldorf), ob hochgespielt in reine Virtuosität (Berlin), ob irgendwo schlechter als recht dazwischen – überall respektvolle Ermüdung angesichts der Künstlichkeit, sozusagen Gähnen hinter vorgehaltener Hand. Auf der Bühne nur bedingt mitteilbar, somit stets in Gefahr, Programmheft-Theater zu bleiben, hat Handkes Ästhetizismus doch auch einen demonstrativen, also publikumsbezogenen Effekt: er führt die Zwänge der Gattung vor, weist also auf Formalismen und Künstlichkeit hin – ohne sie zu tadeln –, er macht sie sogar zum Thema. Umgedrehter Marx sozusagen: das Bewußtsein bestimmt das Sein, nicht das Sein das Bewußtsein.

Horst Ziermann, der die Pantomime vom Mündel und vom Vormund als wichtigen und klärenden Beitrag zur Diskussion um das Gegenwartstheater rubriziert hatte, vermutete im *Rheinischen Merkur*: »Anscheinend bewußt gegen das Dokumentartheater konzipiert, [. . .] das seine Mängel aus einem falsch verstandenen Realismus bezieht. Handke führt vor Augen, daß der banalste Vorgang im ausgegrenzten Spielfeld der Bühne eine zusätzliche Dimension gewinnt, daß er aber gerade dadurch nicht imstande ist, die Ausgangsrealität gültig zu vertreten und wiederzugeben.« Jedenfalls hatte das Dokumentartheater inzwischen seine Grenzen gezeigt und Ermüdungserscheinungen gezeigt. Überwogen hatte es übrigens nie in den Spielplänen, nur in den Debatten. In der Spielzeit 1970/71 lagen Hochhuths *Guerillas* (ein Gedankenspiel, die USA und damit die Welt »durch einen Coup d'état von links« zu retten) hinter Flatows Volksstück *Das Geld liegt auf der Bank* und Feydeaus Posse *Der Floh im Ohr* immerhin an dritter Stelle: 268 Vorstellungen in 14 Inszenierungen, 154 000 Besucher. In der Oper an der Spitze: *Zigeunerbaron* (376/16), *My Fair Lady* (296/10), *Zauberflöte* (255/21). So und ähnlich sah es immer aus. Man muß die Veränderungen an weniger auffälligen Stellen suchen.

Sartre, der nach der Bearbeitung der *Troerinnen* des Euripides das politische Drama aufgab, hatte Anfang Dezember 1966 in Bonn eine Rede über »Mythos und Wirklichkeit des Theaters« gehalten, in der er Bilanz zog aus den Arbeiten von Ionesco, Beckett, Adamov, Genet, Weiss, Brecht und Artaud: Absage an die Psychologie, die Handlung, an jeden Realismus. Siegfried Melchinger, Professor für Theorie des Theaters in Stuttgart, korrigierte: das sei »zweifelsohne die antiillusionistische Position, deren Kontinuität in der Revolution von 1910 begründet worden ist«. Immerhin kann man Brecht wirklich in diesem Zusammenhang sehen: um die Triebfedern der Macht deutlich zu machen, ist Realismus störend, Psychologie nur begrenzt tauglich, »Handlung« oft lästig. Jedenfalls ließ Melchinger Artaud in diesem Zusammenhang gelten.

Mit Antonin Artauds Vermächtnis machte das ›Living Theatre‹ Ernst – und so wird diese Spiel-Kommune erst völlig verständlich. Ihr »engagiertes Theater« engagierte sich nicht für eine Politik, sondern für das Leben. *The Brig* von Kenneth Brown ist nur vordergründig ein Antikriegsstück, sollte kein Dokument sein, kein Beitrag zur Diskussion über die Brutalität der Militär-Gerichtsbarkeit, sondern Vermittlung, wenigstens Suggestion körperlicher Erfahrung im Sinne von Artaud und ein »biomechanisches« Schauspiel à la Meyerhold. *Frankenstein*, *Paradise now* und *Mysteries* hatten politische Komponenten, waren aber vor allem hysterisierte Wirklichkeit, der Fall Antigone wurde exzessiv aufgeladen, Kreon war ein Impulsgeber für Gruppendynamik geworden. Ganz folgerichtig wurde das ›Living Theatre‹ immer wieder von politischen Gruppen angefeindet.

Die Leute vom ›Living Theatre‹ sind eine Gemeinschaft, die der Welt vorleben möchte, wie sie zu ändern wäre: durch Verzicht auf Besitz und Gewalt, Rücksicht auf die Entwicklung des Einzelnen zum freien Individuum. Im Gegensatz zu den

Brown, The Brig. The Living Theatre, New York. Gastspiel in der Akademie der Künste Berlin. Regie: Judith Malina (Foto: Ilse Buhs, Berlin)

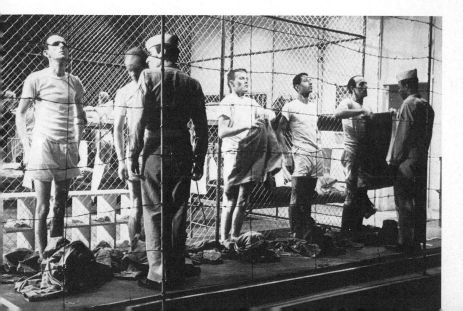

anderen Heilslehren forderten sie das Paradies jetzt, nicht künftig. Die 1968 auf
dem »Festival d'Avignon« entwickelte Show *Paradise now* wurde zu Silvester 1969
in der Berliner Akademie zum Abschied gegeben, bevor die Truppe sich spaltete.
Es war eine szenische Demonstration der Ziele, die das »Living« sich gesetzt hatte:
»Freisein von Klassen, von Vorurteilen, von Haß, von Besitz, von Strafe, vom
Staat. Freisein heißt: sich ändern können, revolutionär sein, ohne Geld leben.« Die
mentale Barriere zum Publikum hin ließ sich aber nicht aufbrechen, »nach drei
Stunden saß nur noch die Hälfte des Publikums im Saal, nach vier Stunden spielte
man vor einem Drittel der Zuschauer [...], von der angekündigten ›Revolution
des Seins‹ haben die meisten dann nichts mehr mitbekommen« (Dietrich Steinbeck).
Ein Antipode des postum noch sehr lebendigen Artaud (er starb 1948), dem das
Theater ein unwiederholbares, jeden Abend neu zu bestehendes Abenteuer war, ist
der Immoralist Jean Genet, ein Schützling Sartres. Für Genet ist das Theater ein
Zeremoniell, somit nicht nur wiederholbar, sondern sogar von der Wiederholung
lebend, in ihr seinen Sinn findend. Es ist Ritual, jenseits von Gut und Böse.
Auch »rituelles Theater« fand Gefolgschaft, seine Hauptvertreter kamen nur als
Gäste in den deutschen Sprachbereich: Jerzy Grotowski aus Oppeln, Peter Brook
aus London, das ›Bread-and-Puppet-Theatre‹ aus New York. In der Praxis verschmolzen die Theorien von Genet und Artaud, der den Begriff ›rituelles Theater‹
geprägt hat; auch er polemisierte schon gegen die aufklärerische Tradition, sein Ziel
war, Genets Ziel ist ein Zustand der Welt, »der die Revolution nicht mehr kennt«
(Walter Heist über Genet, 1962).
Zum Repertoire des »Living« gehörte der Einakter *Die Zofen* von Genet: zwei
Schwestern, die als Zofen bei einer gnädigen Frau dienen, sind in Haßliebe aneinander und an ihre Herrin gekettet. Es kommt zu einem Rollentausch: in Abwesenheit der Herrin übernimmt eine der Zofen die Herrschaft, läßt sich schließlich auch
als »gnädige Frau« stellvertretend vergiften. Genet wollte versuchen, »die Charaktere abzuschaffen«, damit die Figuren »Metaphern« dessen werden, was sie darstellen sollen, um wieder »das Theatralische ins Theater zu bringen«. Zuerst sah
man das deutsch 1957 im Bonner ›Contra-Kreis‹, vom »Living« wurde es auf englisch von transvestierten Männern gespielt, zuerst im Forum-Theater Berlin (Februar 1965), und dabei in extreme Künstlichkeit und Bösartigkeit getrieben. Im
Oktober 1958 folgte in der Berliner ›Tribüne‹ eine vergleichsweise brave Aufführung mit Gisela Trowe.
In dem Schauspiel *Der Balkon* (deutsch zuerst 1959 im Schloßpark-Theater, in
einer berühmt gewordenen Lietzau-Inszenierung) wird ein totales Bordell gezeigt:
jeder darf dort gegen Bezahlung die Wunschrolle seines Lebens spielen: Bischof,
General, Richter, Baby; was es auch sei. Piscator hatte zum Frühjahr 1962 in Frankfurt eine für sich und die Jahre symptomatische Fehlinterpretation geliefert, die
von einer immerhin auch vorhandenen Revolutionsszene ausging. Als Genet den
Text später umarbeitete, tilgte er diese Szene. (Gerhard F. Hering, Spezialist für
das vom politischen Sturm vorübergehend verjagte poetische Theater, inszenierte
diese Neufassung im Juni 1967 in Darmstadt, schön statt leidenschaftlich.) Der
Einakter *Unter Aufsicht*, deutsch zuerst 1960 in Kiel, zeigt in der Auseinandersetzung von drei Verbrechern in der Zelle die vergebliche Mühe des einen, ein
»echter« Verbrecher zu werden; in dem Drama *Die Wände* dient der Algerienkrieg

dem ärmsten Eingeborenen, verheiratet mit der häßlichsten und billigsten Tochter des Landes, als Chance, ein Übermaß an Erbärmlichkeit zu erlangen. Das Stück wurde in Frankreich als skandalöse Äußerung zum Algerienkrieg aufgefaßt, wurde darum in Berlin uraufgeführt (Mai 1961) und erst 1966 in Paris gespielt, als Algerien aufgegeben worden war. In der »Clownerie« *Die Neger*, deutsch zuerst 1964 in Darmstadt, steht eine Art von Schwarzer Messe mit Ritualmord an einem weißen Mädchen für die Auseinandersetzung zwischen Gegensätzen überhaupt. Revolution ist bei Genet also Gelegenheit zu Rollentausch, Krieg willkommene Möglichkeit zur Selbsterniedrigung, Gefangenschaft Hoffnung auf Strafwürdigkeit, Rassengegensatz Feier des Unterschieds. Krasser kann die Gegenposition zum politisch und sozial engagierten Theater gar nicht sein.

Ahnung von der Vergeblichkeit nagte schon lange am Selbstverständnis der politischen Theatraliker; »abonnierte Provokation« (Schuh), »subventionierte Opposition« (Heyme) war vielen nicht geheuer. Er frage sich heute, ob das politische Engagement seiner frühen Stücke wichtig war, gestand Max Frisch Mitte Januar 1968 in einer Poetik-Vorlesung in München. »Ich glaube heute, daß die wahre Domäne der Literatur das Private ist, die Darstellung der Person, die für das Ganze irrelevant ist, aber leben muß mit dem Bewußtsein, daß sie irrelevant ist.« Er könne keine unmittelbaren Veränderungen bewirken, habe nur »eine kleine Hoffnung auf etwas mehr Aufrichtigkeit«. Viele der studentischen Zuhörer opponierten damals heftig. Im Februar erschien dann in Düsseldorf und Zürich Frischs neues Spiel *Biografie*, ein privates Gedankenspiel: was man tun würde, wenn man sein Leben korrigieren könnte. Es wurde 39mal inszeniert, doch Max Frisch war mit sich nicht zufrieden und hörte (vorerst?) auf, fürs Theater zu schreiben. Schneller hatte Martin Walser zu privater Thematik gefunden, eigentlich zurückgefunden, denn seinen politischen Dramen ging als sein erster und immer noch zweitgrößter Theatererfolg die Farce *Der Abstecher* voraus (erstmals Ende November 1961 im Münchner ›Werkraumtheater‹, im Laufe der nächsten Jahre 48 Inszenierungen): groteske Verwicklungen, in die ein Fabrikdirektor gerät bei dem Versuch, ein früheres Verhältnis wiederaufzunehmen.

Im Dezember 1967 zeigte Kortner in den Münchner Kammerspielen Walsers zweiaktiges *Übungsstück für ein Ehepaar*. Den zweiten Akt hatte er sich beim Autor bestellt. Die Verlängerung des ersten, eines Hörspiels, mißlang, trotz Werner Hinz und Hortense Raky, man hatte zudem einen Walsers *Zimmerschlacht* ähnlichen Schaukampf unlängst schon besser gesehen, er machte seit der Premiere (im Herbst 1963 mit Maria Becker und Erich Schellow im Schloßpark-Theater) die Runde: *Wer hat Angst vor Virginia Woolf?* von Edward Albee. Aber als Einakter, also ohne die Verlängerung, war Walsers *Zimmerschlacht* danach erfolgreich: 62 Inszenierungen. Geradezu als Nachruf auf die Tage der Revolte wirkte *Ein Kinderspiel*, uraufgeführt im April 1971 in Stuttgart, bis 1974 nur an einem einzigen Theater nachgespielt, in Linz. Walser beschrieb eine vermurkste Familie, deren Kinder zwar noch nicht angepaßt sind und noch nach Möglichkeiten suchen, sich selbst zu verwirklichen, doch bald werden sie wie die Eltern sein. Resignation.

»Die abgenutzteste aller Modechiffren« nannte Hilde Spiel im Juni 1971 das Massaker von My Lai in einem Bericht über Wolfgang Bauers Drama *Silvester oder Das Massaker im Hotel Sacher*. »Am Abend des Tages, an dem der Freispruch

Albee, Alles vorbei. Kammerspiele München. Regie: August Everding. – Maria Nicklisch, Hans Hermann Schaufuß, Grete Mosheim, Peter Lühr (Foto: Hildegard Steinmetz, München)

Hauptmann Medinas ruchbar wurde, war auf der Bühne des Wiener Volkstheaters eine scherzhafte Darstellung jenes Frevels zu sehen, ein Party-Happening ohne ersichtliche moralische oder didaktische Absicht, lediglich als Schockwirkung eingesetzt, weil das Stück eines handlungsbedingten Höhepunkts enträt. Pinkville, von Bond, Tabori, unlängst auch James Saunders, zum Anlaß wahrhafter Katharsis gemacht, dient hier als dramaturgischer Ersatzeffekt. Dann wird, nicht anders als in Harald Sommers ›A unhamlich schtorka Obgaung‹, das Mobiliar des Nobelappartements zertrümmert, und Robespierre hebt die Pistole zum lang erwarteten Schuß. Zielt er auf die entfesselte Horde, was dem Stück immerhin eine exemplarische Wendung gegeben hätte? Nein, er tötet sich selbst, sinnlos, beziehungslos, bedeutungslos, das Opfer einer chaotischen Weltbetrachtung, die der Autor zu teilen scheint.«

Da war also aus Greueltaten statt Empörung Theater geworden – eine Beleidigung der Weltverbesserer und ihres »Mediums«, das offenbar alles, aber auch alles »eintheatert«. »Bauer hat ein zynisch geschicktes Stück über den Zynismus eines Dramatikers geschrieben – alle Theatereffekte, die er kritisiert, werden gleichzeitig skrupellos usurpiert« (Benjamin Henrichs). »Im Grunde – das ist eine bestürzende Erfahrung – hat das Theater so gut wie nichts erreicht, seit es sich mit Politik befaßt.« Dies ist das Resümee Siegfried Melchingers in seiner vierhundertseitigen »Geschichte des politischen Theaters«, die 2 500 Jahre umfaßt, erschienen 1971. Tatsächlich ist das Theater wohl immer zu spät gekommen, wenn es atemlos hinter den Ereignissen herlief.

Die vielgeschmähte Subjektivität – 1972 setzte sie sich unaufhaltsam auch in der DDR durch, sogar mit einem einheimischen Schaustück: Ulrich Plenzdorf, *Die neuen Leiden des jungen W.* Schon vorausgegangen waren ein »Versuch über das Glück« von Claus Hammel: *Morgen kommt der Schornsteinfeger* (Wohlstandsproblematik 1967) und eine volksdemokratische »Zimmerschlacht«: *Wann kommt Ehrlicher?*

von Rainer Kerndl (1971). Das Ehepaar Ev und Kurt, sie Lehrerin, er Werkleiter, erwartet einen Werksdirektor zwecks Produktionsgespräch, es erscheint aber die Jugendfreundin Su und bringt die Ehe von Ev und Kurt aufs Tapet. Die Analyse geht zwar in Kerndls Stück nicht bis auf die Haut, geschweige denn darunter, aber es ist doch ein psychologisierender, privater Ansatz.

Im Mai 1972 folgte in Halle der aufsehenerregende Durchbruch, von Horst Schönemann inszeniert: Wibeaus an Werther erinnernde Leiden. Die Anspielung Plenzdorfs auf Goethe ist durch Zitate und Analogien gedeckt, der kesse Ton, einige stilistische Besonderheiten und ausdrückliche Komplimente deuten auf Jerome D. Salinger und seinen *Fänger im Roggen*, den *Werther* der amerikanischen College-Jugend der fünfziger Jahre. Ein junger Verweigerer, nun also auch in der DDR. »Das Schönste, was man über dieses Theaterstück sagen könnte, ist für DDR-Ohren das Schlimmste«, begann Rolf Michaelis seinen Bericht, »es könnte ebensogut im Westen spielen, könnte jedenfalls dort gespielt werden.« Und das wurde es auch, praktisch überall. Das Schloßpark-Theater ging voran (Mai 1973), im März 1975 waren etwa 140 Aufführungen erreicht, die Münchner Kammerspiele zeigten damals die 200. Vorstellung. Das auch als Erzählung erschienene Stück war ursprünglich ein Film-Szenario, sein Autor Ulrich Plenzdorf Szenarist bei der DEFA. Die Kulturpolitiker der DDR taten sich schwer mit Edgar Wibeau, der sich in einer Laube verbarrikadiert, auf Ordnung, Sauberkeit und Pünktlichkeit pfeift, »echte« Musik macht und einem Freund Tonbandbriefe schickt. Die Akademie der Künste der DDR arrangierte eine öffentliche Aussprache, die Zeitschrift *Sinn und Form*, die den Text vorabgedruckt hatte, eröffnete eine schriftliche Diskussion. Es sollten sechs Fragen geklärt werden: »Wo finden sich die Ursachen für die ungewöhnliche Wirkung der Arbeit von U. Plenzdorf? Wird Goethes Werk durch die Art des Rückbezugs auf ihn in Plenzdorfs Text abgewertet? Welche Rolle spielt dieser Rückbezug auf Goethes Werther für Plenzdorfs künstlerische Konstruktion, was wäre Plenzdorfs Arbeit ohne diesen Effekt? Hat die Kunst nur das Recht, ›repräsentative‹ Gestalten der Jugend der DDR (im Sinne mustergültiger Charaktere) darzustellen? Wird durch die künstlerische Darstellung eines ›verhaltensgestörten‹ Jugendlichen zwangsläufig das positive Ideal negiert oder vernichtet? Muß in einem Kunstwerk die Darstellung des sozialpolitischen ›Gegengewichts‹ unbedingt in Gestalt eines vorbildhaften Gegenhelden erfolgen?« Das waren für die DDR heikle, für den Autor nicht ungefährliche Fragen, zumal da Edgar Wibeau in der DDR Mode machte, denn die Ursachen für die ungewöhnliche Wirkung lagen selbstverständlich in dem Mut zum Ich, den Wibeau hatte und also auch machte. Ulbricht hätte dem Verhör des Wibeau seine Verurteilung folgen lassen, doch er war damals politisch nicht mehr aktionsfähig, und sein Nachfolger Erich Honecker machte eine Versöhnungsgeste: er ließ sich zusammen mit Plenzdorf auf einem Ostberliner Schriftsteller-Kongreß für *Neues Deutschland* fotografieren.

Sibylle Wirsing schrieb im März 1975 in der Kritik an einem Plenzdorf und seinen Wibeau teils denunzierenden, teils imitierenden Roman von Rolf Schneider: »In den Buchläden der DDR gibt es zwar längst kein Exemplar des neuen Werther mehr zu kaufen, aber das Theaterstück wird zumindest in der Hauptstadt nach wie vor gespielt, und im ausverkauften Haus sind das Parkett und die Ränge jedesmal voll von jungen Leuten, die genauso aussehen wie Edgar.«

Nach einer Lesung Plenzdorfs aus seiner Wertheriade (Februar 1975 in Zürich) eröffnete der Professor und Dramatiker Adolf Muschg die Diskussion mit der Parallele: Jugendrevolte im Westen, Flucht ins Kollektiv – Jugendrevolte im Osten, Flucht ins Private, nach dem Muster des Edgar Wibeau. Dazu der Autor: er plädiere nicht für den Privatbereich jener, die Leistung verweigern wollen, sondern derer, die das von ihnen verlangte Ausmaß an Leistung nicht erbringen können. Im Herbst 1975 in Leipzig, im Frühjahr 1976 auf einer Nebenbühne des Hamburger Thalia-Theaters erschien ein neuer, kaum noch kritischer Plenzdorf, die Ehebruchsgeschichte *Buridans Esel*, nach einem Roman des DDR-Autors Günther de Bruyn.

Als das Recht der Person auf Privatheit nicht mehr völlig negiert wurde, wurde Alfred Matusche rehabilitiert. Freund von Hesse, Loerke, Herrmann-Neisse, hatte er im ›Dritten Reich‹ nicht schreiben dürfen und nach 1945 sich nicht durchsetzen können. Mehr Dichter als Dramatiker, hatten Vorzüge seiner Arbeiten Nachteile auf der Bühne gebracht, selbst politische Thematik aus dem ›Dritten Reich‹ (*Nacktes Gras*, 1958), dem Krieg (*Regenwettermann*, 1963), Nachkrieg (*Die Dorfstraße*, 1955) gestaltete Matusche psychologisch, philosophisch, prinzipiell. Sein Stationendrama *Van Gogh,* 1959 in Westdeutschland im Fernsehen, erregte endlich Aufmerksamkeit, als es in der Spielzeit 1973/74 in Karl-Marx-Stadt von Peter Sodann inszeniert worden war. Thema ist die Stellung des Künstlers in einer kunst- und menschenfeindlichen Gesellschaft, die als kapitalistisch bezeichnet wird. Sodann spielte die Titelrolle; er war mit Matusche befreundet gewesen und in den fünfziger Jahren wegen Mitwirkung an einem unbotmäßigen Studentenkabarett in Leipzig verfolgt worden. Armin Stolper setzte sich für den inzwischen verstorbenen Autor ein: »Grundfragen in der Beziehung zwischen Individuum und Gesellschaft«, die hier an einem Helden »dichterisch-philosophischer Prägung« abgehandelt werden, »interessieren uns heute besonders«.

Neues Interesse an Biographischem deutete auf erwachten Sinn für Privatheit. Die Häufung von Personendramen im Westen ist auffällig und markiert den Übergang. Außer *Hölderlin* und *Trotzki im Exil* von Peter Weiss, die beide schon erwähnt wurden, gab es noch einen *Trotzki in Coyoacan* von Hartmut Lange (zuerst auf der Studiobühne des Deutschen Schauspielhauses in Hamburg im März 1972), es gab einen *Toller* (November 1968 in Stuttgart) und einen Hamsun im Altersheim (*Eiszeit,* Bochum März 1973) von Tankred Dorst. Gerhard Roth schrieb *Lichtenberg* (uraufgeführt Oktober 1973 in Graz), Herbert Meier *Stauffer-Bern* (gezeigt im November 1974 in Zürich), Adolf Muschg einen Gottfried Keller: *Kellers Abend,* von dem noch die Rede sein wird, und Hartmut Lange ließ in *Staschek* Horaz und Ovid auftauchen (Dezember 1973 in Stuttgart).

Die mehr oder minder getreue Dokumentardramatik nahm man nicht mehr so wichtig, nachdem Dutzende von kleineren Talenten sich damit versucht hatten. Sogar derbe Herausforderungen wirkten kaum noch: Peter Rühmkorfs »Kapitalistisches Spektakel« in Dortmund *Lombard gibt den Letzten* (November 1972), seine »bewegten Szenen aus dem klassischen Wirtschaftsleben« in Düsseldorf *Was heißt hier Volsinii* (Juni 1973) und im April 1974 *Das erste Baader-Meinhof-Stück,* ein »hysterisches Melodram«, das nach acht überflüssigen Aufführungen in Bochum verschwand.

Hans Kresnik, die Leitfigur des politischen Balletts, vollzog durch Trivialisierung es Schönen und des Sozialen den Übergang zum Pop. »Vage findet Kresnik über die Formeln seines politischen Ballettprotestes zu den Inhalten der Jahre danach: Resignation, Anpassung, Restauration«, fand Jens Wendland angesichts des Programms *Traktat*, Januar 1973 in Bremen. »Eher modisch als überzeugend« fand Horst Koegler Kresniks Antiamerikanismus schon im März 1971, immerhin habe er »sein Publikum und die deutsche Ballettwelt dazu gebracht, über heutige Ballett-Wirkungsmöglichkeiten nachzudenken«. Nachdem im September 1973 die letzten US-Truppen aus Vietnam verschwunden waren, war dieses Thema erledigt, das ohnehin nur ein unverbindliches Parteiergreifen bedeutet hatte. »Was tut man, wenn man im Düsseldorfer Schauspielhaus sitzt und den Protest der anderen beklatscht, der so kommod und gentlemanlike auf der Bühne vorgeführt wird?« hatte Ursula Krechel im Sommer 1971 gefragt, angesichts des Prozesses gegen die *Neun von Catonsville* (D. Berrigan). »Beklatscht man die eigene moralische Integrität? Oder zollt man den stattlichen Premierenpreis denjenigen, die das mühsame Geschäft der Gewissensbildung einem abgenommen haben?«

Ende 1971 sah man in einer Nachtvorstellung des Zürcher Schauspielhauses eine fingierte Bühnenprobe (*Spiele* von James Saunders), bei der einige Darsteller beim Einstudieren eines Vietnam-Stückes in Verzweiflung darüber geraten, daß ihr Spiel auf der Rampe ja letzten Endes doch sinnlos sei. Sie könnten sich dort oben noch so sehr gegen eine schlimme Sache oder für eine gute Sache engagieren, von den Zuschauern würden sie am Ende doch nur als Schauspieler und als Possenreißer angesehen. »Was haben die in Vietnam von dem Theater, das wir hier machen?« fragte Arthur Adamov in seinem Schauspiel *Off limits*, das Anfang Oktober 1972 in Düsseldorf erstmals deutsch aufgeführt wurde, zweieinhalb Jahre nach dem Freitod des Autors. Party-Geschwätz der »upper middle class«, eingeschobene Episoden, in denen junge Leute Krieg »spielen«, im Hintergrund eine angeschlagene Freiheitsstatue.

Nur die Verkleidungen, die alten Hüte machen in Witold Gombrowiczs letzter Arbeit Politik, in der deutsch zuerst im März 1971 in Bochum gespielten *Operette*. Reaktionäre und Revolutionäre legen ihre Ideen, Ideale, Ideologien in einen Sarg, dem eine nackte Frau entstiegen war. »Eine Proklamation des Bankrotts jeglicher politischer Ideologie« (Gombrowicz).

Ein Drama vom kurzen Aufbegehren und der langen Resignation danach ist *Kellers Abend* von Adolf Muschg, im Mai 1975 von Düggelin in Basel ur-inszeniert. Fünf Viertelstunden lang, die ganze Dauer des Stückes hindurch, sitzt Gottfried Keller an einem Tischchen nahe der Rampe, mit dem Rücken zum Publikum, und hört sich schweigend das Geschwätz von irgendwelchen Besserwissern und Weltverbesserern an. Am nächsten Morgen, am 22. September 1861 (das ist historisch) wird er seinen Dienst als Zürcher Staatsschreiber antreten.

Im Jahre 1970 hatte Ulrich Erfurth, damals Generalintendant in Frankfurt am Main, eine schlechte Presse, als er in einem Vortrag ein »Blümchentheater« prophezeite »in spätestens fünf Jahren«. Er meinte damit eine neue Romantik, ein Theater der Verzauberung und der Faszination. Jedenfalls kam in diesen fünf Jahren eine Nostalgie-Welle auf, man zeigte wieder Gefühl – zunächst schamhaft als Gefühl von gestern verkleidet. Theater bekam wieder Mut zu sich selber; es solle nicht mehr Nationaltheater sein und nicht Bildungstheater, nicht Tribunal und nicht

274   *Rückkehr zur Subjektivität*

Lehrtheater, sondern »Theatertheater« (Handke). »Das zeitgenössische Theater in Deutschland ist auf Politik fixiert, während die wichtigen Entwicklungen im Theater sich heute anderswo ereignen«, schrieb 1970 in einem Aufsatz über das »Theater der Zukunft« der amerikanische, meist in London arbeitende Regisseur Charles Marowitz. (Seine aktualisierenden, skelettierenden Shakespeare-Bearbeitungen waren in Wiesbaden zu sehen, eine hat er 1974 in Stuttgart mit deutschen Schauspielern erarbeitet: *Die Widerspenstige* als Beitrag zur Frauen-Emanzipation.) »Die neuesten Phänomene sind weder literarisch noch politisch, sondern formal.« Peter Handkes Formalismus wurde allenfalls noch von seinem Subjektivismus übertroffen. Ähnlich der gleichaltrige Wolfgang Bauer aus Graz, er schockierte zunächst durch die Darstellungen bindungsloser Beziehungen junger Leute und ihrer modischen Laster Sex, Sadismus und Rauschgift (*Magic Afternoon*, uraufgeführt Ende August 1968 im Studio des Landestheaters Hannover, und *Change*, zuerst Ende September 1969 im Wiener Volkstheater). Dann erst erkannte man den ausgezirkelten Aufbau, den »Change« der Positionen, das Leiden am Leben aus zweiter Hand (»Heit hat's a Luft wie bei Tennessee Williams«), die Künstlichkeit dieses Realismus. Da gerinnt das Leben zu Theater, »aber was bei Handke vor lauter Feinsinn und narzißhaften Skrupeln nicht laufen kann, das rülpst bei Bauer ungeniert – und zeigt gerade dadurch robuste Sensibilisierung« (Hellmuth Karasek über *Gespenster*, Juni 1974 im Werkraumtheater).

Im Frühjahr 1974 lief in Düsseldorf eine neuartige Familienserie aus, die etwas später auch in Hamburg, Aachen, Ulm, Berlin gezeigt wurde: *The Family,* entworfen und – wie die Uraufführung 1972 in Amsterdam – inszeniert von Lodewijk de Boor. Eine Tetralogie wie der Nibelungen-Ring, jedoch Einübung in die Wonnen der Gewöhnlichkeit: drei Außenseiter der Gesellschaft, die ein zum Abbruch bestimmtes Haus besetzt haben, liefern einander und den Zuschauern ein Wechselbad von Aggression und Zärtlichkeit. Beitrag zur Befreiung des Theaters »von der Knechtschaft des Textes« (Artaud) und zur Ermutigung des Publikums zu seinen Gefühlen und Instinkten.

Die Aufrufe für Freiheit der Empfindung ermutigten neue Wege suchende Bühnenbildner, nach der künstlerischen Aufwertung ihres Handwerks den Dienst am Drama noch freier aufzufassen. In freien Assoziationen suchten sie die Eigenarten der Spielvorlagen zu betonen, dabei setzten sie sich über Details großzügig hinweg. Es entstanden »Landschaften für Schauspieler«, analog zu den »Wohnlandschaften«, welche die Möbelindustrie seit den siebziger Jahren anbietet: Interieurs, die je nach Wunsch wandlungsfähig sind. Op- und Pop-art ermunterten zu signalhaften Zeichen. So mußten das Personal von Cherubinis *Medea* und der Regisseur Everding in der Spielzeit 1971/72 sich auf der Bühne der Wiener Staatsoper mit einem von Sexsymbolen verstellten Terrain von Max Brauer arrangieren. Solche »begehbaren Plastiken« bildender Künstler sind meistens optisch attraktiv, fördern aber selten das Spiel.

Wilfried Minks, Schüler von Willi Schmidt, ließ sich am auffälligsten von ästhetischen Reizen leiten. Karl Ernst Herrmann, ebenfalls ein Schmidt-Schüler, baut für die Inszenierungen der ›Schaubühne am Halleschen Ufer‹ den ganzen Saal für seine Panoramen um.

Zum Jahresschluß 1974 zog Benjamin Henrichs in der *Zeit* ein Resümee: »Unver-

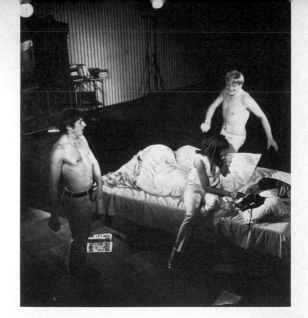

Bauer, Magic Afternoon. Staatstheater Hannover, Schauspiel-Studio. Regie: Horst Zankl (Foto: Kurt Julius, Hannover)

nunft macht Karriere«. »Zuerst gerieten die Wörter in Bewegung. Ein paar aufklärungsfreudige Jahre lang war es Ambition fast jeder ehrgeizigen Theaterveranstaltung, auf irgendeine Weise ›kritisch‹ zu sein. Plötzlich aber sprachen immer mehr Theaterleute, auch ernstzunehmende, in anderen, wohltönenden Vokabeln: ›Schön‹ solle das Theater sein und ›sinnlich‹, ein Theater der ›Phantasie‹ und des ›Traums‹. Nach den Wörtern veränderten sich die Bilder. Als am selben Abend, zu Beginn der Spielzeit 1973/74, Wilfried Minks' ›Jungfrau von Orléans‹ in Hamburg und Peter Steins Labiche-Inszenierung (›Das Sparschwein‹) in Berlin Premiere hatten, wurde der Umbruch unübersehbar: ›Kitsch‹ schimpfte man die eine Aufführung, ›Ausstattungstheater‹ die andere, und beiden warf man einen verschwenderischen (nach den bis dahin strengen Maßstäben: unvernünftigen) Umgang mit den Mitteln des Theaters vor. Doch die zum Teil sehr gereizten Attacken zeigten auch, [...] daß die Schönheit und Theaterverliebtheit beider Inszenierungen so ideologisch bedenklich wie ästhetisch provokativ war: ein Verstoß gegen die Tabuschranken eines allmählich prüde und doktrinär gewordenen Lehr- und Belehr-Theaters.«
Fußend auf Tatsachen, nämlich dem Leben der kubanischen Musichall-Diva Amalia Vorg (respektive einem Roman nach Auskünften der inzwischen alten Dame), beabsichtigt als Beitrag zur Debatte um Fragwürdigkeit von Kunst und Künstlern, gerann Henze und Enzensberger ihr Vaudeville *La Cubana* nur »zur bitteren Leidensgeschichte einer großen Frustration« (Friedrich Hommel). Bei der Uraufführung im Münchner Gärtnerplatz-Theater Ende Mai 1975 »von Tableau zu Tableau ein ungenierteres Gähnen«. »Rachels Welt versank schließlich nicht im Orkus der Feudal- und Kolonialgeschichte, sondern im Buh- und Pfeifkonzert eines enttäuschten Publikums« (Hommel). Es war wie die Rache der Bürger bei der Rückkehr von zwei Autoren, die sich demonstrativ vom bürgerlichen Theater abgewandt hatten, und wie die Rache des Amüsiertheaters an zwei seiner Verächter, die handhaben wollten, was sie nicht hatten umbringen können.

Herrschaftsstruktur und Führungskrise

Der Intendant sei »Träger der obersten Befehlsgewalt«, er führe das Theater »in eigener Verantwortung«, als künstlerischer Leiter sei er »konkreter Prinzipal« und »nicht den Anweisungen einer anderen Stelle unterworfen«, da er andernfalls »nicht die Verantwortung tragen könnte«. Dies erklärte im Herbst 1955 das Kölner Arbeitsgericht, einem Gutachten von Dr. Alfred Hueck folgend, damals Professor für Arbeitsrecht an der Universität München. Die Veranlassung war ein Tarifstreit zwischen der Deutschen Orchestervereinigung und dem Deutschen Bühnenverein. Die Orchestervereinigung unterlag, das ist aus der Tätigkeitsbeschreibung des Intendanten leicht zu erraten.

Dem Gericht lag aber auch ein Gutachten des Professors Dr. Neumann-Duesberg von der Universität Münster vor, in dem der Intendant »im Verhältnis zu den Orchestermitgliedern als Angestellter wie diese« bezeichnet wurde. Tatsächlich ist dieser Souverän allenfalls ein Subunternehmer, weil Gehaltsempfänger. Der Intendant ist insofern ein Proletarier, als ihm die Produktionsmittel nicht gehören. Der Auftraggeber stellt sie ihm zur Verfügung. Theaterunternehmer sind die Städte und Gemeinden. Sie gewähren dem Intendanten auch das Orchester, nicht ihm allein, weil städtische oder Landes-Orchester noch andere Verpflichtungen haben, als die Oper zu bedienen. Solche Orchestermitglieder genießen die Rechte von Angestellten des öffentlichen Dienstes, teils haben sie eine Art Beamtenstatus. Sie sind sozial gesicherter als der Intendant, ihm also sozial überlegen. Der Intendant muß in der Höhe seines Einkommens eine Art Gefahrenzulage erkennen, dürfe aber – so Professor Hueck – für die Dauer der Anstellung seine Tätigkeit »nicht in Abhängigkeit zum Theaterunternehmer« auszuüben gezwungen sein. Den Arbeitgebern stehe »kein Weisungsrecht in bezug auf die Tätigkeit des Intendanten zu«.

Es ist klar, daß es zu Kollisionen kommen muß zwischen der Freiheit der Kunst und der Abhängigkeit der Künstler. Das zuständige Dezernat ist eine bürokratische Nebenregierung, die je nach Kräfteverhältnis zur Hauptregierung werden kann. Dabei kann der Intendant nur wenig handgreifliche Potenzen ins Gefecht führen, wie Renommee und Beredsamkeit oder unzuverlässige wie Parteizugehörigkeit und Gefälligkeit. Die Wählbarkeit des Intendanten läßt der Lokalpolitik verführerischen Spielraum.

Das auf Bildungsgewinn und artistische Gediegenheit ausgerichtete, von einem Oberkünstler beherrschte, mobilisierte, verwaltete Theater verlor allmählich seine Idealität. Die administrative Belastung und die Ansprüche wuchsen, der immer deutlicher werdende Zerfall der Gesellschaft in eigensüchtige Gruppen ließ keine genügend große Schicht zurück, deren Interessen das Theater dienen konnte und die es dafür hinreichend sicher stützte und großzügig unterstützte. Kein Wunder, daß es unter solchen Umständen immer häufiger an geeigneten Persönlichkeiten fehlte, die große Theater großartig repräsentieren und leiten konnten. Die Staatstheater-Struktur, vom Stadttheater übernommen, im Grunde eine prolongierte Hoftheater-Struktur, ist historisch, unzeitgemäß geworden. Heinz Hilpert nannte sich und seinesgleichen »aufgeklärte Despoten«. Heinrich Laube hatte schon hundert Jahre früher von »gemäßigten Despoten« gesprochen. Der ideale Intendant sei ein Kentaur mit Dichterstirn und vier derben Pferdefüßen, definierte Hans Schweikart. Tatsächlich kann einer allein die Arbeit nicht schaffen, darum standen hinter den »großen« Intendanten schon immer treue Bürokraten, welche die Verwaltungsarbeit machten: hinter Max Reinhardt stand sein Bruder Edmund, hinter Raoul Aslan (und den folgenden Burg-Direktoren bis 1960) Erhard Buschbeck, hinter Walter Erich Schäfer Rolf Badenhausen und Egon von Strohmer, der dann als Vizedirektor an die Wiener Staatsoper ging. Zum Leiten eines Theaters gehört seit jeher die Fähigkeit, Aufgaben zu delegieren.

Im Jahre 1972 gab es einen auffälligen Positionswechsel an den bundesdeutschen Theatern. Boleslaw Barlog ging nach 27 Dienstjahren in Pension, Walter Erich Schäfer (Stuttgart) und Hans Schalla (Bochum) nach 23 Jahren, Karl Heinz Stroux nach 17 Jahren der Generalintendanz in Düsseldorf. Ferner traten in den Ruhestand Helmut Henrichs (seit 1958 Staatsintendant in München) und Gustav Rudolf Sellner (seit 1961 Generalintendant der Deutschen Oper Berlin) sowie die »kleinen« Kollegen Hannes Razum (seit 1961 Intendant des Schloßtheaters Celle) und Bernd Hellmann (seit 1963 Intendant in Memmingen). Zum Herbst 1974 folgte Erich Schumacher, nach 16 Jahren in Essen. 1975 nahm Walter Zibell nach 29 Dienstjahren Abschied vom Stadttheater Hildesheim.

Der gemeinsame Abgang so vieler alter Kämpen von großenteils tonangebenden Bühnen ist zwar Zufall, markiert aber doch eine Epoche. Anscheinend war mancher der Gehenden froh, nicht miterleben zu müssen, was sie kommen sahen. Es war klar, daß die Nachfolger wohl kaum so lange regieren würden: Hans Lietzau und Egon Seefehlner (bisher Sellners Stellvertreter) in Berlin, Hans-Peter Doll in Stuttgart, Peter Zadek in Bochum, Ulrich Brecht in Düsseldorf, Kurt Meisel in München, Eberhard Johow (bisher Oberspielleiter in Saarbrücken) in Celle. An vierzehn Kommunaltheatern wechselte zum Beginn der Spielzeit 1972/73 die Leitung: ein neuer Intendant hatte schon etwas früher das Regiment übernommen (Ivan Nagel am Deutschen Schauspielhaus in Hamburg). Und schon kündigten sich neue Wechsel an: Kurt Hübner, der Erneuerer der Bühnen der Hansestadt Bremen, dem der Kultursenator den Laufpaß gab, ging zur Spielzeit 73/74 an das Haus der Volksbühne in Berlin. Peter Stolzenberg aus Heidelberg ersetzte ihn. August Everding verließ die Münchner Kammerspiele und übernahm die Hamburger Staatsoper, die Rolf Liebermann zugunsten der Pariser Oper aufgab. Hans Dieter Schwarze aus Castrop-Rauxel übernahm das Schauspiel in Nürnberg, kündigte aber schon kurz darauf. Ernst Seiltgen tauschte Oberhausen gegen Ingolstadt, Claus Helmut Drese verließ Köln 1975, um an die Zürcher Oper zu gehen. Nach Köln kam im Herbst 1975 Michael Hampe, der 1972 nach Mannheim gegangen war und vorher in Luzern, Bern und Zürich als Regisseur gearbeitet hatte.

Da für die Theaterleitung nur ein begrenzter Personenkreis in Frage kommt, reißt jeder Weggehende ein Loch, das eigentlich nur mit seinesgleichen gestopft werden kann. So beginnt ein Ringtausch, der das Revirement ins Absurde treiben kann und als Krise erscheinen läßt, was nur ein ärgerlicher Mechanismus ist. Ein Beispiel 1972/73: Ernst Dietz von Mannheim nach Sankt Gallen, denn Christoph Groszer von Sankt Gallen nach Braunschweig, weil Hans-Peter Doll von Braunschweig nach Stuttgart. Da brach die Kettenreaktion ab, weil in Stuttgart Schäfer in Pension ging.

Stuttgarter Operndirektor wurde der Tenor Wolfgang Windgassen und nach dessen Tod (September 1974) der Musikkritiker Wolfram Schwinger. 1967/68 waren sogar siebzehn neue Intendanten gekommen, und Herbert Ihering hatte schon 1932 vom »Intendantenkarussell« gesprochen. Es war auch schon klar, daß Wechsel in diesem Ausmaß wenig Sinn hat, zumal da andere leitende Chargen, Spielleiter und Dramaturgen beispielsweise, nicht minder ambulant waren und sind. Das Niveau in Häusern vergleichbaren Ranges ist dasselbe, es liegen überall dieselben Novitäten vor der Tür, die Spielpläne gleichen einander. Man teilt sich in die »gefragten« Protagonisten, die besseren Regisseure und Bühnenbildner arbeiten ohnehin an vielen Orten.

Palitzsch hatte sich zur Spielzeit 1967/68 in Stuttgart anstellen lassen, um irgendwo kontinuierlich arbeiten zu können. Fünf Spielzeiten lang hatte er das getan. Fünf Spielzeiten sind nicht viel, wenn man bedenkt, daß ein neuer Schauspieldirektor oder gar Drei-Sparten-Chef sein Instrument nur sehr langsam nach seinen Vorstellungen formen kann. Wenn der neue Chef sich festgewackelt hat, muß er schon an die Verlängerung seines Vertrages denken – oder an einen neuen Umzug. Wenn fünf Jahre zur Entfaltung wenig sind, so sind zweimal fünf womöglich schon zuviel. Erfahrungsgemäß ist es eine besondere Gabe, ein Jahrzehnt lang in dieser neuheitssüchtigen Branche als Wegweiser und Organisator zu paradieren. Ob es die kontinuierliche Intendantenkarriere überhaupt noch gibt, in der man sich bis zur Führungsposition in einer Hauptstadt emporarbeitet, wird allmählich zweifelhaft.

Mitte November 1966 resignierte Arno Assmann, der Generalintendant der Kölner Bühnen. »Auf diesen Stuhl gehört ein Manager. Der Alltagsärger um fehlendes Personal und technische Mängel geht durch die dünne Haut eines Künstlers.«

Vor Assmann war schon O. F. Schuh in Köln am Scheitern; der scheidende Gründgens hatte ihm rechtzeitig seinen Sessel in Hamburg überlassen – aber auch eine heikle Erbschaft. Schuh begann 1963 in Hamburg, im Januar 1966 erklärte er: »Man hatte die vage Idee, hier ein Gründgens-Mausoleum zu errichten. [...] Ich eigne mich nun einmal nicht zum Testamentsvollstrecker.« Das Gründgens-Ensemble brach auseinander, großenteils auf den Nachfolger schimpfend, der (außer auf der Bühne) die Kunst der Menschenführung nicht beherrschte und in dem Wunsche, typengerecht besetzen zu können, nach dem befremdenden Tod von Gründgens (auf einer Weltreise im Oktober 1963 in Manila) der Entwicklung in einer Weise vorgriff, die erprobte Darsteller kränkte: Schuh propagierte ein fluktuierendes, »bundesweites Großensemble der Spitzenkönner«. Es setzte eine jahrelange Hamburger Führungs- und dann auch Wirtschaftskrise ein. In ihrem Verlauf kündigte Schuh, spielte der Fernsehredakteur Egon Monk 78 Tage lang Intendant an der Kirchenallee, folgte der Oberspielleiter am Münchner Residenztheater Hans Lietzau 1969/70 für ein Jahr, nahm im Dezember 1970 der Verwaltungsdirektor Gerhard Hirsch sich das Leben. Ein Jahr lang war der Staatsopernchef Liebermann kommissarischer Leiter, bis Ivan Nagel, zuvor Chefdramaturg der Münchner Kammerspiele, Intendant wurde.

Als einer der heißesten Stühle gilt der des Burgtheaterdirektors, zumal für Ausländer. In Anbetracht bundesdeutscher Schleudersitze erscheint dieser Thron aber nicht besonders gefährlich. Drei Jahre lang hielt der Rheinländer Paul Hoffmann aus (1968 bis 1971), trotz Budgetkürzungen, Arbeitszeitverkürzung und herauf-

Goethe, Faust I. Deutsches Schauspielhaus Hamburg. Regie: Gustaf Gründgens. – Will Quadflieg,
Gustaf Gründgens (Foto: Rosemarie Clausen, Hamburg)

dämmernder Bundestheaterreform. Sein Nachfolger, der Wiener Gerhard Klingenberg, unter Hoffmann ein verläßlicher Hausregisseur, hielt sich gar fünf Jahre, allerdings galt das erste Jahr als kommissarische Leitung, und nach zwei Jahren begann bereits die Schonzeit nach dem Abschuß. Als nämlich Ende 1973 ruchbar geworden war, Klingenberg werde den in Pension gehenden Buckwitz in Zürich ablösen, wurde die Kritik zum Kesseltreiben. Dabei hatte Klingenberg tapfer gegen das ehrenvolle Übel der Burg, »zeitlos« zu sein, angekämpft, doch ohne Chefdramaturg neben sich und ohne einen überlegenen Organisator hinter sich viele Schlachten verloren.

Manchmal ist es leichter, eine neue Position zu finden, als die alte zu halten, denn die Erwartungen und Ansprüche sind so hoch, daß Enttäuschungen beim Arbeitgeber und beim Arbeitnehmer nicht ausbleiben können. Der neue Mann hatte womöglich die verständliche Schwäche, als Gegenteil des Vorgängers aufzutreten; in solchen Fällen zeigt sich bald, daß Negation keine Position ist. Auch Kommunalbeamte wissen nicht genau, was das Theater heutzutage soll, und sie wissen nicht besser als andere, was sie überhaupt wollen. Wenn sie mit einem Künstler Pech hatten, suchen sie einen Verwalter und umgekehrt. Im Zweifelsfalle wechselweise den anderen Typ oder den Wechsel überhaupt.

So geht es immer weiter und zeigt an, daß in dieser Branche die Personen austauschbar sind: Peter Mertz, zuletzt Chefdramaturg am Bayerischen Staatsschauspiel, ab

August 1975 nach Kassel; Hanno Lunin, bis dahin Chefdramaturg am Hamburger Thalia-Theater, 1975 als Intendant nach Wuppertal, 1976 Günther Beelitz von Darmstadt nach Düsseldorf, Kurt Horres, Opernchef in Wuppertal, als Intendant nach Darmstadt, Egon Seefehlner von der Deutschen Oper in Berlin in die Wiener Staatsoper. An seinen Berliner Platz rückt der Cellist Siegfried Palm, bis dahin Direktor der Kölner Hochschule für Musik. Claus Henneberg, Dramaturg an der Deutschen Oper Berlin, wurde zum Nachfolger des 1976 in Pension gehenden Kieler Generalintendanten Joachim Klaiber gewählt, Günther Penzoldt wechselt 1976 von Baden-Baden nach Saarbrücken, Günter Könemann 1977 von Gelsenkirchen nach Karlsruhe, Michael Gielen übernimmt 1977 die Frankfurter Oper, weil Christoph von Dohnányi die in Hamburg leiten wird. August Everding hatte den von Rolf Liebermann verlassenen Intendantensessel noch kaum warmgesessen, da wurde schon ausgemacht, daß er 1977 nach München zurückkehren werde, als Nachfolger Günther Rennerts. Privattheater werden weitaus beständiger geleitet, dort gibt es noch Prinzipale mit Prinzipien, nicht nur Funktionäre in Funktion.

In Österreich und der Schweiz gibt es geringeres Revirement, doch die offenen Grenzen lassen diese Länder in den Sog der bundesdeutschen Unruhe geraten. Heraushalten kann sich die personell ganz anders taktierende DDR. Auf die Frage, welche Voraussetzungen man erfüllen müsse, um Intendant werden zu können, teilte der Deutsche Bühnenverein (1974) mit, »daß zum Betrieb eines Theaters grundsätzlich keine besonderen Voraussetzungen erforderlich« seien. Der schweizerische Bühnenverband erklärte, »daß es zur Leitung eines Schweizer Theaters keiner finanziellen, geistigen oder politischen Voraussetzungen« bedürfe. Der Präsident des Wiener Theaterdirektorenverbandes teilte mit: um in Österreich ein Theater leiten zu dürfen, sei eine Konzession nötig, die von guten Referenzen abhänge. Beispielsweise gebe die ›Gewerkschaft Kunst und freie Berufe‹ ihre Einwilligung, wenn der Bewerber sich verpflichte, eine genügend große Zahl von Gewerkschaftsmitgliedern ganzjährig zu engagieren. Der Zentralvorstand der ›Gewerkschaft Kunst‹ in der DDR gab keine Antwort.

Intendantenposten sind in der DDR selbstverständlich politische Ämter. Es wird in Parteikreisen beraten, wen man einsetzen kann. Die Leiter der namhaften Theater in der DDR sind alle in der SED, Professor Karl Kayser, der Leipziger Generalintendant, ist sogar Mitglied des Zentralkomitees, Hans-Dieter Mäde in Dresden und Professor Hanns Anselm Perten in Rostock sind ZK-Kandidaten. Hans Pischner von der Berliner Staatsoper war vorher stellvertretender Kultusminister. Hans Pitra vom Metropol-Theater war Mitglied der Volkskammer, Professor Wolfgang Heinz vom Deutschen Theater ist Präsident des Verbandes der Theaterschaffenden und Vizepräsident der Deutschen Akademie der Künste. Und so weiter – bis auf zwei Ausnahmen: Walter Felsenstein von der Komischen Oper (1975 verstorben) und Benno Besson von der Volksbühne. Zwei Ausländer. Gastarbeiter kann und mag man nicht so fest in die Parteihierarchie einbauen. In keinem der vier Länder – DDR, BRD, Schweiz, Österreich – sind also fachliche Voraussetzungen Bedingung, nur erfreuliche Zutat. Gewiß, künstlerische Qualifikation versteht sich von selbst. Aber es ist doch seltsam, daß sie dermaßen stillschweigend vorausgesetzt wird. Von Kunst spricht nur noch die Gewerbeordnung und auch sie nur in der Negation: sie macht nur dann Vorschriften, wenn »kein höheres Interesse der Kunst oder Wissenschaft obwaltet«.

Die Kritik an Autoritäten und autoritärem Verhalten, die sich an politischer, geistlicher, industrieller, wissenschaftlicher und pädagogischer Obrigkeit entzündete und in der Bundesrepublik eine umfassende Autoritätskrise hervorrief, machte vor den Theatern nicht halt. Allmählich verunsichert vom Schrumpfen des kulturfrommen Bildungspublikums, selbst angenagt vom Zweifel an der zeitlosen Gültigkeit ihrer Mission, reagierten die Theaterleiter unbefriedigend auf kritische Fragen, allmählich auch Aufsässigkeit junger Schauspieler.

Die junge Schauspieler-Generation begann, »Aufklärung« und »Demokratisierung« zu fordern. »Mitbestimmung« war das Schlagwort, »Transparenz des Arbeitsprozesses, Abbau von Herrschaftsstrukturen«. »Wie kann das Theater Diskussionspartner der Gesellschaft sein, wenn die Diskussion innerhalb jener Gesellschaft, die das Theater selbst ist, nicht stattfindet?« So fragten zwei junge Schauspieler in Überlegungen »über den autoritären Geist des deutschen Theaters«, die *Theater heute* im April 1968 veröffentlichte. Die Frage stellen hieß sie negativ beantworten. Es wurden gefordert: kollektive Theaterleitung und Regie, Einheitsverträge und Staffelung der Gagen nach sozialen Gegebenheiten, Mitsprache bei Spielplangestaltung und Rollenbesetzung, Einstellungen und Entlassungen.

Ein neuer Chef bringt neue Leute, lehnt einen Teil des alten Ensembles ab, sein Zeitvertrag setzt ihn unter Erfolgszwang, er soll ja Besseres, wenigstens Anderes leisten als der Vorgänger, und so ist er mit ultimativen Forderungen nicht zimperlich. Zadek übernahm 1971 aus Schallas Ensemble in Bochum nur 17 Schauspieler – von 90. Von den 48 Tänzern der Hamburger Staatsoper übernahm John Neumeier nur 27, als er 1973 aus Frankfurt nach Hamburg kam. Daraufhin klagten 14 Tänzer vor dem Arbeitsgericht und bekamen jeweils rund 11 000 DM Abfindung. Beelitz übernahm von 77 Schauspielern 20 nicht, als er 1976 von Darmstadt nach Düsseldorf ging. Palitzsch, Hübner, Fassbinder, sie alle kamen und gingen mit einer eigenen Mannschaft. Die Genossenschaft will dagegen unbefristetes Engagement und Kündigungsschutz durchsetzen.

»Reduzierung der Bürokratie auf ein Minimum, Abschaffung der feudalen Alleinherrschaft des Intendanten, statt dessen kollektive Führung, die nicht vom Geldgeber, sondern von den Produzenten am Theater eingesetzt wird und abwählbar ist, Beteiligung aller Mitglieder des Ensembles an der Spielgestaltung und Offenlegung aller künstlerischen und ökonomischen Entscheidungen.« So formulierten im September 1968 Peter Stein und Wolfgang Schwiedrzik das Gebot der Stunde. Sie hatten ihre Inszenierung des *Viet Nam Diskurs* in den Münchner Kammerspielen »als Modell für demokratische Praxis verstanden« und sich mit der Theaterleitung überworfen.

Goethes *Tasso* mußte herhalten – Ende März 1969 in Bremen –, um die Problematik des Theatermachens zu illustrieren. »Ähnliche Erwartungen wie die höfische Gesellschaft ihrem Dichter bringt die bürgerliche Gesellschaft ihrem Theater entgegen. [...] Mit dem ohnmächtigen Publikum teilen wir die Unfähigkeit, die eigene Wut und die eigenen Schmerzen zu artikulieren – das Bewußtsein dieser Unfähigkeit haben wir ihm vielleicht voraus.« Nicht länger wollte Stein nur »auf dem Weg des Verkaufs einer Ware« mit seinem Publikum »kommunizieren«. Zusammen

mit seinen fünf Darstellern verlas er allerlei Fragen: Brauchen Sie Kunst? »Ja!«
Würden Sie Proben beiwohnen? »Ja!« Vertritt das Theater Ihre Interessen? »Nein!«
Hat es Beziehung zum Leben? »Ja!« Langweilen Sie sich? »Nein!« Wenn auch wohl
nur die Hälfte der Zuschauer solche Theaterbegeisterung bekundete, so war das
Ausmaß der Zustimmung bemerkenswert. Das Kunstwerk namens *Torquato Tasso*
schien niemand zu vermissen.

Bruno Ganz, ein Tasso in Cordjacke, trug den Lorbeerkranz wie ein Karrengaul
die Scheuklappen. Er trieb alle Regungen ins Extrem. Leider sei es nicht gelungen,
»unsere Zweifel am Sinn unserer Arbeit auf der Bühne deutlich zu machen«, klagte
der Regisseur.

Der eigentliche Kampf spielte sich natürlich hinter den Kulissen ab. Im Jahre 1969
tauchte die Parole auf: »Zerschlagt das bürgerliche Theater!« Ironisch bat August
Everding um Mitspracherecht für den Intendanten. Mitte Februar 1970 wurde be-
kannt, daß zu Beginn der Spielzeit 1970/71 an der ›Schaubühne am Halleschen
Ufer‹ die Demokratisierung ins Werk gesetzt werden solle. Im September 1962 als
Saaltheater in einem Neubau eröffnet (Eigentümer: Arbeiterwohlfahrt der Stadt
Berlin e.V.), war die ›Schaubühne‹ unter Jürgen Schitthelm und Klaus Weiffenbach
mit Zeitkritischem hervorgetreten: Horváth und Brecht, Peter Weiss und Hartmut
Lange. Schitthelm und Weiffenbach traten zu Dieter Sturm (Dramaturgie) und
den Regisseuren Peter Stein und Claus Peymann ins leitende Kollektiv ein. Alle
Mitglieder (darunter der Bühnenbildner Karl Ernst Herrmann, die Schauspieler
Edith Clever, Jutta Lampe, Bruno Ganz, Katharina Tüschen – der Anteil des bre-
mischen Hübner-Ensembles war groß –, Dieter Laser, Otto Sander, Ulrich Wild-
gruber und andere) verpflichteten sich zunächst auf zwei Jahre. Therese Giehse kündigte an, sie werde Gorki/Brechts *Mutter* spielen; das war ein Votum für Stein,
dessen Talent sie in München erkannt hatte. »Sie ist meine Lehrerin geworden«,
schrieb er, als sie gestorben war (März 1975).

Der Vollversammlung wurde Vetorecht der Theaterleitung gegenüber zugebilligt,
die alle künstlerischen sowie wirtschaftlichen Pläne und Probleme mitteilen mußte.
Vier oder fünf Premieren sollten je Spielzeit kollektiv erarbeitet werden. Die Gagen sollten zwischen 1 200 und 3 000 DM betragen, der Westberliner Senat erhöhte
die Subvention von bisher etwa 600 000 DM auf 1,8 Millionen (1974/75: 4,8 Millionen).

Ende April 1970 faßte der Verwaltungsrat des Bühnenvereins eine unentschlossene
»Entschließung« in Sachen Mitbestimmung: er setze sich für »funktionsgerechte
Demokratisierung« ein. Vor allem sei »gegenseitige Information« über »alle künstlerischen und wirtschaftlichen Theatervorgänge« notwendig, »soweit diese nicht die
tariflichen oder individuellen Belange der Mitglieder berühren oder ihre Bekannt-
gabe oder Erörterung für den Betrieb nachteilig sein kann«. Der Verwaltungsrat
halte »Mitsprache« in »bestimmten Bereichen« (die unbestimmt blieben) »für möglich und wünschenswert – unbeschadet etwaiger Zuständigkeiten der Personalver-
tretung«. Als seit Beginn der Spielzeit 1970/71 die Städtischen Bühnen in Oberhausen kollegial geleitet wurden – zwar nicht de jure, doch de facto –, da berief
man sich ausdrücklich auf die ›Schaubühne‹. Provokator der Demokratisierung war
der Oberspielleiter und Chefdramaturg Günther Büch, den der Kulturdezernent
Hilmar Hoffmann stützte.

Der Frankfurter Magistrat war der erste Rechtsträger, der die Bedingungen, unter denen Demokratie an einem Kommunaltheater stattfand, rechtlich ordnete. Der Beschluß vom 13. Juli 1970 war auf zwei Jahre begrenzt, bis zum Ende der Spielzeit 1971/72, das bedeutete bis zum Auslaufen des Vertrages mit Ulrich Brecht. »Es ist das gemeinsame Ziel der Vertragsparteien, durch diese Betriebsvereinbarung dazu beizutragen, alle bisher zu wenig genutzten künstlerischen Reserven dadurch zu mobilisieren, daß die gesamte künstlerische Planung durch das Abwägen wechselseitiger Vorschläge und Bedenken durchschaubarer und effektiver gestaltet wird. Zu diesem Zwecke wird ein künstlerischer Beirat gebildet.« Im Beirat, bestehend aus dem Personalrat, den Vorständen der gewerkschaftlichen Lokalverbände und dem Orchestervorstand, hatten Opernsolisten, Schauspieler, Orchestermitglieder, Chor, Ballett und Bühnentechniker je höchstens zwei Stimmen. Der Beirat sollte den Spielplan, die Ensemblebildung, eventuelle Änderungen der Theaterstruktur und Intendantenwahl »mitberaten«. Er delegierte jeweils zwei Vertreter der betroffenen Sparte. Es waren planmäßige und (auf Antrag von mindestens 10 % der Theaterangehörigen) außerplanmäßige Versammlungen vorgesehen. Als Peter Palitzsch ins Haus stand, trieb Hoffmann, seit November 1970 in Frankfurt, das Modell weiter: die Position des Generalintendanten wurde abgeschafft, das Schauspiel von einem Dreierdirektorium geleitet; zwei Direktoren bestimmte der Magistrat (Peter Palitzsch als Vertreter der Regie und Klaus Gelhaar als Bühnenbildner), den dritten wählte das Ensemble, einen Schauspieler.

Hilmar Hoffmann funktionierte zu Beginn des Jahres 1971 die ehemalige Landesbühne Rhein-Main im Theater am Turm (›TAT‹) nach dem Schaubühnen-Modell um. Sie wurde einem Direktorium unterstellt, bestehend aus dem Dramaturgen Wolfgang Wiens, Autor Wolfgang Deichsel, dessen hessische Dialektstücke das ›TAT‹ spielte, und drittens dem Leiter des Bundes für Volksbildung, seit jeher Rechtsträger des Theaters. Der Intendant wurde fortgeschickt, das Triumvirat arbeitete ein Mitbestimmungsmodell aus.

In der Schweiz hat das Zürcher Theater am Neumarkt die Demokratisierung geprobt, ursprünglich ein Kleintheater mit Gastspielbetrieb, inzwischen eine Aktiengesellschaft, die freilich keine Dividende ausschütten kann. Die Stadt, welche die Hälfte der Aktien (140) hält, schoß 1972 350 000 Franken zu, der Kanton 120 000 Franken unter der Bedingung, 40 Landvorstellungen zu bekommen. Horst Zankl, 1971 zum Direktor gewählt, führte die Mitbestimmung ein, blieb aber dem Verwaltungsrat der Aktiengesellschaft allein verantwortlich.

Zankl war vorher Regisseur in Hannover gewesen und brachte von dort einige Schauspieler mit. Die jeweils Engagierten waren an den weiteren Engagements beteiligt, ein Teil des Ensembles wurde also durch Abstimmung gebildet. Die Gagen wurden auf 1 175 Franken angehoben beziehungsweise auf 3 300 Franken begrenzt. Erst 1973 ermöglichte eine Subventionserhöhung auf 1,387 Millionen Franken zwölfmonatige Zahlung (statt zehnmonatige). Oberstes Entscheidungsorgan war die Vollversammlung, allerdings bekam der Direktor Vetorecht (er machte in drei Jahren dreimal davon Gebrauch). Zur Vorbereitung von Sach- und Personalentscheidungen dienten Arbeitsgruppen (Dramaturgie, Werbung und Verwaltung, Methodengespräch) und autonome Produktionsgruppen zur Verwirklichung des Textes auf der Bühne. Das Experiment stieß in der Öffentlichkeit auf Mißtrauen, obendrein mißfielen dem Verwaltungsrat einige politische Sonderprogramme. Der Spielplan war im ganzen anspruchsvoll und spröde, die Platzausnutzung rückläufig von 60 % auf 50 %.

Der Regisseur und Produktionsleiter Andreas Hensel charakterisierte die Lage im wesentlichen positiv: »Den deprimierenden Erfahrungen mit autoritären Strukturen entronnen, genossen wir unser Privileg weitgehend unentfremdeter Arbeit und dachten wenig an die Zukunft. Die Mitbestimmung funktionierte ohne juristische Grundlage, durch gegenseitiges Einvernehmen. Konfliktsituationen wurden meist durch die Integrationskraft Zankls abgefangen, der als Direktor und Hauptregisseur (mit drei bis vier Inszenierungen pro Spielzeit) zu einer starken Bezugsperson geworden war. Alle Entscheidungen im Ensemble stellten das Gesamtinteresse des Theaters über die Einzelinteressen der Mitglieder.«

Beim Musiktheater artikulierte sich das Unbehagen (Kipphardt Februar 1972 im Frankfurter Club Voltaire: »verkommenes Theater einer verkommenen Gesellschaft«!) später und weniger kraß. Sachlicher als die Intendanz wurde die Position des Generalmusikdirektors in Frage gestellt. Seit dem 1. Juli 1971 garantiert der Orchester-Tarifvertrag den Musikern in Kulturorchestern ein Mitspracherecht bei der Einstellung von Kollegen und Dirigenten. Selbstherrliche Entscheidungen politischer Gremien hatten zu dieser Festschreibung geführt. Ein für alle Musikbereiche zuständiger Mann sei überfordert, meinte Gerd Albrecht, lange Jahre Generalmusikdirektor in Kassel, und trat zu Beginn der Spielzeit 1973/74 an der Deutschen Oper Berlin unter der Generalintendanz von Seefehlner in ein Direktorium ein, zu dem als Chordirektor Walter Hagen-Groll und Dirigent Leif Segerstam gehörten.

In relativer Unabhängigkeit konnte der junge Choreograph Gerhard Bohner von Beginn der Spielzeit 1972/73 an am Staatstheater Darmstadt das Modell eines auf der Basis der Gleichberechtigung arbeitenden Tanztheaters entwickeln. Zwölf Solisten sollten und wollten gemeinsam aus ihrem Zweifel am herkömmlichen Ballett und seinen Arbeitsweisen einen neuen Stil finden. »Wir sind ungeheuer zurückgeblieben gegenüber dem Schauspiel«, klagte Gerda Daum, die aus Hamburg zu Bohner gekommen war. Zu Beginn der Spielzeit 1973/74 trat sie zusammen mit Frank Frey, Ballerino an der Deutschen Oper Berlin, in der Berliner Akademie der Künste (dann auch in Frankfurt und Stuttgart) mit einer antiautoritären Tanzcollage auf: »Wie schwer es ist, eigene Erfahrungen zu verstehen.« »Wie Boxer lassen sich Gerda Daum und Frank Frey auf Stühlen in gegenüberliegenden Ringecken nieder und beginnen mit Lockerungs- und Konzentrationsübungen. Es folgt, im weißen Trikot, der Pas de deux aus dem zweiten Akt von ›Schwanensee‹: Inkarnation alles dessen, was hier zur Debatte steht. [...] Der ›Schwanensee-Pas-de-deux‹ wird ein zweites Mal gegeben, mit ironisierenden Variationen. Er beginnt spiegelverkehrt, mit dem Rücken zum Publikum, wird dann um den Ballerinenpart vermindert, so daß der Tänzer idiotisch ins Leere greift und hebt und zwirbelt, schließlich räumlich auseinanderdividiert, so daß zwar beide gleichzeitig tanzen, aber nicht zusammen, sondern auseinander« (Jochen Schmidt). Nach der Pause folgte getanzter Krampf als Karikatur auf Drill, der Menschen zu Tanzautomaten verkrüppelt, danach eine Diskussion, in der Frey die Frage stellte: »Ist es sinnvoll, Ballett zu betreiben, wenn die Menschen, die man dazu braucht, zu Apparaten entwürdigt werden?« Er folgerte: »Der Kulturbetrieb soll sich ändern, damit wir anders tanzen können.«

Gerda Daum hatte damals schon Darmstadt unter Protest verlassen und kollektive Gruppenarbeit als »Etikettenschwindel« bezeichnet. Tatsächlich war Bohner autoritär wie andere Ballettmeister auch. Mit der Demokratisierung wurde gern falsch gespielt, sowohl von denen, die Rechte hatten, als auch von denen, die welche erringen wollten. Die Mitbestimmungsmodelle, welche die Kommunen genehmigten, ließen die Entscheidungsgewalt bei den Kommunalbeamten. Das »Frankfurter Modell« verdiente das Aufsehen kaum, das es erregte, angesichts des Schlußpassus: »Kommt bei der innerbetrieblichen Mitwirkung keine Einigung zustande, so liegt die Entscheidung beim Generalintendanten. Der Beirat hat das Recht, seinen Einspruch in schwerwiegenden Fällen über den zuständigen Dezernenten dem Magistrat vorzutragen.« Diesen Dienstweg gab es für »schwerwiegende Fälle« sowieso schon immer.

Vor der Oper machten die Frankfurter Reformer halt; der Opernchef Christoph von Dohnányi, dessen Sparte das Renommee der Städtischen Bühnen während der Schauspielkrise bewahrt hatte, sollte nicht durch Gewaltenteilung verärgert, womöglich gar vertrieben werden. (Christoph von Dohnányi schloß dann doch für 1977 mit Hamburg ab.) Seltsame Demokratisierung: sie respektiert den Monarchen, wenn er Erfolg hat. Die Solisten winkten ab: kein Interesse an Mitbestimmung. Immerhin gibt es seit Beginn der Spielzeit 1972/73 an der Frankfurter Oper ein verbrieftes Mitspracherecht in technischen und personellen Entscheidungen. Letzte Entscheidungsinstanz blieb der Generalmusikdirektor. Allerletzte natürlich das Kulturdezernat.

»Findungskommissionen«, einberufen, um Theaterleiter aufzutreiben, und selber schwer zu besetzen, gerieten unter den Druck der öffentlichen Meinung oder von Kollektiven. Interne Entscheidungen in den Rathäusern wurden als autoritär getadelt, offene Auswahl aber geriet auf die politische Ebene und ließ abgewiesene Bewerber als öffentliche Verlierer zurück. »Mitsprache« bei der Berufung von Theaterleuten und der Aufstellung der Spielpläne forderten die Delegierten des 25. Volksbühnentages Juni 1972 in Stuttgart. Theaterbeiräte sollten gegründet werden. Wer auch immer mitmischen wollte, der schmückte sich mit Vokabeln aus dem Tabernakel der Demokratie.

Kollektive Führung könne es beim Theater nicht geben, Mitsprache wolle nicht viel besagen, »Mitwirkungsrecht« sei der treffendste Begriff, konnte man bei dem Festakt hören, in dem Oktober 1971 der Unterrichtsminister im Foyer des Burgtheaters ein Statut für die Ensemblevertretung überreichte. Dort war schon eine Weile von Demokratisierung die Rede gewesen; als Gerhard Klingenberg Burg-Direktor wurde (und Wahlen nahten), machte der Minister im Lichte des Fernsehens besagte schöne Geste. Ohne die Entscheidungsgewalt des Chefs zu schmälern, war das Ensemble aufgerufen, Gedanken über Spielplan, Besetzung, Organisation zu artikulieren. Auch Klingenbergs Nachfolger, der Schauspieler Achim Benning, schon seit 1970 »Vertrauensmann« des Ensembles, gab sogleich sein Bekenntnis zur Teamarbeit ab – freilich müsse der Direktor das letzte Wort haben. Das Burgtheater hat übrigens schon antiautoritäre Tage gesehen, als man anderswo noch nicht einmal davon träumte. In den Jahren 1776 bis 1789 ist es von einem Regiekollegium geleitet worden, und als der Direktor Franz Karl Brockmann seinen Leuten zu diktatorisch wurde, übernahm noch einmal ein Kollektiv die Leitung (1792–94).

Stella Kadmon fand, sie trete nach rund einem Vierteljahrhundert auf der Stelle, darum ließ sie drei junge Leute »Theater der Courage« machen. Die spielten *Wildwechsel; Eisenwichser; Die Versöhnung;* sie hatten Ansichten und machten Fehler, welche die alte Dame veranlaßten, das Mitbestimmungsexperiment zu beenden und wieder Prinzipalin zu sein.

Im Oktober 1972 zog der Bühnenverein die Bremse: von Erarbeitung von Mitbestimmungsmodellen solle »zunächst abgesehen und die weitere Entwicklung abgewartet werden«. Beim Mannheimer Nationaltheater wurde nach neun Monaten, im Februar 1973, ein Mitbestimmungsversuch abgebrochen. Als das Führungsgremium im Schauspiel (die Regisseure Hagen Mueller-Stahl und Jürgen Flimm plus zwei Dramaturgen) an den Kompetenz- und Etatfesseln rüttelte, wurde es aufgelöst.

Palitzsch, der das Frankfurter Mitbestimmungsmodell handhabe, gestand im Mai 1973 ein, man taumele gegenwärtig »von einer Krise in die andere«. »Die Demokratisierung von unten her, wo die Basis zu Entscheidungen und Verantwortung kommen« solle, müsse »bei Leuten, die dies dreißig oder vierzig Jahre nicht getan haben, zu einem Rückschlag führen«. Es führe in Frankfurt »zu einer ganz schweren Krise, die es fraglich macht, ob dies weiter verfolgt werden kann«. Schwierigkeiten gebe es allerdings nicht bei der Arbeit an einer einzelnen Inszenierung; dann sei der Meinungsaustausch scharf, direkt und außerordentlich engagiert. Die Mitwirkung erstrecke sich aber nie auf das Ganze. Die Gruppe, die gerade das eine mache, interessiere sich merkwürdigerweise »in einer totalen Weise« für das andere überhaupt nicht mehr. Dies hänge allerdings auch mit den großen Produktionszwängen und der Arbeitsüberforderung zusammen; die sogenannte »gesellschaftliche Arbeit« müsse nämlich in der Freizeit gemacht werden. Hinzu kämen die »Spaltungstendenzen«: Ein Teil der Mitarbeiter versuche diese Arbeit zu leisten, ein anderer Teil nicht; nähmen die Verweigerer überhand, würden die andern entmutigt. Palitzschs Partner im Dreier-Direktorium wechselten häufig.

Ein demokratischer Theaterbetrieb verlangt Tugenden, aktiviert sie vielleicht auch, die normalerweise nicht in dem notwendigen Ausmaß aufgebracht werden: Einsatzbereitschaft auch für andere, Rücksicht, Umsicht, allseitiges Interesse, Geduld. Und obendrein muß ein überlegener Kopf es auf sich nehmen, die Pflichten des Chefs zu tragen, ohne dessen Rechte zu genießen. Er bekommt es mit Konflikten zu tun, die es in diesem Ausmaß und in dieser Leidenschaft noch nicht gegeben hatte. Gruppendynamische Konflikte nämlich, die wohl meistens ungeklärtes Selbstverständnis anzeigen. Eine Branche, die mit Emotionen handelt, in der Leistungen so hochgradig Bestandteil der Personen sind, ist zu Objektivität weniger imstande als jede andere.

Anfang 1975 ließ Peter Stein wissen, daß er eine »Denkpause« machen müsse. Er hatte die ›Schaubühne‹ zum meistbeachteten und höchstgelobten Theater der Bundesrepublik gemacht, und auch in diesem Falle war es ein schwieriger und gefährlicher Weg gewesen. Es gab 1971 Angriffe von rechts (Verdacht auf außerkünstlerische, gesellschaftsfeindliche, verfassungswidrige Aktivitäten) und 1972 von links: Show-Theater, das Pflichtübungen in Sachen Revolution leiste, modische Attitüde,

Gesellschaftsspiel, Ende der Mitbestimmung. Richtig war immerhin, daß das Vetorecht eingeschränkt worden war auf die Inhaber von Langzeitverträgen, nämlich das künstlerische Personal im Gegensatz zum technischen. Richtig, aber unberechtigt ist Kritik von links insofern, als die ›Schaubühne‹ zum Beispiel für ästhetisches, sensibles Spiel geworden ist und nicht für politisches. Auch sonst kann die Verfassung der Schaubühne kaum als Modell dienen, denn der kollektivistisch organisierte Betrieb ist Steins Theater geworden oder geblieben, dank dessen überragender Begabung für Menschenführung, einerlei ob auf der Bühne, davor oder dahinter. Wie Palitzsch fühlt er sich von der Majorität im Stich gelassen: »Es sind vielleicht 45 Personen, die den Stil dieses Hauses prägen. Der Rest der etwa 120 hier Beschäftigten zieht eine Arbeitsweise wie an Staatstheatern vor. Im Rückblick empfinde ich das als absolute Niederlage.«

Bohners Tanztheater rieb sich an der Eingliederung ins Hessische Staatstheater und zerbrach an inneren Spannungen. Man hatte in einer Werkstatt-Reihe die Beziehung zum Publikum diskutiert, Meditationsübungen gemacht, Gruppenkonflikte ausgekämpft und war schließlich ihrer Dynamik erlegen. Ende der Spielzeit 1974/75 brach alles auseinander, ein Teil der Tänzer ging an andere Opernhäuser, ein anderer hörte ganz auf, weil er die anderswo üblichen Arbeitsbedingungen nicht mehr akzeptieren zu können glaubte.

Abschreckendes Beispiel wurde das Theater am Turm, wo man sich zerstritt statt zusammenraufte. Der Theaterrat als Mittler zwischen Direktorium und Vollversammlung scheiterte an Interessenkollisionen, so kamen alle zur Entscheidung anstehenden Fragen vor die Vollversammlung, infolgedessen wurde mehr debattiert als gearbeitet. Die Direktoren Wiens und Deichsel wurden müde und schieden zum Ende der Spielzeit 1974/75 aus. Rainer Werner Fassbinder wurde als künstlerischer Leiter berufen. Er kam mit dem verbliebenen Geschäftsführer Roland Petri nicht zurecht, nicht mit dem Etat und schon gar nicht mit der Mitbestimmung. Sein »antitheater« in München (1968/69) war zwar eine Art Kommune gewesen, man hatte gemeinsam Theater gespielt und Filme gemacht, doch daß diese Produktionen auf »antiautoritäre« Weise zustande gekommen seien, das war eine Illusion, die Fassbinder sich jahrelang gemacht hatte, wie er selber sagte (Februar 1974). Trotzdem ließ er sich auf ein Mitbestimmungsmodell verpflichten, noch dazu eins, das schon ohne ihn nicht funktionierte, jedenfalls mit diesen Leuten. Man hätte wissen müssen, daß ein Star der Trivialästhetik nicht als Katalysator taugt. Das Ensemble zerfiel, trug den Streit in die Öffentlichkeit, die Produktionen wurden kläglich, das Publikum blieb weg, Fassbinder kündigte (Anfang Juni 1975), der Betrieb konnte mit Mühe bis zum baldigen Ende der Spielzeit aufrechterhalten werden. Solche Zustände rufen ein Wort von Heinrich Laube in Erinnerung: »Schauspieler und Räuberbanden brauchen einen Hauptmann, sonst ist das Theater in Kürze ein Irrenhaus.«

Im Zürcher Theater am Neumarkt warf Horst Zankl zum Ende der Spielzeit 1974/ 1975 die Bürde ab, Regisseur und ein Direktor zu sein, der seine Leute ohne Anwendung von Machtmitteln als Kollegen behandeln wollte – noch dazu in einer dermaßen psychotischen Branche. Schwankender Erfolg, Stillstand bei der Bewußteinsbildung und Demokratisierung veranlaßten Zankl zur Kündigung, und sogleich zeigte sich, wie ungesichert alles war: die Verträge des »mitbestimmenden« Ensem-

288   *Herrschaftsstruktur und Führungskrise*

bles standen automatisch ebenfalls zur Disposition, und der Verwaltungsrat wählte aus zwanzig Kandidaten seinen Favoriten (Luis Bolliger), ohne daß die formale Beteiligung des Ensembles sich auswirken konnte. »Wir sind ganz simpel auf die Tricks des Parlamentarismus reingefallen« (Andreas Hensel). Doch der neue Mann übernahm das Mitbestimmungsmodell.

Verständlicherweise haben im allgemeinen die kleinen Talente das größere Interesse an der Demokratisierung, darum die böse, schon aus dem Jahre 1918 stammende Anmerkung, die Revolution sei im Theater ein Werk der Inspizienten und zweiten Bläser gewesen. »Um die Mentalität des deutschen Schauspielers zu verstehen, muß man sich vor allen Dingen vor Augen halten, daß er sich zum größten Teil aus den Kreisen des Bürgertums zusammensetzt«, schrieb Gustaf Gründgens.

In Köln beseitigte das Kollegialprinzip zwar die Generalintendanz (nach Weggang von Claus Helmut Drese zum Herbst 1975 an die Zürcher Oper), führte aber nach einigen Krisen zu neuer Vormacht des Stärksten: Hansgünther Heyme überspielte seine beiden Mitdirektoren und wurde mit Beginn der Spielzeit 1975/76 Intendant des Schauspiels, neben dem neuen Intendanten der Oper Michael Hampe. Damit ist der junge Regisseur, den Drese bei Amtsantritt mitgebracht hatte, Miterbe der Macht geworden.

Das Gesicht des Theaters verändernd, trat eine neue Gruppe von Befehlshabern hervor, die Regisseure. Wollten sie Karriere machen, mußten sie auffallen. Das marktgerechteste Verhalten besteht darin, selber zum Markenartikel zu werden. Die Umstände kamen den Spielführern entgegen. Fluktuation der Schauspieler machte es immer schwerer, Inszenierungen auf Lager zu halten, das Repertoire schrumpfte, der Mangel an neuen Stücken begünstigte Neudeutung von alten. Originalität wurde um so höher bewertet, je mehr kulturkritische Symptomatiker die Nivellierung durch Massenhaftigkeit ins Gerede brachten. Wie gierig der Markt auf neue Spezialisten wartet, zeigt der Fall Bondy. In kürzester Frist ist Luc Bondy zum Regiestar aufgebaut worden: eine *Leonce und Lena*-Inszenierung im November 1972 in Düsseldorf machte auf ihn aufmerksam, und drei Inszenierungen weiter, mit *Die See* von Edward Bond, Herbst 1973 im Residenztheater, München, zählte man den 25jährigen schon zur Spitzengruppe.

Immer seltener wurden die Regisseure, die sich zunächst einmal von Schauspielern »anbieten« ließen, um dann, vom Material ausgehend, zu formen. Nicht zufällig ist der Name des besten Regisseurs dieser Art nie an die große Glocke gekommen: Hans Bauer, gestorben 1970 in Basel. Er führte ein Wanderdasein, nur drei Jahre lang (1961–64) ist er als leitender Regisseur seßhaft gewesen, beim Landestheater Darmstadt. Bauer liebte das Poetische, Irrationale, Schwerblütige; Strindberg, Barlach, Lorca, Paul Willems, Georges Schéhadé waren seine Autoren, seine beiden Wuppertaler Lasker-Schüler-Inszenierungen (*Die Wupper*, 1966/67, und *Arthur Aronymus und seine Väter*, 1968/69) bleiben in Erinnerung als schwermütiger Traum.

Schon im November 1954 sprach der Regisseur und Schauspieler Ernst Ginsberg von »Entmündigung des Schauspielers« durch den Regisseur: »Das Schwergewicht der künstlerischen Produktivität hat sich unbestreitbar mehr und mehr von der phantasievoll schöpferischen schauspielerischen Persönlichkeit weg und zu dem mehr und mehr dominierenden und diktierenden Regisseur hin verschoben. Der Schau-

Bond, Die See. Residenztheater München. Regie: Luc Bondy. – Elfriede Kuzmany, Hans Quest, Lola Müthel, Gertrud Kückelmann, Ursula Müller, Otto Bolesch, Elsbeth Peter, Rita Russek, Christine Buschegger, Christian Pohlund, Siegfried Lowitz (Foto: Jean-Marie Bottequin, München)

spieler, der früher mit oft fast allzu fertig ausgearbeiteter Rolle zur ersten Probe kam und manchmal kaum mehr in ein Ganzes einzuordnen war, kommt heute allzu oft auf diese erste Probe leer wie ein braver Schüler, der sich erst einmal vom Lehrer seine Aufgabe erteilen und erklären lassen möchte.« Ginsberg erklärte, der Regisseur sei heute der eigentliche Stilbildner des Theaters geworden. Weil alle Grundbegriffe ins Wanken gekommen seien, versuche jeder Regisseur sie auf seine Weise zu lösen, dem Schauspieler bleibe gar nichts anderes übrig, als erst einmal abzuwarten.

Man sprach vom »Regiezeitalter«, sogar von »Regiediktatur«; der Regisseur wurde wichtiger als der Schauspieler und der Sänger. Das Theater kranke am Übergewicht des Interpreten (der »Auffassung«) über die Sache (das Stück), also am Triumph der Institution über die Idee, folgerte Friedrich Sieburg 1955. Noch früher hatte Wilhelm von Scholz vom »Parforce-Regisseur« gesprochen, »der sich durch keine Bühnendichtung, mag sie noch so stark sein, in den Schatten stellen läßt«. Der typische Parforce-Regisseur war Hans Neuenfels, der, von Ort zu Ort ziehend, an den verschiedensten Gegenständen sich erprobte und fast immer siegte. In der Spielzeit 1971/72 stürzte er sich vorübergehend mit derselben emotionalen Bedingungslosigkeit in die Gruppenarbeit bei Palitzsch, zu dem er einen Gegenpol bildete.

Die Vorarbeit des Regisseurs kann schöpferisch sein und neue Aspekte öffnen, wie bei Rudolf Noelte, dem Fehling-Schüler. Wäre Noelte nicht, Fehling hätte keinen Nachfolger. Nach der Berliner Enttäuschung hatte Fehling in München vier Klassiker inszeniert; nach der Münchner Enttäuschung – Mißerfolg mit Tiecks *Blaubart* – war er nach Berlin zurückgekehrt. Dort hatte er im Herbst 1952 seine letzte Arbeit gezeigt: *Maria Stuart*, mit seiner Partnerin, der Gorvin. Dann ist er verdämmert, viele Jahre lang. Derweil wurde Noelte zum Vollkommenheitsfanatiker. Seine Strindberg- und Tschechow-Präsentationen wurden berühmt; er sucht sich

Peter Terson, Zicke Zacke. Städt. Bühne Heidelberg. 2. Februar 1969. Regie: Hans Neuenfels (Foto: Mara Eggert, Mannheim)

Jürgen Fehling auf der Probe zu Tieck, Ritter Blaubart. München 1951 (Foto: Theater-Museum, München)

Tschechow, Drei Schwestern. Württ. Staatstheater Stuttgart. Regie: Rudolf Noelte (Foto: Madeline Winkler-Betzendahl, Stuttgart)

Autoren, deren existentielle Traurigkeit seiner Bitterkeit entspricht; er sucht sich die idealen Besetzungen aus, hat es also nicht nötig, auf den Proben zu exerzieren. Noelte verabscheut das »Brülltheater«, sucht den leisen psychologisch-poetischen Ausdruck, erzieht zu genauestem Hinsehen und Hinhören, seine dramaturgische Vorarbeit wagt große Eingriffe, doch so überzeugend, daß man immer wieder geneigt ist, von Uraufführungen zu sprechen, so als er *Totentanz* Dezember 1971 in Berlin – sogar im Titel richtiger – als *Todestanz* präsentierte und dabei die erfolgreiche und effektvolle Version *Play Strindberg* beschämte.

Wer bei Probenbeginn das Arbeitsergebnis schon im Kopfe hat, vermindert die Lebendigkeit des Theaters, schützt aber sich und den Betrieb vor unliebsamen Überraschungen. Außerdem arbeitet er schneller, erleichtert also Dispositionen, spart Geld und verdient mehr, weil er rasch frei wird für neue Taten. Natürlich leistet dies der Originalitätssucht Vorschub. Der »Interessantheits-Regisseur« nutzt sich in einigen Jahren ab.

Umstritten blieb Heyme, der im Oktober 1972 Hebbels *Maria Magdalena* als Requiem auf die Bourgeoisie brachte, der im Frühjahr 1974 Schillers *Jungfrau* im Konflikt zwischen Ideal und Leben zeigte, im Sinn von Schillers Elegie von 1795. Beim Durchsetzen solcher Ideen wurde die Spielweise forciert, die Kölner Schauspieler wurden zu Medien des Regisseurs und eigener Art entfremdet. Als im Herbst 1972, nach vier Jahren Heyme, ein Regisseur englischer Tradition (Geoffrey Reeves, wie Roberto Ciulli als Mitdirektor eingesetzt) mit diesen Leuten zu arbeiten versuchte, scheiterte er in wenigen Wochen.

Manche Schauspieler fühlten sich »frustriert«, wollten nicht länger bloße Erfüllungsgehilfen sein, heute rechtsherum, morgen linksherum tanzen, je nachdem wer kommandiert. Es war logische Folge, daß sie in Regiefragen mitreden wollten, doch es blieb bei Einzelfällen; wenn man die Spielvorlage nicht zerspielen wollte, mußte es schließlich doch jemanden geben, der entschied. An der ›Schaubühne‹, wo kollektive Regie prinzipiell zugestanden war, wurde nur sehr selten ein solcher Versuch

gewagt, das Ergebnis war mittelmäßig (Einakter von O'Casey und Kroetz, April 1975), und es gab immerhin einen »Probenleiter«.
Mitbestimmung in Verwaltungs-, Spielplan- und Engagementsfragen fiel schwer genug. Ulrich Erfurth hatte im Februar 1970 in einem Vortrag über »Strukturprobleme« gegen überhandnehmenden Einfluß der Parteipolitik, gegen »Regietheater der Kameralistik«, gegen Mitbestimmung ohne Mitverantwortung, gegen »Umfunktionierung« der Stücke, gegen das Theater als Tribunal polemisiert.
Vom Ende 1974 an wurden in der Presse Anzeichen für ein Erstarken der Führungsmächte angezeigt. Daß Schwierigkeiten mit den neuen Strukturen in Dortmund und Wuppertal Rückkehr zu den alten Intendantenverfassungen brachten, erschien als Symptom. In Wirklichkeit waren die Veränderungen sogar auf der oberen Ebene, also bei den Intendanten, nur Marionettenkriege gewesen, denn auf der obersten Ebene, nämlich bei den Kulturdezernenten, war die Entscheidungsmacht stets geblieben. Sie sind die eigentlichen Machthaber und nach dem Abtreten der letzten großen Künstlerintendanten, die auf die – wenn auch wankelmütige – Volksgunst vertrauen konnten, mächtiger denn je. Insofern ergab sich ein Machtzuwachs der Beamten gerade durch die Demokratisierung, die nirgends zum Recht, stets nur zur Betriebsabmachung gedieh.
Die Theater sind nichts anderes als die spektakulärsten Außenstellen des Kulturdezernats. Um sie zu leiten, braucht man keinen Oberkünstler, sondern einen Taktierer, der bereit und fähig ist, der exekutiven Bürokratie gegenüber Verantwortung zu tragen in der heiklen Position zwischen Reglement und Spiel. Schwierigkeiten, die dabei auftreten müssen, werden von der Behörde zu ihren Gunsten entschieden. Sie leitet ihre Legalität von ihrer gesetzdefinierten Ordnungsmäßigkeit ab, die im Kameralismus des 18. Jahrhunderts wurzelt, der alles wirtschaftliche Handeln von der Staatshoheit abhängig machte. Das Theaterspiel dank Steuergeldern ist ein hoheitlicher Akt.
Am klarsten drückt sich das in der Konstruktion der Bundestheater in Wien aus, deren Eigentümer und Rechtsträger die Republik Österreich ist, vertreten durch das Bundesministerium für Unterricht und Kunst. In der DDR ist jedes Theater wesensmäßig ein Staatstheater.
Diese Verhältnisse sind immer klarer geworden, bis hinunter zu den Stadttheatern und Landesbühnen, je mehr öffentliches Geld gebraucht wurde. Der begriffliche Inhalt der Bezeichnung »Intendant« kehrte immer mehr zu seinem Ursprung zurück: ein Intendant war eine Verwaltungscharge, besonders in der Armee, deren gesamte Ökonomie von einem Generalintendanten geleitet wurde. Armeeintendanten waren ihm untergeordnet. Auch für die fürstlichen Gärten, Schlösser und Theater wurden Intendanten »abgestellt«. »Die Hofbeamten haben das gar nicht schlecht gemacht«, meinte Rolf Liebermann Ende 1974, inzwischen Chef der Pariser Oper. »Wir kämpfen um die Neugestaltung des Theaters, eine Neugestaltung, die nur auf der Linie der gesellschaftlichen Umwälzung vor sich gehen kann«, notierte Piscator 1929. »Deswegen werden wir wahrscheinlich immer und immer wieder in gewissem Sinne an den Unzulänglichkeiten der Verhältnisse scheitern müssen, weil diese Neugestaltung nicht isoliert vor sich gehen kann.«

Ins Ungewisse gebaut

In den späten sechziger Jahren ging es nur noch zögernd weiter mit dem Theaterbau. In der Bundesrepublik wurden einige verspätete Großbauten fertig; wirtschaftlich schwächere Nachbarn leisteten sich einige langersehnte Richtfeste.
November 1967 in Innsbruck und März 1968 Sankt Gallen – zwei Provinzialhauptstädte eröffneten zwei sehr unterschiedliche Theatergebäude: die österreichische hatte den überalterten Empirepalast umbauen lassen, die schweizerische hat ein originelles Meister- und Musterstück in Eisenbeton in Betrieb genommen.
Das Tiroler Landestheater ist die einzige Spielstätte der Nachkriegszeit, die als Logentheater wieder erstand. Doch die Brüstungen fassen die Logen, rot ausgeschlagen, mit eingewebten Tiroler Adlern, zu Rängen zusammen. Der Zuschauerraum in Weiß und Gold, das Foyer in weißem Marmor; die Landesregierung begrüßte, der Bürgermeister nahm Anlaß, der Unterrichtsminister sprach, der Bischof segnete, der Intendant dankte – es war alles noch so, wie es sich gehörte. Das neuerstandene Haus mit großzügig bemessenem Anbau für Magazine, Seitenbühne und technischer Leitung für die modernste Theatermaschinerie in der österreichischen Provinz (abgesehen von Salzburg) kostete 122 Millionen Schilling.
Die Kombination der Räume im Stadttheater St. Gallen variiert das Sechseck und tut dabei des Guten zuviel. Die Bühne ist sechseckig, die Hocker im Foyer sind es auch, gleichfalls die Lampengruppen und sogar die Aschenbecher. Die Sechseckigkeit der Grundrisse schafft innen und außen abwechslungsreiche Asymmetrie. Man kann das ganze Haus umrunden, ohne von einer ungestalteten Rückfront angeödet zu werden. Dafür wirkt das Ganze etwas öde, es ist eine modern nachempfundene Burg, imponierend konsequent, ohne beschönigende Kinkerlitzchen. Aber der konventionelle Bau in Innsbruck wirkt heiterer und festlicher. Der Entwurf für Sankt Gallen stammt von Claude Paillard und Hansjörg Gügler. Der technische Ausbau wurde zurückgestellt, so kam man zunächst mit 13,2 Millionen Schweizer Franken aus. Das alte Theater wurde abgerissen.
Ulm, die Stadt mit dem ältesten Stadttheater Deutschlands, bekam im Oktober 1969 ein Theater für 23 Millionen. Der Architekt Fritz Schäfer hat ein ›Großes Haus‹ mit 800 Plätzen und einem Studio mit 200, sowie Werkstätten und Magazine am Rande der Altstadt auf einem kleinen Grundstück unterbringen müssen und aus der Not die Tugend interessant überkragender Volumen gemacht. Das Ensemble konnte die Turnhalle der Wagnerschule verlassen, die unter Kurt Hübner und Ulrich Brecht bekannt geworden war. Hübner, inzwischen in Bremen, kam als Gast zurück, um zur Eröffnung Brechts *Galileo Galilei* zu inszenieren.
Nach gut schwäbischer Sitte machte man gleich zu Anfang eine nüchterne Rechnung auf: Erweiterung des Personals von 218 auf 274 Mitarbeiter, davon 160 »künstlerisches« Personal. Einschränkung der Gastspiele von 106 auf 85 und Ausbau der »Fremdenmiete« (55 % der Besucher kamen bisher von auswärts). Bei 30 % mehr Besuchern kann ein Wochentag spielfrei bleiben, ohne daß weniger eingenommen wird. Anhebung der Eintrittspreise um 50 %, Erhöhung der Abstecherhonorare um 20 %, erwartete Einnahmen 1,6 Millionen, also an Zuschuß nötig:

4,4 Millionen. Davon trägt das Land Baden-Württemberg 30 %, das sind rund 1,3 Millionen. Der Rest geht zu Lasten der Stadt als Rechtsträger, mithin also rund 3,1 Millionen. Oder anders ausgedrückt: Der Theaterbesuch kostet – bei einer angenommenen Gesamtbesucherzahl von 210 000 – etwa 28,50 DM. Davon kommen über den Eintrittspreis rund 7,50 DM herein, so daß noch ungefähr 21 DM zu finanzieren bleiben. Durch den Zuschuß des Landes können weitere 6 DM gedeckt werden. Das bedeutet, daß die Stadt über ihren jährlichen Theaterbetriebszuschuß jeden einzelnen Theaterbesuch mit rund 15 DM subventioniert.

Im Januar 1970 und im Oktober 1972 wurden zwei außerordentlich teure Großbauten fertig, deren erste Planungen weit in die fünfziger Jahre zurückreichen: Düsseldorf und Darmstadt. Gustav Rudolf Sellner, bis zum Frühjahr 1961 Intendant in Darmstadt, hatte zu ganz unzeitgemäßer Geduld geraten: man solle die Prosperity-Bewegung nicht mitmachen, solle warten, bis Lebensform und Lebenssituation wieder in Einklang stünden. Dann sollte ein »Darmstädter Modell« erarbeitet werden. Damit war ein völlig flexibles Haus gemeint, »das man sich von der Zukunft erwarten muß. Die Ansätze des neuen musikalischen Theaters zielen alle auf sehr wandelbaren und von allem Guckkasten-Theater weit entfernten Raum hin. Es mag sein, daß man daneben dieses Musée imaginaire ›Oper‹ in gesonderten traditionellen Häusern erhalten muß. Bewahrt man sich nicht Dokumentationen der Vergangenheit oder traditionellen Gegenwart, verliert man auch den Maßstab der zukünftigen Entwicklungen« (Sellner).

Was in Darmstadt schließlich entstand, war das dritte Staatstheater des Landes Hessen und der teuerste Zweckbau der Nachkriegsära, mit 64 Millionen veranschlagt und für 75 Millionen gebaut (die Stadt zahlte 20 %, das Land 80 %). Allerdings vereint dieser Eisenbetonbau zum ersten Mal alles zu Oper, Schauspiel und Ballett an Verwaltung, Ausstattung, Einübung und Darbietung Gehörige unter einem einzigen Dach (umbauter Raum: 217 000 Kubikmeter). Er trägt jeder Forderung Rechnung, ob traditionell oder experimentell. Selbstverständlich kann der »Guckkasten« außer Sicht gefahren werden, die Variabilität der Portalzone wurde so weit getrieben, daß man in beiden »Häusern« die Wände des Zuschauerraums an der Bühne aufschieben kann. Dadurch entstehen beiderseitig im Bereich der Vorbühne zusätzliche Simultanspielplätze. Neuartig ist das aus der Unterbühne herausfahrbare Prospektmagazin. Die akustisch transparente Decke des Zuschauerraums nützt auch der Beleuchtung: sie kann überall senkrecht in den Zuschauerraum einstrahlen; im Bereich des Bühnenportals strahlen Teleskopscheinwerfer aus jedem beliebigen Winkel. Versteht sich, daß die Stellwarten einem Großstadtbahnhof Ehre machen würden, die Beleuchtungsarrangements können auch gespeichert werden: bis zu 40 bzw. 65 Lichtstimmungen können die beiden elektronischen Kurzzeitgedächtnisse aufnehmen, ein Langzeitgedächtnis (Magnetband) kann die Beleuchtung ganzer Aufführungen speichern. Ein Blattschreiber wirft die eingegebenen Informationen im Klartext aus, damit auch der Beleuchter, nicht nur der Computer den Vorrat lesen kann.

Der käuflichen Wunder wären noch viele zu nennen, man hat alles genau geplant. Schon im Bauauftrag hieß es: »Beim Publikum ohne Gedränge funktionierende Garderoben durch Garderobenschränke nach dem System der Schließfächer im Bahnhof. Ebenso: ausreichend bemessene Ein- und Ausfahrtsmöglichkeiten aus der

Düsseldorfer Schauspielhaus, Sichtbeton im Foyer (Foto: Lore Bermbach, Düsseldorf)

Theatergarage (Stoßbetrieb), dadurch keine Hast am Ende der Vorstellung, Beifall für die Künstler, wie verdient.« Da paaren sich Wohlwollen und Nüchternheit auf merkwürdig naive Weise. Und nüchtern wirkt die breite Horizontale mit den zwei kastenförmigen Bühnentürmen auf dem Areal des im Kriege total zerstörten großherzoglichen Palais und seiner Gärten. Neutralität und Zeitlosigkeit waren das Stilprinzip des Architekten Rolf Prange.

Nüchternheit ist dem Düsseldorfer Doppeltheater nicht vorzuwerfen. Das phantastische Objekt hockt neben dem Thyssen-Hochhaus, der Apotheose moderner Ingenieurs-Pfiffigkeit, es buckelt und wölbt sich nach allen Seiten gleichermaßen seltsam. Eine begehbare Plastik, seit 1976 unter Denkmalschutz, begrenzt von Kurven, die Bernhard Pfau nicht errechnet, sondern empfunden hat. Das Gebäude ist gewissermaßen ein siamesischer Zwilling: im Erdgeschoß getrennt, im mittleren Stock (Bühnenniveau) zusammengewachsen und im oberen wieder getrennt. Wer phantastisch entwirft, kann natürlich nicht rational bauen. Die überkragenden Bauteile, die voneinander abweichenden Grundeinteilungen, das Einpassen rechtwinkiger Räume in die äußere Kurvatur, das gab statische Schwierigkeiten, welche die Berechnungen auf 12 000 Seiten anschwellen ließen. Viele Ärgernisse begleiteten die

Entstehung, vor allem wegen mangelnder Voraussicht, zeitweilig ruhte der Bau. Während der Bauzeit wurden die Pläne geändert, mit dem Volumen wuchsen die Kosten, schließlich auf 39 Millionen für 125 000 Kubikmeter; Werkstätten außerhalb.

Alle bühnentechnischen Finessen der Epoche sind eingebaut, ihre Kosten betragen 21 % der Bausumme. Diese 8,2 Millionen sind relativ preiswert, doch es handelt sich ja auch nur um zwei Schauspielsäle. Der Anteil der Bühnentechnik und Beleuchtung einer einzigen, allen Spielgattungen genügenden Bühne beträgt im allgemeinen mindestens ein Viertel der gesamten Baukosten. Da solche Einrichtungen nur bei seltenen großen Opernaufführungen genutzt werden können, steht die finanzielle Belastung »in falschem Verhältnis zum Zweck des Ganzen« (Graubner).

In jenen Jahren wurde über die Theatertechnik viel gestritten. Die einen nannten die Technik sekundär und verlangten deren Unauffälligkeit, die andern forderten maximale Mobilität des Hauses. Adolf Zotzmann, technischer Berater bei vielen Theaterbauten, technischer Leiter des Ruhrfestspiel-Hauses, sah sich veranlaßt, den »Prügelknaben Bühnentechnik« in Schutz zu nehmen. Man habe nur installiert, was von den Theaterleuten verlangt worden sei.

Der andere maßgebliche Bühnenbau-Experte jener Jahre war Walther Unruh. Er war bis 1945 technischer Direktor an der Hamburger Staatsoper und eröffnete dann angesichts der Theatertrümmer ein eigenes Entwurfsbüro. An fast allen Neu- und Wiederaufbauten ist Unruh als Konstrukteur oder Berater beteiligt gewesen. In seinem Buch *Theatertechnik* (Berlin 1969) legte Unruh klar, wie groß der Bestandteil der Technik an einer Inszenierung heutzutage sei. Das Bühnenbild definierte er im Sinne des Bühnenbildners Preetorius als dynamische Erscheinung: »das Bühnenbild geschieht«. Vor allem die Fortschritte der Licht- und Regeltechnik, der Einsatz von Tonbändern für Geräusche und Musiken haben die Art zu inszenieren nach dem Kriege revolutioniert. (Wieland Wagners berühmte »Lichtregie« wurde aber in einem technisch primitiven Hause entwickelt!)

»Den hochbetitelten technischen Vorstehern und auch der Bühnenarbeiterschaft machte es deutliches Vergnügen, mir die technische Überlegenheit ihrer Bühne vorzuführen. Es ging lustig hinauf und hinunter, nach hinten und nach vorn, die Bühne drehte sich, die Schiebebühne bewegte sich, und auch das Runterfahren von oben wurde demonstriert.« Das war Fritz Kortners erste Bekanntschaft mit der Bühnenmaschinerie des Burgtheaters. »Alles ging geradezu fidel vor sich. Das hielt aber nur so lange an, bis alle Beteiligten merkten, daß es sich nicht nur um eine unverbindliche Vorführung für einen Fremden mit einem gewissen Berufsansehen handelte, sondern um den Ernstfall.« Kortner wollte Ibsens *John Gabriel Borkman* auf den höchsten Stand der Technik bringen. Da hatte die Fidelität ein Ende, und es gab viele Einwände. »Ich kam nach einer sechswöchigen phasenreichen Obstruktion dahinter, daß der wahre Grund für den erfindungsreichen Widerstand nicht an den überforderten Maschinen, sondern darin lag, daß die notwendigen Probestunden für die Mobilisierung dieses technischen Wunderwerks die für solche Zwecke gewerkschaftlich zugelassenen Arbeitsstunden überschreiten würden. Das erklärt auch, wie der mir zu Hilfe geeilte ingeniöse Bühnenmaler Jörg Zimmermann aus München auseinandersetzte, warum diese faszinierenden Bühnenmöglichkeiten auch sonst brachlagen. Sie auf Sekundengenauigkeit in Bewegung zu bringen und die verschiedenen Teile zu koordinieren würde ein übergroßes Arbeitspensum erfordern und Ansprüche auf Verstand und Geistesgegenwart erheben, die gewerkschaftlich nicht vorgesehen sind.«

Das war im Herbst 1964, also knapp zehn Jahre bevor das Arbeitszeitgesetz auch dem Theaterleben in Österreich die 40-Stunden-Woche bescherte. Ein Gesetz, bei dessen Ausarbeitung und Verkündung man nicht an die Theater gedacht hatte (sie sind im Wirtschaftsgefüge ja auch recht unbedeutend), die man aber nachträglich nicht auszunehmen wagte, aus Sorge, einen Präzedenzfall zu schaffen. Zunächst schien das Theater mit diesem Gesetz nicht leben zu können, weil es vor allem die Verfügbarkeit der Bühnentechnik arg beschnitt. Dann aber fand man günstigere Auswege, als das Theater einfach zwei Tage in der Woche zuzusperren oder weitere Bühnenarbeiter und Theatertechniker anzustellen, die man sich nicht leisten konnte und die man schwer findet, weil Arbeiter in der Industrie besser bezahlt werden. Am wenigsten Einbuße bedeutet es, wenn man zweimal oder noch öfter hintereinander dasselbe spielt, dann entfallen Umbaustunden. Man kann auch – wenn man zwei Spielplätze hat – einen für Tage schließen. Manchmal läßt sich Selbstbedienung inszenieren: die Schauspieler bauen auf offener Bühne um, geben also fremde Arbeit als Spiel aus. Das »künstlerische« Personal ist ja in der Regel auch jenseits der Vorschriften arbeitswillig, im Gegensatz zum »technischen«.

In der Bundesrepublik gilt die 40-Stunden-Woche am Theater seit Oktober 1974. In Nürnberg wurden daraufhin 30 Techniker mehr eingestellt. In der Schweiz ist die Arbeitszeit regional unterschiedlich geregelt. Im Jahre 1945 wurden allgemein noch 48 Wochenstunden abgeleistet, nun sind 44 die Regel, in Zürich sind es zwei weniger.

Kortner setzte sich übrigens mit seinem gelobten und gelästerten »Despotismus« über die zu seiner Zeit noch milderen Arbeitszeitregelungen hinweg, Felsenstein löste Anfang 1974 seinen Dreijahresvertrag mit dem Burgtheater, weil die Arbeitszeitregelung und der daraus resultierende Schichtbetrieb ihm die Arbeit an *Käthchen von Heilbronn* verleidet hatte.

Auch am Ende der Hoch-Zeit des Theaterbaus standen die Enthusiasten und die Verächter der Theatertechnik unversöhnt einander gegenüber. Die Puristen können den Bühnenstilisten Adolphe Appia als ihren Wortführer ansehen, die Enthusiasten der Bühnenwunder den Darmstädter Maschinendirektor Carl Brandt, die beide ihre gegensätzlichen Vorstellungen im Dienst der damals unerhörten szenischen Visionen Richard Wagners realisierten. Extrazüge nach Darmstadt zu Aufführungen von Meyerbeers *Afrikanerin* galten nicht dem Komponisten oder den Sängern, sondern dem von Brandt ersonnenen und praktizierten Schiffsuntergang im dritten Akt (1865/66). Und als Gounod im Januar 1863 im zweiten Akt seiner *Königin von Saba* die von Brandt arrangierte Explosion eines Schmelzofens sah, den Strom rotglühenden Metalls, wie er sich über die Bühne ergoß, legte er bewundernd den Taktstock beiseite.

Daß es auch teuer sein kann, an Maschinerie zu sparen, erläuterte im Jahre 1972 Helmut Grosser, der Technische Direktor der Städtischen Bühnen in Köln: Vor fünfzehn Jahren habe sich die Stadt zugute gehalten, die preiswerteste Oper dieser Größenordnung gebaut zu haben. Inzwischen seien die damals gesparten Millionen

mehrfach für Arbeitsstunden ausgegeben worden. Fehlende Versenkungen, Höhen-
und Größenunterschiede zwischen Hauptbühne und Seitenbühnen, auswärtige Magazine, ein Schauspielhaus, das auf die Werkstätten und Probebühnen der Oper
angewiesen sei, dazu eine »Sparkommission«, die Überstunden oder sogar Stellen
einsparen möchte, das alles führe zu Verhältnissen, in denen die Regisseure dazu
neigen, »sich ihre Räume und Termine mit der Mentalität von Dschungelkämpfern
zu erstreiten«. Immerhin konnten in Köln Zimmermanns *Soldaten* auch technisch
eindrucksvoll realisiert werden, eine Oper, die sich für das Zürcher Stadttheater
als technisch unaufführbar erwies.
Für den Unterhalt der technisch relativ bescheidenen Kölner Bühnen werden jährlich DM 285 000 benötigt, sonstige bauliche Anlagen brauchen noch einmal DM
156 000 (Zahlen von 1974). Die Hamburger Staatsoper zu erhalten kostete im
Rechnungsjahr 1973/74 DM 441 700, das Nationaltheater Mannheim (1973) DM
456 000, die Bühnen der Stadt Dortmund (1974) DM 484 000. Die Bayerische Staatsoper kam (1974) sogar billiger: DM 465 000. Dazu das Staatsschauspiel: DM
372 700. Hinzu kommen die Bewirtschaftungskosten (Heizung, Reinigung, Bewa-
chung, Beleuchtung u. ä.). Sie liegen in Köln und Dortmund bei rund 1,5 Millionen,
in Mannheim – keine weiträumige Anlage, alles in einen Kubus gepackt – sind es
nur DM 565 000. Die Zinsen und Tilgungen betrugen in Mannheim 1973 nur noch
DM 119 000, Dortmund hatte 1974/75 noch 2,9 Millionen Zinsen zu zahlen.
Das alles sind jährliche Folgelasten von Theaterbauten, die sich im Laufe einiger
Jahrzehnte zur Milliarde türmen können. Es kommen Posten dazu, an die kein
Laie denkt beim Theaterspiel: Porti 31 800 DM, Telefonate und Telegramme
121 400 DM, Büromaterial 56 400 DM, EDV-Kosten 78 100 DM, Versicherun-
gen 189 000 DM, Wirtschaftsprüfer 26 800 DM, Unterhalt eingebauter Anlagen
126 000 DM, Instandhaltung der Kraftfahrzeuge 64 300 DM, der Werkzeugma-
schinen 16 000 DM und vieles andere mehr (Zahlen der Hamburger Staatsoper,
Spielzeit 1973/74). Und da hat auf der Bühne noch niemand den Mund aufge-
macht, und im Orchesterraum wurde auch noch kein Ton erzeugt! Der Theater-
finanzier Hugo Baruch, in den zwanziger Jahren Inhaber der Berliner Kostüm- und
Dekorationsfirma Baruch & Co, sagte: »Theater bauen ist gut, Theater betreiben
ist gefährlich.« Man hat heute den Eindruck, daß schon der Theaterbau gefährlich
sei.
In Basel führte der Theaterneubau geradezu zur Krise. Das Stadttheater behalf
sich mit dem technischen Standard der Jahrhundertwende. Die Malerwerkstatt lag
über der Bühne, die Schreinerei im Keller, der Orchestergraben war zu klein, 28 %
der Sitzplätze galten als unverkäuflich. Die Kasse befand sich in einem benachbarten Schulhaus – sie war angeblich beim Bau vergessen worden. Nachdem der
Plan, bei Mies van der Rohe einen Entwurf zu bestellen, gescheitert war, nach drei
Planungswettbewerben in fünfzehn Jahren, wurde ein einheimischer Entwurf bau-
reif.
Mit dem Bau wurde im Jahr 1969 begonnen, schon vom August 1968 an waren
Stadttheater und Komödie zu den Basler Bühnen zusammengefaßt, der Intendant
Werner Düggelin und sein Team sollten in dieses neue Kulturzentrum sozusagen
hineinwachsen. Als der Bau im Herbst 1973 fertig war, war der Städtische Haus-
halt defizitär, hatten Düggelins Darbietungen die Majorität der Basler Bürger ver-

ärgert. Sie verweigerten beim Plebiszit die von Düggelin für das neue Haus zusätzlich geforderten zweieinhalb Millionen Franken, und er kündigte. Arno Wüstenhöfer, Generalintendant in Wuppertal, widerrief seine Kandidatur, weil eine allgemeine Haushaltskürzung auch den ihm zugesagten Zuschuß betraf. Ein zweites Referendum billigte immerhin 1,8 Millionen zu, der Zuschuß 1975/76 ist sogar auf 17,3 gestiegen, das ist eine Million mehr, als Düggelin vergeblich gefordert hatte – so schnell ändert sich so etwas, obwohl die Wirtschaftslage der Stadt inzwischen noch schlechter war. In der Streit-Zeit blieb der Neubau zwei Jahre unbenutzt stehen, wodurch immerhin 3,8 Millionen Franken gespart wurden. Im Dezember 1974 hat Hans Hollmann im Foyer des stillgelegten Neubaus Glück gehabt mit einer Inszenierung der satirischen Revue *Die letzten Tage der Menschheit* von Karl Kraus. Hollmanns Bearbeitung umfaßte nur zwei Fünftel des Gesamtwerks, beanspruchte aber an zwei Abenden je vier Stunden. Die Zuschauer saßen an Tischen, konnten trinken und rauchen, sie waren als Kaffeehausgäste eingefügt in den österreich-ungarischen Weltuntergang. Die Version gefiel dermaßen, daß Hollmann Düggelins Nachfolger wurde.

Das neue Haus sieht von jeder Seite anders aus. Gegen die Sternentorgasse springt eine Foyersecke wie ein Schiffskiel vor, die Fensterseite gegen den Klosterberg könnte einem Appartementhaus gehören, neben der neugotischen Elisabethenkirche erheben sich vier etwa drei Meter hohe Pyramiden aus Glasbausteinen, sie belichten den unterirdischen Malersaal. Den Bühnenturm verkleidet eine zeltartig niederschwingende Kurvatur, diese auffällige Fläche ist nur mit Dachpappe beklebt. Die Außenwände sind einfach gelbgrau verputzt. Äußere Veredelung gaben die zur Verfügung stehenden 60 Millionen Franken nicht mehr her. 40 Millionen waren einstens angesetzt.

Kraus, Die letzten Tage der Menschheit. Stadttheater Basel. Inszenierung: Hans Hollmann (Foto: Peter Stöckli, Basel)

Stadttheater Basel (Foto: Peter Stöckli, Basel)

Das Studio für 300 Zuschauer ist hübsch kahl, sogar der große Saal – 1 000 Plätze – hat ernüchternde Züge: den Rangbrüstungen sind Schienen für Scheinwerfer vorgelagert, an den Seitenwänden weißes Mauerwerk, die Zugänge zum Parkett werden von dunkelroten, matt glänzenden Blenden unterteilt. Die aus akustischen Gründen gebrochene Decke ist parkettartig mit hellem Holz verkleidet. Der rotsamtene Bühnenvorhang erscheint als Konzession an alte Zeiten.

Als der 163 000 Kubikmeter große Stein des Anstoßes Anfang Oktober eröffnet wurde, da war er auf einmal beliebt. Für 5 Franken konnte man dabeisein, den Eintrittsausweis hängte man sich um, einen Schlüssel aus Kunststoff. Die 15 000 Schlüssel waren innerhalb von vier Stunden vergriffen. Hollmann hat zur Eröffnung mit einem Simultanspektakel aufgetrumpft: an drei Tagen 36 Darbietungen, darunter allerdings auch bloße Lesungen und blasse Leistungen. Gleich zu Beginn eine Brecht-Uraufführung *Er treibt einen Teufel aus*, ein Bubenstückchen, dessen dumpfe Derbheit von Franz Xaver Kroetz hätte stammen können: ein Bauernbursche geht bei der Nachbarstochter aufs Ganze, vor Vaters Zorn fliehen beide aufs Dach, wo sie entdeckt und ausgelacht werden.

Zwei Häuser ohne Ensemble fallen aus dem Schema. Erstens das Stadttheater Winterthur von Frank Krayenbühl: im Grundriß eine Winkelanlage, mit der Bühne im Scheitelpunkt, dem Zuschauerraum im Zentrum, davon gleichsam ausstrahlend ungleichschenklige niedrigere Anbauten. Zweitens ein später, schwacher Ersatz für Hans Scharouns Schlappe in Kassel: ein Jahr nach seinem Tod (1972) wurde

das von ihm entworfene Theater in Wolfsburg eingeweiht. Man kann den Stil des
Verfechters der »organischen« Architektur mit gutem Willen erkennen, nämlich
wenn man von der kunstgewerblichen Innenausstattung absieht und die Raum-
qualitäten erkennt. Aber auch wie die gesamte Anlage auf einen sanften Hang vor
einen Wald gesetzt ist – mitten aus einem flachen, sehr langen, zweistöckigen, grauen
Fensterband türmt sich ein ockerfarbener, vieleckiger, fensterloser Koloß. Ein bru-
taler Kontrast. »Im allgemeinen haben Foyers keine Richtung, sie lagern sich breit
um den Theatersaal, oder sie sind ein zweiter Kasten, dem Kasten des Bühnenhauses vorgelagert. Hier jedoch hat man ›Weg‹ zurückzulegen und wird dann vorsichtig eingeschleust in die Hauptsache. Die Schleuse ist ein ganz besonderer Raum,
ein ›Vorhof‹ im eigentlichen Sinn und das zweifellos Interessanteste an diesem Bauwerk« (Peter M. Bode).

Die recht verfahrene Theatersituation in Hannover brachte es mit sich, daß in 25-
jähriger Planung doch nichts anderes herauskam als eine weitere Verbesserung des
Provisoriums von 1943, als das Schauspielhaus zerstört wurde. Damals wurde in
den Ballhof ausgewichen. Zwei Jahre später war er das schönste unter den erhalten
gebliebenen Fachwerkhäusern der Altstadt, Mitte des 17. Jahrhunderts erbaut, zum
Federball- und Theaterspiel. Das Staatsschauspiel gastierte obendrein im Opernhaus und im ›Theater am Aegi‹, einem ehemaligen Kino am Aegidientorplatz, dem
Hauptspielort des Niedersächsischen Landestheaters, in dem das Kulturdezernat
durch Vergabe an Gastspieler sich selber Konkurrenz macht.

Der Zank, ob der zweckmäßige Entwurf der Arbeitsgemeinschaft Oestrem, Storch
und Ehlers laut Wettbewerbsbedingungen hätte akzeptiert werden müssen oder der
kühne, aber mangelhafte Vorschlag des Zürcher Architekten Claude Paillard akzeptiert werden durfte, erwies sich dank verschlechterter Finanzlage der Stadt als
Streit um des Kaisers Bart. Nach dem Beschluß von 1969, 25 Millionen für ein
Theater am Raschplatz hinterm Bahnhof auszugeben, und nach der Verplanung
von 5 Millionen (bis 1971), wurden 1974/75 6 Millionen am Ballhof verbaut, also
14 Millionen gespart – zum Kummer der ›Gesellschaft der Freunde des hannover-
schen Schauspielhauses e. V.‹. Hinter der altdeutschen Fassade wurde der Saal
(400 Plätze) »freigelegt«, mit sichtbarer Technik ausgestattet, ein Magazingebäude
angebaut. Ein geräumiges Foyer hinter einer Glaswand, unterirdische Garderoben
nach Schließfach-Prinzip wie in Darmstadt.

Ein weitaus stolzerer Ersatz wurde im Herbst 1975 in Karlsruhe eingeweiht: am
Ettlinger Tor, am Rand der Innenstadt und an der vom Schloß ausgehenden Mit-
telachse, wurde ein doppelstöckiger Gigant hochgezogen: zwei »Häuser«, eins mit
1000, eins mit etwa 350 Plätzen, beide für alle Spielgattungen verwendbar. Die
Bühne des ›Großen Hauses‹ ist vollkommen vom Bühnenturm und Schnürboden
überdeckt, die Decke des Zuschauerraums kann je nach akustischen und optischen
Wünschen abgesenkt werden. Im ›Kleinen Haus‹ ermöglichen Podien im Baukasten-
system weitgehende Variationen.

Das Ganze umfaßt 160 000 Kubikmeter und kostete 66 Millionen. Dennoch eine
»Notlösung«, denn der 1964 von der Landesregierung und der Stadt, die sich im
Verhältnis 60:40 in die Kosten teilen, gefaßte Plan war von 80 Millionen ausge-
gangen. Es hätte ein Supertheater werden sollen; zum Trost für den Verlust der
Hauptstadtwürde wollte man sich in Stuttgart großzügig erweisen. Dann zwang

man die alte badische Hauptstadt mit nur 250 000 Einwohnern doch zu etwas
Bescheidenheit. Architekt Erich Bätzner mußte Reduzierungen vornehmen, er
drückte die Kosten um 14 Millionen, durch technische Vereinfachungen und Ver-
kleinerungen. Dem gestuften Äußeren entspricht Raumgruppierung: die nach innen
gerichteten Raumgruppen werden zusammengefaßt vom Dachkörper, der mit Aluminium verkleidet ist; die nach außen gerichteten Künstlergarderoben, Verwal-
tungsräume, Werkstätten und Foyers zeigen Wände und Brüstungen aus Sichtbeton sowie Glaswände mit eloxierten Aluminium-Lisenen. Die Foyers sind so
weitläufig, daß die Garderoben der Damen nicht ausreichen, um den gräulichen
Beton ringsum zu beleben.

Inzwischen waren ältere Neubauten schon wieder brüchig geworden. Der Kölner
Luft hielt der Sichtbeton am Opernhaus nicht stand, schon nach zehn, fünfzehn
Jahren begann er zu bröckeln. Bergsenkungen richteten nach sechs Jahren beträcht-
liche Schäden am Ruhrfestspielhaus an. Die Münchner Kammerspiele bekamen 1971
in mehr als einjähriger Arbeit ihren ursprünglichen Jugendstil wieder. Im Ostberliner Volksbühnentheater konnte man auf den hinteren Parkettplätzen schlecht
sehen und hören, 1971/72 wurde das Parkett angehoben und dabei mit dem Ersten
Rang verschmolzen.

Ende der Spielzeit 1972/73 wurde das Nationaltheater in Weimar, dessen berühmte
klassische Fassade den Zwanzigmarkschein der DDR ziert, geschlossen, um es für
zwanzig Millionen zur Hundertjahrfeier der Stadt im Herbst 1975 gründlich über-
holen zu können. Man berief sich wieder auf das klassische Erbe, Fritz Bennewitz
inszenierte zur Wiedereröffnung beide Teile des *Faust*.

In Bremen hat der Aufsichtsrat 1973 genehmigt, für 1,7 Millionen das Theater am
Goetheplatz zu renovieren und technisch zu verbessern. Die Veränderung der Vorbühne reduziert bei Opernbetrieb die Platzzahl von 1 026 auf 890, für das Schauspiel von 1 100 auf 970. Für jeweils 300 000 DM werden die Kammerspiele in der
Böttcherstraße und das ›Studio im Concordia‹ verbessert.

Am Bayreuther Festspielhaus wurde zwischen 1961 und 1973 in mehreren Bauphasen das Holzfachwerk durch ein Betonskelett ersetzt und die Ziegelausmauerung
wiederhergestellt. Das Bühnenhaus wurde um 4 Meter verbreitert, Schnürboden
und Bühnentechnik erneuert, Magazine und Foyers umgestaltet. Im Juni 1974 wurde
hinter dem Festspielhaus ein Magazingebäude mit Werkstätten und Probenmög-
lichkeit in Betrieb genommen, seitdem können vier Regie-Teams gleichzeitig arbeiten. Der Kostenvoranschlag (1971: 950 000 DM) wurde unterschritten (817 000
DM). Im Frühjahr 1974 ist in Düsseldorf der aus allen Nähten platzenden Oper
am Rhein ein Haus für den Probenbetrieb übergeben worden. Eine große Probebühne, zwei große Ballettsäle mit allen wünschenswerten Nebenräumen verbessern
seitdem die Arbeitsbedingungen.

Zehn Jahre dauerten Umbau und Erweiterung des Staatstheaters in Oldenburg. Am
1. Dezember 1974 wurde es mit Bergs *Wozzeck* wieder eröffnet. Dem historischen
Hoftheater ist ein umfänglicher Flachbau nebengeordnet worden. Er enthält einen
neuen Haupteingang mit Kassenhalle und Foyer, zieht somit den Portikus des
ehemaligen Hoftheaters weitgehend aus dem Verkehr. Hinzu kamen auch eine Studiobühne und weiter rückwärts Werkstätten und Magazine, die mit einer neuen
Seitenbühne zur alten Bühne des großherzoglichen Kuppelbaus hinüberleiten. Das

Hinterteil des Althauses mußte neu »gegründet« werden, es war bis zu 43 Zentimeter in den morastigen Boden abgesackt.

Am Theater am Gärtnerplatz in München begann im Sommer 1972 die fünfte und letzte Etappe auf dem Weg zu dem Ziel, das 1865 errichtete Gebäude gänzlich zu sanieren, die technischen Einrichtungen auf den neuesten Stand zu bringen, Verwaltung und Werkstätten besser zu plazieren und das ehemalige Aussehen möglichst wiederherzustellen. Der Zuschauerraum ist schon im September 1969 nach langer Umbaupause wieder in scheinbar ursprünglicher Pracht präsentiert worden.

Im Sommer 1975 ist das Großkino für ein Jahr geschlossen worden, in dem die Städtischen Bühnen Nürnberg Schauspiele boten. Sichtverhältnisse und Akustik sollen endlich so verbessert werden, daß »Brülltheater« nicht mehr nötig ist. Der Umbau wird 2 Millionen kosten.

Die alten Theatergebäude stellen auch denkmalpflegerische Aufgaben. Goethes bescheidenes Sommertheater in Bad Lauchstädt wurde 1958 mit den ›Zehnten Arbeiterfestspielen der DDR im Bezirk Halle‹ restauriert wiedereröffnet. Auch in Wilhelmsbad bei Hanau ist Goethe gewesen, wo das erneuerte ›Comödienhaus‹ im Oktober 1969 wiedereröffnet worden ist, mit einer dokumentarischen Collage aus dem Leben des jungen Goethe. Drei Burgschauspieler trugen sie vor: Michael Heltau, Helene Thimig als Frau Aja und Helma Gautier in sonstigen Frauenrollen: Bettina, Cornelia, Friederike, Charlotte.

Als das Landestheater Coburg 1970 eine neue Heizung bekommen sollte, stellte man fest, daß das alte Hoftheater durch und durch erneuert werden müßte. An den Kosten (12 Millionen) beteiligte sich der Freistaat Bayern zur Feier des 50. Jahrestages des Anschlusses Coburgs an Bayern. In verschiedenen Bauphasen, um derentwillen die Spielzeiten verkürzt worden sind, wurde das alte Haus so herausgeputzt, daß der als Foyer dienende Spiegelsaal sogar unter Denkmalschutz gestellt worden ist.

Im Sommer 1975 wurden die Staatsbühnen in Wiesbaden für Jahre geschlossen, Oper und Schauspiel behelfen sich mit je einem Kino, das ›Walhalla‹ diente schon nach dem Kriege der Oper als Ausweichstätte, als die Besatzung den 1894 von Kaiser Wilhelm II. eröffneten Palast beschlagnahmt hatte. Der Prunkbau ist als Dependance der preußischen Staatstheater in Berlin gebaut worden, um von dort Aufführungen zu übernehmen, wenn im Mai der Kaiser kam; für einen vollen Theaterbetrieb ist er viel zu klein. Für die Erweiterung wurden bisher 40 Millionen bereitgestellt, die Erfüllung der heutigen Sicherheitsvorschriften würde schon 30 Millionen kosten.

In München ist das Prinzregententheater in Schlummer und langsamen Verfall gesunken wie in Stuttgart das Kleine Schauspielhaus; in Frankfurt kämpft eine Bürgerinitiative um den Wiederaufbau der alten Oper als Konzertsaal. In Dresden soll die Semper-Oper wiederaufgebaut werden, am Gendarmenmarkt in Ost-Berlin (seit 1950 ›Platz der Akademie‹) wird an Schinkels Schauspielhaus gebaut, das historische Theater soll Konzerthaus werden.

In einigen Fällen wurde der Anschluß an die Entwicklung verpaßt, gleich zweimal in Zürich, wo Schauspielhaus und Opernhaus erneuerungsbedürftig sind. Im September 1962 schilderte die Leitung des Schauspielhauses dem Stadtpräsidenten die Zustände als auf die Dauer unhaltbar: Seiten- und Hinterbühne fehlen, die wichtigsten Werkstätten befinden sich außerhalb, das Magazin ist unzureichend, die technischen Einrichtungen überaltert. »Glücklicherweise besteht, nachdem der Kanton das benachbarte Turnplatzareal zur Verfügung gestellt hat, unter allen Beteiligten Einigkeit nicht nur über die Notwendigkeit eines Neubaus, sondern auch in der Frage des zukünftigen Standortes.« Es wurde ein Wettbewerb ausgeschrieben, den Jörn Utzon aus Kopenhagen gewann, dessen Opernhaus in Sydney als teuerstes, aber nicht tauglichstes der Welt berühmt geworden ist.

Übrigens meinte Richard Strauss, das italienische Barockopernhaus werde allen Opern der Welt gerecht – mit einer Ausnahme: *Parsifal*. Utzon wollte den Bau in den Heimplatz einfügen und schwungvoll überdachen. Die Rezession in der Wirtschaft ersetzte dieses Projekt durch eine Renovierung für immerhin 20 Millionen Franken. Ein Volksentscheid Anfang Dezember 1975 bewilligte diese Summe. Den »Souverän« nun auch noch um Geld für das Opernhaus zu bitten, dessen Fin-de-siècle-Bombast immer mehr an Tauglichkeit einbüßt, wagt die Stadtregierung nicht. Ein Bauentwurf, Ergebnis eines Wettbewerbs, liegt vor. Aber die Zürcher Bürger sollen frühestens 1980 zur Entscheidung aufgefordert werden.

»Das Pathos der eigenen Gestalt, die das Theater haben muß, ist hier gefunden«, triumphiert ein 1964 gedruckter Prospekt über das Opernhaus in Essen, das leider bis heute Prospekt geblieben ist. Man hatte Ende 1950 nach einjähriger Bauzeit das alte Stadttheater in vereinfachter Form wieder in Betrieb genommen. Der zweite Rang war weggefallen, ein Teil des Umgangs jedoch einbezogen worden, so war man doch auf 800 Plätze gekommen. Der Auf- und Umbau hatte 1,8 Millionen gekostet. Für das Schauspiel stand zunächst der Große Saal des Ruhrkohlehauses zur Verfügung, später die Aula der Humboldtschule. Im Dezember 1958 schrieb die Stadt einen internationalen Ideenwettbewerb aus. Als Grundstück wurde ein Teil des Stadtgartens angeboten, der auf Alvar Aalto »geradezu stimulierend« wirkte. »In einen Park kann man nichts Hartes, Abruptes hinstellen, sondern nur etwas Fließendes, Organisches. Die Komposition des Beschwingten habe ich auch im Innern fortgesetzt.« Aaltos Entwurf faßte das Ganze in einem einzigen Baukörper zusammen, im Gegensatz zu Hans Scharoun, der vergleichbaren Extravaganzen eine entsprechende äußere Gliederung gab. Das 1975 auf 75 Millionen geschätzte Projekt wurde inzwischen überarbeitet, mehr aus Rücksicht auf den Park, denn der Baukörper (174 871 Kubikmeter) wurde eigentlich nur optisch kleiner, nämlich tiefer in die Erde gesetzt. Dennoch spricht man in Essen nun von einem Musiktheater, nicht mehr von einem großen Opernhaus, und hofft, den Bau doch noch beginnen zu können.

In Braunschweig ist ein neues Schauspielhaus geplant, nichts Repräsentatives, ein Zweckbau mit 400 Plätzen, der Vielem und Vielen offenstehen soll, auch den Kindern und der Jugend. Seine Kosten sind (1973) auf 14 Millionen geschätzt worden, zwei Drittel davon soll das Land Niedersachsen bezahlen, den Rest die Stadt. Soviel Vernunft und relative Bescheidenheit verrät Ernüchterung, wenn nicht Sorge. Denn die Zukunft ist ungewiß.

So zündend die Formel »Heute Theater für morgen bauen« auch gewesen ist – wer kennt die Dramatik von morgen? Davon und von der finanziellen Problematik in einer Periode der »Stagflation« abgesehen – die Theaterarchitektur ist in den siebziger Jahren auch von sozialpolitischen Vorbehalten bedroht worden. Zudem sind

urbanistische Bedenken aufgetaucht: die Cities veröden abends, wenn die Büro-
agglomerationen geleert und die Kaufhäuser geschlossen sind. Der Feierabend spielt
sich in den Vorstädten ab. Wenn die Versuche, die Leute abends noch einmal in die
Stadt zu locken, nicht hinreichend erfolgreich sind, müßte das Theater in die Vorstädte. »Vielleicht sind die Satellitenstädte eines Tages die neue Heimat des Theaters«, mutmaßte 1973 Eugen Schöndienst, der geschäftsführende Direktor des Deutschen Bühnenvereins.
Tatsächlich drängte das Spiel dort, wo es vital und radikal betrieben wurde, Anfang der sechziger Jahre auf Straßen und Plätze, in Hallen und Säle. Drei von den
fünf ausländischen Gruppen, die 1972 zu den Berliner Festwochen kamen, verlangten simplere Spielorte als eins der Theatergebäude: das ›Young Vic‹ (die Junioren
des Londoner Nationaltheaters ›Old Vic‹) ließ sich ein Podium in der alten Mensa
aufschlagen, das Pariser Théâtre du Soleil baute für sein Revolutionsspektakel *1789*
Podien und Stege in die Deutschlandhalle, die Manhattan Project Company spielte
in der Ecke einer alten Reithalle. Karl Ernst Herrmann baute die ›Schaubühne‹
immer wieder um: ein offenes Karree für Gorki/Brechts *Mutter*; *Peer Gynt* zwischen zwei Tribünen, die an den Längsseiten des Saales errichtet waren; *Das ge-
rettete Venedig* war in einem tiefliegenden Karree zu sehen, das auf allen vier Seiten von Tribünen umgeben war. (Für die Beleuchtung und für die Betrachtung war
das sehr ungünstig.) Auf die Frage, was für ein Spielort ihm geeignet erscheine,
wünschte sich Peter Stein eine alte Fabrik.
Man müsse den Eindruck vermeiden, man spiele nur für »elitäre Gruppen«, erklärte
im Herbst 1972 Kraft-Alexander, neuer Direktor des Theaters in Fürth, Theaterspiel sei nicht auf ein ständiges Haus angewiesen. So sprach man damals – während
in Karlsruhe und Basel noch gebaut wurde. Es war nicht nur opportuner Defätis-
mus; die Kneipentheater »wilder« Ensembles gewannen Boden, und wenn sich
»Städtische Bühnen« in die Vorstädte begaben, »Theater unterwegs« in Kiel und
Dortmund, »Opera stabile« der Hamburgischen Staatsoper in Altersheimen und
Gefängnissen, das Kölner Schauspiel mit Brechts *Kleinbürgerhochzeit* in verschiedenen Gasthaussälen, dann fanden sie ungewohnt williges und dankbares Publikum
vor.

Studios allerorten

Zwischen dem »armen« Theater auf Dachböden, in Kellern und Hinterzimmern und den satt gewordenen Zuschauern gab es die existentielle Partnerschaft nicht mehr, von der das Zimmertheater gelebt hatte. Als Günther Rennert im März 1954 bei Gmelin in Hamburg *Warten auf Godot* inszenierte, lobte er: »Sein ›Zimmer‹-Theater ist ein wärmendes Kaminfeuer in dem riesigen zentralgeheizten Bau unserer Zivilisation.«

Die Kleinbühnen waren oppositionell oder wurden so empfunden oder deklariert. Man erkannte sie um so lieber an, als man ihre Leistungen den kostspieligen Großbetrieben vorhalten, sogar vorwerfen konnte. Leute, die auf ihren Nudelbrettern ums Leben spielen statt für die Pension, sind zu Leistungen gezwungen, die unter den sozial gesicherten Schauspielern an dauerhaften Instituten schwerer zu realisieren sind, weil sie eine dort nicht unbedingt nötige Arbeitsmoral voraussetzen.

Eins der Kleintheater drückte die Opposition schon in seinem Namen aus: der ›Contra-Kreis‹, ein im Mai 1950 in der Meckenheimer Straße zu Bonn von Fred Schroer gegründetes Kellertheater, zugleich eingetragener Verein, Urzelle eines Contra-Publikums. Schroer hatte sein ›Neues Theater‹ in Stuttgart nach der Währungsreform nicht halten können. Er begann in Bonn kraftgenialisch mit einem Miniatur-*Hamlet*, spielte Kaisers *Napoleon in New Orleans*, Paul Ernsts *Ariadne auf Naxos*, Sartres *Geschlossene Gesellschaft* und Gogols *Heirat*. Carlheinz Caspari, später bei Durek in Köln Hausregisseur, inszenierte Sartres *Ehrbare Dirne*, Anouilhs *Antigone*, Defresnes *Unbewohntes Eiland*, Büchners *Woyzeck*. Ende 1951 kam Kurt Hoffmann dazu, der den ›Contra-Kreis‹ für dreizehn Jahre (er starb im Februar 1965), ja über seinen Tod hinaus formte.

Hoffmann, bis zum bitteren Ende Schauspieldirektor in Breslau gewesen, war auf dem Weg westwärts über Weimar und Hannover am Rhein geblieben. Am Stadttheater Bonn hatte er gespielt und inszeniert, in den Godesberger Burg-Lichtspielen hatte er die Alleinherrschaft geprobt und sich ein kleines Ensemble herangezogen. Als der Contra-Verein 1953 pleite gegangen war, machte Hoffmann weiter. Er war ein Prinzipal alter Schule, ein Striese-Typ, ein großer Menschenfänger, vereinnahmend in der Zuneigung, gewaltig im Zorn, eins der wenigen Originale in Bonn. Erst wurde auf Teilung gespielt, dann gab es kleine Gagen, sogar minimale Sozialleistungen. Schroer war abgedrängt worden, er ging nach Rheydt, Oldenburg, Linz, endlich (1962) als stellvertretender Intendant und Oberspielleiter nach Saarbrücken, bis 1968. Einen Keller auszufüllen war für Hoffmann das mindeste. Er war Regisseur, sein eigener Bühnenbildner, sein bester Theaterfotograf; als Schauspieler erinnerte er an Heinrich George.

Hoffmann sprach von »Einraumtheater«. Bühne und Parkett sollten ineinander übergehen und Impulse austauschen. Er wollte das »menschlich nahe, poetische« Theater, die »Umsetzung der harten Alltags-Realität in erklärendes, vertiefendes, aufrüttelndes und tröstendes Bei-Spiel«. In der ersten Nummer seiner »Blätter des Einraumtheaters Contra-Kreis« (1954) zitierte er Christopher Fry, der damals auf dem Höhepunkt seiner Geltung war, anläßlich der Premiere von *Die Dame ist nicht fürs Feuer*: »Die Poesie ist die Sprache, in der der Mensch das Wunderbare seines Wesens ergründet.« (Es war die Zeit des poetischen Theaters.) Immer wieder pries Hoffmann die »Stimme des Dichters«, die »Zaubergabe der Dichtung«, die »Dramaturgie des Menschenherzens«. Das Publikum ließ ihn aber allein, als er den ersten Genet riskierte (*Die Zofen*). Im allgemeinen liefen die Stücke drei bis vier Monate. Die Presse lobte ihn gern, am liebsten auf Kosten des Stadttheaters. Trotzdem konnte er jahrelang den Familienunterhalt nur knapp erspielen. Die paar Sitzreihen beiderseits der kleinen Spielfläche (110 Plätze) brachten nicht viel ein. Die Gagen lagen bei 350 bis 450 Mark, einzelne Gastverträge höher. Die Bühnenbilder wurden irgendwie zusammengemogelt. Nach Jahren die erste Subvention: 60000 Mark, hälftig vom Land und vom Bund. Auch als er sich von 1955 an Mitarbeiter leisten konnte (Rolf Herkenrath, Jürgen Goslar, Hansjörg Utzerath, Heinrich Vormweg, Franzjosef Dörner), blieb er sozusagen »der Contra-Kreis persönlich«. Sein größter Erfolg: *Die Katze auf dem heißen Blechdach*. Seine letzte Rolle: der Kardinal in Audibertis *Der Lauf des Bösen*. Seine beste Rolle: der Dorfrichter Adam. Seine Leidenschaft: Shakespeares Komödien.

Neue Kleintheater versuchten, sich großzuhungern: ein ›Grenzlandtheater‹ in Aachen (ab 1950), ein kombiniertes Zimmer- und Kellertheater in Köln (ab 1955), ein Zimmertheater in Tübingen, ein ›Theater in der Tonne‹ in Reutlingen und ein ›Theater der Altstadt‹ in Stuttgart (sämtlich 1958). Aus einer ursprünglich englischsprachigen Bühne im Carsch-Haus, über dem Britischen Informationszentrum ›Die Brücke‹, entwickelten sich nach der Währungsreform die ›Kammerspiele Düsseldorf e. V.‹. Nach etwa zehn Jahren erlangten sie unter Hansjörg Utzerath einen gewissen Ruf für intelligente Unterhaltung.

Andere versuchten, sich am wachsenden Wohlstand zu orientieren. Das Stuttgarter »Junge Ensemble« unter Bertold Sakmann tat es auffällig, weil kollektiv: es zog 1951 in eine mondäne, zentral gelegene Zinsburg und spielte fortan Boulevardstücke, ›Komödie im Marquardt‹. Noch jahrelang verrieten unpopuläre Sonntagsmatineen das schlechte Gewissen des einst jungen Ensembles. Je besser es ging, um so lauter geboten die Zeitkritiker die ungeebneten Wege. Das Theater solle keine Erfolge mehr haben und in die Katakomben gehen, verlangte Egon Vietta (1955).

Seit Beginn der sechziger Jahre war es nicht mehr zu übersehen, daß die Dramatiker mehr für Katakomben als für Repräsentativbauten schrieben. Die neue, unaufwendige Dramatik verlor sich auf den großen Bühnen. Wenn auch bühnenbildnerisches Geschick den Spielplatz verkleinerte, so fehlte immer noch der unmittelbare Kontakt zum Zuschauer, nach dem immer dringender verlangt wurde. Diese Entwicklung half den selbständigen Kleintheatern aber nur wenig, denn die Großen zogen die Konsequenzen. Sie ließen in »Kammerspielen«, ihren Dependancen, Kleindramatik geschehen, begünstigt durch die Bühnenverlage, die einen brauchbaren Text, wenn schon einem Westentaschentheater, dann lieber einem in der Westentasche eines Riesen gaben. In den sechziger Jahren mußte man ganz einfach zur Linken ein Studio haben, es gehörte zur Ausstattung.

Hans Schweikart ließ schon Ende 1957 in der Schreinerei der Münchener Kammerspiele auf vorhanglosem Podium spielen. Im November 1961 konnte er im dritten Stock der Theaterverwaltung in der Hildegardstraße ein Werkraumtheater eröffnen, mit Monologen von Tschechow und Beckett, Aldo Nicolaj und Carl Terron.

Im Januar 1962 die erste folgenreiche Uraufführung: Brechts *Flüchtlingsgespräche*, Werner Finck als der linksliberale Physiker Ziffel und Willy Reichert als der marxistische Monteur Kalle, einstudiert von Piscator. In der Spielzeit 1959/60 hat das Berliner Schiller-Theater seine anregende ›Werkstatt‹ eröffnet, weißgekalkte Wände, ein Podium mit Brecht-Gardine. Das Hessische Staatstheater in Wiesbaden lockte 1963 ins ›studio souterrain‹, 1969 eröffnete das Bonner Stadttheater im Rheinischen Landesmuseum ein Studio mit einem informellen Spiel um die liebe Freiheit und die freie Liebe aus Amerika (*Inside out*).

Im April 1971 kam das Deutsche Schauspielhaus in Hamburg zu seinem eigenen Experimentierfeld. Damals wurde die Studiobühne im Malersaal, ehemalige Werkstättenhalle, freigegeben für Edward Bonds *Hochzeit des Papstes*. Im November 1972 zog das Thalia-Theater gleich mit seinem ›tik‹, »Theater in der Kunsthalle«. (Es gab eine hausgemachte kabarettistische Revue mit Texten aus der Gründerzeit *Erst 'ne Weile rechts.*) Das war der letzte Akt einer offenen Rivalität zwischen Deutschem Schauspielhaus und Thalia-Theater, während der das Staatstheater an der Kirchenallee an den Rand des Ruins geraten und der Vorschlag aufgetaucht war, es dem Thalia-Theater anzugliedern.

Schon im Sommer 1968 hatte O. F. Schuh erklärt: »Die Tatsache, daß das Hamburger Deutsche Schauspielhaus nicht über ein zweites kleines Haus oder eine Studiobühne verfügt, macht es einem Theaterleiter unmöglich, einen Spielplan von Weltstadtformat zu realisieren. Ich habe mir in den vier Jahrzehnten meiner Theaterlaufbahn zum ersten Mal den Vorwurf machen lassen müssen, daß ich mich der Moderne gegenüber reserviert verhalte.« Das war zwar einer der geringsten Vorwürfe, die man ihm machte, und er wollte darum seine Amtszeit beenden; daß er aber gerade zu diesem Argument seine Zuflucht nahm, erweist es als opportun. Ausweichmöglichkeiten hatte Schuh allerdings gehabt, 1965 bei Gerda Gmelin (für Joe Ortons degoutante Farce *Seid nett zu Mr. Sloane*) und 1966 im Keller des Unilever-Hochhauses beim Bahnhof Altona (für Ortons schwarzhumorigen Schokker *Beute*).

Günther Beelitz, 1972 soeben belohnt mit einem der größten, teuersten, perfektesten Theater (Darmstadt), beklagte auf dem Dramaturgentag die »Zwänge« seines Staatstheaters und tadelte, daß eine Kammerbühne nicht geplant worden sei und nun erst erfunden werden müsse. Im November 1972 wurde die Probebühne zum ersten Mal als ›Werkstattbühne‹ benutzt, für die boshafte Show *Scott von der Antarktis oder Was Gott nicht sah* von Howard Brenton. Es wurde ausführlich darüber berichtet; daß es in Darmstadt sowieso schon ein Zimmertheater gab (und gibt), blieb unbeachtet.

In Hamburg wurde am deutlichsten, wie der Ehrgeiz der Großen den Kleinen den Garaus machte, wenn er auf Kammerspielplätze übergriff. Gerda Gmelin mußte aufgeben. Erfolg hatte ihr in den letzten Jahren immer nur Agatha Christie gebracht, deren Kriminalstücke ein Vierteljahr lang liefen. Im Jahre 1971 hatte sie bei DM 214 000 Einnahmen und DM 98 000 Zuschuß DM 35 000 verloren. Und dies, obwohl sie nur vier Gehaltsempfänger beschäftigte, für sich selber nichts entnahm, Gagen erst vom Tag der jeweiligen Premiere an zahlte, höchstens DM 60 pro Abend (im alten Zimmertheater hatte die Abendgage durchschnittlich DM 3,50

betragen). Im April 1974 war es aus, mit *Don Juan kommt aus dem Krieg* von Ödön von Horváth.
Aber sterbende Theater haben das zähe Leben von Katzen: in der folgenden Spielzeit ging es weiter, dank Kooperation mit dem Ernst - Deutsch -Theater. Der Schauspieler Friedrich Schütter hat es 1951 in einem ehemaligen Kino als ›Junges Theater‹ (700 Plätze) gegründet. Ernst Deutsch hat auch dort einmal den Nathan gespielt. Durch gemeinsame Dramaturgie, Zusammenarbeit in den Werkstätten und Austausch von Schauspielern wurden dem Zimmertheater wieder vier Produktionen pro Spielzeit ermöglicht. Gerda Gmelin brachte DM 153 000 Zuschuß mit, Schütter bekam (1974) vom Senat DM 397 000.
Die überlebenden Kleinsttheater mauserten sich immer mehr zu Kammerspielen, wie man sie von früher kannte. Der Bonner ›Contra-Kreis‹ zum Beispiel konnte im November 1966, anderthalb Jahre nach dem Tod von Kurt Hoffmann, dank städtischer Patronanz auf Universitäts-Terrain im Keller eines Geschäftshauses eine kleine Arena für 194 Zuschauer in Betrieb nehmen. Einsetzender wirtschaftlicher Niedergang wurde durch Nettigkeit des Spielplans abgefangen. Katinka Hoffmann, die Tochter des Gründers, leitet eigentlich einen »Pro-Kreis«. Das neue Milieu hält die Mitte zwischen Studio und Nachtklub.
Seit Frühjahr 1970 spielt das Stuttgarter ›Theater der Altstadt‹ im »Verkehrsbau« unter dem Charlottenplatz. Der alten Spielstätte, einer Baracke, war 1968 ihr eiserner Ofen zum Schicksal geworden: über Nacht abgebrannt. Nun präsentiert sich das ›Theater der Altstadt‹ durchaus proper, mit leidlichem Zuschuß, mit Jugendstücken, unterhaltend, aber auch mit einem Nachtstudio.
Noch mehr Glück im Unglück hatte Marianne Jentgens mit ihrem Keller- und Zimmertheater in Köln. Der Mietvertrag lief 1974 aus, das Haus in der Wörthstraße sollte abgebrochen werden, da stiftete ein Fabrikant eine Million zum Kauf und Umbau eines Hauses gegenüber der Pauluskirche; er tat es ausdrücklich aus Ärger über die Städtischen Bühnen. Dieser Ärger war weit verbreitet, der ›Verein der Freunde der Städtischen Bühnen Köln‹ hatte sich schon aus Protest gegen die Schauspiele in ›Verein der Opernfreunde‹ umbenannt. Die Stadt gab DM 70 000, das Land Nordrhein-Westfalen DM 250 000 dazu, im März 1974 wurden die zwei neuen Spielstätten für je 99 Zuschauer eingeweiht. Leider können sie nicht gleichzeitig benutzt werden, weil sie akustisch nicht gegeneinander abgeschirmt sind. Statt zwei- bis dreimal pro Woche wie bisher (zuletzt am alten Ort *Vier kleine Mädchen*, ein »poetisches Delirium« von Picasso, entstanden 1948, uraufgeführt in London 1972), kann nun fast täglich gespielt werden. Der Zuschuß beträgt (1974) DM 94 000, Gagen werden nicht bezahlt, nur »Spielentschädigungen«, es muß also jeder Schauspieler obendrein einen Brotberuf haben.
Die Düsseldorfer Kammerspiele konnten im Frühjahr 1976 als neuen Tatort ein Theater übernehmen, das technisch und ästhetisch befriedigt. Es wurde eingebaut in ein Bürohochhaus, das an der Stelle steht, wo sich von 1951 bis 1970 das Schauspielhaus befand, in dem Gründgens und dann Stroux arbeiteten.
In der Spielzeit 1975/76 kam auch Günther Husters Bremer Zimmertheater aus dem Keller ans Licht, als ›Theater im Schnoor‹. Für 3,4 Millionen ist in dem zum Künstlerviertel umfunktionierten Altstadtrest ein Packhaus zum »Kommunikationszentrum« umgebaut worden. Bühne (10 mal 10 Meter) und Zuschauerraum (100

Plätze) im Erdgeschoß bilden eine räumliche Einheit. »Das große Theater ist tot«, sagt Huster, sein Stammpublikum seien etwa tausend Leute, zu drei Vierteln junges Volk. Der Zuschuß ist von DM 50 000 (1968) auf DM 85 000 (1974) gestiegen.
Um 1960 herum gab es bei den Wiener Kleinstadttheatern einige auffällige Veränderungen. Zu Beginn der Spielzeit 1960/61 zog das ›Theater der Courage‹, dessen Programm allmählich kaum noch von Mut gekennzeichnet war, aber gewohnheitsmäßig als mutig galt, an den Franz-Josefs-Kai und spielte fortan vor jeweils 200 Personen. Das ›Theater am Parkring‹, das die Boulevardisierung eingeleitet hatte, verlor im Sommer 1960 seinen traditionsreichen Caféhaus-Keller und starb als ›Theater im Zentrum‹ an der ehemaligen Stätte des Kabaretts ›Wiener Werkel‹ langsam an Boulevarditis. Hinauswurf und Verwandlung des ›Parkring-Theaters‹ befreiten das einst von Helmuth Matiasek geleitete, literarisch ambitionierte, aber 1957 fusionierte ›Kaleidoskop‹. Veit Relin, Maler und Schauspieler am Burgtheater, ließ den Keller renovieren und eröffnete ihn im Herbst 1960 als ›Atelier-Theater‹ mit Ghelderodes *Schwarzer Kirmes*. Schon nach wenigen Inszenierungen nahm das ›Atelier-Theater‹ eine führende Position unter Wiens Kellerbühnen ein. Relin stellte umstrittene Gegenwartsdramatiker zur Diskussion (Joe Orton zum Beispiel) und präsentierte interessante »Ausgrabungen«: 1961 *Orpheus und Eurydike* von Kokoschka in dessen Ausstattung. Im Frühjahr 1962 folgte die Aufführung von Picassos surrealer Burleske um die erotischen Komplikationen des Maler-Dichters Plumpfuß *Wie man Wünsche beim Schwanz packt*. Die Aufmachung hielt sich an Skizzen Picassos. Seit Beginn der Saison 1967/68 leitet Peter Janisch das ›Atelier-Theater‹ nach Relins Rezept.
Inzwischen hatten sich die »Komödianten« im Theater am Börsenplatz nach vorn gespielt, eine seit 1959 um Conny Hannes Meyer gruppierte Spielschar. In einem mit 60 000 behördlichen und 140 000 gepumpten Schillingen hergerichteten Keller überraschten sie immer wieder durch radikale, nämlich an der Wurzel ansetzende Arbeit: Sie erspielten und zerspielten die unterschiedlichsten Vorlagen mit Mitteln des Barocktheaters, der Schaubude, der Groteske, der Pantomime, des Ausdruckstanzes, des Puppenspiels, des Kabuki-Theaters, des epischen und des absurden Theaters, des Realismus und des Kitsches. Es gab Einakter aus dem Jiddischen, Schnitzlers Spiel *Zum großen Wurstl*, Brechts *Antigone*, Büchners *Leonce und Lena*, *Kesselflickers Hochzeit* von Synge, die Tragikomödie *Archimedes oder Die Stunde der Physik* von Kurt Mellach, *Mooneys Wohnwagen* von Peter Terson, Machiavellis *Mandragola*. Daneben auch Selbstgemachtes: eine Entlarvung des Heldenideals mit Material aus Wilders *Iden des März*; *Das andere Amerika*; *Circus* (eine wortlose Erzählung, die Fahrende in einem Hinterhof als »festgefahren« zeigt).
Die Komödianten gastierten im In- und Ausland; Meyer, der in seinem Keller auf keinen grünen Zweig kommen konnte, bekam lockende Angebote. Um ihn zu halten, entschloß sich die Gemeinde Wien 1970, ihm in einem Seitenflügel des Künstlerhauses ein wandlungsfähiges Theaterchen einzurichten. Um die Million Schilling wurde zwischen Künstlerhaus und Stadtverwaltung lange gefeilscht. »Während der Festwochen soll das ›Theater im Künstlerhaus‹ für jenes Rendezvous internationaler Experimentalbühnen dienen, das bisher im Museum des XX. Jahrhunderts abgehalten werden mußte. Laut Conny Hannes Meyer gibt es sechzehn Varianten für den Umbau des Hauses, und nach der ersten Premiere muß man befürchten, die

Stücke würden unter dem Gesichtspunkt ausgewählt, möglichst viele dieser 16 Verwandlungen zu ermöglichen. Daß das Haus mit seinem kalten Neonlicht und seiner mitleidlosen Akustik zur Sterilität neigt, war nicht zu verkennen« (Otto Beer). Man spielte Konrad Wünsches Zwitter aus Polemik und Oratorium *Jerusalem, Jerusalem*, den erstmals Heyme 1966 in Wiesbaden streng formalisiert hatte. Die Möglichkeiten zu chorischer Bewegung und Gewaltsamkeit lockten gewiß auch Meyer an, denn die Einsicht, daß ›heilige‹ Kriege gar nicht so heilig sind, lohnt den Aufwand nicht.

Auch in Wien legten sich die Großen experimentelle »Workshops« zu, als das Erreichte allmählich langweilte. Im Akademietheater etablierte der Burg-Direktor Klingenberg im Herbst 1972 die ›Junge Burg‹. Einmal in der Woche gab es ein Stück, das die »Burg« sonst schlecht präsentieren konnte (Handkes *Ritt über den Bodensee*, Bernhardts *Ein Fest für Boris* zum Beispiel), Zuschauer unter 25 zahlten halbe Preise, Studenten durften auch älter sein. Tatsächlich kam junges Publikum. Prompt brachte Franz Stoss eine ›Junge Josefstadt‹ ins Gerede. Im Konzerthauskeller hatte das Josefstädter Theater schon drei Jahre lang mit Fernsehfinanzierung herumprobiert, ohne Konzept und mit wechselndem Erfolg. Langsam kam ein Konzept zustande: nicht Stars für die Jugend, sondern junge Darsteller. Treibende Kraft war Heinz Marecek, Komiker der Josefstadt. Nach mattem Anfang debütierte Marecek im Mai 1973 erfolgreich als Regisseur mit einem Stimmungsbild aus dem New Yorker Homosexuellen-Milieu (*Die Gratulanten* von Mart Crowley).

Als Burg und Josefstadt sich jugendlich gebärdeten, gab es unvermeidlich Existenzkrisen bei den Kellertheatern. Stella Kadmon stieß Notrufe aus, wie Gerda Gmelin in Hamburg in ihrer Bedrängnis zwischen dem Staatlichen Schauspielhaus und dem halbstaatlichen Thalia-Theater. Als progressivste Gruppe galt inzwischen Dieter Haspels ›Cafétheater‹, das zunächst im ›Café Einfalt‹ hinter dem Graben aufgetaucht war. Seitdem vagierte es, spielte in einem Beatkeller, probierte *Early Morning* von Edward Bond in dem stillgelegten Nachtlokal ›Casanova‹, doch die Baupolizei gab keine Spielerlaubnis. Inzwischen hatten die jungen Leute 52 000 Schilling aus eigener Tasche in die Produktion gesteckt. Die Zusammensetzung des Ensembles zeigte wieder einmal die ganze Misere solcher Unternehmen: die Hauptdarstellerin verdiente sich ihr Geld als Striptease-Tänzerin, einer ihrer Kollegen war Blutspender, ein anderer Nachtwächter. Unter den »obskuren Jobs« der Ensemblemitglieder wurde auch »Heiraten« genannt. Sie hatten sich in dieser Notlage folgende Annonce ausgedacht: »Zu vermieten – ein eingearbeitetes 13-Mann-Team komplett.« Anderthalb Jahre später ließ die Verwaltung der Bundestheater das unbehauste ›Cafétheater‹ ins Theater am Kärntnertor, das sie seit Jahren am Halse hatte. Haspel zeigte dort einen sozialkritisch zugespitzten *Jeppe vom Berge* (Holberg). Auch Hans Gratzers »Werkstatt«, die sich mit Ur- und Erstaufführungen hervortat, kam im Kärntnertortheater unter.

In Sankt Gallen hat die ›Vereinigung der Leiter schweizerischer Kleintheater‹ ihr Sekretariat, bei der Keller-Bühne am Müllertor. Zwei Dutzend Kleintheater sind dort vereint, es existiert noch rund ein Dutzend mehr, aber zwei Drittel von diesen ungefähr 36 können keine eigenen Produktionen wagen, sie begnügen sich mit Gastspielen. In der deutschsprachigen Schweiz bieten sieben Kleintheater eigene Inszenierungen, fünf von ihnen erhalten öffentliche Unterstützung, am bekanntesten sind das ›Theater am Neumarkt‹ und das ›Theater an der Winkelwiese‹ in Zürich, im Keller eines unter Denkmalschutz stehenden Jugendstilhauses.

Ähnlich wie die ›Schaubühne‹ in Berlin dem Staatsschauspiel, so hat das ›Theater am Neumarkt‹ dem Zürcher Schauspielhaus den Rang streitig gemacht. Immerhin eröffnete das letztere im Herbst 1974 ein mattes Nachtstudio in einer Reithalle und errang im November 1975 an einer weiteren Spielstätte großen Beifall: Max Peter Ammann hatte in einem ehemaligen Tramdepot, durch dessen gepflasterten Boden noch die Gleise liefen, *Kennedys Kinder* von Robert Patrick inszeniert. Fünf Darsteller berichteten von ihren Hoffnungen und Enttäuschungen im Amerika der sechziger Jahre, und zwar sprachen sie nicht zueinander, sondern zu den Zuschauern, die im erleuchteten Saal um sie herum saßen und sich zu Richtern aufgerufen fühlten.

Das ›Theater am Neumarkt‹ ist 1965 auf Veranlassung des damaligen Stadtpräsidenten nach öffentlicher Diskussion als Aktiengesellschaft gegründet worden. Das Haus gehört der Stadt, die Subvention von der Stadt und vom Kanton beträgt inzwischen 1,15 Millionen Franken, davon 150 000 vom Kanton. Im Gründungsjahr sind es 300 000 Franken gewesen. Ein Jahr früher, also 1964, wurde das ›Theater an der Winkelwiese‹ eröffnet, das ebenfalls der Stadt gehört, aber einen privaten Rechtsträger hat. Ziel und Aufgabe sind, neue Autoren, vor allem osteuropäische, in Zürich vorzustellen und jungen Talenten Spielmöglichkeiten zu geben. Der Zuschuß von ungefähr 100 000 Franken reicht gerade für zwei Produktionen je Spielzeit.

Vorbild für diese Gründungen waren die Berner Kellertheater. Bern ist das Zentrum der Kleintheater in der Schweiz, in der Altstadt gibt es 12 Örtchen für Kunst und Künstelei, mit an die 30 mehr oder minder stetigen Aktivitäten: Studenten- und Mundart-Theater, Kabarett, Tanzstudio und ein »Anti-Kultur-Labor«. Diese für Bern und überhaupt für die Schweiz seltsame, unbürgerliche Betriebsamkeit hat lokale Tradition, sie ist ein Rest von Berner Geselligkeit und Brauchtum im 19. Jahrhundert. Damals gab es in der Altstadt ungefähr 200 Kellerkneipen. Im Zeitalter der steigenden Baukosten und florierenden Boutiquen haben die vergammelnden Keller sich als Goldgruben erwiesen. Aber die Kunst kann da kaum noch mithalten. Nur noch vier der alten Keller dienen dem Theater: einer am Käfigturm, einer am Zytglogge und zwei in der Kramgasse (›Kleintheater‹ und Galerietheater ›Die Rampe‹).

Eine Umfrage im Jahre 1973 unter den Klein-Theatern ergab, daß in Bern nur das Theater am Zytglogge sich für gesichert hält. Es zahlt keine Miete, das Defizit wird von Gönnern gedeckt. Für völlig ungesichert erklärten ihre Arbeit ›Die Rampe‹ und das ›Kleintheater‹. In der Spielzeit 1970/71 bot das ›Kleintheater‹ wie üblich 7 Produktionen, davon viermal leichte Ware. Die Inszenierungen kosteten im Durchschnitt 8 000 Franken. Im Laufe des Jahres wurden in 203 Vorstellungen 70 000 Franken erspielt, bei 35 000 Franken allgemeinen festen Kosten. Es blieben Schulden von 20 000 Franken, welche die Stadt übernahm. In diesen Kosten steckt aber kein Rappen Gage für Schauspieler oder Gehalt für den Chef oder das Büropersonal. Wenn man wenigstens fünf Leuten je 1 000 Franken im Monat gönnen würde, so wären das im Jahr schon 60 000 Franken. Dieser Zuschuß dank Verzicht der Schauspieler müßte zum offiziellen Defizit addiert werden. Er tritt nur nicht in

Erscheinung, weil die Leute vom ›Kleintheater‹ wie viele ihrer Kollegen die Kunst beherrschen, vom Applaus zu leben. Sämtliche Kulturaktivitäten in der Altstadt kosteten im Jahre 1973 500 000 Franken, soviel wie das Berner Atelier-Theater allein bekommt. Das Stadttheater, ein Drei-Sparten-Betrieb mit drei bis vier unregelmäßig bespielten Spielorten, erhält 9 Millionen Franken Zuschuß. Wer einem freien Ensemble angehört, muß selber den größten Zuschuß leisten.

Thomas Nyffeler vom ›Kleintheater‹ organisiert seit 1972 obendrein internationale Festivals kleiner Bühnen, zusammen mit Bernhard Stirnemann vom Galerie-Theater ›Die Rampe‹ und Hugo Ramseyer vom Zähringer ›Refugium an der Matte‹. Jeweils im Juni kommen bis zu 12 Spielgruppen nach Bern, um Produktionen aus der laufenden Spielzeit zu zeigen, die für ihre Arbeitsweise typisch sind. Man ist auf größtmögliche Verschiedenheit der Produktionen und auf Mehrsprachigkeit aus, verspricht sich Vergleichsmaterial für die eigene Arbeit, internationale Kontakte und den Beweis der eigenen Konkurrenzfähigkeit. Verdient kann nichts werden, im Gegenteil. Die Stadt gibt bescheidene Ausfallsgarantien. Bisher gelang es, innerhalb des Limits von 40 000 beziehungsweise 50 000 Franken zu bleiben.

Die Lage der Kleintheater in der Schweiz ist unhaltbar, ihre Zukunft ist ungeklärt, aber irgendwie ging es bisher immer weiter. Es fanden sich immer wieder andere, die Theater spielen, auch wenn sie keiner dafür bezahlt.

Geringeres wirtschaftliches Risiko empfiehlt im Westen, geringeres politisches im Osten die Studios. Sie eignen sich, unauffälliger, gewissermaßen probeweise, ein wenig aus der Reihe zu tanzen, ohne daß sich die Instanzen gleich herausgefordert fühlen müssen – wenn sie nicht wollen. Der auf DDR-Theater spezialisierte Journalist Heinz Kersten zählte 1964 »sieben solcher meist auf wenige Plätze beschränkte zusätzliche Spielstätten, die schon durch ihre Namen wie ›Theater im Keller‹, ›Theater im Rang‹ oder ›theater unterm dach‹ den Studiocharakter unterstreichen. Hier soll Raum sein für das Experiment, das sich viele Schauspieler und Zuschauer, namentlich die jungen und intellektuellen, so sehr wünschen. Aber die Grenzen sind allzu eng gesteckt. Aufführungen von Karl Wittlingers ›Kennen Sie die Milchstraße?‹, dem gleichfalls aus Westdeutschland übernommenen Heimkehrer-Stück ›Einer von uns‹ von Michael Mansfeld, szenische Lesungen von Majakowskis ›Mysterium buffo‹ und Sartres ›Die Eingeschlossenen von Altona‹ mit anschließender Diskussion, literarisch-musikalische Veranstaltungen – darüber gehen die ›Experimente‹ nicht hinaus.« Der Ende April 1976 eingeweihte »Palast der Republik«, der an der Stelle des beseitigten Berliner Stadtschlosses steht, birgt auch ein Kammertheater. Es soll die »Kleine Form« pflegen.

Die ersten Studios entstanden Mitte der fünfziger Jahre. In Leipzig trat ein Studio der Städtischen Bühnen in der Spielzeit 1954/55 mit einer Gesinnungstüchtigkeit von Karel Čapek auf: *Die Mutter*. (Sie hat den Mann und vier Söhne verloren, schickt aber noch den fünften zur Verteidigung des Vaterlandes in den Krieg.) Seit 1969 gibt es in Leipzig ein Kellertheater, natürlich ebenfalls Glied der Städtischen Bühnen. Die Kleintheater versuchten, »den noch nicht revolutionierten Alltagsbetrieb des Theaters durch außerplanmäßige Inszenierungen vorwärtszudrängen« – so die halbamtliche Lesart in der offiziösen Darstellung von *Theater in der Zeitenwende*. »Auch wenn fachliches Können und politische Reife der in den Studios zusammengeschlossenen Theaterschaffenden nicht in jedem Fall erlaubten, daß ihre Arbeiten zu orientierenden Beiträgen auf dem Weg zum sozialistischen Nationaltheater wurden, leisteten diese Schrittmacher Entscheidendes für das gesamte Theater unserer Republik.« Es wird gelobt, daß sie Heiner Müllers *Lohndrücker* (1957) und Baierls *Feststellung* (1958) durchgesetzt und »Wesentliches für die Durchsetzung Brechts« geleistet haben. »Die wichtigsten Auseinandersetzungen in diesen Jahren galten Praktiken und Theorien, die einerseits auf eine kleinbürgerliche Liberalisierung der Spielpläne und andererseits auf soziologische Schemata für die Dramaturgie und Spielweise eines sozialistischen Theaters zielten« – eine dezente Andeutung verdeckter Kämpfe, abgesichert durch abwertende Vorzeichen: Praktiken und Theorien, kleinbürgerliche Liberalisierung, soziologische Schemata. Eine angeblich überwundene Phase: »Mit dem Durchsetzen sozialistischer Theaterkonzeptionen in der Breite am Ende des Jahrzehnts hatten diese Studios ihre Aufgabe erfüllt. Viele ihrer Mitglieder gehören heute zu den namhaftesten Darstellern und Regisseuren oder üben verantwortliche Funktionen in den Theaterleitungen und im kulturpolitischen Leben aus.« Ein Nachruf auf den Auf- und Ausbruch noch vor seinem Beginn. »Wie Pilze aus dem Boden geschossen« seien in den vergangenen Jahren die Studios, Werkstätten und Podien, hieß es im Dezember 1969 im *Neuen Deutschland*.

»Opernstudios« dienen überwiegend der Schulung des Nachwuchses. Carl Ebert gliederte der Deutschen Oper 1954 ein Studio zur praxisbezogenen Weiterbildung von bis zu vierzehn Sängern an. Ein ähnliches Studio gibt es seit 1954 in Dresden. In Leipzig wurde zu Beginn der Spielzeit 1956/57 ein Ballettstudio gegründet, zunächst für Tänzerinnen und Tänzer, die in den Jahren der Not vorzeitig ins Engagement gingen und einiges nachzulernen hatten. Schon im September 1951 gab es an der Ostberliner Staatsoper eine Studioaufführung (*Johann von Paris* von Boieldieu), Frida Leider führte Regie. Kleine Produktionen, die den großen Rahmen nicht brauchen oder vertragen (Telemann, Gluck, Haydn, Nebenwerke von Mozart und Offenbach), werden im Apollo-Saal dargeboten. Die Westberliner Oper geht damit ins Charlottenburger Schloß.

Staatsintendant Rennert ließ Walter Haupt, Schlagzeuger im Bayerischen Staatsorchester, und Dieter Gackstetter, vom Ballett der Staatsoper kommend, eine Experimentierbühne starten. Sie trat 1970 erstmals hervor und erregte 1971 mit *Die Puppe* Aufmerksamkeit. Nach einer Idee von Haupt und Musik von Gackstetter, die ein feierlich gekleidetes Streichquartett darbot, tanzte Jochen Striebeck die Ersatz-Beziehung zu einer lebensgroßen Puppe.

Im April 1973 zeigte Haupt als Teil einer »Modernen Woche« der Staatsoper im Marstall *Sensus* für jeweils achtzig Zuschauer und Zuhörer in einem Ballon von dreizehn Metern Durchmesser. Das Audi- und Viditorium sollte mit Projektionen und Lichtkaskaden sowie natürlichen und elektronischen Klängen in meditativen Zustand versetzt werden. Zwei Jahre später wurde das unter Verwendung des »Kunstkopfs« (erweiterte Stereophonie) wiederholt, zusammen mit Darbietungen von zwei für die musiktheatralische Werkstättenpraxis in der Bundesrepublik repräsentativen auswärtigen Bühnen. Die Württembergische Staatsoper zeigte im Cuvilliéstheater Experimente von Ligeti und Dieter Schnebel, das Opernstudio der Bühnen in Kiel Mozart-Variationen für vier Sänger und vierkanaliges Tonsystem des dänischen Komponisten Bent Lorentzen und eine nur mit Worten skizzierte Musik von Stockhausen.

Kiel hatte das erste experimentelle Opernstudio; als Joachim Klaiber 1963 General-intendant der Kieler Bühnen wurde, begann er, zusammen mit dem Dirigenten Peter Ronnefeld und dem Chefdramaturgen Christof Bitter ein Opernstudio zu entwickeln. Klaiber hatte sich schon als Intendant in Bielefeld (1958–67) und noch vorher als Oberspielleiter in Mannheim (1951) für das zeitgenössische Musiktheater eingesetzt. Flankiert von je einem Werk der»klassisch gewordenen Moderne«, einer heiteren Gegenwartsoper und Konzerten, kam in jeder Spielzeit ein experimen-telles Musikwerk heraus, in der Spielzeit 1964/65 das erste Auftragswerk: *Ein Traumspiel* von Aribert Reimann. Das Kieler Opernstudio zeigte sich erst in der Universität, dann in der Kunsthalle, seit Dezember 1972 im hergerichteten Proben-raum des Orchesters. Nur ein- oder zweimal findet normalerweise ein Musikexperi-ment in Kiel seine 99 Zuschauer. Anderswo ist es kaum anders, das entmutigt die Komponisten auf die Dauer. Auch deshalb ist das Angebot gering. Schnebel, Kagel, Cage sind die normalerweise vertretenen Komponisten.

Vom »undankbaren Geschäft mit neuer Musik« sprach Carla Henius 1974. »Bis eine Produktion dieses Genres Premiere hat, gibt es mehr Pannen und Ärger, als wenn der Apparat bis an die Grenze seiner Leistungsfähigkeit durch ein Musical oder den gesamten Wagnerschen ›Ring‹ strapaziert wird. Das liegt gewiß vor allem daran, daß in fast allen Sparten des Theaters viel eher die Bereitschaft zu unge-wohnter oder gar außerhalb des sogenannten Fachs liegender Betätigung vorhanden ist, als bei den Sängern.« Carla Henius ist eine der besten und neu-gierigsten Sän-gerinnen moderner Musik, Musikpädagogin, verheiratet mit dem Kieler General-intendanten. Im Opernstudio 1972/73 hat sie mitgewirkt in einem schon älteren *Theatre Piece* von John Cage, das den Theaterbetrieb ironisiert, Scheinfreiheit und Isolation der Künstler darstellt. Die wesentlichen Versuche sind selten geworden, Spielereien überwiegen, das ist der Eindruck Mitte der siebziger Jahre.

Gleichwohl kommt es immer noch zu Neugründungen: Ende Januar 1975 ein Studio für experimentelles Musiktheater des Staatstheaters in Braunschweig, April 1975 eine neue Werkstatt der Hamburger Staatsoper. Auch Schauspielstudios tauchen noch auf, im Dezember 1972 beim Mannheimer Nationaltheater, im Dezember 1974 beim Staatstheater in Oldenburg. So war es überhaupt nicht gemeint gewesen, daß die Großtheater sich Kleintheater als Ableger leisten. Günther Büch sprach von einer »Studiowelle« als Alibi der Staatstheater. Diese Staats-Studios beziehen ihre Zuschauer vom System, womöglich im Abonnement, sie unterliegen derselben Programmplanung, fast denselben Restriktionen, kriegen Geld und Ideen zuge-teilt – und die Ideen sind dann auch selten so frag-würdig, daß sie erprobt werden müßten. Nur in Sonderfällen wirkten die Studios als »Pilotbühnen«, resümierte Wolfgang Preuss Ende 1973 in einem Aufsatz *Zwanzig Jahre Werkstattbühnen*, meist sei es nach Absolvierung des Ionesco-Beckett-Audiberti-Arrabal-Pensums und epigonaler Absurditäten beim Nachvollzug ausländischer Protesthaltungen geblie-ben, die zudem Übernahmeschwierigkeiten machten, weil sie kaum verpflanzbar waren. »Den Freiraum kann es schon deshalb nicht geben, weil (natürlich?) auch persönlich nur abhängig gearbeitet werden kann: die Priorität hat das Geschehen im Großen Haus. So ausgefeilt ist das Abhängigkeitssystem, so widersinnig inte-griert sind die Studiobühnen vom Staats- und Stadttheatersystem, daß – nicht sel-ten – Schauspieler gleichzeitig ›zwei Herren‹ dienen: Spurtend zwischen Auftritten zum Vergnügen oben und dem ›Bürgerschreck‹ unten. Ins Bild der deutschen Studio-Szene gehört aber auch, daß sich ihr die schon bestätigten großen Regisseure weithin versagten« (Preuss).

Im Winter 1964/65 hatte es auf der Studiobühne der Westberliner Akademie der Künste eine fördernde Gastspielserie von elf ausländischen Studiobühnen aus sechs Ländern gegeben. Von 1964 an hatten die Münchner Kammerspiele zehn Jahre lang vielbeachtete »Wochen der Werkraumtheater« organisiert, dann aber blieb es bei einzelnen Gastspielen, weil zu wenig Neues auftauchte. In den Jahren 1966, 1967 und 1971 hatte die Deutsche Akademie der Darstellenden Künste in Frankfurt anregende »Wochen für experimentelles Theater« vermittelt. Dann wurde ausgesetzt und 1975 ein Treffen von Kinder- und Jugendtheatern veranstaltet, weil dies das weitaus fruchtbarere Feld geworden war.

Ein »Erstes Studio-Theater-Treffen deutschsprachiger Privatbühnen« in Bergisch-Gladbach im Juni 1975 zeigte, wie leer der Begriff »Studiotheater« geworden ist. Niemand wußte zu sagen, welche Aufgabe die Studiotheater nun noch haben, nachdem sie von den Stadt- und Staatstheatern übertroffen worden sind, auch an Wagemut, der inzwischen kaum noch ein Risiko bedeutet. In den siebziger Jahren kann man im Großen Haus spielen, was zwanzig Jahre früher für den Keller fast zu gewagt war. Die Studios haben Schule gemacht und sind gerade dadurch entbehrlich geworden. Das Theater hat ausgelernt – bis eine neue Lektion auftaucht. Die Studios stehen inzwischen meistens leer. In den Werkstattbühnen der Staatstheater sei das »Experiment so gut wie tot«, tadelte Frank Burckner, Mitdirektor des Berliner Forum-Theaters, die mächtige Konkurrenz, nachdem der Senat dem ›Forum‹ das Todesurteil zugestellt hatte: zum Ende der Spielzeit 1974/75 die »Zuwendungen einzustellen«. Das Forum leiste nicht mehr so viel wie früher zur Entwicklung neuer Theaterformen.

Am Ende dieser Phase stehe ein Epitaph für Luigi Malipiero. Er starb Anfang Februar 1975 vereinsamt und verschuldet, aber stolz auf 140 Programme im »kleinsten Theater Deutschlands«. Gegen Ende seines Lebens hatte er noch einen neuen Anlauf versucht, mit gespenstischen Darbietungen zur Geisterstunde, auf einer dem Würzburger Tor benachbarten »Mitternachtsbühne«. Sie bestand von 1966 bis 1972. Bisher habe er in Sommerhausen 750 000 Besucher gehabt, erklärte Malipiero Ende 1974. Sommers hatte er Zulauf von weither gehabt, zum Schluß kamen nur noch ein paar Freunde zu Malipieros mit Musik untermalten Lesungen. Im oberen Geschoß des Würzburger Tors hatte er ein Werner-Krauss-Museum eingerichtet. Durch Krauss habe er einst das »Wesen des Theaters«, überhaupt der Kunst erfahren, seit 1927 sei Krauss sein Freund gewesen. Nun fühle er die Verpflichtung, dem Toten eine geistige Heimstätte zu geben. – Dann kam Veit Relin aus Wien mit neuem Mut und neuen Plänen in das Winzerdorf Sommerhausen.

Neuer Realismus

Man hätte um 1960, auf dem Höhepunkt der »absurden Welle«, kein realistisches Stück anbieten dürfen. Man hätte um 1970 mit Absurdem keinen Erfolg gehabt. Jede Theaterströmung hat ihre Ebbe und ihre Flut, ihre Quelle und ihre toten Arme, auf denen das Treibgut dümpelt. Schwer zu taxieren, wann eine Gesellschaft den Eindruck gewinnt, etwas Bedenkenswertes gesehen zu haben, wann die Kritiker der wenigen tonangebenden Zeitungen, die den Chor einstimmen, bereit sind und das im wesentlichen »organisierte« Publikum sich das Wünschenswerte einreden läßt. Anders natürlich im Falle einer politisch geschlossenen Gesellschaft, in der die Meinung gesteuert werden kann.

»Wie die absurde Welle, so mußte sich auch die politische erst ›legen‹«, meinte Marieluise Fleißer, die die besten Jahre unproduktiv und geduckt gewesen war im heimischen Ingolstadt, ein Jahr vor ihrem Tode auf die späte Anerkennung zurückblickend (1973). »Sicher lassen sich meine Stücke gesellschaftskritisch interpretieren. Aber mich würde es langweilen, wenn ich politisch schreiben würde. Ich schreibe Leben aus Betroffenheit heraus.« Von 1950 an wurde einiges versucht für die Fleißer von Theatern und Verlegern, doch drang es nicht durch. »Ich blieb ein Geheimtip.« Sie schrieb »unmodern«: expressiv verknappt, realistisch und bairisch timbriert.

Im November 1950 wurde ihr Volksstück *Der starke Stamm* an den Münchener Kammerspielen uraufgeführt, Regie Schweikart, 104 Vorstellungen, aber nicht nachgespielt. Das Theater hatte nichts übrig für das »Volk«, »Volksstücke« waren etwas für Laienbühnen. Diese Einstellung behinderte auch das Aufkommen von Horváth. Man konnte sich schwer entschließen, ihn zu nehmen, wie er war; man glaubte, man müsse »etwas aus ihm machen«. In München hatte die Fleißer mildernde Umstände. Dort war das Bajuwarische einigermaßen salonfähig geblieben. Und aus einer alten Belastung war eine neue Empfehlung geworden: sie war mit Brecht befreundet gewesen, hatte unter seiner Anleitung ihre Volksstücke geschrieben. Er hatte zugesagt, nach München zu kommen, um *Mutter Courage* zu inszenieren. (Das blieb seine einzige Arbeit in der Bundesrepublik; Oktober 1950.) Die Giehse, mit der die Fleißer befreundet war, spielte in der *Mutter Courage* und im *Starken Stamm* jeweils die Hauptrolle.

»Viel später haben junge Dichter sich meiner bemächtigt und sich zu mir bekannt, sie gingen in meiner Spur. Sie kletterten daran hoch und waren neu damit, sie gaben ihr Eigenes in der an mir erkannten Bahn. Sie hatten den großen Erfolg, auf mich fiel ein Rückstrahl.« Zuerst war das Rainer Werner Fassbinder, der die *Pioniere in Ingolstadt* (ur-inszeniert von Brecht 1929 am Schiffbauerdamm) Anfang 1968 an sich gerissen und nach eigenem Gusto in Szene gesetzt hatte und sich dazu. Premiere war im Büchner-Theater, einem Zimmertheater in der Isabella-Straße in Schwabing. Es war der Übergriff aus der Subkultur, wo (auch) beim Spiel die Gesetze des Rudels gelten und nicht die des Copyrights, »eine frei montierte szenische Reflexion über die Denkwelt des Bürgers nach dem Muster der erfahrenen Wirklichkeit Marieluise Fleißers«, erklärte Fassbinder. Die Fleißer-Paraphrase

wurde zur Vorarbeit zu *Katzelmacher*, April 1968 im ›action-theater‹, einem ehemaligen Kino nicht weit vom Sendlinger Tor. 1969 wurde ein der Fleißer gewidmeter Film daraus, 1970 verfilmte Fassbinder die *Pioniere*, die er im Januar 1971
recht selbstherrlich, aber doch unter dem Originaltitel im Bremer Schauspielhaus
inszenierte. Die vom Leben enttäuschte Fleißer glaubte sich auch noch ums literarische Leben gebracht, doch die Jungrealisten, hatten sie erst einmal den Platz an
der Sonne, bekannten sich zu ihr.
»Das Wunder begann mit dem Dezember 1970. Auf einmal gruben die Wuppertaler Bühnen ›Fegefeuer in Ingolstadt‹ aus der Verschollenheit heraus.« Premiere
war im Mai 1971. Im November 1971 folgte Ingolstadt, die Heimat, die auf fremden Rat hin in den Titel zweier Dramen der Ingolstädterin gerückt worden war
und dies vierzig Jahre früher wie einen Makel loszuwerden getrachtet hatte. Dann
gab's Ingolstädter Frühlingserwachen und Gotteshysterie im Zürcher Theater am
Neumarkt, beim Städtischen Schauspiel in Frankfurt, im Dezember 1972 auch in
der Berliner Schaubühne, wo man schon 1966 den *Starken Stamm* hatte sehen können. Daß diese bairische Komödie sich nicht durchsetzte, das ist eine der Irrationalitäten des Theaters. »Erfolg ist Mißverständnis«, sagte Siegfried Jacobsohn.
Nach dieser sehr späten Serie von glücklichen Mißverständnissen (»Ich finde es
schön, daß durch die Jungen plötzlich ein Sinn ins Leben kommt«) ist Marieluise
Fleißer Anfang Februar 1974, 72jährig, in Ingolstadt gestorben. Sie hatte noch
allerlei Premierenschlachten um die Jungen beobachten können. Den Fassbinder,
den Sperr und den Kroetz hatte sie als ihre »Buam« akzeptiert, sich in deren Stükken allerdings »kaum wiedererkannt«. Doch die Tücken der kleinbürgerlichen Moral, die Vorurteile, die Dumpfheit, sozialkritische Desillusionierungen – diese Themen der jungen Realisten lagen alle in ihrer Spur. Es fiel mehr auf sie zurück als
ein »Rückstrahl«. Mit Bezug auf »Korl« und »Berta« in den *Pionieren* setzte Franz
Xaver Kroetz den gemeinsamen Realismus von der Dramatisierung politischer
Wirklichkeit ab: »Drama spielt sich nicht dort ab, wo Herr Weiss mit Herrn
Hölderlin darüber richtet, wer in einer sowieso utopischen Revolution der anständigere und wirkungslosere Revolutionär gewesen sei, sondern dort, wo ein Dienstmädchen sich eine Nacht hat freimachen können, um ihre Jungfernschaft gebührend
herzugeben.«
Als erster von den bayerischen Jung-Realisten setzte Martin Sperr sich durch, der
aber Anfang 1972 von einem Unfall zum Aufgeben gezwungen wurde. Zunächst
war das Theaterspielen für ihn nur eine der brotlosen Künste unter vielen Gelegenheitsarbeiten gewesen, von 1962 an trat er in Münchner Kellertheatern auf, in
Bremen kam er als Schauspieler und Regieassistent in ein festes Verhältnis zum
Theater. Dort, in den Kammerspielen in der Böttcherstraße, wurde *Jagdszenen in
Niederbayern* uraufgeführt (1966), im Jahr danach in München *Landshuter Erzählungen* und 1971 in Düsseldorf *Münchner Freiheit*. Zeitliche Abfolge, örtliche Erweiterung und thematische Steigerung geben diesen drei Stücken Trilogiecharakter:
1948, Dorf, Privatleben; 1958, Kleinstadt, Geschäftsleben; 1968, Großstadt, Politik.
Es fiel nicht leicht, den neuen Realismus vom gewohnten Volksstück abzusetzen.
Rolf Becker gelang das in Bremen, er ließ die Jagd auf den homosexuellen Sohn
einer Tagelöhnerin brutal ausspielen. In München verfiel Everding in Bilderbogen-

Gaudi: Die Landshuter Geschichte von den beiden Bauunternehmern, die einander kaputtkonkurrieren, ging hart am Premierenskandal vorbei. »Prost Herr Everding«, tönte es aus dem Parkett beim zerdehnten Leichenschmaus, und das war ein verdienter Zuruf: keine kritische Demonstration von Verhaltensschemata, sondern Milieumalerei.

Nach einer Werkraum-Premiere Anfang April 1971 ist Franz Xaver Kroetz rasch bekannt geworden, Jahrgang 1946, Schauspielschüler in München, Mitspieler bei Fassbinder, Reinhardt-Seminarist in Salzburg, wo er Sperr kennenlernte. Jahrelang schon hatte Kroetz fürs Bauerntheater geschrieben, was ihm mehr Aufführungen und Tantiemen, aber viel weniger Kritiken eingebracht hat als sein Erscheinen auf den Berufsbühnen. Das Personal des Volkstheaters ist geblieben: Knecht und Magd und Bauerntochter; auch die Motive blieben: Ehe als Fusion von Besitz und Arbeitskraft, Enterbung, Impotenz und Vatermord. Die Kunde von Abtreibung, Kindstötung und Masturbation hatte einen rechtsradikalen Stoßtrupp zur Uraufführung der beiden Einakter *Heimarbeit* und *Hartnäckig* mit Stinkbomben und rohen Eiern vors Theater getrieben. Sie grölten noch, als die Zuschauer den Werkraum verließen, wie vor den Kopf geschlagen von der Gegenwärtigkeit schierer Verzweiflung.

Ende Juni 1972 dann breite Anerkennung für *Stallerhof*, inszeniert von Ulrich Heising im Malersaal des Deutschen Schauspielhauses in Hamburg. Da schlug Widriges in Schönheit, Triviales in Wichtiges, Abstoßendes in Teilnahme um. »Im Stück wird

Kroetz, Stallerhof. Malersaal Hamburg. Regie: Ulrich Heising / Karl Kneidl. – Eva Mattes, Bruno Dalansky (Foto: Rosemarie Clausen, Hamburg)

die Beppi behandelt wie der letzte Mensch. Auf der Bühne bewegt sie sich wie der erste: Sie lernt vor unseren Augen das Leben wie das ABC« (Reinhard Baumgart). Ein deppertes Bauerntrampel, das ein ältlicher Knecht schwängert, eine fast stumme Rolle, welche die Darstellerin buchstäblich nackt aussetzt, wobei die bis dato unbekannte Eva Mattes »eine Aura gewonnen hat, eine Poesie in aller Häßlichkeit, die ihr Kroetz wahrscheinlich gar nicht gegönnt hat« (Baumgart). Bürgerliches Publikum, »und dazu in Hamburg«, habe diese Beppi »so wichtig wie oder wichtiger genommen als Gretchen, Penthesilea, Nora«.

Es folgten innerhalb kaum eines Jahres *Wildwechsel* in Wien, *Dolomitenstadt Lienz* in Bochum, *Oberösterreich* in Heidelberg und München, *Wunschkonzert* in Stuttgart – in den Lernjahren hatte Kroetz zwanzig Stücke geschrieben, von denen er allerdings selber kaum ein halbes Dutzend wichtig nahm und die ihm nun aus den Händen gerissen wurden. »Ob meine Stücke eine Modeerscheinung sind oder ob sie gut sind, das wird sich erst in einigen Jahren erweisen. Aber wahrscheinlich ist mein Erfolg auf Grund der Mode zustande gekommen.« Nicht nur mit der Wiederentdeckung der Fleißer, auch mit der von Ödön von Horváth hänge das zusammen.

Tatsächlich gab es schon bei Horváth Hilflosigkeit, die zur Benutzung von Sprach- und Verhaltensklischees zwang. Und es gibt noch mehr Vektoren in Richtung auf diesen Neo-Realismus: die späte Einsicht, daß Carl Sternheim gar kein Satiriker, sondern ein Realist sei (wodurch er vom Kopfstand auf die Beine geriet), das Einströmen des ernüchternden englischen Spülsteinrealismus, Gorki-Renaissance und, vorweg, die Aneignung der Spätwerke von O'Neill.

Mitte der fünfziger Jahre kamen die tristen Altersstücke von Eugene O'Neill nach Deutschland: 1954 *Der Eismann kommt* in Hannover (deutsch zuerst 1950 in Zürich) und im gleichen Jahr in Berlin *Ein Mond für die Beladenen*, 1956 die Uraufführung in Stockholm und die deutsche Erstaufführung in Berlin von *Eines langen Tages Reise in die Nacht*. Der Höhepunkt der Geltung lag 1957, dem Jahr der Uraufführung von *Fast ein Poet* in Stockholm, rasch nachgespielt in Salzburg und Düsseldorf und dann an vielen Orten. Mit dem Einakter *Hughie* (Salzburg und Berlin 1960) und *Alle Reichtümer der Welt* (Salzburg und Hamburg 1965) war dann die Bitternis des langsam dem Tode entgegensiechenden Dramatikers aufgearbeitet, vor allem von Oscar Fritz Schuh. O'Neill trat zurück, blieb aber im Hintergrund gegenwärtig, eine Art Klassiker.

Der Hinweis auf Horváth ging vom Josefstädter Theater aus. Er wurde vom Volkstheater und von der Wiener Keller-Garde aufgenommen, teils unter tätiger Mitwirkung von Horváths Bruder Lajos. Die entscheidende Inszenierung, die den Weg freimachte, ereignete sich aber im Fernsehen: *Kasimir und Karoline*, im September 1959 ausgestrahlt vom Bayerischen Rundfunk. Michael Kehlmann hatte die melancholische Oktoberfest-Ballade einstudiert, zum zweiten Mal nach seiner Inszenierung vom Oktober 1954 im ›Kleinen Theater im Konzerthaus‹, Wien.

Nun setzte ein Run ein, der in Verwertung nach allen Regeln des Kunsthandwerks endete. Am Schluß stand eine nach Methode Piscator dokumentarisch aufgefüllte Nutzung des Erstlings *Sladek oder Die schwarze Armee* (März 1972) unter Oswald Döpke in den Münchener Kammerspielen und schließlich auch noch die Herstellung eines Dramas »im Stil und im Sinne Horváths« aus Skizzen, Varianten, Romanentwürfen und sonstigen Fragmenten von dem an Wiens Kleinbühnen herangebil-

deten Horváth-Herausgeber Traugott Krischke: *Die Geschichten der Agnes Pollinger* im Wiener Volkstheater mit Brigitte Swoboda, einstudiert von Václav Hudecek aus Prag im November 1973.
Der Tonfall der ungemütlichen Volksstücke Horváths ist bairisch-österreichisch, infolgedessen gilt für ihn wie für den nicht nur sprachverwandten Nestroy die Mainlinie: die »stimmigen« Inszenierungen ereigneten sich im Süden, in Wien, Graz und München; in Zürich mit Wiener und Münchner Gästen – Michael Kehlmann 1964: *Geschichten aus dem Wiener Wald* mit Helmut Lohner als Nichtsnutz Alfred und Jane Tilden als herumliebelnde Tabaktrafikantin, Rudolf Vogel als »Zauberkönig«, Adrienne Gessner als kindsmörderische Großmutter –, so auch in Otto Schenks Inszenierung an den Münchner Kammerspielen im Dezember 1966. Es herrschte Übereinstimmung darüber, daß Horváth ein realistischer Autor sei, jedenfalls in seinen Hauptwerken. Er stelle Spießbürger aus, wie sie leiben und leben. Die gemeinsame Gemeinheit, mit der die Leute Marianne (in Zürich Hertha Martin, in München Gertrud Kückelmann) fertigmachen zur Ehe mit dem scheinheiligen Metzger, hatte etwas Dämonisches. Wenn die Gemütlichkeit grauenhaft wurde, dann sprach man eben von »magischem« Realismus. Fraglos realistisch war Otto Schenks Josefstädter Inszenierung von *Kasimir und Karoline* gewesen (1964). Der Bühnenbildner Günther Schneider-Siemssen hielt das München der Wirtschaftskrise im Hintergrund gegenwärtig, eine sich drehende Kulisse aus Lärm, Farbe und Bierseligkeit; in den Umbaupausen torkelten sogar die Bühnenarbeiter. In München brach er sich im Gewirr seines komplizierten Dreh- und Schiebearrangements ein Bein (Mai 1969). Er hatte ein virtuos suggeriertes Oktoberfest geliefert. Breite Anerkennung für ein Stück, das sechzehn Jahre früher im selben Theater (Kammerspiele) durchgefallen war. Das lag nicht nur am noch fehlenden Horváth-Verständnis, am Regisseur Bruno Hübner und den düsteren Bühnenbildern von Wolfgang Znamenacek, sondern auch am Premierendatum: 7. Oktober (1952). »Die Münchner sehen das Oktoberfest bunt, Horváth sah es grau, deshalb sah ein Teil des Publikums rot« (Hanns Braun).
Viele Jahre lang ist Horváths Schuld-Sühne-Drama im Bahnwärtermilieu, *Der jüngste Tag,* ein zeitloses, sein meistgespieltes Stück, realistisch aufgeführt worden, obwohl im letzten Bild zwei tödlich verunglückte Eisenbahner leibhaftig auftauchen, um den Schuldigen zum Selbstmord zu verführen. Es ist typisch, daß die Horváth-Rechnung nie ganz aufging, wenn man sich zu einer Formel entschloß – Abschreiber der Wirklichkeit oder Erbarmer? –, und erst recht nicht, wenn jemand eine eigene Absicht verfolgte, wie Peter Palitzsch, der in *Glaube, Liebe, Hoffnung* September 1969 eine Soziographie witterte, oder wie Klaus Michael Grüber, den die *Geschichten aus dem Wiener Wald,* August 1972 in der Schaubühne, zwischen Marxismus und Surrealismus schwanken ließen.
»Die Stücke Horváths wurden die ersten dreißig Jahre nach ihrer Entstehung erst mal von lustigen Menschen, Regisseuren, Schauspielern und auch anderen, dem Dichter befreundeten Interpreten systematisch zugeschüttet«, schalt Hans Hollmann auf dem Horváth-Kongreß, Herbst 1971 in Berlin. »Zugeschüttet mit Walzerseligkeit, kauzigen Biertischwitzen, augenzwinkernden Komikern, Zoten und ein paar möglichst echten Tränen.« Hollmann trat auf mit der Autorität des erfolgreichen Praktikers, der in drei Inszenierungen (*Italienische Nacht,* Stuttgart 1966; *Kasimir,*

Basel 1968; *Wiener Wald*, Düsseldorf 1971) überzeugt hatte, bei Horváth ereigne
sich »nichts anderes als Sprache«, und die gelte es »auszustellen«. »Nur ganz selten
klingt ein Satz so, als dächte ihn die Figur und sei sich über dessen Bedeutung im
klaren. Der Schauspieler muß versuchen, Sätze so zu sprechen, daß erkennbar wird,
daß diese Sprache nicht Ausdruck, sondern etwas Erworbenes ist, daß sie käuflich
ist am Zeitungsstand, angeeignet durch eifriges Zuhören bei Volksschullehrern,
Politikern, Pfarrern und Filmschauspielern.«
Während Horváth dem Realismus verlorenging, wurde Sternheim dem Realismus
gewonnen. Wie Horváths, so schlugen die Regisseure auch Carl Sternheims Selbst-
erklärungen (er habe dem Bürger »Mut zu seinen sogenannten Lastern« machen
wollen) in den Wind. Es war bürgerliche Notwehr, für Satire zu halten, was beispielsweise Wilhelm Ständer, die Hauptfigur des Dreiakters *Tabula rasa*, verkündet: »Unabhängig von Zunft- und Gemeinschaftsdenken, will ich nur noch mein
eigenes Herz durchforschen, die Lehrer suchen, die meine Natur verlangt, und sollte
ich sie in China und in der Südsee finden.« Derlei sei »das Gegenteil von Satire«,
fand Wilhelm Emrich, Herausgeber der Werke Sternheims (1963 ff.), denn hier
triumphiere die Wirklichkeit über das Ideal, in der Satire werde jedoch – laut
Schiller – »die Wirklichkeit als Mangel dem Ideal als höchste Realität« gegenübergestellt.
In diesem Fall war das Theater der Literaturwissenschaft voraus: Rudolf Noelte
hatte Anfang Januar 1960 *Die Kassette* an der Freien Volksbühne Berlin und Mitte
Februar 1964 den *Snob* im Stuttgarter Staatsschauspiel durchaus realistisch gedeutet. Die Aufführungsziffern ruckten von 1958/59 (64 Aufführungen von drei Werken an vier Bühnen) bis 1959/60 in die Höhe: 220 Aufführungen von vier Werken
an sieben Bühnen. Das kann nicht von Noelte ausgelöst worden sein; er war unter
denen, die Sternheim neues Interesse abgewannen. Anfang der sechziger Jahre gab
es an den Stadt- und Staatstheatern eine Wendung vom Boulevard zur Kritik.
Noelte hat »nur« besonders überzeugend gearbeitet. Er war damals gerade Leiter
des Volksbühnen-Theaters geworden. Daß er es bald darauf am längsten gewesen
war, lag auch an den Kosten dieser richtungweisenden Inszenierung (mit Theo
Lingen und Bruni Löbel, Regine Lutz und Hans Putz). Die Sternheim-Welle stieg
weiter an, sie erreichte 1965/66 einen vorläufigen Höhepunkt mit 539 Aufführungen von sieben Werken an acht Bühnen. An der Spitze standen *Die Hose*, *Der
Snob* und *Die Kassette*. Mit geringen Schwankungen hielt der Boom zehn und noch
mehr Jahre an.
Der Schwerpunkt der Wirksamkeit Sternheims lag stets in Berlin, wo nach dem
Kriege der antipreußische Affekt nahe, allzu nahe lag, weil er Sternheim verengte.
Hans Lietzau ließ Ernst Schröder (*1913*, Schiller-Theater, April 1961) in Hugen-
berg-Maske auftreten und Martin Held (*Die Hose*, Schloßpark-Theater, Januar
1963) bei Marschmusik in eine Spießerkomödie marschieren. Mit Bernhard Minetti
als Ständer, zunächst unter Hans Karl Zeiser (*Tabula rasa*, Schloßpark-Theater,
September 1961) war allerdings schon der ernstzunehmende Sternheim aufgetaucht.
In Ost-Berlin blieb man natürlich beim Satiriker der bürgerlichen Gesellschaft.
Nach dortiger Vorstellung hat Sternheim immer die andern gemeint.
Gut und gerne ein Jahrzwölft lang kamen realistische Stücke aus England. Das
Erstaunen war in den der modernen Dramatik ermangelnden Ländern mit protek-

tionistischer Theaterpolitik groß, daß Osbornes *Blick zurück im Zorn* kein einzelner Glücksfall gewesen war, sondern der Vorbote eines ergiebigen Exports. Eine neue Dramatik aus einem Lande fast ohne Subvention, mit relativ wenig Theatern, die sich obendrein auf Gedeih und Verderb bewähren mußten, also keineswegs Treibhäuser waren. Natürlich gab es Erklärungsversuche: der Zusammenbruch des Empire zwang zu neuer Auseinandersetzung mit den Verhältnissen, die englische Insel wurde eng, die junge Generation mußte ihre Abenteuer daheim suchen, und schließlich wurde ihr doch Förderung zuteil, und zwar relativ kluge, vom Arts Council.

Zunächst galt am höchsten die soziale Redlichkeit des Arnold Wesker mit seiner dreiteiligen englisch-jüdischen Familienchronik *Hühnersuppe mit Graupen*; *Tag für Tag* und *Nächstes Jahr in Jerusalem*, in der die Reformfreude allmählich der Resignation weicht. Später kamen die Sozialdramen *Der kurze Prozeß* oder *Bratkartoffeln, nichts als Bratkartoffeln*, eigentlich *Chips with Everything* (Außenseiter bei der Royal Air Force), *Die Küche* (als Tretmühle) und *Die Alten* (vom Autor selber März 1973 in den Münchner Kammerspielen inszeniert).

Es folgten, den Realismus-Begriff teilweise erweiternd oder gar sprengend, Jack Gelber, Charles Dyer, Joe Orton, James Saunders, David Storey, Ann Jellicoe, Peter Terson, Harold Pinter und last not least Edward Bond. Dessen »Halbstarken«-Studie *Gerettet*, zuerst Mai 1966 in Veit Relins Ateliertheater am Naschmarkt in Wien, war von London her berüchtigt. Und die Szene mit der Steinigung eines Säuglings im Kinderwagen behielt traurige Berühmtheit. Mitte April 1967 folgte die Münchner Kammerspiel-Inszenierung, deren lässige Genauigkeit Peter Stein endgültig ins Rampenlicht brachte. Eine Jugendbande wildwüchsiger Darsteller, von denen einer, Michael König als der gutmütige Len, noch nie auf einer Berufsbühne gestanden hatte. Jutta Lampe spielte die freche, aber malträtierte Göre. Martin Sperr hatte Londoner Cockney ins Deutsch der Isarauen gebracht. In Wien war's die Sprache von Ottakring gewesen. Bond hatte empfohlen, die desolate Milieustudie in die jeweils heimische Saumäßigkeit zu übersetzen. So wurde er ganz nebenbei zum Ermunterer der Dialekt-Dramatik. Sie war damals so verachtet und die englische, überhaupt die ausländische Dramatik so beispielhaft, daß es eines Anstoßes von draußen bedurfte.

Heimatliches Timbre hatten zwar schon die Fleißer und die Fleißerlinge gezeigt, aber »richtiger« Dialekt, das schien undenkbar, wenn man sich nicht in den Geruch bringen wollte, eigentlich für Vereinsbühnen zu schreiben. Auch das wurde nun anders, eine Konsequenz aus dem Interesse für Wirklichkeit, sogar deutsche Wirklichkeit, und die »Unterprivilegierten«. Natürlich wäre das alles auch ohne Bond passiert, aber später.

Rozznjogd (Wien 1971), *Sauschlachten* (München 1972) und *Kindsmord* (Darmstadt 1975) sind dialektgefärbte Banalbrutalitäten des jungen Kärntners Peter Turrini. Anfang der siebziger Jahre konnte auch das Zürcher Schauspielhaus seinen Dialektdramatiker vorzeigen: Hansjörg Schneider, der in Aargauer Mundart *Das Sennentuntschi* (Zürich 1970/71) und *Der Erfinder oder Schpäck ond Bohne* (Zürich 1973/74) schrieb. (Das Sennentuntschi ist ein Strohfetisch, der lebendig und ein Dracula der Sexualität wird, der Erfinder ist ein dörflicher Einzelgänger, der ein schon anderswo entwickeltes Raupenfahrzeug noch einmal erfindet.) Im Platt

von Königswinter schrieb Karl Otto Mühl seinen Bilderbogen aus dem Kleinbürger-Milieu *Rheinpromenade* (Wuppertal 1973), Wolfgang Deichsel übersetzte Molières *Schule der Frauen* ins Hessische (Theater am Turm, 1970), Hans Georg Bassler machte aus dem *Eingebildet Kranken* für das Pfalztheater in Kaiserslautern *Der Jammerlabbe* (1974). Der Grazer Wolfgang Bauer, von manchen als Erbe Horváths verstanden, nutzt den Dialekt, um Gemütlichkeit vorzutäuschen und dadurch Situationen, in denen die Gemütlichkeit aufhört, besonders scharf hervortreten zu lassen. Seine genauen, bösen, trostlosen Schilderungen von Verhaltensweisen pflegten sich heißzulaufen in Wutausbrüchen, die in Selbstzerstörung endeten, später sich auch gegen das Theater und sein Publikum wandten (*Silvester oder Das Massaker im Hotel Sacher*, September 1971 im Wiener Volkstheater) und noch später gegen Schriftsteller und Schriftstellerei (*Gespenster*, Juni 1974, ›Werkraum‹ München). »Die Wölt is nämlich unhamlich schiach«, heißt es in *Magic Afternoon*.
Nach Verzicht auf literarischen Wert, elitären Anspruch, tiefere Bedeutung, kurzum »Kunst«, tauchte eine ganze Menge neuer Autoren auf, glücklicherweise. Der in Basel herangezogene Heinrich Henkel aus Karlsruhe, gelernter Maler, wurde mit Trivialszenen aus Arbeit und Alltag bekannt: *Eisenwichser* (1970), *Spiele um Geld* (1971), *Olaf und Albert* (1973) und *Die Betriebsschließung* (1975), alle zuerst in Basel gezeigt. Andere Autoren der »Arbeitswelt«: Renke Korn, Alf Poss, Egon Menz, Gerlind Reinshagen.
Nach einer Zählung des ›Bundes der Theatergemeinden‹ tauchten in den Spielzeiten 1948/49 bis 1973/74 in den vier deutschsprachigen Ländern 145 Stücke aus der Arbeitswelt auf. Davon entfielen auf die DDR 80 (55 %), auf die Bundesrepublik 56 (39 %), auf die Schweiz 5 (3 %) und auf Österreich 4. Die 65 Titel in der Bundesrepublik, der Schweiz und Österreich machen 2,3 % aller Ur- und Erstaufführungen in diesem Zeitraum und diesen Ländern aus. Auffällig ist, daß die Arbeits-Thematik von der Spielzeit 1969/70 an in der Bundesrepublik so stark zunahm, daß die DDR überholt wurde, jedenfalls quantitativ.
Jochen Ziem aus Magdeburg kam mit ostdeutsch-westdeutscher Problematik, sie ist kaum politisch gemeint, es sind Studien zwischenmenschlicher Entfremdung, gesamtdeutsche Gemeinplätze, Klischees als nationales Band: *Die Einladung*; *Nachrichten aus der Provinz* (beide 1967), *Die Versöhnung* (1971).
Der Realismus-Boom weckte in der Bundesrepublik Interesse für die DDR-Dramatik. Es kam einigen agrarpolitischen Dramen zugute: *Gaspar Varros Recht* von Julius Hay wurde in der Spielzeit 1965/66 in Wuppertal uraufgeführt, *Marski* von Hartmut Lange August 1966 in Frankfurt am Main. *Moritz Tassow* von Hacks erschien im Februar 1967 in Wuppertal. Im September 1973 wurden in Wuppertal *Die Kipper* von Volker Braun gezeigt, ein Stück Arbeitswelt der DDR. Nach einer Voraufführung hatte man befürchtet, das Publikum werde vorzeitig gehen, doch das Interesse hielt durch, man wollte sehen, was denn an typischer DDR-Dramatik dran sei.
Vor allem wurde die Gorki-Kenntnis erweitert. Im März 1967 inszenierte Barlog am Schloßpark-Theater *Barbaren*, Kleinstadtszenen aus der Adventszeit des Marxismus, ohne kämpferische Zuspitzung, es war wie ein apokrypher Tschechow. Im März 1969 gab es in Köln *Die Kleinbürger*, einstudiert von Karl Paryla. Allmählich verdichteten sich die Einzelaufführungen zum Gorki-Nachlernen in der Bundes-

republik: *Die falsche Münze* im Februar 1972 in Bochum, *Barbaren* 1972/73 in Hamburg und Frankfurt, *Die Feinde* im Februar 1973 in Mannheim. Im Herbst 1974 kam das Leningrader Gorki-Theater mit den *Kleinbürgern* auch nach Westdeutschland. Überhaupt nahm das Interesse an russischer Dramatik zu, wobei auch im Ostblock Unterdrücktes hervorkam: Bulgakow, Erdmann, Oljescha, Solschenizyn.
Einen Grenzfall des Realismus erarbeitete Peter Stein, der für die Inszenierung der *Sommergäste* (Dezember 1974) in der ›Schaubühne‹ den Realismus bis zu Identität mit gestriger Wirklichkeit zu treiben versuchte (und das Stück zu diesem Zweck durch Umstellungen, Weglassungen und Zutaten stark veränderte). »Die Aufführung bietet an, eine Reihe von Menschen kennenzulernen, ebenso wie man wirkliche Menschen kennenlernt in einer Gesellschaft, wo die flüchtigsten Kontakte die hartnäckigsten Mutmaßungen und Phantasien über die betreffenden Personen wachrufen. Eine solche Methode ließ sich an keinem anderen Stück Gorkis besser ausprobieren als an ›Sommergäste‹, ein Stück, das eigentlich aus einem unablässigen Kommen und Gehen, einem einzigen großen Stimmenwirrwarr hervorgeht.« Zu Vorstudien war man in die Sowjetunion gefahren, das Bühnenbild war so echt wie irgend möglich, im Hintergrund grünte ein Birkenwäldchen auf Torfboden. Ein Kunststück, die Konstruktion eines Grenzfalls. »Die Berechnung geht dahin, daß der banale Griff ins volle Leben äußerst kunstvoll sein muß, um nicht nur eine leere Geste zu sein, und daß die Banalität nirgends so ausdrucksstark ist wie an der Übergangsstelle zur Korruption, Abgeschmacktheit und Fäulnis. Und die Rechnung geht auf« (Sibylle Wirsing).
Solche Realitäts-Effekte, welche in denaturierender Umgebung erst recht Künstlichkeiten waren, also zu »Theater« formalisiert, gab es in der ›Schaubühne‹ immer wieder: »echter« Regen in Labiches *Sparschwein*, und beim Tohuwabohu am Schluß wurde mit echten Viktualien geschmissen. Für den *Lohndrücker* von Heiner Müller (Ende April 1974) dampften scheinbar echte Brennöfen, es wurde »richtig« gemauert. Bei der Beseitigung von Schutt wölkte der Staub in den Zuschauerraum. Fast zweistündiges Ringen in einem Milieu, das der Autor mit Text für rund siebzig Minuten ausgestattet hatte. In Ulm ließ man Lehrlinge ein Lehrlingsstück von Peter Terson spielen (*Georgies langer Marsch*, März 1975), in der Hoffnung, daß sie authentischer als Schauspieler seien. Am weitesten ging Alf Poss mit seiner Studie *Zwei Hühner werden geschlachtet* (Juni 1971). Da wurde die Realität – der Tod von Hühnern – eingesetzt, um das Spiel zu desavouieren. Das Sterben, als unwiederholbarer Akt unzweifelhaft kein »Theater«, skandalisierte die Zuschauer: »Aufhören! Pfui Teufel! Ihr Schweine! Und so was wird subventioniert von den Steuerzahlern!« (Studiobühne Erlangen in Frankfurt a. M. auf der »Experimenta IV«.)
In der DDR tat man sich immer noch schwer mit dem Realismus. Soweit es sich um Zustandsschilderungen ohne Tendenz handelte oder gar um »kritischen« Realismus, also Analyse mit negativem Ergebnis, kam die Ablehnung schnell und war einfach: »So sind wir nicht!« Siebenjährige Querelen und soundsoviel Änderungen hatte Brauns *Kipper* durchmachen müssen. Schon im Mai 1964, auf der zweiten Bitterfelder Konferenz, hatte Ulbricht gewarnt vor »Realismus ohne Ufer«. Den toten Gorki lebendig zu erhalten war natürlich Ehrensache. Seine Dramen wurden

in der DDR als Nachrichten vom Klassenkampf erarbeitet, aus denen man für die Gegenwart lernen kann. Im Mai 1954 setzte am Gorki-Theater Unter den Linden mit *Dostigajew und andere* die sporadische Reihe der Darbietung der Werke seines Namenspatrons ein, meist eingeübt unter der Leitung des Intendanten Maxim Vallentin (bis 1970), dann gab dessen Nachfolger Albert Hetterle mit einer *Wassa Schelesnowa*-Reprise seine Visitenkarte ab.

Wichtiger als diese Übungen in der Stanislawski-Methode waren die Arbeiten am Deutschen Theater in der Langhoff-Zeit von Wolfgang Heinz, Langhoffs späterem Nachfolger (1963–70): *Ssomow und andere* (1957), *Die Kleinbürger* (1959), *Sommergäste* (1959) und *Feinde* (1967). *Die Kleinbürger* hatte Heinz schon zusammen mit seinem Bruder Karl Paryla an der Wiener ›Scala‹ erarbeitet, die beiden haben das Stück dann zwölf Jahre lang gespielt, auch auf Gastspielreisen.

Gorkis Dramatik ist so sehr vom *Nachtasyl* überschattet, daß die Heiterkeit in seinem Werk von Heinz wiederentdeckt werden mußte, vor allem in der Kleinbürger-Existenz. Gorki, »der Bittere«, hatte sogar *Feinde* als lustiges Stück bezeichnet. Diesen Ansatz von Heinz baute Horst Schönemann am Landestheater Halle (*Kleinbürger* 1967, *Feinde* 1971) aus, nachdem ein Gastspiel des Leningrader ›Großen Akademischen Theaters Maxim Gorki‹ in Ost-Berlin Abwertung der Bourgeoisie bis zur Lächerlichkeit gezeigt hatte. Schönemann ließ auf heller, entrümpelter Bühne spielen; bis dahin hatte man Gorkis Bourgeoisie in illusionistisch aufgebauten Wohngrüften gezeigt, um »Atmosphäre« zu vermitteln. Schönemann sah das Wohnzimmer mehr als »Kampfplatz politischer Auseinandersetzungen«.

Feinde in Dresden, inszeniert von Gotthard Müller und Wolfgang Bachmann, lebte noch ganz im Superrealismus. Das Wohnzimmer mit seinem toten und lebenden Inventar war hundertprozentig »echt«. Die Bearbeitung verschärfte im Sinne des Freund-Feind-Denkens. In der Gerichtsszene, mit der das Stück endet (es geht um Mord an einem Fabrikherrn), werden die Arbeiter von Sympathisanten moralisch entlastet, die Arbeitgeber als eigentliche Mörder bezeichnet, worauf Soldateska mit gefällten Bajonetten auf die Arbeiter losgeht. Mit Rufen »Ihr löscht uns nicht aus!« endete diese Version, die im April 1966 in Köln als Gastspiel zu sehen war, eine exportierte Kampfansage, die sehr herzlich und beharrlich beklatscht wurde, ohne Zweifel weil dies wieder einmal »richtiges« Theater war, wo alles »stimmte« bis zum Orden im Knopfloch, zur Sprungdeckeluhr in der Weste, zum Klemmer auf der Nase.

Realismus ist volkstümlich – jedenfalls in den Grenzen der Schicklichkeit. Rolf Hochhuth nutzte ihn bei der Bemühung um kritische Volksstücke. Er schrieb eine Komödie, die auf einem Sozialskandal in Kassel fußte. Als dort im Sommer 1971 Obdachlose Häuser besetzten, die der Bundeswehr gehörten und seit Monaten leerstanden, wurden sie gewaltsam vertrieben. Bei Hochhuth wendet eine Hebamme alles zum Guten. In den Mitteln ist sie allerdings nicht wählerisch, sie schreckt vor Betrug und Brandstiftung nicht zurück. Im Frühjahr 1972 wurde *Die Hebamme* uraufgeführt, gleichzeitig in Essen und München, bald danach auch in Zürich und Göttingen.

Von der Kritik abgelehnt, sogar mit dem Stigma der Abtrünnigkeit versehen (»Das ist kein politisches Stück, vielmehr ein Stück idealistischer Politikfeindschaft« – Rainer Hartmann, *Kölner Stadtanzeiger*), nahm diese *Hebamme* dennoch ihren

Weg über viele Bühnen. In der ersten Spielzeit erreichte sie in zehn Inszenierungen 241 000 Zuschauer. In der Saison 1973/74 folgten elf, 1974/75 vier Inszenierungen. Dieser Erfolg hatte auch einen praktischen Grund: endlich gab es wieder eine große, derbe, dankbare Frauenrolle. »Jetzt stehen also unsere gestandenen Protagonistinnen nach dieser Bombenrolle der Verlogenheit Schlange. Aber genaugenommen gehört sie allein der Inge Meysel. Sie könnte diese Parforcetour von ›Mutter ist die beste‹ am besten« (Friedrich Luft). Die Meysel, damals dank Fernsehen als Mütter-Spielerin mit Tapferkeitskomponente (»Ich laß mich nicht unterkriegen«) bundesweit beliebt, hat die begehrte Rolle erst im Herbst 1975 in der Berliner ›Komödie‹ gespielt. In Zürich war's Heidemarie Hatheyer, in München Maria Becker, in Bonn Helmka Sagebiel.

In *Lysistrate und die Nato*, einer Komödie, die im Februar 1974 folgte, zunächst in Essen und am Wiener Volkstheater, suchte Hochhuth eine bessere Kombination zwischen Unterhaltsamkeit und Politik. Frau Doktor Lysistrate Soulidis, Studiendirektorin und Parlamentarierin, predigt einen neuen Bettstreik, weil sie die Männer am Verkauf einer Insel an die NATO hindern will. Wieder eine zentrale Frauenrolle (in Essen gastierte Ellen Schwiers, in Wien spielte Hilde Sochor), doch die Serie war kürzer: fünf Inszenierungen in der ersten Spielzeit, darunter Rostock, nur noch zwei in der Saison 1974/75. Die von den Kritikern mit steigender Gereiztheit beobachtete scheinbar »unzerstörbare Liebesbeziehung zwischen Hochhuth und dem deutschen Stadttheater« (Benjamin Henrichs) erkaltete langsam.

Verteidigung der Oper

»Mein Kollege in Hamburg bringt eine moderne Oper nach der anderen heraus, die Presse singt Loblieder auf ihn, aber er spielt vor leerem Haus, und der Staat zahlt.« So schnöde urteilte 1972 Rudolf Bing, der damals gerade zurückgetretene Generalmanager der Metropolitan Opera über Rolf Liebermanns Spielplanpolitik, ein Jahr vor dem Ende der »Ära Liebermann«. Sie habe das Repertoire nicht bereichert, aber Hamburg zum internationalen Ort der europäischen Musikszene gemacht, räumte Bing ein.

Diese Kritik trifft einen Trend, ist aber nicht fair. Ganz abgesehen davon, daß die durchschnittliche Platzausnutzung in der Spielzeit 1971/72 bei der Hamburger Staatsoper immerhin bei 87,1 % lag (Tendenz: fallend), leitet sich aus der Subventionierung nicht nur die Chance, sondern auch die Verpflichtung her, Neues zu probieren. Natürlich können 38 Millionen Zuschuß (1975) und ein Einspielergebnis von etwa 20 % einen Theaterleiter neidisch machen, der – wie Bing an der Metropolitan Opera – 96 % der Ausgaben einspielen muß.

In vierzehn Intendantenjahren präsentierte Liebermann 23 Opern-Uraufführungen, davon 21 Auftragswerke. Ob und inwiefern er dabei das Musiktheater weitergebracht hat, blieb umstritten. »Er komponiert jetzt nur noch durch andere«, spottete der französische Komponist und Dirigent Pierre Boulez. »Kein Sonderfall«, replizierte Liebermann, »immer wenn ein Musiker künstlerisch in Schwierigkeiten kam, ging er in die Administration, wurde Hochschuldirektor, Intendant. Oder Dirigent. Nur scheinen bei Boulez diese Schwierigkeiten von besonderer Gründlichkeit: denn das Œuvre, das er seit dem ›marteau sans maître‹ (1955) vorgelegt hat, ist so klein, daß es in keinem rechten Verhältnis zu seinem Ruf als Komponist steht.«

Mit drei Opern hatte Liebermann Erfolg, alle drei nach Libretti von Heinrich Strobel, die sich um Aktualität bemühten: *Leonore 40/45* (zuerst Basel 1952), *Penelope* (Salzburg 1954) und *Schule der Frauen* (Uraufführung 1955 englisch in Louisville, Kentucky, da Auftragsarbeit der dortigen Orchestra Society; deutsch zuerst in Salzburg 1957). Typisch für alle drei Opern – zwei »semiseria«, eine »buffa« – sind ironisch-satirische Gegenspiele, sie bilden textliche wie musikalische Kontraste, die schließlich innerhalb musikalischer Formen sinnvoll ausgeglichen werden. In *Leonore 40/45* bieten Beethoven und die deutsch-französische Liebesgeschichte Gelegenheit zu distanzierenden Unterscheidungen, in *Penelope* Antike und Moderne, die zu einer Apotheose überzeitlicher Klassizität zusammenströmen, in *Schule der Frauen* kommentiert der persönlich auftretende, mit eigener Tonsprache ausgestattete Dichter Molière die possenhaften Ereignisse.

Liebermann und Strobel hatten offenbar die zeitgemäßen intellektuellen Schwierigkeiten mit der Tradition, den Gesang als Verständigungsmittel zu gebrauchen. Richard Strauss hat den alten Streit, ob im Musiktheater die Wörter oder die Töne den Vorrang haben sollen, zum Gegenstand seiner letzten Oper (*Capriccio*, München 1942) gemacht, und Liebermann hat sich mit diesem deliziösen Schwanengesang im Juni 1973 in Hamburg verabschiedet, um das Théâtre National de l'Opéra zu übernehmen. Er müsse nach Paris, erklärte der Theaterdirektor La Roche in der

Hamburger Version. Dann gab es Ovationen für beide Theaterdirektoren, den un-echten (Hans Sotin) und den wirklichen, der einige Tage vorher zum Ehrenmitglied der Hamburger Staatsoper ernannt worden war. Versteht sich, daß der Streit des Dichters Olivier und des Musikers Flamand so unentschieden blieb wie der um die Gunst der Musengöttin Madeleine (in Hamburg Arlene Saunders), für deren Rolle Elisabeth Schwarzkopf und Lisa della Casa vorbildlich geworden sind.

Er vergebe die Aufträge »ganz spontan« an Leute, von deren dramatischer Bega-bung er überzeugt sei, sagte Liebermann. Er treibe bloß »die Aktien des Musik-theaters in die Höhe«, stichelte Boulez. Tatsächlich waren diese Werke untereinander höchst verschieden nach Stoffwahl, Kompositionstechnik und szenischer Form. Nicht viele davon haben sich auf der Bühne behauptet: Hans Werner Henzes *Prinz von Homburg*, Giselher Klebes *Jacobowsky und der Oberst*, Krzysztof Pendereckis *Teufel von Loudun*.

Natürlich war nicht zu erwarten gewesen, daß der mit großem Aufwand an Kunst-verstand und Geld gestartete Hamburger Großversuch der Musikbühne irgendeine Wende bringen werde. Manche der Auftragswerke konnten nur einige Male gezeigt werden und wurden auch nicht nachgespielt. Die 47 modernen Opern, die zwischen 1950 und 1972 in Stuttgart gezeigt wurden, gingen durchschnittlich elfmal über die Bühne, Wolfgang Fortners *Bluthochzeit* immerhin vierzigmal, Othmar Schoecks *Penthesilea* aber nur viermal. *Die Zauberflöte* lief im selben Zeitraum dagegen 266mal, *Aida* 176mal. Dennoch sei der Einsatz für moderne Musiktheater nötig, meinte W. E. Schäfer, damit die Tradition von Monteverdi bis Orff nicht abreiße. Erbe verpflichtet. Wenn die Komponisten ihr Brot woanders gefunden haben, ist es sehr schwer, sie dem Theater zurückzugewinnen. Sie seien längst entmutigt, sagte Henze 1975.

Zwei Auftragswerke pointieren die Auflösungstendenzen der Gattung: erstens Mauricio Kagels Destruktion und Parodie, welche die Bühnenillusionen desillu-sionierend ausstellte: *Staatstheater* (April 1971), zweitens die licht- und raum-dynamische Revue mit Tanz- und Stripeinlagen: *Kyldex I* (Februar 1973) von Nicolas Schöffler und Pierre Henry. Bei Kagel standen die Mittel eines Opern-hauses im Zentrum, Schöffler ging noch einen Schritt weiter: er stellte Medien der Audiovision aus, die musikalische Leitung geschah am Mischpult.

Kagel, der sein eigener Regisseur war, schickte die Partitur blattweise nach Ham-burg. Liebermanns Dramaturgin Irmgard Scharberth hat das Abenteuer beschrie-ben, das daraufhin begann: »Die Blätter enthielten sehr klein geschriebene Noten auf nur einem System und darunter Silben oder einzelne Buchstaben. Die Blätter für die Chorsänger sahen etwas bunter aus: Lustig hin- und herschwankende Li-nien, die offenbar die Notenköpfe miteinander verbanden, belebten das Bild eben-so wie etwa grafische Kurven, in den kleinsten Amplituden oszillierend, unter denen dann Silben wie »Vö Rö – Tö Pö Tö« oder »Vö Vö« zu lesen waren. Es ist nur zu verständlich, daß nach Eintreffen der ersten Blätter dieses Studiermaterials eine Palastrevolution auf dem Intendanten-Trakt der Staatsoper ausbrach. Der Studienleiter, der die Solo-Proben für Solisten und Korrepetitoren einzuteilen hat, und der Chordirektor waren die ersten. Dann kamen die Solisten. Der Chor schickte seinen Vorstand. Und es trat in der 14jährigen Amtszeit dieses Intendan-ten der höchst seltene Fall ein: Der Intendant war perplex. Er hatte selbst in seinem Leben viele klare und auch kleine Noten geschrieben, hatte die Grafik einer Penderecki-Partitur zu dechiffrieren, ihre aleatorischen Abschnitte zu lesen verstanden. Aber interpretieren, wie aus 120 solcher Blätter jemals ein Chor von 60 Sängern werden sollte, das konnte er nicht. Nach einem Telefonat mit dem Komponisten stellte sich heraus, daß diese Sänger nicht im Chor, sondern alle einzeln, solistisch singen sollten. Bei dieser Eröffnung brach der bewährte, zuverlässige Chordirektor Helmut Fellmer zusammen.«

Es wurden 1100 Chorproben abgehalten. Sieben Wochen lang wurde täglich 16 Stunden lang probiert. Das Ergebnis kann man eine Schule des Hörens und Sehens nennen. In der Unterstufe namens »Repertoire« wurde ein instrumentales Kompendium vorgeführt (Zimbeln, Rasseln, Hupen, Holzbein, Nachttopf ...). Im zweiten, vokalen Teil namens »Ensemble« (»Musik für 16 Stimmen«) erklangen Phoneme, wurden die Stimmenfächer der Opernliteratur parodiert. »Saison«, der dritte Teil (»Sing-Spiel in 65 Bildern«), bestand weitgehend aus Vorführungen traditioneller Opernrequisiten, »als sei das Arsenal der Großen Oper wahnsinnig geworden« (Scharberth).

In *Kyldex I* sollten Raum, Licht, Zeit »an sich« hervortreten. Ein Schau- und Hörspiel ohne »Handlung«. Statisten und Tänzer agierten zwischen »Lichttürmen« und in einem Spiegelprisma. Die Bewegungsabläufe wurden von »Störfaktoren« unterbrochen. »Der Mensch, der als handelndes Wesen auf der Bühne ausgespart bleibt, wird ›life‹ im Zuschauerraum erfaßt und einbezogen in den theatralischen Vorgang: eine Fernsehkamera richtet sich auf die Parkettreihen. Die Zuschauer konnten sich sogleich auf Bildflächen in Großaufnahme selbst sehen« (Scharberth).

Kyldex I wurde zum Stadtgespräch, alle zehn Vorstellungen waren ausverkauft, Abonnenten, die von ihrem Umtauschrecht Gebrauch gemacht hatten, versuchten, ihre Karten rückzutauschen. Kagels *Staatstheater* wurde in Hamburg neunzehnmal gegeben und einmal als Gastspiel in der Bayerischen Staatsoper gezeigt.

Lichttürme von Nicolas Schöffler hatten schon als Dekor für Gian Carlo Menottis Weltraum-Oper für Kinder »und solche, die Kinder lieben« gedient: eine Auftragsarbeit *Hilfe, Hilfe, die Globolinks*, die zum ersten Mal in Szene ging, als »Apollo 8« zur Fahrt um den Mond startete (21. Dezember 1968). Diese Besucher von einem anderen Planeten sind ansteckend: jeder Mensch, der einen Globolink berührt, wird zum Globolink. Er verliert sein Sprechvermögen, hüpft und gleitet zu elektronischer Musik von Tonband. (Die »irdische« Musik kam wie gewohnt aus dem Orchestergraben).

Die *Globolinks* tauchten 1973 in Nürnberg wieder auf, während einer »Woche des zeitgenössischen Musiktheaters«, die auch Schönbergs *Moses und Aron* und Nonos *Intolleranza* enthielt sowie drei Werke des Südkoreaners Isang Yun, der musikalisch und in den von Harald Kunz bearbeiteten Sujets asiatische und europäische Eigenarten ansprechend zu verbinden weiß. Isang Yun war zwei Jahre lang auch ein politischer »Fall«, nachdem der südkoreanische Geheimdienst ihn im Juni 1967 aus West-Berlin entführt hatte. Er wurde wegen angeblicher Spionage zu lebenslänglicher Haft verurteilt, im Frühjahr 1969 jedoch freigelassen.

Während dieser Nürnberger Musikwoche wurden sechs Projekte von vierzig vorgestellt, die ein Wettbewerb erbracht hatte. Der Engländer Jolyon B. Smith bekam die Chance, mit dem Nürnberger Musiktheater eine Oper zu erarbeiten. Die von ihm eingereichte Arbeit wurde im April 1975 in Bielefeld uraufgeführt: *Cuchulains Tod* nach dem gleichnamigen Drama von William Butler Yeats.

Schlecht steht es um die deutsche Weltanschauungsoper, eine Gattung, die in der Gegenwart nur drei bedeutende Komponisten kennt: Hans Pfitzner, Paul Hindemith und – mit Abstand – Paul Dessau. Eine Gattung, welcher der Geist der Zeit immer fremder geworden ist. Die drei aus dem vorigen Jahrhundert überkommenen deutschen Nationalopern zeigen merkwürdigerweise alle drei ein Prüfungs-Ritual: *Zauberflöte, Meistersinger* und *Freischütz*. Allerdings meinte Pfitzner, die Hauptperson des *Freischütz* sei »der deutsche Wald im Sonnenglanz«.

Von Pfitzner hat sich nur *Palestrina* gehalten, von Hindemith ist die Kepler-Oper *Die Harmonie der Welt* untergegangen, nur in Bremen und Gelsenkirchen ist sie der Bayerischen Staatsoper nachgespielt worden. Hindemith hat sich in Gegensatz zu Schönberg gestellt, praktisch und auch theoretisch, wie seine *Unterweisung im Tonsatz* lehrt.

In der auf umakzentuierte Tradition bauenden DDR, die auch dem Nationalbewußtsein ein gepflegtes Plätzchen einräumt, wird die Nationaloper noch gesucht. Zwei Jahrzehnte nach der Verhinderung von Eislers *Faust*-Oper konnte die Staatsoper Unter den Linden eine neue zeigen: Ende 1974 wurde *Sabellicus* von Rainer Kunad uraufgeführt. Kunad ist ein virtuoser Praktiker, der alle gängigen Techniken beherrscht. Als langjähriger Leiter der Schauspielmusik am Dresdner Staatstheater geht er in der Schule der Geläufigkeit ein und aus. Als sein eigener Librettist zog er das *Faust*-Volksbuch, die Tagebücher von Leonardo da Vinci, Marlowes *Faust*, Nekromantisches und noch allerlei anderes heran. Man kann die Hauptfiguren identifizieren: Sabellicus alias Faust läßt sich vom Kanzler oder Teufel kaufen, doch sagt er sich los, als er erkennt, daß der von ihm ersonnene Staudamm die Bauern ruiniert. Er wird umgebracht, kann aber im Kerker seinem Schüler Sebastian sein Testament zustecken, wie Galilei dem Andrea die *Discorsi*. Mit einem chorischen Hoffnungslied endet das Werk, das in der Einstudierung von Harry Kupfer, ebenfalls Dresden, mit Anstand, doch nicht mit mehr über die Runden kam.

Mehr Bedeutung hat Paul Dessaus *Einstein*-Oper, von deren Musik schon die Rede war. Sie wurde ebenfalls 1974 an der Staatsoper uraufgeführt, das Libretto des Lyrikers Karl Mickel stellt sie zu den Bemühungen um die deutsche Weltanschauungsoper.

Mehr szenische Kantate als Oper ist das von dem Eisler-Schüler Günter Kochan vertonte Libretto von Erich Neutsch *Karin Lenz*. Die von zwei Chören kommentierte Handlung folgt einer wahren Begebenheit: Karin hat in den letzten Kriegstagen »in sinnloser Verhetzung« ihr Baby umgebracht und sich selber zu töten versucht. Sie überlebt mit Hilfe »der Russen«; ein ehemaliger KZ-Häftling, inzwischen Funktionär, setzt sie als Kindergärtnerin ein. Nach erneuter Verstrickung durch den Klassenfeind gehen ihr endlich die Augen auf.

Im Herbst 1973 debütierte Ernst Hermann Meyer als Opernkomponist, er hat wie Kochan bei Eisler gelernt, aber auch bei Hindemith, der nur zehn Jahre älter als Meyer gewesen ist. Nach einem von Günther Deicke wunschgemäß eingerichteten südafrikanischen Roman machte Meyer eine große Oper *Reiter der Nacht*, eine Tragödie der Apartheid.

Auch unter Hans Pischner, Intendant seit Januar 1963, vorher stellvertretender Kulturminister, noch vorher Musikprofessor, pflegt die Ostberliner Staatsoper das Ensemble sowie das klassische und romantische Repertoire, hinzu kommt die dort wenigstens behördlich bedankte Mühe um Zeitgenössisches. Nur ausnahmsweise kommt es zu groben Verzerrungen zwecks Distanzierung von Ursprung und Herkunft eines Werkes, wie beim *Rosenkavalier* in der Inszenierung von Erhard Fischer, der die Noblesse von Strauss und Hofmannsthal zerstörte, indem er das maria-theresianische Wien auf der Bühne hartnäckig, aber unstimmig destruierte.

»Es ist zweifellos unsere Aufgabe, das klassische Operngut wiederzubeleben, und zwar durch die Aufführungsform«, sagte Günther Rennert 1955, damals noch Intendant der Hamburgischen Staatsoper. Rennert hat sein damals formuliertes Rezept für den Opernspielplan von 1967 an als Intendant der Bayerischen Staatsoper beibehalten: 50 % klassische Werke, 20 % ausgefallene Klassik (beispielsweise *Deidamia* von Händel) und 30 % zeitgenössische Musikdramatik.

Opern inszenatorisch retten zu wollen, deren Libretti und womöglich auch deren Partituren überaltert sind, bleibt problematisch. Infolgedessen schrumpft das Repertoire. Man kann diesen Prozeß bremsen, aber nicht stoppen. Joachim Herz, seit 1959 Operndirektor in Leipzig, äußerte 1974, er habe den Eindruck, daß »Tiefland« nun gestorben sei. Andererseits gebe es Ausgrabungen und Neuentdeckungen wie *Rusalka* von Dvořák, *Katja Kabanowa* und *Das schlaue Füchslein* von Janáček. Das Repertoire bezifferte Herz »großzügig gerechnet« auf 60 bis 80 Werke. Die Dresdner Staatsoper hielt Mitte der zwanziger Jahre 70 Opern verfügbar. Die Frage nach dem Repertoire wurde 1971/72 an der Deutschen Oper Berlin mit »60« beantwortet. 30 Opern bildeten den Kern, 30 könnten dazukommen. Der Spielplan 1975/76 wies 66 Opern und 31 Ballette aus. Die Bayerische Staatsoper nannte 1975/76 ähnliche Zahlen. Rennert hinterließ Liebermann 41 Opern und 13 Cho-

Mozart, Die Hochzeit des Figaro. Bayerische Staatsoper München. Regie: Günther Rennert (Foto: Sabine Toepffer, München)

reographien, Liebermann hinterließ Everding 53 Opern und 25 Choreographien, allerdings musterte Everding dann etliches aus. Im November 1975 kam das ganze Repertoire ins Wanken, weil mit dem Magazin in Barmbeck, das Staatsoper, Schauspielhaus und Thalia-Theater gemeinsam benutzten, die Ausstattung von 34 Opern verbrannte.

Die Düsseldorfer »Deutsche Oper am Rhein« bezifferte ihr Repertoire 1975 auf 60 Opern und 25 Ballette. Kontinuität wird dort nicht zuletzt als Treue zum Arbeitsplatz definiert. Ein Großteil der Führungsmannschaft von Grischa Barfuß, der 1964/65 in Düsseldorf den nach Zürich gehenden Hermann Juch ablöste, ist immer noch beisammen. Als Barfuß gegen Ende seiner zehnten Spielzeit zur Premiere von Donizettis *Liebestrank* seine Loge betrat, empfing er eine Ovation des Publikums. Er hatte gerade wieder einmal ein Angebot fortzugehen ausgeschlagen.

»Zyklische« Aufführungen wurden üblich, in denen weniger beliebte Opern von den beliebten mitgeschleppt wurden, zum Beispiel die Mozart-Zyklen in Düsseldorf 1969/70 mit *Titus* und *Idomeneo*, 1971/72 mit *Mitridate*. Rossinis *Barbier von Sevilla* kommt *Graf Ory* zu Hilfe. Ein Zyklus »Schöpfer der Neuen Musik« (1965/1966) machte aus der Not eine Lockung. Es wird systematisch versucht, Unbekanntes aus der Frühzeit der Oper (Cavalieri, Cavalli, Monteverdi) und Untergegangenes aus dem 19. Jahrhundert (Massenets *Don Quichotte*, *Fausts Verdammnis* von Berlioz) zu revitalisieren. In der Spielzeit 1969/70 begann mit *Jenufa* ein Janáček-Zyklus, der 1976/77 mit dem *Totenhaus* endete, in Planung und Ausführung ein heutzutage seltenes Beispiel für Kontinuität (Inszenierung von Bohumil Herlischka, Bühnenbilder von Ruodi Barth).

Ende Oktober 1972 setzte sich die Kölner Oper für Verdis *Stiffelius* ein, im Februar 1975 wurde in Bielefeld die älteste erhaltene Oper in deutscher Sprache überhaupt gezeigt: *Seelewig* von Sigmund Theophil Staden, uraufgeführt 1644 in Nürnberg. Damals bezeichneten Staden und sein Librettist Georg Philipp Harsdörffer ihr Werk allerdings als *Das geistliche Waldgedicht oder Freudenspiel, genannt Seelewig*, mit einer »Gesangsweise auf italienische Art gesetzt«. Die auf Melodie und Baß beschränkten Vorlagen mußten neu orchestriert werden, für Spinett, Gambe, Geigen, Blockflöten, Fagotte und Posaunen. Ein schlichtes Singspiel um den guten Ruf einer Nymphe.

Der Musikschriftsteller Kurt Honolka hat viel getan, um die Spielvorlagen zu vermehren. Im Laufe der Jahre hat er etwa fünfzig Opern durch Übersetzung und Bearbeitung für deutsche Theater spielfähig gemacht, fast alle wurden tatsächlich aufgeführt. Eine Inszenierung oder einige wenige Einstudierungen lohnen freilich die Mühe nicht. Auf einen Erfolg zehn Nieten – so umriß Honolka das Arbeitsergebnis von mehr als zwanzig Jahren. Er begann 1952 mit unbekannten Werken von Smetana, inzwischen hat er den ganzen Smetana eingebracht, die *Verkaufte Braut* war der größte Erfolg. Überhaupt zog er diesen Kulturkreis, in dem er geboren ist, vor. Von Janáček bearbeitete er *Schicksal*, von Dvořák den *Dimitrij* und *Der Jakobiner*. Den Bemühungen, die Musik unangetastet zu lassen, aber auch den Fluß der Sprache zu wahren, widersetzen sich besonders die tschechischen Wortakzente. Sie liegen nämlich jeweils auf der ersten Silbe und verführen im Deutschen zu Synkopen. Am schwersten sei Janáček zu übertragen, weil dessen Melodik dem tschechischen Sprachmelos genau entspreche, erläuterte Honolka.

Er verjüngte auch Webers *Euryanthe*, kurierte Verdis *Zwei Foscari*, renovierte Rossinis *Tell*. Schuberts opera semiseria *Alfonso und Estrella*, deren Libretto eine schwächliche Variante von Shakespeares *Sturm* ist, machte er unter Zuhilfenahme anderer Musiken von Schubert zu einer liebenswürdigen, auf Shakespeares Märchen fußenden synthetischen Schubert-Oper. Man kannte bisher nur die Ouvertüre – als Ouvertüre zu *Rosamunde*. Und den Mittelteil der letzten Arie Prosperos als *Täuschung* in der *Winterreise*. Aber das hatte schon Schubert adaptiert. Eine wohlgefällig aufgenommene Schubert-Uraufführung, Februar 1958 in Stuttgart.

Im Juni 1974 wurde in Bremen der Versuch des Regisseurs Nikolaus Lehnhoff und Hans Magnus Enzensbergers gezeigt, die unbefriedigende Kombination aus Singspiel, Rettungsoper und Oratorium namens *Fidelio* zu korrigieren. Wieland Wagner hatte in Stuttgart, Ulrich Melchinger in Kassel, Kurt Horres in Wuppertal, Joachim Klaiber in Kiel schon derartige Versuche gemacht. In Bremen ging man am weitesten: man verzichtete gänzlich auf die Dialoge. Josef Greindl trug vier Prosagedichte von Enzensberger vor. Sie sagten das Nötigste über den Handlungsverlauf und boten Sentenzen über die Idee des *Fidelio* und der Oper überhaupt. Am Schluß kam Greindl aus dem Parkett auf die Bühne und sang den Minister.

In Bremen wurde 1975 das Opernrepertoire auf 23 Werke beziffert. In Frankfurt am Main hatte die Oper 1975 35 Werke verfügbar. Je ärmer das Institut, um so mehr muß es sich auf das Gängige beschränken, um so anfälliger ist es auch für die andere Auszehrung, die am Repertoire nagt: die gesetzliche Reduktion der Arbeitszeit. Nur die wenigen großen, reichen Opernhäuser können das Erbe noch einigermaßen zusammenhalten. Ob wirklich alle parat gehaltenen Inszenierungen vorzeigbar sind, das ist nicht einmal sicher. Gewiß gibt's auch Vorräte im Magazin, die man mitzählt, aber lieber nicht mehr ans Licht bringt. An der Zürcher Oper wird das Repertoire auf 25 Werke beziffert, jeweils 10 Neuinszenierungen, plus 15 Werke in der Hinterhand. Die Neuzugänge werden rasch durchgespielt, nach einer aus dem Vorrat gespeisten Zwischenzeit kommen sie wieder und werden dann je nach Qualität, Zuspruch, Besetzungsmöglichkeiten zurückgestellt oder beseitigt. Dieses Verfahren hat Claus Helmut Drese bei seinem Amtsantritt im Herbst 1975 als »Halbstagione« zum Prinzip gemacht.

Als der Dirigent Fritz Busch (gest. 1951) im Ruhestand auf seine Laufbahn zurückblickte, da meinte er, das Repertoiretheater schicke sich zum Sterben an. (Allerdings hatte Gustav Mahler es schon für tot erklärt, und zwar im Jahre 1907, als er die Wiener Hofoper aufgab und die ›Met‹ übernahm.) Fritz Busch beobachtete die vermeintliche Agonie des Repertoiretheaters mit Genugtuung, da er es als Nährboden der Mittelmäßigkeit ansah. »Gewiß, vieles hätte ich vermeiden oder besser machen können; das Wesentliche war jedoch nicht zu ändern und wird es nicht sein, bevor die Opernschlösser nicht eingerissen sind und neues Leben aus den Ruinen blüht.«

Das reimt sich auf die Erklärung von Pierre Boulez im September 1967, es sei zwar die »eleganteste«, freilich auch teuerste Lösung, die Opernhäuser in die Luft zu sprengen. Von den Einwänden zweier Gesprächspartner (*Spiegel*-Redakteure) befeuert, disqualifizierte er Henze, Blacher, die Literaturoper, den Opernbetrieb in West und Ost (»Glauben Sie denn, daß es jetzt noch kommunistische Länder gibt?«) und die bürgerliche Gesellschaft. »Die Oper ist mit einem muffigen Schrank zu vergleichen. Doch es gibt Gott sei Dank nur noch eine Stadt, und das ist Wien, wo das Opernhaus noch das Zentrum des Geschehens ist – eine Reliquie, ein gut gepflegtes Museum.«

Boulez, der 1946 bei René Leibowitz die Dodekaphonie erlernt hat (wie Liebermann 1940 bis 1945 in Ascona bei Wladimir Vogel), will nur Alban Bergs Opern gelten lassen. Er hat außer Bergs *Wozzeck* immerhin auch Debussys *Pelleas und Melisande* dirigiert, 1966 in Bayreuth den *Parsifal* und im Sommer 1976 den *Ring*. Der von Boulez als oberflächlich bezeichnete Henze gab (provoziert vom *Münchner Merkur*) in gleicher Münze heraus: »Der calvinistische Einzelkämpfer, Geschmackspächter und petit bourgeois Boulez interessiert mich nicht. Seine Bierkutscherpolemik hilft nicht weiter, es helfen nur Antifaschismus und geschichtliches Denken, also Bescheidenheit und Entwicklung von Kunstverstand, Studium von Befreiungsakten und wenn möglich das Schreiben neuer Werke.«

Liebermann akzeptierte (in der Tageszeitung *Die Welt*) die Aufgabe, ein Museum zu leiten. Solche Opernmuseen hatte Richard Strauss schon 1945 für Großstädte gefordert, analog zu den Arsenalen für bildende Kunst, »quasi eine permanente Ausstellung der größten Werke der Literatur in erstklassiger Ausführung, in immerwährender Probenarbeit auf der Höhe gehalten, ohne daß täglich gespielt wird, mit dem besten Künstler- und Orchestermaterial, das nicht durch Belästigung mit minderwertigen Werken zwischendurch immer wieder verdorben ist«. Für Spielopern wünschte Strauss ein zweites Haus, in dem »auch sorgfältig geprüfte, nicht bloß aus Uraufführungsehrgeiz angenommene, Personal unnötig belastende Novitäten« zu zeigen wären sowie Teile von früheren, »für uns heute unerträglichen Opern wie ›Macbeth‹, ›Luise Miller‹, ›Sizilianische Vesper‹« als Potpourris. Eine dritte Bühne könnte dann alles nicht allzu Aufwendige zu billigen Preisen bieten, meinte Strauss.

Von der zweiten Hälfte der sechziger Jahre an war oft die Rede von der Musealität der Oper, aber nicht mehr im positiven Sinne. Tadel und Resignation griffen um sich. Inszenatorische Wiederbelebungen schienen jedenfalls einmal einen Stil zu ergeben, den Neorealismus, Mitte der sechziger Jahre. Damit war vor allem der Inszenierungsstil Gustav Rudolf Sellners gemeint, der zur Spielzeit 1961/62 Generalintendant an der Deutschen Oper in West-Berlin geworden war. Als Modelle galten die Ur-Inszenierung des *Jungen Lord* von Henze (April 1965) und Verdis *Maskenball* (1965/66). Sellner, als Opernchef erst recht auf der Suche nach archetypischen Bildern, wollte beim Inszenieren der großen Opern des 19. Jahrhunderts die »Aushöhlung« der Epoche und die »ungeheure Gefahr«, die sie in sich birgt, zeigen. (*Der junge Lord*, nach einer Parabel von Hauff, hat dies zum Thema, spielt um 1830 in einer deutschen Kleinstadt des Biedermeier, wo man einen abgerichteten Affen verhimmelt.) Freilich erkannte das Publikum angesichts der prunkvollen Fin-de-siècle-Inszenierungen im höchstdotierten deutschen Opernhaus kaum die immanente epochale Kritik, sondern sah »Feste des Aufwands«. Als »neorealistisch« galten in der Spielzeit 1965/66 Otto Schenks *Così fan tutte* in Frankfurt und Helmuth Matiaseks *Macht des Schicksals* in Hamburg, es gab sogar Rückdatierungen: Wieland Wagners *Meistersinger* von 1963 und Rennerts Ur-Inszenierung von Egks *Verlobung in St. Domingo* (November 1963). Auch hier war es der Stoff, der die Zuordnung bewirkte: Sklavenaufstand auf Haiti zu Anfang des 19. Jahrhunderts.

336 Verteidigung der Oper

Wirklich deutlich abzulesen und nicht nur eine Sache des Hineinlesens war der Realismus der Bühnenbilder. Für Egks Oper lieferte Teo Otto ein vom Dschungel umringtes massives Mordhaus aus Eisen. »Es stinkt nach Blut, wunderbar«, lobte der Regisseur. Es gelang den Bühnenarbeitern nicht, es zu verschrauben, Pioniere der Luftwaffe aus Fürstenfeldbruck mußten helfen.

In Walter Felsensteins Arbeit gab es im Laufe der Jahre viele Spielarten des Realismus: den sozialen in *Carmen*, wo die Zigarettenarbeiterinnen schwitzend und schmutzig aus der Fabrik kamen; Figaro und Susanne im Klassenkampf; und sogar im *Freischütz*, wenn ausgemergelte Bauern die opulente Fürstentafel mit hungrigen Augen betrachteten. Pittoresken Realismus in der *Verkauften Braut*, wo die böhmischen Bauern echtes Heu gabelten. Ironischen im *Vogelhändler*, wo Felsenstein eine lebendige Sau über die Szene hetzte. »Taminos und Paminas verbrannte Kleidung nach der Feuer- und Wasserprobe stellte beschreibende Theatermittel prinzipiell in Frage«, fand der Meisterschüler Götz Friedrich. »Unvergeßlich bleibt die Sturmszene am Anfang von ›Othello‹: Entfesselte Naturgewalt wirkt auf die Menschen ein und springt von ihnen über in den Zuschauerraum. Anders die Natur im ›Schlauen Füchslein‹, dem vielleicht zauberischsten Regie-Poem Felsensteins: nicht realistische Abbildung, sondern Mikrokosmos der Welt, traumhaft komponierte Natur-Demut.« Und Friedrichs Resümee daraus: »So besagt ›realistisch‹ schließlich nichts anderes als die Überzeugung, daß Musiktheater etwas mit der Wirklichkeit zu tun hat und verständlich in sie wirken muß.«

Wie auch der Realismus alterte, konnte man an Wiederbegegnungen mit der mittlerweile 22jährigen *Carmen*-Inszenierung und der 14jährigen *Hoffmann*-Einrichtung ablesen. Joachim Kaiser fand *Carmen* 1972 in Berlin »auftrumpfend, virtuos, affektiert, unspontan, herzlos und seelenfern«. Gerhard Brunner empfand 1972 den in Wien vorgezeigten *Hoffmann* als theatergeschichtliche Darbietung. Man fand in Wien, »daß Felsensteins Leute, von einigen wenigen Ausnahmen abgesehen, einfach nicht gut genug singen«. Zuschauer buhten, Kritiker höhnten: Felsensteins berühmteste Inszenierung sei »Bluff«, eine »Legende«, entlarve sich selbst.

Während der Periode heftiger Regie-Experimente zog Felsenstein sich immer mehr auf Werktreue zurück. Zuletzt inszenierte er wieder Sprechstücke, wie in seiner Jugend: *Wallenstein* in der Spielzeit 1972/73 im Münchener Residenztheater, das *Käthchen von Heilbronn* 1973/74 im Burgtheater. Seine letzte Inszenierung, sein dritter *Figaro*, der zweite im eigenen Hause, stand ganz unter der Vorherrschaft des Wortes, wieder in eigener Übersetzung aus dem Italienischen, getreu dem Grundsatz, deutsch singen zu lassen. »Prima le parole – dopo la musica!« – da war der »*Capriccio*-Streit« wieder einmal entschieden.

Anfang Oktober 1975 ist er gestorben, 74 Jahre alt, ohne einen Nachfolger designiert zu haben. Der aussichtsreichste, Götz Friedrich, arbeitete inzwischen als Oberspielleiter an der Hamburgischen Staatsoper. In seinem Nachruf auf den Meister setzte er vier skeptische Fragezeichen, je eins hinter die vier Glaubenssätze Felsensteins: den Glauben, daß »Humanisierung des Bühnengesangs« zur gesellschaftlichen Humanisierung führen werde, daß das Ensemble, speziell der Chor, jedenfalls nicht der Solist, die Idee des Musiktheaters bewahre, daß Musiktheater ein kostbares Instrument der Selbstverwirklichung sei und daß die Komische Oper die geistige Isolation bannen könne, indem sie Ostberliner Volkstheater zu Welttheater qualifizieren könne. »All dies schließlich eine Utopie?« – Im April 1976 wurde der Leipziger Operndirektor Joachim Herz zum Intendanten der Komischen Oper berufen.

Sellner und Rennert emeritierten, Sellner 1972 und Rennert 1976, keiner von beiden ein Prinzipienreiter, obwohl man Sellner dafür gehalten hatte. Als er nach elf Jahren Berlin verließ, standen 29 Inszenierungen von ihm auf dem Spielplan, eine davon, die *Entführung*, seit seinem Amtsantritt. Er hat das Haus konservativ geführt, mit Neuem wenig Glück gehabt, gar keins mit *Montezuma* von Roger Sessions, *Atlantida* von Manuel de Falla, *Amerika* von Roman Haubenstock-Ramati. Doch er war an seinem Haus der beste Regisseur, und er hat sich für die Uraufführungen im allgemeinen persönlich eingesetzt. Das Ballett tanzte nebenher, blieb trotz seiner Qualität unintegriert. Sellner hat Carl Eberts Hinterlassenschaft erneuert und lebendig gehalten, der Marktlage entsprechend mit einer Fülle von ausländischen Sängern, überwiegend amerikanischen. 1963 berief Sellner als neuen Generalmusikdirektor den jungen Lorin Maazel. Zusammen mit Maazel und in der Szenerie des österreichischen Bildhauers Fritz Wotruba gelang Sellner der erste bedeutende *Ring* außerhalb von Bayreuth. Sellner kehrte zum Schauspiel, der Gattung seiner Anfangsjahre, zurück, auf der Suche nach einer neuen philosophisch arbeitenden Gruppe, wie sie einst in Darmstadt um ihn gewesen war. Neugier hatte ihn – nach eigener Aussage – zur Opernregie getrieben.

Günther Rennert hat überwiegend Werke der Moderne inszeniert, vor allem während der fast zehn Jahre, die er – zwischen den Intendanzen in Hamburg und München – als freier Regisseur tätig war, davon rund zwei Dutzend in Stuttgart, in Idealkonkurrenz mit Wieland Wagner.

W. E. Schäfer setzte die beiden formelhaft gegeneinander ab: Wagner »ließ ein Stück zu sich kommen und formte es nach seinem Prinzip. Günther Rennert, beweglich, ging zu einem Stück hin und versuchte, aus jedem das werkeigene Prinzip zu entwickeln. Wieland Wagner ging in der Arbeit mit den Sängern auf Stilisierung

Ligeti, Aventures & Nouvelles Aventures. Kammertheater der Württ. Staatstheater. Szen. Uraufführung 1966. Regie: Rolf Scharre. – William Pearson, Marie-Thérèse Cahn, Gertie Charlent (Foto: Werner Schloske, Stuttgart)

aus, Günther Rennert auf Psychologie und Farbigkeit. [...] In unserem Ensemble waren die beiden wie zwei Pole, zwischen denen in der Fluktuation das entstand, was andere (nicht wir) den ›Stuttgarter Stil‹ nannten.« Eine Gruppe von ›Modernen‹ bildete sich heraus: Lore Wissmann, Anja Silja, Margarethe Bence, Gerhard Stolze, Carlos Alexander. Martha Mödl erweiterte ihr klassisches Repertoire, Fritz Wunderlich sang den Tiresias in Strawinskys *Oedipus Rex*, Josef Traxel den Tiresias in Orffs *Antigonae*.

Generalmusikdirektor Hans Gierster in Nürnberg versucht, Schauspielregisseure als Inszenatoren für Opern zu gewinnen, um die erstarrte Gattung zu beleben. Hans Neuenfels regierte im Dezember 1974 seine erste Oper, den *Troubadour*, Hansgünther Heyme inszenierte im Juli 1975 Alban Bergs *Wozzeck*. Peter Palitzsch hat ebenfalls zugesagt, in Nürnberg seine erste Oper zu inszenieren. Auch Ulrich Brecht, Hans Hollmann und Werner Düggelin haben für das Nürnberger Musiktheater gearbeitet, wenn auch dort nicht ihre ersten Opern inszeniert. Auch Christoph von Dohnányi verjüngt die Opernregie mit neuen Kräften: Volker Schlöndorff, Paul Vasil, Klaus Michael Grüber, Ekkehart Grübler, Peter Mussbach.

Tatsächlich ist es die Premiere, die neue Sicht auf ein Stück, die Leben ins Theater bringt. Aber die Zahl der Premieren geht zurück, die »Produktionszwänge« verringern das Angebot. Nur noch die großen Häuser in Berlin, München, Hamburg und Wien, die für die ganze Opernwelt Bedeutung haben, halten ein siebentägiges Angebot pro Woche aufrecht. Im Herbst 1975 blieben die Musiktheater in Frankfurt, Nürnberg, Köln, Kassel und Karlsruhe in der Regel an zwei Tagen der Woche geschlossen, das Opernhaus in Wuppertal noch etwas öfter. Der Montag hat sich als Ruhetag durchgesetzt, man füllt ihn nach Möglichkeit mit Konzerten oder Gastspielen. Wo »Großes« Schauspiel und Oper sich in die Bühne teilen, ist das allabendliche Angebot leichter aufrechtzuerhalten, das Stadttheater in Bonn hält aber trotzdem seine »Ruhetage«.

Austausch kann ausgleichen, aber lokaler Ehrgeiz hält ihn immer noch in engen Grenzen. Die Städte wollen ihr »Gesicht wahren«. Der erste Austauschplan wurde zwischen der Pariser ›Grande Opéra‹ und der Mailänder ›Scala‹ gemacht, für das Jahr 1976. Je drei Inszenierungen sollen von Paris nach Mailand, drei andere sollen von Mailand nach Paris reisen. So kann trotz gestiegener und weiter steigender Kosten das bisherige Angebot quantitativ und qualitativ aufrechterhalten bleiben. »Wir wahren alles«, kommentierte Liebermann sarkastisch, »bloß nicht das Gesicht.« Gerade diese »Gesichter« sind in den letzten zwei Jahrzehnten einander immer ähnlicher geworden, dank der Ubiquität der Regisseure, Bühnenbildner und Darsteller und des begrenzten Repertoires. Der Technische Direktor der Hamburger Staatsoper hat geprüft, welche Opernhäuser im deutschsprachigen Gebiet dieselben Dekorationen verwenden könnten. Ergebnis: Wien, München und Berlin haben hinreichend ähnliche Bühnenmaße.

Mitte der siebziger Jahre gibt es in der Bundesrepublik 45 Theater, die ständig Opern produzieren, und noch einmal so viele in der DDR. In Österreich sind es 11 und in der Schweiz 8. Es besteht praktisch Übereinkunft, daß dieser Besitzstand sich nicht halten lassen wird. Für das Jahr 2000 prognostizierte Günther Rennert: »Die großen Opernhäuser sind längst Mehrzweckräume geworden, in denen Opern nur noch einige Wochen jährlich stattfinden.«

Warten auf Parteibeschlüsse

Nachdem die Berliner Mauer das letzte Loch in den Grenzen der DDR geschlossen hatte, fanden sich kaum noch Auswege, darum kaum noch Abwege. Dennoch gab es eine neue Sünde wider den Geist oder einen neuen Namen für sie: Revisionismus. Die Kampagne erreichte 1962 ihren Höhepunkt. Sie polemisierte gegen versöhnliche Ansichten wie: man könne auch vom Bürgertum lernen, müsse den Sozialismus »vermenschlichen«, ökonomische Probleme ökonomisch statt ideologisch lösen. Unter anderen kam auch der inzwischen 74jährige Herbert Ihering ins Schußfeld. Er hatte weiterhin Premieren in Ost und West besprochen, »als ob es nicht zwei Welten wären, die sich gegenüberstehen«, tadelte die Jugendzeitschrift *Junge Welt*. Eine Leserzuschrift an den *Theaterdienst* meinte, spätestens nach dem 13. August und der Rede Ulbrichts auf dem 14. Plenum hätten »alle humanistisch gesinnten Kulturschaffenden« sich »von den Illusionen befreien« können, »daß ein Wandern zwischen den Welten, eine individuelle Schiedsrichter- und Vermittlerfunktion möglich sei«. Im Jahre 1963 wurde der Zwischenweltler Ihering mit dem Doktortitel honoris causa getröstet.

Im Juni 1962 forderte der Minister für Kultur (und Zensur) Hans Bentzien während einer »Intendantenberatung« »Eigeninitiative«. Jedes Theater solle jedes Jahr mit einem Autor ein neues Stück entwickeln. Foren sozialistischer Dramatik, auf denen Autoren allerdings spärlich vertreten waren, dienten von 1961 bis 1965 dem Erfahrungsaustausch. Viele Projekte blieben stecken, obwohl das Ministerium und die Bezirkskassen zuschossen, der Rest – dreißig Uraufführungen in der Spielzeit 1962/63 – variierte die bekannten Schemata. *Theater der Zeit* teilte Ende 1962 mit, es würden jährlich 6,14 Mark pro Kopf aus dem Staatshaushalt für die Theater ausgegeben. Der Dramatiker Horst Sakowski schrieb in der Magdeburger *Volksstimme*, jeder Theaterplatz sei 1962 mit 9,44 Mark subventioniert, in Ost-Berlin sogar mit mehr als 20 Mark.

Sakowskis Volksstück *Steine im Weg* wurde mit 17 Inszenierungen die erfolgreichste Novität der Saison 62/63. Thema war die durch Liebeskonflikte komplizierte Verwandlung einer landwirtschaftlichen Produktionsgemeinschaft mit Privatvieh (Typ II) in eine ohne (LPG III). In der Spielzeit 1963/64 erreichte diese Problematik mit 321 Vorstellungen die Spitze der Statistik. Das zweitbeste Stück der Spielzeit 1962/63, acht Inszenierungen in anderthalb Spielzeiten, war *Der Millionenschmidt* von Horst Kleineidam, einem »schreibenden Arbeiter«. Der ehemalige Zimmermann war einer der wenigen, die der Aufforderung der Ersten Bitterfelder Konferenz (1959) »Greif zur Feder, Kumpel!« erfolgreich nachgekommen waren. Am Beispiel einer Maurerbrigade wurde die Interessenkollision zwischen Übererfüllung der Arbeitsnormen um der Prämien willen und der wünschenswerten Qualität dargestellt.

Peter Hacks hatte dieses Thema schon schärfer an einem Konflikt zwischen einem Braunkohlenwerk und einer Glasfabrik ausgearbeitet. Nach vierjährigem Hürdenlauf gelangte *Die Sorgen und die Macht* (dritte Fassung) im Oktober 1962 endlich auf die Bühne. Bentzien hatte auf dem zweiten Forum, Mai 1962 in Rostock, ausdrücklich erklärt, Schwierigkeiten beim sozialistischen Aufbau und die Entwicklung des »neuen Menschen« dürften durchaus geschildert werden, es komme nur »auf den parteilichen Standpunkt des Autors an«. Doch der neue Hacks verschwand bald nach der Premiere auf Beschluß des »Theaterkollektivs«. Das Stück zeige nur »mechanischen Materialismus«. Hacks hatte das Milieu im Braunkohlenkombinat ›Schwarze Pumpe‹ studiert und daraufhin ein zu düsteres Bild gezeichnet. Er verlor 1963 seinen Posten als Hausautor und Dramaturg am Deutschen Theater, sein Chef Langhoff wurde gemaßregelt. Die Kulturabteilung des Zentralkomitees warf allen, die wie Hacks Qualität oder Quantität, also nicht beides gleichzeitig, für möglich hielten, »ideologische Schwäche« vor. Eine Passage wie diese mußte die Linienwächter hart ankommen: »Kollegen, Kommunismus, wenn ihr euch / Den vorstellen wollt, / Dann richtet eure Augen / Auf, was jetzt ist, und nehmt das Gegenteil; / Denn wenig ähnlich ist dem Ziel der Weg.«

Die Maßregelungen nahmen aber zivilere Formen an: der im Herbst 1963 von Wolfgang Heinz (bis dahin Leiter der Volksbühne) abgelöste Langhoff konnte als Regisseur und Darsteller weiterarbeiten, er blieb Vizepräsident der Akademie der Künste und Professor, diesen Titel hatte er zum 60. Geburtstag geschenkt bekommen. Inzwischen war er schon im Pensionsalter und dreifacher Nationalpreisträger. (Er starb im August 1966.) Auch Hacks verlor nicht das Brot, nur das Amt. Ohne ihn zu nennen, aber an seine Adresse erklärte Ulbricht auf der Zweiten Bitterfelder Konferenz im Mai 1964: »Manche Künstler haben die Beschlüsse der I. Bitterfelder Konferenz über die Verbindung des Schriftstellers zur Arbeit etwas schematisch aufgefaßt. Aus der Kenntnis der Einzelheiten der menschlichen Probleme im Produktionsprozeß entsteht noch kein Kunstwerk.« Es war eine bremsende Rede, der Machthaber hatte Sorgen, Liberalisierungstendenzen könnten das System gefährden. Er warnte, den »Zweifel als Motor des Fortschritts« anzusehen und widersprach der These, es gebe »Entfremdung auch im Sozialismus«. *Die Sorgen und die Macht*, inzwischen ein Titel ohne Stück, blieb als beziehungsreiche Formel im Gespräch.

In der Spielzeit 1964/65 wurden von den fünfzig Schauspielbühnen statt der fünfzig »eingeplanten« Gegenwartsstücke nur vierzehn uraufgeführt. Von diesen fanden nur fünf die Zustimmung der Partei und der Kritik. Vier davon hatten vorwiegend wirtschaftliche Problematik, bei deren Lösung Konflikte entstanden, die im Sinne der Partei gelöst wurden. In *terra incognita* von Kurt Barthel besiegen mitteldeutsche Petrochemiker westdeutsche Saboteure. In *Seine Kinder* von Rainer Kerndl führt ein Landrat seine Adoptivkinder auf den »rechten Weg des Sozialismus«. In *Barbara* von Harald Hauser werden in einem Ostberliner Elektrizitätswerk an der Sektorengrenze angesichts des Mauerbaus Vorzüge und Nachteile beider Systeme diskutiert. In *Katzengold* von Horst Salomon löst ein Grubenbrand Konflikte und läutert Charaktere. Obwohl der Autor, ein ehemaliger Wismut-Kumpel auf dem »Bitterfelder Weg«, das Milieu genau kannte, fand das »Beraterkollektiv« die Sache »unrealistisch« und »übertrieben«. In schier endlosen Debatten zwischen dem Kollektiv (Autor, Regisseur, Personal des Geraer Theaters, ein Vertreter der Bezirksleitung, der Parteisekretär der Wismut AG, der Chefdramaturg des Henschelverlages, der Bühnenbildner des Berliner Ensembles, der Kulturchef der Zeitung *Volkswacht*), Bergbaubrigaden und Testpublikum wurde Szene für Szene umgeschrieben. Der Autor Salomon wurde zum Schluß nach seinen Erfah-

341 Warten auf Parteibeschlüsse

rungen gefragt und antwortete, die Entwicklung von Kunstwerken werde »mehr und mehr ein kollektiver Prozeß«. Man solle »nirgends mehr erst das fertige Werk diskutieren. [...] Diese Freiheit, zum Nutzen und Wohle des Volkes zu wirken, haben Künstler und Schriftsteller in unserer Republik ohne jede Einschränkung. Die federführenden Lakaien der westdeutschen Burgeoisie verstehen selbstredend unter ›künstlerischer Freiheit‹ etwas ganz anderes – nämlich ihre ›Freiheit‹, das freie Spiel der Kräfte zur Verwirrung, Irreführung und Verhöhnung des Volkes.« *Katzengold* war mit 241 Vorstellungen das erfolgreichste Schauspiel der Saison 1964/65.

Ein mißliebiges Bodenreform-Drama wurde im Oktober 1965 an der Volksbühne uraufgeführt und bald abgesetzt: *Moritz Tassow* von Peter Hacks. Der Autor hatte es ins Jahr 1945 datiert und im hintersten Mecklenburg lokalisiert. Nach triumphalem Premierenerfolg und säuerlicher Zustimmung im Parteiblatt *Neues Deutschland* wurden die ideologischen Einwände immer massiver. Man benutzte dabei den beliebten Trick, politische Unbotmäßigkeit als Kunstfehler anzuprangern. Auch als »sozialistische Moral« propagierte Prüderie kann dienlich sein: beim 11. Plenum des Zentralkomitees Ende 1965, das erneut einen harten Kurs beschloß, wurden ein paar Deftigkeiten im *Tassow* als »rüpelhafte Obszönität« bezeichnet. Zwei Kommunisten, welche die Bodenreform einleiten sollten, gefielen den Ideologen am wenigsten. Auf Tassows Frage »Warum machen Sie niemals den Kommunismus mit den Klugen?« winkt der eine ab: »Unsichere Leute.« Der andere, ein Apparatschik, erklärt am Schluß, der »neue Mensch« zu sein. Benno Besson hatte diesen Befehlsausführer optisch ins Unrecht gesetzt, indem er ihn seinen Triumph stockend von einem Zettel ablesen ließ. Tassow, der intellektuelle Schweinehirt, verkündet bei seiner Abdankung, er wolle Schriftsteller werden. »Das ist der einzige Stand, in dem ich nicht verpflichtet bin, kapiert zu werden, oder Anhänger zu haben.« Mitte Januar 1966 erklärte *Neues Deutschland*, man habe die Notwendigkeit erkannt, »gemeinsam mit dem Autor das Stück teilweise zu überarbeiten«. Es blieb verschwunden, tauchte aber im Februar 1967 in Wuppertal auf. Hacks zog sich von der aktuellen Thematik zurück und modelte erprobte Stoffe um: *Die schöne Helena* (1964), *Polly* (1965), *Amphitryon* (1968).

Freilich sahen Agrardramen gewöhnlich anders aus: Uneinsichtige, egoistische Bauern, schwankend zwischen einem schurkischen Großgrundbesitzer und einem die Kollektivierung betreibenden vernünftigen Außenseiter. Zur Verfeinerung gehörte, daß die Partei zögerte und erst spät die fortschrittlich Denkenden mit ihrer Autorität stützte. Hacks zog der Einreihung unter die beflissenen Konfektionäre zeitweilige Schwierigkeiten vor. »Je begabter einer ist, desto hilfloser wird die Gesellschaft, die ja schon seine Vorzüge für Fehler ansieht, sich an seine Fehler klammern. Sie nimmt die Klaue des Löwen für eine mißratene Patschhand und besteht darauf, ihren Besitzer für einen Krüppel zu halten, bis er eines Tages dasteht, die Mähne schüttelt und brüllt.« Er schrieb das 1965 zum Lobe von Hartmut Lange, aber es fällt schwer, dies nicht auf ihn selber zu beziehen.

In der *Tassow*-Zeit hatten Hacks und Lange gleiche Ziele und Thematik, Langes politisch zweideutige Agrarkomödie *Marski* wurde in Potsdam geprobt, als der Autor über Jugoslawien nach Westdeutschland entwich. So fand die Premiere im August 1966 in Frankfurt am Main statt. Dieser Großbauer Marski, ein Abkömmling des Gargantua und des Puntila, bekennt sich recht verquer zur Kollektivierung: »Ich bin doch nicht blöd, und gebe meinen Appetit für meine Kühe hin und werd der Sklave meiner Sau. Eher treib ich sie zu euch und mach mir einen Feiertag! [...] Ich sterbe nicht am eignen Vieh. Eher teil ich's auf und eß es in Gesellschaft!« Hacks lobte, Marski werde nicht umgezogen, »wie es in vielen traurigen Stücken und Vorfällen geschieht, wo einer am Ende ein guter Sozialist ist und kein Mensch mehr«.

Die Foren sozialistischer Dramatik wurden 1965 aufgegeben, das 11. Plenum des ZK der SED löste neue Grundsatzdebatten aus, ein Intendantenseminar beschloß die Gründung eines Verbandes der Theaterschaffenden, der im Dezember 1966 unter Vorsitz von Wolfgang Heinz erstmals tagte. Was und wer immer auch angestellt wurde, die Theaterbesucher wurden langsam, aber sicher immer weniger. In der Spielzeit 1965/66 waren es keine 12 Millionen mehr. Daraufhin entschloß sich das Kulturministerium im Einvernehmen mit dem Finanzministerium und der Gewerkschaft Kunst zur Leistungsfinanzierung. Sie wurde am 28. April 1966 im Gesetzblatt verkündet. Erfolgreiche Werbung, Entwicklung sozialistischer Werke, hervorragende Inszenierungen, gesellschaftliche Arbeit, rationelles Arbeiten wurden fortan finanziell belohnt. Einen Teil der Einsparungen (je nach Ausmaß) zwischen 30 % und 70 % durften die Theater zurückbehalten. Bei Uraufführungen sozialistischer Bühnenwerke konnten aus dem Kulturfonds pro verkaufte Eintrittskarte 15 Pfennig, bei erstaufgeführten Werken 10 Pfennig beantragt werden. Falls ein nachgespieltes Werk eine »neue Qualität« erreichte, konnte das Ministerium die Inszenierung als Uraufführung einstufen. Walter Ulbricht bekräftigte im April 1967 auf dem 7. Parteitag: »Mit ökonomischen Hebeln müssen die vorwärtsweisenden Tendenzen in der Kultur- und Kunstentwicklung bewußt und systematisch gefördert werden.«

Die »ökonomischen Hebel« bewirkten nicht viel. Drei Spielzeiten hindurch kamen etwa eine halbe Million mehr Zuschauer, dann sank die Zahl wieder. In der Spielzeit 1970/71 betrug sie 12,3 Millionen, das bedeutete einen Schwund von 5,6 Millionen gegenüber dem Höchststand von 1956. Im gleichen Zeitraum verloren die westdeutschen und Westberliner Bühnen 1,8 Millionen Zuschauer. Das beste Jahr in der Bundesrepublik kam allerdings drei Jahre später als in der DDR, vom Höchststand aus gerechnet schrumpfte die Zahl der Theaterbesuche in der Bundesrepublik um 2,5 Millionen. Das wäre immer noch ein weniger als halb so großer Verlust in doppelt so viel Theatern, bei 3,6mal mehr Einwohnern allerdings. Bezogen auf die Einwohnerzahl ist die DDR immer noch »theaterfreudiger« als die Bundesrepublik; der Schwund verteilt sich aber weniger und fällt darum mehr auf.

Von der Bundesrepublik aus gesehen, bedeutet das ziemlich rasche Nachlassen des Theaterbesuchs in der DDR nur eine Normalisierung; das Theater hat in der DDR jedoch eine so große kulturpolitische Bedeutung, daß ein derartig starker Verlust der Zuschauergunst als bedenkliches Signal erscheint. Dabei stieg die Zahl der Theater (1963: 89, 1973: 112), somit auch das Platzangebot. Die schlechte Zuschauer-Bilanz darf aber nicht nur als Kritik am Kurs gedeutet werden, denn Operette und Oper verloren mehr Zuschauer als das Schauspiel. Nebenher gaben 120 Arbeiter-, Bauern- und Laientheater fast 2 000 Vorstellungen vor 500 000 Besuchern.

Peter Hacks sonnte sich im Gefühl seiner Einmaligkeit; er wurde nicht rot davon, sondern blasser. Warf Begriffe hin, die kaum mehr als herausforderndes Spielmaterial waren: dialektischer Jambus, dialektische Dramaturgie; er warf das Pseudoproblem auf, ob es noch Tragik geben werde, wenn der Kommunismus Wirklichkeit geworden sein werde. Hacks vollendete 1966 eine manieristische Verskomödie um Margarete von Anjou, am tändelnden Hofe ihres mäzenatischen Vaters in Aix-en-Provence, racheschnaubend um den Verlust des englischen Throns. Sie stirbt vor Wut, als die Schweizer ihren Rächer aufgehängt haben, der Vater aber gibt ein Freudenfest, auf dem die Leiche der Tochter mittanzt, und unterzeichnet einen Friedensvertrag, wobei als Schreibunterlage ein Cellokasten dient, in dem die tote Tochter verstaut ist. Das ist verziert mit einem Bukett von literarischen, politischen, historischen, kunsttheoretischen Anspielungen. Die Uraufführung in Basel (*Margarete in Aix*, September 1969) vergagte das Konglomerat vollends. Ivan Nagel nannte es das wahrscheinlich schönste Theaterstück deutscher Sprache.

Hier war ein neuer Klassizist erschienen, der behauptete, gediegenes Handwerk sei eigentlich schon Klassik. Elitäres Theater, mit eingebauter Selbstverteidigung: »Der einfache Stil bildet ab, worüber man nicht nachdenken muß. Über das Leben aber muß man nachdenken, mithin ist der lebendige Stil der dunkle.«

Dem hochmütigen und ironischen Hacks, der mit Wörtern alles beweisen kann, erwuchs in dem ehemaligen Weggefährten Heiner Müller eine Gegenfigur. Auch Müller hatte Brechts knappe, aphoristische Diktion gelernt und war darüber hinausgewachsen, Hacks hatte schon 1961 Müllers Verstechnik gelobt, auch Müller hatte sich nach Schwierigkeiten mit den Kunstrichtern der Antike zugewandt. Schließlich schrieb er wie Hacks und Lange sein Herakles-Drama. Hacks, der Älteste und Rangälteste, konnte seins schon im Frühjahr 1970 aufführen lassen: *Omphale*. Des Herakles Ehrgeiz ist auf die Liebe zu Omphale geschrumpft, nach einigen Störungen gebiert sie Drillinge, und er steckt seine Mordskeule in die Erde, worauf sie zum Ölbaum wird. Das Zutrauen zu Hacks war so groß, daß man die Schwächen seiner kalligraphischen Schauspiele den westlichen Theaterverhältnissen zuschrieb: man empfinde seine Feinheiten vor allem als Kraftlosigkeit, verdeutliche darum zu leicht mit Mitteln, »die ihn durch Stärke umbringen« (Günther Rühle über *Margarete*). »Unmittelbarkeit und Artistik, zwei Qualitäten, die den Hacks-Stücken auf westdeutschen Bühnen noch nicht verschafft werden« (Horst Laube über *Omphale*). Aber als *Omphale* 1972, ein Jahr nach dem Regimewechsel Ulbricht/Honecker, vom Berliner Ensemble gespielt wurde, also an zuständiger Stelle im zuständigen System, fand Rolf Michaelis »kandierte Versbonbons«. »Nur Glasperlenspieler können die mythologischen Anspielungen, Sprachwitze oder metrischen Reize eines mitten ins Wort verlegten Zeilensprungs goutieren.« Ruth Berghaus habe die »Poesie auf Stelzen«, auf den »Kothurn der Ironie« gestellt. »Klassizismus, grau, kalt, tot.«

In Ost-Berlin bildeten sich zwei neue Parteien, die Hacks-Partei und die Müller-Partei. Neben Müller wirkte Hacks wie ein Alexandriner, neben Hacks wirkte Müller wie ein Arbeiter von echtem Schrot und Korn. Eine blutrünstige *Macbeth*-Version Müllers, 1972 in Brandenburg uraufgeführt, wurde Ziel einer Polemik von Wolfgang Harich gegen Müller, deren Schärfe sich allenfalls aus der Parteinahme für Hacks erklären läßt.

Müller wie Hacks stießen im Westen auf weniger Vorbehalte als daheim. Hans

Lietzau setzte sich für Müller ein, im Bayerischen Staatsschauspiel inszenierte er im Juni und Juli 1968 dessen Übersetzung von *Wie es euch gefällt* und die *Philoktet*-Bearbeitung: Philoktet, Odysseus und Neoptolemos in Halb-Masken, weißen wattierten Kostümen, als tragische Clowns im Zirkus des Schicksals. Als Lietzau die Barlog-Bühnen übernommen hatte, zeigte er zwei neue antikische Passionsgeschichten von Müller. Er inszenierte selber *Horatier* (1973) und ließ seinen Dramaturgen Erich Wendt 1974 *Herakles 5* einstudieren – die Ziffer weist auf die fünfte Herkules-Tat, die Ausmistung des Augias-Stalls. Ein *Prometheus* war in Zürich vorangegangen (1969). Ein Weststipendium, Teil des Hamburger Lessing-Preises, lehnte Müller ab. Hacks-Uraufführungen im Westen waren: in Mannheim 1961 *Das Volksbuch vom Herzog Ernst*, in Göttingen 1968 *Amphitryon*, in Basel 1969 *Margarete in Aix*, in Frankfurt am Main 1970 *Omphale*, in West-Berlin 1970 eine Bearbeitung von *König Heinrich IV*. In West-Berlin empfing Hacks 1971 den Kritikerpreis.

Als unter Honecker die Kulturpolitik liberaler wurde, gab es wieder Hacks- und Müller-Uraufführungen daheim. Eine witzig gedrechselte Adam-und-Eva-Komödie

Müller, Philoktet. Residenztheater München 1968. Regie: Hans Lietzau (Foto: Theater-Museum München)

von Hacks wurde in Dresden freundlich aufgenommen. »Unser Theaterpublikum ist gereift«, konstatierte die Lokalkritik und griff in die Kiste mit den positiven Klischees: großer Wurf, gültiger Erfolg, stürmisch gefeiert. Joachim Kaiser sah im Herbst 1973 die westdeutsche Erstaufführung in Göttingen und sprach von dünnem Lesedrama, das aber womöglich »drüben« provokanter wirke: Gott als aufgeklärter Souverän, der mit Routinebegeisterung nichts anfangen kann. »O nehmt zu Mitarbeitern nie Geschöpfe!«

Aus dem Lustspiel von O'Hara *Heiraten ist immer ein Risiko*, das 1963/64 das meistgespielte Sprechstück in der Bundesrepublik (340 Aufführungen) und in der DDR (280 Aufführungen) gewesen war, machte Hacks ein Libretto für Siegfried Matthus: *Noch einen Löffel Gift, Liebling?* Man hörte, daß Matthus Schüler von Eisler und Wagner-Régeny gewesen ist, man hörte auch Zwölftöniges und pfiffig verarbeiteten Offenbach, Rossini, Liszt und Strauss. Die Uraufführung in der Komischen Oper (April 1972) dehnte sich auf drei Stunden, das Werk mißfiel, Hacks schoß eine wilde Polemik gegen den Regisseur Götz Friedrich und die Komische Oper ab. Aber auch die zweistündige Fassung, einstudiert von Harro Dicks am Staatstheater in Darmstadt, wirkte matt.

Heiner Müllers Rückmeldung war die Premiere seiner Bearbeitung des Romans von Fjodor Gladkow *Zement*, im Oktober 1973 beim Berliner Ensemble, wo er Chefdramaturg ist. Gladkow beschrieb 1925, wie sich aus den neuen Verhältnissen neue Moral entwickelt. Ein heimkehrender Rotarmist findet eine inzwischen selbständig gewordene und sachlich denkende Frau vor. (»Geschändet? Bei wem ist die Schande? Ich kann mir jeden Mann abwaschen, es muß nicht mit Blut sein.«) Man fand das recht gewagt. In dem von Andreas Reinhardt stark stilisierten Dekor ließ Ruth Berghaus derb spielen.

Seit dem Sommer 1971 leitet Ruth Berghaus das Berliner Ensemble. Im letzten Lebensjahr der Weigel war sie deren Stellvertreterin gewesen, davor Choreographin am Deutschen Theater und am ›Theater der Freundschaft‹ in Berlin-Lichtenberg, dem führenden Kindertheater der DDR. Das erste Mal aufgefallen war sie am Schiffbauerdamm als Choreographin der sonst immer vernachlässigten Schlachtszenen in Shakespeare/Brechts *Coriolan* (1964). Sie füllten nur wenige Minuten, waren aber artistischer Höhepunkt (zu Lärmmusik von Paul Dessau) und dramaturgisch bedeutend: als Coriolan um die Stimmen der Plebejer wirbt, da erinnert ihre Gruppierung an die in der Schlacht.

Ruth Berghaus, nominell Regieassistentin beim Berliner Ensemble, führte Regie an der Staatsoper. Bis sie die Geschäfte der Weigel übernahm, hatte sie zweimal Brechts *Lukullus* und zwei Opern ihres Mannes Paul Dessau inszeniert (*Puntila* 1966, *Lanzelot* 1969), obendrein zweimal die Traditionalisten herausgefordert, mit einer an Brecht angelehnten *Elektra* und einem entzauberten *Freischütz*. Der Bühnenbildner war in beiden Fällen Andreas Reinhardt.

Daß Reinhardt zusammen mit Frau Berghaus auch West-Publikum herausfordern kann, das schon mehr erlebt hat, erwies sich im Herbst 1974 bei der Premiere des *Barbier von Sevilla* in der Bayerischen Staatsoper. Kaum war der Vorhang hochgegangen, da gab es Protest gegen das Bühnenbild. Bartolos Haus zeigte sich als Torso eines Riesenweibs. Graf Almaviva versuchte sich an dem Monstrum als Fassadenkletterer, gab aber leider schon am Oberschenkel auf. Rosina respondierte

Rossini, Der Barbier von Sevilla. Bayerische Staatsoper München. Regie: Ruth Berghaus. – Claes-Haakan Ahnsjö, Reri Grist (Foto: Winfried Rabanus, München)

unerreichbar zum linken Busen heraus. Nach dem ersten Bild verschwand das Monstrum auf Nimmerwiedersehn in den Schnürboden, man gelangte also zum zweiten Akt auf ungeklärte Weise hinein, nicht durch den natürlichen Ein- und Ausgang wie in Kassel 1966, wo Niki de Saint Phalle für eine »Lysistrate«-Version eine kommod liegende Riesin entworfen hatte: Stürmt die Festung Weib! Ruth Berghaus hatte 1968 in der Lindenoper den *Barbier* gefälliger inszeniert, in der Art einer Commedia dell'arte, im Dekor von Achim Freyer, der inzwischen für sie nicht mehr in Frage kam, da er die Front gewechselt hatte. Nun waren nur noch Almaviva, Rosina und Figaro Menschen geblieben, alle andern weiß verlarvt. Auf Hermann Prey als Figaro entlud sich der Beifall, der Frau Berghaus vorenthalten wurde.

Im eigenen Haus hatte Ruth Berghaus sich durch eine Pflichtübung empfohlen, den *Viet Nam Diskurs* von Peter Weiss, und durch eine heikle Kür, das anarchische Frühwerk Brechts *Im Dickicht der Städte* (Ende Januar 1971), wieder mit Reinhardt als Bühnenbildner. In jenen Jahren lieferten im Westen Brecht und Shakespeare einander ein Kopf-an-Kopf-Rennen:

1971/72 Brecht 1399 Aufführungen, Shakespeare 1311,
1972/73 Shakespeare 1413, Brecht 1331,
1973/74 Brecht 1286, Shakespeare 1276.

Im Osten war Brecht unterlegen, weil man sich an die früheren und späten Stücke nicht recht herantraute. Somit boten sie eine Chance, dem doppelt verwaisten Brecht-Theater das Odium des Museums zu nehmen. Ein Brecht-Museum wäre gar nicht so verkehrt gewesen, hätte es nicht das Brecht-Monopol beansprucht. Das werde »immer grotesker«, tadelte der Ostberliner Theaterprofessor Erich Schumacher in einem Ausblick auf die Spielzeit 1972/73, »da das Berliner Ensemble selbst höchstens zwei Inszenierungen pro Jahr bringen kann, dabei aber nicht nur Brecht berücksichtigen soll, und die führenden Theater [...] um die lebendige Auseinandersetzung mit Brecht in ihrer praktischen Arbeit gebracht werden.«
Image-Pflege: zum 75. Geburtstag des Stückeschreibers eine allzu heitere DDR-Erstaufführung von *Turandot oder Der Kongreß der Weißwäscher*, zum Jubiläum des Ensembles das Bekenntnis »Wir sind nicht denkbar ohne die DDR«, zum Staatsjubiläum eine pathetische Neuinszenierung von Gorki/Brechts *Mutter*. Eine Ernüchterung war das Wiedersehen mit *Arturo Ui* im Juni 1975 im West-Fernsehen, nach reichlich sechzehn Jahren: banal geworden.
Ausbruchsversuche: ekstatisches *Frühlingserwachen* (Wedekind), inszeniert von B. K. Tragelehn, von Einar Schleef in kaltes Weiß getaucht. Darauf eine Explosion der Ungeduld im Frühjahr 1975. Das Duo Tragelehn/Schleef unterwarf Strindbergs »naturalistisches Trauerspiel« *Fräulein Julie* einer Materialprüfung, die den Zerreißproben im Westen nicht nachstand. »Man wechselt die Rollen mit den Kopfbedeckungen. Man fällt ins Privatleben, kokettiert mit dem Publikum, reißt Witze und fängt plötzlich an, albern zu reimen (Jean: ›Während die Damen räsonieren, gehe ich rüber, mich rasieren‹). Man vertauscht die Geschlechter und ändert unvermittelt das Lebensalter. Man parodiert Zirkus, Oper, Tragödie, kirchliche Litanei, westliche Avantgarde, berühmte Schauspielerkollegen und den Stil des eigenen Hauses. Man spielt das vor, was einem gerade zu einer Szene einfällt. Man stillt wohl auch Nachholbedarf – gewiß dann, wenn man auf dem Programmzettel ankündigt ›Die Ballettszene wird von Schülern Berliner Oberschulen ausgeführt‹ und wenn diese Ballettszene dann eine gepfefferte Beatnummer ist in Jeans und T-Shirts« (Georg Hensel).
Es war eine gewaltsame Befreiung von erzwungenem Wohlverhalten. Die Kulturpolitiker und die Theaterkritiker nahmen das nicht leicht, das Berliner Ensemble wurde unisono verdonnert. Im Sommer 1975 hatte Andreas Reinhardt in Wien zu tun (für Felsensteins letzte Inszenierung, einen *Tasso*), er kehrte nicht mehr nach Ost-Berlin zurück. So einfach ist die Lösung des Problems nicht, zugleich einheimisch akzeptables und international attraktives Theater zu machen, zumal da das Kaputtmachen der Klassiker wegen der Unverbindlichkeit des Ergebnisses nur eine Phase der Entrüstung sein kann und im Westen auch nichts anderes gewesen ist.
Die Phase der Abbau-Ästhetik, der Zerstörungs- und Aversions-Inszenierungen dauerte in der Bundesrepublik etwa von 1967 bis 1973, von Zadeks *Maß für Maß* in Bremen bis zu Hans Hollmanns Stilpotpourris. Natürlich kann man sich auch in

der DDR des Eindrucks nicht erwehren, daß viele klassische Stücke nicht mehr »passen«. Man formuliert das dort allerdings ideologiekonform: unmittelbarer Zugang sei Zuschauern in einer sozialistischen Gesellschaft nicht möglich. Nachdem in der Spielzeit 1970/71 Manfred Karge und Matthias Langhoff eine *Räuber*-Fassung »für die Volksbühne« gezeigt haben, in der Karl als sentimental und nur privat interessiert hingestellt und Franz entschuldigt wurde, in der die Räuber politisch demonstrierten und Spiegelberg als der konsequente Anarchist erschien, da fragte der Schriftsteller Franz Fühmann besorgt: »Geht uns das klassische Erbe verloren? [. . .] Ich sehe diese Gefahr, und die Frage ist wirklich, was kann man machen, um zu Teilen des Erbes, die einfach wegzurutschen drohen, die Brücke wiederherzustellen, vor allem für die junge Generation.« Man fürchtet in der DDR, was den Theatern in der Bundesrepublik nach 1968 geschah: galoppierendes Nachholen einer eigentlich unerwünschten Entwicklung, welche Scherben hinterläßt, die nicht mehr gekittet werden können.

Die Volksbühne erwies sich als das probierfreudigere, lebendigere Theater und lief der »Brecht-Akademie« den Rang ab. Das ist vor allem dem Talent und der Unvoreingenommenheit Benno Bessons zu danken. Er ist spielfreudiger und phantasievoller. In der Ablehnung des Naturalismus und bei der Beseitigung der »vierten Wand« ist man sich aber am Schiffbauerdamm und am Luxemburgplatz einig. Besson hat 1958, zwei Jahre nach Brechts Tod, das Berliner Ensemble verlassen. Er inszenierte in Rostock, Frankfurt am Main und Stuttgart, für das Deutsche Theater Berlin erarbeitete er die Uraufführung von Strittmatters *Holländerbraut* (Oktober 1960), ein Jahr später kam er als Hausregisseur zu Langhoff. Von den sieben Arbeiten bei Langhoff haben drei Theatergeschichte gemacht: *Der Frieden* von Aristophanes in der Übertragung von Hacks (Oktober 1962), *Der Drache* von Jewgeni Schwarz in hausgemachter Bearbeitung (März 1965) und *Ödipus Tyrann* nach Sophokles und Hölderlin von Heiner Müller (Januar 1967).

Der Frieden wirkte wie ein Freiheitsrausch, ein Ausbruch von Sinnlichkeit, animalisches Fest, das wie eine Verheißung in die graue Welt der DDR wirkte. Nach der Premiere wurde eine Dreiviertelstunde lang applaudiert. »Die Leute begriffen, jetzt war es so weit, daß [. . .] Saufen, Fressen und so weiter als Teil ihres Lebens seine Berechtigung hatte« (Hacks).

Der Drache vermittelte die Botschaft, man müsse die Gesellschaft in Ordnung bringen. *Ödipus Tyrann* irritierte, war ein hochartifizieller Versuch, ein abgenutztes Urmodell wieder auffällig zu machen durch Steigerung der Gesten und Ästhetisierung der Erscheinungen. In allen drei Fällen wurde Brigitte Soubeyran als pantomimische Beraterin hinzugezogen, die Szenerie war jeweils sehr unterschiedlich: Bei Heinrich Kilger (*Der Frieden*) ironische Vereinfachung für den Flug auf dem Mistkäfer zum Olymp, um den Frieden zu befreien. (Parodie auf den Pegasus-Bändiger der griechischen Sage, Bellerophon, den Euripides auf dem Pegasus durch die Luft reiten ließ. Aristophanes erklärte, der Mistkäfer meine die Sophisten. Hacks machte daraus die Kritiker: sie fräßen nur bereits Verdautes.) – Für die Parabel vom Drachen entwarf Horst Sagert ein verschachteltes, enges Labyrinth, für *Ödipus Tyrann* hingegen drei Zeltbuden auf einem Podest, alles kahl und weiß. Berühmt wurden die exotischen Ledermasken, akribische Sattlerarbeit, durch Lasuren geschönt, die das Material und seine Zufälligkeiten ästhetisch zur

Shakespeare, Maß für Maß. Theater der Freien Hansestadt Bremen. Regie: Peter Zadek. Vorn: Edith Clever (Foto: Ilse Buhs, Berlin)

Sophokles / Hölderlin / Müller, Ödipus Tyrann. Deutsches Theater Berlin. Regie: Benno Besson. – Fred Düren, Horst Hiemer (Foto: Zentralbild / Hochneder)

Geltung brachte. Ödipus, hier deutsch »Schwellfuß« genannt, war ein Außenseiter, der sogar seine Verkrüppelung der stolzen Isolation nutzbar machte.
Kurz und gut: kein Schema, keine Formel, keine Serienproduktion, jede Inszenierung eine Neuerfindung; aufwendige, erfüllte Arbeit. Der künstlerische Gewinn bringt persönlichen Kredit und der DDR im Ausland politischen. Als Besson 1968 im Rahmen der Zürcher Junifestwochen *Ödipus Tyrann* zeigte, begründete er seinen Aufbruch aus der Schweiz vor damals zwanzig Jahren: die Entwicklungsmöglichkeiten für einen Theatermann seien in der Schweiz »gleich Null«. In der DDR seien die Schranken »wesentlich weiter gesteckt durch die Verhältnisse, die der Aufbau des Sozialismus schafft«. Theater sei in der DDR »Kristallisationspunkt für viele Aktivitäten«, »öffentliches Zentrum für verschiedene Künste, die es vereint, fördert und publik macht«. Der Starbegriff sei nicht mehr vorhanden, das Konsumdenken beseitigt. In der Schweiz dagegen sei das Theater organisiert in einer Unzahl von Vereinen, in denen Selbstzufriedenheit konserviert werde.
Freilich kann auch in der DDR der Spielraum sogar für Besson plötzlich eingeschränkt werden, wie die Beseitigung Moritz Tassows zeigte. Die *Moritz-Tassow*-Uraufführung im Oktober 1965 ist Bessons erste Arbeit für die Volksbühne gewesen, nicht nur ein politisches Ärgernis, sondern auch ein ästhetisches Vergnügen, nicht zuletzt dank des papierhellen, grafischen Dekors des Bildhauers Fritz Cremer. Auf dem 5. Kongreß des Verbandes Bildender Künstler im März 1964 hatte Cremer »eine Art 20. beziehungsweise 21. Parteitag auf dem Gebiet der Kultur« gefordert und den Begriff ›Formalismus‹ als fachlichen Terminus reklamiert – vergeblich. Zur Spielzeit 1969/70 wurde Besson mit der Volksbühne belehnt, die bald zum interessantesten Theater Ost-Berlins aufrückte.
Geradezu übermütig wirkten *Ensuite* (1973) und *Spektakel II* (1974), Simultanaufführungen im ganzen Haus, im ersten Jahr fünf, im zweiten gar dreizehn, die das Mausoleum am Luxemburgplatz schier platzen ließen. Es gab 1973 die mittelalterliche Farce *Der Furz*, Molières Posse *Der fliegende Arzt*, Rosenows *Kater Lampe*, André Müllers Groteske *Das letzte Paradies* (Zoodirektor läßt sich seine Tiere braten) und eine Debatte von Arne Leonhardt, die rasch ins Publikum übergriff: *Der Abiturmann*. Wie wird geprüft, schadet Charakter, nutzen FDJ-Mitgliedschaft und Anpassung? Im Jahr darauf ausschließlich aktuelle Kurzdramatik, geradezu großspurig ausgestreut. Am bemerkenswertesten der schon erwähnte *Schlötel* (von Christoph Hein) aus der Frankfurter Schule, Schlötel, der die DDR als Land der Verheißung ansieht und umlernen muß, sowie *Der Bauch*, ein Dramolett von Kurt Bartsch: eine Küchenmamsell erpreßt ihre Beischläfer, kommt zu einem Ämtchen und einem Häuschen und gebiert dann ein Sofakissen.
Auch in der Provinz bildeten sich Schwerpunkte, teils neue, teils die alten wieder. Anfang der siebziger Jahre wurden Ortsklassen eingeführt: drei Berliner Bühnen gehören zur Klasse A, dazu die Theater in Dresden, Leipzig, Halle, Weimar, Rostock und Karl-Marx-Stadt. Zur Klasse B gehören Magdeburg, Erfurt, Frankfurt a. d. O. und Gera. Der Rest ist Klasse C, das Berliner Ensemble aber S. Seitdem in Leipzig zur Spielzeit 1950/51 alle Theater unter einer Generalintendanz, Verwaltung und Dramaturgie zusammengefaßt worden sind, steht dort das größte Theaterkombinat Deutschlands. Bis dahin betrieb die Volksbühne Kammerspiele, die Gewerkschaften unterhielten eine Operettenbühne, die Stadtverwaltung führte

das ›Theater der jungen Welt‹ (für Kinder). Dies alles ging in den Verband der städtischen Bühnen ein, die damit auf 420 Darsteller und Tänzer, 590 Techniker und Hauspersonal und 19 Verwaltungsangestellte kamen. Erster Generalintendant war Max Burghardt, ihm folgte 1954 Johannes Arpe, 1958 kam Karl Kayser, vorher in Weimar, Mitglied des Zentralkomitees, vielfach ausgezeichnet; das Theater selber bekam den vaterländischen Verdienstorden in Gold. Eine *Faust*-Inszenierung Kaysers ist mit dem Nationalpreis gekrönt worden, zu den wichtigen Regisseuren gehört er nicht.

Von 1959 bis 1976 arbeitete Joachim Herz als Operndirektor in Leipzig. Dieses Haus gilt als zweites realistisches Musiktheater der DDR. Im ersten, nämlich in der Komischen Oper, gastierte er häufig, im Sommer 1975 inszenierte er sogar Alban Bergs *Lulu* (bisher als dekadent verschrien). Wenig überzeugend verhalf er dem Fragment zu einem pantomimischen Ende und Lulu zum Tode im Asphaltdschungel. Auch Herz sucht gesellschaftliche Konkretisierung, das Aktuelle im Historischen. *Don Giovanni* zeigte er 1962 als Sturm-und-Drang-Drama, den *Figaro* 1966 als Lustspiel auf dem Marktplatz einer Stadt, Ursache und Wirkung zugleich darstellend. Der *Frau ohne Schatten* nahm er 1965 die Mystik und gab ihr eine handfeste Fabel, der Schatten wurde zur Metapher für Glück. Alberich wurde 1973 von Herz als Industrieboß gedeutet, Loge als spöttischer Intellektueller zwischen Feudalherrschaft und Volk. Dieses sozialistische *Rheingold* folgte übrigens einer Idee von Shaw. »Wir gehen davon aus, daß es sich in der ›Ring‹-Tetralogie um klassenmäßige Vorgänge des 19. Jahrhunderts handelt, nicht etwa um Darstellung germanischer Mythologie.« Folgerichtig könnten Meyerbeers *Hugenotten* (Herbst 1974) ihre Bartholomäusnacht im Belfast von heute erleben. Daß Herz sich mit Meyerbeer abgab, zeigt einen Unterschied zu seinem Lehrer Felsenstein: Herz läßt auch Opern zu, deren Musik nicht durchaus dem »darstellerischen Ausdruck« dienen will. Zur Verdeutlichung seiner Absicht hat Herz eine Pantomime eingeschoben: die beiden Heere, die in Gottes Namen übereinander herfallen wollen, stehen einander gegenüber und rasseln wechselweise und immer wütender mit den Waffen. April 1976 erschienen Die *Hugenotten* frei nach Herz in Gelsenkirchen.

Bis Ende 1975 hatte Herz etwa 70 Opern inszeniert, jeweils zwei pro Spielzeit in Leipzig und eine an der Komischen Oper in Ost-Berlin, wo sich die Beziehungen für Auslandsgastspiele knüpften. Für Gastspiele blieb eine vierte Inszenierung, möglichst eine Wiederholung, zum Beispiel Janáčeks *Katja Kabanowa*, als Gesellschaftsdrama gedeutet, in Wien, nach Berlin und Leipzig. Ende 1974 hat Herz die Wiener mit ihrer Nationaloper geschockt, Mozarts *Zauberflöte*: nicht freimaurerisch-individualistische Lösung des Dualismus am Ende, sondern Menschlichkeit der ganzen Menschheit. Auch Christoph von Dohnányi am Pult schien distanziert, keine Feierlichkeit wie bei Böhm, kein Rausch wie bei Krips. Einige Buhs am Schluß – und noch einige dazu, als Herz vor den Vorhang trat und die Hand wie lauschend ans Ohr legte. Im Frühjahr 1976 hat Joachim Herz seine *Ring*-Deutung in Leipzig abgeschlossen, mit einer optimistisch ausklingenden *Götterdämmerung*: die überlebenden Menschen sinken einander freudig in die Arme.

Das Leipziger Opernorchester ist weltberühmt, als ›Gewandhausorchester‹, es wurde von 1949 an bis zu seinem Tode von Franz Konwitschny geleitet, ihm folgte 1970 Kurt Masur, zuvor Leiter der Dresdner Philharmonie. Wenn das Gewandhausorchester konzertiert, springt das Rundfunksinfonieorchester ein, allerdings nur für Spielopern.

Das andere Repräsentationsorchester der DDR ist die Dresdner Staatskapelle. Sie hat im Frühjahr 1975 unter der Leitung von Siegfried Kurz, Generalmusikdirektor seit 1971, zu einem folgenreichen Durchbruch beigetragen, zur ersten Aufführung von Schönbergs *Moses und Aron* im Ostblock. Beobachter kamen von weither, aus Prag, Leningrad und New York. Seitdem Otmar Suitner, der auch nicht zu den Genies zu rechnen ist, Generalmusikdirektor an der Staatsoper in Berlin wurde (1964), fehlt der Staatskapelle ein Dirigent, der es mit Keilberth (bis 1950), Kempe (bis 1953), Konwitschny (bis 1955) und Matačić (bis 1958) aufnehmen könnte.

Die Dresdner Oper hat die ruhmvollste Vergangenheit, inzwischen aber Mühe, neben Leipzig gesehen und gehört zu werden. Auch nach Dresden wirkte Felsenstein als Vorbild: Operndirektor Horst Seeger ist lange Jahre Chefdramaturg in der Behrenstraße gewesen. Oberspielleiter Harry Kupfer inszenierte Schönbergs *Moses und Aron* und im März 1973 *Levins Mühle* von Udo Zimmermann; der Bruder des Komponisten hatte Johannes Bobrowskis gleichnamigen Roman aus dem Westpreußen des Kulturkampfes und der Germanisierungspolitik aufbereitet. Suggestives Musiktheater wie von Schostakowitsch. Anläßlich des Gastspiels bei den Wiesbadener Maifestspielen 1975 bemerkte ein Berichterstatter in der agitatorischen Turbulenz Aleatorisches und Collagen.

Das Staatsschauspiel in Dresden hat sich unter dem auch politisch sehr aktiven, vielfach dekorierten Nationalpreisträger Hans-Dieter Mäde (1966 bis 1972) um das sozialistische Drama gemüht, der Nachfolger Fred Larondelle hält weiter zu Horst Kleineidam (1967 *Von Riesen und Menschen*, Generationskonflikt; 1975 *Hinter dem Regenbogen*, Bauernkrieg). Als Auftragsarbeit zum Staatsjubiläum ein schwächliches Arbeiterstück von Helmut Baierl, *Die Lachtaube*, vom Schauspieldirektor Hannes Fischer so realistisch wie möglich inszeniert.

In Rostock herrscht Hanns Anselm Perten, gebürtiger Hamburger, einst Schauspieler und Schriftsetzer, der 1946 in die SBZ ging. Seine 530 Leute produzieren pro Spielzeit elf Inszenierungen, vor allem für die 22 000 Abonnenten. Die Berliner Schlappe ist überwunden: innerhalb von sechzehn Monaten war Perten am Deutschen Theater als Nachfolger von Wolfgang Heinz gescheitert. Der cholerische General, Träger des vaterländischen Verdienstordens in Silber, und das selbstbewußte Ensemble kamen miteinander nicht aus. Dabei spricht Perten von Mitbestimmung. Seine Dramaturgen witzeln: »Verantwortlich ist der Intendant, Fehler machen wir alle gemeinsam.«

Der Rostocker Spielplan ist der interessanteste in der Provinz. Vor allem ist das den Westimporten zu danken; während der Ostseewochen ist Rostock ein Schaufenster der DDR, wie Leipzig zur Messe. In der Spielzeit 1973/74 wurde die Uraufführung von *Der Traum der Vernunft*, ein Goya-Drama von Antonio Buero Vallejo, gezeigt, Perten inszenierte, seine Frau Christine von Santen spielte die Doña Leocadia, Goyas Lebensgefährtin. Es geht um Terror in Spanien zur Zeit Ferdinands VII. »Er muß wahnsinnig sein, wenn er keine Angst hat«, heißt es von Goya. Tatsächlich zeigt er Symptome von Paranoia, er hört »Stimmen«, die dem Zuschauer vom Tonband zugespielt werden. Man soll die Vorgänge in Goyas

Kopf miterleben. Ein Arzt testet Goyas Gehör mit einer Glocke, die auch die Zuschauer nicht hören. Der Autor kam zu den Proben, er hatte einen spanischen Psychiater mitgebracht, die Rostocker hatten schon einen eigenen als Berater engagiert. »Unser Land leidet an einem riesigen Tumor«, sagt Goya, »und alle wollen wir unversöhnliche Chirurgen sein.« Im April 1974 gab es Nerudas Polit-Drama *Glanz und Tod Joaquin Murietas* als Erstaufführung für die DDR. Perten buchte Hochhuths *Lysistrate*, Albees *Virginia Woolf*, Fortes *Luther*, Weiss' *Mockinpott*. Große Theater in der DDR haben einen eigenen Devisen-Fonds.

Das Landestheater in Halle bekam unter dem Intendanten Gerhard Wolfram und dem Schauspieldirektor Horst Schönemann von 1966 bis 1972 großen Auftrieb. Beide kamen vom Maxim-Gorki-Theater Unter den Linden und gingen gemeinsam als Intendant und Oberspielleiter zurück nach Berlin, ans Deutsche Theater. Schönemanns letzte Inszenierung in Halle wurde auch seine erste in Berlin: die aufsehenerregenden *Neuen Leiden des jungen W.* von Plenzdorf. Für die Oper ist in Halle die Händel-Pflege maßgebend, für das Schauspiel der Chemiebezirk. Als das Duo Wolfram/Schönemann an das stagnierende Landestheater kam, suchte es sofort Kontakt mit dem Publikum. Textbücher wurden ins Buna- und ins Leuna-Werk geschickt, mit der Bitte um Lektüre und Diskussion. Die Erarbeitung der Bühnenfassung von Hermann Kants Roman *Die Aula* in zum Teil öffentlichen Proben und mit einem Team von Theaterleuten, Wissenschaftlern und Kritikern war 1968 die erste Kollektivarbeit. Das Bühnen-Feature *Anregung*, ausgehend von der Frage, was heutzutage revolutionär sei, ging 1969 einen Schritt weiter: auch die Texte sind kollektiv entstanden beziehungsweise montiert worden. Inzwischen folgte eine zweite *Anregung* für »Lehrende und Lernende«. Für geeignete Zuschauer sorgen nach Möglichkeit die Betriebsleitungen der Gewerkschaft: an die Stelle des traditionellen Abonnements und der Volksbühnen-Buchungen sind »Betriebs-Anrechte« getreten.

Zusammenarbeit zwischen Produzenten und Konsumenten, mindestens gegenseitig korrigierende Kontaktnahme, wurde damals in der DDR forciert, als »gesellschaftliches Auftragswesen«. Rolf Schneider zum Beispiel hat *Einzug ins Schloß*, seine als Komödie deklarierten Stimmungsbilder aus den Aufbaujahren der Erdölraffinerie in Schwedt, mit den dortigen Arbeitern diskutiert. Die Inszenierung wurde dann von »Genossen und Kollegen aus Brigaden des Petrochemischen Kombinats« begutachtet. Das Stück wurde Anfang Oktober 1971 während der Ostberliner Festtage uraufgeführt. Es ist arm an Information und Unterhaltungswert, aber es wirbt für den Staat, für die Arbeit zum Wohle des Staates, und es biedert das Theater dort an, wo es bisher noch keine Rolle spielte: in der ehemals verschlafenen uckermärkischen Residenz, die inzwischen zu einem Schwerpunkt der Industrie geworden ist, die 1946 6 000 Einwohner hatte und 1971 34 000. Diese junge Stadt hundert Kilometer östlich von Berlin erhielt ihre erste Verbindung zum Theater; anders gesagt, nämlich auf ostdeutsch: die Arbeiter in Schwedt haben ihen Anspruch auf Kunst geltend gemacht.

In Halle pflegt die Brigade ›Albert Einstein‹ beim Stammbetrieb des Kombinats Pumpen und Verdichter‹ Umgang mit dem Opernensemble, die Jugendbrigade Alexej Leonow‹ verkehrt mit dem Musical-Ensemble. Der volkseigene Betrieb Waggonbau Ammendorf‹ hat einen »Partnerschaftsvertrag« mit dem Landestheater geschlossen und einen »Maßnahmenplan« aufgestellt, um »die reichen Potenzen des Theaters zu nutzen und bleibende Bedürfnisse für das Theaterleben zu wecken und auszubilden«. »Betriebs-Theatertage« werden »durchgeführt«, zum Beispiel im Kombinat ›Pumpen und Verdichter‹, in der Volksarmee und in der Universität.

Die Komische Oper in Ost-Berlin zählt zur ›Gesellschaft der Freunde‹ auch »Kollegen« aus einem Wälzlagerwerk und einer Maschinenfabrik. Genossenschaftsbauern aus Wildberg im Kreis Neuruppin wurden bei der Entstehung neuer Inszenierungen ins Gespräch gezogen. Die Deutsche Staatsoper hat vielfältige Beziehungen zu Berliner Großbetrieben; Arbeiter der volkseigenen Firma Bergmann-Borsig schickten ihre Brigadetagebücher der letzten zehn Jahre als Anregung für aktuelle Libretti. Die im Oktober 1971 uraufgeführte Oper *Karin Lenz* von Günter Kochan und Erich Neutsch, ein Auftragswerk der Staatsoper, wurde bei der Entstehung von Berliner Arbeitern begutachtet. (Die Oper zeigt ein Nachkriegs-Schicksal, das von zwei Chören kommentiert wird.)

Es wird also ein Volksbegehren nach Theater lanciert, denn das Theater kann die schon weitgehend homogenisierte Gesellschaft weiter egalisieren, wenn es planmäßig als Führungsmittel eingesetzt wird. Anfang des Jahres 1971 beschloß der FDGB, intensiver mitzuwirken »bei der Entwicklung eines engen Verhältnisses der Werktätigen zur Theaterkunst und vielfältiger Beziehungen zwischen Arbeiterklasse und Theaterschaffenden«. Eine neue Gewerkschaftsfunktion wurde erfunden: Theaterbeauftragter. Das »Gesellschaftliche Auftragswesen« hat zwei Vorteile: es weckt das Gefühl der Partnerschaft. Dieses Gefühl mag die vergleichsweise große Beifallsfreude in der DDR erklären. Man ist bereit, über Schwächen hinwegzusehen, gewährt mildernde Umstände, denn man kennt die Arbeitsbedingungen selber. Außerdem mindert der neue Trend das politische und wirtschaftliche Risiko aller Verantwortlichen, vor allem des Autors, des Regisseurs und des Theaterleiters.

Ein Nachteil ist das Hineinreden kunstfremder Außenseiter. Ob Armin Müllers Schauspiel *Franziska Lesser* durch Mitarbeit von Chemiefaserwerkern aus Schwarza und Lehrern aus Kölleda künstlerisch besser wurde, ist fraglich. Was Angehörige der keramischen Werke Hermsdorf zur Neuinszenierung von *Don Giovanni* in Gera zu sagen hatten, ist noch dubioser. Qualitätsansprüche ästhetischer Art gelten nur noch bedingt. »Die ideologisch-künstlerischen Fragen haben daher bei der Partnerschaft von Brigade und Künstler eindeutig den Vorrang«, sagte ein Leitartikel der Wochenzeitung *Sonntag* vom 26. September 1971.

Das alles hat aber nur die Bedeutung einer offiziell gewünschten Gegenkultur Auch in der DDR werden Sinn und Zweck des Theaters diskutiert. Das seien doch nur »Probleme der spätbürgerlichen Gesellschaft«, meinte Kulturminister Hans-Joachim Hoffmann im Verbandsorgan *Theater der Zeit* (Januar 1975). Bei einer Befragung unter 2000 Betriebsangehörigen erfuhr *Theater der Zeit*, daß etwas mehr als die Hälfte ein- bis zweimal im Jahr ins Theater gehe, davon ein Dritte zwecks Geselligkeit, ein weiteres Drittel wegen der festlichen Atmosphäre; 20 %/ wollten nichts als Unterhaltung. Zähneknirschend spricht man von einer »My-Fair-Lady-Psychose«. Der Dramatiker Claus Hammel hat errechnet, daß 18 von den 43 neuen Stücken, die an den 60 Bühnen der DDR zwischen 1969 und 197: hervorgebracht wurden, nachgespielt worden seien. Nur sechs haben mehr als zehr

Inszenierungen erlebt. Daraus schloß Hammel, »daß die Atteste der Tageskritik und der ordnenden Wissenschaft ein bißchen außerhalb der Wirklichkeit zu akademisch-internen Belegstücken für die gesellschaftliche Relevanz vieler dramatischer Arbeiten geraten«.

Erich Honecker war noch kein Jahr am Ruder, da durfte man in Leipzig, Magdeburg und Berlin Volker Brauns Arbeiterstück *Die Kipper* aufführen, nach zehn Jahren des Verbots. »Die Freiheit nützt nur, wenn sie ausgenützt wird«, tönte es von der Bühne. Und »Wer hier vorwärts kommen will, der halte sich zurück!«. Und: »Dies ist das langweiligste Land der Erde.« Inzwischen hat Honecker Brauns *Kipper* kritisiert und die Zügel wieder angezogen. So geht es im Zickzack dahin, zwischen Tau- und Donnerwetter.

Mitarbeiter der Ostberliner Fachzeitschrift *Theater der Zeit* bezeichneten die Spielzeit 1973/74 als mager. In der Oper »Sorgen mit der Durchschnittlichkeit«, im Schauspiel die Neigung, Konflikten aus dem Wege zu gehen, »eine Art Wassertreten auf der Stelle«. »Auf dem Gebiet der sozialistischen Gegenwartsdramatik sind wir keinen Schritt vorangekommen.«

Im Laufe des Jahres 1975 muckten verschiedentlich Autoren gegen die Theaterpraxis auf. Rudi Strahl, Autor von Gebrauchsstücken, beklagte die Selbstherrlichkeit bei dramaturgischen Eingriffen, Peter Hacks schrieb, Herumorganisieren an der Kunst störe: »Warum soll man für die Dramatik sorgen, ist sie ein Krüppel?« Armin Müller kritisierte die perfekte »Disziplinierung« der Dramatiker durch konforme Kritik. Aber im Dezember 1975, beim dritten Theaterkongreß in Ost-Berlin, wurden wieder alle Meinungsverschiedenheiten und Kontroversen zugedeckt. Die quantitative Bilanz war gut: die Zahl der jährlichen Theaterbesucher bei rund zwölf Millionen »ziemlich« konstant, annähernd die Hälfte der Zuschauer sei jünger als dreißig Jahre, etwa die Hälfte aller Neuinszenierungen gälten der sozialistischen Gegenwartsdramatik.

Generationswechsel beim Ballett

Deutschland müßte eigentlich das künftige Ballettland sein; nach Italien, Frankreich, Rußland und England sei Deutschland ganz einfach »dran«. Das erklärte John Cranko im November 1960 Walter Erich Schäfer, nachdem er in Stuttgart das abendfüllende Märchenballett *Der Pagodenprinz* choreographiert und Schäfer ihm daraufhin die Leitung des Tanzensembles angetragen hatte. Schäfer schien es zu schön, um wahr zu sein, daß Cranko ohnehin nach Deutschland hatte kommen wollen, noch dazu aus diesem epochalen Grund. Denn die Lage war nicht sehr ermutigend. Zwar boten knapp zwanzig Theater regelmäßig Ballettabende, aber fast alle nur ein- oder zweimal im Jahr. Etwa 1 100 Tänzer beiderlei Geschlechts, mehr Damen als Herren, gab es in der Bundesrepublik. Fast jeder Zwanzigste durfte sich »Ballettmeister« nennen, so klein waren durchschnittlich die Gruppen. Sie waren auf mehr als 50 Theater verteilt und kamen großenteils über Operetteneinlagen nicht hinaus. Die Zahlen und Verhältnisse haben sich bis Mitte der siebziger Jahre kaum geändert. Hans Kresnik, der alle Welt aufregte mit seinen Polittänzen und der schnöden Behandlung der klassischen Überlieferung (von *Schwanensee AG* 1971 bis *Romeo + Julia* 1974), konnte pro Spielzeit in Bremen nur etwa ein halbes Dutzend Male vors Publikum.
Gerade in Stuttgart hatte das Publikum die Ballettarbeit bisher kaum honoriert. Allerdings hatte Nicholas Beriozoff mit Ballettklassikern russischen Stils von 1957 an allmählich Publikum gewonnen. Die Truppe war klassisch-akademisch gedrillt worden, Gisela Ehrhardt und Heinz Clauss waren von Eleven zu Solisten aufgestiegen, unter Cranko wurden sie namhaft.
Als der Südafrikaner Cranko vom Royal Ballet 1961 dem exilrussischen Vaganten Beriozoff folgte, wechselte der Stil in vorhersehbarer Weise, und die der Stuttgarter Compagnie vorangestellten Solisten kamen nun meistens aus London. Der Erfolg des Nachfolgers war zunächst nicht größer als der seines Vorgängers: Beriozoffs verstaubter *Giselle* (er selber dabei als Wildhüter Hilarion – ein tanzender Rübezahl) entsprach Crankos vermottete *Coppelia* (Juni 1962). Aber einen Monat später traute man seinen Augen kaum: Cranko hatte sich umgestellt, er hatte zwei Gaststars, Georgina Parkinson und Erik Bruhn, Ravels *Daphnis und Chloe* ganz persönlich auf den Leib geschneidert, und zu Weihnachten folgte Prokofieffs *Romeo und Julia*, ein Meister- und Musterstück der neubeseelten Truppe. »An diesem Abend entdeckte Stuttgart seine Primaballerina: Marcia Haydée, die man zwar auch vorher schon verschiedentlich gesehen hatte, die aber erst hier, gepartnert von Ray Barra als dem sehr passionierten, sehr virilen Romeo, ihre ganze tänzerische Kultiviertheit offenbarte, während sich Egon Madsen (als Graf Paris) hier klar als Stuttgarts kommender Danseur noble ankündigte« (Horst Koegler).
Keine vier Jahre vergingen, da diskutierten Ballettfreunde in ganz Europa staunend das »Stuttgarter Ballettwunder«. Mit zwei jungen Kollegen, dem Ballettmeister Peter Wright und dem Choreographen vom Royal Ballet Kenneth Macmillan, erarbeitete Cranko ein neues Programm, dessen Novum konzertante, handlungslose Ballette waren. Dazu kamen abendfüllende Handlungsballette, für die Cranko

John Cranko probt mit Marcia Haydée. Württ. Staatstheater Stuttgart (Foto: Hannes Kilian, Stuttgart)

Strawinsky, Jeu de Cartes. Württ. Staats-
theater Stuttgart 1965. Choreographie:
John Cranko. Egon Madsen als Joker
(Foto: Hannes Kilian, Stuttgart)

Stoffe wählte, die sich archetypisieren ließen, um verschiedene Schichten des Tanzes sichtbar werden zu lassen. »Und welche Formen erfand er dafür!« schwärmte K. H. Ruppel: »Wenn irgendwo, so erkannte man seine ›Handschrift‹ in den gewagten Hebe-, Wurf-, Schleuder-, Roll-, Schlüpf- und Kriechfiguren (und deren Kombinationen), die ein Maximum an artistischer und ästhetischer Perfektion von seinen Tänzern verlangten und aus denen er ebenso hochexpressive Zeichen tragisch zwanghafter Verstrickungen wie komisch rabiater Verknäuelungen zu ›bauen‹ wußte. Als Formerfinder setzte er auch in der ›großen Nummer‹ aller klassischen Ballette, dem Pas de deux, ganz neue Akzente, gab er den traditionellen Variationen wie im Augenblick aus der Individualität der beiden Partner entwickelte Spannungen und Konturen.« Die Stuttgarter Ballettwoche 1964 umfaßte acht Abende, fast alles Stuttgarter Creationen, man kam mit drei Gästen aus: Lynn Seymour, Margot Fonteyn und Rudolf Nurejew.

Das war kein Opernballett mehr. Aber es wurde eins gebraucht. So kam es 1970 zur Gründung eines Zweitballetts für Opern- und Operettendienst, ›Noverre-Ballett‹ genannt, nach Jean Georges Noverre, der Mitte des 18. Jahrhunderts in seinen »ballets d'action« den Körper zum Ausdrucksmittel und die Musik zur Dienerin gemacht hat. Sieben Jahre lang hat Noverre in Stuttgart gearbeitet. 1971 trat das Noverre-Ballett mit eigenem Programm hervor, es mußte die Stellung halten, wenn das große Ensemble auf Tournee war. Vor einer dreiwöchigen Reise in die Sowjetunion im Januar 1972 machte Cranko seinen Freunden Richard (Cragun), Birgit (Keil), Marcia (Haydée) und Egon (Madsen) ein choreographisches Geschenk: sie tanzten sich selbst in seinem Entwurf *Initialen R. B. M. E.*, nach Musik von Brahms. Es war weit mehr als eine Starparade, es war eine virtuose Spiegelung der Temperamente, jener vier, die am Schluß zu einer Freundesgruppe zusammentraten. Die Soli der vier Etoiles bekamen Relief von den Tänzern des zweiten und dritten Gliedes, so daß *R. B. M. E.* zur Visitenkarte des Stuttgarter Corps gedieh.

Crankos Erfolg ist auch psychisch und pädagogisch zu erklären, er weckte Corpsgeist und erzog seine Leute. Daß im Herbst 1971 die Ballettschule der Staatsoper durch ein Internat ergänzt wurde, war Frucht seiner Argumentation, die sehr schwäbisch klingt: »Man kann natürlich auch Stars für viel Geld einkaufen – wie eine Orchidee, die am nächsten Tag verwelkt ist. Besser ist es, die Pflanze selber zu züchten.« Leiterin der Ballettschule wurde Anne Woolliams. Manchmal half Cranko mit Druck nach, um die Position zu verbessern, dann wurden die Stuttgarter mit gezielten Indiskretionen erschreckt: Cranko gehe nach Berlin, nach München, nach London, nach New York. Im Herbst 1972 erzwang er eine Etaterhöhung um DM 200 000, indem er und Marcia Haydée mit Kündigung drohten. (Das Ballett hatte einen eigenen Etat und brachte im allgemeinen sein Geld wieder ein.)

Ende Juni 1973, auf dem Rückflug von einem Ensemble-Gastspiel in New York, erlitt John Cranko einen Herzanfall. Nach der Zwischenlandung in Dublin konnte nur noch der Tod festgestellt werden. Dieser Tod traf die Ballettwelt wie ein Schock. Er drohe, die deutsche Ballettszene zu zerstören, erklärte der Kölner Generalintendant Drese. Die Lücke sei überhaupt nicht zu schließen, sagte in München Staatsintendant Günther Rennert.

Cranko hat nur selten experimentiert, zwei Musikstücke von Bernd Alois Zimmermann choreographiert (*Die Befragung* und *Présence*); seine unvermutet letzte Arbeit *Spuren* (zu Mahlers »Adagio«) war umstritten. Aber aus seinem Team kamen zwei Tänzer, die sich als Neuerer zu Beginn der siebziger Jahre hervortaten: der Amerikaner John Neumeier und der Neuseeländer Gray Veredon.
John Neumeier war 1969 aus Stuttgart nach Frankfurt berufen worden. Dort krempelte er das Opernballett um. Neumeiers Truppe überzeugte als Team, es bildete sich eine Gemeinschaft, in der man fehlende Stars gar nicht vermißte. »Eine Equipe von bravourös tanzenden Schauspielern«, definierte Oskar Fritz Schuh. Er stufte Neumeier als Regisseur ein und stellte ihn den Schauspielregisseuren als Beispiel hin für die Erweiterung ihrer Bewegungsphantasie. Von acht Kritikern setzten sechs im Rückblick auf die Spielzeit 1971/72 Neumeier auf den ersten Platz. Als er im Herbst 1973/74 seine Arbeit an der Hamburger Staatsoper begonnen hatte, bekam sein Nachfolger Alfonso Catá aus dem Balanchine-Ensemble die Geschmacksveränderung deutlich zu spüren: sein buntes *Dornröschen*, gestützt von teuren Gästen, wurde ausgebuht.
Die Aufgabe, den Bestand an abendfüllenden Tanzgeschichten zu renovieren und zu erweitern, suchte Neumeier auf Crankos abgebrochener Spur zu lösen: Illustration durch tiefere Bedeutung zu ersetzen. Wer einmal mit so viel Aplomb aufgetaucht ist aus dem »Schwanensee«, kann und mag nicht zurück ins traditionelle Gewässer. Für die Münchner Ballettfestwochen 1973 hat er Tschaikowskys *Nußknacker* von seinem Infantilismus befreit durch eine vom eigenen Metier inspirierte Idee: neues Thema wurde die Erziehung eines jungen Mädchens zur Tänzerin. In diesem Fall lernte Marina Eglevsky tanzen – ein bezaubernder Spaß. Sie wurde »angelernt« von Heinz Bosl (in der Rolle des Kadettenoffiziers), der damals gerade zu Ruhm gelangte – und zwei Jahre später starb.
In Hamburg baute Neumeier auf Mahlers Dritter Sinfonie bei weitgehendem Verzicht auf Virtuosität das längste abstrakte Werk der Ballettgeschichte auf (110 Minuten). Es war Teil der Ballett-Tage im Frühsommer 1975, die in eine *Nijinsky-Gala* mündeten: viereinhalb Stunden lang beschwor Neumeier Nijinskys Leben und Werk in Wort und Bild, der große Tote wurde leibhaft vertreten durch ein Tanzwunder dieser Tage, Michail Barischnikow. Im Jahre 1974 dem Kirow-Ballett in Leningrad entlaufen, tanzt er nun Nurejew den Rang ab.
Im Frühjahr 1974 hat Neumeier den Gegensatz von Prunk und Werkstatt thematisiert in dem Doppelporträt *Meyerbeer–Schumann*: hie der erfolgreiche Ausnutzer seines Talents – da der mit seiner Begabung geschlagene Künstler. Ein krauses Quodlibet aus Wort, Tanz und Ton; Will Quadflieg und Boy Gobert gaben die Stimmen, François Klaus und Max Midinet die Körper für Schumann und Meyerbeer. Günter Bialas hatte eine Paraphrase aus Meyerbeer-Hits hergestellt, Wilhelm Killmayer eine Schumann-Deutung in Tönen versucht.
Andererseits demonstrativ »armes« Ballett: Anfang 1975 wurde zwei Häuser neben der Hamburger Staatsoper ein ehemaliges Möbellager schwarz ausgemalt und mit einem Podest ausgestattet. Im Februar gab es dort drei Etüden nach Musik von George Crumb, zwei von Nachwuchs aus den eigenen Reihen, eine vom Chef selber: *Die Stille*, dreizehn Traumtänzer, die bei einem Chopin-Zitat todtraurig Gesellschaftstanz posierten. Dies sei das einzige Ballett in Deutschland, das Workshop als

Permanenz und Progreß verstehe, sagte die Kritik (Bernd Plagemann) und: »Endlich hat Hamburg wieder ein ständiges Tanzforum.«
Tanzforum – eine Anspielung auf Köln, wo Gray Veredon und der Schweizer Jürg Burth, Helmut Baumann und Jochen Ulrich nach einigen Vorversuchen Mitte Dezember 1971 als ›Tanzforum‹ hervorgetreten waren. Der Kulturdezernent und der Generalintendant hatten wohl oder übel auf die jungen Leute gesetzt, nachdem in Köln kurz hintereinander Aurel von Milloss, Todd Bolender und Gise Furtwängler gekommen und gegangen waren. Kurzerhand wurde das Opernballett aufgelöst, für die einsame Silvester-Operette behilft man sich.
Zuerst profilierte sich Ulrich mit *Touch* (Ende 1971), einer Reihe von frischen Tanzszenen im Neonlicht zu elektronischer Musik; Artistik, Sport und Beobachtungen auf dem Kinderspielplatz hatten das Material geliefert. Helmut Baumann zeigte sich zunächst literarisch orientiert (Ionesco, Tardieu; Brecht/Weills *Sieben Todsünden* als schicke Revue), im Frühjahr 1974 gewann er ironische Distanz zum alten Theater mit *Rameau was here*. Gray Veredon entsprach mit *Allmende* (Oktober 1972) am ehesten der Vorstellung von »jungem« Ballett, das nicht mit Händen und Füßen erzählt, sondern tanzt.
Die Leistungen schwankten, der Stil wechselte, aber als Modellfall war das ›Tanzforum‹ schon nach zwei Jahren bekannt: ein junges Kollegium, das als einzige Truppe dem modernen Ballett verschrieben war. Die ›Internationale Sommerakademie‹, die alljährlich Hunderte von Tänzern aus vielen Nationen nach Köln bringt, verbreitete die Kunde in der Fachwelt, das ›Tanzforum‹ selber war reiselustig, nach einigen Jahren seltener daheim als unterwegs, 1975 kam es bis nach Südostasien.
Zum Ende der Spielzeit 1971/72 wurde am Staatstheater Darmstadt das Opernballett aufgelöst. Nur eine Tänzerin wurde in die fünfzehnköpfige Kammertanzgruppe übernommen, die sich nach Vorstellungen ihres Leiters Gerhard Bohner ein zeitgenössisches Repertoire erarbeiten sollte. Bohner, 36 Jahre alt, bis dahin Tänzer an der Deutschen Oper, brachte Silvia Kesselheim und Marion Cito aus Berlin mit, weitere Kräfte wurden aus Hamburg, München, Kopenhagen, Marseille engagiert.
Einige wilde Tanzideen hatten Bohner bekannt gemacht. Im Sommer 1971 hatten *Die Folterungen der Beatrice Cenci* (Musik: Gerald Humel), uraufgeführt in der Berliner Akademie der Künste, Aufsehen erregt, ein Schock-Szenarium, die schwärzeste Schöpfung in der bisherigen Ballett-Literatur. In einem Folterkäfig, in grellem Licht und unter Horrorklängen, wird Beatrice (Silvia Kesselheim, eine »Anti-Ballerina«) von ihrem sadistischen Vater gequält, bis sie ihn umbringt und daraufhin grausam peinlich verhört wird (ungefähr so geschehen 1599 in Rom). Das Ganze wurde kalt vorgezeigt, eine tolle Turnerei in einer ingeniösen Quälapparatur. – Die Essener Folkwang-Truppe zeigte in der Hochschule Bohners *Eingebildete Kranke*: Sanitätspersonal verarztet Verwundete, die große Schmerzen zu leiden scheinen, dann aber ihre Verletzungen wie Possenreißer vorzeigen, gesund werden und quietschvergnügt herumtanzen, bis sie, in Hut und Mantel, quer durchs Auditorium den Saal verlassen. – Eine Tänzergruppe der Hamburger Staatsoper ging in den Malersaal des Schauspielhauses, um Bohners Studie *machen = opfern* zu realisieren, ein zweckfreies Bewegungsspiel nach Musik von Yanni Xenakis. Zu den Berliner Festwochen 1972 tanzte Silvia Kesselheim eine banale, derbe Emanzipationsgeschichte *(Lilith)*.

Bohner, Die Folterungen der Beatrice Cenci. Akademie der Künste, Berlin. Uraufführung 1971. – Silvia Kesselheim (Foto: Ilse Buhs, Berlin)

Der Name Bohner stand für Erfolg, und vom Herbst 1972 an hatte Bohner in Darmstadt leichtes Spiel, gelangte aber über vielversprechende Ansätze nicht hinaus. Als die Versprechen hätten eingelöst werden müssen, kam es zu Konflikten untereinander und mit der Theaterleitung, die weitere Privilegien, vor allem Etat-Autonomie nicht zugestehen konnte und wollte. Man hatte gehofft, sich mit einem Erfolgschoreographen schmücken zu können, doch das Tanztheater isolierte sich innerhalb des Staatstheaters und vom Publikum, es problematisierte seine Arbeit und produzierte seine Programme nur mit einem Rest von Energie und Partnerschaft. Im Februar 1975 allegorisierte eine Choreographie von Zoltán Imre auf »Adagio und Fuge« von Mozart (KV 546) das Ende: ein Mädchen, das sich nur an Krücken fortbewegen kann, verliert seine drei Verehrer an eine Sylphide, einen Feuervogel und einen Schwarzen Schwan (mithin drei Ballettepochen), es bleibt ihm nur die Schreibmaschine. Doch als die Musik aussetzt, fallen die Konkurrentinnen um, ihre Tänzer verlassen sie. Und das allerletzte Programm (Mai 1975), zu dem Bohner vertraglich gezwungen werden mußte, hieß *machen = machtlos* und bestand im wesentlichen aus einem Potpourri früherer Choreographien.

Ein Ende und doch kein Ende, denn der Generationswechsel war vollzogen. Übrigens auch im Publikum. Mit Bohner in Darmstadt, Baumann, Ulrich und Veredon in Köln, mit Neumeier in Frankfurt, Kresnik in Bremen, in Wuppertal seit 1973 Pina Bausch aus der Folkwang-Schule, begann eine neue Zeitrechnung. Die allererste Ermutigung hatte übrigens der Berliner Senat gegeben mit alljährlichen »Stunden des Tanzes«, in denen Experimentatoren und Einzelgänger sich präsentieren konnten. Nun hatte die ästhetische Veränderung sich durchgesetzt, welche die Inzucht und auch den leidigen Kontrast zwischen akademischem und freiem Tanz beseitigte. Immer seltener waren die Choreographien geworden, die sich auf eins der beiden Idiome allein stützten, und der Modern Dance wurde längst nicht mehr von Fall zu Fall frei erfunden, sondern hatte sein Bewegungsvokabular wie der klas-

sische Tanz. Nun war eine Generation gekommen, die solche Unterscheidungen gar nicht mehr ernst nahm.
Wie wenig die großen Alten inzwischen galten, dafür gibt es eindrucksvolle Beispiele. Als im Januar 1974 Balanchine 70 Jahre alt wurde, klangen die Gratulationen wie Nachrufe. Hatte man erst nur seine amerikanische Frische gesehen, so sah man später mehr auf den darunterliegenden Petersburger Klassizismus. »Erstaunt registrierte die europäische Kritik bei jedem neuen Gastspiel des Balanchine-Ensembles auch einen konservativen Zug, der etwas fast Museales hatte« (Jochen Schmidt).
Im März 1974 wurde Aurel von Milloss in Wien verabschiedet; sein letztes Programm bestand aus Rückgriffen in die Ballett-Geschichte und seine eigene. Das Gute war nicht neu, den *Verlorenen Sohn* von Prokofieff hatte er zum ersten Mal 1934 in Düsseldorf gezeigt, den *Orpheus* von Strawinsky 1948 in Venedig – das Neue nicht gut: *Relazioni fragili*, Musik von Friedrich Cerha, Milloss' opus 172. Er war 1963 Ballettdirektor der Staatsoper geworden, aber es hatte eine fünfjährige Unterbrechung durch Orlikowsky (1966–71) gegeben, dessen Spezialität das prunkvolle Ausstattungsballett gewesen war. Die Presse rief Aurel von Milloss nach, daß das Wiener Staatsopernballett nun so ziemlich am Ende der internationalen Rangliste stehe. Im Januar 1976 gab es dann doch noch eine Abschieds-Galavorstellung für den mittlerweile fast siebzigjährigen Tanzschöpfer und Mystagogen. Noch einmal befremdete Aurel von Milloss mit dem 1972 erarbeiteten Weihespiel *Daidalos*, getanzt von Franz Wilhelm, dem von Milloss stets bevorzugten Charaktertänzer. Mit dem *Wunderbaren Mandarin* (wieder mit Franz Wilhelm) und dem *Bolero* gab es aber ein bejubeltes Ende. Gerhard Brunner, Ballett- und Musikkritiker, soll zu Beginn der Spielzeit 1976/77 die Leitung des Staatsopernballetts übernehmen.
Für das Ballett der Staatsoper in Ost-Berlin begann wieder eine Pechsträhne, nachdem Lilo Gruber 1970 krankheitshalber die Direktionslast niederlegte. Der komödiantische, begabte, seit Jahren in Ost und West beliebte Solotänzer Claus Schulz rückte auf, entwickelte aber keine originäre Konzeption und kehrte im Mai 1972 von einem Gastspiel in Paris nicht mehr nach Ost-Berlin zurück. Nach langem Zögern wurde in der Spielzeit 1974/75 Egon Bischoff für ihn eingesetzt, der ebenfalls schon als Solist dem Ballett der Staatsoper angehört hatte. Seine erste Tat war die Verpflichtung zweier Polen, die als Choreograph und Ausstatter den *Wunderbaren Mandarin* ziemlich unstimmig auf der Müllhalde einer Großstadt ansiedelten und zu einem reinen Jüngling umstilisierten, dessen Mädchen hingegen zum Wegwerfprodukt der Konsumgesellschaft machten. Der einzige international notierte Choreograph Ost-Berlins ist Tom Schilling von der Komischen Oper.
Das sowjetische Ballett, mehr Vormacht als Vorbild, kommt nach wie vor mit wuchtigen Tanzgeschichten, 1973 zeigte das Bolschoi auch in der Bundesrepublik *Giselle*, *Schwanensee* und *Anna Karenina* – wovon die *Karenina* sogar neu war. Prokofieffs letzte Ballettpartitur *Die steinerne Blume*, 1954 in Moskau uraufgeführt, hält sich im Ostblock nur mühsam. Das Märchen von der sozialistischen Bergkönigin, vertont von einem gebrochenen Künstler, fiel 1962 in Basel durch, mißfiel 1972 in Wuppertal. In Kassel hatten 1973 Chatschaturjans Kolchosgeschichte *Gajaneh* und Assafjews *Fontäne von Bachtschissarai* Erfolg. Der Import hatte vor allem praktische Gründe, das gängige Repertoire ist zu klein. Außerdem zeigte sich, daß

hübsche, abendfüllende Tanzgeschichten Publikum anziehen, sie können als Operettenersatz dienen.

Hingegen reagierte die Kritik säuerlich. Bei jeder Gelegenheit setzte es abfällige Bemerkungen über getanzte Erzählungen: so etwas sei petersburgisch-moskowitisches Zarenballett. Erich Walters fragwürdig psychoanalysiertes *Dornröschen* erwies sich als Ausstattungsorgie (Februar 1974), eine Auftragsarbeit des Staatstheaters in Wiesbaden schien bereits bei der Premiere (*Der Wundertrank*, Mai 1975) uralt. Ballettmeister Imre Keres, der den Stoff bei Zola gefunden hatte, ist insofern merkwürdig, als er auf diesem Posten seit 1962 unauffällig blieb.

»Prunk aus der Mottenkiste«, sagte K. H. Ruppel zu Glasunows *Raymonda*, Galainszenierung im Sommer 1972 mit Marcia Haydée und mit Rudolf Nurejew als Raymondas Bräutigam und als auf Petipa fußender Choreograph. »Wer diesen Konservativismus in geradezu musealer Darbietungsform durchaus erleben will, muß deswegen nicht in die Sowjetunion reisen.« Es war die teuerste Produktion, die es je in Zürich gegeben hat: eine halbe Million Franken für acht Vorstellungen. Eigentlich hatte Nurejew wie Michail Baraschnikow und Natalia Makarova Leningrad und das Kirow-Ballett aus Überdruß an dem in der Klassik festgefrorenen Repertoire verlassen. Aber diese Stars des klassischen Balletts bekommen im Westen entsprechende Angebote. »Bin ich deswegen weggegangen, um in ›Raymonda‹ zu tanzen?« schimpfte die Makarova im Herbst 1975. »Ich habe die Klassiker satt.« *Raymonda* veranlaßte die erstaunliche Tatjana Gsovsky, mit 74 Jahren noch einmal umzusteigen, zurück ins Klassische. Sie inszenierte an der Deutschen Oper Berlin die Geschichte von Raymondas trotz allem glücklicher Hochzeit nach Möglichkeit psychologisierend, sie versuchte also einen Kompromiß. Ihr ›Berliner Ballett‹ hatte nur von Fall zu Fall arbeiten können und war auf diese Weise zu Fall gekommen. Als sie 1966 aufhörte, Chefchoreographin der Deutschen Oper zu sein, ging die Frucht langer Ballettarbeit in West-Berlin verloren.

Die großen Alten der Ausdrucks-Bewegung sind verblichen. Dore Hoyer muß schon tagelang tot gewesen sein, als man sie Anfang Januar 1968 in ihrer Wohnung im Hansa-Viertel fand. Äußere Gründe für ihren Selbstmord hätten kaum vorgelegen, meinten die Betroffenen. Erstens habe sie trotz Kniebeschwerden noch sehr gut getanzt, sogar ihren berühmten *Bolero* (am 19. Dezember 1967 im Theater des Westens), zweitens habe der Senat eine Ausfallbürgschaft gegeben, drittens habe sie gewußt, daß sie den Kritikerpreis bekommen werde. Harald Kreutzberg, der eigenwilligste tanzende Darsteller, der bedeutendste darstellende Tänzer, starb am 25. April 1968, kurz nach seinem 65. Geburtstag, in Bern. Mary Wigman starb im September 1973, sie hat das Comeback des Ausdruckstanzes als »modern dance« noch erlebt. Yvonne Georgi, Partnerin auf Kreutzbergs Amerika-Tourneen, starb im Januar 1975, in großer Einsamkeit. Zuletzt war sie fünfzehn Jahre lang, bis zum Ende der Spielzeit 1969/70, Ballettchefin in Hannover gewesen, zu allerletzt noch Dozentin an der Staatlichen Hochschule für Musik und Theater in Hannover. Kurt Jooss hat sich zurückgezogen, läßt von Tochter und Schwiegersohn seine alten Erfolge, die in der Labanschen Tanzschrift notiert wurden, nacharbeiten.

Am übersichtlichsten und geradlinigsten war der Weg der Palucca. Sie übernahm die Tanzschule, nachdem Dore Hoyer sich mit ihrer Kompromißlosigkeit das Wohlwollen der Kulturfunktionäre verscherzt hatte. Die Palucca-Schule Dresden wurde

1949 verstaatlicht, man war somit die Sorgen los – auch die Sorgen um einen eigenverantwortlichen Kurs. Neben dem Ausdruckstanz ließ Gret Palucca Grundlagen des klassischen Balletts russischer Schule unterrichten (System Waganowa), sie berücksichtigte auch den Volkstanz. Zwar gab es auch für sie politische Vorwürfe und entsprechende Anfechtungen, aber das Einvernehmen konnte immer wieder hergestellt werden. Mit allerlei Preisen und Titeln wurde das honoriert (Nationalpreis 1960, Orden ›Banner der Arbeit‹ 1967, Professor 1962). Gret Palucca trat im Jahre 1950 zum letzten Mal als Solotänzerin auf, 1952 wurde sie von der Schulleitung teilweise entlastet. Im Jahre 1955 wurde das neue Schulgebäude am Basteiplatz eingeweiht. Ein großer Teil des tänzerischen Nachwuchses der DDR wird in der Palucca-Schule ausgebildet, die auch internationales Ansehen genießt, nicht zuletzt dank der werbenden Wirkung der seit 1949 stattfindenden Sommerkurse. Im Jahre 1970 nahm die Palucca eine Gastprofessur für Neuen künstlerischen Tanz in Stockholm an.

Die Problematik der Nachfolge war in keinem anderen Falle so groß wie in Stuttgart, wo Glen Tetley sich gegen den Schatten des Vorgängers nicht durchsetzen konnte. Erst als Tetley den Versuch aufgab, machte das Publikum seinen Frieden mit ihm. Es hatte so lange jedes Stück Repertoire aus Crankos Nachlaß gefeiert und den Arbeiten des Nachfolgers Mißachtung gezollt, bis der in seinem zweiten Stuttgarter Jahr mit Hilfe von *Daphnis und Chloe* den Stuttgarter Stars Gelegenheit gab, ihre Virtuosität zu zeigen, ohne sie im Interesse irgendeiner Konzeption zu gängeln. Eine John-Cranko-Gedächtniscompagnie. Das Noverre-Ballett war schon vor Tetleys Amtsantritt in das Hauptensemble aufgenommen worden. Im Winter 1975/76 gab Tetley auf. Von der nächsten Spielzeit an leitet Crankos Primaballerina Marcia Haydée das Staatsopernballett.

Nun hat nur noch das Düsseldorfer Ballett (fünfzig Mitglieder) keinen Operndienst, dafür gibt es obendrein ein vierzig Beine starkes Opernballett. Das ist ein Privileg von Erich Walter, des bedeutendsten unter den in Deutschland geborenen und arbeitenden Choreographen. Das Team Erich Walter/Heinrich Wendel hat am Ende der Spielzeit 1975 elf Jahre in Wuppertal und elf Jahre in Düsseldorf zusammengearbeitet, davon achtzehn Jahre (seit 1957/58) unter der Intendanz von Grischa Barfuß. Es gibt also eine Stelle, die kein toter Winkel ist und dennoch weder vom Intendanten- noch vom Choreographen-Karussell erfaßt wird, dessen einfallslose Melodien die beharrlichste Ballettmusik geworden sind.

In München, wo Cranko »nebenbei« von 1968 bis 1971 Ballettdirektor am Nationaltheater gewesen war, flammte nach seinem Tode die Konkurrenz zu Stuttgart wieder auf.

Festspiele wie gewöhnlich

»Das Wort ›Fest‹ hat nur noch die Bedeutung von ›festen‹ zeitlichen Markierungen der Programme innerhalb des Jahres«, erklärte Ende 1972 Ulrich Eckhardt, bevor er die Leitung der Berliner Festspiele übernahm. Somit hatte nun auch ein Festspielleiter den Verfall der Festlichkeit konstatiert, deren frühere Proklamationen inzwischen weltfremd wirkten: »Was mehr erwarten wir vom Festlichen, als daß die Fackeln leuchten und die Herzen erglühen! [...] In der Heilswirkung, in Reinigung als Katharsis liegt darum auch der Sinn von Festspielen« (Oskar Kokoschka 1945 über die Salzburger Festspiele).

In den Sechzigern hatten die Festspiele gewissermaßen Fett angesetzt und viel von ihrer Geltung verloren. Festspiele können nur Ausnahme sein, Rarität, Besonderheit, doch sie waren Regel geworden, üblich, normal. Obendrein war der Sinn für öffentliche Festlichkeit allmählich verlorengegangen, verwirtschaftet im Profitdenken, vergiftet von der um sich greifenden Staatsverdrossenheit. Nicht zufällig verloren die Festspiele und die Ära Adenauer ihren Glanz gleichzeitig.

Die prototypischen Festspiele in Bayreuth und Salzburg verloren ihre Leitfiguren: Wieland Wagner starb Mitte Oktober 1966 und hinterließ seinem jüngeren Bruder Wolfgang die Verantwortung. »Mozarts treuester Diener« Bernhard Paumgartner, nach seiner Emeritierung als Leiter des Mozarteums (1959) Präsident der Festspiele, ist Ende Juli 1971 gestorben, mitten in den Festspielen, die ohnehin die letzten unter seiner Präsidentschaft hatten sein sollen. Mit Wolfgang Wagner begann ein langes Schwanken zwischen dem Neubayreuther Mythenstil und der Rückkehr zum erzählenden Musiktheater. Mit Joseph Kaut, bis dahin Landeskulturreferent, aber auch schon Mitglied des Direktoriums, begann in Salzburg ein Zickzack mit so weiten Amplituden, daß alles Mögliche möglich wurde.

Schon im September 1952 hatte Franz Theodor Csokor (im *Standpunkt*, Meran) gefragt, ob Salzburg noch eine Festspielstadt oder schon eine Kunstmesse sei. Er konstatierte einen »Zug zur Vermassung«, der freilich nicht negativ bewertet werden müßte, fände man »eine künstlerische Form und Führung«, eine »höhere Dramaturgie«, die sich nicht nur der ästhetischen, sondern auch der ethischen Verpflichtung entsänne. Die aber war nicht zu entdecken. Die Forderung danach trat 1958 zum ersten Mal in breiter Diskussion hervor. Die Veranlassung waren Spielplan-Verlegenheiten, speziell die Oper *Vanessa* von Samuel Barber. Aus Rücksichten auf Karajan und Dimitri Mitropoulos durchgesetzt, der die Premiere auswendig dirigierte, kamen »die schwersten Zweifel an der Wahrhaftigkeit der Festspielleitung« (Max Kaindl-Hönig) auf. Als Karajan 1959 für Salzburg den *Troubadour* angekündigt hatte, sah der Grazer Musikwissenschaftler Harald Kaufmann Salzburg zur »künstlerischen Tauschzentrale« herunterkommen. Der *Troubadour*, der übrigens 1962 mit Leontyne Price als Leonore bejubelt wurde, war aber vor allem notwendige Remedur gegen die Enttäuschungen, die das Festspielpublikum angesichts von modernen Opern erlebt hatte. (Der unglücklichen *Vanessa* waren 1959 eine *Julietta* von Heimo Erbse und 1961 ein *Bergwerk von Falun* von Wagner-Régeny gefolgt.)

Beethoven, Fidelio. Salzburger Festspiele 1968. Regie: Günther Rennert (Foto: Pressebüro Salzburger Festspiele)

Auch über das Festspiel der neuen Zeit ging die Zeit hinweg, die erhoffte Apotheose des Sozialismus in Recklinghausen. Sie basierte auf dem bürgerlichen Kulturbegriff des 19. Jahrhunderts, der in Inhalt und Form bis in die Fünfziger unseres Jahrhunderts das Theater prägte, renoviert, aber nicht gekräftigt durch Stilvorstellungen aus den zwanziger und dreißiger Jahren. Die prägenden Regisseure in den ersten fünfzehn Jahren waren Schüler und Nachfolger von Jessner, Fehling und Gründgens: Karl Heinz Stroux, Heinrich Koch, Gustav Rudolf Sellner und Willi Schmidt.

Auch in Recklinghausen kann man im Verlust der Leitfigur ein Menetekel sehen: Pionier Otto Burrmeister wurde von der nächsten Generation, den Funktionären, zum Ende der Saison 1966 beiseite geschoben. Was nun kam, war schlimmer als Burrmeisters an der Vergangenheit orientiertes Wertbewußtsein, nämlich Ratlosigkeit. Der Alte starb bald nach seiner Kaltstellung in dem Städtchen, das ihn 1958 zum Ehrenbürger gemacht hatte. Damals hatten ihm fünfzig Schauspieler einen Goldring geschenkt mit einem Stück Kohle als »Edelstein«, in das eine altgriechische Münze mit dem Pegasus eingelassen war.

Der Mythos der Kohle war im Zeitalter der Zechenschließungen und Ölheizungen stark verblaßt. Achtlos geht man an dem im Foyer auf einer Lafette liegenden Klotz Kohle vorüber. Im Sommer 1971 erschienen junge Kunstpädagogen, die zu einer Fachtagung nach Recklinghausen gekommen waren, mit Säckchen voll Kohle an der Abendkasse, um sie gegen Eintrittskarten einzutauschen. Vergeblich. Als im Winter 1973/74 die Ölscheichs und die Ölkonzerne gemeinsam, aber gegeneinander eine Ölkrise heraufbeschworen, kam die Kohle zwar wieder zu Ehren, doch sie wurde nicht mehr als Symbol der Ruhrfestspiele empfunden. In der Gewerkschaftszentrale in Düsseldorf laborierte man schon jahrelang an einer »neuen Konzeption«. Für das Jahr 1971, als das Vierteljahrhundert zu feiern anstand, war eine repräsentative Dokumentation geplant. Der reich bebilderte Band sollte stolze Bilanz ziehen. Aber er ist nicht erschienen. Vielmehr: der Text des Dramaturgen Horst Laube erschien als rotes siebzigseitiges Heftchen in einem Fachverlag für Theater, die Photos wurden in einer großformatigen silbernen Broschüre gedruckt, herausgegeben »im Auftrag der Freunde der Ruhrfestspiele«, im Selbstverlag. Die Festival-Leitung war trotz langer Suche nach einem Lobredner an den Falschen geraten, und zwar nicht zufällig. Unter den profilierten Schreibern war keiner mehr, der das gewünschte Ausmaß an Wohlwollen artikuliert hätte.

Selbstverständlich gab es in Recklinghausen immer wieder exquisites Theater zu sehen. Für die speziellen Festspielinszenierungen (seit 1949) wurden von Fall zu Fall Wunsch-Ensembles zusammengestellt, bis in die Nebenrollen hoch besetzt: Bernhard Minetti als einer der »Schauspieler« im *Hamlet,* als Thibaud d'Arc in der *Jungfrau von Orleans,* als Glosters Bastard im *König Lear,* aber auch als Faust, Wallenstein und Prospero. Hannes Messemer gehörte zu den häufigen Gästen, auch Hanns Ernst Jäger, auch der Komiker Max Mairich. Man sah Maria Wimmer als Iphigenie, Käthe Gold als Antigone, Will Quadflieg als Peer Gynt – alles schön und gut, bedeutend für das Theater, aber unbedeutend für die soziokulturelle Massenidee, die in Recklinghausen realisiert werden sollte.

Stolzeste Stunde und zugleich Anfang vom Ende der Ruhrfestspiele war die Eröffnung des Festspielhauses nach fünfjähriger Planung und vierjähriger Bauzeit, zu den Festspielen 1965. Vor dem Umzug ins neue Haus hatte Jeanne Hersch, Professorin für Philosophie in Genf, in einer Festansprache gewarnt: Vollendung bringe zwar Prestige, aber Perfektionismus töte die Kultur. Sie wünschte, daß das neue Haus »eher eine Werkstatt als ein Museum« werde. Eine 460 Quadratmeter große Bühne ist als Werkstatt ungeeignet. Sie wurde mit zwei sorgfältigen, aber restaurativen Inszenierungen in Betrieb genommen. Im Sommer 1970 setzte Dietrich Haugk (für Camus' *Caligula,* mit Michael Degen in der Titelrolle) Publikum auf die Bühne; das ›junge forum‹, das Anfang der sechziger Jahre mit Jazzkonzerten und politischen Diskussionen zum »Diskussionstheater« überging, fand im Festspielhaus nur die Nebenräume für seine Zwecke brauchbar. Zeitweilig hatte das ›junge forum‹ eine bessere Presse als das Repräsentationsprogramm, erschien es sogar als Basis für die Wiederbelebung der Ruhrfestspiele.

Ein alarmierender Tiefpunkt wurde 1967 erreicht, in der dritten Spielzeit. Der Oberbürgermeister hatte ein Programm angekündigt, das zum ersten Mal »die technische Kapazität einer großangelegten Bühne bis ins letzte ausschöpft« – und dann kam Grabbes *Napoleon* als Ausstattungsorgie, mit einem riesigen fahr- und drehbaren Arc de Triomphe zwischen düsteren, im Halbdunkel glänzenden klassizistischen Fassaden. Der Fall war deshalb doppelt lehrreich, weil Alfred Sistigs Bearbeitung benutzt wurde, die in der Spielzeit 1963/64 unter Sistigs Regie sich in

Münster als einfach, sparsam, wirkungsvoll erwiesen hatte, noch dazu in relativ schwacher Besetzung.

Symptomatisch war im selben Jahr auch die gedankenlose Einladung an die Freie Volksbühne Berlin, Sternheims *Bürger Schippel* zu spielen. Denn da wird der aufstrebende Arbeiter verhöhnt, für den die Ruhrfestspiele erfunden worden sind: Schippel setzt alles dran, um ins Bürgertum aufgenommen zu werden. Den Erfolg bezeugt er sich voller Stolz selber: »Du bist Bürger, Paul!«

Der Regisseur Hansjörg Utzerath hatte die Gegenwart ins Spiel bringen, der Bühnenbildner Hans W. Lenneweit diese Absicht illustrieren wollen, indem er eine Wand aus hundert Plastikreliefs des Kopfes von Heinrich Lübke, dem damaligen Bundespräsidenten, zum Hintergrund des Spiels machte. Der Aufsichtsrat wollte das nicht dulden, aber auch nicht beseitigen lassen. Schließlich wurden die hundert Köpfe sorgfältig verpackt, weil die Ruhrfestspiele »die positive Einstellung zu unserem demokratischen Staat einschließlich seiner demokratischen Wertvorstellungen zu fundieren« beabsichtigen. »Die Entscheidung ist rein politischer Natur und soll die künstlerische Freiheit der Regie in keiner Weise beeinträchtigen.« Gute Absicht und Freiheit der Kunst sind in all den Jahren immer und überall betont worden, als ob es die gesellschaftlichen, politischen, pekuniären, persönlichen und organisatorischen Zwänge nicht gäbe, die gerade bei der Mixtur namens Theater eine so große Rolle spielen.

Die Festspielleitung geriet in eine tragikomische Lage: bürgerliche Kritiker nahmen sie beim Wort, forderten die Verwirklichung ideologischer Absichten, die sich nach Meinung dieser Kritiker gar nicht verwirklichen lassen. Es kam zum Rückzug auf neue Stellungen: Man redete nicht mehr von »Arbeitern«, sondern von »Arbeitnehmern«. Der Gegensatz zwischen Arbeiterkultur und bürgerlicher Kultur gehöre zur Vergangenheit. Die neue Parole hieß: »Festspiele der Demokratie«. Man entwarf eine Sonntagsschau der Demokratie, beschönigte den Staat, idealisierte seine Vertreter und glaubte, der Demokratie damit einen Gefallen zu tun. Die Besucher wurden weniger. An 100 000 hatte man sich gewöhnt. Im Jahre 1972 kamen 72 000, 1974 nur noch 58 000, 1975 nur noch 53 635, Empfänger von Ehren- und sonstigen Freikarten inbegriffen.

Die Versuche, die Ruhrfestspiele sozusagen vom Rand her zu erneuern, also durch Randveranstaltungen (Woche der Wissenschaft, Europäisches Gespräch, ›junges forum‹), waren auf die Dauer keine Rettung. Und auch die räumliche und zeitliche Ausdehnung, die 1975 begann – im März eine ›Woche der Ruhrfestspiele‹ in Salzgitter –, löst die prinzipielle Problematik nicht.

Von 1967 an trat Herbert von Karajan in seiner Geburtsstadt Salzburg als Unternehmer auf: als Gründer, Direktor, Manager, Verantwortlicher der Osterfestspiele. Schon beim ersten Mal gab es kein Defizit, Karajan will 300 Schilling übrigbehalten haben. Es war ihm gelungen, die Hautevolee aus Sankt Moritz und Saint Tropez außerhalb der gewohnten Zeit nach Salzburg zu locken, doch zur Deckung solcher Unkosten sind professionelle Geschäftspartner nötig. Die Schallplattenindustrie stand bereit. Außerdem wurde die *Walküre* in Originalbesetzung an die Metropolitan Opera verkauft.

Nun konnte auch Karajan seinen *Ring* inszenieren, wie Wieland Wagner in Bayreuth, Sellner in Berlin und Rennert in München, aber Karajan übertraf sie insofern alle zusammen, da er sowohl inszenierte als auch dirigierte. Er muß also seine Aufmerksamkeit zwischen Orchester und Bühne teilen, er setzt voraus, daß das Orchester auch ohne ständige Führung funktioniert, dirigiert beispielsweise die Leertakte nicht aus. Solche Verfahrensweisen wurden kritisiert, auch von Philharmonikern, doch die *Walküre* wurde zu einer Glanzaufführung, »so durchsichtig, so »solistisch‹, so unendlich reich an dynamischen Steigerungen« habe man sie noch nicht gehört, schrieb K. H. Ruppel. Er lobte auch die Lichtregie, tadelte aber die Personenführung. Immer wieder erwies sich die Regie als der schwächste Punkt solcher ehrgeizigen Unternehmungen.

Wagner, Bach und Beethoven blieben die Säulen der Osterfestspiele, 1975 kam es zu einer Auflockerung: eine vielbestaunte, turbulente Inszenierung der *Bohème* von Franco Zeffirelli wurde auf die Panorama-Bühne des Großen Festspielhauses übertragen, mit einer Elite überwiegend italienischer Belcantisten besetzt und zum Schluß lärmend gefeiert.

Die Osterfestspiele des Ritters von Karajan brachten im Laufe der Jahre Gewinn, dank guter Zusammenarbeit zwischen Fiskus (Zuschüsse von Stadt und Land Salzburg, Subventionierung der Berliner Philharmoniker durch den Senat), Schallplattenindustrie, einer mit Mäzenen bestückten Osterfestspiel-GmbH, die – wie Karajan selbst – steuerbegünstigt in Liechtenstein domiziliert, sowie einem als Aktiengesellschaft organisierten Medienverbund.

Adorno nannte Karajan den »Genius des Wirtschaftswunders«. Aber daß der internationale Kulturbetrieb gerade Dirigenten hochstilisiert, um sie als Markenartikel handeln zu können, ist nicht Karajans Erfindung. Er zog nur entschiedener als andere die Konsequenz, selber zu vermarkten und sich nicht bloß vermarkten zu lassen.

Im Jahre 1970 bestanden die Salzburger Sommerspiele ein halbes Jahrhundert. Zum Fünfzigjährigen gab es ein Fest im erzbischöflichen Park und Schloß Hellbrunn. Das war ein kluges Ausweichen aus einem Festspielhaus, in dem erfahrungsgemäß selten gelang, es der Mehrheit recht zu machen. Musikalische, tänzerische, schauspielerische Divertimenti, in pausenloser Abfolge anspruchsvolle und anspruchslose Unterhaltung. Das Fest in Hellbrunn unter der Leitung von Herbert Graf wurde beibehalten, freilich stets bedroht vom Geldmangel, denn ein irregulärer Sproß der Festspiele kann nicht mit offizieller Munifizenz rechnen, die ja einer Legitimierung und dem Versprechen künftiger Versorgung gleichkäme.

In Salzburg selbst gab es 1970 erstmals Straßentheater, natürlich unpolitisches, vom umgebauten, bunt bemalten Bierwagen herab, den zwei aufgeputzte Brauerei-Rösser von Platz zu Platz zogen. Eine Idee von Oscar Fritz Schuh, der zu den reisenden Regisseuren gehört, seit er das Deutsche Schauspielhaus in Hamburg verlassen hat (1968). Schuh hat eine *Salzburger Dramaturgie* erscheinen lassen (1951, umgearbeitet 1969), in der es heißt: »Daß Ideologisches hier nicht lebensfähig ist, ist der große Schutz, den diese Stadt ihren Festspielen gewährt. Denn die ideologischen Mächte sind die einzigen, die das Theater in seiner Substanz bedrohen.«

Nach Nestroy und Karl Valentin gab es (1973) einen bösen Spaß der in der Nestroy-Tradition stehenden Lotte Ingrisch: zwei arme Hochzeiter täuschen einander Reichtum vor und vergiften einander aus Habgier in der Hochzeitsnacht. Als Engel kommen sie wieder und segnen ihre Kinder, »auf daß sie so glücklich werden wie wir«. Hans Putz und Jane Tilden brachten das drastisch unter die Leute, »die auf

einer feuchten Wiese, in steter Regengefahr, eng aneinandergepfercht vor dem Bühnenwagen stehen, während Kinder sich um Plätze balgen und die dichte Menge immer wieder von Soldaten hinter das gespannte Seil gedrängt wird. So muß Theater einmal gewesen sein. Wie hübsch, das heute nachzuempfinden« (Hilde Spiel).
Als Herbert Graf 1973 starb, wurde Schuh Maître de plaisir in Hellbrunn. Er hatte Erfolg mit witzigen Banalisierungen des Grafen Pocci *(Kasperl in der Zauberflöte; Kasperl als Prinz).* Das Landestheater, einst Stadttheater, sucht Alternativen zu den Festspielen. Sommer 1976, zum 200. Geburtstag des Hauses, gab es eine Kreisler-Uraufführung *(Der tote Playboy)* und den *Puntila.*
Sonst hat Salzburg kaum Glück mit Sprechtheater, Ivan Nagel erklärte zum 50jährigen Jubiläum schlicht, Schauspiel müsse dort mißlingen, »weil es kein Publikum, kein Ensemble und keinen einleuchtenden künstlerischen und institutionellen Sinn« habe. Das nur betrübliche Wiederauftauchen Fritz Hochwälders mit einem Literatendrama *Lazaretti oder Der Säbeltiger* (1975) erinnerte daran, wie auch die Demission Giorgio Strehlers als »künstlerischer Konsulent«, nach einer zweiteiligen Shakespeare-Montage in der Felsenreitschule *(Spiel der Mächtigen,* 1973) und einer *Zauberflöten*-Inszenierung (1974), bei der Strehler weder mit der Riesenbühne des Festspielhauses noch mit dem Dirigenten Karajan zurechtkam.
Thomas Bernhard schien ein Salzburger Dramatiker werden zu wollen und zu können. Eine ebenfalls kurze Hoffnung. Nach den beiden Darstellungen der Leiden an und der Mühen um Perfektion, eine in Salzburg süffisante Thematik (in *Der Ignorant und der Wahnsinnige,* 1972, ging es um die Koloraturen einer »Königin der Nacht«, in *Die Macht der Gewohnheit,* 1974, um die fehlerfreie Aufführung des »Forellenquintetts«), sagte Bernhard 1975 die Partnerschaft auf, der Festspielleitung Schwäche und Unkorrektheit vorwerfend. Es war ein Schauspiel für sich, wie da ein Einzelner über *Jedermann* und die Folgen sich erhob: »Die Theatergeschichte hat längst entschieden, wer für wen wichtiger gewesen ist, der Bernhard für die Festspiele oder die Festspiele für den Bernhard. Ich brauche die Festspiele nicht.«
Je mehr Salzburg irritierte, desto mehr Anerkennung fanden die (viel älteren) Münchner Festspiele, die lange unter dem Dilemma gelitten hatten, entweder normale Aufführungen, als Festspiel deklariert, zu höheren Preisen bieten zu müssen oder sie zwar zu verbessern, aber auch stilistisch zu gefährden durch Engagement von Gästen. Die allfällige Strauss-Premiere wurde 1971 zum Stück der Saison: *Die schweigsame Frau,* inszeniert von Rennert, dirigiert von Sawallisch, mit Kurt Böhme als der lärmempfindliche Morosus. Im Grunde aber bleiben diese Festspiele Sonderangebote für die Stadt, wie die in Zürich und in Berlin, nur sind sie in Berlin auffallend erzieherisch und in Zürich vielsprachig. Die Münchner Festspiele 1976 waren eine Rennert-Retrospektive: 18 der 27 Abende boten Inszenierungen Rennerts.
Diejenigen Festivals haben es leichter, die sich an eine lokale Besonderheit halten können, wie die Festspiele in Schwäbisch Hall an die 54 Stufen vor Sankt Michael, die in Bad Hersfeld an die romanische Kirchenruine, über deren Mittelschiff seit 1968 innerhalb von weniger als zehn Minuten ein gewaltiger Regenschirm (1400 Quadratmeter) aufgezogen werden kann. Die von dem Gründer und ersten Leiter Johannes Klein stets gewahrte Würde des Spielortes wurde nach zehn Jahren von Kleins Nachfolger William Dieterle (1961–66) dem Publikumsfang geopfert. Zweitausend Zuschauer allabendlich, die wollen geworben sein.

Shakespeare/Strehler, Das Spiel der Mächtigen. Salzburger Festspiele 1973. Regie: Giorgio Strehler (Foto: PSF/Steinmetz)

Die Wiesbadener Maifestspiele bekamen eine besondere Note, als Claus Helmut Drese, Chef des Hessischen Staatstheaters, mit einer für damalige Zeit (1962–68) erstaunlichen Unbekümmertheit seine »künstlerische Ostpolitik« betrieb: er lud Sänger, ja ganze Opernensembles und Ballettcorps aus dem Ostblock zu Gastspielen ein. Nach Dreses Weggang nach Köln wurde dieser Kurs bei vermindertem Risiko von A. E. Sistig (1968–75) beibehalten. Seit Mai 1976 kann bis zur Wiedereröffnung des renovierten Hauses nur ein Notprogramm ablaufen.

Herrenhausen hat seinen Händel, der kurze Zeit hindurch Hofkapellmeister in Hannover gewesen ist und dessen Musik – vierzig Opern! – Park und Galeriegebäude immer wieder erfüllen können. Schwetzingen hat sein Rokokotheater, das 1975 nach dreijähriger Bauzeit renoviert und bühnentechnisch modernisiert wiedereröffnet worden ist, mit einem Auftragswerk: einem *Gestiefelten Kater* von Günter Bialas, inszeniert von Günther Rennert, mit William Pearson in der Titelrolle.

Festspiele von regionaler Bedeutung wie die Domfestspiele in Bad Gandersheim oder die Luisenburg-Festspiele in Wunsiedel sind unangefochten und bleiben von überregionaler Kritik im allgemeinen verschont. Die Schiller-Festspiele in Altdorf oder den Freilicht-*Tell* in Interlaken nimmt niemand übel. In Österreich streitet man sich außer über Salzburg allenfalls noch um das »Gesicht« der Wiener Festwochen, die rund zwei Dutzend anderen Festspiele im Lande können mit Wohlwollen rechnen.

In Grein an der Donau freut man sich über die Sommerspiele schon deshalb, weil sie (seit 1964) eins der theatergeschichtlich interessantesten Gebäude wiederbeleben.

Das 1791 im Empirestil erbaute Stadttheater hat noch echte »Sperrsitze« und zwei besondere Freundlichkeiten: Ein Fenster des benachbarten Arrestlokals gibt Arrestanten Ausblick auf die Bühne. Die Toilette ist so gebaut, daß man von dort aus dem Spiel folgen kann – falls man den Kopf durch den Vorhang steckt. (Versteht sich, daß heutzutage weder der »Gemeindekotter« noch jener Notsitz benutzt werden.)

In Mörbisch an der Ostgrenze entstanden Seespiele wie an der Westgrenze des Landes, im Jahre 1957 wurden eine Operettenbühne ins Wasser und eine 3 000 Personen fassende Arena ans Ufer des Neusiedlersees gebaut. 1959 wurde die andere burgenländische Freilichtbühne angegliedert, im Wallgraben der Burg Forchtenstein, wo bisher auf Initiative eines Oberamtmanns das Werk des burgenländischen Heimatdichters Franz Probst gepflegt worden war. Nach einer erfolgreichen *Ahnfrau* gedieh der Wallgraben zur Grillparzer-Bühne. Im Jahr 1962 wurde unter dem Patronat des Unterrichtsministers, der burgenländischen Landesregierung und der Intendanz der Burgenländischen Festspiele ein Grillparzer-Forum gegründet, das alljährlich in mehrtägigen Symposien Grillparzer-Forscher aus aller Welt vereinigt. Seit 1964 wird auch ein Grillparzer-Ring vergeben, seit 1965 liegt eine Dokumentation der Vorträge und Forschungsberichte vor.

Grillparzer scheint eine Theaterdämmerung bevorzustehen, denn die Verlegenheit auf den Bühnen zu seinem 100. Todestag 1972 war groß. Das Burgtheater machte keine Ausnahme mit *Weh dem, der lügt* unter der Leitung des völlig grillparzerfremden Jaroslav Dudek und mit *Ein treuer Diener seines Herrn*, einstudiert von Leopold Lindtberg, der keinerlei Meinung zu dieser bedenklichen Apotheose der Staatsräson erkennen ließ.

Solche kleinen Festivals, die sich am Roulette um diejenigen, die heute hier und morgen da dasselbe inszenieren, dirigieren, singen, tanzen, spielen, weder beteiligen können noch wollen, erscheinen weniger gefährdet als die großen, die sich alle Jahre neue Wunder kaufen müssen. Sogar das vom Programm her am klarsten profilierte Festival ist geistig nicht gesichert: Bayreuth hat schon lange kein Wagner-Monopol mehr, es brachte eine komplette *Ring*-Inszenierung 1976 zur Jahrhundertfeier, nachdem andere Opernhäuser sich zur gleichen Leistung aufgeschwungen haben. Ein französisches Team (Dirigent Pierre Boulez, Regisseur Patrice Chéreau, Bühnenbildner Richard Peduzzi, Kostümbildner Jacques Schmidt) erregte viel Widerspruch mit seiner zwischen Mythos, Industrie und Faschismus wechselnden Deutung. Seit 1973 sichert eine Richard-Wagner-Stiftung Festspiele, Nachlaßpflege und Forschung. Im Sommer 1974 wurde die letzte Einstudierung Wieland Wagners gegen eine Wolfgangs ausgetauscht: die *Parsifal*-Version, mit der 1951 der Neubeginn gewagt worden war, inzwischen Modell und Denkmal der »Entrümpelung«, eine dunkle, dem Unbewußten geöffnete raunende Bühnenwelt, wurde ersetzt durch allmählich wieder reizvoll erscheinende Verlockungen aus dem 19. Jahrhundert.

Am ärmsten stehen die Ruhrfestspiele da, »Festspiele eigentlich nur dem Namen nach«, versicherte die Festspiel-GmbH im Mai 1976. Die Begegnung aller Bevölkerungsschichten, speziell der gewerkschaftlich organisierten Arbeitnehmer »vor dem Medium Kultur« sei »eine der wesentlichen Grundabsichten«. Man hofft auf eine Nationalstiftung, um die Festspiele finanziell zu sichern.

Wagner, Das Rheingold. Staatstheater Kassel. Regie: Ulrich Melchinger. – Edgar Keenon, Nina Hinson (Foto: Sepp Bär, Kassel)

Bevor die Lösung gefunden ist, hat schon wieder eine neue Zukunft begonnen, die charakterisiert ist von der audio-visuellen Kultur, von mehr Autonomie und Anonymität der Einzelnen, Verlängerung der Lebensdauer und der Freizeit, Ansteigen der Ausgaben für diese Freizeit und Radikalisierung der Forderung nach Amüsement. Über die Reservate der Festlichkeit bricht der unbewältigte und ausgesparte Alltag herein, die künstlich gehüteten Exklaven werden überrannt, und der Anspruch auf Festlichkeit erhebt sich aus der Enttäuschung um so ungestümer. Noch befinden wir uns aber in einer Zwischenzeit, in der die einen »jene Unwahrheit suchen, bei der sich's leben läßt«, und »die andern jene Wahrheit, die sie noch heil hoffen« (Harald Kaufmann, 1969).

Im Herbst 1973 trafen sich Festspieldirektoren in Berlin, die etwa dreißig Mitglieder der 1963 in Venedig gegründeten »Groupe interculturel d'information et coordination pour les spectacles et les concerts«. Die Herren schütteten einander die Herzen aus. Sie klagten über schwindende Vertragstreue und über das Pech mit Auftragsarbeiten, bestritten aber den Ehrgeiz, um jeden Preis Uraufführungen ins Zentrum ihrer Programme rücken zu wollen. Gemeinsam waren ihnen auch der Horror vor »kultureller Touristik« und die Absicht, künftig stärker als bisher die Wünsche des ansässigen Publikums zu ergründen und zu berücksichtigen.

Freilich kann das nicht die Kur, sondern nur Zeichen von Verlegenheit sein. Salzburg hat 130 000 Einwohner, Bayreuth 67 000, Bad Hersfeld 29 000 und Bregenz 25 000 – so kleine Kommunen können weder Profile geben noch Etats retten. Ganz Hersfeld würde mit Mann und Maus und Weib und Kind die Stiftsruine nur achtzehnmal füllen, ganz Bregenz die Tribüne am See viermal. In Großstädten kann man Festspiele für die eigene Gemeinde machen, aber die »echten« Festspielorte brauchen die Wallfahrt.

In 23 Gemeinden der Bundesrepublik gab es 1974/75 Festspiele. Sie boten 833 Vorstellungen, erreichten 692 000 Besucher und erhielten 8 Millionen DM Subvention. Die bei weitem teuersten Festspiele waren die in Bayreuth (2,8 Millionen, 30 Vorstellungen, 58 000 Besucher), Recklinghausen (1,5 Millionen, 69 Vorstellungen, 68 000 Besucher) und Bad Hersfeld (760 000 DM, 32 Vorstellungen, 34 000 Besucher).

»Wird dieses Festival in ein oder zwei Jahren noch stattfinden?« fragte Eugène Ionesco 1972 in der Rede zur Eröffnung der Salzburger Festspiele. »Jegliche Katastrophe kann schon morgen eintreten. Unsere sogenannte Kultur scheint nur noch ein Kartenhaus.« Ein rhetorischer Ausbruch von Phobien, welche Ionescos Schauspiele immer mehr verdüstern, gipfelnd in *Triumph des Todes oder Das große Massakerspiel* (Düsseldorf 1970). Trost irgendwelcher Ideologien weist Ionesco höhnisch zurück (*Hunger und Durst,* darin eine Verspottung Brechts, zuerst in Düsseldorf 1965, und *Welch gigantischer Schwindel,* Wien 1974).

Herbert von Karajan baut an der Zukunft der Festspiele. Opern- und Konzertfilme, Live-Übertragungen in größere Säle, Auswertung der Salzburger Inszenierungen in der Wiener Staatsoper sollen den Etat retten, »unter den immerhin zehn jungen Talenten« sucht Karajan eines, das »mit mir die Sache später vielleicht zur Hälfte übernehmen wird und dann qualifiziert ist, sie weiterzuführen«. Andererseits gab er sich, 1976 auf zehn Osterfestspiele zurückblickend, so zufrieden, »daß ich eigentlich nur sagen kann: ich möchte wieder von vorn anfangen«.

Die Millionen, die verspielt werden

»Es ist wieder einmal so weit: Die Aktien fallen, die Gewerbesteuer wirft keine Überschüsse mehr ab, die Kämmerer stoßen Kassandrarufe aus, und die Stadt- und Landparlamente veranstalten Treibjagden auf jene parasitären Untiere, die Zuschüsse fressen und dadurch dem Haushaltsausgleich im Wege stehen. Klassisches Objekt für derartige Abschüsse ist und war von jeher das Theater. Bestürzend sind nur der Zeitpunkt, zu dem diese Aktion erfolgt, und die Kaltblütigkeit, mit der diese Operation durchgeführt wird.« So Harry Buckwitz Anfang Februar 1966 auf einer Tagung des Verbandes der Deutschen Volksbühnenvereine in Stuttgart. Er polemisierte dagegen, daß das Theater als »Opfertier« angesehen werde. »Das erste Wetterleuchten aber, das ein Abflauen der Konjunkturwelle und eine Normalisierung unseres Lebensstandards ankündigen könnte, wird nicht etwa als Vorwarnung für die notwendige Begrenzung allzu exzessiver Investitionslust der öffentlichen Hand gewertet, sondern man stürzt sich auf das Theater, jenen zweiprozentigen Miniaturposten des Gesamthaushaltes, und kühlt an ihm seine Rationalisierungswut.« Zwar gebe es Rationalisierungsmöglichkeiten, aber nicht dort, wo »betriebsfremde Kameralisten« und »ahnungslose Parlamentarier« sie vermuten, nämlich beim Solistenetat. »Das künstlerische Potential eines Theaters, von dessen Faszinationsfähigkeit es allein abhängt, ob das Publikum ins Theater strömt oder nicht, dieses Potential wird eingeschränkt, während die Anzahl der assistierenden Kräfte zunächst verschont bleibt, da sie sich ja hinter ihrem gewerkschaftlichen Schutzschirm verschanzen kann.«

Es verging kein Jahr, da verzankte sich Buckwitz mit dem Geldgeber über DM 400 000 Zinslasten, die der Generalintendant nicht in den Etat einbezogen wissen wollte, und verzichtete auf die anstehende Vertragsverlängerung über 1968 hinaus. Und das, obwohl der Zuschuß von 1966 auf 1967 um 2,2 Millionen auf 16,3 gestiegen war. Freilich, weiter steigen sollte er nicht. Und Buckwitz hatte 18,3 gefordert (sein Nachfolger Ulrich Erfurth bekam erst 1970 18,8 Millionen).

Natürlich war es nicht nur das Geld, obwohl die Stadt Frankfurt in einer besonders schmerzhaften Finanzkrise steckte. Der Geldmangel verschärfte nur die Gegensätze. Der seit 1950 diensttuende General war eben nicht mehr so faszinierend. Und sein Schauspieldirektor Heinrich Koch war auch nicht der aufregende Reformregisseur geblieben. Wer kann das auch zwölf Jahre lang (1956 bis 1968)? Der Opernchef Georg Solti hatte mit dem Engagement von Gästen sich vor nivellierender Gewöhnung geschützt und war 1961, nach neun Jahren, zur Covent Garden Opera gegangen.

Es waren noch nicht viel mehr als Warnungszeichen, die 1966/67 gesetzt wurden. Beim Münchener Residenztheater ging es um DM 150 000. Sie kosteten, wie Staatsintendant Henrichs erklärte, mindestens fünf Schauspielern den Vertrag. »Theater dieser Größe kosten alle gleich viel. Wenn sich ein Theater um beste Qualität bemüht, dann hängt das von dem relativ bescheidenen Spitzenbetrag ab, der für besondere künstlerische Leistungen zur Verfügung steht.« Mit diesem Geld, sagte Henrichs, würden gewissermaßen erst »die Lichter gesetzt«.

Bis dahin war es munter bergauf gegangen. Im Rechnungsjahr 1953 hatten die öffentlichen Zuweisungen 93 Millionen betragen, 1955 126 Millionen, 1957 148 Millionen, 1959 186 Millionen, 1961 227 Millionen, 1963 292 Millionen, 1965 363 Millionen, 1967 381 Millionen. Diese 381 Millionen flossen aus verschiedenen Quellen, wenn es sich auch letztlich stets um die sogenannten Steuergroschen handelte. Die Gemeinden gaben 235 Millionen, die Länder 133 und der Bund 4,5. Die in dieser Rechnung fehlenden 8,5 Millionen kamen von kleineren Geldgebern, den Landkreisen, von Gemeinden ohne eigenes Theater, vom Rundfunk, vom Lotto und anderen.

Trotz wachsender Summen sind die Kulturaufwendungen zurückgegangen, die der Länder von 1,7 % (1963) auf 1,4 % (1972), die der Städte im gleichen Zeitraum von 2,8 auf 2 %. Die Theater bekommen also mehr von weniger Geld, zumal da ihr Anteil am Kulturhaushalt größer wurde: 1956 waren es 39,4 %, 1965 44 %, in den siebziger Jahren mehr als die Hälfte, also 1 % des Gesamtetats. Die 20 Millionen, die das Land Baden-Württemberg 1968 für alle Bühnen, staatlich oder nicht, ausgab, betrugen nur 0,4 % des Kuluretats. Die Zahl der Erstaufführungen und Neuinszenierungen ging zurück, es wurden weniger Gäste verpflichtet, die Ausstattungen wurden schlichter. Die Württembergischen Staatstheater bekamen damals 11,4 Millionen, 1969 wurde eine Viertelmillion zugelegt.

Die Stadtkämmerer begannen zu seufzen, die Last war noch erträglich, aber die Folgelasten ließen sie trübe in die Zukunft sehen. Schon die Wahrung des Erreichten schlug immer mehr zu Buche. Im Jahre 1966 hatte der geschäftsführende Direktor des Deutschen Bühnenvereins Vorschläge gemacht, die Lasten zu verteilen und die Kosten zu senken: Gemeinden ohne eigenes Theater sollten den benachbarten Theaterstädten Zuschüsse zahlen; zwischen Fernsehen und Theater müsse es verstärkte Kooperation geben; die Eintrittspreise seien »oft zu niedrig«; für attraktive Inszenierungen sollten mehr Karten im Freiverkauf zu erhöhten Preisen angeboten werden; die Betriebskosten könne man durch die Verringerung der Inszenierungen senken; und schließlich müsse man den Forderungen der Gewerkschaft nach mehr Freizeit für das Bühnenpersonal entgegentreten, das sich mit solchem Ansinnen den eigenen Ast absäge. Gegen den letzten Punkt opponierte sofort die Genossenschaft (die »Bühnenangehörigen« sind zu etwa 85 % gewerkschaftlich organisiert), sonst stimmte sie zu. Zehn Jahre später waren nur Teil-Korrekturen eingetreten: die Eintrittspreise schüchtern angehoben, die Inszenierungen reduziert, spielfreie Tage eingeführt, das Land Nordrhein-Westfalen hatte 35 Millionen für die kommunalen Theater ausgeworfen. Andererseits gab es mehr Freizeit, nämlich die 40-Stunden-Woche.

Pro Theaterkarte betrug der Zuschuß im Jahre 1956 durchschnittlich DM 6,15, 1963 DM 12,89, 1966 DM 16,83. Pro Einwohner betrug der Zuschuß 1966 DM 17,20. Der Pro-Kopf-Zuschuß belief sich 1973 auf DM 41,40, der pro Theaterbesucher auf DM 40,53. In verschiedenen Städten können die Kosten recht verschieden sein. Jede Theaterkarte verursachte der Stadt Dortmund 1973 DM 77 Unkosten (extrem teurer Theaterbau), der Stadt Wiesbaden aber nur DM 19 (wilhelminisches Gehäuse mit veralteter Technik und Mangel an Nebenräumen).

Theater sind »personalintensive« Betriebe, die Personalkosten beliefen sich 1965 auf 77 % der Gesamtkosten. Der Anteil des technischen Personals stieg ständig an, obwohl Einwänden gegen die Technisierung der Bühnen gewöhnlich mit der Behauptung begegnet wurde, die Maschinen hülfen Personal sparen, das bekanntlich immer teurer und rarer werde. Der Anteil der technischen Angestellten betrug 1950 27 % des Gesamtpersonals, 1965 aber 33 %. Entsprechend stieg der Kostenanteil von 23,1 % auf 32 %. Im Rechnungsjahr 1973 betrugen die Personalausgaben einschließlich Vorsorgungskosten 806 Millionen oder 81 %, die sächlichen Ausgaben (einschließlich Zinsen, Tilgung, Rücklagen, Baugrund) 191 Millionen oder 19 % der Gesamtausgaben. Das künstlerische Personal (einschließlich Orchester) umfaßte 57 % des Gesamtpersonals, das Verwaltungspersonal 7 %, das technische hatte sich auf 36 % vermehrt.

Angesichts der Alternative, entweder allen Theatern weniger zu geben oder einigen gar nichts, entschied sich der Berliner Kultursenator Stein im Herbst 1971 für das letztere. »Kein Geld mehr für Mittelmaß!« hieß es. Leistungsfähige oder gar beispielhafte Theater sollten nicht dafür bestraft werden, daß andere ihr Brot auch ideell nicht verdienten. Betroffen waren das Hebbel-Theater und das ›Berliner Theater‹, beide in städtischem Besitz und von dem Ehepaar Rudolf Külüs/Hela Gerber betrieben, sowie die traditionsreiche ›Tribüne‹. Frank Lothar, Chef der ›Tribüne‹ seit Victor de Kowas Demission (1950), resignierte, doch das Abgeordnetenhaus widersprach später seinem Kultursenator, und die Subventionen wurden weiterbezahlt.

Die eigenen Einnahmen sanken. In der Saison 1957/58 kamen noch 42,8 % der Ausgaben wieder herein, 1965/66 aber nur 32,1 %, 1968 30 %, 1972 nur noch 19 %. Schauspielbühnen schneiden natürlich besser ab als Musiktheater: Deutsches Schauspielhaus Hamburg 25 %, Thalia-Theater 40 %, Deutsches Theater Göttin-

Strindberg, Fräulein Julie. Städt. Bühnen Essen. Team, das zur technischen Einrichtung des Drei-Personen-Stückes am 14. November 1975 auf der Bühne der Humboldt-Aula anwesend war: Regisseur, Regieassistent, Bühnenbildner, Technischer Direktor, 8 Techniker, 3 Dekorateure, Beleuchtungsinspektor, Theatermeister, Theaterobermeister, 2 Requisiteurinnen (Foto: Manfred Vollmer, Essen)

378 Die Millionen, die verspielt werden

gen 25 %. Noch rationeller arbeiteten die Landesbühnen: Aachen 33 %, Wilhelms-haven 27 %, Esslingen 25,6 %, Detmold 31 % (alle Angaben 1972). An der Tra-dition, Theater unter Preis abzugeben, wagte man nicht zu rütteln, teils aus Angst vor der Stunde der Wahrheit; dann würde nämlich herauskommen, wieviel das Theater den Theaterfreunden wirklich wert ist (soviel wie ihr Auto?), teils des sozialideologischen Credos wegen: »Die Kunst dem Volke!« Das Bayerische Natio-naltheater forderte 1975 für den teuersten Premieren-Platz 62,50 Mark, 30 Mark mußte man 1911 bezahlen, um bei der *Rosenkavalier*-Uraufführung im König-lichen Opernhaus in Dresden auf dem besten Platz sitzen zu können. Im Kölner Opernhaus kostete der teuerste Platz in der höchsten Preisgruppe 38 Mark, in der Zürcher Oper 26 Franken, im Zürcher Schauspielhaus 16 Franken. Im Leipziger Opernhaus zahlt man nur 12 Mark für den teuersten Platz, in Rostock 6 Mark und 5 Mark für einen entsprechenden Sessel im Schauspielhaus.

Im Jahre 1970 hatte die Verschuldung der Städte in der Bundesrepublik eindrucks-volle Höhen erreicht. Offenbach hatte die meisten Schulden, pro Einwohner DM 3 068. München mit DM 1 592 pro Kopf lag in der Mitte, hinter Mainz (2 398), Karlsruhe (2 319), Frankfurt (2 177) und Düsseldorf (2 009) vor Köln (1 496), Hannover (1 460), Mannheim (1 437) und Essen (909). Sorglosigkeit und Repräsen-tationsfreude hatten das Wünschenswerte, zu dem auch Verpflichtungen als Haupt-stadt dem Umland gegenüber gehörten, über Gebühr anschwellen lassen. Die Neu-ordnung der Umsatzsteuer, Teil der Finanzreform von 1970, benachteiligte die Städte zugunsten der Bundesländer. Mit dem Finanzausgleich unter den Gemeinden klappte es nicht. Gleichzeitig beschleunigte sich die Geldentwertung. Der Preisan-stieg erreichte 1973 7,5 %, das war der höchste seit 22 Jahren, seit der Korea-Teuerung, der allerdings ein scharfer Preisrückgang gefolgt war. Bei einer Geld-entwertung von 7 % verdoppeln sich alle zehn Jahre die Preise.

Es sind Extreme denkbar: die Theater sich selbst zu überlassen, sie also zu zwin-gen, mit Gewinn zu spielen. Dann würden nur wenige übrigbleiben, einige in den Großstädten und einige Tourneebetriebe. Ob teatro stabile oder mobile – sie wür-den en suite spielen, müßten attraktiv sein, könnten die Attraktion von Stars be-ziehen oder vom Stück, am besten von beidem, in der Regel würde also modischer Mist gespielt werden. Das wäre praktisch das Ende des Kulturtheaters, aber nicht der Kultur.

Das andere Extrem: kostenlos spielen, weil es auf die geringen »Eigeneinnahmen« der Darstellungsbetriebe nicht mehr ankomme. Rolf Liebermann hat das in Ham-burg vorgeschlagen. »Aber nein, die wollten die Eintrittspreise immer nur erhöhen und waren glücklich, wenn sich herausstellte, daß die Staatsoper DM 300 000 mehr eingespielt hatte als vorgesehen.« Die Idee vom »Nulltarif« wurde 1970/71 disku-tiert. Die Subventionen betrugen damals 450 Millionen, die Einnahmen der Theater 148 Millionen, um diese Summe ging es also. Gewiß hätte man auf dieses Geld verzichten können, da der Verlust sich auf etliche Bundesländer und viele Städte verteilt hätte. Aber was hätte man gewonnen? Den Verfechtern der Kostenlosigkeit erschien der »Einspielzwang« als zu groß und zu schädlich, also die Vorschrift, eine vorbestimmte »Quote« der Einnahmen zu erreichen. Das führe zu »Produktions-druck«, und der wiederum dazu, unfertige Inszenierungen zu zeigen. Qualitäts-verbesserung aber bringe Erfolg.

Die Bedenken überwogen. Leider ist es nämlich fraglich, ob Qualitätsverbesserung durchweg Erfolg bringt, wirksamer ist oft das Schlechtere, wenn auch kaum jemals das Schlechte. Zweitens ist fraglich, ob die Qualität sich durchweg verbessern würde, und vor allem, ob es dann keinen Produktionszwang mehr geben würde. Denn wenn fast jeden Tag der Vorhang aufgeht, muß man in jedem Falle fleißig sein, damit immer etwas dahinter ist. Und ob bei freiem Eintritt der Zulauf größer wäre, man also länger spielen, ergo auch länger probieren könnte, hängt davon ab, ob es das »neue Publikum« wirklich gibt, das ins Theater ginge, wenn es billiger wäre. Eintrittspreise im Kino sind nicht viel geringer als ermäßigte Theaterpreise, und die Volksweisheit »Was nix kost', is nix« könnte sich verheerend auf das Renommee des Theaters auswirken. Man hätte sich dann grundsätzlich dazu entschlossen, leere Sitze zu subventionieren – ein schlechter Grundsatz. Sicher aber ist, daß bei Kostenlosigkeit das Abonnementssystem verschwände. Das würde in diesem Fall kein erhöhtes finanzielles, aber ein größeres künstlerisches Risiko bedeuten. Denn wenn das Angebot nicht gut wäre, gut im Sinne des Verbrauchers, dann würde er sich lieber zu Hause ärgern oder langweilen, statt trotz Argwohn ins Theater zu gehen, weil er den Theaterbesuch schon bezahlt hat. Freilich: bezahlt ist dieser großenteils im voraus, so oder so.

Im Jahre 1971 wollte Hilmar Hoffmann, Frankfurts damals neuer Kulturdezernent, am Theater am Turm den Nulltarif für zwei Jahre proben. Eine Schutzgebühr von einer Mark, für die man ein Programm bekäme, sollte die ganze Selbstbeteiligung sein. »Operetten, gängige Komödien und Erfolgsstücke ohne kulturellen Wert sollen vom Nulltarif ausgenommen werden.« Es kam nicht dazu. Betriebsrechtliche Bedenken standen dagegen. Die Perspektivstudie einer Wirtschaftsprüfungsgesellschaft in Frankfurt stellte eine Faustregel auf: »Wenn ein Theater nur noch elf vom Hundert seiner Gesamtausgaben einspielt und dabei durchschnittlich fast zu einem Viertel nicht besetzt ist, so könnte der Rechtsträger, sofern er drastische Veränderungen als nicht realisierbar ansieht, die Einführung des nur mit einer gleichbleibenden Anerkennungsgebühr verbundenen Theaterbesuchs überlegen.« Kopfschüttelnd merkten die Wirtschaftsprüfer an: »Im gesamten Bereich der öffentlichen Haushalte dürfte es an keiner Stelle Wirtschaftsunternehmen in einer Größenordnung wie die Städtischen Bühnen Frankfurt geben, denen keine klaren Aufgaben gestellt wurden.«

Der Geldverfall betraf ganz Westeuropa. Im Sommer 1973 hatte die West-Mark nach 25 Jahren 41 % ihres Wertes verloren, der Franken 47 % und der Schilling sogar 72 %. Die Zuwendungen für die Theater waren auch in der Schweiz und in Österreich entsprechend gestiegen. Die Wiener Staatsoper ist nach der Ära Karajan (1965) durchaus nicht billiger geworden. Der Gesamtaufwand der Bundestheater (Staatsoper, Volksoper, Burg und Akademie) wurde 1965 auf 363 Millionen Schilling veranschlagt (damals etwa 55 Millionen DM), 1966 auf 378 Millionen (58 Millionen DM) und 1967 auf 437 Millionen (66 Millionen DM). Der Zuschuß für die Bundestheater betrug im Rechnungsjahr 1969 339 Millionen Schilling, er stieg über 445 Millionen (1971) auf 631 Millionen (1973). Gleichzeitig sank das Einspielergebnis von 29 % auf 21 %. Die Zuwendungen für die anderen österreichischen Theater kletterten nicht in gleichem Maße: für das Volkstheater von 11,5 (1969) auf 16,3 Millionen (1971), für die Vereinigten Bühnen Graz von

44,6 auf 52,7, das Landestheater Linz von 27,7 auf 35,5, das Tiroler Landestheater von 23,3 auf 30,9, das Landestheater Salzburg von 18,8 auf 23,1 und für das Stadttheater Klagenfurt von 17,1 auf 21,9 Millionen Schilling. Die Einspielergebnisse sind in der Provinz nicht durchweg besser als bei den Bundestheatern, Baden (29 %), Salzburg (26 %) und Innsbruck (23 %) liegen günstiger, Klagenfurt, Graz und Linz mit je 19 % ungünstiger. Im Jahre 1971 rechnete der Betriebsrat des Landestheaters in Linz aus, daß der Betrieb des Theaters jährlich 20,6 Millionen Schilling in die Wirtschaft der Stadt Linz zurückfließen lasse. In der Linzer Theaterzeitung wurde daraus gefolgert, daß dieser Zuschußbetrieb schon aus finanziellen Gründen erhalten bleiben müsse.

Die Verschuldung der schweizerischen Gemeinden ist weit geringer als die der bundesdeutschen: das höchste Pro-Kopf-Defizit lastete 1972 bei einer Inflationsrate von 6,6 % auf den Basler Bürgern (720 Franken), die gleichzeitig Einwohner des reichsten Kantons der Schweiz sind. In dieser Schulden-Rechnung folgten mit großem Abstand die ebenfalls finanzstarke Schwester-Kanton Basel-Land (425 Franken) und das Tessin (355 Franken). Zürich liegt im Mittelfeld (242 Franken), am Schluß kommen die ziemlich finanzschwachen Gemeinden St. Gallen, Bern und Graubünden mit einem Manko von 35 bis 50 Franken je Einwohner. Wie Basel kann Zürich die höheren Kosten einer Großstadt zum Teil auf den Kanton abwälzen. Trotz dieser relativ günstigen Lage sehen auch Schweizer Stadtbürger nicht mehr ein, daß ihre Stadt sich Schulden aufhalst zwecks Lösung von Aufgaben, die regional oder kantonal gelöst werden müßten, und dazu zählen die Theater. Die deutsch-schweizerischen Kantone und Städte gaben 1969 etwa 30 Millionen Franken für ihre Theater aus.

Die Kantonstruktur der Schweiz bringt es mit sich, daß es an einer zentralen Theaterstatistik fehlt. Es gibt keinen Kultusminister, die Autonomie der Gemeinden ist groß. Es gibt viele kleine Fördergesellschaften, die meist in Sonderfällen tätig werden, beispielsweise Bühnenausstattungen bezahlen. In der deutschsprachigen Schweiz gibt es nur ein einziges Theater, das der Oper allein vorbehalten ist, alle anderen sind Drei- oder Zwei-Sparten-Häuser oder Schauspielbühnen. Der Zuschuß für das Opernhaus in Zürich betrug 1969 9,6 Millionen Franken und 1975 22,5 Millionen. Schauspielhaus Zürich: 1969 2,7 Millionen, 1975 10,55 Millionen. Basel 1969 7,4 Millionen (Drei-Sparten-Theater), 1975 vor Eröffnung des neuen Hauses 13 Millionen, danach 17,3 Millionen.

Trotz Dirigismus gibt es auch in der DDR Preisauftrieb, er drückt sich auch in den Subventionsziffern aus: 1967 214 Millionen, 1969 219, 1971 230, 1973 273, 1974 303 Millionen. In dieser Summe sind auch Zuwendungen für die gewiß vergleichsweise kaum ins Gewicht fallenden Varietés und Kabaretts enthalten. Orchestersubventionen werden zusammen mit »Musikpflege« gesondert ausgewiesen: 1967 22 Millionen, 1975 55 Millionen.

Die Subventionssummen in der DDR mit denen in der BRD zu vergleichen ist schwierig. Doch es läßt sich durch einen Vergleich der Theater (1973: 106) und Theaterplätze (1973: 13 000) in der DDR mit denen in der Bundesrepublik (1973: 85 öffentliche Unternehmen mit 200 Spielstätten, 123 000 Plätze) sagen, daß die Zuschüsse im Westen nicht nur absolut, sondern auch relativ höher sind. Daß die Löhne, Gagen, Gehälter und Materialkosten in der DDR niedriger sind, hilft den

Theatern wohl nicht viel, denn die Eintrittspreise sind ebenfalls geringer. Im Rechnungsjahr 1974 bekamen alle Theater in Ost-Berlin zusammen 28,8 Millionen Subvention, man rechnete mit 1,3 Millionen Besuchern. In West-Berlin gab der Senat 1974 den Theatern 56,4 Millionen, die Besucherzahl betrug 869 000.

Es gibt in der DDR etwa 18 000 »Theaterschaffende« und in der Bundesrepublik 24 000, das sind zusammen mehr als in »Großdeutschland« 1942/43. In der Bundesrepublik gibt es 3 600 Schauspieler und Schauspielerinnen, 1 600 Sänger und Sängerinnen, 1 100 Tänzer beiderlei Geschlechts, 2 000 Choristen, 4 000 Musiker, 2 000 Verwaltungsangestellte, 7 000 technische Mitglieder, 2 500 leitende Funktionäre (Intendanten, Vorstände, Dramaturgen, Regisseure usw.). Von 20 000 arbeitslosen Schauspielern in der Bundesrepublik ist die Rede. Aber »Schauspieler« kann sich, im Gegensatz zu »Sänger« oder »Tänzer«, so ziemlich jeder nennen. Es gibt keine obligatorische Ausbildung. Technisches Personal wird besser bezahlt als künstlerisches, weil Solistengagen frei vereinbart werden. Kollektive schützt der Tarifvertrag. Bei der Landesbühne Schleswig-Holstein in Rendsburg, wo ein Tänzer 1974 netto DM 850 bekam und ein Tenor 1500, verdiente ein Beleuchtungsmeister immerhin DM 2000.

Piscator bekam als Intendant der Berliner Volksbühne (1962–66) monatlich DM 4 000, dafür mußte er auch jährlich zwei Inszenierungen liefern. Franz Reichert hatte in Hannover (1965–73) monatlich DM 5 000, zuletzt vielleicht mehr. Heute bekommen Intendanten DM 10 000 und mehr. Dramaturgen, vor zehn Jahren mit DM 1200 entlohnt, verdienen heute oft mehr als das Doppelte. August Everding erhält als Chef der Hamburger Staatsoper DM 150 000 im Jahr und Gelegenheit zu etlichen Nebenverdiensten, Christoph von Dohnányi sind für 1977 als Opernchef DM 250 000 zugesagt.

Die Opernintendanten versuchen sich und einander gegen Preistreiberei zu schützen, vor allem dagegen, daß der eine gegen den andern ausgespielt wird. Sie kommen zweimal im Jahr zusammen, um gemeinsame Fragen zu bereden, und das sind überwiegend Geldfragen. Diese inoffiziellen Zusammenkünfte sind die ›Deutsche Opernkonferenz‹ (es gibt auch eine internationale). Anfang der siebziger Jahre galt die Übereinkunft, einem Star nicht mehr als DM 15 000 pro Abend zu zahlen – allerdings war das nur eine »Empfehlung«, die sich nicht auf »Zwangslagen« bezog. Die Hamburger Staatsoper fühlte sich im Interesse der internationalen Konkurrenzfähigkeit sowieso nicht gebunden.

Opernhäuser der zweiten Kategorie (Frankfurt, Köln, Stuttgart beispielsweise) können sich keine Superstars leisten, sie kaufen Stars ein, die aber ebenfalls international bekannt sind, ihre Gagen lagen Anfang der siebziger Jahre um die DM 8 000. Gelegentlich gelingt es auch, eine Stimme zu »entdecken« und ihren Preis eine Weile erschwinglich zu halten. Die Betriebsprüfer der Frankfurter Oper nannten 1972 Spitzengagen für Gastsänger in Höhe von DM 3 500 pro Vorstellung »ungesund« angesichts der Abendeinnahme von durchschnittlich DM 7 500. Einige Startänzer und Primaprimaballerinen erreichen das Gagenniveau der Supersänger, ein paar international gesuchte Choreographen verdienten für die Hälfte oder ein Drittel eines Ballettabends DM 11 000, dafür mußten sie allerdings wie die Regisseure wochenlang Proben leiten, im Gegensatz zu Dirigenten und Sängern, denen »Verständigungsproben« genügen.

382 Die Millionen, die verspielt werden

Inhaber einzigartiger Stimmen können sich fast jede Freiheit herausnehmen. Es steigen aber nicht nur die Forderungen der Sänger, sondern auch die der Fans. Sie haben makellose Tonkonserven daheim, die sie als Norm setzen.

Renommierte Schauspieler können sich nicht so gut verkaufen. Anfang der siebziger Jahre verdienten erste Kräfte an ersten Theatern um die 5 000 DM Monatsgage, heute bis zu 7 000 DM. Arbeiteten sie »frei«, dann konnten sie etwa auf das Doppelte kommen. Der Vertrag lautete dann auf vielleicht dreißig Aufführungen in drei Monaten oder (an Privattheatern, die en suite spielen) eine Rolle, mit Garantie für eine bestimmte Zahl von Vorstellungen und der Verpflichtung, an Proben teilzunehmen. Eine »Probenpauschale« entspricht annähernd einem Monatsgehalt.

In der DDR ist 1971 ein Spielraum zwischen 725 und 4 000 Mark festgelegt worden. Selbstverständlich gibt es auch dort Nebenverdienste bei Film, Funk und Fernsehen. Das Berliner Ensemble hat einen Sonderstatus.

Sängerstars, die als Spezialisten durch die Welt fliegen, bekamen Mitte der siebziger Jahre 20 000 Mark netto pro Abend, Anfänger werden mit 900 bis 1 100 Mark schlechter bezahlt als Mitglieder des Opernchors, weil Chorgagen tariflich gebunden sind, Sololeistungen aber von Fall zu Fall ausgehandelt werden müssen. Schauspielanfänger bekommen noch etwas weniger.

Im Jahr 1975 sind Birgit Nilsson, Joan Sutherland und der Tenor Placido Domingo anscheinend am teuersten gewesen (DM 20 000, vereinzelt mehr), gefolgt von Leontyne Price (DM 18 000), Leonie Rysanek, Nicolai Ghiaurov und Christa Ludwig (je DM 15 000). Der Sänger-Etat macht etwa 17 % vom Ganzen aus. Nur etwa 20 Sänger und Sängerinnen kosten mehr als DM 12 000 pro Abend. Karl Böhm dirigiert für DM 20 000, Karajan und Bernstein haben »gar keinen Preis« – wie der Verwaltungsdirektor der Deutschen Oper Berlin es ausdrückte.

Mitte der siebziger Jahre wurden die internationalen Opernstars für die Opernbühnen der Bundesrepublik greifbarer, weil die »West-Mark« beim internationalen Schwund der Kaufkraft resistenter war als Franc, Lira, Schilling, Pfund und Dollar. Nicht nur München und Hamburg, auch Frankfurt, Köln und Mannheim konnten sich in der Spielzeit 1975/76 Birgit Nilsson leisten, Leonie Rysanek kam häufiger als bisher nach Berlin, Hamburg und München. Mirella Freni, auf DM 12 000 pro Abend taxiert, war nicht nur in Salzburg unter Karajan als Mimi zu hören und zu sehen, sondern auch in Köln neben dem für sie als Partner eingeflogenen Gianni Raimondi. Innerhalb des deutsch-österreichisch-schweizerischen Verbundsystems kann man wohl auch Preisnachlässe aushandeln, denn außerhalb dieses Subventionsbereiches werden die Arbeitsmöglichkeiten zusehends unsicherer. Speziell die ›Metropolitan‹ in New York und die ›Scala‹ in Mailand sind seit Mitte der siebziger Jahre ständig in Gefahr, die nächste »Kostenexplosion« nicht zu überleben.

Stargastspiele sind einerseits kaufmännisch zu verantworten, denn sie erlauben erhöhte Eintrittspreise und bringen der Bühne Renommee. Andererseits sind sie ein Risiko. Der Hamburger Staatsoper leistet seit Ende 1960 eine »Stiftung zur Förderung« Ausfallbürgschaft, sei es für Sonderveranstaltungen, sei es für Auslandsgastspiele, sei es für Starengagements. Joan Sutherland, die erstmals Anfang der sechziger Jahre in der ganzen Opernwelt aufhorchen ließ, habe »sich selbst bezahlt«, erklärte Liebermann, denn sie habe »stets mehr eingebracht als gekostet.

Ihr Marktwert war also völlig in Ordnung. Und nur dann stimmen die Gagenhöhen, wenn sie Geld bringen.«
Orchestermusiker werden wie die Beamten nach Ortsklassen bezahlt, sie können auf DM 3 000 kommen. Die Wiener Philharmoniker fanden sich als Opernorchester immer unter Niveau bezahlt, schon gar in bezug auf die anderen Kollektive. Was ihnen als Bundesangestellte fehlt, spielen sie freiberuflich als Philharmoniker reichlich ein, auch eine private Altersversorgung. Die doppelte Belastung macht die 40-Stunden-Woche zur Farce, ist strenggenommen illegal. Kommen gar noch Schallplatten-Aufnahmen dazu, spielen die Philharmoniker vormittags, nachmittags, und abends dann in der Oper. Die Wiener Festwochen und die Salzburger Festspiele machen das Urlaubnehmen zu einem Kunststück.
Orchestermusiker werden wie qualifizierte Facharbeiter entlohnt, was sie ja auch sind, Choristen verdienen weniger, Tänzer jeweils 10 % weniger als Chorsänger. Nur in Stuttgart ist das Ballettcorps dank Cranko dem Chor gleichgestellt. Ein Tänzer, der nur mit fünfzehn Berufsjahren rechnen kann, bekam 1975 zwischen DM 1 100 (ledig in Ulm) und DM 2 580 (verheiratet in Stuttgart). Immerhin haben alle von 1971 bis 1974 mehr als ein halbes Dutzend Erhöhungen erlebt. Wer 1971 DM 1 300 verdiente, hatte 1974 DM 2 500. Eine Sängerin an der Deutschen Oper in Berlin, nicht mehr jung, in mittlerer Position, erhielt in den Jahren 1968 bis 1973 allein aufgrund der verschiedenen »Anpassungsverträge« mit Rücksicht auf Tariferhöhungen im »öffentlichen Dienst« DM 13 000 zusätzlich. Dabei bevorzugte die Progression Technik und Verwaltung: seit 1966 verdient das künstlerische Personal 45 % mehr, das verwaltende 66 % und das technische 92 %.
In dem Jahrzehnt zwischen 1962 und 1972 verbesserte sich die Situation: die Gesamtausgaben stiegen um 159 %, die öffentlichen Zuweisungen um 215 %, die Einnahmen aus dem Kartenverkauf aber um 52 %. Das durchschnittliche Einkommen aller beim Theater Beschäftigten lag 1975 bei DM 27 654. Dennoch immer noch große Armut im einzelnen. Und schon kommen neue Forderungen. Der Anspruch auf bezahlten Bildungsurlaub ist Gesetz geworden, die Gewerkschaft läuft Sturm gegen die »Zeitverträge«, sie verlangt Kündigungsschutz wie in anderen Branchen.
Auch die Theater liegen im Sozialstaat, auch Schauspieler sind Sozialpartner. Sie werden zu Funktionären des Zeitvertreibs am Feierabend, die ihrerseits ihren Feierabend, den bezahlten Urlaub, die 40-Stunden-Woche haben wollen, wie die Kollegen im »öffentlichen Dienst«, denn auch sie verstehen ihre Tätigkeit als »öffentlichen Dienst«. Sie kämpfen um die gute Rolle in der Gesellschaft, nicht nur auf der Bühne. Schon deshalb kann es bei 924 Millionen Subventionen (1975) nicht bleiben. Die Staats- und Kommunaltheater der Bundesrepublik sind 1974 dem Umsatz nach ein Milliardenunternehmen geworden. Sie würden ungefähr auf den 92. Platz der hundert größten Industrieunternehmen gehören, etwa in die Gegend von Fichtel & Sachs und der Schwedischen Kugellagerfabrik – wenn ihre Bilanz nicht immer negativ wäre.
Es ist klar, daß in dieser Lage immer lauter von »Reformen« geredet wird und damit Theaterschließungen gemeint sind, mindestens Fusionen. Als Denkmodell bietet sich dabei das Ruhrgebiet an, die Region mit der größten Theaterdichte der Welt. Sie läßt sich als Industriestadt mit 5,2 Millionen Einwohnern definieren. Von

den in der Saison 1970/71 existierenden 194 öffentlichen Spielstätten mit 127 333 Plätzen befand sich etwa ein Viertel in der »Theaterlandschaft« Nordrhein-Westfalen. Die Bühnen im Ruhrgebiet, der Stadt aus Städten, haben freilich im wesentlichen dieselben Spielpläne. Es sind also dieselben Stücke in verschiedenen Inszenierungen zu sehen. Das ist für den »Fan« paradiesisch, aber so weit geht das Interesse am Theater in den allerseltensten Fällen, und wenn, dann erweisen sich die Vergleiche meist als unergiebig. Man geht – wenn überhaupt – immer in dasselbe Theater. Die Platzmieter sind sogar auf ihre Sessel verpflichtet. Wem also dient der Aufwand? Den lokalen Ehrgeizen, den »Kulturhoheiten« der Städte, sagen die Befürworter von »kulturpolitischen Flurbereinigungen«.

In diesem Land der 46 Stadt- und Privatbühnen (Staatstheater gibt es dort nicht) wird tatsächlich zusammengearbeitet, wenn auch in geringem Umfang. Die älteste und bisher einzige Fusion zweier Theater in Nordrhein-Westfalen nach 1945 findet sich in Krefeld und Mönchengladbach, deren Bühnen sich 1950 unter der damaligen Generalintendanz von Erich Schumacher zu einem Gemeinschaftstheater mit den Sparten Oper, Operette, Schauspiel und Ballett zusammengefunden haben. Im Falle »Düsseldorf/Duisburg« (1956) wurde für zwei Häuser ein gemeinsames Ensemble gebildet. »Bochum/Gelsenkirchen« (1966) tauschen Produktionen aus: Bochum liefert Schauspiele nach Gelsenkirchen, Gelsenkirchen schickt Opern nach Bochum. Einige Gelsenkirchener Schauspieler wurden in Bochum aufgenommen. Die Städtischen Bühnen von Kiel und Lübeck verkleinerten und vereinigten 1966 ihre Ballettensembles, um in jeder Spielzeit gemeinsam mindestens einen anspruchsvollen Ballettabend veranstalten zu können. Die tänzerischen Operneinlagen werden nach wie vor getrennt absolviert. Oberhausen verzichtete zum Ende der Spielzeit 1966/67 auf das Schauspielensemble.

Das waren vernünftige, im Einzelfall schmerzliche, aufs Ganze gesehen geringfügige Entscheidungen. In der Dortmunder Kulturverwaltung rechnete man aus, daß die auf engstem Raum gelegenen Städte Gelsenkirchen, Bochum, Essen, Wuppertal, Hagen und Dortmund im Rechnungsjahr 1971 rund 54 Millionen DM für ihre Opernbühnen aufwenden mußten. Allein die Dortmunder Oper schluckte im Jahre 1971 14 Millionen DM, das waren 46 % des Dortmunder Kulturetats. Nach vergeblicher Partnersuche wollte Dortmund seine Oper abschaffen, aber der Kulturdezernent Spielhoff, der »Opernmörder«, wurde gestürzt, und die Oper lebt weiter.

Vom Herbst 1966 an wurde das Stadttheater in Rheydt von Aachen aus bespielt, das Rheydter Ensemble (achtzig Schauspieler, Sänger, Chor- und Ballettmitglieder) war zum 31. Januar 1966 auf Stadtratsbeschluß innerhalb von acht Wochen aufgelöst worden. Die Zuschüsse betrugen 1,2 Millionen (1951: 460 000 DM), in dieser Summe steckten je DM 140 000 vom Land Nordrhein-Westfalen und vom Westdeutschen Rundfunk, deren Streichung angekündigt worden war. Die Ersparnisse für Rheydt waren zunächst gering, in Anbetracht der Ablösungsverpflichtungen und der Bezahlung für die Gastspiele aus Aachen. Das technische Personal in Aachen mußte vermehrt werden.

Anfang der siebziger Jahre wurden in den Kultusministerien Struktur- und Sparkommissionen tätig. Ein Bericht vom April 1971 für den Niedersächsischen Landtag sagte, Kooperation und andere Rationalisierungen würden die Kosten nicht senken, nur »schrittweiser Abbau« täte das. »Unbestrittene Wirkungsmöglichkeit«

hätten die drei Staatstheater in Hannover, Braunschweig und Oldenburg sowie die kommunalen Theater, die sich in einer Randlage befinden (Osnabrück und Göttingen), und auch die erfolgreichste der Landesbühnen, die in Wilhelmshaven. Verden und Lüneburg beeinträchtigen einander nicht oder nicht wesentlich. Auch das Schloßtheater Celle liege günstig. Das Musiktheater in Hildesheim sei wie alle kleinen Opernhäuser auf die Dauer nicht zu halten. In Hannover solle man Staatsschauspiel und Landesbühne zusammenlegen. Das Stadttheater in Cuxhaven befand sich schon in Liquidation, es wurde am Ende der Spielzeit 1971/72 geschlossen, das Ensemble aufgelöst, das erst 1968 erbaute Haus Gastierbetrieben geöffnet.
Im Sommer 1973 legte die Kommission zur »Strukturplanung der Bibliotheken, Museen, Orchester und Theater« in Nordrhein-Westfalen ihren Bericht vor. Er empfahl einschneidende Rationalisierungsmaßnahmen, verstand sich aber nicht als »Sparkommission«, sondern ging davon aus, daß eine neue Struktur der »Theaterlandschaft« stärkeren Einsatz des Landes voraussetze. »Flächendeckende Versorgung« sei notwendig. Die rigoros dirigistischen Vorschläge blieben Papier, man wählte die andere Möglichkeit: mehr Geld. Anfang 1975 trat das Finanzierungsausgleichsgesetz in Kraft, demgemäß das Land Nordrhein-Westfalen sich mit 31 Millionen an den Kosten der Kommunaltheater beteiligte. Diese Mittel werden nach dem »Gießkannenprinzip« verteilt, im Gegensatz zu der bis dahin üblichen Honorierung besonderer Leistungen durch das Kultusministerium. Prämierung durch das Kultusministerium in Nordrhein-Westfalen können und brauchen sich nur noch Privattheater erarbeiten, dafür liegen 2,4 Millionen bereit. Feste Beträge aus der Kulturkasse des Landes bekommen das Düsseldorfer Schauspielhaus (7 Millionen) und die vier Landesbühnen (6 Millionen).
Die Beteiligung der Länder an den Theaterkosten beträgt im Bundesdurchschnitt ein reichliches Drittel der gesamten Zuschüsse. Das entspricht den 35 %, die das Land Niedersachsen übernimmt, Baden-Württemberg zahlt sogar 40 %.
Die Hessische Theaterkommission, die der Kultusminister 1971 berufen hatte, war sanft. Es wurde eine Drittelbeteiligung des Landes, der theatertragenden Kommunen und der umliegenden Regionen über den kommunalen Finanzausgleich beschlossen. – Im Herbst 1973 kam es zu einem »Verbund« in Schleswig-Holstein: die Bühnen von Flensburg, Rendsburg und Schleswig wurden vereint als »Holsteinisches Landestheater und Sinfonieorchester GmbH«.
Im Januar 1973 machte die Stadt Köln einen Vorstoß, speziell in Richtung Bonn, Köln wollte Bonn mit Opern beliefern und Schauspiele aus Bonn beziehen; in Bonn hätte also das Musikensemble, in Köln das Sprechensemble aufgelöst werden sollen. Die Bonner Reaktion war brüsk. Der Vorsitzende des Bonner Kulturausschusses erklärte, er finde die Fusionsabsicht verständlich, »weil der Stadt Köln die Bühnen wie ein Mühlstein am Halse hängen«. Man wolle aber die »Kölner Theaterkrise« nicht nach Bonn importieren.
Tatsächlich sieht die Situation in Bonn viel günstiger aus: Die Bundesregierung hat sich verpflichtet, 50 % des Defizits im Kulturhaushalt der Stadt zu übernehmen. Der Vertrag ist unkündbar und setzt nur ein »bundeshauptstädtisches Kulturprogramm« voraus – was immer das auch sein mag. Dagegen muß Köln seinen Drei-Sparten-Betrieb selber bezahlen. Bei Zusammenarbeit mit Bonn würde Köln am Bonner Bundeszuschuß teilhaben – und das soll nicht sein.

Im Frühjahr 1974 gab es in Baden-Baden Aufregung, weil ein Gutachter im Auftrag des Vorsitzenden des Verwaltungsrates der Staatlichen Bäder- und Kurverwaltung meinte, ein »Bespielungstheater« sei eine Million billiger als die momentane Version: 75 % oder 1,4 Millionen Zuschuß von der Bäderverwaltung aus der »Spielbankabgabe«, der Rest oder DM 465 000 von der Stadt. Eine Gegenrechnung im Theater ergab, daß die Million nur einzusparen sei, wenn man nur 110 Vorstellungen im Jahr gebe, rund ein Drittel des jetzigen Programms.

Vorstöße von Sparkommissionen werden stets von heftigen sozialen Einwänden der Genossenschaft begleitet: »Laßt die Kulturlandschaft nicht veröden!« Der Sparwille wird in den Kommunen selber von emotionalem Unbehagen durchkreuzt. Theater wird vor allem als lokale Institution angesehen, es aufzugeben wird als kulturelle Kapitulation empfunden. »Der Ehrgeiz, ein Theater zu besitzen, ist wie der Ehrgeiz, Stadt zu sein«, erklärte Heinz-Winfried Sabais, Oberbürgermeister von Darmstadt und Präsident des Bühnenvereins.

Argumente und Gegenargumente reichen bis in die Zeit vor der Währungsreform zurück. Schon damals gab es Austausch zwischen Essen, Köln, Düsseldorf und Bonn. Nach der Währungsreform wollte der Mannheimer Oberbürgermeister Heimerich die Zusammenlegung des Nationaltheaters mit dem Heidelberger Stadttheater durchsetzen. Der Mannheimer Intendant Payer nahm sich deswegen das Leben.

Im Januar 1950 protestierten in Köln 2 000 Bühnenangehörige, Vertreter sämtlicher westdeutschen Theater, gegen den Gedanken der Fusionierung von Köln, Bonn und Düsseldorf. Der Kölner Generalintendant Herbert Maisch sagte, er sei dagegen, »erstens weil ich die wirtschaftlichen Vorteile bezweifle, zweitens weil ich künstlerisch nicht an sie glaube, drittens weil ich ihre sozialen und moralischen Folgen ablehne. (Die Fusion opfert ihren Zwecken fünf Kunstinstitute: in Düsseldorf Oper und Orchester, in Köln Schauspiel, in Bonn Oper und Orchester.) Viertens weil sie den kulturellen Wirkungskreis verengt statt verbreitert (keine Abstecher mehr), fünftens weil ich sie für ein gefährliches Beispiel halte.«

Neue Gegenargumente sind in einem Vierteljahrhundert nicht aufgetaucht, nur die Gründe dafür sind dringlicher geworden. Abgesehen von einem Dutzend Theateroasen hänge »über den Stadttheatern das Damoklesschwert«, meint die Bühnengenossenschaft. Im Sommer 1975 entschied der Bundesgerichtshof in Karlsruhe, der Staat dürfe bei der Förderung des Kunstlebens auch finanzpolitische Gesichtspunkte berücksichtigen, also Subventionen streichen oder kürzen. Es bestehe grundsätzlich kein Anspruch auf Zuschuß.

Die Feiern zum 200jährigen Jubiläum des Wiener Burgtheaters im Frühjahr 1976 waren von Debatten über die Kosten überschattet. Der Etat der österreichischen Bundestheater näherte sich drohend der Milliarden-Schilling-Grenze. Der größte Theater-Konzern der Welt mit seinen vier Häusern (Staatsoper, Burgtheater, Volksoper, Akademie-Theater) verbrauchte pro Tag fast 2,8 Millionen Schilling (1974: Ausgaben 880 Millionen, Einnahmen 185 Millionen Schilling). Ein Bericht des Rechnungshofes ließ die Bundestheater als gigantisches Versorgungsinstitut erscheinen, das auch noch von Verschwendung und Mißmanagement gezeichnet war. Die als teuer verschriene Staatsoper (1974: 371 Millionen Schilling) erschien neben dem Burgtheater (220,5 Millionen) relativ preiswert.

Spielend Geld verdienen

Als Anfang der sechziger Jahre in der Bundesrepublik die »Sexwelle« aufkam, hatten die Privattheater den moralischen Anstalten in öffentlicher Hand wieder etwas voraus. Man entblößte sich am Boulevard.

Die Staats- und Stadttheater waren erstaunlich prüde, sie mußten es sein, weil Stadträte es so wünschten. Das immer noch berühmteste Nachkriegsbeispiel ist das Verbot des im Juni 1948 im Münchner Prinzregententheater uraufgeführten Faustballetts *Abraxas* von Werner Egk. Auf Wunsch des Weihbischofs verbot der Kultusminister weitere Aufführungen. Erst im Mai 1961 wagte man (in Köln) die Weinbergszene im dritten Akt von *Frühlings Erwachen* zu spielen, eine homoerotische Begegnung zwischen Ernst und Hänschen. Ein Stückchen Uraufführung, unter der Regie von Charles Regnier, Schwiegersohn Wedekinds.

Ein Bahnbrecher des erotischen Theaters war Arthur Maria Rabenalt. Im Keller des Künstlerhauses am Lenbachplatz inszenierte er im Februar 1962 Picassos surrealistisches Dramolett *Wie man Wünsche beim Schwanz packt.* »In diesem Stück geschah es auf der deutschen Bühne meines Wissens zum erstenmal, daß eine Schauspielerin in einer Szene splitterfasernackt spielte, ohne dabei im katholischen München oder kurz darauf im puritanischen Zürich Unwillen zu erregen. Sie trat stellvertretend für all die von Picasso in seinem Stück geforderte Nacktheit auf, während die anderen Frauen und Männer – wohlgestalt und höchst ansehnlich in buntfarbenen Ganztrikots – agierten, sprechend, singend, pantomimisch, akrobatisch und equilibristisch.«

Nach dem Festwochen-Gastspiel im Theater am Hechtplatz in Zürich mußte das Kollektiv aufgeben, weil es die Vorschriften der Münchner Baupolizei nicht erfüllen konnte. Baupolizei ist immer ein guter Tugendwächter. Nach vergeblichem Startversuch 1964 im sonst für Faschingsbälle und Gastspiele reservierten ›Deutschen Theater‹ ging es erst Anfang April 1968 im Nachtlokal ›Eve‹ weiter mit »Show 68«. Im Oktober eröffnete Rabenalt das ›Theatron Erotikon‹ als Mitternachtstheater in der ›Tribüne‹ mit vier Einaktern, einem apokryphen Maupassant, Lukians und anderen Hetärengesprächen, besagtem Picasso und der Szene eines der prominenteren Lyriker der San-Francisco-Gruppe: *The Beard* von Michael McClure. (Deutsche Autoren kamen auf diesem Gebiet nicht vor.) »Die ›Slanguage‹ kam Schlag auf Schlag, knallhart, Fermaten und Spielpausen gab es nur dort, wo eine spontane Publikumsreaktion nicht erwartet werden konnte, dem Zuschauer wurde keine Zeit gelassen mitzuspielen und die stete Wiederholung der obszönen Wort- und Satzfloskeln höhnisch zu glossieren. Er wurde durch Tempo und darstellerische Besessenheit einfach überfahren. Die Sexualneurotik wurde nicht zelebriert, sondern wie aus einer Schnellfeuerpistole abgeschossen.« In der Karnevalszeit machte Rabenalt mit einem dramatischen Vorwand für Nuditäten einen Seitensprung ins ›Intime Theater‹ an der Berliner Allee in Düsseldorf, danach kam es in München noch zu zwei »Eroticon«-Premieren: *The Late Late Show* des holländischen Provo-Autors Jan Cremer (»mit Spray und Peitsche versucht ein amerikanisches Ehepaar die Langeweile aus dem Schlafzimmer zu vertreiben« – *Der Spie-*

gel), inszeniert von Paul Vasil, und *Sweet Eros* des Amerikaners Terence Mc-
Nally (». . . handelt von einem verstörten jungen Mann, der ein Mädchen in sein
Haus lockt, ihren Hund tötet und sie [. . .] gefangen hält. In einem beredten, eindringlichen Monolog bemüht sich der Verfasser, den irren Mann verständlich und
sogar sympathisch zu machen. Eine ernsthafte und leidenschaftslose Selbstana-
lyse . . .« – *Aufbau*, New York).

Solche und ähnliche Stücke breiteten sich rasch aus, kamen ins Kölner ›Theater am
Dom‹, ins Kölner Boulevardtheater ›Senftöpfchen‹, in Münchner Kleintheater:
Kelle Riedels ›Off-off-Theater‹, ins ›antitheater‹ und in das ›Theater 44‹.
Dem erotischen Theater fehlte es an Darstellern; nur Komparsen und Nacktmo-
delle gaben sich dazu her. Höhere Gagen halfen nach. Später wurde das »Bekenntnis zur Nacktheit« ein Teil des Kampfes gegen gesellschaftliche Tabus. Die Presse
war teils ablehnend, teils verlegen. Namhafte Schauspielerinnen flirteten nur mit
der Nacktheit, sie machten Vorbehalte, waren prüder als im Film, dem sie ja
wie Schlemihl nur ihren Schatten verkauften.
Als die subventionierten Theater nachzogen, rückte die heikle Mode vom Underground ins Establishment und wies sich durch den Ort des Erscheinens als Kunst
aus. Im Oktober 1966 setzte sich Hannelore Elsner in Mrożeks *Tango* über das
Tabu hinweg. Dieter Giesings Münchener Inszenierung war so erfolgreich, daß
sie aus dem ›Werkraum‹ ins Schauspielhaus umzog und dort bis Februar 1969 lief.
Ende Januar 1969 ließen sich die beiden Sprecher der *Selbstbezichtigung* von
Handke nur mit Halbmasken bekleidet im Frankfurter Theater am Turm ausstel-
len. Im Januar 1969 erwies sich eine Utzerath-Inszenierung von *Viel Lärmen um
nichts* an der Westberliner Volksbühne als recht busenfrei, im Juni 69 waren die
Bühnen der Freien und Hansestadt Bremen so frei, *Futz* von Rochelle Owens in
einer Mitternachtsvorstellung zu spielen: eine anale Geschichte, von Hartmut
Gehrke als nonchalantes Bewegungsspiel inszeniert, Lockerungsübung in Sachen
Moral. Im Februar 1970 zeigte Jean-Pierre Ponnelle die *Bacchantinnen* des Euripides gehörig ungehörig. Die Oper machte mit, sie hielt ja schon lange passende
Rollen bereit, vor allem Lulu und Salome, eine Rolle, die Anna Moffo als Striptease auffaßte. Im Juni 1969 machten Günther Rennert in Stuttgart mit Pendereckis
Die Teufel von Loudun und Václav Kàslik in Frankfurt mit Prokofieffs *Der feu-
rige Engel* Schlagzeilen. Diese beiden Schaustellungen von Enthemmung religiös
verklemmter Sinnlichkeit waren die bis dahin freizügigsten Inszenierungen auf
deutschen Opernbühnen.
Anfang November 1970 glaubte der *Münchner Merkur* zu wissen: »Die Sexwelle
erreicht jetzt auch die DDR.« Im Sommer 1974 verfaßten Leipziger Schriftsteller
eine Resolution gegen »Bettlakenkultur«.
Allmählich war es dann so weit, daß Nacktheit an sich nicht mehr skandalisierte,
somit ihren natürlichen Stellenwert bekam, also als Effekt unbrauchbar wurde.
Damit waren die Privattheater wieder mal eine Spezialität los.
Bis er Hilfe brauchte, 24 Jahre lang, hat Hubertus Durek in Köln so ziemlich alles
probiert, was man machen kann, um als Prinzipal durchzukommen. Stets mode-
bewußt, hat er zu gegebener Zeit literarisches, experimentelles, frommes, frivoles
und Star-Theater, Theater für Kinder und für Jugendliche gemacht, er hat es mit
Musicals, Happenings, Multimediae und Kammeropern versucht. Er hat sich und

sein ›Theater am Dom‹ (anfangs ›Westdeutsches Zimmertheater‹, 1949 bis 1957) immer wieder ins Gerede gebracht, war stets auf dem Quivive, aber auch immer wieder auf Hilfe angewiesen. Durek hat auch Fehler gemacht, und er hat unverschuldete Reinfälle erlebt, was aber das Unternehmen zu Fall brachte, war eine strukturelle Schwäche: die Produktionskosten liefen den Einnahmen davon. Ende 1966 eröffnete Durek einen zweiten Theaterraum im Keller der »Kölner Ladenstadt«, aber auch die 192 Sitze zu den alten 351 Klappsesseln konnten den Etat nicht retten, obwohl längst ein Förderverein, die Stadt und das Land zuschossen. Das Unternehmen geriet bei einer Platzausnutzung von rund 95 % immer tiefer in die roten Zahlen. Durek sah sich spätestens von 1970 an bei ausverkauftem Haus pleite gehen. Allein die »Anhebung der Bemessensgrenze« für die Pflichtversicherung verursachte jährlich DM 50 000 Mehrkosten. Und als die Tantiemen von 10 bis 11 % der Bruttoeinnahme im Abonnement auf denselben Prozentsatz vom Durchschnittspreis der Plätze im freien Verkauf kletterten, da war diese dringend notwendige Begünstigung der Autoren für das ›Theater am Dom‹ schon ein Problem. Die Eintrittspreise weiter zu erhöhen, wagte man nicht, ohnehin sind die Städtischen Bühnen preisgünstiger, ganz abgesehen davon, daß sie auch leistungsfähiger sind. Und wenn es ihnen paßt, machen sie auch Amüsiertheater. Nicht nur die Zuschüsse, auch die Gagen sind nicht proportional, wer bei den Städtischen Bühnen dasselbe leistet, bekommt dafür viel mehr Geld. Auf die Dauer ist auch die »automatische« Anpassung an die Gehaltszuschläge im »öffentlichen Dienst« nicht mehr zu vermeiden. Durek mußte aufgeben; die Stadt fand eine noble Form, ihn zu retten und sich selbst ein Boulevardtheater zu erhalten. Es wurde eine Betriebsgesellschaft gegründet, deren Kapital die Stadt, die Freie Volksbühne und die Theatergemeinde hinterlegten. Durek, dem man künstlerische Freiheit garantierte, wird fortan von einem Aufsichtsrat kontrolliert, in dem die Stadt, die beiden anderen Gesellschafter und auch der ›Förderverein für Theater und Bildung‹ vertreten sind. So wurde der Direktor Intendant. Die Betriebsform (GmbH) ist immer noch privatwirtschaftlich. Als die Stadt den ersten Zuschuß gab (DM 3 000, 1958), ist diese öffentlich-private, gemeinnützig-gewerbliche Mischform schon vorgeprägt worden. Inzwischen sind Stadt Köln und Land Nordrhein-Westfalen zusammen mit mehreren hunderttausend Mark beteiligt, und das ›Theater am Dom‹ ist in die Dimension hineingerutscht, in der öffentlicher Auftrag und privates Selbstverständnis zur Auseinandersetzung drängen. Ist das nun noch ein Privattheater oder nicht? Es gibt im deutschen Sprachbereich kaum noch Privattheater in dem strengen Sinne, daß jemand sein Geld aufs Spiel setzt, um es vermehrt wiederzubekommen. Die ›Kleine Komödie‹ in München ist so ein selten gewordener Fall. Es sind zwei, waren vorübergehend (1960–75) drei Bühnen geworden, die ohne Zuschuß bespielt werden können. Wenn es auch kaum noch echte Geschäftsunternehmen unter den Theatern gibt, so doch oft geschäftliche Organisationsformen: Aktiengesellschaft, Gesellschaft mit beschränkter Haftung oder auch private: eingetragener Verein. Das Geschäft wird zwar gewerblich betrieben, aber als chronisch defizitäres Gewerbe im Vertrauen auf private oder öffentliche Zuschüsse, meistens auf beides. Bisweilen entstanden Mischformen, die zu definieren schwerfällt. Nach dem Zusammenbruch des deutschen Kulturlebens und der zunächst nur faktischen, später legalisierten »Gewerbefreiheit« war alles, was geschah, Privatinitiative. Gründungsgeschichten der Privattheater sind so etwas wie Heldensagen geworden: Die Geschichte von dem jungen Oberschlesier Gerhard Metzner, der im Sommer 1945, am Max-II-Denkmal in München auf die Straßenbahn wartend, den mit Gerümpel gefüllten Gartensaal eines Cafés entdeckte, die spätere ›Kleine Komödie am Max II‹. Oder die Geschichte vom ›Thespis-Karren‹ aus Bad Tölz mit der Lizenz Nr. 8. Der Prinzipal hätte Schauspieldirektor in Frankfurt werden können, zog aber lieber mit seinen Thespis-Leuten in den Zoo. So entstand das ›Kleine Theater am Zoo‹ von Fritz Rémond. Oder die Geschichte von der Schauspielerin, zu deren Gunsten ein Soldatenkabarett an die Luft gesetzt wurde, weil sie so rührend schwärmte, ein Theater müsse »wie ein Leuchtturm« sein. So kam Ida Ehre an ihre ›Hamburger Kammerspiele‹.

Der Zwang, zusammenzulegen und Risiko und Gewinn zu teilen, führte zu kollektiven Betriebsformen. »So befanden sich bis 1949/50 mit geringen Ausnahmen die Theater in den Händen des Volkes«, kommentiert die Theatergeschichte der DDR diesen Vorgang, Darstellung und ideologische Deutung geschickt kombinierend. »Diese auf der neuen sozial-ökonomischen Grundlage beruhenden Verhältnisse waren in letzter Instanz die Ursache dafür, daß sich in der gesellschaftlichen Funktion des Theaters ein grundlegender historischer Wandel vollziehen konnte.« Kurz und klar: seit 1953 gibt es in der DDR keine Privattheater mehr.

In der Spielzeit 1951/52 gab es in Westdeutschland nur noch 58 Privattheater, 1965/66 wieder 78. Sie verfügten über 28 000 Plätze, bestritten 18 000 Vorstellungen, hatten 5 Millionen Besucher und 9 Millionen Zuschüsse. In der Spielzeit 1974/1975 waren es nur noch 65, aber mit 21,3 Millionen Zuweisungen.

Die Stadt München gab 1974 ihren 22 Privattheatern knapp 100 000 DM. 1975 wurde die Summe verdoppelt, die Zahl der Empfänger halbiert. Eine Gruppe von Journalisten beriet bei der Geldverteilung. Berlin gab 1973 elf Millionen an die 16 Privattheater (1955/56 war es noch eine Million). Manches sind indirekte Zuwendungen: Erlaß von Mieten oder Ausgleich für verbilligt abgegebene Eintrittskarten. Der Senat ersetzt den Verlust mehr oder minder, den Volksbühne und Theatergemeinde verursachen, weil man für deren Preise nicht spielen kann. Selbstverständlich hat man lieber Volksbühnen-Besucher als gar keine. Im Renaissance-Theater in Berlin war 1974 jeder Platz mit etwa 11 Mark belastet, die Volksbühne zahlte DM 3,70, der Senat gab DM 4,70, den Rest spendete das Theater selber. Die beiden Zuschuß-Krösusse unter den Berliner Privatbühnen sind das Theater der Freien Volksbühne (1973: 2,9 Millionen), das glückloseste Privattheater, und die Schaubühne am Halleschen Ufer (1973: 2,97 Millionen), das bedeutendste. Schon nach der ersten Spielzeit (1970/71) des Kollektivs um Peter Stein stand die ›Schaubühne‹ dank der zweiteiligen *Peer Gynt*-Inszenierung an der Spitze aller deutschen Theater. In Geldschwierigkeiten kam der Senat immer wieder zu Hilfe, weil sich dort jeder Zuschuß künstlerisch gelohnt hat. Hatte schon der *Peer Gynt* nicht in den Wirtschaftsplan gepaßt, so schon gar nicht das ebenfalls zweiteilige »Antiken-Projekt«, das auch in Paris und New York gezeigt werden konnte: am ersten Abend Peter Steins »Übungen für Schauspieler«, die zeigen sollten, wie Theater zugleich »kontrolliert und ereignishaft« (Stein) sein kann. Am zweiten Abend

Modernes Theater, München
(Foto: Werner Holl, München)

Klaus Michael Grübers hermetische, ästhetische, höchst theoretische Paraphrase auf die *Bakchen* des Euripides. Sie war frag-würdig im guten Sinne des Wortes. Privattheater, die an alten Rezepten festhalten, altern mit ihrem Publikum. »Ich muß unter Beweis stellen, daß ich noch gebraucht werde«, schrieb Fritz Rémond 1972 seinen Abonnenten ganz offen. »Schicken Sie mir Ihre Zusage!« Zum Herbst 1975 übergab Rémond sein Theater an Lothar Baumgarten, spielte noch an mehr als 40 Abenden den Striese und starb im Frühjahr 1976, im Alter von 73 Jahren. Als Ida Ehre, die »Duse von der Alster«, zum 25jährigen Jubiläum (1970) die *Troerinnen* von einst wiederholte, wurde es – laut *Die Welt* – »schmerzlich deutlich, wie sehr dies einst so renommierte Haus den Anschluß an den Zeitgeist verloren hat«. – »Man gibt uns gerade so viel Subvention, daß wir nicht zumachen«, schimpfte (1972) Franz Stoss, Direktor des Josefstädter Theaters. Er meinte, er könne ohne weiteres rentabel spielen, sogar reich werden, wenn er en suite spielen und Stückverträge machen dürfte. Aber der Kollektivvertrag schreibt nicht nur die Höhe der Gagen vor, sondern auch, daß das Theater in der Josefstadt mindestens 24 und die angeschlossenen Kammerspiele wenigstens 10 Schauspieler zwölfmonatig beschäftigen müssen. So rettet die Gewerkschaft das Repertoiretheater. Unter solchen Umständen spielt sich ein Lohnkampf sehr gelassen ab: die Gewerkschaft teilt mit, was künftig gezahlt werden muß, der Direktor meldet daraufhin dem Bundesministerium für Unterricht und Kunst, um wieviel nun die Subvention erhöht werden muß, und das Ministerium zahlt. Das geht so lange, wie's geht. Im Februar 1972 tauchte der anonyme Plan auf, zwecks Rationalisierung alle Privattheater Wiens zusammenzufassen. Direktor Stoss fiel dazu nur das Couplet ein »Wie stellst du dir das technisch vor?«. Und es blieb auch bei diesem Probeschuß.

Die zur Erreichung der Rentabilität notwendige Aufführungsserie wird zwar immer länger, aber man kann sie immer noch erreichen – am sichersten auf genügend langer Tournee. Drei Monate lang durch die Bundesrepublik, Österreich und die deutschsprachige Schweiz, das ist zwar eine Strapaze, aber auch ein Geschäft.

Ungefähr seit 1960 sind die Tourneetheater immer zahlreicher geworden. Es sind echte Privattheater, die Gewinn einspielen. Der Omnibus als Thespiskarren. Interessenten sind etwa 300 mittlere und kleinere Städte, die zwar eine Bühne besitzen, in der Stadthalle, in der Volkshochschule, aber kein Ensemble. Man schätzt, daß sie pro Saison 3,5 Millionen Zuschauer mobilisieren. Die Hälfte von ihnen würde wohl sonst nicht ins Theater gehen. So aber sind sie Abonnenten, nicht bei einem Theater oder der Volksbühne oder der Theatergemeinde, sondern beim örtlichen Kulturamt. Die Kulturverantwortlichen können pro Saison aus etwa hundert Produktionen wählen, ein Menü nach bestem, begrenztem Wissen, überwiegend nach Erfahrung, was örtlich ansprach. Ein eigenes Ensemble wäre teuer und schlicht oder gar schlecht; das Tournee-Angebot ist zwar manchmal nicht besser, aber viel billiger. In Halberstadt kam man 1974 mit 55 000 Mark für 45 Gastspiele aus, in Rüsselsheim entsteht für etwa 120 Gastspiele jährlich ein Fehlbetrag von 315 000 Mark. Die Städte ohne Ensemble haben eine Arbeitsgemeinschaft gebildet, die seit 1970 alljährlich tagt. Sie wollen Einfluß auf das Angebot ausüben.

Auch die Tourneetheater – Mitte der siebziger Jahre in Österreich, der Bundesrepublik und der Schweiz etwa zwanzig – haben ihren Interessenverband. Sie bieten Stadttheatern wenigstens einen Star, um den das übrige Ensemble arrangiert ist. Die Filmstars sind leicht zu haben, seitdem Jungfilmer sie entweder ablehnen oder ihnen nur kümmerliche Gagen bieten. Auch Ärger mit gesellschaftskritischen Regisseuren und antiautoritärem Bühnennachwuchs hat manchem von ihnen die Bühne verleidet. Neunzig Vorstellungen quer durch die Provinzen, zum Trost einige Großstädte dazwischen, ergeben auch eine Filmgage. Und man steht unangefochten im Mittelpunkt. DM 1 000 oder gar DM 2 000 pro Abend bekommt der Star, seine Staffage sehr viel weniger. Die Besucherfrequenz ist höher als beim ortsgebundenen Theater, Gastspiele sind so gut wie ausverkauft. Im Frühjahr 1970 gab *Der Spiegel* dieses süffisante Stimmungsbild: »In Buxtehude gibt Siegfried Lowitz den Tartuffe, zu Neheim-Hüsten meistert Dietmar Schönherr mit Frau Vivi das Schaukelburschendrama ›Liliom‹, in Wermelskirchen, Postleitzahl 5678, tritt Liselotte Pulver mit einer Feydeau-Farce auf die Bretter. Im Festsaal der Realschule zu Bevensen hinwiederum, in den Gymnasiumsaulen zu Ennepetal wie Plettenberg-Böddinghausen, im Kolpingsaal zu Neunkirchen wie im ›Haus der Kirche‹ zu Heiligenhaus, läßt sich der Menschendarsteller Gustav Knuth vernehmen. Das Trio Agnes Fink, Bernhard Wicki, Ernst Stankovski seinerseits wird, auf einer Wanderfahrt durch 80 Kommunen, Bad Orb nicht übergehen, nicht Duderstadt und Herne, nicht Hilchenbach-Dahlbruch und Ibbenbüren; es wird auch Viersen bespielen. [...] Familiensinn bringt gern Künstlerehepaare auf Tournee: Walter Giller reist mit Nadja Tiller, Helmut Schmid mit Liselotte Pulver. In anderen Ehen inszeniert

Ibsen, Peer Gynt. Schaubühne am Halleschen Ufer, Berlin 1971. Regie: Peter Stein (Foto: Ilse Buhs, Berlin)

der Gatte (für 6 000 bis 20 000 Mark) und schickt die Frau los – wie Wolfgang Liebeneiner seine Hilde Krahl. Besser noch: der Künstler inszeniert sich selbst. Erik Ode macht es so, Josef Meinrad, Axel von Ambesser und Heinz Drache.«

Die Tourneetheater stören die Kreise der Landesbühnen, die bisher nur mit »Abstechern« stehender Theater in größeren Orten rechnen mußten. Landesbühnen sind sozusagen mobile Stadttheater, die seit Jahrzehnten ihre Region mit Gastspielen versorgen, »Sammelbecken von Anfängern und ›Aufhörern‹, auch auf dem Intendantenposten. [...] Landesbühnen haben kein Image. In ihnen sieht man anscheinend die soziale Unterschicht der Theaterhierarchie. Ihre Produktionen gelten als namenlos« (Werner Schulze-Reimpell). Vom Tourneetheater unterscheiden sie sich positiv durch einen literarischeren Spielplan und Ensemble-Spiel. Seit 1972 zahlt das Land Nordrhein-Westfalen den Landesbühnen 4 Millionen jährlich. Mitte der siebziger Jahre gaben achtzehn Landesbühnen pro Saison etwa 5 000 Vorstellungen, vor zwei Millionen Zuschauern. Sie hatten etwa 12 000 Angehörige. Trotz der Transportkosten arbeiten sie viel billiger als die stehenden Bühnen, allerdings produzieren sie nur Schauspiele. Nur die größte, das Landestheater Detmold, ist ein Drei-Sparten-Unternehmen. Die Landesbühne Hannover und das Landestheater Württemberg-Hohenzollern in Tübingen haben mehrere Spielstätten am Heimatort. Meistens findet »daheim« die Premiere statt, dann beginnt der rollende Einsatz.

Die Tourneetheater profitieren vom System, das sie stören, seitdem sie so zahlreich wurden. Der Anteil der Tourneebühnen an sämtlichen Gastspielen stieg von

28 % (1968) auf 40 % (1972) und lag 1975 wohl bei 50 %. Die Gemeinden stellen ihnen ihre Häuser zur Verfügung, oft sogar mit technischem Personal, übernehmen die Werbung und garantieren den Verdienst – die Gäste kommen überall sozusagen ins gemachte Bett. Obendrein hat das System der subventionierten Theater die Schauspieler, Regisseure, Autoren herangebildet, deren sich die Tourneeunternehmen bedienen. »Kostgänger des öffentlichen Theaters« nannte sie *Theater heute.* Die Zeitschrift schätzt den Profit, den sie aus dem System ziehen, auf 15 Millionen pro Saison.

Aber die gemeinnützigen Theater laden, bedrängt von steigenden Kosten und gesetzlich gekappter Arbeitszeit, die eigennützige Konkurrenz immer öfter selber ein. Die Städtischen Bühnen in Münster buchten in der Spielzeit 1973/74 22 Gastspiele. Vergeblich regte der Münsterische Generalintendant Friedrich Lorenz an, Operngastspiele städtischer Bühnen künftig davon abhängig zu machen, daß beim Opernlieferanten genauso viele Schauspielproduktionen gebucht werden. In Oberhausen, wo nur lokales Musik- und Jugendtheater existiert, bucht man die Schauspiele von Stadttheatern und von deren reisender Konkurrenz. Die Leistungsfähigkeit auch der Landestheater geht zurück. Das in Tübingen zum Beispiel konnte 1974 nur noch sieben statt vierzehn bis achtzehn Inszenierungen produzieren. Um Herr der Situation zu bleiben, engagiert das Landestheater selber Tourneebühnen. Im November 1974, auf der Dramaturgentagung in Mainz bekamen die Gastspielunternehmer, die sich übrigens keine Dramaturgen leisten, Böses zu hören: »Verunstalter der deutschen Kulturlandschaft, frühkapitalistische Ausbeutungsmethoden.« Maria Becker, Chefin des Reiseensembles ›Die Schauspieltruppe Zürich‹, brach in Zorn aus. Namhafte Mitglieder des Theater-Establishments, die Marktwert haben, arbeiten gern gelegentlich für ein Reiseunternehmen. Der O'Casey-Spezialist Gert Omar Leutner, Intendant des Dortmunder Schauspiels bis zum Ende der Spielzeit 1974/75, studierte *Juno und der Pfau* für den ›Grünen Wagen‹ in München ein. Die Inszenierung ging im Winter 1973/74 durch fünfzig Orte in drei Ländern. Pensionäre wie Barlog und Schweikart fanden hier ein Altenteil. Schweikart lieferte eine Koproduktion der Städtischen Bühnen in Bielefeld mit einem Tourneetheater, es war *Der Menschenfeind* mit Erich Schellow. Das Ernst-Deutsch-Theater in Hamburg beliefert ständig eine Tournee-Gesellschaft. Der Suhrkamp Verlag begann 1975 Inszenierungen verlagseigener Stücke auf Reisen zu schicken, mußte den Versuch aber bald aufgeben, da er Anspruchsvolles nicht kostendeckend absetzen konnte. Als Minimum galten 60 Aufführungen. Die Salzburger Produktion von Thomas Bernhards *Die Macht der Gewohnheit* lief 44mal, für *Lieber Fritz* von Franz Xaver Kroetz waren nur 15 Gastspielorte zu finden, worauf die Kooperation mit dem Staatstheater Darmstadt unterblieb.

Eine Umfrage der Zeitschrift *Bühne und Parkett* ergab, daß in der Spielzeit 1974/1975 39 Kommunaltheater, durchaus nicht nur kleine, 219 Schauspiele, 19 Jugendstücke und 6 Musikproduktionen von Tournee-Unternehmen kauften. Die Städtischen Bühnen in Frankfurt versuchen, sich den Gewinn hälftig mit dem Gastensemble zu teilen, geben allerdings eine Ausfallbürgschaft. Die Meinung über die Qualität der Gäste reichte von »katastrophal« (Ingolstadt) bis »im Ganzen gut« (Göttingen). Die Grenzen zwischen dem reisenden Geschäftstheater und dem Subventionstheater verwischen sich.

Auch das Publikum ist ein Ensemble

»Das einzige Verhältnis gegen das Publikum, das einen nie reuen kann, ist der Krieg«, meinte einer unserer erfolgreichsten Dramatiker, nämlich der bekannte Moralist aus Marbach. Im Dezember 1950 ließ Kortner von schwarz gekleideten Arkebusieren, die Herzog Alba gegen das rebellische Volk von Madrid mobilisiert hatte, ins Parkett des Hebbel-Theaters schießen. Diese Schreckschußsalve löste Panik aus. Kortner fühlte sich von den aufgebrachten Leuten bedroht, brach seinen Vertrag ab und ging nach München.

Im Mai 1969 schlug Otto Eduard Hasse einem ganz vorn im Parkett des Thalia-Theaters sitzenden Greis, den er von der Bühne herab hatte schnarchen hören, einen Geigenbogen über den Schädel. Hasse mußte als Diderot in *Rameaus Neffe* mit einer Geige hantieren. (Der dramatisierte Dialog war ein großer Erfolg bei den Berliner Festwochen 1963 gewesen, zusammen mit Alfred Schieske nutzte Hasse ihn aus.) Empört lief der Zuschauer zum Arzt, der eine Schwellung der Kopfschwarte feststellte. Der Schauspieler sprach von einem »sanften Antippen«, entschuldigte sich aber. Auch der Zuschauer entschuldigte sich: er könne nur krumm sitzen, habe aber aufmerksam zugehört.

In der Spielzeit 1965/66 gab es in Kiel einen Handstreich gegen das Publikum: es wurde *Ingen Parkett* des schwedischen Autors Arthur Johansson gespielt. »Keine Zuschauer« heißt das wörtlich übersetzt, in Kiel hieß es *Die Attacke*. Da wurde das Publikum angeklagt. Ein Zuschauer wurde aus dem Parkett auf die Bühne geholt, er wurde als Stellvertreter der Leute unten im Parkett hingestellt, er wurde schuldig gesprochen am Völkermord, schuldig am Tod von 35 Millionen Menschen, obwohl er gar nichts getan hatte. Er war nur verantwortlich, wie jeder Mensch verantwortlich ist für die Welt.

Das Publikum war immerzu schuld, am Faschismus, am Kapitalismus, am Zerfall der Nation, am Nationalismus, an Intoleranz, falscher Duldsamkeit, falscher Moral, an allem Falschen. In den Programmheften wurden die Themen der Stücke so verallgemeinert, daß man sich nicht mehr herausreden konnte. Das mochte in vielen Fällen richtig sein, aber es war keine Basis für eine gedeihliche Partnerschaft zwischen Theater und Publikum. Es war Mitte der sechziger Jahre geradezu üblich, das Publikum von der Bühne und vor allem mit dem Programmheft vor den Kopf zu stoßen. Das war der Scheinbeweis für den hohen Wert der Darbietungen. Natürlich gab es nach wie vor und vor allem das *Weiße Rößl* und den *Grünen Kakadu*, aber unter Vorbehalt. Wenn schon »schöne Stunden«, dann mit schlechtem Gewissen. Theater war am edelsten als Bußübung.

Vor dem Gegenangriff war es durch eine Diktatur der Pietät gesichert. Man kam ins Theater, um sich imponieren zu lassen. Barlog führte eine monatelange Fehde gegen junge Leute, die in seinem Schiller-Theater dem Unwillen durch Buh-Rufe Luft machten. Pfeifen hätten sie dürfen. Der Hausherr bot ihnen sogar Schlüssel an zu diesem Zweck. Aber »Buh« fand er ungehörig. Er gab eine Warnung heraus: »Wer künftig buht, hat mit Hausverbot zu rechnen.« Kurz nach dem Kriege hat man sogar versucht, Pfeifer wegen ruhestörenden Lärms zu belangen. Der Hinweis, daß Applaus ebenfalls ruhestörender Lärm sei, hat die Pfeifer damals gerettet. Als im Dezember 1964 das Düsseldorfer Schauspielhaus *Die begnadete Angst* von Georges Bernanos zeigte, stand im Programm: »Es wird gebeten, vom Beifall abzusehen.« – »Sie sitzen im Theater wie in der Kirche«, sagt jemand von den Deutschen in Arthur Millers *Zwischenfall in Vichy* (deutsch erstmals im Mai 1965 im Wiener Akademie-Theater). Sie waren es seit tausend Jahren gewöhnt, daß alles, was über die Rampe kam, mit Anerkennung, wenigstens mit Haltung zu akzeptieren sei.

»Ich sehe oft mit Grausen, wie man mit uns [Autoren] auf der Bühne und mit Ihnen im Zuschauerraum umspringt«, sagte Dürrenmatt im Juni 1970 in einem Vortrag vor dem Volksbühnentag. Die Rache war längst auf dem Marsch, wenn auch auf leisen Sohlen. Von 1962 bis 1972 verlor das bundesdeutsche Theater 12,8 % seiner Besucher. Wie im Zeitraffer und auch durch örtliche Begrenzung lehrreich wie ein Modell spielte sich das in Oberhausen ab. Dort hatte Ernst Seiltgen, gebunden durch seinen Vertrag, der ihn zu gesellschaftskritischer Arbeit verpflichtete, wider bessere Einsicht das Publikum vergrault. Als beim Schauspiel eine Platzausnutzung von 45 % erreicht war, zog ein neuer Kulturdezernent zum Herbst 1973 die Konsequenz aus der Situation: das Schauspiel wurde zum Ende der Spielzeit 1972/73 liquidiert. Es wurden dadurch 1,5 Millionen gespart, doch DM 700 000 in den Ausbau des Kinder- und Jugendtheaters gesteckt. Spielopern, Operetten und Musicals wurden weiter selber produziert, Schauspiele von auswärts eingekauft. Im zweiten Jahr waren die Besucher um 12 %, die Abonnenten um 32 % und die Einnahmen um 34 % vermehrt. Die Platzausnutzung im Schauspiel lag bei 90 %.

Im Jahre 1967, als die Platzausnutzung allgemein bei 73 % lag, regte der Bühnenverein Reklame an. Werbung für Theater war immer sehr dezent gewesen, um nicht zu sagen arrogant: Hinweis auf die höheren Werte, die es vermittelt, Lob der eigenen Leistung im Sinne der Kirche: wir sind Treuhänder des Guten, Wahren und Schönen, kommt alle, die ihr mühselig und beladen seid. Allmählich meinte der Bühnenverein, auch Theater sei eigentlich ein Markenartikel, und ließ im Sommer 1967 eine Werbeagentur ein Seminar für Theaterleute abhalten. Das Seminar kreierte den vielsagend-nichtssagenden Slogan »Theater bietet mehr«. Bezeichnend für die Haltung des konservativen Teils der Theaterleute war die Reaktion von Grischa Barfuß. Er machte sich zum Sprecher derer, die »sprachlos« waren angesichts der Meinung, »ein sogenannter Slogan hätte mit dem Theater überhaupt etwas zu tun und sei in der Lage, auch nur einen einzigen Besucher in die Theater zu holen«. Theater müsse sich von der Produktenwerbung durch Stil, Niveau, Charakter und Intelligenz unterscheiden. »Es gibt keinen legitimen Grund, das deutsche Theater zu versimpeln.«

Der Bühnenverein setzte den Einwänden, die beste Werbung sei eine gute Aufführung, das Erreichbare lohne die Kosten nicht, Reklame sei überhaupt theaterfremd, die Meinung entgegen, daß auch das Bedürfnis für Theater geweckt werden müsse, weil die überfütterte und überreizte Gesellschaft nicht mehr spontan reagiere. Das klang realistisch, enthielt aber immer noch eine verständliche Voreingenommenheit: nämlich daß spontanes Interesse sich dem Theater zuwenden würde. Im Hochsommer 1968 gab der Bühnenverein in einer Loseblatt-Sammlung Beispiele für

Theater-Werbung und das Ergebnis einer Motivforschung heraus, die er einer Gesellschaft für Marktforschung aufgetragen hatte. Die Firma hatte allgemeine Hochachtung vor dem Theater vorgefunden, »ein Vertrauens-Kapital, das selbst Weltunternehmen nur selten erreichen«. Aber das sei zuviel Vertrauen, weil es »nicht genug zur Auseinandersetzung« reize. »Die Motivationen reichen nicht aus, um die ruhende Bereitschaft zu aktivieren.« Ein Institut für Meinungsforschung befragte fast 20 000 Personen und fand darunter 18 % Theaterbesucher. Ein traumhafter Prozentsatz, eigentlich ein alptraumhafter, denn es stehen nur 130 000 Theaterplätze pro Abend zur Verfügung. Es muß sehr viel »ruhende Bereitschaft« mitgezählt worden sein. Man schätzt allgemein, das 5 % der Bevölkerung Theaterbesucher sind. Setzte man aus den erfragten sozialen Kriterien die Idealfigur zusammen, der das Theater am meisten entspricht, dann kam man auf eine neunzehnjährige Akademikerin mit DM 2 000 Monatseinkommen.

Ein kritisches Jahr war 1969: bei einem Besucherschwund von 4,1 % erhöhten sich die Gesamtausgaben um 14,1 %, und die Einnahmen aus dem Kartenverkauf sanken um 1,5 %, die Zuweisungen waren aber auf dem Höchststand: 16,8 %. Die Werbeetats der Theater waren damals sehr klein, um 1 % vom Umsatz – die Verlage setzen dafür 7 % ein. Einfälle zwecks »Abbau von Schwellenangst« mußten also Geld ersetzen: Tage der offenen Tür, Ausflüge mit Schauspielern, Babysitter-Service, Beatmusik, Freibier, Eintopf aus der Gulaschkanone. Allmählich tauchten muntere Slogans auf: »Schlafen Sie mal woanders. Im Theater zum Beispiel« (in Berlin). In Mannheim wurde in der Spielzeit 1972/73 auf Flugblättern Alban Bergs *Lulu* als Sexkrimi schmackhaft gemacht: ». . . wie es weitergeht, erfahren Sie im Nationaltheater.«

Auch die Zuschauer-Organisationen merkten den Rückgang des Interesses. Die Volksbühne schrumpfte. Sie umfaßte 1965 noch 106 Vereine mit 430 000 Mitgliedern, 1974 nur noch 88 Vereine mit 275 000 Mitgliedern. In der Spielzeit 1964/65 wurden 4,4 Millionen Eintrittskarten abgenommen, in der Spielzeit 1973/74 2,7 Millionen.

Die christlichen Theatergemeinden entwickelten sich stetig aufwärts. Das Wachstum auf 26 Gemeinden mit 114 000 Mitgliedern im Jahre 1965 bedeutete fast eine Verdoppelung in zehn Jahren. An einigen Orten wurde die Theatergemeinde von der Volksbühne behindert. Der 1963 gegründeten Berliner Theatergemeinde verweigerte der Senat die »Platzzuschüsse«, mit denen er die Verbilligung der Volksbühnenkarten für die Theater ausglich. Die Theatergemeinde klagte und verlor 1964 in erster Instanz: zwei gleichartige Organisationen zur Verteilung verbilligter Theaterkarten seien unnütz, sagte das Berliner Verwaltungsgericht in völliger Mißachtung der beiderseitigen Weltanschauungen. Zwei Jahre später hob das Oberverwaltungsgericht diesen Entscheid auf, ebenfalls ohne sich auf Glaubensbekenntnisse einzulassen: einseitige Subventionierung widerspreche dem Gleichheitsgrundsatz. Daraufhin mußte der Senat auch die Verbilligung der von der Theatergemeinde abgenommenen Billetts ausgleichen. Die Mitgliederzahl der Berliner Theatergemeinde stieg nach dem Sieg von 2 000 auf 30 000 (1975), die Berliner Volksbühne kam ihr gewaltig entgegen: von 120 000 Mitgliedern blieben bis 1975 50 000.

Der Bund der Theatergemeinden erreichte 1971 in 30 Ortsverbänden 130 000 Mitglieder und 1975 142 000 in 28 Gemeinden. Es wurden 1,5 Millionen Theaterkarten vermittelt, bei der Volksbühne 2,7. Beide Organisationen wurden liberaler, fächern ihr Publikum nach »Zielgruppen« auf. Die Verwaltungsdirektoren der Theater stehen diesen Organisationen mit gemischten Gefühlen gegenüber, denn einem größeren Theater, das DM 7 000 pro Abend einbringen würde, wenn es zum vollen Kassenpreis ausverkauft wäre, dem das hauseigene Abonnement DM 5 000 bringen würde, bringen Volksbühne oder Theatergemeinde nur DM 2 000 ein. Solche Besucher kann man sich also eigentlich gar nicht leisten. Man kann es sich aber auch nicht leisten, auf sie zu verzichten.

Der Kater nach dem Rausch vom kritischen Theater weckte die Einsicht, das wichtigste von allen Theater-Ensembles sei das Publikum. Die Theaterleute gestanden sich wieder ein, daß vor allem im Parkett Ensemble-Pflege geleistet werden müsse. Peter Zadek begann in der Spielzeit 1971/72 als Generalintendant in Bochum »Volkstheater fürs Revier« zu machen: *Kleiner Mann was nun?*; *Ich war Hitlers Dienstmädchen*; *Liliom*; *Ein Herz und eine Seele*; *Freitagabend eines Bergmanns*; *Schwarzer Jahrmarkt*; *Rheinpromenade*; *Ruhr-Western* – bunt, laut, traditionslos. Ulrich Brecht, Generalintendant in Düsseldorf, meinte 1973, es komme viel mehr an auf den »Prozeß zwischen Theatermachern und Publikum« als auf die »Lieferung von Endprodukten«. Wenn es auf eine solche Beziehung ankommt, müssen die Zuschauer ernst genommen werden – nicht nur ihr Geld. Man müßte also miteinander spielen, nicht andern etwas vormachen.

Im November 1962 machte Paul Pörtner den ersten Versuch, das Publikum mitspielen zu lassen. »Mitspiel« ist ein Ausdruck von Claus Bremer nach einer Idee von Sellner, dessen Dramaturg er 1952 bis 1961 gewesen ist: Man solle Autoren anregen, Stücke zu schreiben, deren Ablauf nicht festgelegt ist. In Ulm, wo Bremer inzwischen Dramaturg war, kam es zum ersten abendfüllenden Mitspiel: *Scherenschnitt*. Das Publikum sollte helfen, einen Mord aufzuklären. Das blieb das günstigste Modell. Pörtner griff im Frühjahr 1975 in Essen darauf zurück. Dort hieß es *Polizeistunde*. Die wohl unvermeidliche Schlichtheit und Bravheit der Grundsituationen verhinderte größere Gemütsbewegungen und tiefere Einsichten. Pörtner meinte selbst: »Es sollte nicht beim ›bloß Spielerischen‹ bleiben, sondern zu einer Selbstdarstellung aller Beteiligten kommen.«

Ein gewisses Mitmachen – Abstimmung über den Fortgang der Show – gab es auch in *Kyldex*, dem »kybernetisch-luminodynamischen Experiment« der Hamburger Staatsoper, von dem schon die Rede gewesen ist. Jedem Zuschauer standen fünf Kellen verschiedener Form und Farbe zur Verfügung, mit denen er nach jeder Sequenz Erklärung, Beschleunigung, Verlangsamung, Wiederholung und Halt fordern konnte. Entschieden wurde nach Mehrheit. Als die Mehrheit die langsame Wiederholung eines Striptease verlangt hatte, der dann langweilte und Protest auslöste, griff der Hausherr Liebermann ein: »Das ist ungerecht, meine Lieben ... Sie selbst wollten dieses langsame Tempo, das es der Dame äußerst schwermacht ...«

Weiter als Paul Pörtners »Mitspiele« führen spektakuläre Einfälle von Theodor Dentler, dessen ›Theater in der Westentasche‹ (seit 1963 in Blaubeuren, seit 1971 in Laupheim, seit 1973 in Ulm) dadurch auffällig wurde. Nach einem vergeblichen Versuch, die (1950) gegründete Wandertruppe in Mannheim als Kellertheater mit literarischen Programmen durchzusetzen (1958–63), nach geglückten Versuchen, mit lockernden Debattier-Pausen in Ugo Bettis Drama *Die Ziegeninsel* (»Wie könnte das Stück weitergehen?«) kam es zu einem ersten Spiel mit den Zuschauern: »Onkel Otto hat Geburtstag«. Die Besucher kamen ins Theater wie zum Geburtstag, mit Blumen, Kuchen, Familienfotos; einer von ihnen erschien verabredungsgemäß als Onkel Otto.

Im Jahre 1971 folgte das »längste Theaterstück der Welt«: »Wir bebauen auf der Schwäbischen Alb einen Acker«. Dentler hatte ein Feld gepachtet, das er, teils chemisch, teils biologisch gedüngt, gestückelt in Parzellen à 2 Quadratmeter an Interessenten weitergab. Die Städter wurden mit einer dörflichen Blaskapelle zu ihren Beeten geleitet, in einer (noch nicht anderweitig benutzten) Latrine an die Landluft gewöhnt, Schulkinder sagten Gedichte auf. Im Laufe des Sommers machte jeder Pächter mit seinem »Stückle«, was ihm paßte, mancher ließ es verunkrauten, die Bauern begleiteten das Unternehmen mit guten Lehren und bösen Bemerkungen, man feierte gemeinsam Erntedankfest, und bei den Gesprächen mit Nachbarn auf dem Acker und im Wirtshaus bekam die Aktion für Mitmacher und Beobachter Sinn.

Im Sommer 1972 bot Dentler Interessenten Gelegenheit, in einem unbenutzten Gefängnis 24 Stunden lang unter realen Haftbedingungen einzusitzen (und hinterher darüber zu reden). 1973 wurde eine spaßhafte Röntgen-Reihenuntersuchung durchgeführt, Dentler trat im weißen Kittel mit Rezeptblock auf, den Patienten wurden Röntgenbilder präsentiert: Stacheldraht ums Herz oder einen Nagel in der Brust, Hände vorm Hirn. Wie schon im Gefängnis wurde unversehens aus Spiel Ernst, Leute ließen sich erschüttern, legten Bekenntnisse ab, mußten beruhigt werden und bekamen kleine Aufgaben »verschrieben«: harmlose Auffälligkeiten in der Öffentlichkeit zu verüben.

Höhepunkt dieser öffentlichen Aktionen waren die »Sklavenmärkte« auf dem Münsterplatz, zu dem sich jeweils zweitausend Schaulustige einfanden. Es wurden zweimal je 25 interessante Unbekannte »verkauft« zu Preisen von 5 bis 85 Mark. Die Sklaven wurden gefesselt und gestempelt vorgeführt. Die Käufer wurden vertraglich verpflichtet, mit ihren Sklaven über die Sklaverei zu diskutieren und sie sauber und wohlbehalten nach 24 Stunden zurückzugeben.

Dentler feierte seine eigene Beerdigung, gründete eine Narrenfachhochschule, verpflichtete sich, in anderthalb Stunden sein Publikum fünfzigmal zum schallenden Lachen zu bringen oder jedem ein Glas Sekt zu spendieren. (Er gewann von fünfzehn »Lachwettstreiten« acht.) Außerdem wird fünfmal wöchentlich »normal« Theater gespielt, davon dreimal im Stammquartier, einem ehemaligen Ladenlokal.

»Kollektive Begeisterung, Ablehnung oder was sonst zwischen diesen Extremen liegt, war uns einfach zu wenig. Wir wurden in unserem Bemühen um so hartnäckiger, je mehr die Massenmedien und die großen Theater sich mit Kollektivantworten zufriedengaben: die einen, weil das Übergewicht der Technik sie dazu zwang, die andern, weil sie immer mehr die Fähigkeit verlieren, ihr Publikum sensibler anzusprechen. Auf diesem Weg fanden wir unseren eigentlichen Spielpartner im Publikum, das mitverantwortlich dafür ist, wie sich die Publikumsspiele entwickeln. Jedes unserer Spiele ist ein Gespräch mit ihm« (Christiane Peinert).

Spielgemeinschaften von Gleichgesinnten bildeten sich – aber nicht im Bereich der etablierten Theater. Ende der sechziger Jahre fanden sich immer mehr freie Theatergruppen zusammen, nach fünf Jahren waren es ungefähr 30, die meisten davon in Berlin, Hamburg, Frankfurt und München. Es entsteht neues, rohes, armes, direktes Theater. Diese Gruppen wollen sich selber ausdrücken und empfehlen sich dem Publikum dadurch, daß sie dessen Probleme darstellen, Spezialprogramme für Minderheiten, ohne Sublimierung zur »Kunst«. Sie fangen wieder von vorn an, unter Verzicht auf Sicherheit und soziale Errungenschaften, ohne literarischen Ehrgeiz, ohne Publikumsorganisationen, ohne den Unterschied zwischen Künstlern und Laien wichtig zu nehmen, ohne äußeren Aufwand.

Eine der ersten war die Spielkommune, die sich Anfang 1967 um Horst Söhnlein und Ursula Strätz formierte. Sie nannte sich ›action-theater‹; in einem Kino in der Müllerstraße unweit vom Sendlinger Tor durfte jeder spielen und inszenieren. Anfangs wurden tags noch Filme gezeigt, dann wich das Kino einer Kneipe. Man spielte selbstgeschriebenes krudes Zeug, las aus Reclam-Heften vor, diskutierte. Das sollte Arbeitertheater sein. Politisch war das diffus, am ehesten anarchisch. Es kamen keine Arbeiter, aber Mitte 1967 kam ein damals 21jähriger verkrachter Schauspielschüler, der Deutschlands Warhol und Tausendsassa des Kulturbetriebs wurde: Rainer Werner Fassbinder. Er produzierte wie rasend, in drei Jahren 7 Filme, 5 Theaterstücke, 7 Bearbeitungen fremder Stoffe, ein Hörspiel, 16 Inszenierungen. Es gehe nicht darum, »die wahre Kunst, sondern die Ware Kunst zu machen«, sagte Fassbinders Mitarbeiter und Mitregisseur Peer Raben. Fassbinder brachte eine Kollegin von der Schauspielschule mit, die – gemessen am Grad des Bekanntseins – sein Star wurde: Hanna Schygulla. In den frühen siebziger Jahren machten Fassbinder-Filme sie zum Leitbild für Hunderttausende, gerade weil sie kein »Star« war und sein wollte. Sie war zunächst sozusagen der Anti-Star des »antitheaters« – unter diesem Namen traten zehn Mitglieder der Gruppe an verschiedenen Orten in Schwabing auf, nachdem das ›action-theater‹ im April 1968 in die Brüche gegangen war. Der Name »antitheater« war kein künstlerisches Programm, sondern Ortsbestimmung: Hinterhof, Keller, Kneipe, das waren die Spielorte der bald bekannt werdenden »Schauspielkommunarden«. Die längste Zeit, ein Jahr, spielte die Gruppe im Saal des Lokals ›Witwe Bolte‹ hinter der Universität. Dort gab es Handkes *Hilferufe*, *Ajax* nach Sophokles, die *Bettleroper* nach Gay, *Pre-Paradise Sorry Now* von Fassbinder und einen skelettierten *Don Carlos*. Man spielte schroff verdeutlichend, die Vorlagen polemisch überspitzend, wurde von Fachleuten ernst genommen.

Im September 1969 kam es sozusagen zum Ritterschlag: Fassbinder durfte an einem Staatstheater arbeiten, er inszenierte Goldonis *Kaffeehaus* in Bremen; am 1. November folgte eine auffällige Bestätigung, da gab es ein dreizehnstündiges Fassbinder-Programm in der Hansestadt: zwei Theaterstücke, zwei Filme und eine Diskussion.

Ein Vorgang, den man auch in Amerika und England schon beobachten konnte: die Aktivitäten »off Broadway« in New York und die Fringe-Theatres in London (Randtheater) wirken zurück aufs Zentrum. Im Mai 1973 schlossen sich in München neun »wilde« Theatergruppen zu einer Volkstheater-Kooperative zusammen, und auch anderswo gründeten sie »Dachverbände«. Im Mai 1974 trafen sich zwei Dutzend deutsche und einige ausländische Gruppen zur »argumenta« in Frankfurt, dem fünftägigen »Versuch eines Arbeitsfestivals«. Die Subkultur formiert sich, sie sucht Sicherung und gerät dabei unvermeidlich in die ausgefahrenen

Gleise. Es führen alle Wege ins Kulturdezernat. Als Fassbinders Liaison mit dem Theater am Turm des ›Bundes für Volksbildung‹ gescheitert war, erklärte der enttäuschte Direktor, er habe geglaubt, man werde produzieren können wie eine freie Gruppe, das aber subventioniert bekommen. Diese beiden Vorteile hat bisher noch niemand miteinander verbinden können. Eine solche Verbindung des Geldes mit dem Wagemut, der Ordnung mit der Phantasie wäre freilich ideal.

Eine Beobachtung, die Gründgens im Jahre 1946 notierte, hat sich auch nachher immer wieder bestätigt: »In den entscheidenden Augenblicken der deutschen Geschichte der letzten fünfzig Jahre haben sich zwar immer wieder revolutionär gesinnte Gruppen von Schauspielern zusammengefunden, die aber bald, wenn sie wirklich begabt oder wirklich talentiert waren, vom breit dahinlebenden bürgerlichen Theater aufgesogen wurden, so daß eigentlich nur ein kleiner, weniger begabter Rest eines gewissen ›Kunstproletariats‹ übrig war, dem jede größere Einflußnahme versagt blieb.«

Nachdem das Theater in der Bundesrepublik im Begriffe ist, Frieden mit seinem Publikum zu schließen, wird der Zuspruch wieder reger. Die Spielzeit 1973/74 beendete den Zuschauerschwund. (In der DDR verringert sich die Zahl der Theaterbesucher weiter: 11,9 Millionen im Jahr 1974.) Operette und Musical zogen 2,3 % mehr Besucher an, Opern und Ballett 2,1 % und das bekanntlich öfters garstige Schauspiel immerhin 1,9 %. Operetten und Musicals waren zu 81 %, Opern- und Ballett-Aufführungen zu 78 % und Schauspiele zu 69 % ausgebucht, mithin lag die durchschnittliche Belegung bei 76 %. (In Österreich nur 69,8 % durchschnittliche Belegung, in der Schweiz fehlt es an einer Zentralstatistik. Eine Stichprobe bei sieben Theatern in Zürich, Basel, Bern, Biel und Luzern ergab einen Durchschnitt von 66,7 %.)

Die verstärkte Bevorzugung des Musiktheaters ist gewiß ein Votum für die freundlichere Seite der Darbietungen. Leider verringert wachsender Zuspruch die Finanzierungsprobleme nicht nennenswert. Die Kasse hat für die Theater kaum noch größere Bedeutung als der Klingelbeutel für die Kirche. Doch da öffentliches Spiel nur von der Öffentlichkeit gerechtfertigt werden kann, sind die Zuschauer wichtiger als ihr Geld. Diese Einstellung hilft zwar nicht gegen Pleite, aber gegen Zynismus.

Nachwort

Sicher war ich während der vergangenen dreißig Jahre in den drei bis vier deutschsprachigen Ländern ein paar tausendmal im Theater, wenn auch nicht immer, um eine Vorstellung zu sehen,. sondern um Informationen zu sammeln. Ich war, um dieses Buch schreiben zu können, auf Kollegen »vor Ort« angewiesen, denen ich für ihre Vor-Arbeit dankbar bin.

Zweifellos wissen Einzelne einzelnes genauer. Mir ging es ums Ganze. Ich habe es aus ungezählten, praktisch unzähligen Informationen zusammengestellt, Gesprächen und Festschriften, Statistiken und Programmheften, Memoiren und Dokumentationen. Da das Theater sich seit 1945 stark verändert hat, mußte auch sein Chronist von Vorgängern und Vorbildern absehen. Man wird in diesem Buch Politik und Wirtschaft, soziale und organisatorische Fragen weit mehr berücksichtigt finden als bisher in einer Theatergeschichte. Was mich beim Ergründen der ersten dreißig Nachkriegsjahre immer wieder erstaunte, war die allgemeine Vergeßlichkeit. Viele Erinnerungen trogen, manche sollten trügen. Liebgewonnene Legenden mußten beseitigt, Fehler korrigiert werden. Sicher habe ich auch welche gemacht. Ich bitte um Korrektur.

Über Sinn und Zweck des Theaters streitet man sich nach wie vor, das Erreichte zerfällt manchmal schon im nächsten Spieljahr, Kassandrarufe erwiesen sich oft als das wirksamste Marktgeschrei, Krisen kündigten immer Abwechslung an. Geändert hat sich das Tempo, in dem das alles geschieht. Ideen, ihre Auswertung und ihr Verschleiß folgen einander rascher als zur Zeit Hauptmanns und sehr viel rascher als zur Zeit Hebbels. Ausverkauf und Zerfall der Stile sind unumgänglich. Der »Schlaf der Welt«, an den Hebbels König Kandaules nicht zu rühren riet, ist ein für allemal gestört. Ganz folgerichtig werden immer hektischer die verschiedenartigsten Endzustände angepeilt.

Als nach dem Kriege die Selbstkritik zum nationalen Laster wurde, hat das Theater sich zu einem der strengsten Büttel gemacht. Diese Anmaßung rächte sich, nachdem das Bürgertum, von dem das Theater nach wie vor abhängig ist, wieder Selbstbewußtsein erlangt hatte. So kann man den Zeitraum von dreißig Jahren umreißen – doch in diesem Rahmen gab es erstaunliche Wendungen: vom Nachholen über das Imponieren zu Revolte und Selbstzerstörung, dann vom Zynismus aus Enttäuschung über die Resignation zur Privatheit. Zurückhaltender zeigten sich die Moden in Österreich und in der Schweiz, fast gar nicht in der DDR, wo das Theater so streng in die Pflicht genommen worden ist, daß Kür und erst recht Willkür unmöglich wurden.

Aber das Theater kann – zum Guten wie zum Schlechten – nur sehr begrenzt dienen. Es ist ja nur ein Teilfaktor, obendrein ein Phänomen der Oberfläche. Man kann das bildlich so ausdrücken: es macht Wellen, aber nicht die Strömung. Meistens gehen die Wellen mit der Strömung. Und wenn nicht, dann darf man daraus keine fundamentalen Schlüsse ziehen.

Die fülligsten Theaterjahre lagen zwischen 1955 und 1965. Mitte der Fünfziger war T. S. Eliot auf dem Höhepunkt seiner Geltung, in der zweiten Hälfte der Fünfziger machten die bitteren Alterswerke O'Neills die Runde, Ende der Fünfziger wurde Claudel noch und Ionesco schon geschätzt. Um 1960 stand Christopher Fry auf dem Ruhmesgipfel. Nachdenkenswert ist, daß wir von diesen allen nicht mehr viel oder gar nichts mehr halten. Als im Herbst 1971, mit zwanzig Jahren Verspätung, in Bochum das Sommerstück aus Frys Jahreszeitenzyklus gezeigt wurde (*Ein Hof voll Sonne*), da schien's auf einmal keine Poesie mehr, sondern purer Manierismus. Noch schlechter hielt sich Eliot: Diese zentrale Figur des literarischen Theaters wurde zum papierblassen Puritaner heruntergestuft. Ionescos Visionen gelten als persönliche Obsessionen. Wo sind die großen Gefühle von gestern?

Irrtümer über Wert und Unwert von Spielvorlagen sind nicht nur unvermeidlich, sie sind sogar nützlich. Jede Periode hat ihre Konfektionäre. Zur Zeit des »magischen Realismus« machte *Das Abgründige in Herrn Gerstenberg* (1946) von Axel von Ambesser das Rennen. Unter den nachgearbeiteten Parabeln hatte *Der Bürgermeister* von Gerd Hofmann Serienerfolg, hinter der emanzipatorischen Welle lief Horst Pillaus Lustspiel *Sohn gegen Vater* her, erst über den Bildschirm (1972) und dann über unbedeutende Bühnen. (Die Originalautoren in diesen drei Fällen heißen Thornton Wilder, Max Frisch und Peter Ustinov.)

Bei der Oper gibt es nichts Ähnliches, keinem gelang nach 1945 ein »Renner«, keinem Nachtöner und schon gar keinem Neutöner. Am ehesten kann man Gian-Carlo Menotti zu den geschickten Herstellern von musikalischer Gebrauchsware rechnen. Dagegen sind Opern, die bald nach der Uraufführung verschwanden, sehr zahlreich.

Wieviel »relevante« Deutungen sind folgenlos dahingegangen! Wie relativ die Botschaften des Theaters sind, zeigen Neuinszenierungen nach zwanzig, dreißig Jahren. Theater ist ein Spiel der Anpassung. Zuckmayers einst umstrittenes Drama über Mitläufertum und Sabotage war Ende 1973 in der Inszenierung von Horst Gnekow im Münchner ›Deutschen Theater‹ nur noch ein Boulevardstück, folgerichtig gab Gnekow Hans-Joachim Kulenkampff, bekannt als Quizmaster, die Titelrolle in *Des Teufels General*. (Allerdings hatte er sie auch schon 1968 in Zürich gespielt.) Als Erich Engel Anfang 1957 Brechts *Galileo Galilei* am Schiffbauerdamm inszenierte, ließ er Sympathie für Galilei nur zu, damit dessen Abschwören »um so aufrüttelnder und schockhafter« wirke. (Ausgleichend wirkten die Tapferkeit und Redlichkeit, die Ernst Busch in die Titelrolle einbrachte.) Als Fritz Bennewitz im Herbst 1972 das Stück wieder inszenierte, mit Wolfgang Heinz als Galilei, da war's ein leichtfertiger Nutznießer, erst des Denkens, dann des Kriechens zu Kreuze. Wischnewskis *Optimistische Tragödie* – 1948 in Langhoffs Ostberliner Deutung eine Verherrlichung der Parteidisziplin, 1972 in Steins Westberliner Inszenierung ein Appell für die Einheit der »Linken«. Im Januar 1975 inszenierte Ullrich Haupt Becketts *Warten auf Godot* im Münchner Marstall-Theater kabarettistisch, als Spiel ohne Hoffnung auf Godot, aber auch ohne Kummer darüber. Als im Frühsommer 1973 am Münchner Gärtnerplatz *Romanoff liebt Julia* als Musical anlief, eine der beiden Komödien, in denen Peter Ustinov die Ost-West-Probleme der Nachkriegsjahre allegorisiert hatte, da lästerte die Kritik über die einst akklamierte Beendigung des Kalten Krieges durch eine Doppelhochzeit.

Noch auffälliger wird die Relativität der Botschaft der Bühne, wenn man eine

Epoche weiter zurückgeht. In Linz gab es 1938, zur Feier des »Anschlusses«, einen *Fidelio*: Pizarro als dämonisierter Schuschnigg, die Gefangenen als inhaftierte Nationalsozialisten, der Minister ein Befreier, wie jene aus dem »Reich«, die in der Mittelloge saßen. Als Buckwitz im Herbst 1959 in Frankfurt *Fidelio* inszenierte, da war Pizarro eine SS-Charge, die Gefangenen erschienen als KZ-Häftlinge, der Minister hätte logischerweise eine Uniform der Alliierten tragen müssen, doch das war – zehn Jahre nach Gründung der Bundesrepublik – schon nicht mehr opportun.

Jede Umdeutung ist ein Stück Glaubensverlust. Das Theater geht eben weiter. Nicht voran, nur weiter. Wahrscheinlich im Kreis. Dieser ist so groß, daß man allenfalls die Vorliebe für irgendeine Richtung erkennt, nie aber den Kreis. Andererseits ist er so klein, daß mitfahrende Beobachter manchmal verblüfft, erfreut oder konsterniert merken: Da sind wir doch schon einmal gewesen.

Literaturhinweise

Bundesrepublik Deutschland

Rolf Badenhausen, P. Gründgens-Gorski: Gustaf Gründgens. Briefe, Aufsätze, Reden. Hamburg 1967.
Volker Bahn: Das subventionierte Theater der Bundesrepublik Deutschland. Diss. Berlin 1972.
Alfred Dahlmann (Hrsg.): Der Theater-Almanach 1946/47. Kritisches Jahrbuch der Bühnenkunst. München 1946.
Karl-Robert Danler: Musik in München. Neubeginn 1945 – Olympische Spiele 1972. München 1971.
Martin Esslin: Das Theater des Absurden. Frankfurt a. M. 1964.
Martin Esslin: Jenseits des Absurden. Aufsätze zum modernen Drama. Wien 1972.
Klaus Geitel, Horst Koegler: Ein Ballett in Deutschland. Die Compagnie der Deutschen Oper am Rhein. Düsseldorf 1971.
Horst Goerges: Deutsche Oper Berlin. Berlin 1964.
Gerhard Graubner: Theaterbau. Aufgabe und Planung. München 1968.
Rudolf Hartmann: Das geliebte Haus. Mein Leben mit der Oper. München 1975.
Josef Heinzelmann (Hrsg.): Hundert Jahre Theater am Gärtnerplatz München. München 1965.
Heinrich Heym (Hrsg.): Frankfurt und sein Theater. Frankfurt a. M. 1963.
Paul Th. Hoffmann (Hrsg.): Hamburger Jahrbuch für Theater und Musik 1947–48. Hamburg 1947.
Lutz Jonas: Die Finanzierung der öffentlichen Theater in der Bundesrepublik Deutschland. Diss. Mainz 1972.
Hermann Kaiser: Vom Zeittheater zur Sellner-Bühne. Das Landestheater Darmstadt 1933–1960. Darmstadt 1961.
Walther Karsch: Was war – was blieb. Berlin 1947.
Horst Koegler: Ballett in Stuttgart. Stuttgart 1964.
Helmut Kreuzer (Hrsg.): Deutsche Dramaturgie der sechziger Jahre. Tübingen 1974.
Harald Kunz (Hrsg.): Musikstadt Berlin zwischen Krieg und Frieden. Berlin 1956.
Adelheid Limbach: Die Ruhrfestspiele. Eine Darstellung ihrer Geschichte bis zur Eröffnung des neuen Festspielhauses 1965. Diss. Köln 1965.
Rudolf Maack: Tanz in Hamburg. Hamburg 1975.
Burkhard Mauer, Barbara Krauss (Hrsg.): Spielräume – Arbeitsergebnisse Theater Bremen 1962–73. Bremen 1973.
Wolfgang Petzet: Theater. Die Münchner Kammerspiele 1911–1972. München 1973.
Arthur Maria Rabenalt: Ex improviso. Zwischen den Fronten des Nachkrieges 1945–1950. o. O., o. J. [Selbstverlag].
Arthur Maria Rabenalt: Theater ohne Tabu. Emsdetten 1970.
Henning Rischbieter (Hrsg.): Theater im Umbruch. Eine Dokumentation aus »Theater heute«. München 1970.
Josef Michael Rubner, Theo Huster (Hrsg.): Chronik der neuen Münchener Theatergeschichte. Bd. 1–4. München 1946 f.
Walter Erich Schäfer: Die Stuttgarter Staatsoper 1950–1972. Pfullingen 1972.
Walter Erich Schäfer: Wieland Wagner – Persönlichkeit und Leistung. Tübingen 1970.
Irmgard Scharberth: Musiktheater mit Rolf Liebermann. Hamburg 1975.
Hannelore Schubert: Moderner Theaterbau. Internationale Situation. Dokumentation. Projekte. Bühnentechnik. Stuttgart 1971.
Friedrich Schultze (Hrsg.): Theater im Gespräch. Ein Forum der Dramaturgie. Aus den Tagungen 1953–1960 der Deutschen Dramaturgischen Gesellschaft. München, Wien 1963.
Theater in Berlin. Zehn Jahre Schiller-Theater, Schloßpark-Theater, Schiller-Theater Werkstatt (1951–1961). Hrsg. von der Intendanz des Schiller-Theaters. Berlin 1962.
Charles Thomson: Overseas Information Service of the United States Government. Washington 1948.
Rolf Trouwborst (Hrsg.): Ein Theater macht Geschichte. Hundert Jahre Düsseldorfer Opernhaus. Vom Staatstheater zur Deutschen Oper am Rhein. Düsseldorf 1975.
Vergleichende Theaterstatistik 1949–1968. Hrsg. vom Deutschen Bühnenverein. Köln 1970.
Egon Vietta: Katastrophe oder Wende des deutschen Theaters. Düsseldorf 1955.
Egon Vietta (Hrsg.): Theater. Darmstädter Gespräch. Darmstadt 1955.

Periodika
Deutsches Bühnen-Jahrbuch [1945/48 ff.]. Hrsg. von der Genossenschaft Deutscher Bühnen-Angehörigen. Hamburg 1948 ff.
Opernwelt. Hrsg. von Erhard Friedrich und Imre Fabian. [Ersch. mtl.] Velber 1960 ff. [Dazu Jahresbände »Oper 1965« ff. sowie »Ballett 1965« ff.]
Theater heute. Hrsg. von Erhard Friedrich und Henning Rischbieter. [Ersch. mtl.] Velber 1960 ff. [Dazu Jahresbände »Theater 1962« ff.]
Theaterstatistik [1965/66 ff.]. Hrsg. vom Deutschen Bühnenverein. Köln 1967 ff.

Deutsche Demokratische Republik

Manfred Berger, Manfred Nössig, Fritz Rödel: Theater in der Zeitenwende. Zur Geschichte des Dramas und des Schauspieltheaters in der DDR 1945–1968. 2 Bde. Berlin [Ost] 1972.
Dreihundert Jahre Dresdner Staatstheater. Hrsg. von der Generalintendanz der Dresdner Staatstheater. Berlin [Ost] 1967.
Fritz Erpenbeck: Lebendiges Theater. Aufsätze und Kritiken. Berlin [Ost] 1949.
Christoph Funke, D. Hoffmann-Ostwald, H.-G. Otto (Hrsg.): Theater-Bilanz 1945–1969. Berlin [Ost] 1971.
Heinrich Goertz, Roman Weyl (Hrsg.): Komödiantisches Theater. Fritz Wisten und sein Ensemble. Berlin [Ost] 1957.
Herbert Ihering: Theater der produktiven Widersprüche 1945–1949. Berlin [Ost] 1967.
Herbert Ihering: Vom Geist und Ungeist der Zeit. Berlin [Ost] 1947.
Herbert Ihering: Berliner Dramaturgie. Berlin [Ost] 1948.
Herbert Ihering (Hrsg.): Theaterstadt Berlin. Ein Almanach. Berlin [Ost] 1948.
Herbert Ihering (Hrsg.): Theater der Welt. Ein Almanach. Berlin [Ost] 1949.
Willy Jäggi (Hrsg.): Theater hinter dem Eisernen Vorhang. Basel 1964.
Hermann Kähler: Gegenwart auf der Bühne. Die sozialistische Wirklichkeit in den Bühnenstücken der DDR von 1956–1963/64. Berlin [Ost] 1966.
Heinz Klunker: Zeitstücke – Zeitgenossen. Gegenwartstheater in der DDR. Hannover 1972.
W. Otto, G. Friedrich: Die Komische Oper 1947–1954. Berlin [Ost] 1954.
Ernst Schoen (Hrsg.): Deutsches Theater. Bericht über zehn Jahre. Berlin [Ost] 1957.
Leipziger Bühnen. Tradition und neues Werden. Hrsg. von der Generalintendanz der Städtischen Theater Leipzig. Berlin [Ost] 1956.
Theaterarbeit. Hrsg. vom Berliner Ensemble. Dresden 1952.
Manfred Wekwerth: Notate. Zur Arbeit des Berliner Ensembles 1956–1966. Berlin [Ost] und Weimar 1967.
Ernst Wendt: Dramatik im Osten. In: Henning Rischbieter, Ernst Wendt: Deutsche Dramatik in West und Ost. Velber 1965.

Österreich

Erhard Buschbeck: Mimus Austriacus. Salzburg 1962.
Ernst Haeusserman: Das Wiener Burgtheater. Wien 1975.
Hilde Haider-Pregler: Theater und Schauspielkunst in Österreich. Wien 1971.
Egon Hilbert: Die Wiener Staatsoper im Theater an der Wien 1945–1951. In: Anton Bauer: 150 Jahre Theater an der Wien. Wien 1951.
Wiederaufstieg des österreichischen Theaters 1945–1960. Hrsg. vom Institut für Theaterwissenschaft an der Universität Wien. Wien 1961. (Maske und Kothurn, Vierteljahresschrift für Theaterwissenschaft, H. 2, Jg. 7.)
Max Kaindl-Honig: Resonanz. 50 Jahre Kritik der Salzburger Festspiele. Salzburg 1971.
Ernst Lothar: Ausgewählte Werke. Bd. 6: Macht und Ohnmacht des Theaters. Reden, Regeln, Rechenschaft. Wien 1968.
Marcel Prawy: Die Wiener Oper. Wien 1969.
Viktor Reimann: Dirigenten, Stars und Bürokraten. Glanz und Abstieg der Wiener Opernensembles. Wien 1961.
Viktor Reimann: Die Adelsrepublik der Künstler. Düsseldorf 1963.
Hans von Tabarelli (Hrsg.): Wiener Theater-Almanach auf das Jahr 1946. Wien o. J.

Zeitschrift
Die Bühne. Hrsg. von Alfons Hackl. [Ersch. mtl.] Wien 1958 ff.

Schweiz

Friedrich Dürrenmatt: Theaterschriften und Reden. 2 Bde. Zürich 1966–72.
Fünfzig Jahre Schweizerischer Bühnenverband 1920–1970. Hrsg. vom Schweizerischen Bühnenverband. Zürich 1970.
M. Hürlimann, E. Jucker: Theater in Zürich. 125 Jahre Stadttheater Zürich 1959.
Margarethe Kugler: Die Arbeitsbedingungen der Bühnenkünstler, insbesondere nach dem schweizerischen Gesamtarbeitsvertrag. Diss. Bern 1959.
Isabell Mahrer: Soziale Lage und Arbeitsmöglichkeiten des Berufsschauspielers in der deutschen Schweiz unter besonderer Berücksichtigung der städtischen Bühnen. Diplomarbeit der Schule für soziale Arbeit. [Typoskript.] Zürich 1950.
Curt Ries: Sein oder Nichtsein. Zürcher Schauspielhaus. Zürich 1963.
Schweizer Theaterbuch. Hrsg. vom Schweizerischen Bühnenverband. Zürich 1964.
Edmund Stadler (Hrsg.): Stadttheater Basel einst und jetzt (1807–1975). Basel 1975.
Oskar Wälterlin und andere Mitglieder des Zürcher Schauspielhauses: Theater. Meinungen und Erfahrungen. Affoltern 1945.
Verena Weber: Das Schauspielhaus Zürich 1945–1965. Diss. Wien 1970.

Periodikum
Theater-Jahrbuch. Hrsg. von der Schweizerischen Gesellschaft für Theaterkultur. Bd. 18 ff. Thalwil 1949 ff. [mit beigehefteten Theater-Almanachen].

Personenregister

Kursive Zahlen verweisen auf Abbildungsseiten